ALGONQUIN AREA PUBLIC LIBRARY DISTRICT
3 1488 00501 2273

intruz

D1202474

STEPHENIE MEYER

INTRUZ

POLISH
MEYER

przełożył
Łukasz Witczak

Wydawnictwo Dolnośląskie

Tytuł oryginału
The Host

Fotografia na okładce
© Claire Artman/zefa/Corbis

Projekt okładki
Julianna Lee

Redakcja
Iwona Michałowska

Korekta
Agnieszka Smolińska

Redakcja techniczna
Jacek Sajdak

ISBN 978-83-245-8699-8

Wrocław

Wydawnictwo Dolnośląskie
50-010 Wrocław, ul. Podwale 62
Oddział Publicat S.A. w Poznaniu
tel. 071 785 90 40, fax 071 785 90 66
e-mail: wydawnictwodolnoslaskie@publicat.pl
www.wydawnictwodolnoslaskie.pl

Mojej matce, Candy, która nauczyła mnie, że najlepszą częścią każdej opowieści jest miłość

PYTANIE

Ciało mym domem
rumakiem chartem
cóż biedna poczn꧁
kiedy je stracę

Gdzie będę spać
Czym pomknę w dal
Co będę jeść

Dokąd się udam
już bez wierzchowca
który mnie niósł
Skąd będę wiedzieć
co na mnie czeka
w leśnej gęstwinie
Bez mego Ciała
wiernego psa

Jakże to będzie
snuć się po niebie
bez drzwi ni dachu
z wiatrem za wzrok

pośród obłoków
jakże się skryć?

May Swenson

Prolog

Zabieg

Uzdrowiciel nazywał się Fords Cicha Toń.

Jako że był duszą, był z natury dobry – współczujący, cierpliwy, uczciwy, szlachetny i pełen miłości. Niezwykle rzadko się niepokoił.

Jeszcze rzadziej się denerwował. Ale ponieważ miał ludzkie ciało, zdenerwowania czasem po prostu nie dało się uniknąć.

Tak jak teraz, kiedy, słysząc dochodzące z drugiego końca sali podniecone szepty studentów, odruchowo zacisnął usta. Na zazwyczaj uśmiechniętej twarzy grymas ten wyglądał nieco dziwnie.

Widząc to niezadowolenie, jego pomocnik, Darren, poklepał go po ramieniu.

– Po prostu są ciekawi – powiedział cicho.

– Zabieg wszczepienia duszy nie jest ani ciekawy, ani szczególnie trudny. W razie nagłej potrzeby mogłaby to zrobić na ulicy pierwsza lepsza dusza. Niczego nowego się dzisiaj nie nauczą – odparł Fords. Ostry ton pobrzmiewający w zazwyczaj kojącym głosie zaskoczył nawet jego samego.

– Nigdy wcześniej nie widzieli dorosłego człowieka – tłumaczył Darren.

Fords uniósł brew.

– Jak to, nie widzą siebie nawzajem? Nie mają w domach luster?

– Wiesz, o co mi chodzi – o dzikiego człowieka. Bez duszy. Rebelianta.

Fords spojrzał na leżące na stole operacyjnym twarzą do dołu nieprzytomne ciało dziewczyny. Przypomniał sobie, jak bardzo było sponiewierane, gdy Łowcy przywieźli je do szpitala, i ponownie wezbrało w nim współczucie. Ile ona musiała wycierpieć...

Teraz, oczywiście, była już w bardzo dobrym stanie – całkiem uzdrowiona. Fords sam o to zadbał.

– Wygląda przecież tak samo jak my – powiedział pod nosem do Darrena. – Wszyscy mamy ludzkie twarze. Gdy się zbudzi, będzie jedną z nas.

– Po prostu są podekscytowani, nic więcej.

– Dusza, którą dzisiaj wszczepiamy, zasługuje na szacunek. Nie należy się tak wgapiać w jej żywiciela. I tak aklimatyzacja będzie dla niej wystarczająco trudna. To nie w porządku, żeby musiała znosić jeszcze to – odparł Fords. Nie chodziło mu jednak wcale o gapienie się. W jego głosie znowu brzmiała ostra nuta.

Darren ponownie go poklepał.

– Nic złego się nie stanie. Łowca potrzebuje informacji i...

Na dźwięk słowa „Łowca" Fords posłał Darrenowi spojrzenie pełne złości. Ten aż zamrugał z wrażenia.

– Wybacz – przeprosił go pospiesznie Fords. – Nie chciałem. Po prostu się o nią martwię.

Przeniósł wzrok na niewielką kapsułę umieszczoną na stojaku obok stołu. Lampka świeciła bladą czerwienią, co oznaczało, że coś w niej zahibernowano.

– Wybrano ją specjalnie do tego zadania – starał się go uspokoić Darren. – To wyjątkowa dusza, odważna jak mało kto. Wszystkie jej życia mówią same za siebie. Pewnie zgłosiłaby się na ochotnika, gdyby można ją było o to zapytać.

– Kto by się nie zgodził, poproszony o pomoc dla wyższego dobra? Tylko czy na pewno mamy tu właśnie taką sytuację? Czy tu chodzi o wyższe dobro? To nie jest kwestia jej dobrej woli, tylko tego, jak wielkiego poświęcenia można wymagać od duszy.

Studenci również rozmawiali o zahibernowanej duszy. Fords słyszał ich szepty bardzo wyraźnie – mówili coraz głośniej, nie mogąc opanować podniecenia.

– Mieszkała na sześciu planetach.

– Ja słyszałem, że na siedmiu.

– Podobno za każdym razem w innym gatunku.

– To możliwe?

– Była prawie wszystkim. Kwiatem, Niedźwiedziem, Pająkiem...

– Wodorostem, Nietoperzem...

– Nawet Smokiem!

– Nie wierzę, że na siedmiu planetach.

– Co najmniej na siedmiu. A urodziła się na Początku.

– Żartujesz? Na Początku?

– Proszę o ciszę! – interweniował Fords. – Jeżeli nie potraficie przyglądać się w ciszy i skupieniu, będę was musiał wyprosić.

Cała szóstka zamilkła zawstydzona i spuściła wzrok.

– Darren, bierzmy się do roboty.

Wszystko było gotowe. Odpowiednie lekarstwa leżały już obok ciała dziewczyny. Specjalny czepek zakrywał jej długie, czarne włosy, odsłaniając smukłą szyję. Dziewczyna oddychała powoli – była w głębokiej narkozie. Na opalonej na brąz skórze trudno było dopatrzyć się jakichkolwiek śladów po... wypadku.

– Zacznij rozmrażanie – powiedział Fords.

Jego siwowłosy pomocnik stał już przy kapsule w pełnej gotowości, z dłonią na gałce. Zdjął z niej blokadę i przekręcił ją odwrotnie do ruchu wskazówek zegara. Czerwone światełko na szarym cylindrze zaczęło migać, najpierw wolno, potem coraz szybciej, zmieniło też kolor.

Uwaga Fordsa była skupiona na nieprzytomnym ciele. Oszczędnymi, precyzyjnymi ruchami przeciągnął ostrzem skalpela wzdłuż skóry u podstawy czaszki, następnie spryskał nacięcie substancją powstrzymującą krwawienie i dopiero wtedy poszerzył szczelinę. Ostrożnie dostał się pod mięśnie szyi, uważając, aby ich nie uszkodzić, i obnażył białe kości u szczytu kręgosłupa.

– Dusza jest gotowa – odezwał się pomocnik.

– Ja też. Daj ją tutaj.

Fords poczuł łokieć Darrena obok własnego. Nie musiał nawet odrywać wzroku od stołu; wiedział, że jego pomocnik jest gotowy, że stoi z wyciągniętą ręką i czeka na polecenie. Pracowali ze sobą od lat. Fords poszerzył otwór.

– Do dzieła – wyszeptał.

Ujrzał przed sobą dłoń Darrena, a w niej srebrzysty blask budzącej się istoty. Piękno nagiej duszy niezmiennie go poruszało.

Mieniła się w mocnym świetle lamp, jaśniejsza niż skalpel, który lśnił wyłącznie światłem odbitym. Była jak żywa wstążka, wiła się, marszczyła i rozciągała, ciesząc się dopiero co odzyskaną wolnością. Setki cienkich, zwiewnych wici kłębiły się miękko niczym srebrna czupryna. Wszystkie dusze wyglądały wspaniale, lecz ta wydała się Fordsowi szczególnie urodziwa.

Nie był zresztą w swoich odczuciach odosobniony. Słyszał cichutkie westchnienie Darrena, szmer zachwytu wśród studentów.

Darren delikatnie umieścił lśniącą istotę w szczelinie. Dusza wśliznęła się gładko w wolną przestrzeń i od razu zespoliła z otoczeniem. Fords podziwiał sprawność, z jaką zadomowiła się na nowym miejscu. Wici ciasno oplotły ośrodki nerwowe, niektóre wydłużyły się, sięgając dalej niż jego spojrzenie, aż do samego mózgu, nerwów wzroku, kanałów słuchowych. Działała szybko i bez wahania. Wkrótce było już widać tylko jej mały skrawek.

– Dobra robota – szepnął do niej, choć wiedział, że nie może go usłyszeć. Leżące na stole ciało miało uszy, nadal jednak trwało pogrążone w głębokim śnie.

Reszta była już tylko formalnością. Fords oczyścił i wyleczył ranę, posmarował ją maścią, która zasklepiła nacięcie, potem rozprowadził wzdłuż blizny proszek wspomagający gojenie.

– Idealnie, jak zwykle – powiedział Darren, który z nieznanego Fordsowi powodu pozostał przy imieniu swojego żywiciela.

Fords westchnął.

– Źle się z tym czuję.

– Spełniasz tylko swoją powinność, jesteś Uzdrowicielem.

– To jedna z tych rzadkich chwil, w których uzdrawiając, wyrządzam tak naprawdę krzywdę.

Darren zaczął sprzątać po operacji. Nie bardzo wiedział, co odpowiedzieć. Fords wykonywał przecież swój zawód. Z punktu widzenia Darrena liczyło się tylko to.

Ale dla Fordsa bycie Uzdrowicielem oznaczało coś więcej; dotykało sedna jego istnienia. Spoglądał zafrasowany na pogrążone w spokojnym śnie ciało, świadom, że ów spokój pryśnie, gdy tylko kobieta się obudzi. Koszmarny los, jaki ją spotkał, będzie teraz musiała udźwignąć niewinna dusza, którą przed chwilą umieścił w środku.

Fords pochylił się nad dziewczyną i bolejąc w duchu, że nie może go usłyszeć, wyszeptał jej do ucha:

– Powodzenia, moja mała wagabundo, powodzenia. Jakżebym chciał, żebyś go nie potrzebowała.

Rozdział 1

Wspomnienie

Wiedziałam, że wszystko zacznie się od końca i że koniec oglądany tymi oczami będzie jak śmierć. Uprzedzono mnie.

Nie tymi oczami. Moimi oczami. Moimi. Teraz to już byłam ja.

Język, którym teraz mówiłam, był dziwny, ale sensowny. Rwany, prosty, ślepy i linearny. Niesłychanie ułomny w porównaniu do wielu innych, którymi posługiwałam się wcześniej, ale jednak płynny i pozwalający się wyrazić. Chwilami piękny. Mój nowy język. Moja mowa.

Kiedy znalazłam się w tym ciele, najbardziej pierwotny instynkt kazał mi opleść ośrodek myślenia, sprzęgnąć się z każdym oddechem i odruchem, aż to ciało przestało być osobnym bytem. Aż stało się mną.

Nie w tym ciele – w moim ciele.

Czułam, jak sen powoli ustępuje, a jego miejsce zajmuje jasność. Czekałam, aż uderzy we mnie pierwsze wspomnienie, będące w istocie ostatnim – ostatnie chwile tego ciała, wspomnienie końca. Uprzedzono mnie, jak to będzie wyglądać. Ludzkie emocje miały być potężniejsze i żywsze niż doznania gatunków, które zamieszkiwałam do tej pory. Starałam się być na to przygotowana.

Kiedy jednak wspomnienie wreszcie nadeszło, okazało się – tak jak mnie ostrzegano – czymś, na co nie sposób się było przygotować.

Parzyło ostrymi kolorami i głośnymi dźwiękami. Skórę żywicielki przenikał chłód, kończyny trawił palący ból. W ustach miała nieznośnie metaliczny posmak. I był jeszcze jeden, nowy, piąty zmysł, którego nigdy wcześniej nie miałam, zbierający cząsteczki z powietrza i przetwarzający je w mózgu na dziwne komunikaty, ostrzeżenia, czasem na przyjemności – były to zapachy. Rozpraszały mnie i dezorientowały – mnie, ale nie jej pamięć. Pamięć nie miała czasu na rejestrowanie zapachów. Jedynym wspomnieniem było uczucie strachu.

Strach wypełniał ją całą, popychał dziwaczne kończyny do przodu i zarazem je hamował. Mogła tylko biec, uciekać.

Przegrałam.

Ta myśl, nienależąca do mnie, pojawiła się nagle z wielką siłą, jak gdyby nie była tylko cudzym wspomnieniem, lecz częścią mnie samej. Mimowolnie zanurzyłam się w piekle ostatnich chwil jej życia, stałam się nią, biegłyśmy razem.

Jak ciemno. Nic nie widzę. Nie widzę podłogi. Nie widzę przed sobą swoich dłoni. Biegnę po omacku, wsłuchując się w pościg, który czuję za plecami, ale słyszę tylko huczącą w uszach krew.

Zimno mi. To teraz mało istotne, ale marznę. Strasznie tu zimno.

Nieprzyjemne uczucie w nozdrzach. Okropny zapach. Tak nieprzyjemny, że aż na chwilę udało mi się uwolnić od wspomnień. Ale już sekundę później zalały mnie ze zdwojoną siłą, a oczy zaszły mi łzami przerażenia.

Już po mnie. Już po nas. To koniec.

Słyszę, że Łowcy są tuż, tuż. Jest ich wielu, ja sama. Przegrałam.

Wołają za mną. Na dźwięk ich głosów dostaję skurczu żołądka. Niedobrze mi.

– Nie bój się, nic ci nie zrobimy – woła żeńskim głosem jeden z nich, głośno dysząc.

– Ostrożnie! – krzyczy inny.

– Nie zrób sobie krzywdy – błaga któryś z troską w głosie.

Z troską!

Poczułam, jak gorąca krew uderza mi do głowy, jak ogarnia mnie dzika nienawiść.

W żadnym z poprzednich żyć nie doznałam nigdy czegoś takiego. Na krótką sekundę odepchnęłam ze wstrętem to wspomnienie. Wysoki, przenikliwy dźwięk przeszywał mi uszy i pulsował w skroniach. Wydobywał się z moich płuc. Poczułam słaby ból w gardle.

To krzyk, wyjaśniło moje ciało. *Krzyczysz*.

Zamarłam w przestrachu i dźwięk gwałtownie się urwał.

Tym razem to nie było wspomnienie.

To moje ciało – myślało! Mówiło do mnie!

Ale wspomnienia były silniejsze niż zdumienie.

– Proszę, zaczekaj! – krzyczą. – Tam jest niebezpiecznie!

To wy jesteście niebezpieczni, odpowiadam im w myślach. Ale rozumiem, o co im chodzi. Na końcu korytarza, nie wiadomo skąd, wydobywa się słaba smuga światła. To nie ślepy zaułek, którego się spodziewałam. To czarna dziura.

Szyb windy. Pusty, nieużywany, jak cały ten budynek. Niegdyś kryjówka, teraz – grób.

Biegnę przed siebie z uczuciem narastającej ulgi. Jednak jest szansa. Nie na przeżycie, ale może chociaż na zwycięstwo.

Nie, nie! Ta myśl była już moja. Rozpaczliwie próbowałam się uwolnić od jej wspomnień, ale na próżno. Biegłyśmy razem ku krawędzi, za którą czekała nas śmierć.

– Proszę, nie rób tego! – ktoś krzyczy coraz bardziej rozpaczliwie.

Wiem już, że nie zdążą mnie złapać, i chce mi się śmiać. Oczyma wyobraźni widzę, jak wyciągają ręce do przodu, próbując mnie chwycić w ostatniej chwili. Ale jestem dla nich zbyt szybka. Nie zwalniam, nawet gdy kończy się pode mną podłoga. W jednej chwili pod stopami otwiera mi się czeluść.

Połyka mnie pustka. Wywijam nogami. Rękoma chwytam się powietrza – miotają się bezradnie w poszukiwaniu oparcia. Z dołu uderza we mnie podmuch zimna.

Najpierw słyszę uderzenie, a dopiero potem je czuję... Podmuch zamiera... Po całym ciele rozlewa się ból... Ból jest wszystkim.

Jak długo jeszcze będzie boleć?

– Za nisko – szepczę do siebie.

Kiedy przestanie boleć? Kiedy...?

Potem nastała ciemność, a ja poczułam niezmierną ulgę, że nie ma już nic więcej. Było ciemno. Byłam wolna. Nabrałam powietrza, by się uspokoić, tak bowiem podpowiadało mi ciało. M o j e ciało.

Wtem jednak obrazy wróciły i znów porwał mnie wir wspomnień.

– *Nie!* – krzyknęłam, bojąc się zimna, bólu oraz samego strachu.

Ale nie było to już to samo wspomnienie, co do tej pory, lecz wspomnienie we wspomnieniu – ostatnie ze wszystkich, niczym ostatnie tchnienie umysłu – a jednak, nie wiedzieć czemu, jeszcze silniejsze od pierwszego.

Tym razem z ciemności wyłoniła się jedynie czyjaś twarz.

Jej wygląd był mi zupełnie obcy, tak samo jak memu nowemu ciału obcy wydałby się kształt mojego poprzedniego żywiciela – bezgłowych, wijących się macek. Podobne twarze widziałam jednak na obrazkach, które pokazywano mi, zanim przybyłam na tę planetę. Wszystkie zlewały się w jedną, różniły się tylko nieznacznie kształtem i kolorem. Były prawie identyczne. Na środku twarzy nos, nieco wyżej oczy, niżej usta, a po bokach uszy. Wszystkie zmysły – z wyjątkiem dotyku – skupione w jednym miejscu. Kości obleczone skórą, włosy na czubku głowy i, co ciekawe, tuż nad oczami. Niektóre twarze, ale tylko samców, miały też owłosioną żuchwę. Kolory włosów były różne, od bladożółtych po bardzo ciemne, niemalże czarne. Poza tym bardzo trudno było je rozróżnić.

Ale tę jedną rozpoznałabym wśród miliona twarzy.

Była prostokątna, z wyraźnie zarysowanymi kośćmi. Miała jasnobrązową cerę. Włosy – nieco tylko ciemniejsze, z wyjątkiem kilku jaśniejszych pasemek – pokrywały jedynie głowę i kawałek skóry nad oczami. Okrągłe tęczówki były ciemniejsze niż włosy, ale podobnie jak one rozjaśniały się w kilku miejscach. Wokół oczu rysowały się delikatne zmarszczki – jej pamięć podpowiadała mi, że to od uśmiechania się i mrużenia oczu na słońcu.

Nie wiedziałam nic o tutejszym pojęciu piękna, lecz mimo to czułam, że to piękna twarz. Miałam ochotę długo jej się przyglądać. Gdy tylko sobie to uświadomiłam, zniknęła.

Jest moja, zabrzmiała obca myśl, która nie miała prawa pojawić mi się w głowie.

Znowu zamarłam, całkiem osłupiała. Przecież nie powinno tu być nikogo poza mną. Tymczasem ta myśl była tak żywa, tak silna.

Niemożliwe. Co ona tu jeszcze robi? Przecież teraz to jestem ja.

Właśnie że moja, poprawiłam ją, pragnąc dać wyraz mojej niepodzielnej władzy. *Wszystko jest moje*.

Ale w takim razie dlaczego z nią rozmawiam? – zadałam sobie pytanie, lecz nie zdążyłam się nad tym zastanowić, bo usłyszałam głosy.

Rozdział 2

Głosy

Dwie osoby rozmawiały gdzieś obok ściszonymi głosami, najwyraźniej już od dłuższego czasu.

– To dla niej zbyt wiele – powiedział ktoś łagodnym, lecz głębokim męskim głosem. – Nie tylko dla niej, dla kogokolwiek. Tyle przemocy!... – dodał tonem obrzydzenia.

– Krzyknęła tylko raz – odezwał się wyższy, piskliwy kobiecy głos, nie bez pewnej satysfakcji, jak gdyby jego właścicielka odniosła małe zwycięstwo.

– Wiem – przyznał mężczyzna. – Jest bardzo silna. Wielu reagowało gorzej, choć mieli łatwiejsze zadanie.

– Na pewno sobie poradzi, niech mi pan wierzy.

– Może minęła się pani z powołaniem. – W głosie mężczyzny pobrzmiewała dziwna nuta. Sarkazm, podpowiedziała mi moja pamięć. – Może powinna pani być Uzdrowicielką.

Kobieta wydała z siebie odgłos rozbawienia. Śmiech.

– Nie wydaje mi się. Nas, Łowców, interesują innego typu diagnozy.

Moje ciało znało ten wyraz, ten zawód: Łowca. Na jego dźwięk poczułam ciarki na plecach. Przestarzały odruch, którego szybko się wyzbędę. W końcu nie miałam żadnego powodu, by się Łowców obawiać.

– Zastanawia mnie czasem, czy przedstawicieli waszej profesji nie dotknęła aby człowiecza zaraza – rzekł mężczyzna, nadal poirytowany. – Przemoc wydaje się nieodłączną częścią waszego Powołania. Czy nie odziedziczyła pani przypadkiem po żywicielu zamiłowania do okropieństw?

Zaskoczył mnie ten oskarżycielski ton. Była to prawie... kłótnia. Coś dobrze znanego mojemu nowemu ciału, ale zupełnie obcego mnie.

– Niechętnie używamy przemocy – broniła się kobieta. – Ale czasem trzeba stawić jej czoło. Pana i całą resztę powinno cieszyć, że niektórzy mają w sobie dość siły, by oddawać się tak nieprzyjemnym zajęciom. Tylko dzięki nam możecie spać spokojnie.

– Może było tak dawno temu. Mam wrażenie, że wkrótce wasze Powołanie straci rację bytu.

– Myli się pan, a dowód tej pomyłki leży na tym łóżku.

– Jeden człowiek, i to dziewczyna, samotna i nieuzbrojona! Doprawdy, oka bym w nocy nie zmrużył.

Kobieta głośno wypuściła powietrze. Westchnienie.

– Ale skąd przyszła? Skąd wzięła się w samym sercu Chicago, miasta od dawna już skolonizowanego, setki mil od ostatnich skupisk rebeliantów? Sama tego dokonała? – Zadawała kolejne pytania, najwyraźniej nie oczekując odpowiedzi, jak gdyby mówiła to już wcześniej wiele razy.

– To wasz problem, nie mój – odparł mężczyzna. – Ja mam tylko pomóc tej duszy zaaklimatyzować się w nowym żywicielu i oszczędzić jej niepotrzebnego bólu i przykrości. A pani mi to utrudnia.

Wciąż byłam nieco zdezorientowana i nieoswojona z nowymi zmysłami i dopiero teraz zrozumiałam, że to o mnie rozmawiają, że to właśnie ja jestem tą duszą. Tym samym słowo, które oznaczało dla mojego żywiciela wiele różnych rzeczy, zyskało nowe znaczenie. Dusza. To chyba odpowiednie określenie. Niewidzialna siła kierująca ciałem.

– Odpowiedzi na moje pytania są równie ważne jak pana powinności względem tej duszy.

– Nie byłbym tego taki pewien.

Usłyszałam, że jedno z nich się poruszyło, po czym dobiegł mnie szept kobiety.

– Kiedy się obudzi? Środki nasenne powinny już chyba przestać działać.

– Jak będzie gotowa. Proszę ją zostawić w spokoju. Ma prawo postąpić wedle swego uznania. Niech pani sobie wyobrazi szok, jakim będzie dla niej przebudzenie – wewnątrz żywiciela-rebelianta, który prawie zginął w trakcie ucieczki! W czasach pokoju nikogo nie powinno się narażać na takie traumatyczne przeżycie! – Jego głos wzmagał się wraz ze wzburzeniem.

– Jest silna – odrzekła kobieta, tym razem uspokajającym tonem. – Przecież świetnie sobie poradziła z pierwszym wspomnieniem, tym najgorszym. Czegokolwiek się spodziewała, spisała się bardzo dobrze.

– Tylko czy to było konieczne? – wymamrotał mężczyzna, nie oczekując odpowiedzi. Mimo to ją usłyszał.

– Jeżeli mamy zdobyć informacje, których potrzebujemy...

– To wam się wydaje, że ich potrzebujecie. Ja bym raczej powiedział, że ich chcecie.

– ...to ktoś musi wziąć na siebie to nieprzyjemne zadanie – kontynuowała niezrażona. – I uważam, sądząc po tym, co mi na temat tej duszy wiadomo, że by się tego podjęła, gdyby można było ją o to zapytać. Jak pan na nią mówi?

Mężczyzna przez dłuższą chwilę milczał. Kobieta czekała.

– Wagabunda – odparł w końcu niechętnie.

– Pasuje do niej. Nie mam żadnych oficjalnych danych, ale podejrzewam, że jest jedną z niewielu dusz, które były w tylu różnych miejscach, jeżeli nie jedyną. O tak, Wagabunda to dobre imię, w każdym razie dopóki nie wybierze sobie innego.

Uzdrowiciel nic nie odpowiedział.

– Oczywiście może przyjąć imię żywiciela... Sprawdziliśmy odciski palców i siatkówkę oka, ale nie mamy ich w bazie, więc nie wiem, jakie to imię.

– Nie przyjmie ludzkiego imienia – powiedział mężczyzna pod nosem.

– Oczywiście nie musi, jeżeli tak będzie jej łatwiej – odparła pojednawczym tonem.

– Dzięki waszym metodom będzie jej o wiele trudniej niż innym.

Rozległ się odgłos kroków – twarde stukanie butów o podłogę. Kiedy chwilę później kobieta ponownie się odezwała, jej głos dobiegał z drugiego końca pomieszczenia.

– Trudno byłoby panu odnaleźć się we wczesnych latach okupacji.

– Pani za to chyba trudno odnaleźć się w czasach pokoju.

Kobieta roześmiała się, ale jej śmiech nie brzmiał autentycznie – wcale nie była rozbawiona. Mój umysł całkiem nieźle radził sobie z odgadywaniem prawdziwych uczuć.

– Chyba nie do końca zdaje pan sobie sprawę z tego, jak wygląda moja praca. Długie godziny ślęczenia nad mapami i dokumentami. Głównie praca przy biurku. O wiele rzadziej walka i przemoc, którą pan sobie wyobraża.

– Dziesięć dni temu ścigała pani to ciało uzbrojona w śmiercionośną broń.

– Zapewniam pana, że to wyjątek, nie reguła. Proszę nie zapominać, że ilekroć my, Łowcy, wykazujemy się niedostateczną czujnością, broń, którą tak się pan brzydzi, zostaje użyta przeciw naszemu gatunkowi. Ludzie nie wahają się nas zabijać, gdy tylko mają ku temu okazję. Dusze, które zetknęły się z ich przemocą, patrzą na nas, Łowców, jak na bohaterów.

– Mówi pani tak, jakby toczyła się wojna.

– Niedobitki ludzkiej rasy właśnie tak to widzą.

Słowa te wywarły na moim umyśle duże wrażenie. Czułam reakcję ciała – oddech mi przyspieszył, serce zaczęło bić głośniej niż zwykle. Stojąca przy łóżku maszyna pikała teraz szybciej. Uzdrowiciel i Łowczyni byli jednak zbyt pochłonięci rozmową, by to zauważyć.

– Ale nawet oni muszą rozumieć, że przegrali. Jaką mamy przewagę liczebną? Milion do jednego? Powinna to pani chyba wiedzieć.

– W istocie znacznie więcej niż milion – przyznała z wyrzutem.

Uzdrowiciel najwyraźniej uznał, że nie wymaga to komentarza. Przez chwilę oboje milczeli.

Starałam się wykorzystać przerwę w rozmowie, żeby ocenić moją sytuację. Wiele się wyjaśniło.

Znajdowałam się w ośrodku leczniczym, gdzie odpoczywałam po nadzwyczaj traumatycznym zabiegu wszczepienia. Nie ulegało wątpliwości, że ciało mojego nowego żywiciela zostało przedtem całkowicie uleczone. Gdyby było uszkodzone, toby się go pozbyto.

Rozmyślałam o wymianie zdań pomiędzy Uzdrowicielem i Łowczynią. W świetle informacji, które otrzymałam, zanim zdecydowałam się przybyć na tę planetę, rację miał ten pierwszy. Walki z resztkami oporu praktycznie już się zakończyły. Planeta zwana Ziemią była tak cicha i spokojna, jaka wydawała się z kosmosu – kojąca zieleń i błękit spowite niegroźnymi białymi gazami. Panowała tu teraz pełna harmonia, jak w każdym innym miejscu zamieszkanym przez dusze.

Spór pomiędzy Uzdrowicielem a Łowczynią odbierałam jako coś dziwnego. Zaskoczył mnie niespotykany wśród dusz poziom agresji. Dało mi to do myślenia. Czy to możliwe, że pogłoski rozchodzące się niczym fale po myślach...

Nie wiedziałam, jak nazwać gatunek mojego poprzedniego żywiciela. Mieliśmy jakąś nazwę, tego byłam pewna. Jednakże, nie mając połączenia z tamtym żywicielem, nie potrafiłam jej sobie przypomnieć. Używaliśmy tam dużo prostszego, niemego języka myśli, który łączył wszystkich w jeden wielki umysł. Przydatna rzecz, gdy przez całe życie tkwi się korzeniami w ciemnej, wilgotnej glebie.

Potrafiłam za to opisać tamten gatunek w moim nowym, ludzkim języku. Żyliśmy na dnie ogromnego oceanu, który zajmował całą powierzchnię planety – miał on swoją nazwę, ale jej również nie zdołałam przywołać. Każde z nas miało sto ramion, a na każdym z nich sto oczu, a ponieważ byliśmy połączeni myślami, nie było takiego miejsca, którego nie sięgalibyśmy wzrokiem. Niepotrzebne nam były dźwięki, więc nie mieliśmy w ogóle słuchu. Smakowaliśmy wodę i w ten sposób, a także dzięki naszym oczom, wiedzieliśmy wszystko, co musieliśmy. Chłonęliśmy też promienie odległych słońc i przemienialiśmy je w niezbędny dla nas pokarm.

Potrafiłam nas opisać, ale nie wiedziałam, jak nas nazwać. Poczułam żal za straconą wiedzą. Szybko jednak wróciłam do rozważań o tym, co usłyszałam.

Dusze z zasady mówiły tylko prawdę. Oczywiście Łowcy mieli specyficzne Powołanie, które wymagało od nich szczególnych metod postępowania, jednakże między duszami nie było miejsca na kłamstwo. W moim poprzednim życiu, kiedy to komunikowałam się za pomocą myśli, w ogóle nie dało się kłamać, nawet gdyby ktoś miał taki kaprys. Opowiadaliśmy sobie za to historie, aby się nie nudzić. Snucie opowieści było najbardziej cenionym ze wszystkich talentów, ponieważ służyło wspólnemu dobru.

Czasem fakty tak zupełnie mieszały się z fikcją, że – choć nikt nie kłamał – zapominaliśmy, co jest prawdą, a co nie.

Na myśl o nowej planecie, Ziemi – tak suchej i różnorodnej, zamieszkanej przez istoty tak niszczycielskie i okrutne, że przechodziło to nasze pojęcie – ogarniała nas jednocześnie trwoga i podniecenie. Błyskawicznie stała się ona tematem nowych, ekscytujących opowieści. Doniesienia o wojnach – niewiarygodne, byliśmy zmuszeni walczyć! – były rzetelne, lecz szybko zaczęliśmy je ubarwiać i dopowiadać do nich różne rzeczy. Gdy krążące opowieści kłóciły się z oficjalnymi informacjami, do których udało mi się dotrzeć, uznawałam je oczywiście za niewiarygodne.

A chodziły słuchy o ludzkich żywicielach tak silnych, że dusze musiały ich porzucić. O ludzkich umysłach, które nie dawały się całkiem ujarzmić. O duszach, którym żywiciel narzucił osobowość, choć powinno być przecież odwrotnie. Opowieści, nic więcej. Szalone plotki. Ot co.

Ale czyż nie to właśnie zdawał się sugerować Uzdrowiciel?...

Odepchnęłam od siebie tę myśl. Zajęcie Łowców budziło niesmak większości z nas i zapewne stąd wzięła się jego reakcja. Po co komu życie wypełnione konfliktem i przemocą? Kto chciałby tropić i wyłapywać opornych żywicieli? Zmagać się z tą brutalną rasą ludzi, którym zabijanie przychodzi z taką łatwością? Tu, na tej planecie, Łowcy stali się praktycznie... zbrojną bandą – mój mózg podpowiedział mi słowa na określenie rzeczy, której wcześniej nie znałam. Wśród dusz panowało przekonanie, że zawód Łowcy wybierają jedynie najsłabiej rozwinięte, najbardziej prymitywne z nas.

Na Ziemi jednak Łowcy zyskali zupełnie nowy status. Jeszcze nigdy żadne Powołanie tak się nie wynaturzyło. Jeszcze nigdy nie zamieniło się w krwawy bój. Nigdy wcześniej tyle dusz nie straciło życia. Łowcy byli niczym mocna tarcza, a przybyłe na tę planetę dusze miały wobec nich potrójny dług: za bezpieczeństwo, które im gwarantowali, za ryzyko ostatecznej śmierci, które świadomie ponosili każdego dnia, i za dostarczane na bieżąco nowe ciała.

Teraz, gdy zagrożenie praktycznie minęło, poczucie wdzięczności słabło. Dla Łowców, a w każdym razie dla tej konkretnej Łowczyni, oznaczało to zmianę na gorsze.

Nietrudno było się domyślić, o co będzie mnie pytać. Uzdrowiciel dokładał starań, by dać mi jak najwięcej czasu na zadomowienie się w nowym ciele, ale nie miałam wątpliwości, że zrobię, co w mojej mocy, żeby pomóc Łowcy. Byłam duszą, obywatelska postawa była dla mnie czymś oczywistym.

Wzięłam głęboki oddech, aby przygotować się do rozmowy. Maszyna zarejestrowała to poruszenie. Zdawałam sobie sprawę, że nieco się ociągam. Wstyd mi było się do tego przyznać, ale się bałam. Wiedziałam, że jeśli chcę zdobyć informacje, o które zapyta mnie Łowczyni, będę musiała znowu pogrążyć się we wspomnieniach, tych samych, które sprawiły, iż krzyczałam z przerażenia. Mało tego, bałam się głosu, który usłyszałam wtedy bardzo wyraźnie w swojej głowie. No, ale teraz panowała w niej cisza, taka jak powinna. Człowiek, który zamieszkiwał to ciało, też był już tylko wspomnieniem.

Nie powinnam się bać. W końcu nazwano mnie tutaj Wagabundą. I to nie bez powodu.

Wzięłam kolejny głęboki oddech, zacisnęłam zęby i, przełamując strach, zanurzyłam się na nowo we wspomnieniach.

Wspomnienie jej ostatnich chwil nie było już takie straszne jak za pierwszym razem. Odtworzyłam je teraz w przyspieszeniu – znów biegłam w ciemnościach, krzywiąc się z bólu, starając się nic nie czuć. Po chwili było już po wszystkim.

Pokonawszy tę przeszkodę, mogłam z łatwością poruszać się po rzeczach i miejscach mniej niepokojących w poszukiwaniu konkretnych informacji. Ujrzałam, jak przyjeżdża do tego zimnego miasta w nocy, niepozornym kradzionym samochodem, jak chodzi w ciemnościach po ulicach Chicago, trzęsąc się z zimna, ubrana w cienki płaszcz.

Ona też kogoś szukała. Sobie podobnych, byli tutaj, a przynajmniej miała taką nadzieję. W szczególności jednej osoby. Znajomej... nie, kogoś bliskiego. Nie siostry... kuzynki.

Słowa przychodziły mi do głowy coraz wolniej. Z początku nie rozumiałam, dlaczego. Zapomniała? Straciła część wspomnień na skutek traumy, po tym jak otarła się o śmierć? A może jeszcze się do końca nie przebudziłam? Może moje ciało było nadal uśpione? Czułam się całkiem przytomna, ale umysł nie potrafił dostarczyć mi odpowiedzi na moje pytania.

Ponowiłam próbę z innej strony. Jaki miała cel? Szukała... Sharon – udało mi się wyłowić imię – by wraz z nią...

Uderzyłam w ścianę.

Dalej nic, pusto. Próbowałam obejść przeszkodę, ale nie potrafiłam nawet ustalić, gdzie zaczyna się ta próżnia. Tak jakby ktoś wymazał informacje, na których mi zależało.

Tak jakby mózg był uszkodzony.

Ogarnął mnie nagły gniew, dziki i palący. Ta niespodziewana reakcja była dla mnie tak dużym zaskoczeniem, że aż zabrakło mi tchu. Uprzedzono mnie, że ciała ludzi są niestabilne emocjonalnie, ale czegoś takiego najzwyczajniej nie byłam w stanie przewidzieć. Żyłam na ośmiu różnych planetach i jeszcze nigdy żadne uczucie nie wezbrało we mnie z taką siłą.

Poczułam, jak krew pulsuje mi w szyi, jak szumi w uszach. Dłonie zacisnęły się w pięści.

Wraz z pulsem przyspieszyło pikanie urządzenia stojącego obok łóżka. Usłyszałam głośny stukot butów Łowczyni na zmianę z cichym szuraniem, najpewniej Uzdrowiciela.

– Witaj na Ziemi, Wagabundo – odezwała się kobieta.

Rozdział 3

Opór

– To imię nic jej nie mówi – mruknął Uzdrowiciel.

Moja uwaga skupiła się na nowym, miłym doznaniu. Gdy kobieta podeszła do łóżka, w powietrzu coś się zmieniło. Zorientowałam się, że to zapach. Już nie sterylne, bezwonne pomieszczenie. Perfumy, podpowiedział mój nowy umysł. Kwiatowe, bujne...

– Słyszy mnie pani? – zapytała Łowczyni, odwracając moją uwagę od nowej woni. – Jest pani przytomna?

– Nie musi się pani spieszyć – dodał Uzdrowiciel tonem łagodniejszym niż wcześniej.

Nie otworzyłam oczu. Nie chciałam się rozpraszać. Umysł podpowiadał mi, jakich słów użyć i jak je intonować – za pomocą tonu mogłam przekazać więcej treści.

– Czy aby nie umieszczono mnie w uszkodzonym ciele, żebym mogła uzyskać dla pani informacje?

Łowczyni zadyszała. Wyraz zdziwienia i zarazem oburzenia. Poczułam na dłoni ciepły dotyk.

– Ależ oczywiście, że nie – zapewnił mnie mężczyzna. – Nawet Łowca nie posunąłby się do czegoś takiego.

Łowczyni znowu ciężko westchnęła. Syknęła – poprawił mnie mój mózg.

– Dlaczego w takim razie mój umysł nie działa, jak powinien?

Na chwilę zapanowała cisza.

– Wyniki badań były bez zarzutu – odrzekła Łowczyni. Nie tyle chciała mnie uspokoić, ile udowodnić mi, że się mylę, tak jakby zależało jej na kłótni. – Ciało jest w pełni zdrowe.

– Po próbie samobójczej, która prawie się powiodła – odparłam stanowczo. W moim głosie wciąż pobrzmiewała złość. Było to nowe uczucie, jeszcze nie umiałam nad nim zapanować.

– Wszystko było w jak najlepszym porządku...

– Co jest nie tak? – przerwał jej Uzdrowiciel. – Ośrodek mowy, z tego co słychać, działa bez zarzutu.

– Pamięć. Próbowałam dotrzeć do informacji, na których zależy Łowczyni.

Nikt nic nie powiedział, ale coś się zmieniło. Napięta atmosfera spowodowana moim oskarżeniem nieco się rozładowała. Po czym to poznałam? Miałam dziwne uczucie, że czerpię informacje nie tylko z pięciu dostępnych mi zmysłów, ale skądś jeszcze – zupełnie jak gdybym posiadała jakiś szósty zmysł, nie całkiem okiełznany, gdzieś na obrzeżach mojej świadomości. Intuicja? Nie mogłam znaleźć na to lepszego słowa. Zdumiewające – na co żywej istocie aż tyle zmysłów?

Łowczyni odchrząknęła, ale to Uzdrowiciel odezwał się pierwszy.

– Cóż, proszę się nie martwić pewnymi... trudnościami. Nie twierdzę, że należało się ich... spodziewać, ale też naprawdę trudno się dziwić, zważywszy na okoliczności.

– Nie rozumiem. Co pan ma na myśli?

– Pani żywiciel należał do ludzkiego ruchu oporu – wtrąciła Łowczyni. Przez jej głos przebijało teraz podniecenie. – Trudniej ujarzmić ludzi, którzy przed pojmaniem wiedzieli o naszym istnieniu. Widocznie ten osobnik stawia jeszcze opór.

Zapadła cisza. Czekali, aż coś powiem.

Opór? Żywiciel blokował mi dostęp do pamięci? Znów gwałtownie i znienacka wezbrał we mnie gniew.

– Czy jestem prawidłowo zespolona z ciałem? – zapytałam przez zęby.

– Tak – odparł Uzdrowiciel. – Wszystkie osiemset dwadzieścia siedem końcówek jest na swoich miejscach.

Mój nowy umysł wymagał większej liczby połączeń niż poprzednie – pozostało mi zaledwie sto osiemdziesiąt niewykorzystanych końcówek. Być może właśnie dlatego wszystkie doznania były tak intensywne.

Postanowiłam otworzyć oczy. Chciałam się upewnić, że Uzdrowiciel ma rację i że wszystko inne działa jak należy.

Jasność. Ból. Od razu zamknęłam powieki. Ostatnie światło, które widziałam, jeszcze w poprzednim życiu, musiało pokonać odległość stu sążni, zanim dotarło do mnie na dno oceanu. Na szczęście okazało się, że moje nowe oczy przyzwyczajone są do dużej ilości światła. Otworzyłam je ponownie, tym razem bardzo ostrożnie, zerkając przez rzęsy.

– Może zgaszę światło? – zapytał Uzdrowiciel.

– Dziękuję, nie trzeba. Zaraz przywyknę. Moje oczy potrzebują paru chwil.

– Wspaniale – odparł, będąc chyba pod wrażeniem łatwości, z jaką użyłam słowa „moje".

Oboje stali w milczeniu, czekając, aż całkiem otworzę oczy.

Mój nowy umysł szybko ustalił, że nieduże pomieszczenie, w którym się znajdujemy, jest częścią placówki medycznej. Szpitala. Sufit pokryty był białymi płytkami w ciemne kropki. Prostokątne światła, umieszczone na suficie w równych odstępach, były tych samych rozmiarów co płytki. Ściany miały kolor jasnozielony – kojący, lecz także kojarzący się z chorobą. Nie najlepszy wybór, moim świeżo wyrobionym zdaniem.

Bardziej ciekawili mnie jednak stojący nade mną ludzie. Gdy tylko spojrzałam na Uzdrowiciela, w mojej głowie rozbrzmiało słowo „lekarz". Miał na sobie luźny zielono-niebieski strój, z krótkimi rękawami. Chirurg. Twarz miał porośniętą włosami dziwnego koloru: pomarańczowymi.

Pomarańczowy! Ostatni raz podobny kolor widziałam trzy światy temu. Broda Uzdrowiciela, choć rudawozłota, przywołała odległe wspomnienia.

Twarz miał typowo ludzką, ale – dodał zaraz mój umysł – „dobrą".

Usłyszałam głośny oddech, będący oznaką zniecierpliwienia. Zwróciłam wzrok ku Łowczyni.

Była znikomej postury. Gdyby nie zwróciła na siebie uwagi, mogłabym jej nie dostrzec jeszcze przez dłuższą chwilę. Nie rzucała się w oczy. Od szyi po nadgarstki ubrana była na czarno. Miała na sobie skromny kostium, a pod nim jedwabny golf. Również włosy miała czarne. Sięgały jej brody, ale nosiła je zaczesane za uszy. Cerę miała ciemniejszą niż Uzdrowiciel. Oliwkową.

Trudno było cokolwiek wyczytać z subtelnych zmian w wyrazie ludzkiej twarzy. Z pomocą przyszła mi jednak pamięć. Czarne, nieco wygięte brwi i duże oczy układały się w znajomy kształt. Niezupełnie złość. Napięcie. Poirytowanie.

– Jak często to się zdarza? – zapytałam, spoglądając na Uzdrowiciela.

– Niezbyt często – przyznał. – Coraz rzadziej korzystamy z dorosłych ciał. Młode bardziej nadają się na żywicieli, nie stawiają oporu. Ale pani zażyczyła sobie dorosłego...

– Zgadza się.

– To dość nietypowa prośba. Ludzie żyją o wiele krócej niż pani poprzedni żywiciele.

– Dziękuję za troskę, ale wszystkie istotne fakty są mi znane. Czy pan osobiście spotkał się wcześniej z przypadkiem... opornego żywiciela?

– Tylko raz.

– Niech mi pan o tym opowie – powiedziałam. – Proszę – dodałam po chwili, gdyż nie chciałam zabrzmieć niegrzecznie.

Uzdrowiciel westchnął.

Łowczyni zaczęła bębnić palcami o ramię. Oznaka zniecierpliwienia. Nie miała ochoty czekać.

– To było cztery lata temu – zaczął Uzdrowiciel. – Pewna dusza zażyczyła sobie żywiciela płci męskiej. Pierwsze wolne ciało należało do człowieka, który od wczesnych lat okupacji przebywał wśród rebeliantów. Gdy go schwytano... wiedział, co go czeka.

– Tak samo jak mój.

– No tak. – Chrząknął. – To było dopiero drugie życie tamtej duszy. Najpierw była na Mrocznej Planecie.

– Mroczna Planeta? – zapytałam, odruchowo nadstawiając ucha.

– No tak, proszę wybaczyć, przecież pani nie zna tych określeń. Ale to chyba jedna z pani planet, jeżeli się nie mylę? – Wyciągnął z kieszeni niewielkie urządzenie, komputer, i szybko odnalazł potrzebne informacje. – Tak, pani siódma planeta. Sektor osiemdziesiąty pierwszy.

– Mroczna Planeta? – powtórzyłam raz jeszcze, tym razem z niesmakiem w głosie.

– Tak jest. To znaczy, dusze, które tam były, wolą mówić na nią Planeta Śpiewu.

Przytaknęłam. Ta nazwa brzmiała o wiele lepiej.

– Są i tacy, którzy nazywają ją Planetą Nietoperzy – powiedziała pod nosem Łowczyni.

Zwróciłam wzrok w jej stronę. Czułam, jak oczy zwężają mi się na wzmiankę o brzydkim latającym gryzoniu.

– Pani, jak rozumiem, nigdy tam nie była – powiedział Uzdrowiciel do Łowczyni dyplomatycznym tonem. – W każdym razie, w pierwszej chwili daliśmy tej duszy na imię Rwąca Pieśń, ponieważ mniej więcej tak tłumaczy się na tutejszy język imię, jakiego używała na Planecie Śpiewu. Wkrótce jednak postanowiła, że przyjmie imię swojego żywiciela: Kevin. Choć z racji pochodzenia jej Powołaniem miała być muzyka, uznała, że woli pozostać przy zajęciu żywiciela, który wykonywał prace techniczne. Przypisany do niej Pocieszyciel trochę się zaniepokoił, jednak w gruncie rzeczy nie było to zachowanie wykraczające drastycznie poza normę. Następnie Kevin zaczął się uskarżać na zaniki świadomości. Ponownie trafił do mnie i przeprowadziliśmy szczegółowe badania, aby upewnić się, że mózg żywiciela nie ma żadnych ukrytych defektów. W czasie tych badań kilku Uzdrowicieli zwróciło uwagę na istotne zmiany w jego zachowaniu i osobowości. Gdy go o to pytaliśmy, twierdził, że w ogóle nie przypomina sobie niektórych rzeczy, jakie mówił i robił. Poddaliśmy go dalszej obserwacji, aż w końcu wraz z jego Pocieszycielem doszliśmy do wniosku, że żywiciel co jakiś czas przejmuje kontrolę nad ciałem.

– Przejmuje kontrolę? – Otworzyłam szeroko oczy. – Dusza nie zdawała sobie z tego sprawy? Żywiciel odzyskał władanie nad ciałem?

– Niestety, właśnie tak było. Kevin okazał się nie dość silny, nie potrafił go ujarzmić.

Nie dość silny.

Czy pomyślą, że i ja jestem słaba? Czy rzeczywiście byłam słaba, skoro nie mogłam wydobyć z umysłu odpowiedzi? Mało tego, jej żywe myśli pojawiały mi się znienacka w głowie, choć nie powinnam tam znaleźć niczego prócz pamięci. Zawsze uważałam, że jestem silna. Zrobiło mi się nagle wstyd.

– Doszło do pewnego incydentu, po którym zapadła decyzja...

– Do jakiego incydentu?

Uzdrowiciel milcząco spuścił wzrok.

– Do jakiego incydentu??? – powtórzyłam. – Chyba mam prawo wiedzieć.

Mężczyzna westchnął.

– To prawda. Kevin... zaatakował jednego z Uzdrowicieli... nie będąc... sobą – wydusił. – Uderzył go pięścią tak, że tamten stracił przytomność, i wyjął mu z kieszeni skalpel. Nie było z nim żadnego kontaktu. Żywiciel próbował sam wyciąć sobie duszę.

Potrzebowałam dobrych paru chwil, żeby ochłonąć. W końcu z trudem wyszeptałam:

– Co było dalej?

– Na szczęście żywiciel stracił przytomność, zanim zdążył zrobić coś więcej. Kevina umieszczono w innym ciele, tym razem dziecięcym. Zbuntowany żywiciel był w kiepskim stanie, więc uznano, że nie ma sensu utrzymywać go przy życiu... Kevin ma teraz siedem lat i wszystko u niego w porządku... chociaż został przy starym imieniu. Jego opiekunowie dbają, aby miał dużo kontaktu z muzyką, wszystko przebiega pomyślnie... – Ostatnie słowa zabrzmiały jak dobra nowina, która miała przesłonić całą resztę.

– Dlaczego? – przerwałam i odchrząknęłam, aby mówić głośniej. – Dlaczego nic mi o tym nie powiedziano?

– Przecież – wtrąciła się Łowczyni – wszystkie materiały na temat rekrutacji mówią wyraźnie, że dorośli żywiciele są o wiele trudniejsi niż dzieci, i zalecają wybór młodego ciała.

– Słowo „trudniejsi" chyba nie do końca oddaje grozę historii, której właśnie wysłuchaliśmy.

– No tak, cóż, wolała pani zignorować zalecenia.

Mięśnie mojego ciała napięły się, materac pode mną zaszeleścił cicho. Widząc to, Łowczyni podniosła dłonie w pojednawczym geście.

– To nie tak, że robię pani wyrzut. Dzieciństwo jest wyjątkowo męczące, a pani z pewnością jest ponadprzeciętna. Jestem przekonana, że sobie pani poradzi. To żywiciel jak każdy inny. Na pewno wkrótce będzie pani miała pełen dostęp do zasobów pamięci.

Dziwiła mnie cierpliwość Łowczyni – wydawało się, że nie przeszkadza jej, iż musi czekać, dawała mi dużo czasu na aklimatyzację w nowym ciele. Wyczuwałam jednak, że jest rozczarowana brakiem informacji, i znów zaczęło narastać we mnie to dziwne uczucie – złość.

– Mogła pani zażądać, aby to panią umieszczono w tym ciele, i sama znaleźć odpowiedzi na swoje pytania.

Łowczyni zesztywniała.

– Nie jestem dezerterem.

Instynktownie uniosłam brwi.

– Tak się tutaj mówi na tych, którzy porzucili żywiciela – wyjaśnił Uzdrowiciel.

Potaknęłam na znak zrozumienia. Na innych planetach również mieliśmy określenia na takie dusze. Nigdzie nie cieszyły się uznaniem. Dałam więc Łowczyni spokój i zaczęłam opowiadać wszystko, czego się dotychczas dowiedziałam.

– Nazywała się Melanie Stryder. Urodziła się w Albuquerque, w stanie Nowy Meksyk. Kiedy dowiedziała się o okupacji, była w Los Angeles. Potem przez kilka lat ukrywała się na odludziu, aż w końcu natknęła się na... Hmm, przepraszam, spróbuję wrócić do tego za chwilę. Ciało ma dwadzieścia lat. Do Chicago przyjechała z...

Potrząsnęłam bezradnie głową.

– Podróżowała etapami, nie zawsze sama. Samochód był kradziony. Szukała kuzynki o imieniu Sharon, gdyż miała powody przypuszczać, że jest ona nadal człowiekiem. Nie zdążyła nikogo odnaleźć ani z nikim się nie skontaktowała. Ale... – urwałam, zmagając się z kolejną białą plamą. – Wydaje mi się... nie mam pewności... ale wydaje mi się, że zostawiła gdzieś wiadomość.

– Czyli spodziewała się, że ktoś będzie jej szukał? – zapytała zaintrygowana Łowczyni.

– Tak. Jej zniknięcie... nie pozostanie niezauważone. Jeżeli nie spotka się z...

Zacisnęłam zęby. Teraz już naprawdę walczyłam. Próbowałam przebić się przez tę ścianę, nie wiadomo jak grubą. Pot wystąpił mi na czoło. Łowczyni i Uzdrowiciel milczeli, pozwalając mi się skupić.

Spróbowałam pomyśleć o czymś innym – o głośnym, nieznajomym odgłosie wydawanym przez silnik samochodu, o adrenalinie uderzającej za każdym razem, gdy w oddali pojawiały się światła innego pojazdu. Te wspomnienia były już moje, miałam do nich swobodny dostęp. Pozwoliłam, aby moja pamięć sama poniosła mnie dalej, od nocnego spaceru zimnymi ulicami miasta aż do budynku, w którym mnie znaleziono.

Nie mnie, ją. Przeszły mnie dreszcze.

– Proszę się nie forsować... – zaczął Uzdrowiciel.

– Psst – przerwała mu Łowczyni.

Pozwoliłam, aby mój umysł ponownie wypełnił się grozą tamtych chwil, nienawiścią do Łowców, która przesłaniała niemal wszystko inne. To uczucie było złe, sprawiało mi ból. Znosiłam je z trudem. Miałam jednak nadzieję, że w ten sposób zdekoncentruję przeciwnika, osłabię jego czujność.

Widziałam, jak próbuje się ukryć, ale nie ma jak. Pisze wiadomość złamanym ołówkiem na przypadkowo znalezionym skrawku papieru. Wsuwa ją pospiesznie pod drzwi. Pod konkretne drzwi.

– Piąte drzwi na piątym korytarzu piątego piętra. Tam zostawiła wiadomość.

Łowczyni podniosła do ust niewielki telefon, który trzymała w dłoni, i zaczęła mówić do niego szybkim, ściszonym głosem.

– Budynek miał być bezpieczny – kontynuowałam. – Wiedzieli, że nikogo tam nie ma. Nie ma pojęcia, jak ją namierzono. Czy złapano Sharon?

Przebiegł mnie dreszcz przerażenia. W jednej chwili dostałam gęsiej skórki.

To pytanie nie było moje.

Nie było, a mimo to przeszło mi przez gardło, tak jakby było. Łowczyni nic nie zauważyła.

– Tę kuzynkę? Nie, nie znaleziono nikogo więcej – odparła, na co mięśnie mojego ciała zareagowały odprężeniem. – Pani żywicielkę widziano, jak wchodziła do budynku. Osobie, która ją zauważyła, wydało się to podejrzane, ponieważ budynek był przeznaczony do rozbiórki, więc nas powiadomiła. Przez jakiś czas obserwowaliśmy wejście w nadziei, że może uda nam się złapać kogoś jeszcze, ale nic na to nie wskazywało, więc wkroczyliśmy. Czy potrafi pani ustalić, gdzie miało dojść do spotkania?

Spróbowałam.

Tyle różnych wspomnień, wszystkie żywe i wyraźne. Ujrzałam setki miejsc, w których nigdy nie byłam, pierwszy raz usłyszałam ich nazwy. Dom w Los Angeles, obsadzony wysokimi zielonymi drzewami. Leśna polana z namiotem i ogniskiem nieopodal Winslow w stanie Arizona. Bezludna kamienna plaża w Meksyku. Jaskinia schowana za strugami deszczu gdzieś w stanie Oregon. Namioty, chatki, kryjówki. Z biegiem czasu nazwy stawały się coraz mniej konkretne. Nie wiedziała, gdzie dokładnie się znajduje, i mało ją to obchodziło.

Nazywałam się teraz Wagabunda, ale to imię pasowało również do jej wspomnień. Różnica polegała na tym, że ja włóczyłam się z wyboru, podczas gdy wszystkie obrazy z jej pamięci były przesiąknięte strachem. Moje życie było wędrówką, jej – ciągłą ucieczką.

Nie mogłam pozwolić, aby zawładnęło mną współczucie. Starałam się skoncentrować na wspomnieniach. Nie musiałam wiedzieć, gdzie była wcześniej, interesowało mnie tylko, dokąd zmierzała. Przewertowałam obrazy związane ze słowem „Chicago", ale wszystkie wydawały mi się zupełnie przypadkowe. Zarzuciłam więc szerszą sieć. Co było na obrzeżach Chicago? Chłód. Było zimno i trochę ją to martwiło.

Gdzie? Spróbowałam przywołać obraz tego miejsca i znowu uderzyłam w niewidzialną ścianę.

– Za miastem... na odludziu – wysapałam. – Park narodowy, z dala od terenów zamieszkanych. Nie była tam nigdy wcześniej, ale wiedziała, jak tam dotrzeć.

– Kiedy?

– Wkrótce – odparłam błyskawicznie. – Jak długo tu jestem?

– Leczenie żywiciela zajęło nam dziewięć dni, chcieliśmy mieć absolutną pewność, że ciało jest w pełni sprawne – powiedział Uzdrowiciel. – Wszczepienie było dzisiaj, dziesiątego dnia.

Dziesięć dni. Przez moje ciało przelała się fala ulgi.

– Za późno – powiedziałam. – Nawet na odnalezienie wiadomości.

Czułam reakcję żywiciela – czułam ją o wiele za dobrze. Była niemalże... zadowolona z siebie. Pozwoliłam, aby moje usta wypowiedziały słowa, które pomyślała:

– Nie przyjdzie.

– Nie przyjdzie? – podchwyciła Łowczyni. – Kto taki?

Niewidzialny mur wyrósł ze zdwojoną siłą. Spóźniła się jednak tym razem o ułamek sekundy.

Mój umysł ponownie wypełniła tamta twarz. Piękna, opalona na złoto, z lśniącymi oczami. Jej widok był dziwnie, intensywnie przyjemny.

Dzika złość, z jaką żywiciel odgrodził mnie od swych wspomnień, na wiele się tym razem nie zdała.

– Jared – odparłam. – Jared jest bezpieczny – dodałam tak szybko, jakby była to moja własna myśl. Ale nie była.

Rozdział 4

Sen

Jest zbyt ciemno jak na takie gorąco, a może zbyt gorąco jak na taką ciemność. W każdym razie coś tu jest nie tak.

Kucam w półmroku za dużym, rzadkim krzakiem. Wypociłam z ciała już chyba całą wodę. Piętnaście minut temu z garażu wyjechał samochód. Od tamtego czasu w domu nie zapaliło się światło. Drzwi do raju stoją lekko uchylone, widocznie klimatyzator czerpie powietrze z zewnątrz. Wyobrażam sobie ten chłodny wiew wilgotnego powietrza. Jaka szkoda, że mnie nie sięga.

Burczy mi w brzuchu, więc napinam mięśnie, żeby powstrzymać odgłos. Dookoła panuje taka cisza, że ktoś mógłby usłyszeć.

Jestem strasznie głodna.

Ale jest coś, co doskwiera mi jeszcze bardziej – pusty brzuch kogoś innego, dobrze ukrytego w odległym miejscu, czekającego samotnie w ciemnościach jaskini, która chwilowo służy nam za dom. Ciasna, pełna wystających skał wulkanicznych. Jak on sobie poradzi, jeśli nie wrócę? Czuję się za niego odpowiedzialna jak matka, choć przecież nie wiem nic o macierzyństwie. Męczy mnie poczucie okropnej bezsilności. Jamie jest głodny.

Obserwuję ten dom od wielu godzin. W bezpośrednim sąsiedztwie nie ma żadnych innych. Wygląda też na to, że właściciele nie mają psa.

Powoli wstaję z kucek, choć łydki mi się buntują, ale nie podnoszę głowy, nadal chowam się za krzakiem. Spoglądam na wiodącą do domu piaszczystą ścieżkę, bielejącą w bladym świetle gwiazd. Od strony drogi cisza, żadnego samochodu.

Kiedy te potwory o wyglądzie miłej starszej pary wrócą, od razu zrozumieją, kim jestem, i natychmiast rozpocznie się pościg. Muszę być wtedy daleko stąd. Oby miały w planach długi wieczór w mieście. Zdaje się, że dziś jest piątek. Tak skrupulatnie trzymają się naszych zwyczajów, że trudno zauważyć różnicę. Swoją drogą, właśnie dlatego udało im się nas zwyciężyć.

Płot sięga mi ledwie do talii. Przechodzę z łatwością, bezszelestnie. Dalej jest żwir i muszę stąpać bardzo ostrożnie, żeby nie zgrzytał mi pod stopami. W końcu docieram do tarasu, na którym jest posadzka.

Zostawili odsłonięte zasłony. Światło gwiazd wystarcza mi, aby stwierdzić, że po domu nikt nie chodzi. W kwestii wystroju właściciele najwyraźniej cenią sobie prostotę, co mnie cieszy, gdyż dzięki temu nie ma tam wielu miejsc, w których ktoś mógłby się schować. Oczywiście oznacza to również, że w razie kłopotów i ja nie będę miała się gdzie ukryć. Tyle że nawet gdybym miała, i tak koniec końców na niewiele by się to zdało.

Powoli odsuwam drzwi, najpierw te z moskitierą, później szklane. Obie pary otwierają się bezszelestnie. Ostrożnie stawiam stopę na kafelkach, ale już tylko z przyzwyczajenia. Nikogo tu nie ma.

Chłodne powietrze, jak cudownie.

Kuchnię mam po lewej. Poznaję po lśniących granitowych blatach.

Zdejmuję płócienną torbę z ramienia i zaczynam od lodówki. Wstrzymuję oddech, gdy zapala się w niej światło, ale szybko znajduję odpowiedni guzik i przyciskam go dużym palcem u stopy. Nic teraz nie widzę, ale nie mam czasu na przyzwyczajanie oczu do ciemności. Szukam po omacku.

Mleko, ser w plastrach, resztki obiadu w plastikowej miseczce. Oby to był ten kurczak z ryżem, którego widziałam, jak przyrządzali. Zjemy to dzisiaj na kolację.

Sok, worek jabłek. Małe marchewki. Jutro będą jeszcze dobre.

Przechodzę do spiżarni. Potrzebuję teraz jedzenia, które się nie psuje.

Wraca mi wzrok. Zgarniam z półek wszystko, co mogę unieść. Mm, ciasteczka z czekoladą, pycha. Mam wielką ochotę natychmiast je otworzyć, ale zaciskam tylko zęby, nie zważając na skurcze pustego żołądka.

Torba zbyt szybko nabiera ciężaru. Starczy nam tego ledwie na tydzień, nawet jeśli będziemy oszczędni. A ja zupełnie nie mam ochoty być oszczędna; marzę, by się najeść do syta. Pakuję po kieszeniach batoniki musli.

Jeszcze jedno. Pędzę do zlewu i napełniam bidon wodą. Potem nachylam się jeszcze i piję prosto z kranu. Woda wydaje w żołądku dziwne dźwięki.

Pora się stąd wynosić. Włączają mi się nerwy. Chcę jak najszybciej opuścić to miejsce. Cywilizacja równa się niebezpieczeństwo.

Idąc ku wyjściu, spoglądam pod nogi, żeby nie wywrócić się z moją ciężką torbą, dlatego dopiero chwytając za klamkę, dostrzegam stojącą przed domem czarną sylwetkę.

Z ust wydobywa mi się niemądry stłumiony pisk; jednocześnie słyszę, jak nieznajomy mamrocze pod nosem jakieś przekleństwo. Obracam się na pięcie i rzucam w stronę drzwi frontowych. Mam nadzieję, że nie są zaryglowane, a przynajmniej, że łatwo je otworzyć.

Nie zdążyłam nawet przebiec dwóch kroków, gdy duża, twarda ręka nieznajomego chwyta mnie za ramiona i przyciąga do siebie. Za wysoki, za silny, by mógł być kobietą. Odzywa się niskim głosem, rozwiewając wszelkie wątpliwości.

– Otwórz tylko usta, a zginiesz. – Przykłada mi do szyi cienką, ostrą krawędź, wrzynającą się w skórę.

Czegoś nie rozumiem. Dlaczego daje mi wybór? Kim jest ten potwór? Z tego, co mi wiadomo, one nigdy nie łamią zasad. Mogę odpowiedzieć tylko w jeden sposób.

– Śmiało – wyrzucam z siebie przez zęby. – No, śmiało. Nie chcę być pasożytem!

Czekam, aż podetnie mi gardło, i czuję ból w sercu. Każde jego uderzenie jest jak imię. Jamie. Jamie. Jamie. Co się teraz z tobą stanie?

– Sprytne – mamrocze nieznajomy, jakby w ogóle nie do mnie mówił. – To pewnie Łowca. Niezła pułapka. Skąd wiedzieli? – Odejmuje mi nóż od szyi, ale zaciska na niej dłoń twardą jak stal.

Ledwie oddycham.

– Gdzie reszta? – pyta stanowczo, nie zmniejszając uścisku.

– Jestem sama – odpowiadam z trudem. Nie mogę go zaprowadzić do Jamiego. Co zrobi Jamie, gdy nie wrócę? Jest głodny!

Uderzam go z całej siły łokciem w brzuch i od razu tego żałuję. Bolało. Ma tam tak samo twarde mięśnie jak w ramionach. Dziwne. Takie mięśnie zawdzięcza się ciężkiej pracy albo obsesyjnemu treningowi, a przecież pasożytów nie dotyczy ani jedno, ani drugie.

On nawet nie drgnął. Zrozpaczona wbijam mu piętę w śródstopie. To go zaskoczyło, chwieje się, a ja próbuję się wyrwać, ale chwyta za torbę i przyciąga z powrotem do siebie. Jego dłoń znowu ląduje na moim gardle.

– Krewka jesteś jak na pasożyta. A podobno nie lubicie przemocy.

To, co mówi, nie ma sensu. Myślałam, że wszyscy obcy są tacy sami. Najwidoczniej jednak i wśród nich zdarzają się pomyleńcy.

Rzucam się i szarpię, próbując wyrwać się z jego uścisku. Wbijam mu paznokcie w ramię, lecz wtedy jeszcze mocniej ściska mnie za gardło.

– Naprawdę cię zabiję, słyszysz, potworze? Nie blefuję.

– To na co czekasz!

Nagle wzdycha gwałtownie. Czyżbym go uderzyła? Nie czuję żadnego bólu.

Puszcza moje ramię i chwyta mnie za włosy. A więc jednak. Podetnie mi gardło. Czekam na śmierć.

On tymczasem zabiera dłoń z mojego gardła i zaczyna gorączkowo obmacywać mi kark. Czuję na skórze ciepło jego szorstkich palców.

– To niemożliwe – szepcze przejęty.

Coś upada z hałasem na podłogę. Upuścił nóż? Zaczynam się zastanawiać, jak po niego sięgnąć. Może gdyby udało się schylić. Jego dłoń nie zaciska mi się mocno na karku, dam radę się wyrwać. Chyba słyszałam, w którym miejscu upadł nóż.

Nagle obraca mnie gwałtownie ku sobie. Słyszę pstryknięcie i w tej samej chwili moje lewe oko zalewa światło. Odruchowo próbuję odrzucić głowę w bok, ale on jeszcze mocniej zaciska dłoń na moich włosach. Po chwili świeci mi w prawe oko.

– Nie do wiary – szepcze. – Ty ciągle jesteś człowiekiem.

Obejmuje dłońmi moją twarz i gwałtownym ruchem przyciska usta do moich.

Na chwilę zastygam w bezruchu. Nikt mnie nigdy nie pocałował. Nie w taki sposób. Znałam tylko pocałunki w policzek i w czoło, które przed wieloma laty dostawałam od rodziców. Nie sądziłam, że kiedykolwiek coś takiego poczuję. Nawet teraz nie wiem do końca, jakie to uczucie. Jestem zbyt przerażona.

Wymierzam z zaskoczenia cios kolanem.

Udało się, zaparło mu dech w piersi, jestem wolna. Nie rzucam się jednak ponownie ku drzwiom frontowym, tak jak mógłby się spodziewać, lecz przemykam mu pod ramieniem i wybiegam przez otwarte drzwi do ogrodu. Chyba jestem w stanie mu uciec, nawet z ciężarem na plecach. Nie zaczął jeszcze mnie gonić, słyszę, że ciągle dochodzi do siebie. Wiem, dokąd biec, w tych ciemnościach nie zostawię po sobie śladów. Na szczęście ani na moment nie upuściłam torby z jedzeniem. Za to chyba zgubiłam batoniki musli.

– Poczekaj! – krzyczy.

Zamknij się, myślę, ale mu nie odpowiadam.

Biegnie za mną. Jego głos się zbliża.

– Nie jestem jednym z nich!

Akurat. Biegnę dalej, nie odrywając wzroku od ziemi. Mój tata zawsze mi powtarzał, że biegam jak lampart. Zanim nadszedł koniec świata, byłam mistrzynią stanu.

– Posłuchaj! – nie przestaje krzyczeć na cały głos. – Udowodnię ci. Zatrzymaj się i popatrz!

Niedoczekanie. Zbaczam ze ścieżki i wbiegam pomiędzy zarośla.

– Myślałem, że zostałem sam! Chcę z tobą porozmawiać! Proszę cię!

Zaskoczyło mnie, jak blisko jest za mną.

– Przepraszam, że cię pocałowałem! To było głupie! To przez samotność!

– Zamknij się – nie mówię tego głośno, ale wiem, że mnie słyszy. Jest coraz bliżej. Jeszcze nigdy nikt mnie nie prześcignął. Próbuję biec jeszcze szybciej.

On też przyspiesza. Coraz ciężej oddycha.

Nagle coś wielkiego powala mnie od tyłu na ziemię. Mam piasek w ustach. Przygniata mnie ciężar tak duży, że z trudem oddycham.

– Poczekaj. Chwilę. – Próbuje złapać dech.

Przesuwa się i obraca mnie na plecy. Siada na mnie okrakiem, unieruchamiając moje ręce swoimi nogami. Zgniecie mi całe jedzenie. Staram się wyśliznąć, wściekle jęcząc.

– Zobacz, zobacz! – Wyjmuje z kieszeni w spodniach niewielki, podłużny przedmiot, przekręca końcówkę – wystrzeliwuje z niej snop światła – i świeci sobie w twarz.

W świetle latarki jego skóra wygląda żółto. Ma mocno zarysowane kości policzkowe, długi, chudy nos, kanciasty podbródek. Usta rozciągają mu się w uśmiechu, jak na mężczyznę ma wydatne wargi. Brwi i rzęsy zbielały mu od słońca.

Ale nie to próbuje mi pokazać.

Jego oczy koloru ziemi lśnią wyłącznie odbitym światłem, jak u człowieka. Świeci sobie latarką na przemian w lewe i prawe oko.

– Widzisz? Rozumiesz? Jestem taki jak ty.

– Pokaż kark – odpowiadam podejrzliwym tonem. Nie dam się oszukać. Nie rozumiem, po co ta cała farsa, ale nie wierzę w żadne jego słowo. Nie ma już dla mnie nadziei.

– Ale... co to da? – Wykrzywia usta. – Oczy powinny ci wystarczyć. Widzisz, że nie jestem jednym z nich.

– Dlaczego nie chcesz pokazać karku?

– Bo mam tam bliznę – przyznaje.

Próbuję mu się wywinąć, ale chwyta mnie za ramiona i przyciska do ziemi.

– Sam ją sobie zrobiłem – tłumaczy. – Chyba nawet nieźle mi wyszło, choć bolało jak diabli. Nie wszyscy mają takie ładne długie włosy jak ty. Blizna pomaga mi udawać, że jestem jednym z nich.

– Zejdź ze mnie.

Waha się przez chwilę, po czym wstaje jednym zwinnym ruchem, nie używając rąk. Wyciąga do mnie dłoń.

– Proszę, nie uciekaj. I... prosiłbym też, żebyś mnie już więcej nie kopała.

Nie ruszam się z miejsca. I tak nie dam rady uciec, dogoniłby mnie.

– Kim jesteś? – pytam półszeptem.

Uśmiecha się szeroko.

– Nazywam się Jared Howe. Ostatni raz rozmawiałem z drugim człowiekiem ponad dwa lata temu, więc pewnie mogę ci się wydawać trochę... stuknięty. Przepraszam. Ale powiedz, jak masz na imię?

– Melanie – szepczę.

– Melanie. Nie masz pojęcia, jak mi miło.

Zaciskam kurczowo dłonie na torbie z jedzeniem, nie spuszczając z niego wzroku. Powoli wyciąga dłoń jeszcze bliżej.

Chwytam ją.

Dopiero widząc nasze dłonie splecione razem, uświadamiam sobie, że mu ufam.

Pomaga mi się podnieść, ale nie puszcza mojej ręki nawet wtedy, gdy już stoję o własnych siłach.

– Co teraz? – pytam przezornie.

– Nie możemy tu dłużej zostać. Wrócisz ze mną na chwilę do tego domu? Zostawiłem tam pustą torbę. Wyprzedziłaś mnie.

Potrząsam głową.

Widzę na jego twarzy zrozumienie, chyba pojął, że musi się ze mną obchodzić bardzo delikatnie.

– W takim razie poczekasz tu na mnie? – pyta łagodnym tonem. – Zajmie mi to tylko chwilę. Zdobędę dla nas więcej jedzenia.

– Dla nas?

– Naprawdę myślisz, że pozwolę ci teraz odejść? Będę szedł za tobą, nawet jeśli mi zabronisz.

Nie chcę nigdzie iść bez niego.

– Ja... – Jak tu nie ufać w pełni drugiemu człowiekowi? Jesteśmy dla siebie rodziną, gatunkiem na wymarciu. – Nie mam czasu. Mam przed sobą długą drogę, a... Jamie na mnie czeka.

– Czyli nie jesteś sama. – Na jego twarzy po raz pierwszy maluje się niepewność.

– To mój brat. Ma dopiero dziewięć lat i bardzo się boi, kiedy zostaje sam. Zanim do niego dotrę, minie pół nocy. Będzie się martwił, czy mnie nie złapali. Jest bardzo głodny.

Jakby na podkreślenie ostatniego słowa mój brzuch burczy głośno.

Jared uśmiecha się tylko, jeszcze bardziej promiennie niż wcześniej.

– Co powiesz na to, żebym cię podwiózł?

– Podwiózł?

– Dobijmy targu. Ty tu poczekasz, aż przyniosę więcej jedzenia, a ja zabiorę cię moim jeepem, gdziekolwiek zechcesz. Samochód jest szybszy niż nogi – nawet twoje.

– Masz samochód?

– Oczywiście. Nie myślisz chyba, że dotarłam tu pieszo?

Szłam tutaj bite sześć godzin. Przypominam to sobie i czuję, jak marszczą mi się brwi.

– Ani się obejrzysz, a będziesz znowu z bratem. Nie ruszaj się stąd, dobrze?

Kiwam głową.

– I proszę cię, zjedz coś. Nie chciałbym, żeby twój brzuch nas wydał. – Uśmiecha się szeroko, mrużąc oczy. Czuję mocniejsze uderzenie serca i wiem, że będę tu na niego czekać, nawet jeśli zajmie mu to całą noc.

Ciągle trzyma moją dłoń. Wypuszcza ją bez pośpiechu, nie odrywając wzroku od moich oczu. Całuje mnie znowu i tym razem czuję to bardzo wyraźnie. Nawet w tym upale jego miękkie usta wydają się gorące. Instynktownie wyciągam ku niemu ręce. Dotykam jego ciepłych policzków i szorstkich włosów z tyłu głowy. Palce prześlizgują mi się po podłużnym wybrzuszeniu na karku.

Krzyczę.

Ocknęłam się zlana potem. Jeszcze zanim na dobre się przebudziłam, wędrowałam palcami po szyi, śledząc bieg podłużnej blizny po zabiegu. Niewielkie różowe znamię było ledwie wyczuwalne. Środki, których użył Uzdrowiciel, spełniły swoje zadanie.

Słabo zagojona blizna Jareda była tak naprawdę bardzo marnym kamuflażem.

Zapaliłam nocną lampkę i położyłam się na plecach, czekając, aż opadnie mi adrenalina i uspokoi się oddech. Sen był bardzo realistyczny.

Nowy, a zarazem bardzo podobny do wielu innych, które dręczyły mnie nocami w ciągu ostatnich miesięcy.

To nie mógł być sen. To wspomnienia.

Wciąż czułam na ustach żar jego warg. Ręce, nie pytając mnie o zdanie, szukały w skotłowanej pościeli czegoś, czego nie mogły tam znaleźć. Wreszcie poddały się i puste opadły bezwładnie na łóżko, a wtedy żal ścisnął mi serce.

Zamrugałam, próbując pozbyć się wilgoci w oczach. Nie mogłam już tego znieść. Jak inni sobie z tym radzili – z ciałami, których wspomnienia nie chciały odejść w przeszłość, tam gdzie ich miejsce? Z uczuciami tak potężnymi, że sama nie wiedziałam, co właściwie czuję?

Jutro będę wycieńczona, pomyślałam, ale czułam, że jestem zbyt rozbudzona, żeby zasnąć w ciągu najbliższych paru godzin. Może lepiej po prostu napisać raport i mieć to z głowy. Może uda mi się dzięki temu oderwać myśli od rzeczy, o których wolałabym nie myśleć.

Wygrzebałam się z łóżka i potoczyłam w stronę stojącego na pustym biurku komputera. Ekran monitora rozświetlił się po kilku sekundach, kolejne kilka zajęło mi uruchomienie programu pocztowego. Nietrudno było znaleźć adres Łowczyni; miałam tylko cztery kontakty: ją, Uzdrowiciela, mojego nowego pracodawcę oraz jego żonę, a moją Pocieszycielkę.

Z moją żywicielką, Melanie Stryder, był ktoś jeszcze.

Pisałam od razu na temat, nie bawiąc się w formułki powitalne.

Nazywa się Jamie Stryder, jest jej bratem.

Uświadomiłam sobie, jaka jest silna, i przejęła mnie nagła trwoga. Przez cały ten czas nawet przez myśli mi nie przeszło, że mógł z nią być mały chłopiec – nie dlatego, że mało dla niej znaczył, lecz przeciwnie, dlatego że strzegła go bardziej niż innych tajemnic, do których udało mi się dotrzeć. Ile jeszcze miała takich sekretów? Tak ważnych, tak jej drogich, że pilnowała, aby nie pojawiły się nawet w moich snach? Czy była aż tak silna? Pisałam dalej drżącymi palcami.

Teraz pewnie jest już nastolatkiem. Może mieć jakieś trzynaście lat. Mieszkali w prowizorycznym obozowisku na północ od miasta Cave Creek w Arizonie, tak mi się wydaje. Ale to było kilka lat temu. W każdym razie można poszukać na mapie linii, o których wspominałam wcześniej. Jeżeli dowiem się czegoś więcej, oczywiście dam znać.

Nacisnęłam „wyślij". Nie minęły dwie sekundy, a ogarnęła mnie trwoga.

Tylko nie Jamie!

Jej głos rozbrzmiał w mojej głowie tak wyraźnie, jakbym sama się odezwała. Otrząsnęłam się przerażona.

Oprócz obezwładniającego strachu poczułam też nagle absurdalne pragnienie napisania drugiego e-maila i przeproszenia Łowczyni za to, że wysłałam jej swoje bzdurne sny. Chciałam napisać, że byłam na wpół nieprzytomna, i poprosić, żeby zapomniała o tych głupotach.

To pragnienie nie było moje.

Wyłączyłam komputer.

Nienawidzę cię, warknął głos w mojej głowie.

– W takim razie może powinnaś się wynieść – odgryzłam się. Na dźwięk mojego własnego głosu przeszedł mnie dreszcz.

Nie mówiła nic do mnie od tamtych pierwszych chwil w szpitalu. Dopiero teraz zrozumiałam, że jest coraz mocniejsza. Zupełnie jak te sny.

Nie miałam żadnych wątpliwości – jutro będę musiała odwiedzić moją Pocieszycielkę. Na samą myśl stanęły mi w oczach łzy zawodu i upokorzenia.

Wróciłam do łóżka i przykryłam twarz poduszką, starając się nie myśleć o niczym.

Rozdział 5

Płacz

– Witaj, Wagabundo! Wejdź, proszę, i rozgość się.

Przez chwilę zawahałam się, stojąc w drzwiach, jedną nogą w gabinecie Pocieszycielki, drugą na zewnątrz.

Uśmiechnęła się do mnie, unosząc leciutko kąciki ust. Umiałam już czytać ludzką mimikę; delikatne ruchy i drgnienia mięśni po paru miesiącach pobytu na Ziemi nie były dla mnie tajemnicą. Zrozumiałam, że mój wewnętrzny opór trochę ją bawi. Jednocześnie wyczuwałam, że jest nieco sfrustrowana faktem, iż nadal przychodzę do niej bardzo niechętnie.

Westchnęłam cicho, zrezygnowana, wkroczyłam do niedużego, jaskrawego pomieszczenia i usiadłam tam gdzie zawsze – w miękkim czerwonym fotelu, jak najdalej od niej.

Zacisnęła usta.

Nie chciałam spojrzeć jej w oczy, więc wyglądałam przez otwarte okno na sunące po słonecznym niebie obłoki. Gabinet wypełniała delikatna woń oceanu.

– A więc, moja droga. Dawno się nie widziałyśmy.

Posłałam jej spojrzenie pełne poczucia winy.

– Ostatnim razem nie mogłam, jeden z moich studentów mnie potrzebował. Zostawiłam w tej sprawie wiadomość...

– Tak, wiem – odparła, znowu leciutko się uśmiechając. – Odebrałam ją.

Jak na starszą kobietę była atrakcyjna, przynajmniej według ludzkich standardów. Nie farbowała włosów – były puszyste, naturalnie szare, bardziej białe niż srebrne, długie, upięte w luźny warkocz. Intrygowała mnie zieleń jej oczu – nie widziałam takiej u nikogo innego.

– Przepraszam – powiedziałam, gdyż odniosłam wrażenie, że czeka, aż coś powiem.

– W porządku. Rozumiem. Te spotkania nie są dla ciebie łatwe. Chciałabyś, żeby nie były ci w ogóle potrzebne. Nigdy wcześniej nie były. Teraz jest inaczej i to cię martwi.

Spuściłam wzrok na drewniany parkiet.

– Tak, ma pani rację.
– Pamiętam, że prosiłam cię, żebyś mówiła mi Kathy.
– Dobrze... Kathy.
Zaśmiała się cichutko.
– Nie oswoiłaś się jeszcze z ludzkimi imionami, prawda?
– Nie. Prawdę mówiąc... to dla mnie trochę jak kapitulacja.
Podniosłam wzrok i zobaczyłam, że wolno mi przytakuje.
– No tak, potrafię zrozumieć, dlaczego. Szczególnie w twoim przypadku.
Przełknęłam głośno ślinę i ponownie wbiłam wzrok w podłogę.
– Porozmawiajmy teraz na łatwiejszy temat – zaproponowała. – Czy twoje nowe Powołanie nadal sprawia ci przyjemność?
– Tak – odparłam bez zastanowienia. Rzeczywiście, był to dla mnie łatwiejszy temat. – Właśnie zaczęłam nowy semestr. Zastanawiałam się wcześniej, czy aby się nie znudzę, powtarzając od nowa ten sam materiał, ale na razie jest ciekawie. Mam nowych słuchaczy, więc jest inaczej.
– Curt opowiada mi o tobie same dobre rzeczy. Mówi, że twoje zajęcia należą do najbardziej obleganych na całej uczelni.
Lekko się zarumieniłam.
– Miło mi to słyszeć. Jak się miewa twój partner?
– Dziękuję, Curt ma się świetnie. Nasi żywiciele są w znakomitym stanie, biorąc pod uwagę ich wiek. Myślę, że przed nami jeszcze wiele lat życia.
Byłam ciekawa, czy Kathy zamierza zostać na Ziemi i w stosownym czasie po prostu zmieni żywiciela, czy też przeniesie się gdzie indziej. Wolałam jednak nie zadawać pytań, które mogłyby skierować rozmowę na niewygodne tematy. Wróciłam więc do poprzedniego wątku.
– Lubię uczyć. Na Planecie Wodorostów miałam dość podobne Powołanie, więc łatwo było mi się przyzwyczaić. Mam u Curta dług wdzięczności.
– To oni mają szczęście, że u nich pracujesz – odparła Kathy, uśmiechając się ciepło. – Nie wiem, czy zdajesz sobie sprawę, że rzadkością jest nawet profesor historii z dwiema planetami w życiorysie. A ty mieszkałaś prawie wszędzie. I do tego na Początku! Nie znajdziesz na tym świecie szkoły, która nie chciałaby cię mieć u siebie. Curt głowi się, jak by tu cię zająć, żebyś nie miała czasu nawet pomyśleć o przeprowadzce.
– Profesor nadzwyczajny – uściśliłam.
Kathy uśmiechnęła się, po czym wzięła głęboki oddech, poważniejąc.
– Nie było cię u mnie tak długo, że pomyślałam, iż może twoje problemy same się rozwiązały. Ale potem uświadomiłam sobie, że może być odwrotnie; że nie chcesz się ze mną spotkać, bo jest coraz gorzej.

W milczeniu przyglądałam się swoim dłoniom.

Były jasnobrązowe – nie bledły, nawet gdy nie spędzałam zbyt wiele czasu na słońcu. Tuż nad lewym nadgarstkiem ciemniał duży pieg. Paznokcie miałam krótko przycięte. Nie lubiłam nosić długich, ich dotyk nie był przyjemny. Poza tym moje palce były bardzo długie i chude – z długimi paznokciami wyglądałam dziwnie. Nawet jak na człowieka.

Odchrząknęła, przerywając blisko minutową ciszę.

– Czy moje przeczucie nie było słuszne?

– Kathy – wymówiłam starannie jej imię, grając na zwłokę. – Dlaczego zatrzymałaś imię swojego żywiciela? Czy po to, żeby być bardziej... w zgodzie? Z żywicielem? – Miałam też ochotę zapytać o decyzję Curta, ale była to bardzo osobista sprawa. Pytanie o to kogokolwiek innego niż jego samego, nawet jego partnerki, byłoby niestosowne. Zresztą bałam się, że może i tak przekroczyłam już granicę taktu.

Kathy jednak tylko się zaśmiała.

– O rany, nie, skądże znowu. Nie mówiłam ci o tym? Hmm. Może nie, w końcu moja praca polega na słuchaniu, nie na mówieniu. Większość dusz, z którymi rozmawiam, nie potrzebuje aż tyle wsparcia. Czy wiesz, że przybyłam na Ziemię w jednym z pierwszych rzutów, jeszcze zanim ludzie zaczęli sobie zdawać sprawę z naszej obecności? Miałam ludzkich sąsiadów po obu stronach domu. Przez kilka lat musieliśmy z Curtem udawać naszych żywicieli. Nawet później, kiedy już zasiedliliśmy całą najbliższą okolicę, mogliśmy w każdej chwili natknąć się na człowieka. Dlatego po prostu zostałam Kathy. Inna sprawa, że moje poprzednie imię w tłumaczeniu na ten język ma czternaście słów i trudno je zgrabnie skrócić.

Mówiąc to, uśmiechnęła się szeroko. Wpadające z zewnątrz światło odbiło się od jej oczu i zamigotało na ścianie zielonym refleksem. Przez chwilę jej tęczówki mieniły się jak szmaragdy.

Do tej pory nie miałam pojęcia, że ta delikatna, czuła kobieta była w pierwszym szeregu kolonizatorów. Potrzebowałam paru chwil, żeby przetworzyć nowe informacje. Przyglądałam się jej, zdumiona i zarazem pełna uznania. Nigdy nie traktowałam Pocieszycieli zbyt poważnie – nigdy, aż do dziś, nie miałam ku temu powodów. Pomagali tym, którzy nie radzili sobie sami, czyli słabym, i wstydziłam się, że muszę tu przychodzić. Nieznane mi wcześniej fakty z przeszłości Kathy sprawiły, że nie czułam się już przy niej tak zażenowana. Wiedziała, na czym polega siła.

– Trudno ci było? – zapytałam. – Udawać jedną z nich?

– Nie, nieszczególnie. Widzisz, kiedy umieszczono mnie w tym ciele, musiałam się przyzwyczaić do tak wielu nowych rzeczy. Moje zmysły odbierały mnóstwo doznań. Na początku całkiem mnie to absorbowało.

– A Curt... Postanowiłaś pozostać z partnerem swojego żywiciela? Gdy było już po wszystkim?

Tym razem moje pytanie było bardziej dociekliwe i Kathy od razu to pojęła. Poprawiła się w fotelu, podnosząc stopy i opierając jedną na drugiej. Odpowiadała wpatrzona w punkt gdzieś ponad moją głową.

– Tak, wybrałam Curta. A on mnie. Oczywiście na początku to był czysty przypadek, taki a nie inny przydział obowiązków. Zbliżył nas czas, który spędzaliśmy razem, i ryzyko, które dzieliliśmy podczas naszej misji. Widzisz, jako rektor uniwersytetu Curt miał rozliczne kontakty. W naszym domu odbywały się zabiegi. Miewaliśmy często gości. Przychodzili do nas ludzie, a wychodziły dusze w ludzkiej powłoce. Wszystko odbywało się szybko i po cichu – sama wiesz, jak gwałtowny potrafi być ten gatunek żywicieli. Żyliśmy z dnia na dzień ze świadomością, że każda godzina może się okazać naszą ostatnią. Towarzyszyły nam duże emocje, bardzo często strach.

Tak więc, jak widzisz, nie brakowało nam dogodnych powodów, by się związać i pozostać parą nawet wówczas, gdy można już było wyjść z ukrycia. I mogłabym cię okłamać, uspokoić, mówiąc, że właśnie te powody były rozstrzygające. Ale... – Tu potrząsnęła głową, po czym jakby zapadła się głębiej w fotel, wbijając we mnie wzrok. – Przez wszystkie te tysiąclecia ludziom nie udało się rozgryźć zagadki, jaką jest miłość. Na ile jest sprawą ciała, a na ile umysłu? Ile w niej przypadku, a ile przeznaczenia? Dlaczego związki doskonałe się rozpadają, a te pozornie niemożliwe trwają w najlepsze? Ludzie nie znaleźli odpowiedzi na te pytania i ja też ich nie znam. Miłość po prostu jest albo jej nie ma. Mój żywiciel kochał żywiciela Curta i ta miłość przetrwała nawet wtedy, gdy umysły zmieniły właścicieli.

Przyglądała mi się uważnie. Widząc, że osuwam się w fotelu, uniosła lekko brwi.

– Melanie nadal opłakuje utratę Jareda – powiedziała oznajmiającym tonem.

Kiwnęłam twierdząco głową, ledwie zdając sobie z tego sprawę.

– Ty go opłakujesz.

Zamknęłam oczy.

– Ciągle miewasz te sny?

– Co noc – wymamrotałam.

– Opowiedz mi o nich. – Jej głos był łagodny, przekonujący.

– Nie lubię do nich wracać.

– Wiem. Spróbuj. Może ci to pomoże.

– Jak? Co z tego, że ci powiem, iż widzę jego twarz za każdym razem, gdy zamykam oczy? Że budzę się i płaczę, bo nie ma go przy mnie? Że jej wspomnienia są tak silne, iż nie potrafię ich już oddzielić od moich własnych?

Zamilkłam gwałtownie, zaciskając zęby.

Kathy wyjęła z kieszeni białą chusteczkę i wyciągnęła ją w moją stronę. Widząc, że nie ruszam się z miejsca, wstała, podeszła do mnie i upuściła mi ją na kolana, po czym usiadła na oparciu mojego fotela, czekając.

Trwałam uparcie w bezruchu przez kolejne pół minuty. Wreszcie w złości chwyciłam chusteczkę i wytarłam oczy.

– Nie znoszę tego.

– Wszyscy płaczą przez pierwszy rok. Te uczucia są po prostu nieznośne. Każde z nas ma w sobie trochę dziecka, czy tego chcemy, czy nie. Kiedyś rozklejałam się za każdym razem, gdy widziałam ładny zachód słońca. Albo nawet jedząc masło orzechowe. – Poklepała mnie delikatnie po czubku głowy, następnie czule pociągnęła palcami po kosmyku, który chowałam zawsze za ucho.

– Masz takie ładne, lśniące włosy – zauważyła. – Za każdym razem, kiedy się widzimy, są krótsze. Dlaczego?

Widziała moje łzy, nie miałam już w jej oczach wiele do stracenia. Czemu miałabym kłamać, tak jak zwykle, że krótsze są łatwiejsze w utrzymaniu? W końcu jestem tu po to, żeby się zwierzyć i otrzymać wsparcie.

– Żeby zrobić jej na złość. Ona woli, jak są długie.

Nie wydała żadnego odgłosu zdumienia, choć chyba właśnie takiej reakcji oczekiwałam. Kathy była naprawdę dobra w swoim zawodzie. Jej niepokój zdradzały tylko sekundowa pauza i chwilowe problemy ze znalezieniem słów.

– Czyli... ona... ona ciągle... tam jest?

Dałam ujście przerażającej prawdzie.

– Gdy zechce. Nasza historia ją nudzi. Kiedy pracuję, jest jakby uśpiona. Ale to nie znaczy, że jej nie ma, o nie. Czasem jej obecność wydaje mi się tak samo prawdziwa jak moja. – Te ostatnie słowa wypowiedziałam już szeptem.

– Wagabundo! – wykrzyknęła przerażona Kathy. – Dlaczego nic mi nie powiedziałaś? Jak długo to już trwa?

– Jest coraz gorzej. Zamiast słabnąć, robi się coraz silniejsza. Nie jest tak źle, jak w przypadku, o którym mówił Uzdrowiciel – rozmawiałyśmy o Kevinie, pamiętasz? Nie przejęła nade mną kontroli. Nie uda jej się. Nie pozwolę na to! – Mój głos był coraz wyższy.

– Oczywiście, że jej się nie uda. – Kathy próbowała mnie uspokoić. – Oczywiście, że nie. Ale skoro jesteś tak... nieszczęśliwa, powinnaś była mi powiedzieć wcześniej. Musimy cię umówić z Uzdrowicielem.

Byłam w tak złym stanie, że upłynęła chwila, zanim pojęłam, o co jej chodzi.

– Jak to z Uzdrowicielem? Chcesz, żebym porzuciła to ciało?

– Gdybyś się zdecydowała, nikt nie pomyśli o tobie źle. To zrozumiałe, że gdy żywiciel jest wadliwy...

– Wadliwy? Ona nie jest wadliwa. Chyba raczej ja. Jestem za słaba na tę planetę! – Opuściłam głowę i ukryłam twarz w dłoniach. Ogarnęło mnie przemożne poczucie upokorzenia. Oczy znowu zaszły mi łzami.

Kathy objęła mnie za ramię. Byłam tak zajęta poskramianiem swoich krnąbrnych emocji, że wcale nie zareagowałam na ten gest zbytniego spoufalenia, choć miałam do tego prawo.

Melanie też nie była zachwycona. Nie podobało jej się, że obejmuje ją obca istota.

Oczywiście po tym, jak przyznałam w końcu, że jest silna, była bardzo obecna i triumfująca. Radowała się. Zawsze, kiedy rozpraszały mnie silne emocje, trudniej było mi nad nią zapanować.

Starałam się uspokoić, by pokazać jej, gdzie jej miejsce.

Tu jest moje miejsce. Jej myśl była słaba, ale zrozumiała. Oto, do czego już doszło: była na tyle silna, że mogła do mnie mówić, kiedy tylko zapragnęła. Poczułam się równie strasznie jak wtedy w szpitalu, w pierwszych chwilach po przebudzeniu.

Idź sobie precz. Teraz to moje miejsce.

Nigdy.

– Wagabundo, skarbie, to nie tak. Nie jesteś słaba, obie o tym wiemy.

– Uhm.

– Posłuchaj mnie. Jeste«ś silna. Zdumiewająco silna. My, dusze, na ogół jesteśmy do siebie bardzo podobne, ale ty wykraczasz ponad przeciętność. Twoja odwaga jest zadziwiająca. Twoje poprzednie życia są tego świadectwem.

Moje poprzednie życia może i tak, ale teraz? Gdzie się tym razem podziała moja siła?

– Ale ludzkość jest bardziej zróżnicowana niż my – ciągnęła Kathy. – U nich spektrum jest o wiele szersze, jedni są o wiele mocniejsi niż inni. Jestem święcie przekonana, że gdyby umieszczono w tym ciele jakąś inną duszę, Melanie rozprawiłaby się z nią w kilka dni. Może to przypadek, a może przeznaczenie, ale wygląda mi na to, że najsilniejszy spośród nas trafił na najsilniejszego spośród nich.

– To chyba nie świadczy zbyt dobrze o naszym gatunku, nieprawdaż?

Zrozumiała sugestię kryjącą się w moich słowach.

– Ale przecież ona wcale nie wygrywa. To ty tu ze mną siedzisz, skarbie. Ona jest tylko cieniem w zakamarku twojego umysłu.

– Mówi do mnie, Kathy. Ciągle ma swoje własne myśli. Ciągle ma przede mną tajemnice.

– Ale chyba nie mówi za ciebie? Gdybym to ja była na twoim miejscu, pewnie niewiele byłabym w stanie powiedzieć.

Przemilczałam to. Byłam rozbita.

– Myślę, że powinnaś rozważyć zmianę żywiciela.

– Kathy, sama przed chwilą powiedziałaś, że ona z łatwością zniszczyłaby każdą inną duszę. Nie jestem pewna, czy w to wierzę – pewnie próbujesz mnie tylko pocieszyć, na tym polega twoja praca. Ale jeżeli ona rzeczywiście jest aż tak silna, to chyba nie byłoby w porządku przekazać ją komuś innemu tylko dlatego, że nie umiem sobie z nią poradzić. Kogo zaproponowałabyś na moje miejsce?

– Nie powiedziałam tego, żeby cię pocieszyć, skarbie.

– Skoro nie, to...

– Nie sądzę, żeby zdecydowano się na umieszczenie w tym żywicielu innej duszy.

– Ach!

Dreszcz przerażenia przebiegł mi po plecach. Nie tylko mnie ten pomysł wytrącił z równowagi.

Brzydziłam się takim rozwiązaniem. Nie byłam dezerterem. Na poprzedniej planecie – w świecie Wodorostów, jak je tu nazywano – czekałam cierpliwie, zataczając z całą resztą kolejne koła wokół tamtejszych słońc. Bycie przytwierdzoną do ziemi zaczęło mnie nużyć szybciej, niż się spodziewałam, a długość życia Wodorostów w przeliczeniu na ziemskie lata wyniosłaby kilka wieków; mimo to nie porzuciłam swojego żywiciela. Byłoby to niewdzięcznością, marnotrawstwem, czynem niegodnym. Zaprzeczeniem tego, czym my, dusze, jesteśmy. Zawsze zależało nam, aby czynić światy lepszymi. W przeciwnym razie nie zasługiwałybyśmy na to, by je zamieszkiwać.

I rzeczywiście, wszędzie, gdzie pojawiły się dusze, panowało dobro, piękno i pokój. Co innego ludzie, ci byli zupełnie nieokrzesani. Zabijali się nawzajem tak często, że zbrodnia była dla nich zwyczajną częścią życia. Rozliczne metody tortur, które stosowano tu od tysięcy lat, przechodziły moje pojęcie; nie mogłam znieść nawet suchych raportów na ten temat. Na prawie wszystkich kontynentach szalały wojny, w czasie których zabijano w majestacie prawa, nie szczędząc nikogo. Nawet ludzie, którym dane było żyć w pokoju, odwracali wzrok, widząc, jak członkowie tego samego gatunku umierają z głodu pod ich drzwiami. Obfite bogactwa naturalne planety nie były sprawiedliwie dzielone między wszystkich. I wreszcie, o zgrozo, ich własne potomstwo – następne pokolenie, które wśród nas, dusz, otaczano niemalże czcią, gdyż niesie obietnicę życia – padało nieraz ofiarą straszliwych zbrodni. I to nie tylko z rąk obcych ludzi, lecz także własnych opiekunów. Ludzka lekkomyślność i chciwość zaczęła w końcu zagrażać całej planecie. Nie ulega wątpliwości, że dzięki nam Ziemia stała się lepszym miejscem.

Wymordowaliście cały gatunek istot, a teraz poklepujecie się z uznaniem po plecach.

Dłonie zacisnęły mi się w pięści.

Nie zapominaj, że ode mnie zależy, co się z tobą stanie, zauważyłam.

No więc śmiało. Niech to morderstwo będzie oficjalne.

Blefowałam, ona zresztą też.

Może nawet wydawało jej się, że chce umrzeć. W końcu skoczyła w szyb windy. Ale zrobiła to w panice, przekonana o swojej porażce. To zupełnie co innego niż rozważyć to wnikliwie, siedząc w wygodnym fotelu. Kiedy zaczęłam rozmyślać o ewentualnej zmianie żywiciela, poczułam w żyłach gwałtowny przypływ adrenaliny – był to jej strach.

Chciałam znowu być sama. Mieć umysł tylko dla siebie. Ten świat był pełen nowych, przyjemnych doznań i wspaniale byłoby móc się nimi cieszyć bez przeszkód, zamiast skupiać całą uwagę na rozsierdzonej jaźni, która nie chce mnie zostawić w spokoju.

Melanie przysłuchiwała się moim rozważaniom i skręcało ją. Może jednak powinnam się poddać...

Na samo to słowo aż drgnęłam. Ja, Wagabunda, miałabym się poddać? Uciec? Uznać porażkę i spróbować jeszcze raz, ze słabym żywicielem, który nie będzie sprawiał kłopotów?

Potrząsnęłam głową. Nie mogłam znieść nawet tej myśli.

A poza tym... to było m o j e ciało. Przyzwyczaiłam się do niego. Polubiłam uczucie naprężonych mięśni, zgiętych stawów, pracujących ścięgien. Znałam dobrze swoje lustrzane odbicie. Opalona skóra, podłużne, wyraźnie zarysowane kości twarzy, czepek z włosów w kolorze mahoniu, ciemny brąz i zieleń moich oczu – oto ja.

Chciałam ocalić siebie. Nie mogłam dopuścić, by zniszczono to co moje.

Rozdział 6

Gość

Za oknami zaczęło się nareszcie ściemniać. Gorący jak na marzec dzień dłużył się niemiłosiernie, jak gdyby na złość.

Pociągnęłam nosem i kolejny raz złożyłam mokrą chusteczkę.

– Kathy, pewnie masz inne rzeczy na głowie. Curt będzie się martwił, gdzie jesteś.

– Zrozumie.

– Nie mogę tutaj siedzieć w nieskończoność. Zresztą nic dzisiaj nie wskórałyśmy.

– Nie lubię prowizorycznych rozwiązań. Nie chcesz nowego żywiciela...

– Zgadza się.

– W takim razie uporanie się z tym problemem pewnie zajmie ci trochę czasu.

Zacisnęłam bezsilnie zęby.

– Przyda ci się pomoc. Wierz mi, że wtedy wszystko przebiegnie szybciej i łatwiej.

– Będę się częściej umawiać na wizytę, obiecuję.

– Mam nadzieję, choć nie do końca o to mi chodziło.

– Masz na myśli... pomoc innych osób? – Skuliłam się lekko na myśl o tym, że miałabym powtórzyć dzisiejsze wyznanie komuś nieznajomemu. – Jestem pewna, że masz takie same kwalifikacje jak inni Pocieszyciele. Nawet lepsze.

– Nie mówię o innym Pocieszycielu. – Poprawiła się i wyprostowała w fotelu. – Powiedz mi, ilu masz znajomych?

– Pytasz o ludzi z pracy? Widuję kilku innych wykładowców prawie codziennie. Jest też paru studentów, z którymi często rozmawiam po zajęciach...

– A poza uczelnią?

Zamilkłam.

– Ludzcy żywiciele potrzebują interakcji. Zresztą ty też nie zwykłaś być samotna. Dzieliłaś myśli z całą planetą...

– Nie umawialiśmy się na piwo – starałam się zażartować, z marnym rezultatem.

Uśmiechnęła się nieznacznie, po czym kontynuowała:

– Twój problem tak bardzo ci doskwiera, że nie potrafisz się skupić na niczym innym. Spróbuj może mniej się na nim koncentrować. Wspominałaś, że Melanie się nudzi, kiedy pracujesz... że jest wtedy niemrawa. Może gdyby udało ci się nawiązać więcej kontaktów, znudzi się jeszcze bardziej.

Ściągnęłam usta w zamyśleniu. Istotnie, zmęczona długim i intensywnym dniem Melanie nie wydawała się zachwycona tym pomysłem.

Kathy potaknęła głową.

– Zamiast zajmować się nią, zajmij się życiem.

– To brzmi całkiem rozsądnie.

– Kolejna rzecz to fizyczne instynkty tych ciał. Pod względem siły nie mają sobie równych. Pamiętam, że na początku kolonizacji jedną z największych trudności było dla nas okiełznanie popędu płciowego. Nie było łatwo, ale nie mieliśmy wyboru, jeżeli nie chcieliśmy zwracać na siebie uwagi. – Uśmiechnęła się szeroko i przewróciła oczami, jakby przypomniało jej się coś zabawnego. Nie doczekawszy się spodziewanej reakcji, westchnęła i założyła ręce na piersi. – Och, proszę cię, moja droga. Musiałaś zauważyć.

– No tak, oczywiście – wymamrotałam. Melanie poruszyła się niespokojnie. – Naturalnie. Opowiadałam ci moje sny...

– Nie chodzi mi teraz o wspomnienia. Nie spotkałaś nikogo, kto działałby pobudzająco na twoje ciało? Chodzi mi o reakcję czysto chemiczną.

Dokładnie przemyślałam jej pytanie.

– Nie wydaje mi się. W każdym razie nie zauważyłam.

– Wierz mi, że zauważyłabyś – odparła z kamienną twarzą i potrząsnęła głową. – Być może powinnaś się bardziej rozglądać. Dobrze ci to zrobi.

Moje ciało aż się wzdrygnęło. Melanie była zniesmaczona, ja sama wcale nie mniej.

Kathy wyczytała to z mojej twarzy.

– Nie pozwól jej decydować o twoich kontaktach z własnym gatunkiem, Wagabundo. Nie pozwól jej decydować o twoim życiu.

Zwlekałam chwilę z odpowiedzią, próbując pohamować złość – uczucie, do którego ciągle jeszcze nie przywykłam.

– Ona o niczym nie decyduje.

Kathy uniosła brew.

Gniew ścisnął mi gardło.

– Ty też nie rozglądałaś się za partnerem. Może nie zadecydowałaś o tym sama?

Zignorowała złość w moim głosie i starannie rozważyła pytanie.

– Być może – odparła w końcu. – Trudno powiedzieć. Ale rozumiem, co masz na myśli. – Mówiąc to, zaczęła skubać nitkę u rąbka koszuli, po czym, jakby uświadomiwszy sobie, że unika mojego spojrzenia, stanowczym ruchem skrzyżowała dłonie i wyprostowała ramiona. – Kto wie, jaki wpływ mają na nas różni żywiciele z różnych planet. Tak jak mówiłam wcześniej, myślę, że czas przyniesie odpowiedź. Jeżeli Melanie osłabnie i ucichnie, może uda ci się zainteresować innym mężczyzną, a jeśli nie... cóż, Łowcy są bardzo skuteczni. Już go szukają. A jak jeszcze przypomnisz sobie coś, co im pomoże...

Zastygłam w całkowitym bezruchu, lecz najwyraźniej uszło to jej uwadze.

– Może w końcu go znajdą i będziecie mogli być razem. Jeżeli jego uczucie jest równie silne, to jego nowa dusza raczej nie stanie na przeszkodzie.

– Nie! – Nie byłam pewna, czyj to okrzyk. Mógł być mój. Mnie również przejęła groza.

Zerwałam się na nogi, cała roztrzęsiona. Łzy, choć wcześniej stawały mi w oczach z byle powodu, tym razem się nie pojawiły, za to dłonie zacisnęły się w drżące pięści.

– Wagabundo?

Nie odezwałam się, tylko obróciłam i ruszyłam biegiem w stronę drzwi, tłumiąc słowa, które nie miały prawa paść z moich ust. Słowa, które nie mogły być moje. Które miały sens wyłącznie jako jej słowa, a mimo to czułam się tak, jakby były moje. Nie mogły być moje. Nie mogły być wypowiedziane.

To tak jakby go zabić! Sprawić, że przestanie istnieć! Nie chcę nikogo innego. Chcę Jareda, a nie kogoś o jego wyglądzie! Bez niego samo ciało jest nic niewarte.

Wybiegając na ulicę, słyszałam, jak Kathy woła mnie po imieniu.

Mieszkałam niedaleko, ale zdezorientował mnie panujący na ulicy półmrok. Minęłam dwie przecznice, zanim uprzytomniłam sobie, że biegnę w złym kierunku.

Przechodnie dziwnie na mnie patrzyli. Nie byłam ubrana na sportowo; widać było, że nie uprawiam joggingu, tylko uciekam. Nikt mnie jednak nie zatrzymywał, wszyscy taktownie odwracali oczy. Musieli rozumieć, że to mój nowy żywiciel i dlatego zachowuję się trochę jak dziecko.

Przestałam biec i ruszyłam na północ, by nie przechodzić znowu obok gabinetu Kathy.

Szłam jednak bardzo szybko. Moje stopy uderzały o chodnik w zbyt krótkich odstępach, jak gdyby w rytm żywej piosenki. Bach, bach, bach o beton. O nie, to brzmiało zbyt wściekle, by mogło być muzyką. To było jak przemoc. Bach, bach, bach. Jak ciosy pięścią. Potrząsnęłam głową, żeby odegnać ten straszny obraz.

Wreszcie ujrzałam lampę nad drzwiami mojego domu. Pozostałą odległość pokonałam bardzo prędko. Nie przeszłam jednak na drugą stronę ulicy.

Było mi niedobrze. Wiedziałam z pamięci, co znaczy wymiotować, ale dotychczas ani razu mi się to nie zdarzyło. Czoło zrosił mi zimny pot, w uszach szumiała krew. Wyglądało na to, że przekonam się sama, jak to jest.

Wzdłuż chodnika ciągnął się trawnik. Stała na nim latarnia, a dalej zaczynał się starannie przystrzyżony żywopłot. Nie miałam czasu szukać lepszego miejsca. Ruszyłam chwiejnym krokiem w kierunku światła i oparłam się o słup latarni. Kręciło mi się w głowie od nudności.

O tak, zdecydowanie zbierało mi się na wymioty.

– Wagabundo, czy to ty? Dobrze się czujesz?

Głos zabrzmiał znajomo, ale nie byłam w stanie się na nim skupić. Świadomość, że ktoś mnie ogląda, sprawiła jednak, że poczułam się jeszcze gorzej. Nachyliłam twarz w stronę krzewów i gwałtownie zwróciłam ostatni posiłek.

– Kto jest tutaj twoim Uzdrowicielem? – zapytał głos. Szum w uszach sprawił, że wydał mi się odległy. Czyjaś dłoń dotknęła moich zgiętych pleców. – Potrzebujesz karetki?

Kaszlnęłam dwukrotnie i potrząsnęłam głową. Mój żołądek był już opróżniony.

– Nie jestem chora – powiedziałam, prostując się, wsparta o latarnię. Uniosłam wzrok, chcąc się dowiedzieć, kto był świadkiem mojego blamażu.

Ujrzałam Łowczynię z Chicago. Trzymała w ręku telefon, nie mogąc się zdecydować, kogo powiadomić. Przyglądałam jej się przez chwilę, po czym znowu pochyliłam się w stronę żywopłotu. Z pustym żołądkiem czy nie, nie miałam najmniejszej ochoty na nią patrzeć.

Nagle dotarło do mnie, że przecież nie zjawiła się tu bez powodu.

O nie! O nie! O nieeeee!

– O co chodzi? – wydusiłam z siebie głosem słabym ze strachu i choroby. – Co tu robisz? Co się stało? – W głowie dudniły mi złowróżbne słowa Pocieszycielki.

Przez długie dwie sekundy wpatrywałam się w dłonie zaciśnięte na kołnierzu czarnej marynarki Łowczyni, aż w końcu uprzytomniłam sobie, że należą do mnie.

– Przestań! – Na jej twarzy widniało wzburzenie. Głos dziwnie drżał. Potrząsałam nią.

Oderwałam od niej ręce i chwyciłam się za twarz.

– Przepraszam! – wyrzuciłam z siebie, dysząc ciężko. – Przepraszam. Nie wiem, czemu to zrobiłam.

Łowczyni spojrzała na mnie krzywo i wygładziła przód kostiumu.

– Nie czujesz się najlepiej, a ja cię chyba zaskoczyłam.

– Nie spodziewałam się pani tutaj – odparłam półszeptem. – Co pani tu robi?

– Zanim porozmawiamy, udajmy się do kliniki. Jeżeli masz grypę, trzeba cię wyleczyć. Należy dbać o swoje ciało.

– Nie mam grypy. Nie jestem chora.

– Zjadłaś coś? Powinnaś to zgłosić.

Jej wścibskie pytania bardzo mnie drażniły.

– Nie zjadłam niczego niedobrego. Jestem zdrowa.

– Co szkodzi sprawdzić? Uzdrowiciel zbada cię w pięć sekund. Należy utrzymywać swojego żywiciela w dobrym stanie. Bądź odpowiedzialna. Przecież opieka zdrowotna jest ogólnodostępna i w pełni skuteczna.

Wzięłam głęboki oddech, powstrzymując się od ponownego potrząśnięcia nią. Była o całą głowę niższa ode mnie. Nie dałaby mi rady w walce.

W walce? Odwróciłam się i ruszyłam żwawym krokiem w stronę domu. Emocje brały nade mną górę. Musiałam się uspokoić, zanim zrobię coś niedopuszczalnego.

– Wagabunda? Poczekaj! Uzdrowiciel...

– Nie potrzebuję Uzdrowiciela – przerwałam, nie oglądając się. – Po prostu... poniosły mnie nerwy. Czuję się już dobrze.

Łowczyni nie odpowiedziała. Byłam ciekawa, co o tym wszystkim myśli. Słyszałam za sobą jej wysokie obcasy, więc zostawiłam drzwi otwarte, wiedząc, że wejdzie w ślad za mną. Podeszłam do zlewu i nalałam sobie szklankę wody. Czekała w milczeniu, aż skończę płukać usta. Gdy już wyplułam wodę, oparłam się o barek i wlepiłam wzrok w kran.

– Wagabundo... Czy nadal używasz tego imienia? Jeżeli nie, to przepraszam.

– Tak, nadal go używam – odparłam, ani na chwilę nie podnosząc wzroku.

– Ciekawe. Sprawiałaś wrażenie osoby, która będzie chciała wybrać sobie własne.

– I wybrałam. Właśnie to.

Już dawno zrozumiałam, że winę za łagodną sprzeczkę, której byłam świadkiem tuż po przebudzeniu w szpitalu, ponosiła Łowczyni. Była to najbardziej kłótliwa dusza, na jaką natknęłam się w ciągu moich dziewięciu żyć. Mój pierwszy lekarz, Fords Cicha Toń, był wyjątkowo łagodny, uprzejmy i mądry, nawet jak na duszę, a mimo to nie potrafił utrzymać przy niej nerwów na wodzy. Kiedy sobie o tym przypomniałam, spojrzałam łagodniejszym okiem na własne zachowanie.

Obróciłam się twarzą do niej. Siedziała na mojej niewielkiej kanapie, wygodnie rozłożona, jak gdyby miała zamiar zostać dłużej. Jej twarz przybrała wyraz samozadowolenia, a duże oczy były rozbawione. Musiałam się powstrzymywać, żeby nie spojrzeć na nią wrogo.

– Co pani tu robi? – zapytałam jeszcze raz. Mówiłam spokojnym, cichym głosem. Postanowiłam, że nigdy więcej nie poniosą mnie przy niej nerwy.

– Nie odzywałaś się od dłuższego czasu, więc pomyślałam, że porozmawiam z tobą osobiście. W twojej sprawie nadal nie poczyniliśmy większych postępów.

Zacisnęłam dłonie na krawędzi barku, lecz gdy się odezwałam, nie dałam po sobie poznać, jak wielką poczułam ulgę.

– To chyba lekka... nadgorliwość z pani strony. Poza tym wczoraj w nocy wysłałam pani wiadomość.

Jej brwi zeszły się w charakterystyczny sposób, nadając twarzy wyraz gniewu i poirytowania zarazem, jak gdyby to nie ona, lecz ktoś inny odpowiadał za jej złość. Wyjęła swojego palmtopa i parokrotnie dotknęła ekranu.

– Ach – powiedziała sztywno. – Nie sprawdzałam dzisiaj poczty.

W milczeniu przestudiowała treść mojej wiadomości.

– Wysłałam to wcześnie nad ranem – wyjaśniłam. – Byłam półprzytomna. Nie jestem pewna, ile z tego to wspomnienie, a ile sen albo nawet lunatykowanie.

Wymawiałam gładko kolejne słowa – słowa Melanie; na koniec dodałam nawet od siebie własny niewinny śmiech. Byłam nieszczera. Wstyd, niedobrze. Ale nie chciałam, żeby Łowczyni wiedziała, że żywiciel jest ode mnie silniejszy.

Po raz pierwszy Melanie nie chełpiła się tym, że wzięła nade mną górę. Była zbyt szczęśliwa, zbyt wdzięczna, że jej nie wydałam, i nie zważała na to, że kierowały mną wyłącznie niskie pobudki.

– Ciekawe – zaszemrała Łowczyni. – A więc jest jeszcze jeden. – Potrząsnęła głową. – Pokój ciągle nam się wymyka – dodała, ale idea nieustającej wojny zdawała się jej nie przerażać; przeciwnie, odniosłam wrażenie, że przypadła jej do gustu.

Zagryzłam wargę. Melanie bardzo chciała, żebym jeszcze dobitniej zaprzeczyła temu, co napisałam, i powiedziała Łowczyni, że chłopiec tylko mi się przyśnił. *Nie bądź głupia*, odparłam. *To by było zbyt oczywiste*. Fakt, iż obie znalazłyśmy się nagle po tej samej stronie, najlepiej świadczył o tym, jak odpychająca była Łowczyni.

Nienawidzę jej. Syczący szept Melanie był tak przenikliwy, że aż bolał.

Wiem, wiem. Żałowałam bardzo, że... nie mogę się odciąć od tych słów. Nienawiść była czymś niewybaczalnym. Ale Łowczyni... nie dała się lubić. Ani trochę.

Teraz przerwała mój wewnętrzny dialog.

– A więc, nie licząc nowego miejsca do sprawdzenia na mapie, nie masz dla mnie żadnych innych wskazówek?

Poczułam mechaniczną reakcję mojego ciała na jej krytyczny ton.

– Wcale nie pamiętam, żebym mówiła, że te linie były na mapie. To pani przypuszczenie. I nie, nie mam nic więcej.

Trzykrotnie cmoknęła.

– Przecież mówiłaś, że to wskazówki.

– Tak mi się wydaje. Nic więcej się nie dowiedziałam.

– Dlaczego? Chcesz powiedzieć, że nie zapanowałaś jeszcze nad żywicielem? – Zaśmiała się głośno. Drwiła ze mnie.

Odwróciłam się do niej plecami, starając się uspokoić. Próbowałam sobie wyobrazić, że jej tam nie ma. Że jestem w kuchni sama i wpatruję się przez okno w trzy gwiazdy lśniące na skrawku nocnego nieba.

No, może nie całkiem sama.

Kiedy tak przyglądałam się tym malutkim światełkom w ciemnościach nocy, stanęły mi nagle przed oczami owe linie, które widywałam regularnie w snach i fragmentach wspomnień; linie, które pojawiały się niespodziewanie w dość przypadkowych momentach.

Pierwsza: łagodna krzywa, skręcająca gwałtownie na północ, później z powrotem na południe i jeszcze raz ostro na północ, dalej znowu na południe, i wreszcie na powrót łagodniejąca.

Druga: nierówny zygzak o czterech spiczastych wierzchołkach i piątym dziwnie zaokrąglonym, jakby złamanym...

Trzecia: łagodna falista linia z wąskim północnym szpikulcem gdzieś w połowie.

Niezrozumiałe, z pozoru nic nieznaczące. Wiedziałam jednak, że są dla Melanie bardzo ważne. Wiedziałam o tym od samego początku. Chroniła tej tajemnicy skrzętniej niż wszystkich innych, nie licząc chłopca, jej braciszka. Do wczoraj nie miałam w ogóle pojęcia o jego istnieniu. Zastanawiało mnie, co takiego sprawiło, że ten sekret jej się wymknął. Być może im głośniejsza stawała się jej obecność, tym trudniej było jej zachować wspomnienia tylko dla siebie.

Może znowu popełni jakiś błąd i dowiem się, co te linie oznaczają. Wiedziałam, że coś znaczą. Że dokądś prowadzą.

I w tej właśnie chwili, gdy echo śmiechu Łowczyni dźwięczało mi jeszcze w uszach, uświadomiłam sobie nagle, jak ważne są to znaki.

Oczywiście, że prowadziły do Jareda. Do nich obu, Jareda i Jamiego. Gdzie indziej miałyby prowadzić? Jakie inne miejsce mogłoby się dla niej liczyć? Rozumiałam jednak, że nie była to droga powrotu, ponieważ żadne z nich nigdy wcześniej tam nie było. Te linie były dla niej równie tajemnicze jak dla mnie – dopóki...

Melanie się zagapiła, nie zdążyła mnie odgrodzić. Była zbyt rozkojarzona, zajęta Łowczynią bardziej niż ja. Poruszyła się nagle, zwracając moją uwagę na ciche odgłosy dochodzące zza pleców, i dopiero wtedy uświadomiłam sobie, że Łowczyni podeszła bliżej.

– Więcej się po tobie spodziewałam – westchnęła. – Twój życiorys wyglądał bardzo obiecująco.

– Wielka szkoda, że nie była pani akurat wolna, by podjąć się tego zadania. Nie wątpię, że dla pani zapanowanie nad krnąbrnym żywicielem byłoby dziecinną igraszką – stwierdziłam spokojnym głosem, nie obracając się ani na chwilę w jej stronę.

– Początki kolonizacji były wystarczająco trudne nawet bez opornych żywicieli – prychnęła.

– Wiem, sama kilka razy brałam udział w zasiedlaniu.

Łowczyni parsknęła.

– Czyżby trudno było utemperować Wodorosty? Może próbowały uciekać?

Zachowałam spokój.

– Na biegunie południowym nie mieliśmy żadnych trudności. Na północnym, oczywiście, sytuacja rozwinęła się inaczej. Popełniono poważne błędy. Straciliśmy cały las. – W moim głosie pobrzmiewał smutek tamtych dni. Tysiąc świadomych istot wolało na wieczność zamknąć oczy niż nas przyjąć. Zwinęły liście, którymi czerpały pokarm, i umarły z głodu.

Szczęśliwe istoty, szepnęła Melanie. Jej ton nie był ani trochę jadowity, wyrażała tylko aprobatę i oddawała cześć ofiarom tamtej tragedii.

To była wielka strata. Przypomniałam sobie dojmujący smutek i ból, jaki czuliśmy, kiedy cały las bratnich istot, połączonych z nami myślami, umierał w naszej obecności.

I tak czekała je śmierć.

Równocześnie odezwała się Łowczyni, postanowiłam więc skupić się na jednej rozmowie.

– Tak – przyznała z pewnym zażenowaniem. – Nie zrobiono tego tak, jak należało.

– Pewne działania należy podejmować z dużą ostrożnością. Niestety, niektórzy nie chcą przyjąć tego do wiadomości.

Nie odpowiedziała, usłyszałam tylko, jak cofa się o parę kroków. Wiadome było, że winę za masowe samobójstwo ponoszą Łowcy, którzy uznali, że skoro Wodorosty są nieruchome, to nie będą próbowały uciekać. Przystąpili więc do pierwszego etapu zasiedlania, zanim jeszcze osiągnęliśmy na miejscu liczebność umożliwiającą asymilację całej planety. Kiedy w końcu zorientowali się, do czego zdolne są Wodorosty, do czego są gotowe się posunąć, było już za późno. Kolejny transport dusz był zbyt daleko – zanim dotarł do celu, straciliśmy cały północny las.

Odwróciłam się teraz w stronę Łowczyni, chcąc zobaczyć, jaki wpływ wywarło na nią to, co powiedziałam. Stała niewzruszona, ze wzrokiem utkwionym w białej ścianie na przeciwległym końcu pokoju.

– Przykro mi, że nie mogę pani więcej pomóc – powiedziałam stanowczo, dając do zrozumienia, że już na nią czas. Chciałam mieć dom z powrotem dla siebie. *Dla nas*, poprawiła mnie Melanie z przekąsem. Westchnęłam. Pozwalała sobie na coraz więcej. – Naprawdę nie trzeba było się tak daleko fatygować.

– To moja praca – odparła Łowczyni, wzruszając ramionami. – Powierzono mi tylko twoją sprawę. Dopóki nie znajdę pozostałych ludzi, będę w pobliżu. A nuż czegoś się dowiem.

Rozdział 7

Spięcie

– Tak, W Stronę Słońca? – zapytałam, wdzięczna studentowi, że przerywa mi wykład. Nie czułam się dzisiaj zbyt pewnie. Moją największą zaletą i zarazem jedyną prawdziwą kwalifikacją było własne doświadczenie i to właśnie na nim zwykle się opierałam, prowadząc wykłady. Mój żywiciel, rzecz jasna, prawie nie chodził do szkoły, bo ukrywał się od dziecka. Teraz jednak po raz pierwszy w tym semestrze musiałam poprowadzić zajęcia z historii świata na temat, który sama znałam tylko z opowieści. Czułam, że dla moich studentów różnica jest aż nadto widoczna.

– Przepraszam, że przerywam, ale – siwy mężczyzna urwał na chwilę, szukając właściwych słów – chyba nie do końca zrozumiałem. Czy te Ogniojady naprawdę... połykają dym z płonących Pędów? Jak pokarm? – Z trudem krył przerażenie. Zasadniczo dusza nie powinna osądzać innych dusz. Nie dziwiła mnie jednak jego żywa reakcja na los bliskich mu form życia, wiedziałam bowiem, że przybył na Ziemię z Planety Kwiatów.

Zdumiewało mnie nieraz, jak niektóre dusze potrafią być całkowicie pochłonięte sprawami planety, którą zamieszkują, i całkiem zapominać o reszcie wszechświata. Uświadomiłam sobie jednak, że kiedy o Planecie Ognia było naprawdę głośno, W Stronę Słońca mógł być akurat w drodze na Ziemię.

– Tak, dym dostarcza im niezbędnych składników odżywczych. Na tym właśnie polega cały problem z Planetą Ognia. To także powód, dla którego kolonizacja nie została przeprowadzona do końca, mimo że czasu na to nie brakowało. Poza tym Planeta Ognia ma wysoki współczynnik relokacji.

– Kiedy ją odkryto, sądziliśmy początkowo, że dominujący na niej gatunek, Ogniojady, jest zarazem jedyną inteligentną formą życia. Ogniojady nie uważały Pędów za równe sobie – nazwijmy to uprzedzeniem kulturowym – dlatego minęło sporo czasu, ba, było już po pierwszej fali osiedleń, zanim dusze zdały sobie sprawę, że mordują inteligentne istoty.

Od tamtego czasu naukowcy z Planety Ognia poszukują zastępczych składników diety dla Ogniojadów. Wysyłano tam również do pomocy Pająki, choć obie planety dzieli kilkaset lat świetlnych. Gdy ta przeszkoda zostanie pokonana, a jestem przekonana, że nastąpi to niebawem, być może uda się zasymilować również Pędy. Na razie zdołano znacząco ograniczyć przemoc. Skończono, rzecz jasna, z tym całym, hm, paleniem żywcem i paroma innymi rzeczami.

– Jak oni mogą... – zaczął W Stronę Słońca, ale głos mu zamarł.

– To mi wygląda na straszliwie okrutny ekosystem – odezwał się ktoś inny. – Dlaczego nie zrezygnowano z tej planety?

– Oczywiście brano takie rozwiązanie pod uwagę, Robercie. Ale porzucanie planet nie jest łatwe. Dla wielu dusz Planeta Ognia jest domem. Nie można ich przesiedlić wbrew ich woli – wyjaśniłam, po czym spuściłam wzrok na notatki, próbując zakończyć dyskusję na ten temat.

– Ale to przecież barbarzyństwo!

Fizycznie rzecz biorąc, Robert był młodszy niż większość pozostałych studentów. Był mi właściwie najbliższy wiekiem. Był też dzieckiem w innym, ważniejszym sensie. Ziemia była jego pierwszym światem; jego matka mieszkała tutaj, gdy postanowiła się rozmnożyć. Dlatego widział dużo mniej niż inne, bardziej doświadczone dusze. Ciekawiło mnie, jak to jest – urodzić się od razu w świecie tak bogatym w emocje, nie doświadczywszy wcześniej niczego innego. Wyobrażałam sobie, że trudno wówczas zachować obiektywizm. Starałam się o tym pamiętać i okazywałam mu szczególną cierpliwość.

– Każdy ze światów jest wyjątkowy. Dopóki sami gdzieś nie zamieszkamy, nie jesteśmy w stanie w pełni zrozumieć...

– Ale pani nigdy nie mieszkała na Planecie Ognia – wtrącił. – Musiała pani myśleć podobnie... Chyba że miała pani jakiś inny powód, żeby się tam nie udać? Była pani przecież prawie wszędzie.

– Wybór planety jest bardzo osobistą decyzją, Robercie, o czym być może sam się kiedyś przekonasz – odparłam, dając jasno do zrozumienia, że uważam ten temat za zamknięty.

Czemu im tego nie powiesz? Przecież twoim zdaniem to jest barbarzyństwo – okrutne i niegodne. Co zresztą zakrawa na ironię, jeżeli chcesz znać moje zdanie – choć pewnie nie chcesz. W czym problem? Wstydzisz się powiedzieć, że zgadzasz się z Robertem? Dlatego, że jest bardziej ludzki niż inni?

Odkąd Melanie zaczęła się do mnie odzywać, stawała się coraz bardziej nie do zniesienia. Jak miałam się skupić na pracy, skoro ciągle wygłaszała mi w głowie komentarze na każdy temat?

Na krześle za Robertem poruszył się jakiś cień.

To Łowczyni, jak zwykle ubrana na czarno, pochyliła się z uwagą, po raz pierwszy zaciekawiona tematem dyskusji.

Miałam ochotę posłać jej krzywe spojrzenie, ale się pohamowałam. Nie chciałam, aby i tak już lekko zakłopotany Robert pomyślał, że to do niego. Melanie wydała pomruk niezadowolenia. Wolałaby, żebym uległa pokusie. Odkąd Łowczyni zaczęła śledzić każdy nasz krok, Melanie musiała zrewidować niektóre swoje poglądy; dotychczas wydawało jej się, że nie ma niczego, czego mogłaby nienawidzić bardziej niż mnie.

– Czas nam się kończy – oznajmiłam z ulgą. – Miło mi was powiadomić, że w przyszły wtorek będziemy mieli gościa, który na pewno udzieli wam na ten temat bardziej wyczerpujących odpowiedzi. Strażnik Ogniska niedawno przybył na Ziemię i opowie nam, jak przebiegało zasiedlanie Planety Ognia. Jego żywiciel jest jeszcze bardzo młody, ale jestem pewna, że będziecie dla niego tak samo uprzejmi jak dla mnie i okażecie mu należyty szacunek. Dziękuję za dzisiejsze spotkanie.

Studenci zaczęli pakować z wolna swoje rzeczy, wymieniając jeszcze między sobą uwagi, po czym opuścili salę. Przypomniało mi się to, co Kathy powiedziała na temat życia towarzyskiego, ale nie miałam ochoty do nich dołączyć. Byli mi obcy.

Czy właśnie to czułam? A może były to odczucia Melanie? Trudno powiedzieć. Może byłam aspołeczna. Mój życiorys zdawał się to potwierdzać. Nigdy nie przywiązałam się do nikogo na tyle, aby pozostać na którejkolwiek z planet w kolejnym wcieleniu.

Robert i W Stronę Słońca stali jeszcze w drzwiach, zajęci gorącą dyskusją. Domyślałam się, czego dotyczy.

– Opowieści z Planety Ognia wywołują duże emocje.

Drgnęłam zaskoczona.

Łowczyni stała u mojego boku. Zwykle zdradzało ją stukanie obcasów. Spojrzałam w dół i zobaczyłam, że tym razem wyjątkowo założyła miękkie buty – oczywiście czarne. Bez tych dodatkowych kilku centymetrów była jeszcze mniejsza.

– Nie jest to mój ulubiony temat – odparłam obojętnie. – Wolę się opierać na własnych doświadczeniach.

– Grupa reagowała dość żywiołowo.

– Owszem.

Spoglądała na mnie badawczo, jakby czekała, aż powiem coś więcej. Zebrałam swoje notatki w jeden plik i odwróciłam się, żeby włożyć je do torby.

– Tobie ten temat chyba też nie był całkiem obojętny.

Starannie ułożyłam kartki w torbie, nie odrywając od nich wzroku.

– Zastanowiło mnie, dlaczego nie odpowiedziałaś na jedno z pytań.

Nastała chwila ciszy. Łowczyni czekała, aż coś powiem. Milczałam.

– A zatem... dlaczego nie odpowiedziałaś na to pytanie?

Zwróciłam się ku niej, nie kryjąc zniecierpliwienia.

– Bo było nie na temat, bo Robert musi nauczyć się pewnych zasad, bo nikomu nic do tego.

Zarzuciłam torbę na ramię i ruszyłam w stronę drzwi. Podążyła za mną, starając się dotrzymać mi kroku. Przeszłyśmy w milczeniu cały korytarz. Dopiero na dworze, wśród promieni popołudniowego słońca, wydobywających ze słonego powietrza drobinki pyłu, odezwała się znowu:

– Myślisz, że kiedyś gdzieś osiądziesz? A może tutaj? Zdaje się, że masz dużo sympatii dla ich... uczuć.

Żachnęłam się na nutę oskarżenia w jej głosie. Nie do końca wiedziałam, o co mnie oskarża, ale o coś na pewno. Melanie aż drgnęła.

– Nie bardzo rozumiem, o czym pani mówi.

– Powiedz mi coś, Wagabundo. Żal ci ich?

– Kogo? – zapytałam obojętnie. – Pędów?

– Nie, ludzi.

Przystanęłam, a Łowczyni zatrzymała się tuż za mną. Od domu dzieliło mnie już tylko kilka przecznic i starałam się iść szybkim krokiem, by jak najprędzej się od niej uwolnić – chociaż nie mogłam wykluczyć, że się wprosi. To pytanie zbiło mnie jednak z tropu.

– Ludzi?

– Tak. Żal ci ich?

– A pani nie?

– Nie. To była wyjątkowo brutalna rasa. To cud, że sami się wcześniej nie pozabijali.

– Nie wszyscy byli źli.

– Tak byli genetycznie zaprogramowani. Przemoc leżała w ich naturze. Ale wygląda na to, że ty im współczujesz.

– Wiele stracili, nie sądzi pani? – Powiodłam ręką dookoła. Stałyśmy w czymś na kształt parku, pomiędzy dwoma porośniętymi bluszczem akademikami. Głęboka zieleń liści była miła dla oka, szczególnie na tle wyblakłej czerwieni sędziwych cegieł. Powietrze było łagodne i złociste, a lekka woń oceanu mieszała się ze słodkim zapachem kwiatów i krzewów. Delikatny wiatr muskał mi skórę na ramionach. – W poprzednich życiach nie było pani dane takie bogactwo zmysłów. Jak nie współczuć komuś, komu to wszystko odebrano?

Twarz Łowczyni pozostała niewzruszona. Nie dałam jednak za wygraną; chciałam, aby spojrzała na to z innej strony.

– Na jakich planetach pani wcześniej mieszkała? – zapytałam.

Zawahała się, po czym wyprostowała ramiona.

– Na żadnej. Tylko na Ziemi.

Zaskoczyło mnie to. Była dzieckiem, jak Robert.

– Tylko na jednej? I od razu chciała pani zostać Łowczynią?

Potaknęła sztywno.

– No cóż, to już pani sprawa – powiedziałam i ruszyłam w kierunku domu. Może jeżeli uszanuję jej prywatność, ona zrewanżuje się tym samym, pomyślałam.

– Rozmawiałam z twoją Pocieszycielką.

Niedoczekanie, skomentowała cierpko Melanie.

– Słucham? – wyrzuciłam z siebie z niedowierzaniem.

– Z tego, co mi wiadomo, twoje problemy nie ograniczają się tylko do trudności z dostępem do informacji. Czy nie myślałaś o zmianie żywiciela na bardziej potulnego? Pocieszycielka chyba ci to sugerowała, nieprawdaż?

– Kathy na pewno nic pani nie powiedziała!

Łowczyni patrzyła na mnie triumfalnie.

– Nie musiała. Potrafię nieźle czytać z wyrazu twarzy. Widziałam, że moje pytanie trafiło w czuły punkt.

– Jak pani śmie? Związek pomiędzy duszą a Pocieszycielem...

– Jest święty, tak. Wiem, jak to wygląda w teorii. Ale w twoim przypadku standardowe metody pracy zawodzą. Muszę być pomysłowa.

– Myśli pani, że coś ukrywam? – zapytałam stanowczo, nie kryjąc już oburzenia. – Myśli pani, że powiedziałam to mojej Pocieszycielce?

Moja złość jej nie zraziła. Miała tak trudny charakter, że była chyba przyzwyczajona do takich reakcji.

– Nie. Myślę, że mówisz mi wszystko, co wiesz... Ale myślę też, że mogłabyś się bardziej postarać. Znam takie przypadki jak twój. Zaczynasz współczuć żywicielowi. Pozwalasz, aby jej wspomnienia podświadomie tobą kierowały. Teraz jest już pewnie za późno. Uważam, że byłoby dla ciebie lepiej, gdybyś zmieniła żywiciela i pozwoliła, aby ktoś inny spróbował szczęścia z Melanie.

– No nie! – wykrzyknęłam. – Melanie zjadłaby go żywcem!

Jej twarz zastygła w osłupieniu.

Nawet po wizycie u Kathy nie mogła sobie zdawać sprawy z powagi sytuacji. Sądziła, że Melanie wpływa na mnie tylko poprzez wspomnienia.

– To ciekawe, że mówisz o niej w czasie teraźniejszym.

Puściłam to mimo uszu i kontynuowałam, jak gdyby nigdy nic.

– Jeżeli wydaje się pani, że ktoś inny dałby radę odkryć jej tajemnice, to się pani myli.

– Jest tylko jeden sposób, żeby się przekonać.

– Ma pani na myśli kogoś konkretnego? – zapytałam lodowato.

Uśmiechnęła się szeroko.

– Pozwolono mi spróbować. Nie zajęłoby mi to pewnie wiele czasu. Potem wróciłabym do mojego żywiciela.

W pierwszej chwili aż zaparło mi dech. Byłam roztrzęsiona, a Melanie pałała taką nienawiścią, że zabrakło jej słów. Sama myśl, że umieszczono by we mnie Łowczynię – choć oczywiście ja byłabym wtedy gdzie indziej – napawała mnie tak głęboką odrazą, że zrobiło mi się niedobrze.

– Ma pani pecha. Nie jestem dezerterem.

Łowczyni zmrużyła oczy.

– Moje dochodzenie przeciąga się z tego powodu. Nigdy nie interesowałam się zbytnio historią, ale widzę, że czeka mnie cały kurs.

– Sama pani powiedziała, że i tak pewnie jest już za późno, żeby cokolwiek wydobyć z jej pamięci – zauważyłam, z trudem zachowując względny spokój. – Może sobie pani w końcu odpuści i pójdzie tam, skąd przyszła?

Wzruszyła na to ramionami i uśmiechnęła się, zaciskając usta.

– Na pewno jest za późno na to, by dowiedzieć się czegokolwiek od ciebie. Ale jeżeli będziesz nadal upierać się przy swoim, to kto wie, może się zdarzyć, że to ona sama mnie do nich zaprowadzi.

– Ona sama???

– Kiedy już odzyska pełną kontrolę, a ty będziesz słaba jak Kevin, znany niegdyś jako Rwąca Pieśń. Pamiętasz? To ten, który rzucił się na Uzdrowiciela.

Patrzyłam na nią wściekle.

– O tak, to zapewne tylko kwestia czasu. Twoja Pocieszycielka pewnie nie podzieliła się z tobą statystykami? Zresztą nawet jeżeli tak, to nie zna najnowszych danych; tylko my nimi dysponujemy. Okazuje się, że w przypadkach takich jak twój – żywiciela stawiającego opór – zaledwie jedna na pięć dusz wychodzi z tego pojedynku zwycięsko. Czy przyszło ci w ogóle do głowy, że może być aż tak źle? Dusze zainteresowane przybyciem na Ziemię będą otrzymywać inne informacje niż do tej pory. Nie będą już mogły prosić o dorosłego żywiciela. Ryzyko jest zbyt duże. Tracimy kolejne dusze. Ani się obejrzysz, a zacznie do ciebie mówić, przemawiać twoimi ustami, kontrolować twoje zachowanie.

Słuchałam tego wszystkiego w napięciu, całkiem znieruchomiała. Łowczyni stanęła na palcach i nachyliła się w moją stronę, po czym odezwała się znowu, tym razem cicho i łagodnie:

– Czy właśnie tego chcesz, Wagabundo? Przegrać? Zniknąć, wyparta przez inny umysł? Chcesz być jak żywiciel?

Zaparło mi dech.

– Będzie już tylko gorzej. Przestaniesz być sobą. Znikniesz. Może cię uratują... Może przeniosą cię do innego ciała, tak jak Kevina. Staniesz się dzieckiem, będziesz miała na imię Melanie i zamiast komponować muzykę, będziesz wolała bawić się samochodami, czy co ją tam interesuje.

– Tylko jedna na pięć dusz zwycięża? – wyszeptałam.

Kiwnęła głową, ledwie powstrzymując uśmiech.

– Przegrywasz samą siebie, Wagabundo. Światy, które zobaczyłaś, doświadczenie, które zgromadziłaś – wszystko przepadnie. Przeczytałam w twoich dokumentach, że mogłabyś zostać Matką. Gdybyś zdecydowała się na Macierzyństwo, twoje życie przynajmniej nie poszłoby na marne. Myślałaś o Macierzyństwie?

Drgnęłam, czerwieniejąc na twarzy.

– Przepraszam – wymamrotała, również się rumieniąc. – To było nietaktowne. Zapomnij, co powiedziałam.

– Idę do domu. Proszę mnie nie śledzić.

– Muszę. To moja praca.

– Czemu tak się pani przejmuje kilkorgiem ludzi? Dlaczego? Czy ta pani praca ma jeszcze w ogóle jakiś sens? Przecież zwyciężyliśmy! Może czas zająć się czymś innym i lepiej przysłużyć społeczeństwu?

Moje pytania, a raczej zawarte w nich oskarżenie, nie zrobiły na niej wrażenia.

– Wszędzie tam, gdzie resztki ich świata stykają się z naszym, pojawia się śmierć – odparła spokojnym tonem. Przez moment zdawało mi się, że w jej spojrzeniu dostrzegam zupełnie inną osobę. Niespodziewanie zrozumiałam, iż głęboko wierzy w to, co robi. Jakaś część mnie zakładała dotychczas, że Łowczyni jest tym, kim jest, tylko dlatego, że pociąga ją przemoc. – Jeżeli przez jakiegoś Jareda albo Jamiego straci życie choćby jedna dusza, będzie to o jedną za dużo. Dopóki na tej planecie nie zapanuje zupełny pokój, mój zawód jest potrzebny. Dopóki Jared i jemu podobni pozostają na wolności, muszę chronić nasz gatunek. Dopóki Melanie i jej podobni wodzą dusze za nos...

Odwróciłam się i ruszyłam długimi krokami w stronę domu. Musiałaby biec, żeby dotrzymać mi tempa.

– Ratuj się, Wagabundo! – zawołała za mną. – Masz coraz mniej czasu!

Zamilkła na chwilę, po czym krzyknęła jeszcze głośniej:

– Daj mi znać, kiedy mam zacząć nazywać cię Melanie!

W miarę jak się oddałam, jej głos był coraz słabiej słyszalny. Wiedziałam, że pójdzie za mną własnym tempem. Cały ostatni tydzień, kiedy widywałam ją na każdym moim wykładzie i bez przerwy słyszałam za sobą jej kroki, był niczym w porównaniu do tego, co mnie teraz czekało. Nie miałam złudzeń – moje życie miało stać się piekłem.

Czułam się, jakby Melanie tłukła się wściekle o ściany mojej czaszki.

Załatwmy ją na amen. Powiadom jej przełożonych, że zrobiła coś niedopuszczalnego. Nasze słowo przeciw jej słowu...

Może w świecie ludzi, wtrąciłam, niemalże smutna, że to niemożliwe. *W naszym świecie nie ma przełożonych, przynajmniej nie w tym sensie. Wszyscy pracują wspólnie na równych warunkach. Są tylko osoby, którym składa się sprawozdania, by obieg informacji był uporządkowany, i rady, które podejmują potem decyzje; ale nikt nie odbierze jej sprawy, którą chce się zajmować. Widzisz, to działa tak, że...*

Co mnie obchodzi jak, skoro nic z tego nie mamy. Wiem – zabijmy ją! Przed oczyma stanął mi znienacka obraz moich dłoni zaciśniętych na szyi Łowczyni.

Właśnie d l a t e g o dobrze się stało, że mój gatunek zajął tę planetę.

Nie zgrywaj niewiniątka. Byłabyś równie szczęśliwa jak ja. Ponownie ujrzałam siniejącą twarz Łowczyni, tym razem jednak poczułam gwałtowną falę przyjemności.

To ty, nie ja. Mówiłam prawdę – ten obraz budził we mnie wstręt. Zarazem jednak niebezpiecznie otarłam się o kłamstwo – istotnie bowiem chciałabym nigdy więcej nie oglądać Łowczyni.

I co teraz zrobimy? Ja się nie poddam. Ty się nie poddasz. I temu babsztylowi też ani w głowie się poddawać.

Milczałam, nie wiedząc, co powiedzieć.

Na chwilę w mojej głowie zrobiło się cicho. Nareszcie. Gdyby ta cisza mogła trwać dłużej. Ale pozostał mi już tylko jeden sposób na odzyskanie spokoju. Czy byłam gotowa zapłacić tę cenę? Czy miałam jeszcze w ogóle jakiś wybór?

Melanie trochę się uspokoiła. Zamknęłam za sobą drzwi wejściowe, po raz pierwszy używając zainstalowanych w nich zamków – wytworów człowieka, które nie miały racji bytu w świecie zamieszkanym przez dusze. Melanie była pogrążona w zadumie.

Nigdy się nie zastanawiałam, jak się rozmnażacie. Nie wiedziałam, że to tak wygląda.

Traktujemy to bardzo poważnie, jak pewnie się domyślasz. Dzięki za troskę. W moim głosie pobrzmiewała ironia, ale wcale jej to nie zraziło.

Rozmyślała o swoim nowym odkryciu, a ja w tym czasie włączyłam komputer i zaczęłam sprawdzać odloty wahadłowców. Minęła dłuższa chwila, zanim zorientowała się, co robię.

Dokąd lecimy? Wyczułam lekki popłoch. Zaczęła przeszukiwać mój umysł, by się dowiedzieć, co przed nią ukrywam. Czułam w myślach jej dotyk, miękki jak puch.

Pomyślałam, że oszczędzę jej trudu. *Lecę do Chicago*.

Poczułam, jak ogarnia ją panika. *Po co?*

Zobaczyć się z Uzdrowicielem. Nie ufam jej. Chcę z nim porozmawiać, zanim podejmę decyzję.

Odezwała się dopiero po krótkiej chwili.

O tym, czy mnie zabić?

Tak.

Rozdział 8

Miłość

– Ty boisz się latać? – W głosie Łowczyni słychać było kpinę i niedowierzanie. – Osiem razy leciałaś z planety na planetę, a boisz się polecieć wahadłowcem do Arizony?

– Po pierwsze, nie boję się. Po drugie, w trakcie lotów międzyplanetarnych byłam zahibernowana. I po trzecie, mój żywiciel ma chorobę lokomocyjną.

Łowczyni przewróciła oczami.

– W takim razie należy wziąć leki! Co byś zrobiła, gdyby Uzdrowiciel Fords nie przeniósł się do Saint Mary's? Pojechałabyś samochodem do Chicago?

– Nie. Ale ponieważ w tej sytuacji opcja samochodowa jest jak najbardziej rozsądna, chętnie z niej skorzystam. Przy okazji zobaczę trochę tego świata. Pustynia bywa niesamowita...

– Pustynia jest nudna jak flaki z olejem.

– ...a mnie się wcale nie spieszy. Muszę przemyśleć wiele spraw i przyda mi się odrobina samotności. – Posłałam jej znaczące spojrzenie.

– Nie rozumiem zresztą, po co miałabyś się z nim spotykać. W tym mieście nie brakuje bardzo dobrych Uzdrowicieli.

– Ufam mu. Ma w takich sprawach doświadczenie, a ja czuję się niedoinformowana. – Znowu spojrzałam na nią wymownie.

– Masz za mało czasu, żeby się nie spieszyć, Wagabundo. Wierz mi, widzę to.

– Proszę mi wybaczyć, ale nie mogę uwierzyć w pani bezstronność. Poznałam się już wystarczająco na zachowaniu ludzi, by wiedzieć, kiedy ktoś próbuje mną manipulować.

Spojrzała na mnie gniewnie.

Do wypożyczonego dzień wcześniej samochodu pakowałam nieliczne rzeczy. Miałam w torbie ubrania na tydzień i trochę kosmetyków. Nie brałam zbyt dużo, ale też w domu zostawiłam jeszcze mniej. W ogóle niewiele miałam. Po tylu miesiącach ściany mojego niewielkiego mieszkania były nadal gołe, a półki puste. Może nigdy tak naprawdę nie chciałam tu zostać na stałe.

Łowczyni stała na chodniku, tuż obok otwartego bagażnika, i za każdym razem, gdy podchodziłam, serwowała mi uszczypliwe uwagi. Była na szczęście zbyt niecierpliwa, żeby pojechać za mną. Wiedziałam, że poleci do Tucson wahadłowcem, do czego zresztą usilnie próbowała mnie namówić. Przyjęłam to z wielką ulgą. Wzdragałam się na samą myśl, że mogłaby być ze mną na każdym postoju, eskortować mnie do ubikacji na stacjach benzynowych i zarzucać pytaniami w oczekiwaniu na zielone światło. Jeżeli decydując się na nowe ciało, mogłabym się od niej uwolnić... Co tu dużo mówić, była to nie lada zachęta.

Miałam też inną opcję. Mogłam w ogóle porzucić tę planetę i udać się na kolejną, dziesiątą. Spróbować zapomnieć to, co mnie tu spotkało. Ziemia byłaby jedynie małą skazą w moim nieposzlakowanym życiorysie.

Tylko dokąd miałabym polecieć? Na któryś ze światów, gdzie już byłam? Jednym z moich ulubionych była Planeta Śpiewu, ale miałabym zrezygnować ze wzroku? Z kolei Planeta Kwiatów była przepiękna, ale chlorofilowe formy życia doświadczały bardzo niewielu emocji. Po tak dynamicznym miejscu jak Ziemia nie wytrzymałabym tam z nudów.

Na jakąś nową planetę? Była jedna taka – tu na Ziemi nazywano tamtejszych żywicieli Delfinami, z braku lepszego określenia, choć w istocie przypominali oni bardziej ważki niż zwierzęta wodne. Były to istoty wysoko rozwinięte i na pewno ruchliwe, ale po długim pobycie wśród Wodorostów miałam na pewien czas dość życia w wodzie.

Nie, obecna planeta ciągle była dla mnie tajemnicą. Żadne inne miejsce we wszechświecie nie urzekało mnie tak jak ta cicha, zacieniona ulica ciągnąca się pośród zieleni trawników, ani nie kusiło tak jak bezchmurne niebo nad pustynią, której wygląd znałam tylko ze wspomnień Melanie.

Melanie nie komentowała moich wyborów. Odkąd postanowiłam odnaleźć Fordsa Cichą Toń, mojego pierwszego Uzdrowiciela, niewiele się odzywała. Nie byłam pewna, jak to rozumieć. Czy chciała pokazać, że nie jest aż tak groźna, że da się z nią wytrzymać? Przygotowywała się na wtargnięcie Łowczyni? Na śmierć? A może szykowała się do walki ze mną? Do próby odzyskania kontroli nad ciałem?

Tak czy inaczej, przestała mi się narzucać. Czuwała tylko gdzieś tam w mojej głowie, ledwo uchwytna.

Wróciłam do domu ostatni raz, żeby sprawdzić, czy czegoś nie zapomniałam. Mieszkanie świeciło pustkami. Były w nim tylko najbardziej podstawowe sprzęty, pozostawione przez poprzednich lokatorów. Te same talerze w szafkach, poduszki na łóżku, lampy na stołach. Zdałam sobie sprawę, że jeśli nie wrócę, następny lokator nie będzie miał tu zbyt wiele sprzątania.

Wychodząc, usłyszałam telefon. Zawróciłam, by go odebrać, ale nie zdążyłam – wcześniej ustawiłam sekretarkę, żeby włączała się natychmiast. Nagrałam też niejasne wytłumaczenie swojej nieobecności – nie ma mnie do końca semestru, a moje wykłady są odwołane do czasu znalezienia zastępstwa. Nie powiedziałam dlaczego. Spojrzałam teraz na zegarek nad telewizorem. Było parę minut po ósmej rano. To pewnie Curt właśnie przeczytał zdawkowego maila, którego wysłałam mu wczoraj późno wieczorem. Miałam wyrzuty sumienia, że nie dokończyłam pracy, której się podjęłam. Czułam się trochę tak, jakbym już porzuciła żywiciela. I kto wie, być może ten krok, odejście z uczelni, był zapowiedzią mojej następnej decyzji i jeszcze większej hańby. Na myśl o tym wszystkim poczułam się nieswojo. Postanowiłam nie odsłuchiwać wiadomości, choć w zasadzie niespieszno mi było wychodzić.

Jeszcze raz rozejrzałam się po pustym mieszkaniu. Nie czułam się wcale tak, jakbym coś za sobą zostawiała. Nie byłam przywiązana do tych pomieszczeń. Miałam dziwne wrażenie, że ten świat – nie tylko Melanie, ale cały glob – mnie nie chce, że ciepłe uczucia, jakimi go darzę, nie są odwzajemnione. Nie udało mi się tu zapuścić korzeni. Na myśl o korzeniach uśmiechnęłam się krzywo do siebie. Korzenie. Co za nonsens.

Nigdy wcześniej nie miałam żywiciela, który ulegał tego typu przesądom. To było ciekawe. Trochę jak uczucie, że jest się obserwowanym, choć dookoła nikogo nie widać. Dostałam na karku gęsiej skórki.

Powoli zamknęłam za sobą drzwi, oczywiście nie na klucz – i tak nikt tu nie wejdzie do czasu, aż wrócę lub wprowadzi się nowy lokator.

Otworzyłam drzwi samochodu i usiadłam za kierownicą, ani razu nie spoglądając w stronę Łowczyni. Ani Melanie, ani ja nie byłyśmy doświadczonymi kierowcami, więc trochę się stresowałam. Ale też byłam pewna, że szybko oswoję się z autem.

– Będę czekać w Tucson – powiedziała Łowczyni, zaglądając przez otwarte okno, kiedy zapalałam silnik.

– Nie wątpię – burknęłam pod nosem.

Przebiegłam wzrokiem po desce rozdzielczej i ze źle skrywanym uśmieszkiem nacisnęłam przycisk zamykający okno, zmuszając Łowczynię, by odskoczyła.

– Może – zaczęła ponownie, tym razem prawie krzycząc, tak bym mogła ją usłyszeć przez zamknięte okno pomimo hałasu silnika – może jednak dogonię cię samochodem.

Uśmiechnęła się i wzruszyła ramionami.

Powiedziała to tylko po to, żeby mi dokuczyć. Starałam się nie dać po sobie poznać, że jej się to udało. Ruszyłam spod domu, nie odrywając oczu od jezdni.

Bez trudu znalazłam wjazd na autostradę i patrząc na znaki, wydostałam się z San Diego. Wkrótce zaczęła się prosta droga, na której drogowskazy nie były już w ogóle potrzebne. Za osiem godzin będę w Tucson. Trochę zbyt prędko. Może zatrzymam się na noc w jakimś miasteczku. Gdybym miała pewność, że Łowczyni czeka na mnie w Tucson, a nie jedzie za mną, taki postój byłby wręcz wymarzony.

Często zerkałam mimowolnie w lusterko, aby się upewnić, że jadę sama. Prowadziłam wolno, nie spiesząc się do celu, więc co rusz wyprzedzały mnie inne samochody. Za kierownicami widywałam wyłącznie obce twarze. Nie powinnam się była dać podpuścić Łowczyni. Oczywiście, że nie miałaby cierpliwości, by jechać tak daleko autem. Mimo to jednak ciągle jej wypatrywałam.

Bywałam wcześniej nad oceanem, w różnych częściach urokliwego kalifornijskiego wybrzeża, ale jeszcze nigdy nie zapuszczałam się dalej na wschód. Cywilizacja szybko zniknęła w tyle, ustępując miejsca nagim wzgórzom i skałom, zwiastunom jałowego krajobrazu pustyni.

Oddaliwszy się od cywilizacji, poczułam odprężenie. Prawdę mówiąc, trochę mnie to zmartwiło. Samotność nie powinna mnie cieszyć. W końcu dusze były istotami społecznymi. Żyłyśmy i pracowałyśmy razem, w zgodzie i harmonii. Wszystkie byłyśmy takie same: troskliwe, uczciwe, miłujące pokój. Dlaczego czułam się lepiej z dala od innych? Czy to za sprawą Melanie?

Skupiłam na niej uwagę, ale znalazłam ją wycofaną, śpiącą.

Odkąd zaczęła do mnie mówić, jeszcze nigdy nie było tak dobrze.

Podróż mijała mi bardzo szybko. Za oknami przemykały wciąż takie same ciemne, poszczerbione skały i pokryte pyłem równiny pełne karłowatych krzewów. Uprzytomniłam sobie, że jadę szybciej, niż zamierzałam. Nie miałam czym zająć myśli, więc odechciało mi się spowalniać podróż. Zastanawiało mnie, dlaczego we wspomnieniach Melanie pustynia jawi się o wiele barwniej i niezwyklej. Chciałam zrozumieć, co jest takiego wyjątkowego w tym pustkowiu, dlatego postanowiłam uczepić się jej myśli.

Lecz ona zdawała się w ogóle nie dostrzegać otwartych przestrzeni za oknem. Śniła o innej pustyni, czerwonej, pełnej kanionów, jakby zaczarowanej. Nie próbowała mnie blokować. Wydawała się prawie nieświadoma mojej obecności. Znowu zaczęłam się zastanawiać nad znaczeniem tego dziwnego zachowania. Nie wyczuwałam u niej żadnych wrogich zamiarów. Miałam wrażenie, że przygotowuje się na swój koniec.

Wracała pamięcią do ważnego dla siebie miejsca, jak gdyby chciała się pożegnać. Do miejsca, którego nigdy wcześniej nie pozwoliła mi ujrzeć.

Była tam chatka – zmyślny barak wciśnięty w zakamarek czerwonego piaskowca, niebezpiecznie blisko wyrzeźbionej przez wodę linii powodziowej. Dziwnie położony, z dala od jakiegokolwiek szlaku czy ścieżki, zdawałoby się – bez sensu. Prymitywny, pozbawiony udogodnień. Jedno ze wspomnień, wesołe, dotyczyło umywalki, do której trzeba było pompować wodę spod ziemi.

– To lepsze niż rury – stwierdza Jared, ściągając lekko brwi, tak że pogłębia mu się między nimi zmarszczka. Chyba zmartwił go mój śmiech. Może pomyślał, że mi się nie podoba? – Nikogo nam tu nie sprowadzi.

– Genialne – zapewniam go czym prędzej. – Jak w starych filmach. Idealnie.

Uśmiech, który właściwie nigdy nie znika z jego twarzy – Jared uśmiecha się nawet we śnie – rośnie wszerz.

– Obawiam się, że w filmach nie wspominają o najgorszym. Chodź, pokażę ci latrynę.

Jamie biegnie przodem, a jego śmiech odbija się echem od skał wąwozu. Czarne włosy podskakują wraz z nim. Ten szczupły, opalony urwis ostatnio głównie hasa. Dopiero teraz dociera do mnie, jak wielki ciężar musiały wcześniej dźwigać te małe, chude barki. Teraz, gdy jest z nami Jared, Jamie tryska energią. Na jego twarzy nie widać już niepokoju, tylko uśmiech. Okazało się, że oboje mamy w sobie więcej życia, niż przypuszczałam.

– Kto to zbudował?

– Ojciec i moi starsi bracia. Ja tylko trochę pomagałem albo przeszkadzałem, jak kto woli. Mój tata lubił uciekać od zgiełku miasta. I mało się przejmował zwyczajami. Nie chciało mu się sprawdzać, do kogo ta ziemia w ogóle należy, ani ubiegać się o jakieś pozwolenia i takie tam. – Śmieje się, zadzierając głowę. Promienie słońca tańczą mu na jasnych kosmykach włosów. – Oficjalnie to miejsce nie istnieje. Dobrze się składa, co? – pyta i sięga po moją dłoń, jakby bezwiednie.

Moja skóra płonie pod jego dotykiem. To więcej niż przyjemne, ale też sprawia mi dziwny ból w piersi.

Ciągle mnie w ten sposób dotyka, jak gdyby chcąc za każdym razem się upewnić, że wciąż tu jestem. Czy zdaje sobie sprawę z tego, jak to na mnie działa – ten z pozoru zwykły dotyk jego ciepłej dłoni? Czy jemu też skacze wtedy tętno? A może po prostu jest szczęśliwy, że w końcu ma towarzystwo?

Macha naszymi dłońmi, gdy przechodzimy obok gaiku topoli. Ich zieleń tak żywo odcina się od czerwonego tła, że aż wzrok płata mi figle, gubiąc ostrość. Jared czuje się tutaj szczęśliwszy niż gdziekolwiek indziej. Ja też jestem szczęśliwa, choć dopiero oswajam się z tym zapomnianym uczuciem.

Od tamtego wieczoru, kiedy wrzasnęłam, poczuwszy bliznę na jego karku, nie pocałował mnie więcej ani razu. Nie chce? Może ja powinnam? A co, jeśli mu się to nie spodoba?

Spogląda na mnie z góry i uśmiecha się, a kiedy to robi, skóra wokół jego oczu nabiera delikatnych zmarszczek. Zastanawiam się, czy faktycznie jest tak przystojny, jak mi się wydaje, czy może myślę tak tylko dlatego, że to ostatni człowiek na Ziemi oprócz mnie i Jamiego.

Nie, to chyba nie to. On naprawdę jest piękny.

– O czym myślisz, Mel? – pyta. – To musi być coś bardzo ważnego – dodaje ze śmiechem.

Wzruszam ramionami, czując ucisk w brzuchu.

– Pięknie tutaj – mówię.

– Tak – odpowiada, rozglądając się dookoła. – Ale czy w domu nie jest zawsze pięknie?

– W domu – powtarzam cicho. – Dom.

– Jest również twój, jeśli tylko chcesz.

– Chcę.

Mam wrażenie, że wszystkie mile, które przeszłam przez ostatnie trzy lata, pokonałam po to, żeby dojść tutaj. Nigdzie nie chcę się stąd ruszać, choć wiem, że będziemy musieli. Jedzenie nie rośnie na drzewach. W każdym razie nie na pustyni.

Jared ściska moją dłoń. Serce mi kołacze, jakby chciało się wyrwać z piersi. Ile bólu w tej przyjemności.

W tym momencie Melanie przeskoczyła myślami do przodu, przemykając tylko wśród pozostałych chwil owego upalnego dnia, aż prażące słońce zniknęło za czerwonymi ścianami kanionu. Towarzyszyłam jej przez cały czas, prawie zahipnotyzowana widokiem ciągnącej się przede mną w nieskończoność drogi i monotonią suchych pustynnych krzaków.

Zerkam do naszej malutkiej, wąskiej sypialni. Między surowymi, kamiennymi ścianami ledwie mieści się tu pełnowymiarowy materac.

Widok Jamiego śpiącego na prawdziwym łóżku, z głową na miękkiej poduszce, napawa mnie głęboką radością. Jego chudziutkie ręce i nogi leżą powyciągane na wszystkie strony, nie zostawiając mi zbyt wiele miejsca. W myślach zawsze wydaje mi się dużo mniejszy niż w rzeczywistości. Niedługo skończy dziesięć lat – ani się obejrzę, a przestanie być dzieckiem. Tyle że dla mnie będzie nim zawsze.

Śpi mocno, oddycha równo. Nie ma żadnych złych snów, przynajmniej na razie.

Zamykam cichutko drzwi i wracam na małą kanapę, na której siedzi Jared.

– Dziękuję – odzywam się szeptem, choć przecież wiem, że nawet krzycząc, nie obudziłabym teraz Jamiego. – Mam wyrzuty sumienia. Ta kanapa jest na ciebie za krótka. Może powinniście spać razem.

Jared śmieje się cicho.

– Daj spokój, Mel, jesteś ode mnie niewiele niższa. Śpij sobie wygodnie, należy ci się. Następnym razem, jak gdzieś pojadę, zwinę jakieś łóżko polowe.

Nie podoba mi się to z wielu powodów. Czy pojedzie już niedługo? Czy zabierze nas ze sobą? Czy chce, żebym spała w pokoju z Jamiem na stałe?

Kładzie mi rękę na ramionach i przytula mnie do swego boku. Przybliżam się jeszcze bardziej, choć jego gorący dotyk znowu przyprawia mnie o ból serca.

– Czemu marszczysz czoło? – pyta.

– Kiedy musisz... kiedy musimy znowu jechać?

Wzrusza ramionami.

– Zebraliśmy po drodze tyle, że jesteśmy ustawieni na parę miesięcy. Mogę zrobić kilka krótkich wypadów w okolicy, jeżeli chcesz posiedzieć trochę w jednym miejscu. Na pewno masz już dość szukania kolejnych kryjówek.

– O tak – przyznaję, po czym biorę głęboki oddech, żeby dodać sobie odwagi. – Ale jeżeli ty gdzieś pojedziesz, to ja z tobą.

Przyciska mnie mocniej do siebie.

– Przyznam, że całkiem mi to odpowiada. Sama myśl, że mielibyśmy się rozdzielić... – Urywa i śmieje się cicho. – Czy to zabrzmi głupio, jeżeli ci powiem, że wolałbym już raczej umrzeć? Zbyt melodramatycznie?

– Nie. Wiem, o czym mówisz.

N a p e w n o czuje to samo co ja. Czy gdyby myślał o mnie po prostu jak o drugim człowieku, a nie jak o kobiecie, mówiłby mi to wszystko?

Uświadamiam sobie, że po raz pierwszy, od kiedy się spotkaliśmy, jesteśmy całkiem sami – pierwszy raz Jamie śpi za ścianą. Tyle razy nie spaliśmy w nocy, rozmawiając szeptem, opowiadając sobie nasze historie, te radosne i te najstraszniejsze, ale za każdym razem Jamie spał mi na kolanach. A teraz zwykła para zamkniętych drzwi sprawia, że przyspiesza mi oddech.

– Nie wydaje mi się, żebyśmy na razie potrzebowali dodatkowego łóżka – oznajmiam.

Czuję na twarzy jego pytające spojrzenie, ale nie potrafię popatrzeć mu w oczy. Wstydzę się, ale jest już za późno. Powiedziałam, co powiedziałam.

– Nie martw się, zostaniemy tutaj, dopóki nie skończy nam się jedzenie. Sypiałem już na gorszych łóżkach niż ta kanapa.

– Nie to miałam na myśli – odpowiadam, nadal nie podnosząc wzroku.

– Łóżko jest twoje, Mel. Nie myśl nawet, że ustąpię.

– Tego też nie miałam na myśli – mówię ledwo słyszalnym szeptem. – Chodziło mi o to, że ta kanapa będzie dobra dla Jamiego. Minie jeszcze dużo czasu, zanim z niej wyrośnie. Mogłabym spać w łóżku z... tobą.

Nastaje cisza. Mam ochotę spojrzeć mu w twarz, wyczytać z niej, co o tym myśli, ale jestem zbyt zażenowana. A jeśli wzbudziłam w nim niesmak? Jak ja to zniosę? Każe mi sobie pójść?

Jego ciepłe, twarde palce unoszą mi delikatnie brodę. Nasze spojrzenia się spotykają. Serce mi łomocze.

– Mel, ja... – Chyba pierwszy raz widzę, jak przestaje się uśmiechać.

Próbuję odwrócić wzrok, ale trzyma mnie za podbródek i nie pozwala spojrzeć gdzie indziej. Czy on nie czuje tego żaru pomiędzy nami? Może tylko sobie coś ubzdurałam? Ale jak to możliwe? Czuję się, jakby pomiędzy nami było płaskie słońce – ściśnięte niczym kwiat między stronicami grubej książki i spalające papier. Czy on czuje coś innego? Coś jest nie tak?

Po chwili obraca głowę. Teraz to on patrzy gdzie indziej, choć nadal trzyma w palcach mój podbródek. W końcu odzywa się cicho:

– Melanie, nie myśl, że jesteś mi to winna. Nie jesteś mi nic winna.

Z trudem przełykam ślinę.

– Nie mówię, że... Nie chodziło mi o to, że czuję się z o b o w i ą z a n a. I... ty też nie powinieneś. Zapomnij, że w ogóle cokolwiek powiedziałam.

– Łatwo ci mówić – wzdycha.

Mam ochotę zniknąć. Poddać się pasożytom i stracić świadomość, jeżeli będzie trzeba, byle tylko wymazać tę straszną pomyłkę. Skreślić ostatnie dwie minuty nawet za cenę wyrzeczenia się przyszłości. Za każdą cenę.

Jared bierze głęboki oddech. Zastyga na chwilę w bezruchu, zezując na podłogę.

– Mel, naprawdę nic nie musimy. To, że jesteśmy tu razem, że jesteśmy ostatnimi ludźmi na Ziemi... – Brakuje mu słów, chyba jeszcze nigdy wcześniej mu się to nie zdarzyło. – To nie znaczy, że musisz robić cokolwiek, na co nie masz ochoty. Ja nie należę do tych, którzy w takiej sytuacji oczekiwaliby... Nie musisz...

Ma tak strapiony wyraz twarzy, że odzywam się, choć wiem, że nie powinnam.

– Nie to miałam na myśli – mamroczę. – Wcale nie uważam, że cokolwiek muszę, i wiem, że nie jesteś z tych. Oczywiście, że nie. Po prostu...

Po prostu go kocham. Zaciskam zęby, aby nie upokorzyć się jeszcze bardziej. Powinnam sobie natychmiast odgryźć język, zanim wszystko popsuję.

– Po prostu...? – dopytuje się.

Próbuję potrząsnąć głową, ale mi nie daje – ciągle ściska palcami mój podbródek.

– Mel?

Wyrywam mu się i gwałtownie potrząsam głową.

Nachyla się w moją stronę i nagle dostrzegam na jego twarzy zupełnie nowy wyraz. Walczy ze sobą – i choć nie wiem, o co w tym wszystkim chodzi, w jednej chwili opuszcza mnie uczucie odrzucenia i odechciewa mi się płakać.

– Powiesz mi coś? Proszę? – pyta nieśmiało. Czuję na policzku jego oddech. Przez kilka sekund w ogóle nie jestem w stanie myśleć.

Jego spojrzenie sprawia, że zapominam o wstydzie i o tym, że nie miałam zamiaru się już więcej odzywać.

– Gdybym miała wybrać kogoś – kogokolwiek – z kim chciałabym się znaleźć na bezludnej planecie, wybrałabym ciebie – szepczę. Słońce między nami praży coraz bardziej. – Chcę być zawsze z tobą. I nie tylko... nie tylko żeby z tobą rozmawiać. Kiedy mnie dotykasz... – Znajduję w sobie odwagę i delikatnie przeciągam palcami po jego ciepłym ramieniu. W moich opuszkach wybucha pożar i od razu rozprzestrzenia się po całym ciele. Jared obejmuje mnie mocniej. Czy on też czuje ten ogień? – Nie przestawaj. – Chciałabym wyrazić się precyzyjniej, ale nie mogę znaleźć właściwych słów. Może i lepiej. Dość już mu wyznałam. – Jeżeli ty tego nie czujesz, to trudno, rozumiem. Może dla ciebie to coś innego. Nie szkodzi.

Oczywiście to kłamstwo.

– Ach, Mel – wzdycha mi do ucha i obraca moją twarz ku sobie.

W ustach ma jeszcze więcej żaru, jeszcze silniejszy płomień. Sama już nie wiem, co robię, ale to teraz nieważne. Jego dłonie zanurzają się w moich włosach, serce zaraz mi eksploduje. Nie mogę oddychać. N i e c h c ę oddychać.

Ale wtedy odrywa usta od moich i nachyla mi się nad uchem.

– To był cud, Melanie, więcej niż cud – to, że cię znalazłem. Gdybym teraz miał wybrać między tamtym utraconym światem a tobą, nie potrafiłbym z ciebie zrezygnować. Nawet gdyby to miało ocalić pięć miliardów ludzkich istnień.

– Nie powinieneś tak mówić.

– Nie powinienem, ale taka jest prawda.

– Jared – wzdycham. Próbuję znowu sięgnąć jego ust. On jednak cofa się, jakby chciał coś powiedzieć. Co jeszcze?

– Ale...

– Ale? – Jakie znowu „ale"? Jak po tym szaleństwie zmysłów można jeszcze zacząć zdanie od „ale"?

– Ale ty masz siedemnaście lat. A ja dwadzieścia sześć.

– Co to ma do rzeczy?

Milczy. Głaszcze mnie wolno po rękach, maluje po nich ogniem.

– Chyba nie mówisz tego poważnie. – Odchylam się do tyłu, żeby dobrze widzieć jego twarz. – Świat się kończy, a ty się przejmujesz konwenansami?

Przełyka głośno ślinę.

– Większość konwenansów istnieje nie bez powodu, Mel. To by było złe, miałbym poczucie, że cię wykorzystuję. Jesteś bardzo młoda.

– Nikt już nie jest młody. Jak ktoś przetrwał do dziś, to ma prawo czuć się stary.

Uśmiech unosi mu jeden z kącików ust.

– Może i masz rację. Ale nie ma co się z tym tak spieszyć.

– A na co mamy czekać? – pytam.

Długo zastanawia się nad odpowiedzią.

– No wiesz, trzeba się chociażby zastanowić nad kwestiami... praktycznymi.

Czy to możliwe, że gra ze mną na zwłokę? Tak to w każdym razie wygląda. Unoszę brew w geście zdumienia. Nie mogę uwierzyć, że nasza rozmowa przybrała taki obrót. Jeżeli naprawdę mnie pragnie, to czegoś tu nie rozumiem.

– Widzisz... – tłumaczy z wahaniem w głosie. Chyba nawet trochę się rumieni pod swoją złocistobrązową opalenizną. – Kiedy gromadziłem tutaj różne zapasy, jakoś nie przyszło mi do głowy, że mogę mieć... gościa. Chcę powiedzieć, że... – Znowu przerwał, jednak dalszy ciąg wypowiedział już jednym szybkim tchem. – Nie skupiałem się na środkach antykoncepcyjnych.

Poczułam, jak marszczy mi się czoło.

– No tak.

Z jego twarzy znika uśmiech, a w oczach przez krótką chwilę błyska nawet gniew, jakiego nigdy dotąd u niego nie widziałam. Nadaje mu groźny wygląd, o który zupełnie bym go nie podejrzewała.

– Nie chciałbym wydać dziecka na taki świat.

Skuliłam się na samą myśl o małym, niewinnym niemowlęciu, otwierającym oczka na tym padole łez. Wystarczy, że muszę spoglądać w oczy Jamiemu, że wiem, jakie będzie miał tu życie, nawet w najlepszym razie.

Jared dochodzi do siebie. Znowu delikatnie mruży oczy.

– Zresztą, mamy mnóstwo czasu, żeby... to przemyśleć. – Znowu gra na zwłokę, myślę. – Zdajesz sobie sprawę, jak krótko jesteśmy razem? To dopiero cztery tygodnie.

Zamurowało mnie.

– Niemożliwe – mówię.

– Dwadzieścia dziewięć dni. Liczę.

Wracam myślami w przeszłość. To niewiarygodne, że minęło zaledwie dwadzieścia dziewięć dni, odkąd Jared odmienił nasze życie. Nie mogę się oprzeć wrażeniu, że spędziliśmy z nim tyle samo czasu, co wcześniej we dwójkę. Czyli dwa, może trzy lata.

– Mamy czas – powtarza.

Na chwilę ogarnia mnie panika, coś jakby złe przeczucie odbiera mi mowę. Jared widzi, że zmienił mi się wyraz twarzy, i przygląda mi się zaniepokojony.

– Skąd wiesz? – pytam. Uczucie rozpaczy, które zelżało, kiedy go spotkałam, dopada mnie nagle niczym trzaśnięcie bicza. – Nie wiemy, ile mamy czasu. Może miesiące, a może dni lub godziny.

W odpowiedzi słyszę jego ciepły śmiech. Dotyka ustami mojego zafrasowanego czoła.

– Nie martw się. Skoro już zdarzył się cud, wszystko będzie dobrze. Nigdy cię nie stracę. Nie pozwolę ci odejść.

Wróciłyśmy do teraźniejszości – na cienką wstęgę asfaltu wijącą się w spiekocie południa po pustkowiach Arizony – lecz wcale tego nie chciałam. Wpatrywałam się w pustkę przed sobą i czułam podobną pustkę w sobie.

Usłyszałam w myślach ciche westchnienie Melanie. *Nigdy nie wiesz, ile czasu ci zostało.*

Po policzkach ciekły mi nasze wspólne łzy.

Rozdział 9

Odkrycie

Słońce zaczynało się już chylić ku zachodowi, kiedy wjeżdżałam w pośpiechu na węzeł autostrady stanowej do Tucson. Widziałam tylko białe i żółte linie na jezdni oraz gdzieniegdzie duże zielone tablice kierujące mnie dalej na wschód.

Nie bardzo jednak wiedziałam, po co właściwie się tak spieszę. Chyba po to, by mieć już to wszystko za sobą. By uwolnić się od bólu, smutku, tęsknoty za utraconą na zawsze miłością. Czy także od tego ciała? Nie przychodziło mi do głowy żadne inne wyjście. Wciąż miałam zamiar zadać Uzdrowicielowi kilka pytań, ale czułam, że tak naprawdę podjęłam już decyzję. *Tchórz. Dezerter.* Wypróbowywałam w myślach brzmienie tych słów, starając się z nimi oswoić.

Postanowiłam też, że uchronię Melanie przed Łowczynią, jeżeli tylko znajdę na to jakiś sposób. Będzie to jednak bardzo trudne. Żeby nie powiedzieć – niemożliwe.

Ale spróbuję.

Obiecałam jej to, ale nawet mnie nie usłyszała. Ciągle śniła. Jakby się poddała – dopiero teraz, kiedy już na nic się to nie zda!

Starałam się trzymać z dala od jej snu, od czerwonego kanionu, ale okazało się to bardzo trudne. Koncentrowałam się na przejeżdżających obok autach, wahadłowcach sunących ku lotniskom, wielokształtnych obłokach na niebie, lecz mimo to nie potrafiłam całkiem uwolnić się od jej marzeń. Raz po raz stawała mi przed oczami twarz Jareda, za każdym razem pod innym kątem. Widziałam, jak wiecznie chudy Jamie coraz szybciej rośnie i nabiera ciała. Tak bardzo chciałam wziąć ich w ramiona. Tęsknota sprawiała mi fizyczny ból – ostry jak nóż, przenikliwy, nie do zniesienia. Musiałam jak najszybciej się od tego uwolnić.

Jechałam ślepo przed siebie wzdłuż wąskiej, dwupasmowej autostrady. Tutejsza pustynia wydawała się jeszcze bardziej martwa i monotonna, płaska i bezbarwna. Będę w Tucson na długo przed kolacją, pomyślałam.

Kolacja. Dotarło do mnie, że nic jeszcze dzisiaj nie jadłam, co mój żołądek natychmiast skwitował donośnym burczeniem.

I kolejna myśl – że czeka tam na mnie Łowczyni. Ścisnęło mnie w dołku, a głód momentalnie ustąpił miejsca mdłościom. Odruchowo zdjęłam nogę z gazu.

Spojrzałam na leżącą na sąsiednim fotelu mapę. Zbliżałam się do zajazdu w miejscowości Picacho Peak. Może tam się zatrzymam i coś zjem. A przy okazji zyskam kilka cennych chwil z dala od Łowczyni.

Kiedy wymówiłam w myślach tę nieznaną mi nazwę – Picacho Peak – Melanie dziwnie zareagowała. Nie wiedziałam, o co jej chodzi. Czyżby kiedyś już tu była? Zaczęłam szukać jakiegoś wspomnienia, obrazu lub zapachu związanego z tym miejscem, ale nic nie znalazłam. Picacho Peak. Znowu wyczułam jej żywą reakcję, choć starała się to przede mną ukryć. Co znaczyły dla niej te słowa? Nie miałam pojęcia. Zaszyła się we wspomnieniach z dalekich stron, unikając moich pytań.

Zaciekawiło mnie to. Przyspieszyłam nieco z nadzieją, że może na widok tego miejsca coś sobie przypomnę.

Na horyzoncie zaczęła się rysować samotna góra – obiektywnie niezbyt duża, lecz dominująca nad otaczającymi ją wzniesieniami. Miała dość niezwykły, przykuwający uwagę kształt. W miarę jak się zbliżałyśmy, Melanie uważnie się jej przypatrywała, choć oczywiście markowała obojętność.

Dlaczego udawała, że to miejsce wcale jej nie obchodzi, skoro było inaczej? Spróbowałam znaleźć odpowiedź, ale Melanie zaskoczyła mnie swoją mocą. Znowu odgrodziła się niewidzialnym murem. Myślałam, że nie ma już po nim śladu, tymczasem znów stanął mi na drodze i zdawał się jeszcze grubszy niż zwykle.

Postanowiłam to zignorować. Starałam się nie dopuszczać myśli, że Melanie znowu rośnie w siłę. Skupiłam się na zarysie góry odcinającej się na tle bladego, upalnego nieba. Wyglądał znajomo. Byłam pewna, że gdzieś już ten kształt widziałam, a jednocześnie nie ulegało wątpliwości, że żadna z nas nigdy wcześniej tu nie była.

Nagle Melanie, jakby chcąc odwrócić moją uwagę, zaczęła intensywnie myśleć o Jaredzie.

Mrużę oczy, podziwiając ginący za drzewami blask zachodzącego słońca, i dygoczę z zimna, choć mam na sobie kurtkę. Powtarzam sobie, że wcale nie jest tak chłodno, jak mi się wydaje – po prostu moje ciało nie jest przyzwyczajone.

Nagle czuję na ramionach czyjeś dłonie, lecz nie boję się, mimo że jestem w obcym miejscu i nie słyszałam zbliżających się kroków. Poznaję je od razu, po ciężarze.

– Łatwo cię zajść od tyłu.

Nawet w jego głosie zawsze słychać uśmiech.

– Wiedziałam, że się skradasz, zanim jeszcze zrobiłeś pierwszy krok – odpowiadam, nie odwracając się. – Mam oczy dookoła głowy.

Ciepłe palce głaszczą mnie po twarzy, od skroni aż po brodę. Moja skóra płonie pod ich dotykiem.

– Wyglądasz jak driada wśród drzew – szepcze mi do ucha. – Tak piękna, że aż nierzeczywista.

– Może powinniśmy zasadzić ich więcej wokół domu.

Wybucha zduszonym śmiechem, a wtedy ja zamykam oczy i szeroko się uśmiecham.

– Nie trzeba – mówi. – Zawsze tak wyglądasz.

– Powiedział ostatni mężczyzna na Ziemi do ostatniej kobiety na Ziemi w przededniu rozstania. – W miarę jak wypowiadam te słowa, mój uśmiech gaśnie. W taki dzień jak ten uśmiechy nie trwają długo.

Jared wzdycha. Czuję na policzku jego oddech, o wiele cieplejszy niż chłodne leśne powietrze.

– No nie wiem, Jamie mógłby się obrazić.

– Jamie jest jeszcze chłopcem. Proszę, nie pozwól, żeby coś mu się stało.

– A co powiesz na taką umowę – proponuje Jared. – Ty nie pozwól, żeby cokolwiek stało się t o b i e, a ja... zrobię, co w mojej mocy. To moje ostatnie słowo.

To tylko żart, ale nie potrafię się z niego śmiać. Tak naprawdę oboje wiemy, że nie możemy sobie niczego obiecać.

– Cokolwiek będzie się działo – nalegam.

– Nic się nie stanie. Nie martw się. – Jego zapewnienia są prawie bez znaczenia. Niepotrzebnie o tym rozmawiamy. Ale przynajmniej słyszę jego głos.

– Dobra.

Obraca mnie ku sobie, opieram głowę na jego piersi. Nie wiem, do czego porównać jego zapach. Należy tylko do niego, jest zupełnie wyjątkowy, jak jałowiec albo deszcz na pustyni.

– Nie rozstajemy się na zawsze – obiecuje. – Zawsze cię odnajdę. – Nigdy nie jest zupełnie poważny, więc oczywiście po chwili dodaje: – Nawet jeśli się dobrze schowasz. W grze w chowanego jestem mistrzem.

– A policzysz najpierw do dziesięciu?

– Tak, i nie będę podglądał.

– No dobra – wyrzucam z siebie, nie dając po sobie poznać, że smutek ściska mi gardło.

– Nie bój się. Wszystko będzie dobrze. Jesteś silna, szybka i mądra – uspokaja mnie, ale pewnie też siebie.

Dlaczego tam jadę? Szanse na to, że Sharon jest nadal człowiekiem, są przecież bardzo małe.

Ale kiedy zobaczyłam jej twarz w telewizji, nie miałam żadnych wątpliwości.

To była zwykła wyprawa po jedzenie, jedna z wielu. Ponieważ czuliśmy się w miarę bezpiecznie, włączyliśmy telewizor i słuchaliśmy go, opróżniając spiżarnię i lodówkę. Programy informacyjne pasożytów są niemiłosiernie nudne, można się z nich tylko dowiedzieć, że wszystko jest w jak najlepszym porządku. W pewnym momencie moją uwagę przykuły jednak czyjeś włosy – głęboka czerwień, prawie wpadająca w róż, którą widziałam wcześniej tylko u jednej osoby.

Ciągle mam przed oczami wyraz jej twarzy, to ukradkowe spojrzenie, mówiące: „staram się nie rzucać w oczy, nie zwracajcie na mnie uwagi". Szła nienaturalnym, odrobinę zbyt szybkim krokiem, chyba za bardzo starając się wyluzować. Wmieszać w tłum.

Żaden pasożyt by się tak nie zachowywał.

Co Sharon robi w tak wielkim mieście jak Chicago, spacerując po ulicach jak gdyby nigdy nic? Czy są z nią inni ludzie? Chyba nie mam wyboru. Jeżeli istnieje szansa na kontakt z innymi ludźmi, to trzeba ich odnaleźć.

I muszę tam jechać sama. Sharon zacznie uciekać na widok kogokolwiek innego – w zasadzie zacznie uciekać także na mój widok, ale może wcześniej zdążę jej wszystko wytłumaczyć. Domyślam się, gdzie ma kryjówkę.

– A ty? – pytam zachrypłym głosem. Nie wiem, czy moje ciało zniesie moment rozstania. – Będziesz na siebie uważał?

– Żadna siła nie jest w stanie nas rozdzielić, Melanie.

Nie zdążyłam nawet złapać oddechu ani otrzeć świeżych łez, a już podsuwała mi kolejne wspomnienie.

Jamie wtula się w mój bok – nie mieści mi się już pod ramieniem tak jak kiedyś. Musi się trochę zgiąć, długie ręce i nogi sterczą mu na różne strony. Ramiona powoli mu mężnieją, ale w tej chwili jest dzieckiem; cały się trzęsie. Jared jest zajęty pakowaniem moich rzeczy do auta. Gdyby tu był, Jamie nie okazałby strachu. Jared mu imponuje. Mały chce być tak samo dzielny jak on.

– Boję się – mówi cicho.

Całuję go w czarne jak noc włosy. Nawet tutaj, wśród żywicznej woni strzelistych drzew, pachną pyłem i słońcem pustyni. Jest nieomal częścią mnie, rozdzielić nas to rozedrzeć skórę, którą jesteśmy zrośnięci.

– Przy Jaredzie nic ci nie grozi. – Muszę robić dobrą minę do złej gry i pokazać, że się nie boję, choć wcale tak nie jest.

– Wiem. Boję się o c i e b i e. Boję się, że już nie wrócisz. Tak jak tata.

Wzdrygam się. Dzień, w którym tata nie wrócił – w przeciwieństwie do jego ciała, które sprowadziło do naszego domu Łowców – był najstraszniejszym i najbardziej bolesnym dniem w całym moim życiu. Co się stanie, jeżeli Jamie znowu będzie musiał przez to przejść?

– Wrócę. Zawsze wracam.

– Boję się – powtarza.

Muszę być dzielna.

– Obiecuję, że wszystko będzie dobrze. Wrócę. Obiecuję. Przecież wiesz, że nie złamałabym słowa.

Nie drży już tak mocno. Wierzy mi. Ufa.

I następne:

Słyszę ich, są piętro niżej. Znajdą mnie, to kwestia minut, może sekund. Drżącą ręką kreślę na brudnym strzępku gazety pożegnalne słowa. Są prawie nieczytelne, ale jeżeli je znajdzie, na pewno zrozumie.

„Nie dałam rady. Kocham cię i Jamiego. Nie wracajcie do domu".

Nie tylko złamię im serce, lecz także pozbawię schronienia. Przypominam sobie kanion i naszą chatkę. Porzucą ją na zawsze, tak musi być. Jeżeli do niej wrócą, stanie się dla nich grobem. Wyobrażam sobie, że moje ciało wskazuje Łowcom drogę do naszej kryjówki i uśmiecha się, patrząc, jak ładują Jareda i Jamiego do samochodu...

– Dosyć! – mówię na głos, otrząsając się z bólu. – Dosyć! Wygrałaś! Teraz ja też nie mogę bez nich żyć. Zadowolona? Chyba rozumiesz, że nie mam już zbyt dużego wyboru. Jest tylko jedno wyjście – muszę się ciebie pozbyć. Naprawdę chcesz, żeby umieścili w tobie Łowczynię? – pytam, wzdrygając się na samą myśl, jakbym to ja miała ją w sobie nosić.

Jest inne wyjście, pomyślała łagodnie Melanie.

– Czyżby? – zapytałam drwiącym głosem. – Ciekawe jakie.

Sama zobacz.

Wzrok miałam wciąż utkwiony w sylwetce skalistej góry. Wyrastała nagle z pustynnej równiny, dominując nad resztą krajobrazu. Powiodłam spojrzeniem po jej nierównym konturze w ślad za Melanie.

Łagodna krzywa, biegnąca ostro w górę i równie ostro opadająca, potem pnąca się długo w górę, by w końcu znów gwałtownie opaść.

A więc nie północ i południe, jak to sobie wyobrażałam na podstawie jej wyrywkowych wspomnień, lecz góra i dół.

Rysunek górskiej grani.

Linie prowadzące do Jareda i Jamiego. Ta była pierwsza.

Mogłabym ich odnaleźć.

Moglibyśmy, poprawiła mnie Melanie. *Nie znasz wszystkich wskazówek. Tak samo jak nie znasz drogi do chatki w kanionie. Nie zdradziłam ci wszystkiego.*

– Nie rozumiem. Jak to działa? Jak g ó r a może nas zaprowadzić do celu? – Tętno skoczyło mi na samą myśl: Jared jest w pobliżu. I Jamie. Na wyciągnięcie ręki.

Wtedy ujrzałam odpowiedź.

– To zwykłe gryzmoły. A wuj Jeb ma świra. Jest stuknięty, jak zresztą cała reszta rodziny taty. – Próbuję wydrzeć Jaredowi książkę z rąk, ale nic sobie z tego nie robi.

– Stuknięty jak mama Sharon? – odparowuje, nie odrywając oczu od czarnych znaków nakreślonych ołówkiem z tyłu starego albumu ze zdjęciami. To jedyna rzecz, której nie zgubiłam przez te wszystkie lata. Nawet rysunek popełniony w czasie ostatnich odwiedzin przez szurniętego wujaszka ma teraz wartość sentymentalną.

– No dobra, tu mnie masz. – Jeżeli Sharon wciąż żyje, to zapewne dzięki matce, stukniętej cioci Maggie, która mogłaby spokojnie konkurować ze stukniętym wujciem Jebem o tytuł największego świra w świrniętej rodzince Stryderów. Mojego taty jakimś cudem to nie dotknęło – nie mieliśmy za domem tajnego bunkra ani nic z tych rzeczy. Za to jego siostra, ciocia Maggie, oraz bracia, wuj Jeb i wuj Guy, byli specjalistami od rozmaitych teorii spiskowych. Wujek Guy zginął jeszcze przed inwazją, w wypadku samochodowym, tak trywialnym, że nawet Maggie i Jeb nie doszukali się w tym intrygi.

Tata zawsze nazywał ich pieszczotliwie „Czubkami". Mówił: „Chyba czas już odwiedzić Czubków", na co mama zawsze reagowała głośnym jękiem. Pewnie dlatego nie wypowiadał tych słów zbyt często.

Pewnego razu, kiedy gościliśmy u nich w Chicago, Sharon pokazała mi kryjówkę swojej mamy. Przyłapano nas – ciotka umieściła tam mnóstwo pułapek. Sharon dostała wtedy niezłą burę, a ja musiałam przysiąc, że dochowam tajemnicy. Mimo to przeczuwałam, że ciocia Maggie na wszelki wypadek przeniesie kryjówkę w nowe miejsce.

Ale pamiętam, jak trafić do starej. Próbuję sobie wyobrazić, że Sharon tam teraz mieszka, w sercu wrogiego miasta, zupełnie jak ta słynna Żydówka, Anna Frank. Muszę ją znaleźć i zabrać do domu.

– To właśnie ci wszyscy obłąkańcy mieli największe szanse na przeżycie – przerywa moje rozmyślania Jared. – Ludzie, którym się wydawało, że są obserwowani, jeszcze zanim zaczęło się to dziać naprawdę. Ci, którzy podejrzewali resztę ludzkości, zanim zaczęła stanowić zagrożenie. I przygotowali sobie kryjówki. – Uśmiecha się, wciąż wpatrzony w tajemnicze linie. Po chwili jednak poważnieje. – Tak jak mój ojciec. Gdyby on i moi bracia ukryli się, zamiast stawiać opór... pewnie by żyli.

Słysząc ból w jego głosie, łagodzę ton.

– No dobrze, zgoda co do teorii. Ale to nie zmienia faktu, że te linie nic nie znaczą.

– Powtórz dokładnie, co mówił, kiedy je rysował.

Wzdycham.

– Kłócili się – wuj Jeb i mój tata. Wuj Jeb próbował go przekonać, że dzieje się coś niedobrego i że nikomu nie wolno ufać. Tata go wyśmiał. Wuj chwycił album i ołówek i zaczął... prawie ryć te linie w okładce. Tata się wściekł, mówił, że mama będzie zła, jak się dowie. Wuj Jeb upierał się przy swoim: „Mama Lindy nagle zaprosiła was wszystkich do siebie, nie? Ni stąd, ni zowąd. Iździebko się zmartwiła, jak usłyszała, że Linda przyjdzie sama. To chyba trochę dziwne, nie? Słuchaj, Trev, szczerze powiedziawszy, zdziwię się, jeżeli Lindę cokolwiek będzie w stanie wyprowadzić z równowagi, kiedy już wróci. Oczywiście będzie udawać, ale poznasz, że coś jest nie tak". Wtedy wydawało się to zupełnie bezsensowną gadaniną. Tata się wkurzył i kazał mu sobie iść. Ale wujek nie chciał. Powtarzał nam, żebyśmy się ocknęli, dopóki nie jest za późno. Złapał mnie za ramię, przyciągnął do siebie i wyszeptał: „Nie pozwól, skarbie, żeby cię dopadli. Idź za tymi liniami. Zacznij od początku i cały czas ich się trzymaj. Wujek Jeb będzie na ciebie czekał". Wtedy tata wyrzucił go za drzwi.

Jared pokiwał głową w zamyśleniu, nie odrywając wzroku od rysunków.

– Początek... początek... To musi coś znaczyć.

– Wcale nie musi. Jared, to zwykłe bazgroły, a nie żadna mapa. Te linie nawet się nie łączą.

– Ale ta pierwsza nie daje mi spokoju. Wygląda znajomo. Daję głowę, że gdzieś już to widziałem.

Wzdycham.

– Może powiedział cioci Maggie. Może ona ma dokładniejsze wskazówki.

– Może – odpowiada i dalej wpatruje się w okładkę albumu.

Kolejne wspomnienie było dużo starsze. Melanie sama wróciła do niego pierwszy raz całkiem niedawno. Ze zdumieniem uświadomiłam sobie, że dopiero jakiś czas temu połączyła ze sobą te dwa wspomnienia – stare i nowe. Byłam już w niej, kiedy to się stało. Właśnie dlatego linie przedostały się wbrew jej woli do mojej świadomości, choć należały przecież do najcenniejszych sekretów. Była poruszona tym odkryciem, zbyt mocno je przeżywała.

Owo drugie wspomnienie było bardziej mgliste. Melanie siedziała u taty na kolanach, trzymając w dłoniach ten sam album. Wówczas był w nieco lepszym stanie. Miała malutkie rączki, paluszki jak serdelki. Czułam się dziwnie, wspominając dzieciństwo.

Byli na pierwszej stronie.

– Pamiętasz, gdzie to jest? – pyta tata, wskazując stare, poszarzałe zdjęcie u góry strony. Wydaje się cieńsze od innych, pewnie zrobił je dawno, dawno temu jakiś prapradziadek i od tamtego czasu bardzo się wytarło.

– Stamtąd pochodzi nasza rodzina – odpowiadam tak, jak mnie nauczono.

– Właśnie. To stare ranczo Stryderów. Byłaś tam raz, ale założę się, że tego nie pamiętasz. Miałaś wtedy chyba półtora roku. – Tata zaczyna się śmiać. – To od zawsze była nasza ziemia.

I wreszcie wspomnienie samego zdjęcia. Oglądała je tysiące razy, a jednocześnie nigdy nie widziała tego miejsca na własne oczy. Czarno-biała, mocno wyblakła fotografia. Mały, drewniany wiejski domek, widziany z daleka. Na pierwszym planie ogrodzenie z drewnianych bali, między nim a domem kilka koni. I wreszcie ten wyraźny, znajomy kształt...

Na białej ramce u góry widniał podpis ołówkiem:

Ranczo Stryderów, 1904 r., rankiem w cieniu...

– Picacho Peak – dokończyłam na głos.

On na pewno znalazł to miejsce, nawet jeśli nie było tam Sharon. Jared to rozgryzł, jestem tego pewna. Jest bystrzejszy ode mnie, no i ma album. Na pewno domyślił się, o co w tym chodzi, wcześniej niż ja. Może tam teraz jest. To tak blisko...

Ogarnęły ją takie emocje, że po niewidzialnym murze nie było już śladu.

Wtedy zobaczyłam całą ich wędrówkę przez bezdroża, zawsze nocą, w nierzucającym się w oczy kradzionym samochodzie. Minęły tygodnie, zanim dotarli do celu. Później ukazało mi się miejsce ich rozstania – leśna głusza za miastem, tak różna od pustynnego krajobrazu, do którego przywykli. W pewnym sensie ten chłodny las, tymczasowa kryjówka Jareda i Jamiego, wydawał się bezpieczniejszy, bo drzewa były tu gęste i stanowiły lepszą osłonę niż rzadkie pustynne listowie. Był też jednak groźniejszy z powodu obcych dźwięków i zapachów.

Potem rozstanie, tak bolesne, że od razu przeskoczyłyśmy dalej. Następnie opuszczony budynek. Obserwowała z niego dom po drugiej stronie ulicy. Właśnie tam miała nadzieję znaleźć Sharon, ukrytą w piwnicy.

Nie powinnaś tego widzieć, pomyślała Melanie. Jej cichutki głos zdradzał zmęczenie. Fala wspomnień, dyskusje, groźby – wszystko to ją zmogło. *Powiesz im, gdzie ją znaleźć. Ją też zabijesz.*

– Tak – powiedziałam na głos, zamyślona. – To mój obowiązek.

Ale dlaczego? – wymamrotała sennie, jakby miała zaraz usnąć. *Co będziesz z tego miała?*

Nie miałam ochoty się z nią kłócić, więc milczałam.

Góra była coraz bliżej, coraz większa. Lada chwila będziemy u jej zboczy. Widziałam z daleka nieduży zajazd – sklep i bar, a obok nich betonowy plac pod przenośne domy. Obecnie było ich tam niewiele; nieznośny upał nadchodzącego lata robił swoje.

Co dalej? Zatrzymać się na późny lunch albo wczesną kolację? A może zatankować i ruszyć w dalszą drogę, dotrzeć czym prędzej do Tucson i powiedzieć Łowczyni, czego się dowiedziałam?

Ta ostatnia myśl była tak wstrętna, że zacisnęłam usta i powstrzymałam odruch wymiotny pustego żołądka. Instynktownie wcisnęłam stopą hamulec, zatrzymując auto z piskiem opon na środku jezdni. Szczęśliwie nikt za mną nie jechał, bo spowodowałabym wypadek. Autostrada była pusta jak okiem sięgnąć. Prażony słońcem asfalt migotał w gorącym powietrzu.

Słuszna przecież myśl o dokończeniu podróży, zrobieniu tego, co do mnie należało, sprawiła, że poczułam się zdrajczynią. Nie rozumiałam dlaczego. W pierwotnym języku dusz, używanym tylko na naszej rodzimej planecie, nie istniały słowa „zdrada" czy „zdrajca". Nie było nawet wyrazu „lojalność" – nie było nam potrzebne, skoro nie istniało jego przeciwieństwo.

Lecz mimo to na samą myśl o spotkaniu z Łowczynią ogarniało mnie przemożne poczucie winy. Zrobię coś złego, mówiąc jej, czego się dowiedziałam. *Złego? Niby czemu?* – odparowałam wściekle sama sobie. Jeżeli się teraz zatrzymam i posłucham bałamutnych rad żywiciela, to właśnie będzie prawdziwa zdrada. Nie mogę tak postąpić. Jestem duszą.

Ale co z tego, skoro wiedziałam, czego pragnę – bardziej niż czegokolwiek innego we wszystkich poprzednich ośmiu życiach. Gdy mrugnęłam oślepiona słońcem, mignęła mi twarz Jareda. Tym razem wspomnienie nie należało do Melanie, lecz do mnie. Nie podsuwała mi już żadnych obrazów. Ledwie czułam jej obecność. Jakby z zapartym tchem czekała, aż podejmę decyzję.

Nie potrafiłam oddzielić się od tego ciała i jego pragnień. Stało się mną, a przecież nie tak to sobie wyobrażałam. Czyje to były pragnienia – moje czy ciała? I czy takie rozróżnienie miało jeszcze sens?

W lusterku wstecznym mignął mi słoneczny refleks na samochodzie w oddali.

Wcisnęłam gaz i ruszyłam z wolna w stronę sklepiku w cieniu wzgórza. Mogłam zrobić tylko jedno.

Rozdział 10

Zakręt

Dzwonek oznajmił sklepikarzowi przybycie nowego klienta. Zawahałam się i schowałam głowę za półką z towarami.

Nie zachowuj się jak przestępca, poradziła Melanie.

Przecież nim jestem, odparłam dobitnie.

W środku było dość gorąco. Dłonie miałam jednak chłodne, pokryte warstewką potu. Hałaśliwa klimatyzacja nie dawała sobie rady ze słońcem prażącym przez szerokie okna.

Którą? – zapytałam w myślach.

Tę większą, usłyszałam w odpowiedzi.

Wzięłam większą z dwóch toreb – płócienną, z długim paskiem, mogącą na oko pomieścić dużo więcej, niż byłam w stanie unieść. Następnie skierowałam się w stronę półek z butelkowaną wodą.

Damy radę unieść trzy galony, oznajmiła. *To oznacza, że mamy trzy dni, żeby ich odszukać.*

Wzięłam głęboki oddech, próbując sobie wmówić, że wcale nie mam takiego zamiaru, że chcę tylko wydobyć z niej więcej informacji. Kiedy już będę wiedziała co trzeba, znajdę kogoś – może innego Łowcę, mniej odpychającego – i wszystko mu przekażę. Po prostu chcę się upewnić, tłumaczyłam sobie.

Moje nieudolne próby okłamania samej siebie były tak żałosne, że Melanie ani trochę się nimi nie przejęła. W ogóle nie zwracała na nie uwagi. Chyba było już dla mnie za późno. Łowczyni słusznie mnie przestrzegała. Może trzeba było polecieć do Tucson wahadłowcem.

Za późno? Dobre sobie, żachnęła się Melanie. *Nie umiem sprawić, żebyś zrobiła coś, czego nie chcesz. Nie mogę nawet ruszyć ręką!* Była wyraźnie sfrustrowana.

Spojrzałam na ręce – istotnie, nie sięgały po wodę, choć bardzo tego chciała. Czekały wsparte na biodrach. Wyczuwałam jej zniecierpliwienie, rozpaczliwe pragnienie działania. Chciała być z powrotem z dala od cywilizacji, jak gdyby moje istnienie było jedynie krótkim przerywnikiem, zmarnowanym czasem, który ma już za sobą.

Skwitowała moją refleksję myślowym odpowiednikiem prychnięcia, po czym wróciła do bieżących spraw. *No dalej*, pospieszała mnie. *Ruszmy się stąd! Niedługo się ściemni.*

Westchnęłam ciężko i zdjęłam z półki największą zgrzewkę wody. Ważyła tyle, że zanim chwyciłam ją drugą ręką od dołu, prawie gruchnęła o podłogę. Ramiona niemal wypadły mi ze stawów, a przynajmniej tak się poczułam.

– Chyba żartujesz! – wykrzyknęłam na głos.

Zamknij się!

– Słucham? – zainteresował się inny klient, niski, zgarbiony mężczyzna przy drugim końcu regału.

– Yy... nic, nic – wymamrotałam, nie spoglądając mu w twarz. – To cięższe, niż sądziłam.

– Może pomogę? – zaproponował.

– Nie, nie – odparłam pospiesznie. – Wezmę mniejszą zgrzewkę.

Mężczyzna popatrzył z powrotem na stojak z chipsami.

A właśnie, że nie, odezwała się Melanie. *Nosiłam już cięższe rzeczy. Trochę nas zaniedbałaś, Wagabundo*, dodała poirytowana.

Wybacz, odparłam machinalnie, zbita z tropu tym, że po raz pierwszy nazwała mnie po imieniu.

Używaj nóg.

Znalazłam w sobie siłę, żeby podnieść zgrzewkę, choć zastanawiało mnie, jak długo dam radę ją nieść. Na początek dotargałam ją do kasy. Z wielką ulgą odstawiłam ją na ladę, po czym położyłam na wodzie torbę. Dorzuciłam jeszcze paczkę batonów musli, pudełko pączków i torebkę chipsów ze stojaka przy kasie.

Na pustyni woda jest dużo ważniejsza niż jedzenie, a możemy zabrać tylko tyle, ile...

Jestem głodna, przerwałam jej. *Są lekkie.*

To ty to będziesz dźwigać, skwitowała z wyrzutem, po czym dodała: *Weź mapę.*

Sięgnęłam po tę, którą chciała – topograficzną mapę okolicy – i położyłam ją na ladzie obok reszty zakupów, choć czułam, że Melanie robi to jedynie dla niepoznaki.

Kasjer, siwowłosy mężczyzna z uczynnym uśmiechem, sczytał z towarów kody kreskowe.

– Wybieramy się na małą wycieczkę? – zapytał przyjaznym tonem.

– To bardzo piękna góra.

– Wejście na szlak jest zaraz za... – zaczął, unosząc dłoń.

– Na pewno znajdę – ucięłam, zabierając z lady ciężką, źle wyważoną torbę.

– Zejdź na dół, zanim się ściemni, dziecko. Wieczorem łatwo się zgubić.

– Oczywiście.

Miły starszy pan napędził Melanie nie lada strachu.

Po prostu był życzliwy. Naprawdę się o mnie martwi, stwierdziłam.

Jesteście dziwaczni, odparła cierpko. *Nikt ci nigdy nie mówił, żebyś nie rozmawiała z obcymi?*

W naszym świecie nikt nie jest obcy, odparłam i nagle ogarnęło mnie głębokie poczucie winy.

Nie mogę się przyzwyczaić, że nie trzeba za nic płacić, powiedziała, zmieniając temat. *Po co w ogóle sczytują kody?*

Chodzi o inwentaryzację. Przecież przy następnym zamówieniu nie będzie pamiętał, ile czego wzięliśmy. Poza tym na co komu pieniądze, skoro wszyscy są w stu procentach uczciwi? Przerwałam, bo znowu ogarnęły mnie wyrzuty sumienia tak silne, że aż bolesne. *Wszyscy oprócz mnie, oczywiście.*

Melanie się wycofała, zaniepokojona tym natężeniem uczuć. Bała się, że mogę zmienić zdanie. Zaczęła znowu myśleć o tym, by jak najprędzej ruszyć w drogę. Jej niepokój szybko mi się udzielił i przyspieszyłam kroku.

Zaniosłam zakupy do samochodu i postawiłam je obok drzwi pasażera.

– Pomogę pani.

Poderwałam wzrok i zobaczyłam mężczyznę ze sklepu z plastikową torbą w ręku.

– O... dziękuję – wydusiłam z siebie po chwili. Uszy wypełniało mi miarowe tętnienie krwi.

Mężczyzna podniósł torbę i włożył ją do auta. Melanie czekała w napięciu, jakby gotując się do ucieczki.

Nie ma się czego obawiać. Po prostu jest uprzejmy.

Nadal przyglądała mu się nieufnie.

– Dziękuję – powtórzyłam, gdy zamknął drzwi.

– Nie ma sprawy. Cieszę się, że mogłem pomóc.

Odszedł w stronę własnego samochodu, nie oglądając się ani razu. Wdrapałam się na siedzenie kierowcy i chwyciłam paczkę chipsów.

Otwórz mapę, powiedziała. *Poczekaj, aż się oddali.*

Nikt na nas nie patrzy, zapewniłam ją. Ale westchnęłam i rozpostarłam mapę, jedną ręką jedząc chipsy. Rozeznanie się w terenie nie było wcale złym pomysłem.

W którą stronę idziemy? – zapytałam. *Znalazłyśmy punkt startowy, co teraz?*

Rozejrzyj się, poleciła. *Jeżeli nie znajdziemy jej tutaj, sprawdzimy południowe zbocze.*

Jeżeli nie znajdziemy czego?

W odpowiedzi podsunęła mi obraz zygzakowatej linii – cztery ostre wierzchołki, piąty dziwnie zaokrąglony, jakby złamany. Tym razem wiedziałam, jak to odczytać – widziałam łańcuch górski z czterema grzbietami spiczastymi i jednym łagodnym...

Przebiegłam wzrokiem po linii północnego horyzontu, ze wschodu na zachód. Dostrzegłam zygzak z taką łatwością, że w pierwszej chwili nie byłam pewna, czy sobie tego nie uroiłam, czy nie zmieniłam kształtu linii pod wpływem tego, co zobaczyłam.

Jest, zawołała z podnieceniem Melanie, prawie śpiewając. *Ruszajmy!* Chciała, żebym od razu wysiadła z auta i tam poszła.

Potrząsnęłam głową, ponownie studiując mapę. Te góry były bardzo daleko – nie potrafiłam nawet określić, ile mil stąd. Nie zamierzałam maszerować przez pustynię, chyba że nie miałabym wyjścia.

Mądrzej będzie pojechać, zaproponowałam, wodząc palcem wzdłuż nitki na mapie – bezimiennej drogi odchodzącej od autostrady parę mil na wschód od nas i biegnącej mniej więcej w kierunku gór.

Oczywiście, od razu przyznała mi rację. Im szybciej, tym lepiej.

Szybko znalazłyśmy drogę. Okazała się zaledwie piaszczystą ścieżką szeroką na jedno auto, ciągnącą się pośród rzadko rozrzuconych pustynnych krzaków. Pomyślałam, że na bardziej zielonych obszarach podobna droga już dawno by zarosła. W poprzek wjazdu na dwóch drewnianych słupkach wisiał zardzewiały łańcuch. Po jednej stronie był umocowany na stałe, a po drugiej luźno przyczepiony. Zdjęłam go szybko i zwinęłam na ziemi, po czym wskoczyłam do auta, nie czekając, aż zjawi się kolejny kierowca skory do pomocy. Wjechawszy na ścieżkę, wyskoczyłam z samochodu i prędko założyłam łańcuch z powrotem. Droga była pusta.

Kiedy asfaltowa szosa zniknęła w tyle, w końcu się odprężyłyśmy. Być może nie będę już musiała nikogo oszukiwać, czy to kłamiąc, czy milcząc. Myśl o tym sprawiała mi ulgę. W samotności nie czułam się tak bardzo inna.

Melanie tymczasem czuła się na pustkowiu jak w domu. Znała nazwy wszystkich roślin dookoła. Nuciła je sobie, witając się z nimi jak ze starymi znajomymi.

Krzew kreozotowy, fukieria, opuncja, meskit...

Z dala od autostrady i zdobyczy cywilizacji pustynia nabierała dla niej zupełnie nowego znaczenia. Była zadowolona, że siedzimy w pędzącym aucie – co prawda słabo przystosowanym do jazdy terenowej, o czym przypominały nam co chwila wstrząsy – ale zarazem miała ochotę chodzić, biegać. Czuła się tu bezpiecznie.

Byłam przekonana, że prędzej czy później – dla mnie na pewno zbyt prędko – będziemy musiały pójść piechotą. Nie sądziłam jednak, żeby Melanie znalazła wówczas ukojenie. Wiedziałam bowiem, czego naprawdę pragnie. Chodziło jej o wolność. Chciała znów sama ruszać ciałem w znajomym rytmie długich kroków; decydować o tym, czy iść, czy stać. Wyobraziłam sobie na chwilę niewolę, jaką jest życie bez ciała. Jak by to było – znajdować się wewnątrz cielesnej powłoki, lecz nie mieć nad nią władzy. Nie móc decydować o niczym. Być w potrzasku.

Otrząsnęłam się i skupiłam ponownie na wyboistej drodze, próbując odegnać przerażenie zabarwione współczuciem. Żaden żywiciel nie przyprawił mnie nigdy o takie wyrzuty sumienia z powodu tego, czym jestem. Inna sprawa, że żaden nigdy się przede mną nie bronił i nie narzekał na swój los.

Słońce chyliło się już nad wierzchołkami zachodnich wzgórz, gdy wywiązała się między nami pierwsza kłótnia. Długie cienie na drodze układały się w dziwne wzory i coraz trudniej było mi omijać dziury i kamienie.

Jest! – zawołała Melanie, widząc na wschodzie kolejne pasmo gór: łagodne wzniesienie, z którego wyrastała nagle, niczym palec na tle nieba, długa, wąska skała.

Zapragnęła natychmiast skręcić w tamtą stronę, nie myśląc o stanie podwozia.

Może powinnyśmy najpierw dotrzeć do pierwszego punktu orientacyjnego, zauważyłam. Piaszczysta droga przed nami wiła się mniej więcej we właściwym kierunku, a ja bardzo się bałam z niej zjeżdżać. Jak znalazłabym drogę powrotną? Przecież chyba miałam zamiar wrócić?

Słońce zetknęło się z ciemną, zygzakowatą linią horyzontu i nagle stanął mi przez oczami obraz Łowczyni. Co sobie pomyśli, gdy się nie zjawię? Roześmiałam się na głos w przypływie radości. Również Melanie cieszyła myśl, że Łowczyni wpadnie w furię. Jak szybko dotrze do San Diego, by się upewnić, czy nie był to tylko wybieg z mojej strony, czy nie chciałam się jej pozbyć na jakiś czas? I co zrobi, gdy się okaże, że nie ma mnie tam? Że nie ma mnie nigdzie?

Szkoda tylko, że sama nie wiedziałam, gdzie wtedy będę.

Spójrz, wyschnięty strumień. Samochód akurat się zmieści. Jedźmy tam, nalegała Melanie.

Chyba jeszcze za wcześnie na to, żebyśmy skręcały.

Zaraz się ściemni i będzie trzeba się zatrzymać. Marnujesz czas! – krzyczała na mnie w myślach, wściekła.

Albo go oszczędzam, jeżeli to ja mam rację. Poza tym to przecież mój czas, prawda?

Nie odpowiedziała słowami, ale rzucała się w mojej głowie i czułam, jak bardzo pragnie zawrócić.

To ja tu przyjechałam i ja decyduję.

Melanie zagotowała się ze złości, lecz nic nie odpowiedziała.

Pokażesz mi pozostałe linie? – zasugerowałam. *Spróbujmy ich poszukać, zanim się ściemni.*

Nie, odfuknęła. *O tym to ja decyduję.*

Zachowujesz się jak dziecko.

Znowu milczała. Jechałam dalej w kierunku czterech ostrych szczytów. Melanie cały czas się dąsała.

Słońce zniknęło za wzgórzami i szybko zapadła noc. Pomarańczowa pustynia w jednej chwili poczerniała. Zwolniłam, szukając po omacku włącznika świateł.

Oszalałaś? – syknęła Melanie. *Masz pojęcie, jak się będziemy rzucać w oczy? Od razu nas ktoś zobaczy.*

W takim razie co robimy?

Sprawdźmy, czy fotel da się rozłożyć.

Zwlekałam z wyłączeniem silnika. W myślach szukałam sposobu na uniknięcie noclegu w mrokach pustyni. Melanie czekała cierpliwie. Wiedziała, że nic nie wymyślę.

Wiesz co, to jedno wielkie szaleństwo, oznajmiłam. Wyłączyłam silnik i wyjęłam kluczyki ze stacyjki. *Założę się, że nikogo tam nie ma. Nic nie znajdziemy, tylko zgubimy się na amen*. Miałam jako takie pojęcie o tym, że wędrówką w głąb upalnej pustyni bez planu awaryjnego i bez drogi powrotu narażamy się na niebezpieczeństwo. Melanie na pewno rozumiała to jeszcze lepiej, ale nic nie mówiła.

Moje rozterki pozostały bez odpowiedzi. Mało ją obchodziły. Nie robiły na niej większego wrażenia. Wolała już do końca życia błąkać się samotnie po pustyni niż wrócić do świata, w którym żyła przez ostatnie kilka miesięcy. Nawet gdyby nie musiała się obawiać Łowczyni, wybór był dla niej oczywisty.

Opuściłam oparcie fotela najniżej, jak się dało. Nie miało to jednak wiele wspólnego z wygodą. Wątpiłam, czy uda mi się zasnąć. Unikałam też myślenia o tylu różnych rzeczach; umysł wypełniła mi nudna pustka. Melanie milczała.

Zamknęłam oczy. Ciemności pod powiekami niewiele się różniły od mroków bezksiężycowej nocy. Sen przyszedł nadspodziewanie łatwo.

Rozdział 11

Pragnienie

– No dobrze! Miałaś rację, miałaś rację! – przyznałam na głos. I tak nikt mnie nie słyszał.

Melanie nie powiedziała „a nie mówiłam". W każdym razie nie słowami. Czułam, że oskarża mnie milcząco.

Nadal nie miałam ochoty wychodzić z auta, mimo że było już bezużyteczne. Chwilę wcześniej skończyła się benzyna – samochód potoczył się jeszcze kawałek siłą rozpędu i ugrzązł w płytkim rowie wydrążonym przez ulewny deszcz. Spojrzałam przez szybę na bezkresną równinę i poczułam w żołądku skurcz paniki.

Wagabundo, musimy ruszać. Zaraz zrobi się jeszcze goręcej.

Gdybym nie zmarnowała ćwierci baku, uparcie brnąc w stronę drugiego punktu orientacyjnego – dopóki nie okazało się, że straciłam z oczu trzeci i muszę zawrócić – byłybyśmy dużo bliżej celu. Przeze mnie musiałyśmy teraz iść pieszo.

Załadowałam wodę do torby, butelka po butelce, przeciągając każdy ruch. Następnie dorzuciłam ostatnie batoniki, także bez pośpiechu. Melanie przez cały ten czas podrygiwała zniecierpliwiona. Nie mogłam się przez to na niczym skupić. Na przykład na tym, co z nami teraz będzie.

Szybciej, szybciej, szybciej, powtarzała, dopóki nie wygramoliłam się z auta. Przy prostowaniu poczułam ból w plecach. Nie od ciężaru torby, lecz od spania w niewygodnej pozycji. Torba nie wydawała się już taka ciężka, moje ramiona zdążyły się do niej przyzwyczaić.

Zakryj samochód, poleciła Melanie, podsuwając mi obraz mnie, jak zrywam cierniste gałęzie z pobliskich krzaków i maskuję nimi srebrną karoserię.

– Po co?

Żeby nikt nas nie znalazł, odparła tonem reprymendy.

A może ja chcę, żeby nas znaleziono? Co, jeśli nie ma tam nic prócz słońca i piasku? Nie mamy jak wrócić do domu!

Do domu? – zapytała, bombardując mnie ponurymi obrazami: pustego mieszkania w San Diego, paskudnej miny Łowczyni, kropki na mapie podpisanej „Tucson”... Nie wiedzieć czemu mignął mi też w głowie obraz o wiele przyjemniejszy – czerwonego kanionu. *Czyli niby dokąd?*

Odwróciłam się od samochodu, nie zważając na jej rady. I tak już zabrnęłam w to za daleko. Nie miałam zamiaru pozbywać się ostatniej szansy powrotu. Może ktoś znajdzie samochód, a potem mnie. Będę mogła łatwo i szczerze wyjaśnić, skąd się tu wzięłam. Zbłądziłam. Straciłam orientację... głowę... rozum.

Ruszyłam wzdłuż piaszczystego szlaku długimi krokami, w naturalnym dla mojego ciała rytmie. Zupełnie innym, niż gdy chodziłam po chodnikach San Diego do pracy i z powrotem. Miałam wrażenie, że to w ogóle nie m ó j chód. Pasował jednak do nierównego terenu, dzięki czemu poruszałam się nadspodziewanie szybko.

– Co by było, gdybym tędy nie jechała? – zastanawiałam się, idąc w głąb pustyni. – Co by było, gdyby Uzdrowiciel Fords został w Chicago? Gdybyśmy nie znalazły się tak blisko nich?

Właśnie przez kuszącą myśl, że Jared i Jamie mogą g d z i e ś t u być, nie potrafiłam się oprzeć temu szalonemu pomysłowi.

No nie wiem, odezwała się Melanie. *Chyba i tak bym spróbowała. Nie chciałam robić tego przy innych duszach, bo się bałam. Zresztą ciągle się boję. Zaufałam ci; teraz mogą przeze mnie zginąć.*

Obie wzdrygnęłyśmy się na samą tę myśl.

Ale skoro byłyśmy tak blisko... Po prostu musiałam spróbować. Proszę – nagle popadła w błagalny ton, bez cienia urazy ani złości – *proszę, nie pozwól, aby stała im się z tego powodu krzywda. Proszę.*

– Wcale tego nie chcę... Nie wiem, czy w ogóle potrafiłabym do tego dopuścić. Już chyba byłoby lepiej...

No właśnie, gdyby co? Gdybym sama umarła? Lepsze to niż wydać Łowcom kilku ludzkich niedobitków?

Znów obie zadrżałyśmy na tę myśl. Tyle że mnie moja reakcja przerażała, a ją cieszyła.

Kiedy szlak zaczął zanadto skręcać na północ, Melanie zaproponowała, żebyśmy z niego zboczyły i ruszyły prosto do trzeciego punktu orientacyjnego – wschodniej skały, która jak palec wskazywała na bezchmurne niebo.

Ani mi się śniło. Podobnie jak wcześniej nie chciałam zostawiać auta. Szlak mógł mnie zaprowadzić z powrotem do drogi, a droga na autostradę. Dzieliło nas od niej wiele mil, droga powrotna zajęłaby parę dni, ale przynajmniej wiedziałabym, dokąd idę.

Więcej wiary, Wagabundo. Znajdziemy wuja Jeba albo on znajdzie nas.

O ile w ogóle żyje, dodałam i westchnęłam, schodząc z bezpiecznej ścieżki w zarośla, wszędzie jak okiem sięgnąć jednakowe. *My nie znamy czegoś takiego jak wiara. Nie wiem, czy to kupuję.*

To może chociaż zaufanie?

Tobie mam zaufać? – zaśmiałam się. Gorące powietrze piekło mi gardło przy każdym wdechu.

Pomyśl tylko, odparła, zmieniając temat. *Może jeszcze dzisiaj się z nimi zobaczymy.*

Tęskniłyśmy obie; niezależnie od siebie przywołałyśmy obraz dwóch twarzy, mężczyzny i chłopca. Przyspieszyłam kroku, nie do końca pewna, czy w pełni nad tym panuję.

Rzeczywiście, zrobiło się goręcej. A po jakimś czasie – jeszcze goręcej. Włosy przykleiły mi się do spoconej głowy, bladożółta koszulka lepiła się nieprzyjemnie do ciała. Po południu nadeszły gorące podmuchy wiatru, sypiąc piaskiem w twarz. Upalne powietrze wysuszało mi skórę, pokrywało włosy piachem, nadymało zesztywniałą od zaschłej soli koszulkę. Szłam przed siebie.

Sięgałam po wodę częściej, niż chciała tego Melanie. Żałowała mi każdego łyka, zapewniając, że jutro będę jeszcze bardziej spragniona. Nie miałam jednak ochoty się jej słuchać, tym bardziej że dość już dzisiaj ustąpiłam. Piłam, gdy mi się chciało, czyli praktycznie co chwila.

Nogi same niosły mnie przed siebie. Ciszę wypełniał rytmiczny chrzęst kroków, cichy i jednostajny.

Nie było na czym zawiesić oka. Wszystkie łamliwe, powykręcane krzaki wyglądały tak samo. Monotonia pustynnego krajobrazu działała na mnie usypiająco. Widziałam jedynie sylwetki gór na tle bladego, wypranego nieba. Co pewien czas przemykałam wzrokiem po ich kształtach, aż w końcu znałam je tak dobrze, że mogłabym je narysować z zamkniętymi oczami.

Krajobraz sprawiał wrażenie zastygłego w bezruchu. Szukałam czwartego punktu, który Melanie pokazała mi dopiero dziś rano – dużego, kopulastego szczytu z okrągłym ubytkiem, jakby ktoś wydłubał kawałek skały łyżką do lodów. Rozglądałam się za nim co chwila, jak gdyby coś się mogło zmienić od ostatniego kroku. Miałam nadzieję, że to ostatni punkt, nie wiedziałam bowiem, jak daleko uda nam się dojść. Przeczuwałam jednak, że Melanie ukrywa przede mną coś jeszcze, że cel naszej wędrówki jest beznadziejnie odległy.

Co jakiś czas sięgałam po batonik, aż w pewnej chwili uświadomiłam sobie, że właśnie nieopatrznie zjadłam ostatni.

Noc zapadła tuż po zachodzie słońca, równie szybko jak zeszłego dnia. Melanie była na to przygotowana, od jakiegoś czasu wyglądała już miejsca na postój.

Tutaj, oznajmiła. *Jak najdalej od kaktusów. Wiercisz się w nocy.*

Przyjrzałam się w niknącym świetle niegroźnemu na pierwszy rzut oka kaktusowi i zadrżałam. Był tak gęsto usiany bladymi igłami, że przypominały futerko. *Mam spać ot tak, na gołej ziemi?*

Widzisz jakąś inną opcję? – zapytała uszczypliwie, po chwili jednak wyraźnie złagodziła ton, wyczuwając moje przerażenie. *Słuchaj – tu jest wygodniej niż w samochodzie. Przynajmniej jest płasko. Żadne zwierzęta nie przyjdą i cię nie zjedzą. Jest za gorąco, żeby poczuły twoje ciepło i...*

– Zwierzęta? – zawołałam na głos. – Zwierzęta?

Przemknęły mi przed oczyma nieprzyjemne obrazy z jej pamięci – monstrualne owady, zwinięte węże.

Aż stanęłam na palcach, przerażona tym, co może się czaić w piasku, i szukałam wzrokiem bezpiecznego miejsca ucieczki. *Nie martw się*. Próbowała mnie uspokoić. *Jeżeli będziesz sobie spokojnie leżeć, nic ci się nie stanie. W końcu jesteś większa niż wszystko, co tu żyje.* Mignęło mi kolejne wspomnienie, tym razem kojot pokaźnych rozmiarów.

– Znakomicie – jęknęłam, kucając, choć spowita mrokiem ziemia nadal mnie przerażała. – Rozszarpana przez dzikie psy. Kto by pomyślał, że to się skończy tak... banalnie? Co za rozczarowujące zakończenie. Zginąć w pazurach szponowców na Planecie Mgieł, to jeszcze rozumiem. Tam umierałabym przynajmniej z jakąś godnością.

Odpowiedziała takim tonem, że wyobraziłam sobie, jak przewraca oczami. *Przestań się mazgaić, jesteś dorosła. Nic cię nie zje. Połóż się i odpocznij. Jutro będzie gorzej niż dzisiaj.*

– Wielkie dzięki za dobrą nowinę – burknęłam. Zrobił się z niej straszny tyran. Przypomniało mi się ludzkie powiedzenie: „Daj jej dłoń, a weźmie całą rękę". Nie zdawałam sobie jednak sprawy, jak bardzo jestem wykończona. Kiedy w końcu usiadłam niechętnie na ziemi, nie potrafiłam oprzeć się pokusie – położyłam się na żwirowatym piasku i od razu zamknęłam oczy.

Potem nastał ranek, oślepiająco jasny i nieznośnie gorący. Obudziłam się cała w pyle i żwirze, bez czucia w prawej ręce, na której leżałam. Miałam wrażenie, że spałam co najwyżej kilka minut. Potrząsałam przez chwilę ręką, aż mrowienie ustało, po czym sięgnęłam do plecaka po wodę.

Melanie była przeciw, ale nie zwracałam na nią uwagi. Dopiero przekopując się przez puste i pełne butelki w poszukiwaniu napoczętej, zaczęłam nagle rozumieć.

Ogarnęła mnie trwoga. Policzyłam gorączkowo butelki, najpierw raz, potem drugi. Pustych było dwa razy więcej niż pełnych. Zużyłam już ponad połowę wody.

Mówiłam ci, że pijesz za dużo.

Nic nie odpowiedziałam, tylko zarzuciłam torbę na ramię, nie biorąc ani łyka. Miałam okropnie sucho w ustach, czułam w nich gorycz i pył. Ruszyłam przed siebie, starając się o tym nie myśleć i nie przeciągać szorstkim jak papier ścierny językiem po zapiaszczonych zębach.

W miarę jak słońce wznosiło się i przybierało na sile, coraz bardziej doskwierał mi również żołądek. Wił się i kurczył w regularnych odstępach czasu, daremnie domagając się posiłku. Po południu byłam już tak głodna, że rozbolał mnie brzuch.

To jest nic, przypomniała Melanie. *Bywało gorzej.*

Może tobie, odparowałam. Nie miałam ochoty słuchać o jej wyczynach.

Zaczynałam pogrążać się w rozpaczy, gdy nagle nadeszła dobra wiadomość. Po raz tysięczny omiatając mechanicznie horyzont, pośrodku północnego łańcucha gór ujrzałam nagle masywną bryłę w kształcie kopuły. Luka wyglądała z dużej odległości jak malutkie wgniecenie.

Damy radę, oszacowała Melanie, tak samo jak ja podniecona widocznymi postępami. Przyspieszyłam i zaczęłam się kierować na północ. *Rozglądaj się za kolejnym.* Podsunęła mi obraz kolejnej skały. Natychmiast się rozejrzałam, choć dobrze wiedziałam, że jeszcze na to za wcześnie.

Uświadomiłam sobie pewną prawidłowość. Północ, wschód, północ. Następny punkt będzie więc na wschodzie.

Radość z nowego odkrycia pchała nas do przodu wbrew rosnącemu zmęczeniu. Melanie dopingowała mnie za każdym razem, gdy zwalniałam, myślała o Jaredzie i Jamiem, gdy tylko opadałam z sił. Posuwałyśmy się nieprzerwanie do przodu. Parzyło mnie w gardle, ale ilekroć chciałam się napić, pytałam Melanie o zgodę.

Byłam dumna ze swojej wytrwałości. Kiedy w oddali ukazał się piaszczysty szlak, potraktowałam to jak nagrodę. Wił się na północ, czyli w kierunku, w którym i tak już szłam, ale Melanie ogarnął niepokój.

Nie podoba mi się, powtarzała.

Była to ledwie smuga wśród morza krzaków, wyróżniająca się z otoczenia jedynie mniejszymi muldami i brakiem roślin. Środkiem biegły stare koleiny.

Jeżeli skręci w złą stronę, to z niej zejdziemy, uspokajałam, idąc wzdłuż śladów. *Tędy jest łatwiej, nie trzeba się przedzierać przez krzaki ani uważać na kaktusy.*

Melanie nic nie odpowiedziała, ale jej niepokój trochę mi się udzielił. Dalej rozglądałam się za następnym znakiem – dwoma identycznymi szczytami w kształcie litery M – ale też uważniej obserwowałam otoczenie.

Być może dzięki temu dostrzegłam hen w dali zagadkową szarą plamę. Mrugnęłam kilka razy, żeby sprawdzić, czy wzrok mnie nie myli. Kolorem nie przypominała skały, ani kształtem drzewa. Mrużyłam oczy i zachodziłam w głowę.

W pewnej chwili zamrugałam znowu i nagle plama nabrała konkretnego kształtu. Wydała się też mniej odległa. Był to mały, szarawy budynek.

Melanie zareagowała paniką. Nie myśląc dużo, zbiegłam ze szlaku i skryłam się wśród krzaków, stanowiących zresztą dość wątpliwą zasłonę.

Poczekaj, powiedziałam. *Na pewno jest opuszczony.*

Skąd wiesz? Była tak stanowcza, że musiałam się skupić na stopach, by móc nimi poruszyć.

Kto chciałby tu mieszkać? My, dusze, jesteśmy istotami społecznymi. Słyszałam w swoich słowach nutę goryczy i wiedziałam, skąd się wzięła. Oto stałam – dosłownie i w przenośni – na środku pustkowia. Dlaczego nie byłam już częścią mojego społeczeństwa? Dlaczego czułam, że... że n i e c h c ę nią być? Czy w ogóle kiedykolwiek należałam do społeczności, którą uznawałam za swoją własną? Czy nie z tego właśnie powodu każde kolejne życie zaczynałam na innej planecie? Czy zawsze byłam inna, czy też jest to wątpliwa zasługa Melanie? Czy ta planeta mnie zmieniła, czy też po prostu uświadomiła mi, kim jestem?

Moje osobiste dywagacje niecierpliwiły Melanie. Chciała jak najprędzej oddalić się od budynku. Szturchała mnie i szarpała w myślach, próbując wyrwać z zadumy.

Uspokój się, rozkazałam, usiłując pozbierać myśli, oddzielić się od niej. *Jeżeli ktoś tu mieszka, to tylko człowiek. Uwierz mi, wśród dusz nie ma pustelników. Może twój wujek Jeb...*

Stanowczo odrzuciła moją sugestię. *Nikt by tutaj nie przeżył, na takiej otwartej przestrzeni. Na pewno sprawdziliście starannie wszystkie budynki. Ktokolwiek tu mieszkał, musiał stąd uciec albo stał się jednym z was. Wuj Jeb na pewno ma lepszą kryjówkę.*

Jeżeli ten, kto tu mieszkał, stał się jednym z nas, to się stąd wyniósł, zapewniałam. *Tylko człowiek mógłby tak żyć...* Urwałam, czując, że i mnie ogarnia strach.

Co się dzieje? – zareagowała od razu Melanie. Myślała, że przestraszyło mnie coś, co zobaczyłam.

Było jednak inaczej. *Melanie... A co, jeżeli tam są ludzie? Nie wujek Jeb z Jaredem i Jamiem. Co będzie, jeśli znajdzie nas ktoś inny?*

Potrzebowała chwili, żeby to przemyśleć. *Masz rację. Zabiliby nas od razu. Jasne, że tak.*

Przełknęłam ślinę, a przynajmniej próbowałam.

Nikogo innego tu nie ma. To niemożliwe, stwierdziła. *Twoja rasa jest zbyt skrupulatna. Mógł się uchować tylko ktoś, kto ukrywał się od dłuższego czasu. Skoro ty jesteś pewna, że nie ma tam twoich, a ja, że nie ma tam moich, to sprawdźmy ten budynek. Może znajdziemy coś przydatnego, jakąś broń.*

Wzdrygnęłam się, widząc w jej myślach ostre noże i długie metalowe narzędzia. *O nie, żadnej broni.*

Ech. Jak to możliwe, że ludzkość dała się pokonać takim mięczakom?

Wystarczyło nieco sprytu i przewaga liczebna. Każdy człowiek, nawet młody, jest sto razy bardziej niebezpieczny niż dusza. Ale wy jesteście jak pojedynczy termit w mrowisku. A my wytrwale dążymy do wspólnego celu, pracując w zgodzie i harmonii.

Gdy tylko wypowiedziałam te słowa, ponownie dopadło mnie uczucie trwogi i zagubienia. Kim jestem?

Idąc wśród krzewów, zbliżyłyśmy się do budynku. Wyglądał na małą chatkę bez żadnej specjalnej funkcji. Była to doprawdy zagadkowa lokalizacja. Ta pusta okolica nie miała do zaoferowania niczego prócz spiekoty.

Wszystko wskazywało na to, że od dawna nikt tu nie mieszka. Dom nie miał drzwi, a jedynie pustą futrynę. Z ram okiennych sterczało kilka kawałków szyby. Próg zarósł wdzierającym się do środka kurzem. Szare, zniszczone ściany lekko się przechyliły, jakby wiatr wiał tu zawsze w tym samym kierunku.

Wzięłam się w garść i podeszłam ostrożnie do wejścia. Nie było nikogo.

Wnętrze wabiło mnie obietnicą cienia, tak kuszącą, że zapomniałam o strachu. Wprawdzie nadal wytężałam słuch, ale stopy wiodły mnie do przodu szybkimi, pewnymi krokami. Wpadłam do środka i od razu zrobiłam krok w bok, żeby mieć za plecami ścianę. Melanie wyrobiła sobie niegdyś ten odruch, włamując się do mieszkań po jedzenie. Stałam tak w bezruchu, czekając, aż moje oczy przywykną do ciemności.

Dom był pusty, miałyśmy rację. Nic też nie wskazywało na to, żeby ktoś go ostatnio odwiedzał. Połamany stół, wsparty na dwóch nogach, spoczywał jedną krawędzią na podłodze. Obok stało pordzewiałe metalowe krzesło. Przez wielkie dziury w brudnym, przetartym dywanie przezierał goły beton. Wzdłuż ściany ciągnął się zlew, kilka szafek – niektóre bez drzwiczek – i metrowa, otwarta na oścież lodówka, w środku zapleśniała. Po przeciwległej stronie stał szkielet kanapy bez choćby jednej poduszki. Na ścianie nad kanapą ostał się lekko tylko przekrzywiony obrazek, na którym psy grały w pokera.

Jak przytulnie, pomyślała Melanie, na tyle uspokojona, że pozwoliła sobie na ironię. *W każdym razie wystrój bogatszy niż u ciebie w mieszkaniu.*

Byłam już w połowie drogi do zlewu, kiedy dodała: *Jasne, możesz sobie pomarzyć.*

Rzeczywiście, doprowadzanie wody do takiego miejsca byłoby marnotrawstwem. Dusze nigdy nie dopuszczały do podobnych absurdów. Mimo to nie mogłam sobie odmówić przekręcenia kurków. Jeden z nich tak przeżarła rdza, że został mi w dłoni.

Potem zainteresowałam się szafkami. Uklękłam na paskudnym dywanie i ostrożnie otworzyłam drzwiczki, starając się zachować bezpieczną odległość, gdyż bałam się, że zastanę w środku jakiegoś jadowitego mieszkańca pustyni.

Pierwsza szafka była pusta i bez tylnej ścianki, tak że widać było za nią drewniane listwy. Druga nie miała drzwiczek, ale w środku znajdowała się tylko sterta zakurzonych gazet. Wyjęłam jedną z ciekawości, strząsnęłam brud na jeszcze brudniejszą podłogę i zerknęłam na datę.

Jeszcze z waszych czasów, zauważyłam. Zresztą można się było łatwo zorientować i bez tego.

„Ojciec spalił żywcem trzyletnią córeczkę", krzyczał nagłówek opatrzony zdjęciem anielskiej twarzyczki jasnowłosej dziewczynki. Nie była to nawet pierwsza strona gazety. Opisana tu historia najwyraźniej nie została uznana za dość odrażającą. Nieco niżej widniał portret mężczyzny poszukiwanego od dwóch lat za zamordowanie żony i dwójki dzieci – ktoś prawdopodobnie widział go w Meksyku, informowała gazeta. Dalej wiadomość o śledztwie w sprawie oszustw i zabójstwa, jakich miał się dopuścić pewien wpływowy bankowiec. O pedofilu, którego wypuszczono na wolność po tym, jak przyznał się do winy. O zadźganych psach i kotach znalezionych w kuble na śmieci.

Wrzuciłam gazetę z powrotem do szafki, przerażona tym, co przeczytałam.

To nie była norma, to były wyjątki, pomyślała cicho Melanie, nie dopuszczając, by mój niesmak zabarwił jej wspomnienia z tamtych lat.

Ale chyba rozumiesz, iż dusze miały powody przypuszczać, że będą lepszymi Ziemianami? Że może jednak nie zasługujecie na ten piękny świat?

Skoro chcieliście oczyścić całą planetę z ludzi, to może trzeba ją było wysadzić w powietrze, odparowała jadowitym tonem.

Wbrew temu, co sobie wyobrażają wasi pisarze science fiction, nie dysponujemy odpowiednią technologią.

Mój żart ani trochę jej nie rozbawił.

Poza tym byłoby to straszne marnotrawstwo, dodałam. *To cudowna planeta. Oczywiście nie licząc pustyni.*

Właśnie tak zdaliśmy sobie sprawę z waszej obecności, powiedziała, wracając myślami do potworności z gazety. *Kiedy w telewizji zaczęły lecieć same budujące reportaże, narkomani i pedofile ustawiali się w kolejkach do szpitali i w ogóle zapanowała jedna wielka sielanka – wtedy przejrzeliśmy na oczy.*

– No tak, co tu dużo mówić, świat zszedł na psy – odparłam z przekąsem.

Pociągnęłam za kolejne drzwiczki i moja cierpliwość w końcu została wynagrodzona.

– Krakersy! – wykrzyknęłam, chwytając poblakłe, zgniecione pudełko. W głębi leżało inne opakowanie. Wyglądało, jakby ktoś na nie nadepnął. – Ciastka z kremem! – zapiałam ze szczęścia.

Patrz! Melanie zwróciła moją uwagę na stojące z tyłu trzy zakurzone butelki wybielacza.

Po co nam wybielacz? – zapytałam, rozdzierając pudełko z krakersami. *Chcesz nim komuś chlusnąć w twarz? A może ogłuszyć butelką?*

Ku mojej radości krakersy, choć pokruszone, były nadal szczelnie zamknięte w folii. Rozerwałam jedno opakowanie i zaczęłam wsypywać je sobie do ust. Połykałam łapczywie, nie całkiem przeżute. Nie mogłam się doczekać, kiedy wylądują w moim żołądku.

Otwórz butelkę i powąchaj, poleciła, nie zważając na drwiny. *Mój tata tak przechowywał wodę w garażu. Osad po wybielaczu sprawia, że woda się nie psuje.*

Za chwilę. Skończyłam jedno opakowanie krakersów i zabierałam się za następne. Były nieświeże, ale i tak smakowały jak ambrozja. Kiedy skończyłam trzecie, uświadomiłam sobie, że popękane wargi i kąciki ust palą mnie od soli.

Poszłam za radą Melanie i dźwignęłam jedną z butelek. Okazało się wówczas, że mam bardzo mało siły w ramionach – ledwie dałam radę. Zaniepokoiło to nas obie. Ile zdrowia straciłyśmy? Jak długo jeszcze wytrzymamy?

Nakrętka tkwiła bardzo mocno. W końcu jednak udało mi się ją odkręcić zębami. Bardzo ostrożnie powąchałam krawędź, bo nie uśmiechało mi się zemdleć od oparów wybielacza. Chemiczna woń była jednak ledwie wyczuwalna. Wciągnęłam zapach głębiej. Woda, bez dwóch zdań. Zatęchła, ale jednak. Wzięłam mały łyczek. Nie był to smak górskiego strumyka, ale nareszcie poczułam w ustach wilgoć. Zaczęłam pić łapczywie.

Nie rozpędzaj się tak, przestrzegła mnie Melanie i musiałam przyznać jej rację. Miałyśmy farta, znajdując wodę, ale nie znaczyło to, że można ją roztrwonić. Poza tym usta przestały mnie już palić i znowu miałam ochotę coś zjeść. Sięgnęłam po zgniecione ciastka z kremem i wylizałam trzy prosto z papierka.

Ostatnia szafka była pusta.

Gdy tylko skurcze żołądka nieco zelżały, do moich myśli zaczęło przenikać zniecierpliwienie Melanie. Wyciągnęłam z torby puste butelki po wodzie i bez wahania zapakowałam zdobycze do torby. Pojemniki po wybielaczu sporo ważyły, lecz był to radosny ciężar. Oznaczał, że tego wieczoru nie położę się spać głodna i spragniona. Poza tym czułam zastrzyk cukru w żyłach. Nie zastanawiając się długo, wyszłam prosto w objęcia upalnego popołudnia.

Rozdział 12

Kres

– Niemożliwe! Musiałaś coś pomylić! Nie zgadza się! Po prostu nie może być!

Spoglądałam w dal z niedowierzaniem szybko przeradzającym się w trwogę.

Wczoraj rano zjadłam na śniadanie ostatnie ciastko z kremem. Po południu znalazłam podwójny szczyt i ponownie skręciłam na wschód. Melanie pokazała mi, jak wygląda kolejny punkt orientacyjny, obiecując, że to już ostatni. Zeszłej nocy wypiłam resztki wody. Tak skończył się dzień czwarty.

Dzisiejszy poranek był już mglistym wspomnieniem oślepiającego słońca i rozpaczliwej nadziei. Czas płynął nieubłaganie. Z coraz większą paniką wyglądałam na horyzoncie ostatniego punktu. Nie widziałam żadnego miejsca, do którego by pasował. Miało to być długie płaskowzgórze między dwoma łagodnymi szczytami, wznoszącymi się po obu stronach niczym wartownicy. Tymczasem widnokrąg na wschodzie i północy jak okiem sięgnąć usiany był spiczastymi wierzchołkami. Nie bardzo potrafiłam sobie wyobrazić, że gdzieś tam jest miejsce, którego szukamy.

Parę godzin przed południem zatrzymałam się, żeby odpocząć. Słońce świeciło jeszcze ze wschodu, prosto w oczy. Byłam tak osłabiona, że aż się tego bałam. Od jakiegoś czasu bolały mnie wszystkie mięśnie i to nie od chodzenia. Owszem, czułam zmęczenie w nogach, doskwierało mi też spanie na ziemi; teraz jednak pojawiło się coś całkiem nowego. Moje ciało się odwadniało i właśnie przeciw temu buntowały się mięśnie. Wiedziałam, że długo już nie wytrzymam.

Obróciłam się na chwilę plecami do słońca, żeby ulżyć twarzy.

I wtedy zobaczyłam to, czego tak długo szukałam. Długi płaskowyż i dwa charakterystyczne szczyty, nie do przeoczenia. Wznosiły się hen na zachodzie, tak daleko, że zdawały się migotać niczym fatamorgana, wisząc nad pustynią na podobieństwo ciemnej chmury. Przez cały czas szłyśmy w złym kierunku. Żeby tam dotrzeć, musiałybyśmy przebyć jeszcze więcej mil niż do tej pory.

– Niemożliwe – wyszeptałam jeszcze raz.

Melanie zastygła w mojej głowie całkiem osłupiała, nie przyjmując tego do wiadomości. Czekałam, wodząc wzrokiem po znajomej linii. Kiedy w końcu dotarła do niej bezlitosna prawda, ogarnęła ją czarna rozpacz. Upadłam na kolana przygnieciona ciężarem jej uczuć. Cichy lament niósł się w moich myślach bolesnym echem. Zaczęłam bezgłośne łkać. Słońce pełzło mi po plecach, wlewając żar w gąszcz moich czarnych włosów.

Zanim oprzytomniałam, mój cień niemal całkiem zniknął pode mną. Z dużym wysiłkiem dźwignęłam się z kolan. W skórę na nogach wbiły mi się małe, ostre kamyczki, ale nawet ich nie strzepnęłam. Długo wpatrywałam się w nieszczęsny płaskowyż, szydzący ze mnie z daleka.

W końcu ruszyłam przed siebie, nie do końca wiedząc po co. Wiedziałam za to, że była to wyłącznie moja decyzja. Melanie skuliła się, zamknięta w kapsułce bólu. Nie mogłam już liczyć na jej pomoc.

Posuwałam się do przodu z mozołem. Sucha ziemia chrzęściła mi pod nogami.

– Zresztą był tylko starym, zbzikowanym dziwakiem – wymamrotałam do siebie. Nagle wstrząsnął mną silny dreszcz, a z płuc wydobył się gwałtowny, charkotliwy kaszel. Dopiero kiedy poczułam szczypanie w oczach, dotarło do mnie, że się śmieję.

– Tam nic... nie ma... i nigdy... nie było – wyrzuciłam z siebie, targana spazmami histerii. Szłam chwiejnym krokiem, jakbym była pijana, pozostawiając za sobą nierówne ślady stóp.

Nie. Melanie otrząsnęła się z letargu, by bronić tego, w co ciągle wierzyła. *Musiałam się gdzieś pomylić. Moja wina.*

Roześmiałam się, lecz upalny wiatr porwał mój śmiech.

Czekaj, próbowała odwrócić moją uwagę od beznadziei całej sytuacji. *Pewnie nie... to znaczy... Myślisz, że oni też próbowali tam dotrzeć?*

Ciągle jeszcze się śmiałam, gdy nagle poczułam jej strach. Zachłysnęłam się gorącym powietrzem. Serce kołatało mi jak szalone. Gdy wreszcie złapałam oddech, nie było już we mnie ani krzty czarnego humoru. Odruchowo rozejrzałam się po pustyni, szukając dowodów na to, że ktoś inny zginął tu przede mną. Stałam pośrodku niezmierzonej równiny i gorączkowo wypatrywałam... szczątków. Nie mogłam się powstrzymać.

Nie, oczywiście, że nie! Melanie sama się pocieszyła. *Jared nie jest głupi. Nie zjawiłby się tutaj nieprzygotowany tak jak my. Poza tym pewnie w ogóle go tu nie było. Pewnie nie rozgryzł tych znaków. Szkoda, że tobie się udało.*

Nadal szłam przed siebie, ledwie tego świadoma. Moje kroki były niczym przy takiej odległości. Zresztą nawet gdybyśmy jakimś cudownym sposobem znalazły się nagle przy samym płaskowyżu, co by nam to dało? Byłam pewna, że nic. Nikt tam na nas nie czekał.

– Umrzemy – powiedziałam. Zaskoczyło mnie, że w moim zachrypłym głosie w ogóle nie ma strachu. Stwierdziłam tylko fakt, jeden z wielu. Słońce jest gorące. Pustynia jest sucha. Umrzemy.

Tak. Melanie również zachowywała spokój. Łatwiej było pogodzić się ze śmiercią niż z tym, że zabrakło nam rozsądku.

– Nie dręczy cię to?

Myślała przez chwilę, zanim odpowiedziała.

Przynajmniej spróbowałam. I zwyciężyłam. Nie wydałam ich. Nie skrzywdziłam. Zrobiłam, co mogłam, żeby ich odnaleźć. Starałam się dotrzymać słowa... Umieram dla nich.

Naliczyłam dziewiętnaście kroków, zanim udało mi się odpowiedzieć. Dziewiętnaście mozolnych, daremnych, chrzęszczących kroków.

– A ja? Dlaczego umieram? – zastanawiałam się głośno, znów czując szczypanie wyschniętych oczu, na próżno domagających się łez. – Chyba dlatego, że przegrałam? Prawda?

Trzydzieści cztery kroki po piasku.

Nie, pomyślała. *Nie wydaje mi się... Myślę... Myślę, że może... umierasz, by stać się człowiekiem. Po tych wszystkich planetach, które opuściłaś, znalazłaś nareszcie miejsce i ciało, za które jesteś gotowa oddać życie. Myślę, że znalazłaś sobie dom, Wagabundo.*

Dziesięć kroków.

Nie miałam już siły otwierać ust. *W takim razie szkoda, że nie mogłam tu pomieszkać dłużej.*

Nie byłam do końca przekonana o szczerości jej słów. Może po prostu chciała mnie pocieszyć. Ot, gest wdzięczności za to, że ją tu przyprowadziłam. Zwyciężyła – nie zniknęła.

Nogi zaczęły się pode mną uginać. Mięśnie błagały o litość, jak gdybym mogła im jakoś ulżyć. Pewnie bym się zatrzymała, ale Melanie jak zwykle była ode mnie twardsza.

Czułam teraz jej obecność nie tylko w głowie, lecz także w rękach i nogach. Krok mi się wydłużył, ślady wyprostowały. Przemożną siłą woli pchała moje wpółżywe ciało ku nieosiągalnemu celowi.

Czerpałyśmy z naszej beznadziejnej walki niespodziewaną radość. Czułam Melanie, a ona czuła moje ciało. Nasze ciało. Przejęła władzę nad osłabionymi mięśniami. Cieszyła się wolnością, jaką było dla niej poruszanie rękoma i nogami, mimo że nie miało to już teraz żadnego znaczenia. Była zachwycona samym faktem, że znowu m o ż e nimi władać. To uczucie przyćmiewało nawet ból powolnego konania.

Co jest po śmierci? – zapytała. *Co zobaczysz, gdy już umrzesz?*

Nic. Słowo to zabrzmiało pusto, twardo, stanowczo. *Dlatego właśnie nazywamy to ostatnią śmiercią.*

Dusze nie wierzą w życie po śmierci?

Żyjemy wiele razy. Oczekiwać czegoś więcej byłoby przesadą. Umieramy za każdym razem, gdy opuszczamy ciało żywiciela, a później odżywamy w innym. Tym razem umrę na zawsze.

Nastało długie milczenie. Nasze kroki były coraz wolniejsze.

A ty? – zapytałam w końcu. *Po tym wszystkim nadal wierzysz, że istnieje coś jeszcze?* Sięgnęłam w myślach po jej wspomnienia końca ludzkiego świata.

Wydaje mi się, że są takie rzeczy, które nigdy nie umrą.

Widziałyśmy w myślach ich twarze. Nasza miłość do Jareda i Jamiego rzeczywiście zdawała się czymś wiecznym. Zaczęłam się zastanawiać, czy śmierć jest dość silna, by unicestwić coś tak żywego, tak wzniosłego. Być może ta miłość przetrwa, a Melanie wraz z nią, w jakimś baśniowym domu o perłowych wrotach. Mnie tam nie będzie.

Czy chciałabym się uwolnić od tego uczucia? Nie byłam pewna. Czułam, że stało się częścią mnie.

Nasz czas dobiegał końca. Ciało słabło, więc nawet imponująca siła woli Melanie nie mogła się na wiele zdać. Ledwie widziałyśmy. Powietrze, które wdychałyśmy, zdawało się pozbawione tlenu. Szłyśmy, jęcząc z bólu.

A może bywało gorzej? – zapytałam żartem, zataczając się w stronę uschłego drzewka otoczonego niskimi krzakami. Chciałyśmy dotrzeć do jego znikomego cienia, zanim upadniemy.

Nie, powiedziała. *Nigdy tak źle.*

Udało się. Znalazłyśmy się w pajęczym cieniu martwego drzewa i w jednej chwili nogi się pod nami ugięły. Upadłyśmy do przodu, już na zawsze chowając twarz przed słońcem. Głowa sama obróciła się w bok, szukając powietrza. Wpatrywałyśmy się z bliska w piasek, wsłuchane w swój głośny oddech.

Później zamknęłyśmy oczy. Nie wiedziałyśmy nawet, ile czasu minęło. Wnętrze powiek jarzyło się czerwienią. W ogóle nie czułyśmy cienia, być może już na nas nie padał.

Jak długo jeszcze? – zapytałam.

Nie wiem, nigdy wcześniej nie umierałam.

Godzina? Więcej?

Wiem tyle co ty.

Gdzie są te kojoty, kiedy człowiek ich wreszcie potrzebuje...

Może szczęście się do nas uśmiechnie... jakiś zabłąkany szponowiec...

To była nasza ostatnia rozmowa. Myślenie kosztowało zbyt wiele wysiłku. Ból okazał się silniejszy, niż sądziłyśmy. Wszystkie mięśnie ciała zmagały się w skurczach ze śmiercią.

Nie walczyłyśmy. Dryfowałyśmy w oczekiwaniu, pogrążone w bezładnych wspomnieniach. Dopóki zachowywałyśmy przytomność, nuciłyśmy sobie w głowie kołysankę. Tę, którą śpiewałyśmy Jamiemu, kiedy nie mógł usnąć, bo było mu zimno lub niewygodnie, albo za bardzo się bał. Poczułyśmy, jak wtula nam się w zagłębienie tuż pod ramieniem, jak głaszczemy go po plecach. A potem wydało nam się, że to nasza głowa wtula się w szerokie ramię i że słyszymy kołysankę śpiewaną dla nas.

Pod powiekami nam pociemniało, ale nie była to jeszcze śmierć. Niestety nastała noc. Oznaczało to prawdopodobnie, że nasze męki się wydłużą.

Cisza i mrok zdawały się trwać w nieskończoność, aż nagle dobiegł nas jakiś odgłos.

Ledwo nas zbudził. Pomyślałyśmy w pierwszej chwili, że to omamy. A może w końcu kojot. Czy na to liczyłyśmy? Nie byłyśmy pewne. Po chwili zgubiłyśmy ciąg myśli i zapomniałyśmy o tym.

Coś nami potrząsnęło, uniosło nasze zdrętwiałe ręce, pociągnęło za nie. Nie miałyśmy siły pomyśleć żadnego życzenia, ale liczyłyśmy na szybką śmierć. Czekałyśmy, aż poczujemy w sobie kły. Tymczasem coś przestało nas ciągnąć i popchnęło, obracając twarzą ku niebu.

Poczułyśmy na twarzy strumień wody – mokrej, zimnej, niewiarygodnej. Ściekała nam po oczach, obmywając je ze żwiru. Zamrugałyśmy.

Nie przeszkadzał nam piasek w oczach. Uniosłyśmy podbródek, wystawiając usta ku wodzie. Otwierały się powoli i zamykały jak dziób pisklaka.

Zdawało nam się, że słyszymy czyjeś westchnienie.

I nagle woda popłynęła nam do ust. Łyknęłyśmy ją łapczywie i od razu się zachłysnęłyśmy. Wtedy przestała lecieć. Wyciągnęłyśmy po nią słabe ręce. Coś uderzało nas mocno po plecach, aż złapałyśmy oddech. Przez cały ten czas miałyśmy ręce w górze, szukając wody.

Znowu usłyszałyśmy westchnienie. Tym razem na pewno.

Coś dotknęło naszych spękanych ust i znów popłynęła do nich woda. Piłyśmy łapczywie, ale już ostrożniej. Nie dlatego, że bałyśmy się zachłyśnięcia; po prostu nie chciałyśmy, żeby znowu nam ją zabrano.

Piłyśmy, aż rozbolał nas pęczniejący żołądek. Kiedy jednak butelka zrobiła się pusta, zażądałyśmy więcej. Przyłożono nam wówczas do ust kolejną i ją również opróżniłyśmy do dna.

Od kolejnego łyka żołądek zapewne by pękł. Mimo to zamrugałyśmy, by złapać ostrość i rozejrzeć się za resztą wody. Było jednak zbyt ciemno, nie widziałyśmy na niebie ani jednej gwiazdy. Mrugnęłyśmy ponownie i nagle stało się jasne, że ciemność jest znacznie bliżej. Pochylała się nad nami jakaś postać, czarniejsza niż noc.

Rozległ się cichy szelest materiału oraz chrzęst piasku pod czyimś butem. Ciemna postać wyprostowała się i usłyszałyśmy, jak ciszę pustynnej nocy przecina odgłos zamka błyskawicznego.

Poraziło nas ostre jak nóż światło. Wydałyśmy z siebie jęk bólu i odruchowo zakryłyśmy oczy dłońmi; raziło nawet przez zamknięte powieki. W końcu zgasło i poczułyśmy na twarzy czyjś oddech.

Powoli otworzyłyśmy oczy, tym razem jeszcze bardziej oślepione. Nieznajomy siedział w bezruchu i milczał. Poczułyśmy lekkie napięcie, ale wydawało się bardzo odległe, jakby poza nami. Nasze myśli krążyły wokół wody i wciąż nieugaszonego pragnienia. Spróbowałyśmy skupić się jednak na naszym wybawcy.

Pierwsze, co zauważyłyśmy po paru minutach mrugania i mrużenia oczu, to spływająca z ciemnej twarzy gęsta biel, miliony jasnych drzazg w mroku nocy. Szybko pojęłyśmy, że to broda: jak ta u Świętego Mikołaja, przyszło nam na myśl ni stąd ni zowąd. Pamięć sama odtworzyła resztę twarzy. Wszystko było na swoim miejscu: wielki nos, szerokie kości policzkowe, gęste siwe brwi, oczy schowane za fałdami pomarszczonej skóry. Choć każde z tych miejsc na jego twarzy było ledwie widoczne, potrafiłyśmy sobie wyobrazić, jak wyglądałyby w świetle dnia.

– Wujek Jeb – zachrypiałyśmy zdumione. – Znalazłeś nas.

Słysząc swoje imię, wuj Jeb zakołysał się lekko na przykucniętych nogach.

– A to ci dopiero – odezwał się swoim grubym głosem, budząc setki wspomnień. – A to ci ambaras.

Rozdział 13

Wyrok

– Są tutaj? – Wyrzuciłyśmy te słowa z siebie tak, jak wcześniej wykrztusiłyśmy wodę z płuc. Kiedy już ugasiłyśmy pragnienie, tylko to się liczyło. – Trafili?

W ciemnościach twarz wuja była nieprzenikniona.

– Kto taki? – zapytał.

– Jamie i Jared! – Szept bolał jak krzyk. – Jared z Jamiem. Z moim bratem! Są tu? Trafili? Ich też znalazłeś?

Cisza nie trwała nawet sekundy.

– Nie. – Ton jego głosu był stanowczy i beznamiętny, a już na pewno pozbawiony współczucia.

– Nie – szepnęłyśmy. To nie było powtórzenie jego odpowiedzi. To był protest przeciw uratowaniu nam życia. Bo i po co? Zamknęłyśmy oczy, wsłuchując się w ból mięśni. Chciałyśmy nim zagłuszyć inny ból – ten, który wypełniał nam umysł.

– Słuchaj – powiedział po chwili wuj Jeb. – Ja... mam coś do zrobienia. Odpocznij trochę, niedługo po ciebie wrócę.

Nie docierało do nas znaczenie tych słów, jedynie dźwięki. Ani na chwilę nie otworzyłyśmy oczu. Kroki się oddalały. Nie potrafiłyśmy stwierdzić, w którą stronę poszedł. Zresztą to było już nieistotne.

Straciłyśmy Jamiego i Jareda. Nie było szans na to, by ich odnaleźć. Zniknęli bez śladu, tak jak należało i tak jak to mieli przećwiczone. Nigdy więcej ich już nie zobaczymy.

Woda i lekki chłód rozbudziły nas, choć wcale tego nie chciałyśmy. Przewróciłyśmy się z powrotem na brzuch. Byłyśmy więcej niż wycieńczone. Znajdowałyśmy się w kolejnym, jeszcze boleśniejszym stadium. Może przynajmniej uda nam się zasnąć, pomyślałyśmy. Wystarczy nie myśleć o niczym. Uda się.

Udało.

Gdy się obudziłyśmy, noc jeszcze trwała, ale ze wschodu powoli nadchodził już świt. Szczyty gór spowijała bladoczerwona poświata.

W ustach czułyśmy pył. W pierwszej chwili byłyśmy przekonane, że wuj Jeb tylko nam się przyśnił. Jakże mogło być inaczej.

Tego ranka nasz umysł był przytomniejszy, więc szybko spostrzegłyśmy obok prawego policzka dziwny kształt – ani kamień, ani kaktus. Był twardy i gładki w dotyku. Ze środka dobiegał rozkoszny chlupot wody.

Wuj Jeb naprawdę tu był. Zostawił nam manierkę.

Powoli usiadłyśmy, zaskoczone, że nie złamałyśmy się przy tym na pół jak uschnięty patyk. Co więcej, czułyśmy się lepiej. Widocznie dobroczynna woda zdążyła się już trochę rozejść po organizmie. Ból zelżał i po raz pierwszy od dłuższego czasu poczułyśmy głód.

Sztywnymi, niezdarnymi palcami zdjęłyśmy zakrętkę. Manierka nie była pełna po brzegi, ale wody starczyło, by znów rozciągnąć żołądek. Musiał się skurczyć. Wypiłyśmy wszystko. Racjonowanie nie miało teraz sensu.

Wypuściłyśmy blaszaną manierkę z rąk; upadła na piasek z głuchym, przytłumionym brzęknięciem. Całkiem się już przebudziłyśmy, lecz było nam tęskno do stanu nieświadomości. Westchnęłyśmy i zanurzyłyśmy twarz w dłoniach. Co teraz?

– Dlaczego dałeś mu wody? – zapytał ktoś gniewnie za naszymi plecami.

Obróciłyśmy się gwałtownie i zerwałyśmy na kolana. To, co ujrzałyśmy, sprawiło, że ścisnęło nas w dołku. Nasza świadomość była na powrót podzielona.

Przed nami stało w półkolu ośmioro ludzi. Wszyscy co do jednego byli ludźmi, bez dwóch zdań. Nigdy wcześniej nie widziałam tak wściekłych twarzy; w każdym razie nie wśród dusz. Te wykrzywione nienawiścią usta, te zaciśnięte zęby, zupełnie jak u dzikich zwierząt. I te brwi ściągnięte nisko nad ziejącymi złością oczyma.

Sześciu mężczyzn i dwie kobiety. Niektórzy bardzo postawni, prawie wszyscy więksi ode mnie. Uprzytomniłam sobie, dlaczego tak dziwnie trzymają ręce, i poczułam, jak krew odpływa mi z twarzy. Ściskali w nich broń. Niektórzy mieli noże – krótkie, takie jak te u mnie w kuchni, inne dłuższe, a jeden naprawdę ogromny i przerażający. Na pewno nie kuchenny. Melanie podsunęła mi właściwe słowo: „maczeta".

Inni trzymali w dłoniach długie, grube kije, jedne metalowe, inne drewniane. Maczugi.

Wuj Jeb stał mniej więcej w środku. W jego dłoni spoczywał luźno przedmiot, którego podobnie jak maczety nigdy wcześniej nie widziałam na żywo, a jedynie we wspomnieniach Melanie. Była to strzelba.

Ogarnęła mnie groza, gdy tymczasem Melanie patrzyła na nich z zachwytem. Była pod wrażeniem ich liczebności. Ośmiu ocalałych. Dotychczas myślała, że Jeb jest sam lub co najwyżej z dwoma innymi osobami. Widok tylu żywych ludzi napawał ją niepomierną radością.

Oszalałaś, zwróciłam się do niej. *Przyjrzyj im się.*

Zmusiłam ją, by spojrzała na to tak jak ja – by ujrzała groźne postacie w brudnych dżinsach i zakurzonych bawełnianych koszulach. Może i kiedyś byli ludźmi w jej rozumieniu tego słowa, lecz w tej chwili byli czymś innym. Barbarzyńcami. Potworami. Stali nad nami żądni krwi.

W każdej parze oczu widziałam wyrok śmierci.

Melanie też w końcu przejrzała na oczy. Choć wcale nie miała na to ochoty, musiała przyznać mi rację. Była to ludzkość w najgorszym wydaniu, jak z gazety, którą czytałyśmy w opuszczonym domu. Przed nami stała banda morderców.

O ile roztropniej byłoby umrzeć poprzedniego dnia.

Po co wuj Jeb nas uratował?

Przeszedł mnie zimny dreszcz. Czytałam kiedyś trochę o ludzkim okrucieństwie, ale nie miałam do tego nerwów. Może powinnam wtedy bardziej się skupić. Pamiętałam, że ludzie czasem trzymali wrogów przy życiu, ponieważ chcieli wydobyć coś z ich umysłów, czasem również z ciał...

Natychmiast uprzytomniłam sobie jedyną rzecz, której mogli ode mnie chcieć. Tajemnicę, której nigdy, przenigdy nie wolno mi było wyjawić. Cokolwiek by mi robili. Zrozumiałam, że w ostateczności będę musiała się zabić.

Nigdy nie dopuściłam Melanie do tej tajemnicy. Użyłam teraz jej własnych metod. Odgrodziłam się murem, by móc w samotności o tym pomyśleć, pierwszy raz od zabiegu. Wcześniej nie musiałam do tego wracać, nie było takiej potrzeby.

Melanie nie była zresztą nawet zbytnio zaciekawiona, w ogóle nie próbowała się przebić przez mur. Miała pilniejsze zmartwienia niż to, że nie tylko ona ma sekrety.

Czy to, że nie dopuszczałam jej do tajemnicy, miało jakieś znaczenie? Nie byłam tak twarda jak ona. Nie wątpiłam, że zniosłaby tortury. A ja? Ile bólu zniosę, zanim wszystko im opowiem?

Ścisnęło mnie w dołku. Myśl o samobójstwie napawała mnie odrazą, tym bardziej że byłoby to również morderstwo. Musiałabym poświęcić Melanie. Postanowiłam, że nie zrobię tego, dopóki będę miała inne wyjście.

Nic nam nie zrobią. Wuj Jeb nie pozwoli mnie skrzywdzić.

Wuj Jeb nie wie, że tu jesteś, zauważyłam.

No to mu powiedz!

Spojrzałam Jebowi w twarz. Gęsta broda zasłaniała mu usta, więc nie znałam ich wyrazu, ale oczy nie płonęły tak jak u pozostałych. Kątem oka dostrzegłam, że paru ludzi przeniosło wzrok ze mnie na niego. Czekali, aż odpowie na pytanie. Wuj Jeb przyglądał mi się uważnie, nie zwracając na nich uwagi.

Nie mogę. Nie uwierzy mi. Pomyślą, że ich okłamuję, i wezmą mnie za Łowcę. Pewnie znają się na rzeczy i wiedzą, że tylko Łowca zjawiłby się tutaj ze zmyśloną historyjką, żeby przeniknąć w ich szeregi.

Melanie w mig pojęła, że mam rację. Samo słowo „Łowca" budziło w niej wstręt i nienawiść. Wiedziała, że ci ludzie czują podobnie.

Zresztą to nieistotne. Jestem duszą i to im wystarczy.

Mężczyzna z maczetą był największy ze wszystkich, czarnowłosy, o dziwnie jasnej karnacji i intensywnie niebieskich oczach. Wydał z siebie pomruk niezadowolenia i splunął na ziemię, po czym zrobił krok naprzód, z wolna unosząc długie ostrze.

Im szybciej, tym lepiej. Lepiej, żeby oni nas zamordowali, niż żebym to ja musiała nas zabić, stając się odpowiedzialna nie tylko za swoją śmierć, lecz również za śmierć Melanie.

– Spokój, Kyle – odezwał się Jeb. Wypowiedział te słowa powoli, niemalże od niechcenia, jednak podziałały. Mężczyzna skrzywił się i zwrócił w jego stronę.

– Dlaczego? Mówiłeś, że sprawdziłeś. Że to jeden z nich.

Rozpoznałam głos – to on zapytał wcześniej Jeba, dlaczego mnie napoił.

– I owszem, bez dwóch zdań. Ale sprawa jest ciut skomplikowana.

– Jak to? – zapytał inny mężczyzna, stojący obok Kyle'a. Byli do siebie tak podobni, że musieli być braćmi.

– Ano tak, że to jest też moja bratanica.

– Już nie, już nie jest – rzucił Kyle. Splunął ponownie, po czym zrobił kolejny krok w moją stronę, trzymając broń w gotowości. Widziałam po jego przyczajonych ramionach, że szykuje się do ataku. Tym razem słowa go nie powstrzymają. Zamknęłam oczy.

Coś szczęknęło dwukrotnie. Ktoś nabrał powietrza w odruchu zaskoczenia. Z powrotem otworzyłam oczy.

– Powiedziałem „spokój", Kyle. – Głos Jeba nadal był spokojny, lecz tym razem wuj dziarsko trzymał w rękach strzelbę z lufą wycelowaną w plecy Kyle'a. Ten zastygł w bezruchu z wysoko uniesioną maczetą zaledwie kilka kroków ode mnie.

– Jeb – odezwał się przerażony brat – co robisz?

– Odsuń się od niej, Kyle.

Kyle odwrócił się do Jeba i rzucił do niego wściekle:

– To nie żadna „ona", Jeb! To pasożyt!

Jeb westchnął, nie opuszczając strzelby.

– Trzeba omówić parę rzeczy.

– Może Doktor go weźmie i czegoś się dowie – zasugerowała jedna z kobiet.

Wzdrygnęłam się na te słowa, bo potwierdzały moje najgorsze obawy. Gdy Jeb nazwał mnie swoją bratanicą, pozwoliłam, by rozbłysła we mnie iskierka nadziei – a nuż się zlitują. Było to z mojej strony strasznie naiwne. Jedyną litością, na jaką mogłam u nich liczyć, była śmierć.

Spojrzałam na kobietę, która to powiedziała. O dziwo była co najmniej tak stara jak Jeb. Jej włosy nie były siwe, lecz ciemnoszare. Dlatego tak późno zdałam sobie sprawę z jej wieku. Twarz miała ściągniętą gniewnymi zmarszczkami. Było w niej jednak coś znajomego.

Melanie skojarzyła tę przekwitłą twarz z inną, gładszą, ze wspomnień.

– Ciocia Maggie? Ty też tutaj? Jak to? Czy Sharon... – Były to słowa Melanie, ale płynęły z moich ust i nie potrafiłam ich zatrzymać. Nasza wspólna niedola ją wzmocniła – albo mnie osłabiła. A może po prostu za bardzo skupiałam się na tym, z której strony nadejdzie śmiertelny cios. Gotowałam się na koniec, a tymczasem ona zaczęła się witać z rodziną.

Lecz nie dane jej było dokończyć. Kobieta imieniem Maggie przypadła do nas szybko. Szybciej, niż można było przypuszczać, zważywszy na jej niepozorny wygląd. Nie uniosła dłoni, w której trzymała czarny łom. Tę właśnie dłoń z niepokojem obserwowałam, dlatego drugą, otwartą, spostrzegłam dopiero na ułamek sekundy przed tym, jak wymierzyła mi potężny policzek.

Odrzuciło mi głowę do tyłu. Mimowolnie ją wyprostowałam, a wtedy kobieta uderzyła mnie drugi raz.

– Nie damy się oszukać, ty oślizły pasożycie. Już my znamy te wasze sztuczki. Wiemy, jakie z was dobre udawadła.

Poczułam krew w ustach.

Nie rób tego więcej, zganiłam Melanie. *Mówiłam ci, co sobie pomyślą.*

Melanie była zbyt zszokowana, by cokolwiek odpowiedzieć.

– Maggie, złotko... – zaczął Jeb uspokajającym tonem.

– Milcz, stary durniu! Pewnie przyprowadziła ich tu całą zgraję. – Odsunęła się, mierząc mnie wzrokiem jak węża. Stanęła obok brata.

– Ja tu nikogo nie widzę – odparł Jeb. – Halo! – zawołał głośno, aż drgnęłam przestraszona. Nie tylko ja. Jeb wymachiwał lewą ręką nad głową, w prawej nadal trzymając strzelbę. – Tutaj jesteśmy!

– Zamknij się – fuknęła Maggie, uderzając go w pierś. Przekonałam się na własnej skórze, że ta kobieta ma dużo siły, jednak Jeb ani drgnął.

– Przyszła sama, Mag. Jak ją znalazłem, była ledwie żywa, zresztą widzisz, jak wygląda. Stonogi tak łatwo nie poświęcają swoich. Zjawiłyby się po nią dużo wcześniej niż ja. Czymkolwiek jest, przyszła tu sama.

W wyobraźni zobaczyłam małe, długie, wielonogie stworzenie, ale nie wiedziałam, o co im chodzi.

To o was, wyjaśniła Melanie. Zestawiła obraz brzydkiego robaka z moim wspomnieniem srebrzystej duszy. Nie widziałam podobieństwa.

Ciekawe, skąd wie, jak wyglądacie, zastanowiła się Melanie. Sama dowiedziała się o tym dopiero z moich wspomnień.

Nie miałam czasu na rozmyślania. Jeb szedł w moim kierunku, reszta krok za nim. Ręka Kyle'a wisiała nad ramieniem Jeba, gotowa go powstrzymać, a może zepchnąć na bok, nie wiadomo.

Jeb przełożył strzelbę do lewej ręki, a prawą wyciągnął ku mnie. Patrzyłam na nią niepewnie, czekając, aż mnie uderzy.

– No dalej – zwrócił się do mnie łagodnie. – Gdybym miał dość siły, tobym cię wczoraj w nocy zaniósł do domu. Ale niestety będziesz musiała kawałek przejść sama.

– Nie! – warknął Kyle.

– Zabieram ją ze sobą – powiedział Jeb. Po raz pierwszy w jego głosie zabrzmiała nuta stanowczości. Zauważyłam też, że zacisnął usta.

– Jeb! – zaprotestowała Maggie.

– To miejsce jest moje, Mag, i mogę robić, co mi się podoba.

– Stary kretyn!

Jeb pochylił się i podniósł moją dłoń zaciśniętą w pięść. Szarpnął za nią, podrywając mnie na nogi. Nie zrobił tego, żeby sprawić mi ból. Wyglądało to raczej, jakby się spieszył. Trzymał mnie przy życiu z sobie tylko znanych powodów. Z drugiej strony, czy nie było to okrucieństwem?

Zachwiałam się. Nie miałam pełnego czucia w nogach. Kiedy zaczęła do nich spływać krew, poczułam ukłucia tysięcy maleńkich igiełek.

Za jego plecami rozległy się pomruki niezadowolenia.

– No dobra – powiedział do mnie życzliwie. – Kimkolwiek jesteś, zmywajmy się stąd, zanim zrobi się gorąco.

Mężczyzna wyglądający na brata Kyle'a położył Jebowi dłoń na ramieniu.

– Jeb, chyba nie pokażesz pasożytowi tak po prostu, gdzie mieszkamy.

– To nie ma znaczenia – stwierdziła ostro Maggie. – I tak już nigdy nie zobaczy się z innymi.

Jeb westchnął i zdjął z szyi chustę, ledwie widoczną pod gęstą brodą.

– To głupie – wymamrotał, zwinąwszy brudny, sztywny od potu materiał w opaskę.

Gdy przewiązywał mi oczy, stałam nieruchomo, starając się zapanować nad strachem. Był tym większy, że nie widziałam teraz swoich wrogów.

Wiedziałam jednak, że to Jeb położył mi dłoń na ramieniu, by mną pokierować. Nikt inny nie byłby tak delikatny.

Ruszyliśmy przed siebie, zgadywałam, że na północ. Z początku nikt się nie odzywał – słyszałam tylko chrzęst piasku i kamieni pod wieloma stopami. Ziemia była równa, lecz moje zdrętwiałe nogi bezustannie się potykały. Jeb był bardzo cierpliwy i uprzejmy.

Słońce wschodziło coraz wyżej. Niektórzy szli szybciej. Wysunęli się naprzód i po pewnym czasie nie słyszałam już ich kroków. Miałam wrażenie, że przy mnie i Jebie pozostało niewielu. Nie wyglądałam zapewne, jakbym wymagała silnej straży. Słaniałam się z głodu, kręciło mi się w głowie.

– Chyba mu nie powiesz?

Był to głos Maggie. Dochodził zza moich pleców i brzmiał oskarżycielsko.

– Ma prawo wiedzieć – odparł Jeb. Jego ton znów nabrał stanowczości.

– To okrutne, co chcesz zrobić, Jebediah.

– Życie jest okrutne, Magnolio.

Nie wiedziałam, które z dwojga rodzeństwa bardziej mnie przeraża. Jeb, któremu tak bardzo zależało, by utrzymać mnie przy życiu? Czy Maggie, która jako pierwsza wspomniała o d o k t o r z e, przyprawiając mnie natychmiast o mdłości, ale też wydawała się bardziej wrażliwa na okrucieństwo niż brat?

Przez kolejne parę godzin znów szliśmy w milczeniu. Gdy w pewnej chwili ugięły się pode mną nogi, Jeb pomógł mi się położyć i przytknął mi do ust manierkę, tak jak zeszłej nocy.

– Daj znać, jak będziesz miała dość – powiedział. Jego słowa brzmiały serdecznie, ale wiedziałam, że to tylko pozory.

Ktoś westchnął zniecierpliwiony.

– Dlaczego to robisz, Jeb? – zapytał męski głos. Słyszałam go już wcześniej, należał do jednego z braci. – Dla Doktora? Trzeba było tak od razu powiedzieć Kyle'owi. Nie musiałeś go straszyć bronią.

– Kyle'a trzeba czasem postraszyć bronią – odparł Jeb.

– Tylko proszę, nie mów mi, że robisz to ze współczucia – ciągnął mężczyzna. – Po tym wszystkim, co widziałeś...

– Po tym wszystkim, co widziałem, trudno, żebym nie miał w sobie współczucia. To by chyba znaczyło, że coś jest ze mną nie tak. Ale nie, tu nie chodzi o współczucie. Gdybym miał go dość dla tego biednego stworzenia, pozwoliłbym mu umrzeć.

Po nagrzanym ciele przebiegł mi chłodny dreszcz.

– Więc dlaczego? – dociekał brat Kyle'a.

Nastało długie milczenie, po czym wyczułam dłonią rękę Jeba. Chwyciłam ją, by pomóc sobie wstać. Wtedy położył mi drugą dłoń na plecach i ruszyliśmy w dalszą drogę.

– Z ciekawości – oznajmił po chwili cichym głosem.

Nikt nic nie powiedział.

Idąc, próbowałam uporządkować fakty. Po pierwsze, nie byłam pierwszą duszą, którą pojmali. Przeciwnie, mieli najwyraźniej ściśle określoną procedurę postępowania. Mężczyzna zwany Doktorem wydobywał już informacje z innych dusz.

Po drugie, nie udało mu się. Gdyby złamał którąś z torturowanych dusz, nie byłabym im potrzebna. Zginęłabym szybko i prawie bezboleśnie.

Co ciekawe, uświadomiłam sobie, że wcale nie pragnę jak najszybszej śmierci. Nie dążę do niej. Nie byłoby to nic trudnego i wcale nie wymagałoby samobójstwa. Wystarczyłoby ich okłamać – udawać Łowcę, powiedzieć, że moi partnerzy już mnie szukają, poawanturować się i rzucić kilka gróźb. Albo nawet powiedzieć im prawdę – że Melanie wciąż żyje we mnie i że to ona mnie tu przyprowadziła.

Ujrzeliby w tym kolejne kłamstwo. W dodatku tak kuszące – pomyśleć, że człowiek może przeżyć zabieg wszczepienia duszy! – tak atrakcyjne, tak przebiegłe, że od razu uwierzyliby, iż jestem Łowcą. Nawet bardziej, niż gdybym sama im to powiedziała. Uznaliby, że próbuję ich przechytrzyć, pozbyli się mnie czym prędzej i znaleźli sobie nową kryjówkę daleko stąd.

Pewnie masz rację, przyznała Melanie. *Ja bym tak zrobiła.*

Ale na razie nie cierpiałam, dlatego nie potrafiłam zdobyć się na samobójstwo. Instynkt przetrwania kazał mi siedzieć cicho. W myślach mignęło mi wspomnienie ostatniego spotkania z Pocieszycielką – było tak odległe, jak gdyby zdarzyło się na innej planecie. Melanie prowokowała mnie wtedy, żebym się jej pozbyła, w istocie jednak tylko blefowała. Przypomniało mi się, jak pomyślałam sobie wtedy, że trudno w wygodnym fotelu myśleć o śmierci.

Zeszłej nocy Melanie i ja chciałyśmy umrzeć, ponieważ było to bardzo realne. Teraz jednak stałam znowu o własnych siłach i czułam się zupełnie inaczej.

Ja też nie chcę umierać, wyszeptała Melanie. *Ale może się mylisz. Może wcale nie dlatego nas oszczędzili. Nie rozumiem, dlaczego mieliby...* Nie miała ochoty wyobrażać sobie tortur, które mogli dla nas szykować. Na pewno potrafiłaby wymyślić o wiele gorsze niż ja. *Niby czego chcieliby się od ciebie tak bardzo dowiedzieć?*

Tego nigdy nie powiem. Ani tobie, ani żadnemu innemu człowiekowi.

Była to śmiała deklaracja. O tyle łatwa, że na razie nikt nie zrobił mi krzywdy...

Minęła kolejna godzina. Słońce stało już wysoko i prażyło niemiłosiernie. Czułam się, jakbym miała na głowie koronę z ognia. W pewnej chwili z przodu zaczęły dobiegać nowe odgłosy. Dźwięk deptanej ziemi zamienił się w dziwne echo. Stopy Jeba ciągle stąpały po piasku, tak jak moje, ale ktoś idący przed nami wszedł na inny teren.

– Teraz ostrożnie – ostrzegł mnie Jeb. – Uważaj na głowę.

Nie wiedziałam, na co mam uważać ani jak, skoro nic nie widziałam. Jeb zdjął rękę z moich pleców i położył mi ją na głowie, dając do zrozumienia, że mam się schylić. Dalej szłam już przygięta, ze sztywną szyją.

Jeb znów zaczął mną kierować. Nasze kroki rozbrzmiewały teraz jednakowym echem. Grunt nie ustępował już pode mną jak piasek. Nie był to też sypki żwir. Stąpałam po płaskim, twardym podłożu.

Zniknęło też słońce. Nie czułam już żaru na skórze ani włosach.

Zrobiłam kolejny krok i nagle zmieniło się powietrze. Nie był to wiatr; to ja w nie weszłam. Suchy pustynny podmuch znikł bez śladu. Nowe powietrze było chłodnawe i nieruchome. Miało delikatny posmak wilgoci.

W myślach roiło nam się od pytań. Melanie chciała mówić, ale ja milczałam. Nie było takich słów, które by nam teraz pomogły.

– Dobra, prostujemy się – polecił Jeb.

Powoli podniosłam głowę.

Mimo przewiązanych oczu wiedziałam, że jesteśmy w ciemnościach. Światło zza opaski znikło. Stojący za moimi plecami szurali niecierpliwie nogami, czekając, aż ruszymy dalej.

– Tędy – powiedział Jeb, kierując mnie w lewo. Nasze kroki odbijały się echem bardzo blisko. Przestrzeń musiała być niewielka. Co jakiś czas odruchowo schylałam głowę w obawie, że o coś uderzę.

Przeszliśmy kilka kroków i pokonaliśmy ostry zakręt, który prawdopodobnie zawrócił nas o sto osiemdziesiąt stopni. Korytarz zaczął opadać w dół. Z każdą chwilą zejście robiło się coraz bardziej strome. Jeb podał mi rękę, bym mogła się go złapać. Nie wiem, jak długo tak szłam, ślizgając się w ciemnościach. Zapewne trwało to krócej, niż mi się wydawało. Bałam się i każda minuta mi się dłużyła.

Gdy pokonaliśmy kolejny zakręt, droga zaczęła piąć się w górę. Nogi tak mi zdrętwiały, że gdy zrobiło się stromo, Jeb musiał mnie prawie ciągnąć w górę. Powietrze było coraz bardziej stęchłe i wilgotne, a ciemności nie ustępowały. Ciszę zakłócały jedynie nasze kroki oraz ich pogłos.

Po pewnym czasie droga się wyrównała i zaczęła wić niczym wąż.

Aż wreszcie, wreszcie, ujrzałam zza krawędzi opaski nieco światła. Miałam nadzieję, że sama zsunie mi się z oczu, gdyż nie miałam odwagi jej zdjąć. Pomyślałam, że pewnie nie byłabym tak przerażona, gdybym chociaż widziała, gdzie jestem i z kim.

Pojawieniu się światła towarzyszyły nowe dźwięki. Z daleka dobiegł mnie dziwny, cichy szmer. Prawie jak wodospad.

W miarę jak szliśmy, szmer dobywał się coraz głośniej i coraz mniej przypominał wodę. Był zbyt niejednolity, mieszały się w nim i odbijały echem dźwięki o różnej wysokości. Gdyby miał w sobie więcej harmonii, mógłby uchodzić za gorszą wersję muzyki z Planety Śpiewu. Wróciłam na chwilę myślami do tamtego świata, co było o tyle łatwe, że nic nie widziałam.

Melanie pierwsza zrozumiała tę kakofonię. Nigdy nie słyszałam niczego podobnego, gdyż nigdy nie przebywałam wśród ludzi.

To odgłosy kłótni, wyjaśniła. *Musi tam być strasznie dużo ludzi.*

Wabił ją ten hałas. Czyżby ukrywał się tu ktoś jeszcze? W końcu nawet te osiem osób nas zaskoczyło. Gdzie byłyśmy?

Poczułam na karku czyjeś ręce i odskoczyłam ze strachem.

– Spokojnie – odezwał się Jeb, po czym zdjął mi z oczu opaskę.

Zamrugałam wolno i po chwili cienie dookoła ułożyły się w rozpoznawalne kształty: nierównych ścian, dziurawego sufitu, wytartej i zakurzonej posadzki. Znajdowaliśmy się pod ziemią, w jakiejś naturalnej jaskini. Niezbyt jednak głęboko; miałam wrażenie, że dłużej szliśmy pod górę, niż schodziliśmy.

Skalne ściany i sufit były ciemne, brązowo-fioletowe, usiane płytkimi dziurami niczym ser szwajcarski. Te niżej miały nieco wytarte krawędzie. Te wyżej, nad moją głową, były wyraźniejsze, z ostrzejszymi brzegami.

Światło wydobywało się z okrągłej dziury naprzeciw nas, podobnej kształtem do pozostałych otworów, lecz większej. Stanowiła wejście do drugiego, jaśniejszego pomieszczenia. Melanie była ożywiona. Zaprzątała ją myśl, że jest tu więcej ludzi. Ja jednak wahałam się, czy z opaską na oczach nie było lepiej.

Jeb westchnął.

– Wybacz – powiedział pod nosem tak cicho, że tylko ja to usłyszałam.

Próbowałam przełknąć ślinę, ale nie udało mi się. Zaczęłam mieć zawroty głowy, ale to mógł być głód. Gdy Jeb położył mi dłoń na plecach i pokierował w stronę wejścia, ręce zadrżały mi jak liście na wietrze.

Weszliśmy do groty tak ogromnej, że w pierwszej chwili nie wierzyłam własnym oczom. Sufit był nienaturalnie wysoki i jasny – sprawiał wrażenie sztucznego nieba. Próbowałam dojrzeć, skąd bierze się ta jasność, ale ostre jak włócznie promienie światła raziły mnie w oczy.

Spodziewałam się, że gwar jeszcze bardziej przybierze na sile; tymczasem nagle w olbrzymiej jaskini zrobiło się zupełnie cicho.

W porównaniu z rozjarzonym sufitem wysoko w górze, na dole było ciemnawo. Minęła chwila, nim w kształtach w oddali rozpoznałam ludzi.

Miałam przed sobą tłum. Nie było na to innego słowa. Tłum ludzi stojących w niemym bezruchu, wpatrzonych we mnie z tą samą co rano palącą nienawiścią.

Melanie była tak oszołomiona, że potrafiła tylko liczyć. Dziesięć, piętnaście, dwadzieścia... dwadzieścia pięć, dwadzieścia sześć, dwadzieścia siedem...

Nie obchodziło mnie, ilu ich jest. Starłam się uświadomić jej, że nie ma to żadnego znaczenia. Nie trzeba było dwudziestu, żeby mnie zabić. Żeby nas zabić. Próbowałam jej uzmysłowić, w jak trudnym położeniu się znalazłyśmy, ale była głucha na moje uwagi, całkiem pochłonięta widokiem świata, o którym nawet nie śniła.

Jakiś człowiek wystąpił z tłumu. Najpierw spojrzałam na jego dłonie, spodziewając się ujrzeć w nich jakieś niebezpieczne narzędzie. Okazały się jednak tylko zaciśnięte. Mój wzrok wciąż przyzwyczajał się do światła i dopiero po chwili spostrzegłam na skórze mężczyzny złocistą opaleniznę. Natychmiast ją poznałam.

Wstrzymałam oddech, odurzona nagłym przypływem nadziei, i podniosłam wzrok, by spojrzeć mu w twarz.

Rozdział 14

Spór

To było zbyt wiele – widzieć go teraz, kiedy już pogodziłyśmy się z tym, że nigdy więcej go nie zobaczymy, że na zawsze go straciłyśmy. Stanęłam jak wryta, niezdolna do jakiejkolwiek reakcji. Chciałam spojrzeć na wuja Jeba, zrozumieć przykre słowa, które wypowiedział na pustyni, ale nie byłam w stanie poruszyć oczami. Utkwiłam błędny wzrok w twarzy Jareda.

Melanie zareagowała inaczej.

– Jared! – wykrzyknęła, ale z mojego zniszczonego gardła wydobyło się jedynie chrypienie.

Tak jak wcześniej na pustyni, przejęła panowanie nad ciałem i ruszyła przed siebie. Rzecz w tym, że teraz dokonała tego siłą.

Nie zdążyłam jej powstrzymać.

Rzuciła się do przodu, wyciągając ręce w jego stronę. Krzyknęłam w myślach, usiłując ją ostrzec, ale w ogóle mnie nie słuchała. Jakby zapomniała o moim istnieniu.

Nikt nie próbował jej zatrzymać. Nikt prócz mnie. Była już dwa kroki od niego i wciąż nie widziała tego, co ja spostrzegłam od razu. Nie widziała, jak bardzo przez te długie miesiące rozłąki zmieniła mu się twarz, jak wyostrzyły się rysy. Nie zauważyła, że bezwiedny uśmiech z jej wspomnień wcale nie pasował do tej nowej twarzy. Tylko raz widziała jego gniew, a i tak był wtedy dużo mniej rozwścieczony. Nie widziała tego, a przynajmniej nic sobie z tego nie robiła.

Jego ramiona były dłuższe niż moje.

Zanim Melanie zdążyła go dotknąć moimi palcami, uderzył mnie w twarz zewnętrzną częścią dłoni. Cios był tak silny, że ściął mnie z nóg, a upadając, uderzyłam głową o skalną posadzkę. Słyszałam, jak reszta ciała grzmotnęła o podłogę, ale już tego nie poczułam. Wywróciło mi oczy, dzwoniło w uszach. W głowie mi wirowało i o mało co nie straciłam przytomności.

Głupia! – jęknęłam do niej. *Miałaś tego nie robić!*

Jared tu jest, Jared żyje, Jared tu jest, powtarzała w kółko jak refren.

Próbowałam skupić wzrok, ale sufit całkiem mnie oślepiał. Odwróciłam się od światła i od razu tego pożałowałam. Poczułam ostry ból rozchodzący się po policzku i załkałam.

Ledwie zniosłam jeden cios. Jakie miałam szanse przeżyć lincz?

Usłyszałam obok siebie szuranie stóp. Odruchowo podniosłam oczy, wypatrując zagrożenia, i ujrzałam wuja Jeba. Stał nade mną i jakby ku mnie sięgał, ale wyraźnie się wahał i patrzył gdzie indziej. Uniosłam lekko głowę, tłumiąc kolejny szloch, i spojrzałam tam gdzie on.

Szedł ku nam Jared. Wyglądał tak samo jak barbarzyńcy z pustyni; może tylko w jego gniewie było coś pięknego. Serce mi załopotało i zaczęło bić nierówno. Miałam ochotę wyśmiać samą siebie. Jakie to miało znaczenie, że był piękny, że go kochałam, skoro zamierzał mnie zabić?

Przyglądałam się tej okrutnej twarzy. Wmawiałam sobie, że morderczy szał weźmie w nim górę nad wyrachowaniem, lecz tak naprawdę nie pragnęłam śmierci.

Jeb i Jared przez dłuższą chwilę patrzyli sobie w oczy. Jared zaciskał szczęki, Jeb zachowywał spokojną twarz. W końcu Jared westchnął gniewnie i zrobił krok do tyłu.

Jeb wziął mnie za rękę i pomógł wstać, podpierając moje plecy. Zakręciło mi się w głowie i ścisnęło mnie w dołku. Gdyby nie to, że nic nie jadłam od paru dni, pewnie bym zwymiotowała. Czułam się, jakbym wcale nie stała na ziemi. Zachwiałam się i prawie upadłam do przodu, ale Jeb przywrócił mnie do pionu.

Jared przyglądał się temu z zaciśniętymi ze złości zębami. Melanie próbowała znowu się do niego zbliżyć, niczego nienauczona. Ale zdążyłam się już otrząsnąć z szoku po spotkaniu z nim i byłam w tej chwili o wiele przytomniejsza. Tym razem nie mogło jej się udać. Uwięziłam ją w głowie, zatrzaskując wszystkie możliwe kraty.

Siedź cicho. Nie widzisz, jak on się mną brzydzi? Cokolwiek byś powiedziała, tylko pogorszysz sprawę. Zginiemy.

Ale on żyje, Jared żyje, zawodziła.

Panująca w jaskini cisza została przerwana. Ze wszystkich stron rozległy się nagle szepty, wszystkie naraz, jakby na czyjś cichy znak. Nie rozumiałam ich jednak.

Przebiegłam wzrokiem po tłumie. Ani jednej dziecięcej sylwetki, sami dorośli. Bolało mnie to, a Melanie chciała zapytać na głos. Uciszyłam ją stanowczo. Nie mogłyśmy tu liczyć na nic prócz gniewu i nienawiści na obcych twarzach. Także na twarzy Jareda.

A przynajmniej dopóki przez tłum nie przecisnął się jeszcze ktoś. Był to wysoki, szczupły mężczyzna. Tylko u niego pod skórą znać było kości. Włosy miał mysie, chyba jasnobrązowe lub ciemnoblond. Rysom twarzy brakowało wyrazu, podobnie jak reszcie pociągłego ciała. W jego spojrzeniu nie było gniewu i właśnie dlatego od razu rzucił mi się w oczy.

Pozostali ustępowali mu z drogi. Najwyraźniej darzyli tego niepozornego człowieka szacunkiem. Tylko Jared się nie usunął. Stał nieruchomo, nie odrywając ode mnie wzroku. Chudy mężczyzna ominął go, nie zwracając na niego większej uwagi. Zupełnie jakby mijał stertę kamieni.

– Jestem, jestem – oznajmił dziwnie wesołym głosem, stając przede mną. – Co my tu mamy?

Odpowiedziała mu ciocia Maggie, która nagle zjawiła się u jego boku.

– Jeb znalazł go na pustyni. Kiedyś to była nasza bratanica, Melanie. Powiedział jej, jak ma tu trafić. – Mówiąc to, zerknęła gniewnie na Jeba.

– Mhm – wymamrotał mężczyzna, z zaciekawieniem badając mnie wzrokiem. Czułam się dziwnie. Zdawał się zadowolony. Nie rozumiałam dlaczego.

Speszona jego spojrzeniem, przeniosłam wzrok na inną postać – młodą kobietę o ognistych włosach. Wychylała się zza ramienia drobnego mężczyzny. Rękę położyła mu na barku.

Sharon! – krzyknęła Melanie.

Kiedy ją poznałam, kuzynka zmarszczyła gniewnie czoło.

Zepchnęłam Melanie w kąt umysłu. *Cii!*

– Mhm – wymamrotał ponownie wysoki mężczyzna, potakując. Wyciągnął dłoń ku mojej twarzy i zdziwił się, gdy przed nią uskoczyłam, prawie wpadając na Jeba.

– Nie bój się – powiedział, uśmiechając się pokrzepiająco. – Nie zrobię ci krzywdy.

Ponownie wyciągnął rękę w moją stronę. Przysunęłam się wystraszona do Jeba, lecz ten popchnął mnie łokciem do przodu. Mężczyzna dotknął mojej twarzy pod uchem. Był delikatniejszy, niż sądziłam. Obrócił mi twarz. Poczułam, jak przesuwa palcem po karku, i zrozumiałam, że sprawdza bliznę po wszczepieniu.

Kątem oka obserwowałam Jareda. To, co robił mężczyzna, wyraźnie mu się nie podobało i domyślałam się dlaczego. Ta cienka różowa linia na mojej szyi musiała w nim budzić najgorsze uczucia.

Miał teraz zmarszczone czoło, ale też, ku mojemu zdziwieniu, jego twarz trochę złagodniała. Uniósł nieco brwi, przez co wyglądał na zagubionego.

Mężczyzna opuścił ręce i cofnął się. Usta miał ściągnięte, a oczy mu błyszczały.

– Wygląda na zdrową, choć jest trochę wycieńczona, odwodniona i niedożywiona. Ale odwodnienie to nie problem, chyba wlałeś w nią wystarczająco dużo wody. A zatem – tu wykonał dziwny, mimowolny gest mycia rąk – do dzieła.

Wszystko ułożyło się w całość i nagle zrozumiałam. Oto ten uprzejmy mężczyzna, który przed chwilą obiecał, że nie zrobi mi krzywdy, był Doktorem.

Wuj Jeb westchnął ciężko i zamknął oczy.

Doktor wyciągnął do mnie dłoń. Zacisnęłam pięści za plecami. Jeszcze raz zbadał mi wzrokiem twarz, skupiając się na wystraszonych oczach. Wykrzywił usta, ale nie był to grymas niezadowolenia. Zastanawiał się raczej, jak postąpić.

– Kyle, Ian? – zawołał i wyciągnął szyję, wypatrując wezwanych w tłumie. Zobaczyłam, jak wyłaniają się z niego czarnowłosi bracia, i zadrżały pode mną kolana.

– Chyba muszę was prosić o pomoc. Gdybyście mogli zanieść... – zaczął Doktor, który przy Kyle'u wydawał się dużo niższy.

– Nie.

Wszyscy obrócili się, by zobaczyć, kto to. Ja nie musiałam, bo poznałam go po głosie. Mimo to spojrzałam.

Brwi miał nastroszone, a na ustach dziwny grymas. Na twarzy malowało się tyle emocji naraz, że trudno było je opisać jednym słowem. Widziałam w niej złość, bunt, zagubienie, nienawiść, strach... i ból.

Doktor zamrugał, wyraźnie zaskoczony.

– Tak, Jared? Jakiś problem?

– Owszem.

Wszyscy czekali w milczeniu. Stojący obok mnie Jeb zaciskał kąciki ust, jakby powstrzymując uśmiech, co wskazywałoby na dość osobliwe poczucie humoru.

– Jaki znowu? – zapytał Doktor.

– Oto jaki, Doktorze – odparł Jared przez zęby. – Co za różnica, czy oddamy go w twoje ręce, czy Jeb od razu wpakuje mu kulę w czaszkę?

Zadrżałam. Jeb poklepał mnie uspokajająco po ramieniu.

Doktor ponownie zamrugał.

– No cóż.

Jared nie czekał na odpowiedź.

– Jedyna różnica jest taka, że Jeb przynajmniej nie nabrudzi.

– Jared. – Ton głosu Doktora był kojący, tak jak wtedy, gdy mówił do mnie. – Za każdym razem wiele się dowiadujemy. Może tym razem uda nam się...

– Ha! – parsknął Jared. – Jakoś nie widzę tego postępu.

Jared nas obroni, pomyślała cichutko Melanie.

Formułowanie myśli przychodziło mi z wielkim trudem. *Nie nas, tylko twoje ciało.*

To wystarczy... Jej głos zdawał się dobiegać z daleka, jakby spoza mojej pulsującej głowy.

Sharon zrobiła krok naprzód, wysuwając się nieznacznie przed Doktora, jak gdyby chciała stanąć w jego obronie.

– Nie ma sensu marnować okazji! – wybuchnęła. – Wiemy, Jared, że jest ci ciężko, ale koniec końców decyzja nie należy do ciebie. Liczy się dobro większości.

Jared posłał jej groźne spojrzenie.

– Nie – odwarknął.

Wiedziałam, że nie powiedział tego szeptem, a mimo to rozbrzmiało mi w uszach bardzo cicho. Zresztą wszystko nagle ucichło. Widziałam, jak Sharon rusza ustami, wymachując wściekle palcem w stronę Jareda, ale słyszałam jedynie przytłumiony jazgot. Choć żadne z nich nie ruszyło się ani na krok, zdawało mi się, że powoli odpływają w dal.

Patrzyłam, jak czarnowłosi bracia zbliżają się do Jareda, obaj rozsierdzeni. Poczułam, że próbuję unieść zwiotczałą rękę w geście protestu, lecz tylko drgnęła żałośnie. Jared otworzył usta, czerwieniejąc na twarzy, a żyły na szyi napięły mu się, jakby krzyczał, ale niczego nie słyszałam. Jeb puścił moją rękę, a w powietrzu po prawej mignęła mi srebrna lufa strzelby. Odskoczyłam, mimo że nie była wycelowana we mnie. Straciłam wówczas równowagę; patrzyłam, jak jaskinia przewraca się na bok.

– Jamie – szepnęłam, tracąc z oczu jasność.

Twarz Jareda pojawiła się nagle tuż przy mnie. Pochylał się nade mną ze srogą miną.

– Jamie? – powtórzyłam cicho, tym razem pytając. – Jamie?

Z daleka dobiegł gruby głos Jeba.

– Nic mu nie jest. Jared go tu przyprowadził.

Spojrzałam na zbolałe oblicze Jareda, znikające coraz szybciej w mroku spowijającym mi oczy.

– Dziękuję – wyszeptałam.

Chwilę później pogrążyłam się w ciemnościach.

Rozdział 15

Cela

Kiedy się ocknęłam, nie byłam ani trochę zdezorientowana. Od razu wiedziałam, gdzie jestem, przynajmniej mniej więcej. Dlatego też nie otwierałam oczu i oddychałam miarowo. Postanowiłam dowiedzieć się jak najwięcej, nie zdradzając, że odzyskałam przytomność.

Byłam głodna. Mój żołądek skręcał się i kurczył, wydając niespokojne dźwięki. Nie bałam się jednak, że mnie wyda. Z pewnością burczał już od jakiegoś czasu.

Strasznie bolała mnie głowa. Nie wiadomo było, ile w tym winy zmęczenia, a ile ciosów i upadków.

Leżałam na twardej powierzchni. Nierównej i... podziurawionej. Nie była płaska, lecz dziwnie zakrzywiona, jakbym tkwiła w płytkiej balii. Od spania w niewygodnej pozycji bolały mnie plecy i biodra. Zapewne tylko dlatego się obudziłam, bo nie czułam się ani trochę wypoczęta.

Było ciemno – wiedziałam to bez otwierania oczu. Ciemność musiała być bardzo gęsta, choć nie nieprzenikniona.

Powietrze było tu jeszcze bardziej stęchłe – wilgotne i zapleśniałe, z charakterystyczną kwaśnawą domieszką, od której gryzło mnie w gardle. Było wprawdzie chłodniej niż na pustyni, ale nieznośna wilgoć sprawiała, że czułam się niewiele lepiej. Znowu się pociłam. Woda, którą dał mi Jeb, opuszczała moje ciało przez skórę.

Słyszałam, jak własny oddech wraca do mnie echem. Mogło być tak, że leżałam po prostu blisko ściany, ale podejrzewałam, że pomieszczenie jest bardzo małe. Wytężyłam słuch i wydało mi się, że słyszę, jak oddech odbija się również po drugiej stronie.

Prawdopodobnie nadal byłam w jaskiniach, do których zabrał mnie Jeb. Domyślałam się więc, co zobaczę, gdy otworzę oczy. Musiałam znajdować się w niewielkim zagłębieniu w skale – ciemnej, brązowo-fioletowej, usianej dziurami jak ser.

Leżałam w ciszy, nie licząc dźwięków wydawanych przez moje ciało. Bałam się otworzyć oczy, dlatego skupiałam się na uszach, coraz bardziej wytężając słuch. Nikogo jednak nie słyszałam. Nie wiedziałam, co o tym myśleć. Nie zostawiliby mnie chyba bez strażnika? Bez wuja Jeba z jego nieodłączną strzelbą albo kogoś mniej sympatycznego? Zostawić mnie samą... to się kłóciło z ich brutalnym usposobieniem, z organicznym strachem i nienawiścią, jakie w nich budziłam.

Chyba że...

Spróbowałam przełknąć ślinę, ale przerażenie ścisnęło mi gardło. Zostawiliby mnie samą, gdyby myśleli, że nie żyję lub że umrę. Gdyby były w tych jaskiniach miejsca, z których nie ma powrotu.

W jednej chwili spojrzałam na ten teren inaczej. Wyobrażałam sobie teraz, że leżę na dnie głębokiej rozpadliny albo w ciasnej skalnej mogile. Zaczęłam szybciej oddychać, smakując powietrze, by sprawdzić, czy nie brakuje w nim tlenu. Napełniłam płuca, szykując się do krzyku, i zacisnęłam zęby, próbując go zdławić.

Nagle tuż przy mojej głowie coś zazgrzytało o ziemię.

Wrzasnęłam, a mój krzyk odbił się w małej celi świdrującym echem. Otworzyłam błyskawicznie oczy i odskoczyłam od złowieszczego dźwięku, wpadając na poszczerbioną ścianę. Uderzyłam głową o niski sufit i odruchowo zasłoniłam twarz.

Idealnie okrągłe wejście do mojej malutkiej groty jaśniało słabym światłem. Ujrzałam w nim na wpół oświetloną twarz Jareda, wyciągającego w moją stronę dłoń. Zaciskał usta ze złości. Na czole pulsowała mu żyła.

Nie przesunął się nawet o centymetr, a jedynie wpatrywał się we mnie gniewnie, podczas gdy ja próbowałam uspokoić oddech. Przypomniałam sobie, że przecież zawsze był bezszelestny – potrafił skradać się cicho jak duch. Nic dziwnego, że nie zdawałam sobie sprawy z jego obecności.

Ale coś jednak usłyszałam. Ledwie o tym pomyślałam, a Jared sięgnął ręką jeszcze dalej i znowu rozległ się ten sam zgrzyt. Spojrzałam w dół i zobaczyłam u stóp kawałek plastiku służący za tacę. A na nim...

Rzuciłam się w stronę otwartej butelki. Porwałam ją do ust, ledwie rejestrując grymas niesmaku na jego twarzy. Później miało mnie to prześladować, teraz jednak myślałam tylko o wodzie. Zastanawiałam się, czy kiedykolwiek jeszcze będzie dla mnie czymś zwykłym. Miałam tak marne szanse na przeżycie, że prawdopodobnie nie.

Jared zniknął. Widziałam tylko skrawek jego rękawa. Gdzieś obok znajdowało się źródło sztucznego, niebieskawego światła.

Zdążyłam opróżnić butelkę do połowy, kiedy poczułam nowy zapach. Najwyraźniej dostałam coś jeszcze. Ponownie spojrzałam na tacę.

Jedzenie. Jak to, karmią mnie?

Był to zapach pieczywa – ciemnej, nieforemnej bułki. Na tacy znajdowała się również miseczka przejrzystego płynu pachnącego cebulą. Nachylając się, zobaczyłam na jej dnie ciemne kawałki czegoś. Obok miseczki leżały trzy krótkie, grube rurki. Pewnie były to warzywa, ale nie znałam ich nazwy.

Przyglądałam się tacy raptem parę sekund, ale to wystarczyło, by wygłodniały żołądek omal nie wyskoczył mi z ust.

Rozdarłam bułkę. Była zwarta, pełna ziaren grzęznących między zębami. Nieco twarda, ale miała cudownie bogaty smak. Nigdy wcześniej nie jadłam czegoś równie pysznego, nawet znalezione na pustyni ciastka z kremem nie smakowały mi tak bardzo. Gryzłam najszybciej, jak mogłam, ale większość kęsów połykałam, nie przeżuwszy ich do końca. Słyszałam, jak bulgocze mi w brzuchu. Było to mniej przyjemne, niż się spodziewałam. Mój żołądek odzwyczaił się od jedzenia i źle na nie reagował.

Niezrażona, sięgnęłam po zupę. Poszło mi z nią łatwiej. Choć mocno pachniała, smak miała łagodny. Leżące na spodzie zielone kawałki były miękkie i gąbczaste. Wypiłam ją prosto z miseczki, żałując, że nie jest głębsza. Na koniec przechyliłam dnem do góry, upewniając się, że nie została w niej ani kropla.

Białe warzywa – jakieś korzenie – były chrupiące i drewniane w smaku. Nie tak smaczne jak chleb ani pożywne jak zupa, ale przynajmniej sycące. Mimo to byłam nadal głodna i pewnie zaczęłabym pałaszować tacę, gdyby tylko dało się ją dobrze pogryźć.

Dopiero kiedy skończyłam jeść, uzmysłowiłam sobie, że przecież nie powinni mnie karmić. Chyba że Jared ustąpił w końcu Doktorowi. Ale jeżeli istotnie tak było, dlaczego to on był moim strażnikiem?

Odsunęłam pustą tacę w stronę wejścia, wzdrygając się na dźwięk zgrzytania plastiku o skałę. Siedziałam nieruchomo, przyparta plecami do ściany, i patrzyłam, jak Jared wchodzi, by ją zabrać. Tym razem na mnie nie spojrzał.

– Dziękuję – szepnęłam, gdy odchodził. Nic nie odpowiedział, nawet nie drgnął na twarzy. Zniknął, nie widziałam już nawet kawałka rękawa, wiedziałam jednak, że wciąż tam jest.

Nie wierzę, że mnie uderzył, odezwała się Melanie, bardziej zdumiona niż rozżalona. Nie otrząsnęła się jeszcze z szoku. Ja z kolei w ogóle nie byłam zaskoczona. Oczywiście, że mnie uderzył.

Byłam ciekawa, gdzie się podziewasz, odparłam. *To by nie było zbyt uprzejme, wciągnąć mnie w taką kabałę, a potem sobie zniknąć.*

Zignorowała mój cierpki ton. *Nie pomyślałabym, że jest do tego zdolny, choćby nie wiem co. Ja bym chyba nie mogła.*

Jasne, że byś mogła. Gdyby podszedł do ciebie ze srebrnymi oczyma, zrobiłabyś to samo. Macie przemoc w genach. Przypomniałam sobie, jak chciała udusić Łowczynię. Miałam wrażenie, że od tamtej chwili minęły całe miesiące, a przecież było to zaledwie kilka dni temu. Nonsens. Czy to wszystko nie powinno zająć więcej czasu?

Melanie próbowała rozważyć to na chłodno. *Nie, nie sądzę, żebym mogła go uderzyć... ani Jamiego, nie wyobrażam sobie, żebym mogła skrzywdzić Jamiego, nawet gdyby...* Urwała, nie mogąc znieść tej myśli.

Zastanowiłam się nad tym i przyznałam jej rację. Nawet gdyby Jamie stał się kimś lub czymś innym, żadna z nas nie umiałaby podnieść na niego ręki.

Ale to co innego. Jesteś dla niego jak... matka. Matka nie kieruje się w takiej sytuacji rozsądkiem, tylko uczuciami.

Macierzyństwo zawsze wiąże się z uczuciami – nawet dla was.

Nic nie odpowiedziałam.

Jak myślisz, co teraz będzie?

To ty lepiej znasz się na ludziach, przypomniałam. *To chyba niedobrze, że mnie karmią. Przychodzi mi do głowy tylko jeden powód, dla którego mogą chcieć, żebym się wzmocniła.*

Kilka informacji o ludzkim okrucieństwie mieszało mi się w głowie z historiami z tamtej starej gazety. Ogarniało mnie przerażenie na myśl o ogniu. Melanie swego czasu oparzyła sobie gorącą patelnią opuszki palców prawej ręki. Przypomniałam sobie jej szok – ból był ostry, gwałtowny, prawie nie do zniesienia.

Ale to był tylko nieszczęśliwy wypadek. Od razu dostała okład z lodu, potem maść i lekarstwa. Nikt nie zrobił jej tego umyślnie, nikt nie wydłużał jej cierpienia w nieskończoność...

Nigdy wcześniej nie żyłam na planecie, na której działyby się takie rzeczy, nawet przed przybyciem dusz. Ziemia była jednocześnie najlepszym i najgorszym ze światów. Najpiękniejsze doznania i wzniosłe uczucia mieszały się tutaj z mrocznymi żądzami i podłością. Być może tak właśnie miało być. Może niziny były potrzebne, by wspinać się na wyżyny. Czy dusze były inne? Czy mogły cieszyć się światłem, nie zaznając mroków tego świata?

Kiedy cię uderzył, to... coś poczułam, przerwała mi Melanie, cedząc słowa jakby wbrew sobie.

Ja też. Zdumiewające, jak łatwo przychodził mi sarkazm po tak długim przebywaniu z Melanie. *Ma niezły bekhend, nie uważasz?*

Nie o to mi chodziło. Rzecz w tym... Wahała się przez dłuższą chwilę, aż w końcu szybko wyrzuciła z siebie resztę słów. *Myślałam, że to, co do niego czujemy, tak naprawdę pochodzi tylko ode mnie. Myślałam, że... mam nad tym kontrolę.*

Myśli były czytelniejsze niż same słowa.

Myślałaś, że udało ci się mnie tu sprowadzić tylko dlatego, że sama bardzo tego chciałaś. Wydawało ci się, że to ty masz nade mną władzę, a nie na odwrót. Starałam się powściągnąć złość. *Myślałaś, że umiesz mną manipulować.*

Tak. Była smutna nie z powodu mojego rozgoryczenia, lecz dlatego, że nie lubiła się mylić. *Ale...*

Czekałam.

Kiedy w końcu się odezwała, znów zalała mnie potokiem słów. *Ty też go kochasz, niezależnie ode mnie. Inaczej. Nie zdawałam sobie z tego sprawy, dopóki go tu nie ujrzałyśmy, dopóki pierwszy raz go nie zobaczyłaś. Jak to możliwe? Jak glista wielkości dłoni może się zakochać w człowieku?*

Glista?

No dobra, przepraszam... rzeczywiście macie coś na kształt... nóżek.

Niezupełnie. Prędzej czułki. A kiedy są wysunięte, z pewnością nie mieszczę się w dłoni.

Chodzi mi o to, że Jared nie należy do twojego gatunku.

Mam ludzkie ciało, odparłam. *Będąc w nim, jestem człowiekiem. A ponieważ w twoich wspomnieniach Jared jest taki, a nie inny... No cóż, sama jesteś sobie winna.*

Namyślała się chwilę. Nie spodobało jej się to, co powiedziałam.

Więc gdybyś pojechała do Tucson i dostała nowe ciało, to już byś go nie kochała?

Mam szczerą nadzieję, że nie.

Żadna z nas nie była do końca zadowolona z mojej odpowiedzi. Oparłam głowę na kolanach. Melanie zmieniła temat.

Przynajmniej Jamie jest bezpieczny. Wiedziałam, że Jared dobrze się nim zaopiekuje. Nie mogłam go zostawić w lepszych rękach... Bardzo chciałabym go zobaczyć.

Nie mam zamiaru o to prosić! Wzdrygnęłam się, wyobrażając sobie, co by się stało.

Z drugiej strony, sama pragnęłam go zobaczyć. Chciałam mieć pewność, że naprawdę tu jest, że nic mu nie grozi, że karmią go i opiekują się nim. Tak jak robiła to Melanie – i jak nie zrobi już nigdy. I tak jak ja sama, bezdzietna, chciałabym się nim zaopiekować. Czy ma mu kto śpiewać kołysanki? Opowiadać bajki? Czy nowy, gniewny Jared ma głowę do takich rzeczy? Czy Jamie ma się do kogo przytulić, kiedy się boi?

Jak myślisz, powiedzą mu, że tu jestem? – zapytała Melanie.

To mu pomoże czy zaszkodzi? – zapytałam w odpowiedzi.

Nie wiem... – wyszeptała. *Chciałabym mu powiedzieć, że dotrzymałam słowa.*

Niewątpliwie tak. Pokiwałam głową z uznaniem. *Wróciłaś, jak zawsze.*

Dzięki. Jej głos był bardzo cichy. Nie byłam pewna, czy dziękuje mi za te słowa, czy za wszystko. Za to, że z nią tu przyszłam.

Poczułam się nagle bardzo zmęczona. Wiedziałam, że ona też. Mój żołądek nieco się już uspokoił i był prawie pełny, a inne bóle osłabły na tyle, że mogłam znowu spać. Zawahałam się, zanim ruszyłam ciałem, gdyż bałam się robić nawet najmniejszy hałas, ale musiałam się rozciągnąć. Zrobiłam to najciszej, jak umiałam, szukając miejsca, gdzie bym się zmieściła. W końcu musiałam prawie wystawić stopy na zewnątrz. Obawiałam się, że Jared mnie usłyszy i pomyśli, że próbuję uciec, ale nic nie zrobił. Podłożyłam sobie rękę pod mniej obolałą stronę twarzy i zamknęłam oczy, starając się nie myśleć o tym, że nierówna podłoga ciśnie mnie w kręgosłup.

Chyba spałam, lecz na pewno nie głęboko. Gdy się zbudziłam, usłyszałam dalekie kroki.

Tym razem natychmiast otworzyłam oczy. Dookoła nic się nie zmieniło. Wciąż widziałam bladoniebieską poświatę, nadal nie widziałam Jareda. Ktoś nadchodził – kroki wyraźnie się zbliżały. Odsunęłam stopy od wejścia najciszej, jak się dało, i znów się skuliłam, przywierając plecami do ściany. Wolałabym wstać, czułabym się wtedy mniej bezbronna i bardziej gotowa stawić czoła temu, co miało się wydarzyć, cokolwiek to było. Sklepienie znajdowało się jednak tak nisko, że trudno byłoby mi choćby uklęknąć.

Przed moją celą coś drgnęło. Dojrzałam kawałek stopy cicho wstającego Jareda.

– O, tutaj jesteś – odezwał się męski głos. Po długiej ciszy słowa te zabrzmiały tak głośno, że aż zadrżałam. Znałam ten głos. Należał do jednego z braci, którzy byli na pustyni, tego z maczetą – Kyle'a.

Jared milczał.

– Nie możemy na to pozwolić, Jared – powiedział ktoś inny spokojniejszym tonem. Zapewne młodszy brat, Ian. Mieli bardzo podobne głosy; a raczej mieliby, gdyby nie to, że Kyle prawie za każdym razem krzyczał, a w jego tonie zawsze pobrzmiewała złość. – Każdy z nas kogoś stracił. Każdy z nas cierpi. Ale to jest przecież jakiś absurd.

– Skoro nie chcesz oddać go Doktorowi, musi zginąć! – ryknął Kyle.

– Nie możesz go tu trzymać – ciągnął Ian. – Prędzej czy później ucieknie i nas wyda.

Jared nadal milczał, ale zrobił krok w bok, zagradzając tym samym wejście do mojej celi.

W miarę jak docierało do mnie znaczenie ich słów, serce łomotało mi coraz szybciej i głośniej. A zatem Jared wziął górę. Ustalono, że nie będę torturowana. Że mnie nie zabiją – przynajmniej nie od razu. Jared trzymał mnie jako więźnia.

W tych okolicznościach słowo to wydało mi się piękne.

Mówiłam ci, że będzie nas bronił.

– Nie utrudniaj nam tego, Jared – odezwał się nowy, nieznany męski głos. – To po prostu trzeba zrobić.

Jared milczał.

– Nie chcemy zrobić ci krzywdy. Jesteśmy tu wszyscy braćmi. Nie zmuszaj nas do tego. – Słychać było, że Kyle wcale nie blefuje. – Odsuń się.

Jared stał niewzruszony jak skała.

Serce zaczęło mi walić jeszcze szybciej, uderzając o żebra z taką siłą, że zakłócało oddech. Melanie opanował strach, nie była w stanie spójnie myśleć.

Chcieli mu zrobić krzywdę. Ci obłąkani ludzie chcieli zaatakować swojego.

– Jared... proszę – powiedział Ian.

Jared nie odpowiadał.

Rozległy się szybkie kroki – odgłosy natarcia – po czym coś ciężkiego uderzyło w coś twardego. Usłyszałam sapanie, ktoś się krztusił...

– Nie! – wykrzyknęłam i rzuciłam się w stronę wyjścia.

Rozdział 16

Strzelba

Krawędź włazu była wytarta, ale przeciskając się przezeń, zdarłam sobie skórę z dłoni i łydek. Prostując się, poczułam ból w zesztywniałych mięśniach i na moment straciłam oddech. Krew odpłynęła mi z głowy, przyprawiając mnie niemal o omdlenie.

Chciałam wiedzieć tylko jedno – gdzie jest Jared. Wtedy mogłabym stanąć pomiędzy nim a napastnikami.

Wszyscy stali jak wryci i patrzyli na mnie. Jared plecami do ściany, na ugiętych nogach, z dłońmi zaciśniętymi w pięści. Naprzeciw niego Kyle, skurczony, trzymający się za brzuch. Ian i trzeci napastnik stali nieco z tyłu, po bokach, z rozdziawionymi ustami. Wykorzystałam ich zaskoczenie i dwoma długimi, chwiejnymi krokami zajęłam miejsce między Kyle'em a Jaredem.

Kyle ocknął się pierwszy. Stałam teraz tuż przed nim, więc jego pierwszym odruchem było odepchnąć mnie na bok. Chwycił mnie za bark i pchnął na ziemię. Nim zdążyłam upaść, coś złapało mnie za nadgarstek i podniosło z powrotem na nogi.

Gdy tylko Jared uświadomił sobie, co zrobił, natychmiast mnie puścił, jak gdyby moja skóra ociekała żrącym kwasem.

– Wracaj tam! – ryknął i popchnął mnie do tyłu, jednak lżej niż Kyle. Zachwiałam się i cofnęłam nieco w stronę ziejącego czernią włazu.

Otwór znajdował się na końcu wąskiego korytarza, łudząco podobnego do mojej klitki, tyle że wyższego i dłuższego. Jedynym źródłem światła była stojąca na ziemi niewielka lampa, zasilana w nieznany mi sposób. Rzucała na twarze walczących dziwne cienie, nadając im wygląd dzikich bestii.

Ponownie zrobiłam krok w ich stronę, stając plecami do Jareda.

– To po mnie przyszliście – zwróciłam się do Kyle'a. – Zostawcie go.

Przez długą sekundę nikt nic nie powiedział.

– Przebiegły ten robal – wymamrotał w końcu Ian z oczami wytrzeszczonymi z przerażenia.

– Powiedziałem, wracaj tam – syknął za moimi plecami Jared.

Zwróciłam się do niego bokiem, nie tracąc Kyle'a z pola widzenia.

– Nie musisz się dla mnie narażać.

Jared skrzywił się i wyciągnął rękę, chcąc wepchnąć mnie z powrotem do celi.

Uskoczyłam w bok, przez co zbliżyłam się jeszcze do ludzi, którzy chcieli mnie zabić.

Ian chwycił mnie za ręce i skrzyżował je z tyłu. Instynktownie stawiłam mu opór, ale był zbyt silny. Wygiął mi stawy do tyłu tak mocno, że straciłam dech.

– Puść ją! – krzyknął Jared, ruszając do natarcia.

Kyle złapał go i obrócił, zakładając mu zapaśniczy chwyt i zginając kark do przodu. Nieznajomy doskoczył do nich i pochwycił Jareda za wymachującą rękę.

– Zostawcie go! – krzyknęłam przerażona, daremnie napinając mięśnie. Ian trzymał mnie bardzo mocno.

Jared zaskoczył Kyle'a ciosem łokcia w brzuch i wyswobodził się z uścisku, wyrwał się drugiemu napastnikowi, po czym przyłożył Kyle'owi pięścią w nos. Trysnęła ciemna krew, ochlapując ścianę i lampę.

– Ian, wykończ go! – zawołał Kyle, po czym pochylił głowę i zaatakował Jareda, popychając go na trzeciego napastnika.

– Nie! – krzyknęliśmy z Jaredem.

Ian puścił moje ręce i zacisnął mi dłonie na szyi. Wbiłam w nie palce, ale moje krótkie paznokcie nie zdały się na wiele. Wówczas ścisnął mnie jeszcze mocniej i uniósł.

Uścisk na szyi, nagły brak powietrza w płucach – wszystko to bolało. Cierpiałam męki. Rozpaczliwie próbowałam uwolnić się nie tyle nawet ze śmiercionośnego chwytu, co od bólu.

Coś szczęknęło. Dwa razy.

Słyszałam ten odgłos dopiero drugi raz w życiu, ale od razu go rozpoznałam. Nie tylko ja. Wszyscy zamarli, nawet dłonie Iana zastygły na mojej szyi.

– Kyle, Ian, Brandt – wara! – warknął Jeb.

Nikt nawet nie drgnął, jedynie moje dłonie wciąż ślizgały się gorączkowo, a stopy podrygiwały w powietrzu.

Wtedy Jared przemknął Kyle'owi pod ramieniem i rzucił się ku mnie. Ujrzałam jego pięść pędzącą w moją stronę i zamknęłam oczy.

Tuż koło mojego ucha rozległo się głośne praśnięcie. Ian zawył i upuścił mnie na ziemię. Ległam zgięta u jego stóp, łapiąc oddech. Jared posłał mi krótkie, gniewne spojrzenie, po czym stanął u boku Jeba.

– Chyba zapominacie, chłopcy, że jesteście tutaj gośćmi – warknął Jeb. – Zabroniłem wam jej szukać. Ona też jest moim gościem, przynajmniej na razie, i bardzo mi to nie w smak, że w moim domu jedni urządzają sobie polowania na innych.

– Jeb – jęknął Ian stłumionym głosem, trzymając się za usta. – Jeb, przecież to szaleństwo.

– Jaki masz plan? – domagał się odpowiedzi Kyle. Jego umazana krwią twarz wyglądała makabrycznie. W głosie jednak nie było ani śladu bólu, jedynie wrzenie. – Mamy prawo wiedzieć. Musimy wiedzieć, czy jesteśmy tu nadal bezpieczni, czy może powinniśmy szukać innej kryjówki. Jak długo masz zamiar go tu trzymać? To twoje nowe zwierzątko? Co z nim zrobisz, gdy już ci się znudzi zabawa w boga? Mamy prawo wiedzieć.

Jego słowa dzwoniły mi w głowie echem przy akompaniamencie pulsującej krwi. Miałam tu zostać? Jeb nazwał mnie swoim gościem... może raczej więźniem? Czy to możliwe, że istniało dwóch ludzi, którzy nie chcieli mnie zabić ani torturować? Jeżeli tak, to prawdziwy cud.

– Ja sam nie wiem, Kyle – odparł Jeb. – To nie ja mam w tej sprawie decydujący głos.

Chyba nie mógł ich bardziej zbić z tropu. Wszyscy czterej – Kyle, Ian, nieznajomy, nawet Jared – patrzyli się na niego osłupiali. Ja wciąż leżałam zwinięta u stóp Iana, głośno dysząc i marząc o tym, by znaleźć się z powrotem w mojej ciasnej grocie.

– Nie? – odezwał się w końcu z niedowierzaniem Kyle. – W takim razie kto? Nie chodzi ci chyba o głosowanie, przecież już to zrobiliśmy. Większość zadecydowała i wyznaczyła nas do wykonania wyroku.

Jeb potrząsnął głową, ani na chwilę jednak nie spuszczając go z oczu.

– To nie podlega głosowaniu. Ja tu ustalam reguły, to ciągle mój dom.

– W takim razie *kto* ma decydujący głos? – wykrzyknął Kyle.

Oczy Jeba w końcu drgnęły – spojrzał na inną twarz, po czym znów na Kyle'a.

– Jared.

Wszyscy, włącznie ze mną, przenieśli wzrok na Jareda.

On sam popatrzył na Jeba, równie zdumiony jak reszta, po czym zgrzytnął zębami, posyłając mi spojrzenie pełne nienawiści.

– Jared? – zapytał Kyle, spoglądając z powrotem na Jeba. – Przecież to absurd! – wykrzyknął, kipiąc ze złości. Wyraźnie tracił panowanie nad sobą. – On jest najmniej bezstronny! Dlaczego właśnie on? Przecież nie zadecyduje racjonalnie.

– Jeb, ja nie... – zaczął cicho Jared.

– To ty za nią odpowiadasz – przerwał mu Jeb stanowczym tonem. – Oczywiście poratuję cię w razie kłopotów, tak jak teraz, i pomogę ci jej pilnować. Ale decyzje podejmujesz ty. – Uniósł dłoń, widząc, że Kyle znów chce zaprotestować. – Spójrz na to inaczej, Kyle. Gdyby ktoś w trakcie którejś z wypraw odnalazł twoją Jodi i przywiózł ją tutaj, chciałbyś, żebym o jej losie rozstrzygał ja, Doktor albo głosowanie?

– Jodi nie żyje – syknął Kyle, aż z ust prysnęła mu krew. Zmierzył mnie takim samym wzrokiem jak Jared chwilę wcześniej.

– Ale gdyby jej ciało tu trafiło, decyzja należałaby do ciebie – odparł Jeb. – Nie chciałbyś chyba inaczej?

– Większość...

– To mój dom i ja tu ustalam reguły – przerwał mu gwałtownie Jeb. – Zamykam ten temat. Nie będzie kolejnych głosowań. Niech nikt nie próbuje jej zabić. Przekażcie to reszcie – nowa zasada.

– Jeszcze jedna? – burknął pod nosem Ian.

Jeb nie zwracał na niego uwagi.

– Jeżeli, choć to mało prawdopodobne, taka sytuacja się powtórzy, decyduje zawsze ten, kto ma prawo do ciała. – Jeb machnął lufą w stronę Kyle'a i wskazał nią korytarz. – No, a teraz wynocha mi stąd. Macie się tu więcej nie pokazywać. Przekażcie wszystkim, że nie wolno tu wchodzić. Nikt nie ma tu nic do roboty oprócz mnie i Jareda, a jeśli kogoś przyłapię, to nie będzie zlituj się. Kapewu? No to jazda. Już – to mówiąc, znów machnął w stronę Kyle'a.

Zdumiałam się, patrząc, jak moi niedoszli zabójcy natychmiast karnie ruszają w górę korytarza, nie rzucając mnie ani Jebowi nawet krzywego spojrzenia.

Chciałam wierzyć, że strzelba Jeba to jedynie blef.

Odkąd ujrzałam go po raz pierwszy, zawsze sprawiał wrażenie serdecznego. Ani razu nie był wobec mnie brutalny, nawet nie spojrzał na mnie wrogo. Teraz wydawało się, że jest jedną z zaledwie dwóch osób, które nie chcą mi zrobić krzywdy. Jared wprawdzie walczył w mojej obronie i uratował mi życie, ale bez wątpienia był rozdarty wewnętrznie. Czułam, że w każdej chwili może zmienić zdanie. Po twarzy było widać, że jakaś jego część pragnie mieć już to wszystko za sobą. Zwłaszcza teraz, gdy Jeb powierzył mu mój los. Kiedy o tym wszystkim rozmyślałam, Jared spoglądał na mnie ze wstrętem widocznym na każdym skrawku twarzy.

Ale choć bardzo chciałam wierzyć, że Jeb jedynie blefował, to kiedy patrzyłam, jak trzej intruzi znikają w ciemnościach korytarza, stało się jasne, że mówił poważnie. Sądząc po jego słowach, musiał być równie okrutny i niebezpieczny jak cała reszta. Z pewnością użył już kiedyś swej strzelby, nie jako straszaka, lecz do zabijania. W przeciwnym razie nie miałby takiego posłuchu.

Trudne czasy, szepnęła Melanie. *W świecie, który nam zgotowaliście, nie możemy sobie pozwolić na serdeczności. Jesteśmy uchodźcami, zagrożonym gatunkiem. Każda decyzja jest na wagę życia.*

Cii. Nie mam teraz czasu na dyskusje. Muszę się skupić.

Jared stał naprzeciw Jeba z dłonią uniesioną w geście perswazji. Teraz, będąc sami, mogli się w końcu odprężyć. Jeb uśmiechał się nawet pod gęstą brodą, jakby całe zajście sprawiło mu przyjemność. Dziwny człowiek.

– Proszę cię, Jeb, nie obarczaj mnie tym – powiedział Jared. – Co do jednego Kyle ma rację: nie potrafię podjąć racjonalnej decyzji.

– Nikt nie powiedział, że musisz zadecydować w tej sekundzie. Ona się nigdzie nie wybiera. – Jeb zerknął w moją stronę, nadal szeroko się uśmiechając, i mrugnął do mnie okiem. Tym, którego Jared nie widział. – Zbyt wiele trudu ją to kosztowało, żeby tu dotrzeć. Masz mnóstwo czasu do namysłu.

– Nie ma nad czym rozmyślać. Melanie nie żyje. Ale nie potrafię... nie potrafię... Jeb, ja nie potrafię tak po prostu... – Nie mógł skończyć.

Powiedz mu.

Wybacz, ale nie jestem gotowa umrzeć w tej sekundzie.

– No to nie myśl o tym – powiedział Jeb. – Może później coś wymyślisz. Odczekaj trochę.

– Ale co z nim zrobimy? Nie możemy go pilnować bez przerwy.

Jeb potrząsnął głową.

– Ale musimy, przynajmniej na razie. Niedługo wszystko się uspokoi. Nawet ktoś taki jak Kyle nie może być wiecznie wściekły, za parę tygodni mu przejdzie.

– Za parę t y g o d n i? Nie możemy tu stać na straży przez parę t y g o d n i. Mamy inne rzeczy...

– Wiem, wiem – westchnął Jeb. – Coś wykombinuję.

– Poza tym to tylko połowa problemu. – Jared spojrzał na mnie ponownie. Na czole pulsowała mu żyła. – Gdzie będziemy go trzymać? Nie mamy przecież odpowiedniego miejsca.

Jeb uśmiechnął się do mnie.

– Nie będziesz nam sprawiać problemów, co?

Patrzyłam na niego w milczeniu.

– Jeb – odezwał się cicho Jared, nieco zakłopotany.

– E tam, nie martw się nią. Po pierwsze, będziemy mieli na nią oko. Po drugie, nie wydostałaby się stąd sama – błądziłaby, aż w końcu ktoś by ją zobaczył. I wreszcie po trzecie, nie jest taka głupia. – Zerknął w moją stronę, unosząc gęstą, siwą brew. – Nie będziesz szukać Kyle'a i reszty, prawda? Odniosłem wrażenie, że za tobą nie przepadają.

Patrzyłam mu milcząco w twarz, nie wiedząc, co myśleć o jego lekkim, beztroskim tonie.

– Wolałbym, żebyś nie mówił do niego w ten sposób – wymamrotał Jared.

– Tak mnie wychowano, chłopcze, a było to dość dawno. Nic na to nie poradzę. – Jeb położył mu dłoń na ramieniu i poklepał lekko. – Słuchaj, siedziałeś tu całą noc. Pozwól mi teraz przejąć wartę. Prześpij się.

Jared miał już chyba protestować, ale spojrzał na mnie i twarz mu stężała.

– Co tylko chcesz, Jeb. Aha... Nie chcę... Nie mogę wziąć odpowiedzialności za to coś. Zabij go, jeżeli uznasz to za słuszne.

Drgnęłam.

Jared skrzywił się na moją reakcję, po czym odwrócił się raptownie i wyszedł tą samą drogą co tamci. Jeb patrzył, jak odchodzi. Ja tymczasem wpełzłam z powrotem do mojej groty.

Po chwili usłyszałam, jak Jeb siada powoli na ziemi obok włazu. Westchnął i przeciągnął się, aż strzeliły mu stawy. Po kilku minutach zaczął cichutko gwizdać. Melodia była wesoła.

Zwinęłam się wokół zgiętych kolan, wciskając się w najdalszy zakamarek maleńkiej celi. Poczułam dreszcze w okolicach krzyża, rozchodzące się wzdłuż kręgosłupa. Trzęsły mi się ręce, a zęby bezgłośnie szczękały pomimo ciepłej wilgoci powietrza.

– Tak na dobrą sprawę można by się położyć i zdrzemnąć – odezwał się Jeb, nie byłam pewna, czy do mnie, czy do siebie. – Jutro ciężki dzień.

Może po pół godzinie dreszcze w końcu przeszły mi same. Czułam się jednak wycieńczona. Postanowiłam pójść za radą Jeba. Choć było mi na skalnej posadzce jeszcze niewygodniej niż wcześniej, po kilku sekundach już spałam.

*

Obudził mnie zapach jedzenia. Tym razem, otwierając oczy, byłam zamroczona i zdezorientowana. Zanim jeszcze całkiem oprzytomniałam, zaczęły mi się instynktownie trząść ręce.

Na ziemi obok mnie leżała ta sama taca co wcześniej, a na niej identyczny posiłek. Widziałam i słyszałam Jeba. Siedział bokiem u wejścia, patrząc przed siebie w głąb długiego, krętego korytarza, i cicho gwizdał.

Kierowana pragnieniem, usiadłam i chwyciłam otwartą butelkę.

– Dobry – przywitał mnie Jeb, kiwając w moją stronę.

Zamarłam z ręką na wodzie, dopóki się nie odwrócił i nie zaczął znowu gwizdać.

Dopiero teraz, nie będąc już tak rozpaczliwie spragniona, zauważyłam, że płyn ma dziwny, nieprzyjemny posmak. Coś jak ta kwaśna nuta w powietrzu, ale trochę silniejszy. Pozostawał w ustach i nie było na niego rady.

Jadłam szybko, tym razem zostawiając sobie zupę na koniec. Żołądek reagował dziś lepiej, wdzięcznie chłonąc pokarm. Prawie nie bulgotał.

Ale moje ciało miało też inne potrzeby. Rozejrzałam się po ciemnej, ciasnej grocie. Nie było wielu możliwości. Ogarniał mnie jednak strach na samą myśl, że miałabym się odezwać na głos i o cokolwiek prosić – nawet przyjaznego dziwaka, jakim był Jeb.

Kołysałam się w tył i przód, rozważając opcje. Biodra miałam obolałe od leżenia na krzywej podłodze.

– Ekhem – chrząknął Jeb.

Znowu na mnie spoglądał, ale z bardziej niż zwykle zarumienioną twarzą.

– Trochę już tam siedzisz – powiedział. – Może potrzebujesz... na chwilę wyjść?

Kiwnęłam twierdząco.

– Sam mam ochotę na spacer – odparł wesoło, po czym zerwał się na nogi z zadziwiającą zwinnością.

Doczołgałam się do krawędzi włazu, nieśmiało przez niego wyglądając.

– Pokażę ci naszą skromną łazienkę – mówił. – Trzeba ci wiedzieć, że po drodze będziemy musieli przejść przez... coś jakby główny plac, że tak powiem. Ale nie martw się. Myślę, że wszyscy słyszeli już o nowej zasadzie. – Mówiąc to, machinalnie pogładził lufę strzelby.

Przełknęłam ślinę. Co prawda pęcherz miałam tak pełny, że bez przerwy mnie bolał, tak że nie mogłam się skupić na niczym innym, ale żeby od razu przechadzać się wśród tłumu potencjalnych morderców? Czy nie mógł po prostu przynieść mi wiadra?

Dostrzegł strach w moich oczach oraz to, jak odruchowo cofnęłam się w głąb celi, i ściągnął usta w zamyśleniu. Następnie odwrócił się i ruszył korytarzem.

– Idź za mną – rzucił przez ramię i nawet nie sprawdził, czy posłuchałam.

Stanął mi w głowie obraz Kyle'a znajdującego mnie tu samą, więc wygramoliłam się z groty. Już po chwili kuśtykałam za Jebem ile sił w zesztywniałych nogach. Mogłam się wyprostować, co było zarazem okropne i cudowne; czułam przenikliwy ból, ale jeszcze większą ulgę.

Dogoniłam go, zanim dotarliśmy do końca korytarza. Wysokie, na wpół owalne wyjście ziało ciemnością. Zawahałam się i obejrzałam na lampę, którą zostawił na ziemi, jedyne źródło światła w ciemnej pieczarze. Może miałam ją zabrać ze sobą?

Usłyszał, że się zatrzymałam, i zerknął przez ramię. Wskazałam głową światło, po czym spojrzałam na niego.

– Może tam zostać. Znam drogę. – Wyciągnął do mnie dłoń. – Poprowadzę cię.

Spoglądałam na jego rękę przez dłuższą chwilę, aż w końcu, czując ucisk w pęcherzu, powolnym ruchem położyłam na niej swoją, ledwie jej dotykając. Zapewne tak dotknęłabym węża, gdybym z jakiegoś powodu była do tego zmuszona.

Jeb prowadził mnie przez ciemności pewnym, szybkim krokiem. Po długim tunelu następowała seria dezorientujących zakrętów w różne strony. Po kolejnym ostrym wirażu uświadomiłam sobie, że zupełnie straciłam już poczucie kierunku. Byłam pewna, że to nie przypadek i że właśnie dlatego Jeb nie wziął lampy. Nie chciał, żebym się zbytnio rozeznała w tym labiryncie, bo mogłabym wtedy próbować się z niego wydostać.

Ciekawiło mnie, skąd się wzięło to miejsce, jak Jeb je znalazł i jak trafiła tu cała reszta. Nie odzywałam się jednak ani słowem. Milcząc, czułam się bezpieczniejsza. Nie byłam jednak pewna, czego w ogóle się spodziewać. Jeszcze kilku dni życia? Tego, że zostanie mi oszczędzony ból? Czy na coś więcej mogłam liczyć? Wiedziałam tylko, że nie jestem gotowa na śmierć, tak jak powiedziałam Melanie. Instynkt przetrwania miałam rozwinięty na miarę człowieka.

Pokonaliśmy kolejny skręt i w końcu ujrzałam w oddali pierwsze światło. Przez wysoką, wąską szczelinę przezierał blask z innego pomieszczenia. Nie był sztuczny jak światło lampy stojącej przed moją grotą. Zbyt biały, zbyt czysty.

Nie dalibyśmy rady przejść przez szczelinę ramię w ramię. Jeb pokonał ją pierwszy, prowadząc mnie tuż za sobą. Kiedy już znaleźliśmy się po drugiej stronie i zaczęłam coś widzieć, wysunęłam rękę z delikatnego uścisku Jeba, a wtedy on położył wolną dłoń z powrotem na strzelbie.

Znajdowaliśmy się w krótkim tunelu zakończonym łukowatym przejściem, z którego wydobywało się silniejsze światło. Skały miały tu ten sam fioletowy kolor i były tak samo dziurawe.

Dobiegały mnie teraz głosy ludzi. Nie były tak podniesione jak ostatnim razem, gdy słyszałam gwar tłumu. Nikt się nas tu dzisiaj nie spodziewał. Wyobrażałam sobie jednak, jak na mnie zareagują. Dłonie miałam zimne i mokre, oddech płytki i przyspieszony. Zbliżyłam się do Jeba, jak tylko mogłam, nie dotykając go.

– Spokojnie – powiedział pod nosem, nie obracając się. – Oni boją się ciebie bardziej niż ty ich.

Nie chciało mi się w to wierzyć. A nawet gdyby tak było, wiedziałam przecież, że strach rodzi w ludzkim sercu nienawiść i przemoc.

– Nie pozwolę nikomu cię skrzywdzić – dodał niedbale, gdy zbliżyliśmy się do przejścia. – Zresztą musisz się zacząć przyzwyczajać.

Chciałam zapytać, co ma na myśli, ale ruszył już dalej. Podążałam cicho w jego ślady, pół kroku za nim, w miarę możliwości chowając się za jego plecami. Jedyną rzeczą, której bałam się bardziej niż wejścia do środka, było odłączenie się od Jeba.

Przywitano nas nagłym milczeniem.

Znajdowaliśmy się ponownie w olbrzymiej, świetlistej jaskini; tej samej, co za pierwszym razem. Kiedy to było? Nie miałam pojęcia. Sklepienie nadal raziło, lecz nie widziałam, skąd bierze się jasność. Dopiero teraz zauważyłam, że ściany nie są jednolite. Widniały w nich dziesiątki nieregularnych otworów prowadzących do sąsiednich tuneli. Niektóre z tych szpar były ogromne, inne tak małe, że ledwie mieściły dorosłą osobę. Część była naturalna, inne stworzył, lub przynajmniej powiększył, człowiek.

Z ciemności owych szczelin patrzyło na nas kilka zastygłych w bezruchu osób, akurat skądś przychodzących lub dokądś idących. Na środku jaskini było ich jeszcze więcej – ci również wraz z naszym nadejściem zamarli przy wykonywaniu swoich czynności. Jakaś kobieta schylała się, by zawiązać sobie buty. Jakiś mężczyzna stał z zawieszonymi w powietrzu rękoma, którymi zapewne tłumaczył coś swym towarzyszom. Ktoś inny chwiał się na nodze, wytrącony z równowagi nagłym przystanięciem. Balansował przez moment ciałem, po czym głośno postawił stopę na ziemi i był to jedyny odgłos, jaki dał się słyszeć na całej tej ogromnej przestrzeni. Rozchodził się teraz echem po jaskini.

Choć czułam, że jest w tym coś głęboko niewłaściwego, to jednak cieszyłam się, że Jeb trzyma w ręku strzelbę. Wiedziałam, że gdyby nie ona, prawdopodobnie zostalibyśmy zaatakowani. Ci ludzie mogliby nawet zranić Jeba, byle tylko mnie dopaść. Zresztą mogli nas zaatakować i pomimo strzelby. W końcu Jeb mógł strzelać tylko do jednego naraz.

Zaczęły mi przychodzić do głowy makabryczne sceny, więc powściągnęłam wyobraźnię i skupiłam się na tym, co widziałam. Już samo to było wystarczająco groźne.

Jeb przystanął na chwilę, trzymając strzelbę na wysokości pasa, lufą do przodu. Rozejrzał się po jaskini, jakby spoglądał wszystkim po kolei w oczy. Nie trwało to zbyt długo, było ich tu niecałe dwadzieścia osób. W końcu, zadowolony, ruszył wzdłuż lewej ściany. Podążałam za nim w jego cieniu. W uszach huczała mi krew.

Nie szedł środkiem jaskini, lecz trzymał się jej brzegu. W pierwszej chwili mnie to zdziwiło, wkrótce jednak spostrzegłam, że środek zajmuje wielki kwadrat ciemnej ziemi. Nikt na niej nie stał. Byłam zbyt przerażona, by zastanawiać się dlaczego.

W miarę jak okrążaliśmy pomieszczenie, ludzie zaczęli się ruszać. Schylona kobieta wyprostowała się i obróciła, by nas widzieć. Mężczyzna demonstrujący coś rękoma założył je na pierś. Wszyscy zmrużyli oczy, a twarze stężały im w grymasie gniewu. Nikt jednak do nas nie podszedł ani nawet się nie odezwał. Cokolwiek Kyle opowiedział o zajściu przed celą, najwyraźniej odniosło to zamierzony skutek.

Przechodząc wśród lasu ludzkich posągów, poznałam stojące w jednym z wejść Sharon i Maggie. Twarze miały pozbawione wyrazu, a spojrzenia zimne. W ogóle nie spoglądały na mnie, tylko na Jeba, który nie zwracał na nie najmniejszej uwagi.

Wydawało mi się, że dotarcie na drugi koniec jaskini zajęło nam całe lata. Jeb kierował się w stronę średniej wielkości włazu czerniejącego wśród światła. Kark swędział mnie od ludzkich spojrzeń, ale nie odważyłam się obejrzeć. Wszyscy nadal milczeli, lecz bałam się, że mogą pójść za nami. Kiedy w końcu zanurzyliśmy się w ciemnościach kolejnego korytarza, odetchnęłam z ulgą. Nie sprzeciwiałam się, gdy Jeb dotknął mojego łokcia, by mną pokierować. W tyle wciąż panowała cisza.

– Poszło lepiej, niż się spodziewałem – mruknął Jeb, prowadząc mnie po ciemku. Zaskoczył mnie tym. Wolałam w takim razie nie wiedzieć, czego się spodziewał.

Czułam pod stopami, że korytarz zaczyna się nachylać. Widziałam jedynie słabe światło gdzieś w oddali.

– Idę o zakład, że nigdy wcześniej nie widziałaś takiego miejsca – powiedział Jeb, tym razem głośniej, z powrotem przybierając charakterystyczny lekki ton. – Robi wrażenie, co?

Zrobił pauzę, jak gdyby czekając na odpowiedź, po czym ciągnął dalej:

– Odkryłem je w latach siedemdziesiątych. Właściwie to samo mnie znalazło. Wpadłem do środka – aż dziw, że się nie zabiłem, no ale pech tak chciał. Nieźle się namęczyłem, zanim znalazłem wyjście. Byłem tak głodny, że mogłem kamienie jeść.

– Mieszkałem już wtedy sam na ranczu, więc nie miałem komu tego pokazać. Złaziłem tu każdy zakamarek. Od początku wiedziałem, co z tym można zrobić. Pomyślałem, że dobrze mieć takie miejsce w zanadrzu, no bo nigdy nie wiadomo. My, Stryderowie, już tacy jesteśmy – lubimy być przygotowani na różne niespodzianki.

Minęliśmy słaby strumień światła, do którego zbliżaliśmy się od pewnego czasu. Wpadał przez dziurę wielkości pięści w suficie i rozlewał się na ziemi okrągłą plamką. Po chwili ujrzałam w dali kolejny jasny punkt.

– Pewnie zachodzisz w głowę, skąd to wszystko się tu wzięło. – Znowu zrobił pauzę, tym razem krótszą. – Mnie to nie dawało spokoju. Musiałem trochę poszperać. No i okazało się, że tędy płynęła lawa. Wyobrażasz sobie? To był kiedyś wulkan. Właściwie to chyba ciągle jest wulkan. Nie całkiem wygasły, zaraz się przekonasz. Wszystkie te groty i dziury były bańkami powietrza w stygnącej lawie. Przez ostatnie kilkadziesiąt lat nieźle się tu napracowałem. Niektóre rzeczy były łatwe – łączenie tuneli szło gładko. Ale w paru miejscach musiałem naprawdę ruszyć łepetyną. Widziałaś sufit w dużej jaskini? To mi zajęło parę dobrych lat.

Chciałam zapytać, jak to zrobił, ale nie mogłam się przełamać. Najbezpieczniej było milczeć.

Zejście robiło się coraz bardziej strome. Wyczułam pod nogami stopnie, niezbyt foremne, ale zapewniały wystarczające oparcie. Jeb prowadził mnie po nich pewnym krokiem. W miarę jak schodziliśmy, robiło się coraz cieplej i wilgotniej.

W pewnym momencie znowu usłyszałam gwar, tym razem gdzieś przed nami, i zesztywniałam. Jeb poklepał mnie serdecznie po dłoni.

– Spodoba ci się, wszystkim się podoba – obiecał.

W szerokim, łukowatym wejściu migotało światło. Białe i czyste, przypominało światło z dużej jaskini, ale w przeciwieństwie do niego niespokojnie mrugało. Tak jak wszystko inne, czego tu nie rozumiałam, przejmowało mnie strachem.

– No, jesteśmy – odezwał się Jeb podnieconym tonem, przeprowadzając mnie pod łukiem. – I jak?

Rozdział 17

Odwiedziny

Najpierw uderzyło mnie ciepło – parne, wilgotne powietrze przetoczyło się po mnie, zraszając mi skórę. Instynktownie otworzyłam usta, by zaczerpnąć więcej tlenu. Na silę przybrał również zapach, bardzo podobny do metalicznego posmaku tutejszej wody.

Ze wszystkich stron dochodził mnie, odbity echem od ścian, gwar niskich i wysokich głosów. Mrużyłam oczy, próbując przedrzeć się wzrokiem przez kłęby pary, by zobaczyć, kto tu jest. Było bardzo jasno – sufit oślepiał blaskiem, tak jak w dużej jaskini, ale znajdował się znacznie niżej. Światło tańczyło wśród drobinek pary, tworząc migoczącą zasłonę, która raziła w oczy. Chwyciłam Jeba za rękę, gdyż nie mogłam przyzwyczaić wzroku.

Zaskoczyło mnie, że gwar nie ustał wraz z naszym nadejściem. Zapewne nas też nie było widać.

– Trochę tu duszno – odezwał się Jeb przepraszająco, odganiając parę sprzed nosa. Powiedział to beztroskim tonem, tak głośno, że prawie podskoczyłam. Zachowywał się, jakbyśmy byli sami. Tymczasem gwar nie cichł, tak jakby nikt nas nie słyszał.

– Nie żebym narzekał – kontynuował. – Gdyby nie to miejsce, tobym już chyba z dziesięć razy zginął. Pierwszy raz oczywiście dawno temu, kiedy tu zabłądziłem. A teraz bez niego nie moglibyśmy się tu ukrywać. A jak się nie ma kryjówki, to jest się martwym, czyż nie?

Trącił mnie łokciem w geście porozumienia.

– Trzeba powiedzieć, że układ tych jaskiń jest wymarzony. Chyba nie zrobiłbym tego lepiej, gdybym mógł je ulepić z plasteliny.

Jego śmiech rozproszył nieco mgły i po raz pierwszy zobaczyłam, jak wygląda pomieszczenie.

Była to dość wysoka grota, przez którą przepływały dwie rzeczki. To właśnie szmer wody bijącej wśród wulkanicznych skał wzięłam mylnie za gwar ludzkich głosów. Jeb mówił, jakbyśmy byli sami, gdyż tak właśnie było.

Ściślej mówiąc, płynęła tu jedna rzeka oraz, bliżej nas, płytki strumyczek, srebrzysta wstęga wijąca się wzdłuż skalnych brzegów, tak niskich, jakby woda miała się za chwilę przelać. Łagodne fale strumyka szemrały wysokim, kobiecym tonem.

Z kolei niski, męski bulgot wydobywał się z rzeki, podobnie jak gęste kłęby pary wylatujące z dziur w ziemi pod przeciwległą ścianą. Rzeka była ciemna i częściowo schowana pod skalną podłogą, widoczna w miejscach, gdzie ta się osunęła. Czerniejące dziury wyglądały groźnie, płynąca wartkim nurtem w nieznane woda była przez nie ledwie widoczna. Zdawała się wrzeć – taka biła od niej para i ciepło. Również odgłosy, które wydawała, przypominały dźwięk gotowania.

Z sufitu zwisało kilka długich i wąskich stalaktytów, po których woda skapywała na bliźniacze stalagmity. Trzy takie pary spotykały się pomiędzy rzeką a strumykiem, tworząc cienkie, ciemne filary.

– Ostrożnie tutaj – powiedział Jeb. – Wierz mi, w gorącym źródle jest niczego sobie prąd. Jak wpadniesz, będzie po tobie. Już raz się to zdarzyło. – Skinął znacząco głową, spochmurniały.

Bystry nurt podziemnej rzeki wydał mi się nagle przerażający. Wyobraziłam sobie, że mnie porywa, i poczułam dreszcz na plecach.

Jeb położył mi delikatnie rękę na ramieniu.

– Nie martw się. Wystarczy patrzeć pod nogi. A więc tak – zaczął, wskazując na przeciwległy koniec pieczary, gdzie strumyk wpływał do ciemnej jamy – pierwsza grota to łaźnia. Wykopaliśmy tam w podłodze ładną, głęboką wannę. Mamy grafik kąpieli, ale i tak nikt cię nie podejrzy, ciemno tam jak diabli. W środku jest ciepło i przyjemnie, a woda nie parzy tak jak tu. Dalej, za szczeliną, jest następna grota. Niedawno poszerzyliśmy przejście, żeby było wygodniej. To ostatnie pomieszczenie połączone ze strumieniem, dalej woda spływa już zbyt głęboko w dół. Urządziliśmy tam sobie ubikację – tak jest wygodnie i higienicznie. – Nie krył samozadowolenia, jak gdyby taki a nie inny bieg strumienia był jego zasługą. Faktem jednak było, że odkrył to miejsce i przystosował do zamieszkania – miał zatem powody do pewnej dumy.

– Nie lubimy trwonić baterii, a poza tym większość z nas zna to miejsce na pamięć, no ale ponieważ jesteś tu pierwszy raz, możesz sobie trochę pomóc.

Wyjął z kieszeni latarkę i wyciągnął ją w moją stronę. Na jej widok przypomniałam sobie, jak znalazł mnie umierającą na pustyni i poświecił mi w oczy, by sprawdzić, czy jestem człowiekiem. Kiedy o tym pomyślałam, zrobiło mi się smutno, choć nie bardzo wiedziałam dlaczego.

– Tylko sobie nie myśl, że uda ci się stąd wydostać rzeką. Ta woda wpływa pod ziemię i tam już zostaje – ostrzegł.

Zdawał się czekać na pozytywny odzew, więc przytaknęłam. Powoli wzięłam do ręki latarkę, unikając gwałtowniejszych ruchów, które mogłyby go zaskoczyć.

Uśmiechnął się do mnie pokrzepiająco.

Podążyłam czym prędzej za jego wskazówkami – odgłos rwącej wody źle na mnie działał. Gdy zniknęłam mu z oczu, poczułam się dziwnie. Co, jeśli ktoś się tu skrył, domyślając się, że w końcu przyjdę? Czy Jeb usłyszałby moje krzyki mimo głośnego szumu wody?

Poświeciłam latarką po łaźni, sprawdzając, czy ktoś się na mnie nie zaczaił. Migoczące cienie działały na wyobraźnię, ale mój strach okazał się bezzasadny. Wanna, o której mówił Jeb, miała w istocie rozmiary małego basenu, a powierzchnia wody była czarna jak smoła. Gdyby ktoś się w niej zanurzył i wstrzymał oddech, byłby zupełnie niewidoczny... Pomknęłam w stronę wąskiej szczeliny wiodącej do kolejnego pomieszczenia, odganiając złe myśli. Bez Jeba byłam opętana strachem – nie mogłam normalnie oddychać. W uszach huczała mi krew, zagłuszając wszystkie inne dźwięki. Do pieczary z rzekami wróciłam nie tyle szybkim krokiem, co biegiem.

Widok Jeba stojącego samotnie w niezmienionej pozie tam, gdzie go zostawiłam, był jak balsam dla moich zszarpanych nerwów. Nareszcie uspokoił mi się oddech, zwolniło bicie serca. Nie potrafiłam do końca zrozumieć, dlaczego ten zwariowany człowiek tak dobrze na mnie działa. Przypomniałam sobie wtedy słowa Melanie – trudne czasy.

– Niezgorsze, co? – zapytał, uśmiechając się z dumą.

Potaknęłam raz i oddałam mu latarkę.

– Te jaskinie to wielki dar – powiedział, gdy już ruszaliśmy w drogę powrotną. – Bez nich nie dalibyśmy rady przeżyć w tak dużej grupie. Magnolia i Sharon całkiem dobrze sobie radziły w Chicago – zaskakująco dobrze – ale jednak bardzo ryzykowały, ukrywając się we dwie. Miło żyć znowu w prawdziwej wspólnocie. Dopiero w niej czuję się jak człowiek.

Zaczęliśmy się wspinać po schodach i Jeb znowu chwycił mnie za łokieć.

– Nie gniewaj się, że daliśmy ci taki lichy... kwaterunek. To najbezpieczniejsze miejsce, jakie przyszło mi do głowy. Byłem zaskoczony, że chłopcy tak szybko cię wywęszyli... – Westchnął. – No cóż, cały Kyle... Ale może i dobrze się stało. Niech się przyzwyczajają. Może znajdziemy ci coś odpowiedniejszego. Pomyślę o tym... A póki co, nie musisz wysiadywać w tej ciasnej dziurze, gdy ja jestem w pobliżu. Możesz spokojnie siedzieć ze mną w korytarzu, jeśli wolisz. Ale z Jaredem... – Przerwał, nie kończąc myśli.

Słuchałam jego przeprosin w zdumieniu. Było w nim dużo więcej serdeczności, niż się spodziewałam. Nie podejrzewałam, że te istoty potrafią znaleźć w sobie tyle współczucia dla wrogów. Poklepałam go nieśmiało po dłoni, którą trzymał mi na łokciu, próbując mu przekazać, że zrozumiałam jego słowa i nie będę sprawiać kłopotów. Byłam przekonana, że Jared nie ma ochoty mnie oglądać.

Jeb z łatwością odczytał mój sygnał.

– Dobra dziewczyna – powiedział. – Jakoś to wszystko rozwiążemy. Doktor może się skoncentrować na leczeniu ludzi. Ja tam uważam, że jesteś o wiele ciekawsza żywa.

Staliśmy tak blisko siebie, że poczuł, jak się zatrzęsłam.

– Nie martw się, Doktor nie będzie cię niepokoił.

Nie mogłam opanować dreszczy. Obietnica Jeba dotyczyła chwili obecnej. Jared mógł w każdym momencie stwierdzić, że moja tajemnica jest ważniejsza niż ciało Melanie. Gdyby tak się miało stać, wolałabym raczej zginąć wczoraj z rąk Iana. Przełknęłam ślinę i poczułam lekki ból, który zdawał się przeszywać całą szyję od skóry aż po wnętrze gardła.

Nigdy nie wiesz, ile czasu ci zostało, powiedziała Melanie wiele dni temu, kiedy panowałam jeszcze nad swoim życiem.

Jej słowa rozbrzmiewały mi w głowie, gdy weszliśmy z powrotem do wielkiej jaskini, głównego placu, wokół którego toczyło się tutaj życie. Był pełen ludzi, tak jak pierwszego wieczoru, i wszyscy nas obserwowali, a oczy płonęły im gniewem i rozgoryczeniem, gdy spoglądali na Jeba, zaś żądzą krwi, gdy spozierali na mnie. Patrzyłam pod nogi, starając się nie podnosić wzroku. Kątem oka widziałam, że Jeb znów trzyma strzelbę w gotowości.

Poczułam, że to tylko kwestia czasu. Atmosfera strachu i nienawiści była zbyt potężna. Prędzej czy później Jeb nie da rady mnie obronić.

Z wielką ulgą pokonałam wąską szczelinę, nie mogąc się doczekać, aż wrócę labiryntem krętych korytarzy do mojej ciasnej kryjówki. Przynajmniej mogłam tam liczyć na spokój.

Z tyłu, niczym z gniazda rozjuszonych węży, dochodziło mnie wściekłe syczenie, roznoszące się echem po całym placu. Słysząc je, miałam ochotę iść szybciej niż prowadzący mnie za rękę Jeb.

Jeb zachichotał pod nosem. Im dłużej z nim przebywałam, tym dziwniejszy mi się wydawał. Jego poczucie humoru było dla mnie równie nieodgadnione jak intencje, którymi się kierował.

– Czasem robi się tu ździebko nudno – mamrotał do mnie, a może do samego siebie. W jego przypadku trudno było stwierdzić. – Może jak im w końcu przejdzie, docenią to, że dostarczam im rozrywki.

Korytarz wił się w ciemnościach. Zupełnie go nie poznawałam. Być może Jeb rozmyślnie obrał tym razem inną trasę. Miałam wrażenie, że idziemy dłużej niż ostatnio, lecz w końcu ujrzałam wyłaniające się zza zakrętu słabe niebieskie światło.

Zebrałam się w sobie, zastanawiając się, czy zastaniemy tam Jareda. Jeżeli tak, na pewno będzie zły. Nie spodoba mu się, że Jeb zabrał mnie na spacer, nawet jeśli było to konieczne.

Gdy tylko minęliśmy ostatni zakręt, istotnie zobaczyłam, że ktoś na nas czeka. Stał oparty o ścianę nieopodal lampy, rzucając długi cień w naszą stronę, ale bez wątpienia nie był to Jared. Zacisnęłam dłoń na ramieniu Jeba w panicznym odruchu.

Dopiero potem przyjrzałam się tajemniczej postaci. Był to ktoś mniejszy ode mnie – dlatego od razu poznałam, że to nie Jared – i bardzo szczupły. Mały, ale też jakby zbyt wysoki, zbyt patykowaty. Nawet w słabym świetle niebieskiej lampy widać było skórę opaloną na głęboki brąz i jedwabiste czarne włosy opadające bezładnie aż za podbródek.

Ugięły się pode mną kolana.

Kurczowo ścisnęłam ramię Jeba, szukając oparcia.

– Oż jasny gwint! – wykrzyknął poirytowany. – Czy nikt tu nie potrafi dochować tajemnicy dłużej niż dzień? Można zwariować. Nic tylko zawiązać im te długie jęzory... – Jeb zaczął mamrotać coś pod nosem.

Nie próbowałam nawet zrozumieć, co mówi. Toczyłam właśnie najzacieklejszy bój w życiu. We wszystkich życiach.

Czułam Melanie w każdej komórce ciała. Mrowiły mnie zakończenia nerwów, które poznały ją po długiej nieobecności. Mięśnie drgały w oczekiwaniu na jej ruch. Usta mi drżały, próbując same się otworzyć. Pochyliłam się ku stojącemu w korytarzu chłopcu. Ręce odmawiały mi posłuszeństwa.

Melanie wiele się uczyła za każdym razem, gdy traciłam panowanie nad ciałem lub dobrowolnie się go zrzekałam, dlatego była teraz trudnym przeciwnikiem – tak trudnym, że na czoło wystąpiły mi krople potu. Ale tym razem nie leżałam konająca na pustyni ani nie byłam osłabiona i wytrącona z równowagi widokiem osoby, której miałam już nigdy nie zobaczyć. Byłam przygotowana. Ciało zregenerowało się i odzyskało siły, a to działało na moją korzyść.

Przegnałam Melanie z rąk i nóg, wypchnęłam z każdego miejsca, w którym próbowała zdobyć przyczółek, zapędziłam z powrotem do małego zakamarka w mojej głowie i przykułam łańcuchem.

Jej kapitulacja była nagła i całkowita. *Ach,* westchnęła i był to niemalże jęk bólu.

Zwyciężyłam, ale natychmiast ogarnęło mnie dziwne poczucie winy. Już wcześniej zdawałam sobie sprawę, że Melanie jest dla mnie kimś więcej niż tylko zbuntowanym żywicielem uprzykrzającym mi życie. W ciągu ostatnich tygodni – od kiedy połączyła nas niechęć do wspólnego wroga, czyli Łowczyni – zbliżyłyśmy się do siebie, a nawet stałyśmy się powierniczkami. Kiedy Kyle stał nade mną z nożem na pustyni, część mnie cieszyła się, że przynajmniej to nie ja uśmiercę Melanie. Już wtedy była dla mnie czymś więcej niż tylko ciałem. Teraz jednak poczułam coś jeszcze głębszego. Żałowałam, że sprawiłam jej ból.

Nie miałam niestety wyjścia, choć ona zdawała się tego nie rozumieć. Każde nieopatrznie wypowiedziane słowo, każdy pochopny krok mógł dla nas oznaczać szybką egzekucję. Melanie reagowała zbyt spontanicznie i emocjonalnie. Wpakowałaby nas w tarapaty.

Musisz mi zaufać, zwróciłam się do niej. *Ja po prostu robię, co mogę, żeby nas nie zabito. Wiem, nie chce ci się wierzyć, że ci twoi ludzie mogliby nas skrzywdzić...*

Ale to Jamie, szepnęła. Tęskniła do niego tak mocno, że znów poczułam się, jakbym miała nogi z waty.

Próbowałam spojrzeć na niego z dystansem – ujrzeć jedynie opartego o ścianę ponurego nastolatka ze sztywno założonymi rękoma. Starałam się widzieć w nim obcą osobę i tak też go traktować. Starałam się, ale nie umiałam. To był Jamie, byłam nim zachwycona, a moje ręce – moje, nie Melanie – chciały go uściskać. Łzy stanęły mi w oczach i pociekły po twarzy. Mogłam tylko mieć nadzieję, że nie widać ich w słabym świetle.

– Jeb – przywitał się oschle Jamie. Omiótł mnie przelotnym spojrzeniem, po czym odwrócił wzrok.

Miał taki głęboki głos! Czy to możliwe, że tak urósł? Uświadomiłam sobie z bólem, że niedawno skończył czternaście lat. Melanie pokazała mi datę. Okazało się, że było to w dniu, w którym po raz pierwszy mi się przyśnił. Tak bardzo starała się tamtego ranka zachować cały ból tylko dla siebie, zataić wspomnienia, by chronić brata, że w końcu pojawił się w jej śnie. A wtedy ja napisałam o tym Łowczyni.

Zdrętwiałam, nie mogąc uwierzyć, że postąpiłam tak bezdusznie.

– Co ty tu robisz, chłopcze? – zapytał Jeb.

– Czemu mi nic nie powiedziałeś? – odparował Jamie.

Jeb zamilkł.

– Jared ci zabronił? – naciskał Jamie.

Jeb westchnął.

– No dobrze, czyli już wiesz. I po co ci to było? My tylko...

– Chcieliście mnie chronić? – dokończył za niego chłopiec.

Skąd było w nim tyle goryczy? Czy to moja wina? Oczywiście, że moja.

Melanie zaczęła głośno szlochać w mojej głowie. Rozpraszało mnie to i sprawiało, że słyszałam głosy Jeba i Jamiego jakby z daleka.

– Okej, Jamie, nie trzeba cię chronić. Czego chcesz?

Ta nagła kapitulacja najwyraźniej zbiła chłopca z tropu. Zerkał to na mnie, to na Jeba, nie wiedząc, jak zacząć.

– Chcę... chcę z nią porozmawiać... to znaczy z nim – wybąkał w końcu. Kiedy się wahał, mówił trochę wyższym tonem.

– Jest mało rozmowna – odparł Jeb – ale jeśli chcesz, możesz spróbować.

Zdjął moje palce ze swego ramienia, po czym oparł się plecami o najbliższą ścianę i zsunął powoli do pozycji siedzącej. Powiercił się jeszcze chwilę w miejscu, szukając najwygodniejszej pozycji. Strzelba przez cały czas leżała mu na kolanach. Wsparł głowę o skałę i zamknął oczy. Po chwili wyglądał już, jakby spał.

Stałam tam, gdzie mnie zostawił, próbując nie patrzeć Jamiemu w twarz, ale nie najlepiej mi to szło.

Jamie był zaskoczony uległością Jeba. Miał oczy jak spodki – wyglądał z nimi trochę młodziej – i nie odrywał ich od siadającego starca. Dopiero gdy Jeb nie ruszył się przez dobrych parę minut, Jamie przeniósł wzrok na mnie, mrużąc powieki.

Widząc to spojrzenie – złe, markujące odwagę i dorosłość, ale też przepojone bólem i strachem – Melanie zaczęła jeszcze głośniej szlochać, a mnie zatrzęsły się kolana. Nie chcąc ryzykować kolejnego upadku, zbliżyłam się do ściany naprzeciw Jeba, oparłam o nią plecami, usiadłam na ziemi i skuliłam się – pragnęłam być jak najmniejsza.

Jamie bacznie mi się przyglądał; w końcu zrobił cztery małe kroki naprzód, aż stanął nade mną. Rzucił jeszcze okiem na wciąż nieruchomego Jeba i klęknął obok mnie. Jego twarz przybrała nagle wyraz skupienia, nadając mu doroślejszy wygląd. Ujrzałam w nim smutnego mężczyznę i serce zabiło mi mocniej.

– Nie jesteś Melanie – powiedział cicho.

Było mi teraz jeszcze trudniej nic nie mówić, tym razem bowiem to ja chciałam się odezwać. Zawahałam się jednak i po chwili jedynie potrząsnęłam głową.

– Ale masz jej ciało.

Potaknęłam, choć znów nie od razu.

– Co ci się... co jej się stało w twarz?

Wzruszyłam ramionami. Nie widziałam swojej twarzy, ale domyślałam się, jak wygląda.

– Kto ci to zrobił? – dociekał Jamie. Wyciągnął ku mnie palec i prawie dotknął mojej szyi, ale się zawahał. Siedziałam spokojnie – akurat tej ręki się nie bałam.

– Ciotka Maggie, Jared i Ian – wyliczył Jeb znużonym głosem. Oboje aż podskoczyliśmy. Ale Jeb nawet się nie poruszył, a oczy miał ciągle zamknięte. Na jego twarzy malował się spokój. Można by pomyśleć, że odpowiedział przez sen.

Jamie odczekał chwilę i obrócił się z powrotem do mnie, z tym samym skupieniem na twarzy.

– Nie jesteś Melanie, ale pamiętasz wszystko co ona i tak dalej, prawda?

Przytaknęłam.

– Wiesz, kim ja jestem?

Próbowałam milczeć, ale słowa same przesmyknęły mi się przez usta.

– Jesteś Jamie. – Mój głos otulił czule jego imię, nie mogłam na to nic poradzić.

Zamrugał zaskoczony. Nie spodziewał się, że przestanę milczeć.

– Tak – odszepnął, kiwając głową.

Oboje spojrzeliśmy na Jeba, wciąż zastygłego w bezruchu, i z powrotem na siebie.

– Czyli pamiętasz, co się z nią stało?

Skrzywiłam się z bólu i potaknęłam wolno.

– Chcę wiedzieć.

Potrząsnęłam głową.

– Chcę wiedzieć – powtórzył. Usta mu drżały. – Nie jestem dzieckiem. Powiedz mi.

– To nic... miłego – westchnęłam, na próżno starając się trzymać język za zębami. Nie potrafiłam mu odmówić.

Ciemne, proste brwi powędrowały mu w górę i prawie zetknęły się na środku czoła, ponad szeroko otwartymi oczami.

– Proszę – szepnął.

Zerknęłam na Jeba. Miałam wrażenie, że podgląda nas przez rzęsy, ale nie byłam pewna.

Odezwałam się głosem cichym jak oddech.

– Ktoś zauważył, jak wchodzi do budynku przeznaczonego do rozbiórki, zorientował się, że coś jest nie tak, i wezwał Łowców.

Wzdrygnął się na dźwięk ostatniego słowa.

– Próbowali ją przekonać, żeby się poddała, ale nie chciała. Kiedy zapędzili ją w ślepy zaułek, wskoczyła do otwartego szybu windy.

Otrząsnęłam się z bolesnego wspomnienia. Jamie pobladł na twarzy.

– Nie zginęła?

– Nie. Mamy bardzo dobrych Uzdrowicieli. Szybko ją wyleczyli. Potem umieścili mnie w jej ciele. Myśleli, że im powiem, jak udało jej się tak długo przetrwać. – Zorientowałam się, że powiedziałam więcej, niż zamierzałam, i gwałtownie zamknęłam usta. Jamie tego nie zauważył, ale Jeb otworzył z wolna oczy i utkwił we mnie wzrok. Reszta jego ciała pozostała nieruchoma. Jamie niczego nie spostrzegł.

– Dlaczego nie pozwoliliście jej umrzeć? – zapytał. Musiał przełknąć ślinę, głos zaczynał mu się załamywać. Było to dla mnie tym boleśniejsze, że nie był to płacz wystraszonego dziecka, lecz głębokie cierpienie dojrzałego człowieka. Z najwyższym trudem powstrzymywałam się przed pogłaskaniem go po twarzy. Chciałam go przytulić i błagać, by się nie smucił. Zwinęłam palce w pięści, próbując skupić się na jego pytaniu. Jeb zerknął na nie, po czym spojrzał mi z powrotem w twarz.

– Nie było mnie przy podejmowaniu decyzji – odparłam cicho. – Byłam wtedy jeszcze w kapsule hibernacyjnej.

Jamie znów zamrugał ze zdziwienia. Zupełnie nie spodziewał się takiej odpowiedzi, widziałam, że zmaga się z nowym uczuciem. Zerknęłam na Jeba i zobaczyłam w jego oczach błysk zaciekawienia.

Ciekawość wzięła w końcu górę także u Jamiego.

– Skąd przyleciałaś? – zapytał.

Uśmiechnęłam się wbrew sobie, widząc w jego oczach zainteresowanie.

– Z daleka. Z innej planety.

– Jakie tam... – zaczął, lecz nagle rozległo się inne pytanie.

– Co u licha? – krzyknął wściekle Jared. Stał jak wryty w głębi tunelu, zaraz przy zakręcie. – Niech cię, Jeb! Chyba się umawialiśmy, że...

Jamie zerwał się na nogi.

– Jeb wcale mnie nie przyprowadził. Ale ty powinieneś!

Jeb westchnął i powoli dźwignął się z ziemi. Strzelba zsunęła mu się z kolan i upadła na podłogę blisko mnie. Odskoczyłam przestraszona.

Jared rzucił się pędem w moją stronę, pokonując dzielącą nas odległość kilkoma susami. Skuliłam się pod ścianą, zakrywając twarz rękoma. Patrzyłam zza łokcia, jak dopada broni i podnosi ją z ziemi.

– Chcesz nas zabić? – niemal wrzasnął na Jeba, gwałtownym ruchem wpychając mu strzelbę do rąk.

– Uspokój się, Jared – odparł Jeb zmęczonym głosem, chwytając broń jedną dłonią. – Nie dotknęłaby jej nawet gdyby leżała tu całą noc. Nie widzisz? – Machnął lufą w moim kierunku, aż zadrżałam. – To nie jest Łowca.

– Jeb, zamknij się, do diabła!

– Zostaw go! – krzyknął Jamie. – Nie zrobił nic złego.

– A ty – odkrzyknął Jared, zwracając się do zezłoszczonego chłopca – wynoś się stąd natychmiast albo pożałujesz!

Jamie zacisnął dłonie w pieści i stał twardo w miejscu.

Byłam tak przerażona, że nie mogłam się ruszyć. Jak oni mogli tak na siebie krzyczeć? Byli rodziną, łączyły ich więzy silniejsze niż krew. Przecież Jared nie uderzyłby Jamiego – nie mógłby! Chciałam coś zrobić, ale nie miałam żadnego pomysłu. Zwracając na siebie uwagę, tylko bym ich jeszcze bardziej rozgniewała.

O dziwo, tym razem to Melanie zachowywała większy spokój. *Nie skrzywdzi Jamiego*, oznajmiła bez cienia wątpliwości. *To niemożliwe*.

Spojrzałam na nich – stali naprzeciw siebie jak dwaj wrogowie – i wpadłam w panikę.

Nie powinnyśmy były tu przychodzić. Popatrz, jacy są przez nas nieszczęśliwi, rozpaczałam.

– Trzeba było niczego przede mną nie ukrywać – powiedział Jamie przez zęby. – I nie robić jej krzywdy. – Rozluźnił zaciśniętą dłoń i wskazał na moją twarz.

Jared splunął na ziemię.

– To nie jest Melanie. Melanie już nie wróci, Jamie.

– To jej twarz – obstawał przy swoim Jamie. – I jej szyja. Nie przeszkadzają ci te sińce?

Jared opuścił ręce. Zamknął oczy i wziął głęboki wdech.

– Jamie, albo natychmiast sobie stąd pójdziesz i zostawisz mnie samego, albo cię do tego zmuszę. Nie żartuję. Mam już dosyć, rozumiesz? Więcej w tej chwili nie zniosę. Czy możemy odłożyć tę rozmowę na później? – Otworzył z powrotem oczy i zobaczyłam w nich ból.

Jamie popatrzył na niego i zaczął pokornieć na twarzy.

– Przepraszam – wymamrotał po chwili. – Pójdę sobie... ale nie obiecuję, że tu nie wrócę.

– Nie mam teraz do tego głowy. Idź już. Proszę.

Jamie wzruszył ramionami. Posłał mi jeszcze ostatnie spojrzenie i zniknął w tunelu. Słuchałam roztkliwiona, jak oddala się długimi, szybkimi krokami; ich znajomy odgłos przypomniał mi dawne czasy.

Jared spojrzał na Jeba.

– Ty też – powiedział beznamiętnym tonem.

Jeb wywrócił oczami.

– Miałeś trochę przykrótką przerwę, nie uważasz? Popilnuję jej jeszcze, a...

– Idź.

Jeb zmarszczył brwi w zamyśleniu.

– Dobra, jak tam chcesz – odparł i ruszył wolno w głąb korytarza.

– Jeb? – zawołał za nim Jared.

– Ta?

– Gdybym kazał ci go zastrzelić w tej chwili, zrobiłbyś to?

Jeb nie zatrzymał się ani nie obejrzał, lecz jego słowa zabrzmiały bardzo wyraźnie.

– Nie miałbym wyjścia. Przestrzegam własnych reguł. Dlatego dobrze się zastanów, zanim mnie o to poprosisz.

Po chwili rozpłynął się w ciemnościach.

Jared spoglądał za nim. Postanowiłam nie czekać, aż zmierzy mnie złowrogim wzrokiem. Wcisnęłam się do mojej niewygodnej kryjówki i skuliłam w najdalszym kącie.

Rozdział 18

Bezczynność

Reszta dnia, nie licząc jednej krótkiej chwili, upłynęła mi w zupełnej ciszy.

Przerwał ją tylko Jeb, przynosząc mi i Jaredowi jedzenie. Położył tacę przy wyjściu i uśmiechnął się przepraszająco.

– Dziękuję – powiedziałam.

– Nie ma za co – odparł.

Jared chrząknął, wyraźnie poirytowany tą wymianą serdeczności.

Był to jedyny dźwięk, jaki wydał przez cały dzień. Wiedziałam, że ciągle tam jest, ale nie słyszałam niczego, co by to potwierdzało – nawet oddechu.

To był długi dzień, nudny i męczący. Próbowałam leżenia we wszystkich możliwych pozycjach, ale w żadnej nie mogłam się cała wygodnie rozprostować. Wkrótce zaczął mi dokuczać ból krzyża.

Obie z Melanie myślałyśmy dużo o Jamiem. Przede wszystkim martwiłyśmy się, że zjawiając się tutaj, wyrządziłyśmy mu krzywdę, i że nadal cierpi z naszego powodu. Czy warto było w takim razie dotrzymać danej mu obietnicy?

Czas stracił znaczenie. Mogło teraz świtać, ale równie dobrze mogło też zmierzchać – tu, pod ziemią, nie miałam żadnego punktu odniesienia. Skończyły nam się – Melanie i mnie – tematy do rozmów. Wertowałyśmy od niechcenia nasze połączone pamięci, trochę tak, jak skacze się po kanałach telewizyjnych, ani na moment nie zatrzymując się na żadnym, by obejrzeć coś konkretnego. Zdrzemnęłam się chwilę, ale nie mogłam zapaść w głębszy sen, bo było mi niewygodnie.

Kiedy w końcu znów pojawił się Jeb, miałam ochotę go ucałować. Zajrzał do mojej celi, szeroko się uśmiechając.

– Co powiesz na spacer? – zapytał.

Przytaknęłam ochoczo głową.

– Zaprowadzę ją – burknął Jared. – Daj mi strzelbę.

Zawahałam się, przykucnięta w otworze groty, ale Jeb skinął głową.

– Śmiało – rzekł.

Wydostałam się na zewnątrz, sztywna i chwiejna, chwytając wyciągniętą w moją stronę dłoń Jeba, by złapać równowagę. Jared wydał z siebie odgłos niesmaku i odwrócił wzrok. Mocno ściskał strzelbę w dłoni; zaciśnięte na lufie kłykcie aż mu zbielały. Widok broni w jego rękach mnie przerażał. Niepokoiłam się bardziej, niż kiedy trzymał ją Jeb.

Jared był dla mnie mniej wyrozumiały. Zanurzył się bez słowa w ciemnym tunelu, nie czekając, aż do niego dołączę.

Nie było mi łatwo – szedł bardzo cicho i w ogóle mnie nie prowadził, stąpałam więc wśród ciemności po omacku, z jedną ręką wyciągniętą przed siebie, drugą zaś dotykając ściany, by nie uderzyć twarzą o skałę. Dwa razy przewróciłam się na nierównym podłożu. Jared nie pomógł mi wstać, ale przynajmniej czekał, aż wstanę, i dopiero wtedy ruszał dalej. W pewnej chwili, przyspieszając na jednym z prostych odcinków korytarza, podeszłam zbyt blisko i dotknęłam wyciągniętą dłonią jego pleców, a nawet przeciągnęłam palcami po barku, zanim zorientowałam się, że to nie ściana. Jared syknął gniewnie i wyrwał do przodu, uciekając od mojego dotyku.

– Przepraszam – szepnęłam. Czułam, jak w ciemnościach płoną mi policzki.

Nic nie odpowiedział, tylko zwiększył tempo, tak że jeszcze trudniej było za nim nadążyć.

Kiedy wreszcie w oddali pojawił się jasny punkt, poczułam się zdezorientowana. Czyżby prowadził mnie inną trasą? Nie była to bowiem biel wielkiego placu, lecz blade, srebrnawe światło. Z drugiej jednak strony, szczelina wydawała się ta sama... Dopiero kiedy przez nią przeszliśmy i znalazłam się znowu w centralnej jaskini, zrozumiałam, skąd bierze się różnica.

Była noc. Blade światło sufitu imitowało teraz nie słońce, lecz księżyc. Skorzystałam z okazji, by przyjrzeć się sklepieniu, ciekawił mnie bowiem sekret jego działania. Hen wysoko nade mną ujrzałam dziesiątki malutkich księżyców, świecących rozrzedzonym blaskiem. Były rozsiane po suficie w nieregularnych odstępach, jedne bliżej, inne dalej. Potrząsnęłam głową. Choć mogłam teraz patrzeć pod światło, nadal niewiele z tego rozumiałam.

– Szybciej! – zawołał ze złością Jared z odległości siedmiu, ośmiu kroków.

Otrząsnęłam się i pospieszyłam za nim. Byłam zła na siebie, że się zagapiłam. Widziałam, jak go rozzłościło to, że musiał się do mnie odezwać.

W pieczarze z rzekami nie mogłam liczyć na latarkę. Tu oświetlenie było słabsze niż ostatnio – doliczyłam się w górze tylko dwudziestu paru miniaturowych księżyców. Udałam się nieśmiałym krokiem do łaźni, podczas gdy Jared stał z zaciśniętą szczęką i wpatrywał się w sufit. Przyszło mi do głowy, że gdybym potknęła się i wpadła do bystrego gorącego źródła, zapewne uznałby to za zrządzenie opatrzności.

Wydaje mi się, że byłoby mu smutno gdybyśmy tam wpadły, rzekła Melanie, kiedy w zupełnych ciemnościach przemierzałam małymi kroczkami pomieszczenie z wanną.

Wątpię. Może przypomniałby sobie ból, który czuł, gdy pierwszy raz cię stracił, ale akurat moje zniknięcie by go ucieszyło.

Bo cię nie zna, szepnęła Melanie i wycofała się, jak gdyby nagle ogarnęło ją zmęczenie.

Stałam jak wryta. Nie miałam pewności, ale wydawało mi się, że Melanie właśnie powiedziała mi komplement.

– Szybciej – dobiegło mnie z daleka warknięcie Jareda.

Spieszyłam się na tyle, na ile pozwalały mi ciemności oraz strach.

Gdy wróciliśmy, Jeb czekał na nas obok niebieskiej lampy. U jego stóp leżały dwa pękate tobołki oraz dwa nierówne prostokąty. Nie widziałam ich tu wcześniej. Być może przyniósł je, kiedy nas nie było.

– Kto tu dzisiaj śpi, ja czy ty? – zapytał Jeb beztroskim tonem.

Jared spojrzał na przedmioty leżące u jego stóp.

– Ja – odparł szorstko. – I wystarczy mi jedno posłanie.

Jeb uniósł gęstą brew.

– Nie jest jednym z nas, Jeb. Dałeś mi wolną rękę, to się teraz odchrzań.

– Nie jest też zwierzęciem, chłopcze. Zresztą nawet psa byś tak nie traktował.

Jared nic nie odpowiedział, tylko zacisnął zęby.

– Nigdy bym nie pomyślał, że okrutny z ciebie człowiek – powiedział cicho Jeb. Ale podniósł jeden tobołek i przekładając rękę przez pasek zarzucił go na ramię, po czym wsadził sobie pod pachę jedną z prostokątnych poduszek.

– Wybacz, skarbie – rzekł i poklepał mnie po ramieniu, gdy przechodził obok.

– Przestań! – warknął Jared.

Jeb wzruszył ramionami i oddalił się spokojnym krokiem. Nim zniknął nam z oczu, czmychnęłam z powrotem do groty. Schowałam się w najciemniejszym zakamarku i zwinęłam w ciasny kłębek, tak by nie było mnie widać.

Tym razem, zamiast przyczaić się w niewidocznym miejscu, Jared rozłożył posłanie dokładnie na wprost wejścia do celi. Klepnął parę razy poduszkę, być może chcąc mi w ten sposób dokuczyć. Rozłożył się na macie i założył ręce na piersi. Właśnie tyle widziałam przez otwór groty – założone ręce i kawałek brzucha.

Jego skórę pokrywała ta sama złocista opalenizna, którą przez ostatnie pół roku widywałam w snach. Czułam się dziwnie, widząc ją teraz na jawie, parę kroków ode mnie. Było w tym coś nierzeczywistego.

– Nie wymkniesz się – ostrzegł. Głos miał teraz spokojniejszy, śpiący. – Jeżeli spróbujesz... – Ziewnął. – Wierz mi, że cię zabiję.

Nic nie odpowiedziałam. Poczułam się jednak trochę urażona. Niby po co miałabym próbować się stąd wykraść? Gdzie bym poszła? Prosto w ręce barbarzyńców, którzy tylko na to czekali? A nawet zakładając, że mogłabym jakoś wydostać się niepostrzeżenie z jaskiń – wróciłabym na pustynię, gdzie ostatnio prawie się upiekłam? Zastanawiałam się, o co mnie podejrzewa. Jaki niecny plan mi przypisuje? Czy naprawdę myśli, że byłabym w stanie zagrozić ich małemu podziemnemu światu? Czy nie widzi, jaka jestem żałośnie bezbronna?

Wiedziałam, że zasnął, ponieważ drgnął kilka razy, tak jak to pamiętała Melanie. Spał niespokojnie, tylko gdy był zdenerwowany. Patrzyłam, jak zaciska i rozluźnia palce we śnie, i zastanawiałam się, czy śni mu się, że mnie dusi.

*

Kolejnych parę dni – być może nawet tydzień, szybko straciłam rachubę – upłynęło bardzo spokojnie. Jared był jak niemy mur odgradzający mnie od reszty świata, od wszystkiego, co złe i dobre. Słyszałam jedynie własny oddech i ruchy; widziałam czarną jaskinię, blady krąg światła, znajomą tacę z niezmiennym posiłkiem, czasem popatrzyłam ukradkiem na twarz Jareda. Czułam tylko dotyk postrzępionej skały oraz smak gorzkiej wody, twardego chleba, rzadkiej zupy, drewnianych korzeni.

Była to dziwna mieszanka doznań, połączenie ciągłego strachu, wiecznej niewygody i straszliwej monotonii. Najgorsza była właśnie śmiertelna nuda. Moje zmysły umierały z głodu. Znajdowałam się w stanie istnej deprywacji sensorycznej.

Obie z Melanie bałyśmy się, że zwariujemy.

Obie słyszymy w myślach obcy głos, zauważyła. *To zawsze źle wróży.*

Zapomnimy, jak się mówi, pomyślałam. *Ile to już czasu, od kiedy ktoś się do nas odezwał?*

Cztery dni temu, podziękowałaś Jebowi za jedzenie, a on odpowiedział, że nie ma za co. To znaczy, wydaje mi się, że to było cztery dni temu. W każdym razie od tamtego czasu cztery razy długo spałyśmy. Jakby westchnęła w mojej głowie. *Przestań obgryzać paznokcie – nie masz pojęcia, ile trudu mnie kosztowało, żeby się od tego odzwyczaić.*

Ale długie, ostre paznokcie mi przeszkadzały. *Chyba na dłuższą metę nie mamy się co przejmować niedobrymi nawykami.*

Jared nie pozwalał już Jebowi przynosić jedzenia. Teraz ktoś zostawiał je w tunelu, a on po nie szedł. Karmiono mnie dwa razy dziennie, za każdym razem tym samym: chlebem, zupą i warzywami. Czasem Jared dostawał na deser coś szczelnie zapakowanego – cheetosy, mentosy, snickersy. Ciekawiło mnie, skąd je biorą.

Oczywiście nie oczekiwałam, że mnie poczęstuje, ale czasem zastanawiałam się, czy myśli, że na to liczę. Słuchanie, jak je słodycze, było jedną z niewielu moich rozrywek – robił to zawsze bardzo ostentacyjnie, być może chcąc mi dokuczyć, tak jak tamtej nocy, gdy chwalił się poduszką.

Pewnego razu otworzył powoli paczkę cheetosów – jak zwykle na pokaz – i po grocie roztoczył się mocny zapach sztucznego sera... apetyczny, kuszący. Potem Jared długo jadł jedną chrupkę, donośnie chrupiąc.

Zaburczało mi głośno w brzuchu i zaśmiałam się sama z siebie. Dawno się nie śmiałam. Próbowałam sobie przypomnieć ostatni raz, ale nie potrafiłam, do głowy przychodził mi tylko dziwaczny atak histerii na pustyni, lecz to się nie liczyło. Nawet zanim się tu znalazłam, nie miałam zbyt wielu powodów do wesołości.

Ale z jakiegoś powodu burczenie brzucha na dźwięk serowej chrupki bardzo mnie rozbawiło. Zaśmiałam się ponownie. To chyba znak, że wariuję, pomyślałam od razu.

Nie wiedzieć czemu, Jared poczuł się tym urażony – wstał i zniknął. Po jakimś czasie znowu usłyszałam, jak je cheetosy, ale tym razem gdzieś dalej. Wyjrzałam przez otwór i zobaczyłam, że siedzi w mroku na końcu korytarza, zwrócony do mnie tyłem. Schowałam głowę z powrotem do groty, obawiając się, że spojrzy przez ramię i mnie zobaczy. Odtąd spędzał tam większość czasu. Dopiero wieczorem wracał, by położyć się przed wejściem do celi.

Dwa razy dziennie – a raczej dwa razy każdej nocy, kiedy wszyscy spali – prowadził mnie do pieczary z rzekami. Pomimo strachu czekałam na ten moment z utęsknieniem, gdyż tylko wtedy mogłam wyjść z ciasnej i niewygodnej groty. Za każdym razem wracałam do niej z jeszcze większą niechęcią.

W ciągu tego tygodnia trzy razy mieliśmy gości, zawsze w nocy.

Za pierwszym razem był to Kyle.

Obudził mnie wtedy Jared, zrywając się głośno na nogi.

– Wynoś się stąd – warknął, trzymając broń w pogotowiu.

– Wpadłem tylko zajrzeć – odparł Kyle. Jego głos dochodził z daleka, ale brzmiał na tyle głośno, że nie można go było pomylić z głosem brata. – Może któregoś dnia cię tu nie będzie. Może któregoś dnia będziesz spał twardo.

Jared nic nie odpowiedział, tylko postraszył go bronią.

Kyle roześmiał się i odszedł.

Za drugim i trzecim razem nie wiedziałam, kto przyszedł. Może znowu Kyle, może Ian, a może ktoś, kogo nie znałam z imienia. W każdym razie jeszcze dwukrotnie zbudził mnie odgłos Jareda zrywającego się na nogi ze strzelbą w ręku. Nie padły jednak żadne słowa. Ktokolwiek tym razem „wpadł zajrzeć", nie miał ochoty na rozmowę. Kiedy już sobie poszedł, Jared od razu kładł się spać. Ja musiałam najpierw ochłonąć.

Za czwartym razem było całkiem inaczej.

Nie zdążyłam jeszcze porządnie zasnąć, gdy nagle Jared obudził się i zerwał błyskawicznie na kolana. Sekundę później stał już ze strzelbą w dłoniach i przekleństwem na ustach.

– Spokojnie – zaszemrał ktoś w oddali. – Przychodzę w pokojowych zamiarach.

– Gadaj zdrów – odwarknął Jared.

– Chcę tylko porozmawiać. – Głos się zbliżył. – Siedzisz tu cały czas, omijają cię ważne dyskusje... Brakuje nam twojego zdania.

– O tak, nie wątpię – odparł Jared sarkastycznym tonem.

– Daj spokój, odłóż broń. Gdybym chciał cię napaść, przyprowadziłbym ze sobą czterech.

Nastała krótka cisza. Po chwili Jared odezwał się z nutą czarnego humoru w głosie.

– Jak się miewa twój brat? – zapytał. Odniosłam wrażenie, że sprawiło mu to przyjemność. Usiadł, oparłszy się o ścianę kilka kroków od groty, nieco już odprężony, ale wciąż ze strzelbą w ręku.

– Ciągle jest wściekły o ten nos – odparł Ian. – No, ale nie pierwszy raz mu go złamano. Powiem mu, że jest ci przykro.

– Nie jest.

– Wiem. Jeszcze nikt nigdy nie żałował, że mu przyłożył.

Zaśmiali się obaj. Uderzyła mnie atmosfera zażyłości – zdawała się zupełnie nie na miejscu, zważywszy na to, że jeden nadal mierzył w drugiego z broni. Z drugiej strony, więzi wykute w tym ponurym miejscu musiały być niezwykle mocne. Silniejsze niż krew.

Ian usiadł na macie obok Jareda. Widziałam teraz zarys jego twarzy, czarny profil na tle niebieskiego światła. Nos miał idealny – prosty, dostojny, taki jaki widywałam na zdjęciach słynnych rzeźb. Czy to znaczyło, że budzi u ludzi inne uczucia niż brat, skoro do tej pory nigdy mu go nie złamano? Czy że po prostu lepiej unika ciosów?

– To po co tu przyszedłeś? Bo chyba nie po przeprosiny dla Kyle'a.

– Jeb nic ci nie powiedział?

– Nie wiem, o czym mówisz.

– Przestali szukać. Nawet Łowcy.

Jared nic nie odpowiedział, ale wyczułam napięcie w powietrzu.

– Przyglądaliśmy im się uważnie. Nie wyglądali na bardzo zaniepokojonych. Przeszukiwali tylko okolicę, w której porzuciliśmy samochód, a przez ostatnie kilka dni widać było, że szukają już tylko trupa. Dwa dni temu uśmiechnęło się do nas szczęście: grupa poszukiwawcza zostawiła na wierzchu trochę niesprzątniętych śmieci i w nocy przyszły kojoty. Jeden z pasożytów właśnie wracał sam do obozu i je wystraszył. Rzuciły się na niego i ciągnęły go po ziemi przez ładne sto metrów, zanim pozostali usłyszeli wołanie i przybiegli mu na ratunek. Mieli oczywiście broń i łatwo przepędzili kojoty, a poszukiwaczowi nic poważnego się nie stało, ale po tym zdarzeniu chyba nie mają już wątpliwości, co się zdarzyło temu tutaj.

Zastanawiało mnie, jakim sposobem udało im się tak dobrze szpiegować szukających mnie Łowców. Poczułam się nieswojo. Nie podobał mi się obrazek, który miałam w głowie: niewidoczni ludzie obserwujący z ukrycia znienawidzone dusze. Na samą myśl dostawałam gęsiej skórki na karku.

– No i w końcu spakowali się i odjechali. Łowcy zaprzestali poszukiwań, a ochotnicy wrócili do domów. Nikt go już nie szuka. – Zwrócił twarz w moją stronę, a ja schyliłam głowę w nadziei, że w grocie jest zbyt ciemno, by mógł mnie zobaczyć; że jestem co najwyżej czarnym kształtem, tak jak jego twarz. – Podejrzewam, że uznali go za zmarłego, o ile w ogóle jeszcze się zajmują takimi formalnościami. Jeb teraz chodzi i powtarza wszystkim „a nie mówiłem?".

Jared wymamrotał coś niezrozumiałego, usłyszałam tylko imię Jeba. Potem odetchnął głośno i powiedział:

– No dobra. To chyba zamyka sprawę.

– Na to wygląda. – Ian zawahał się przez chwilę, po czym dodał: – Chociaż... to znaczy, nie zrozum źle, to pewnie nic takiego.

Jared znowu spochmurniał. Nie podobało mu się, że Ian bawi się w cenzora.

– Dawaj.

– Nikt się tym zbytnio nie przejmuje oprócz Kyle'a, a sam wiesz, jaki on jest.

Jared mruknął twierdząco.

– Ty masz chyba w takich sprawach najlepsze wyczucie, więc chciałem cię zapytać o zdanie. Po to tu jestem, ryzykując życie, bo w końcu to strefa zakazana – powiedział Ian z udawaną powagą, po czym odezwał się już całkiem serio: – Widzisz, jest jeszcze jeden... Ma ciało kobiety. To Łowca, bez dwóch zdań. Nosi przy sobie glocka.

Zrozumienie tego słowa zajęło mi chwilę. Melanie je kojarzyła, ale słabo. Kiedy już pojęłam, że chodzi o rodzaj pistoletu, zrobiło mi się niedobrze – powiedział to takim tęsknym, zazdrosnym głosem!

– Kyle pierwszy zauważył, że ten jeden jest jakiś inny. Pozostali Łowcy nie zwracali na niego większej uwagi – na pewno nie brał udziału w podejmowaniu decyzji. To znaczy, miał ciągle coś do powiedzenia, ale raczej nikt go nie słuchał. Szkoda, że nie wiemy, co mówił...

Znowu przeszły mnie ciarki.

– Tak czy siak – ciągnął Ian – kiedy odwołali poszukiwania, ten jeden był wyraźnie niezadowolony. Sam wiesz, jakie są pasożyty – zawsze takie... p o c z c i w e. A ten był inny – to wyglądało jak kłótnia, nigdy czegoś takiego u nich nie widziałem. Może nie do końca kłótnia, bo cała reszta miała to gdzieś, ale ten jeden naprawdę wyglądał, jakby się o coś wykłócał, wierz mi. No, ale reszta go zignorowała i pojechali sobie.

– A co z tamtym?

– Wsiadł do auta i przejechał pół drogi do Phoenix. Potem zawrócił i pojechał z powrotem do Tucson. A potem znów na zachód.

– Czyli ciągle węszy.

– Albo nie wie, co robić. Zatrzymał się przy sklepie obok wzgórza i rozmawiał z pasożytem, który tam pracuje, mimo że już wcześniej go przesłuchiwano.

– Uhm – chrząknął Jared. Był zaintrygowany, ciekawiło go rozwiązanie tej zagadki.

– A potem wdrapał się na górę. Dziwny robal. Musiał się ugotować w tych ciuchach, był ubrany na czarno od stóp do głów.

Wzdrygnęłam się gwałtownie, aż oderwałam się od podłogi i uderzyłam ciałem o tylną ścianę groty. Instynktownie wyrzuciłam ręce przed siebie, osłaniając twarz. Usłyszałam syknięcie – odbijało się echem od ścian celi – i uświadomiłam sobie, że to ja je z siebie wydałam.

– A t o c o? – zapytał Ian przerażonym głosem.

Zerknęłam przez palce i ujrzałam ich twarze zaglądające do środka. Ian był zupełnie czarny, ale słabe światło rozjaśniało część skamieniałego oblicza Jareda.

Chciałam leżeć nieruchomo, by mnie nie widzieli, ale targały mną silne, nieopanowane dreszcze.

Jared odszedł na chwilę. Wrócił z lampą w dłoni.

– Popatrz na jego oczy – wymamrotał Ian. – Jest wystraszony.

Widziałam teraz ich obu, ale spoglądałam tylko na Jareda. Przypatrywał mi się badawczym wzrokiem i zapewne rozmyślał o tym, co powiedział Ian, próbując dociec, co spowodowało u mnie tak gwałtowną reakcję.

Nie przestawałam się trząść.

Ona się nigdy nie podda, jęknęła Melanie.

Wiem, wiem, odjęknęłam.

Kiedy nasz wstręt przemienił się w strach? Skręcało mnie w żołądku. Dlaczego Łowczyni nie mogła pogodzić się z moją śmiercią tak jak pozostali? Czy szukałaby mnie nawet, gdybym naprawdę była martwa?

– Kim jest Łowca w czerni? – warknął nagle Jared w moją stronę.

Zadrżały mi usta, ale nic mu nie odpowiedziałam. Najbezpieczniej milczeć.

– Wiem, że umiesz mówić – podniósł głos. – Rozmawiałaś z Jebem i Jamiem. A teraz porozmawiasz ze mną.

Wskoczył do groty, zdziwił się jednak i zezłościł, gdy się okazało, jak bardzo musi się zgiąć, żeby się zmieścić. Klęknął pod niskim sufitem, wyraźnie niezadowolony. Wolałby nade mną stać.

Nie miałam dokąd uciec. Już wcześniej wcisnęłam się w najdalszy kąt. We dwójkę ledwie się mieściliśmy w grocie. Czułam na skórze jego oddech.

– Mów, co wiesz – rozkazał.

Rozdział 19

Rozstanie

– Kim jest Łowca w czerni? Dlaczego ciągle cię szuka? – Krzyk Jareda był ogłuszający, odbijał się od ciasnych ścian groty, atakując mnie ze wszystkich stron.

Schowałam twarz w dłoniach, spodziewając się lada moment pierwszego ciosu.

– Hm... Jared? – powiedział pod nosem Ian. – Może pozwól mi...

– Nie wtrącaj się!

Głos Iana się zbliżał, słyszałam też zgrzyt kamyków pod jego butem – próbował wejść za Jaredem do i tak już przepełnionej groty.

– Nie widzisz, że się boi? Zostaw go na chwi...

Coś zaszurało o podłogę, a chwilę później rozległ się głuchy odgłos uderzenia. Ian przeklął. Spojrzałam przez palce i zobaczyłam, że gdzieś zniknął, a Jared stoi odwrócony do mnie plecami.

Ian splunął i zajęczał.

– To już drugi raz – warknął, a ja zrozumiałam, że cios przeznaczony dla mnie spadł na niego.

– Nie ręczę, że ostatni – rzucił pod nosem Jared, zwracając się z powrotem ku mnie. W dłoni, którą przed chwilą uderzył Iana, trzymał teraz lampę. W dotychczas ciemnej grocie zrobiło się nagle olśniewająco jasno.

Jared przemówił ponownie, przyglądając mi się w nowym świetle. Każde słowo wymawiał tak, jakby było osobnym zdaniem:

– Kim. Jest. Ten. Łowca.

Opuściłam dłonie i spojrzałam mu w oczy. Nie było w nich ani cienia litości. Bolało mnie, że kto inny poniósł karę za moje milczenie – nawet jeśli ten ktoś próbował mnie niedawno zabić. Nie tak miały wyglądać tortury.

Jared spostrzegł, że zmienił mi się wyraz twarzy, i zawahał się.

– Nie muszę ci robić krzywdy – powiedział cichym, niepewnym głosem. – Ale muszę poznać odpowiedź na moje pytanie.

Nie było to nawet to p y t a n i e – to, którego tak bardzo się obawiałam. Nie pytał o nic, czego nie wolno mi było ujawnić.

– Odpowiedz – nalegał, patrząc na mnie sfrustrowanym, nieszczęśliwym wzrokiem.

Czy byłam tchórzem? Chciałabym uwierzyć, że tak – że to strach przed bólem wziął nade mną górę. W istocie jednak powód, dla którego zaczęłam mówić, był o wiele bardziej żałosny.

Pragnęłam mianowicie sprawić mu – człowiekowi, który zajadle mnie nienawidził – r a d o ś ć.

– Łowca – zaczęłam, wydając z siebie chrapliwe dźwięki; dawno się do nikogo nie odzywałam.

– To już wiemy – przerwał mi zniecierpliwiony.

– To nie żaden przypadkowy Łowca – szepnęłam. – To mój Łowca.

– Jak to „twój"?

– Przypisany do mnie. Chodziła za mną i jeździła. To przez nią... – Urwałam w ostatniej chwili, zanim zdążyłam wypowiedzieć słowo, które ściągnęłoby na nas śmierć. Zanim zdążyłam powiedzieć „uciekłyśmy". Wziąłby czystą prawdę za czyste kłamstwo, pomyślałby, że próbuję grać na jego uczuciach, na jego bólu. Nie dopuściłby do siebie, że najgłębsze z jego pragnień mogłoby się spełnić. Ujrzałby we mnie jedynie groźnego kłamcę przebranego za kogoś, kogo kochał.

– To przez nią co? – ponaglił.

– To przez nią uciekłam – wyszeptałam. – To przez nią tu jestem.

Nie było to do końca prawdą, ale też nie było do końca kłamstwem.

Jared wpatrywał się we mnie z na wpół rozwartymi ustami, przetrawiając to, co usłyszał. Kątem oka spostrzegłam Iana, który zaglądał do groty szeroko otwartymi błękitnymi oczami. Na posiniałych ustach miał krew.

– Uciekłaś przed Łowcą? Przecież jesteś jednym z nich! – Jared przerwał na chwilę przesłuchanie, nie mogąc się otrząsnąć. – Dlaczego za tobą jeździł? Czego chciał?

Przełknęłam ślinę, głośniej, niż się spodziewałam.

– Chciała złapać ciebie. Ciebie i Jamiego.

Twarz mu stwardniała.

– I próbowałaś ją tu przyprowadzić?

Potrząsnęłam głową.

– Nie... Ja... – Jak miałam mu to wytłumaczyć? Nie przyjąłby prawdy do wiadomości.

– No co?

– Ja... nie chciałam jej nic powiedzieć. Nie lubię jej.

Zamrugał, znowu nic nie rozumiejąc.

– Myślałem, że u was wszyscy się lubią?

– Tak być powinno – przyznałam, rumieniąc się ze wstydu.

– Komu powiedziałaś o tym miejscu? – zapytał mu przez ramię Ian. Jared wykrzywił twarz, ale nie spuszczał ze mnie wzroku.

– Nie mogłam, nie wiedziałam o nim... Widziałam tylko linie. Linie z albumu. Narysowałam je Łowczyni... ale nie wiedziałyśmy, co oznaczają. Ona myśli, że to coś w rodzaju mapy drogowej. – Mówiłam jak nakręcona. Gdy to sobie uświadomiłam, starałam się zwolnić, by nie powiedzieć czegoś nie w porę.

– Jak to nie wiedziałaś, co oznaczają? Przecież nas znalazłaś. – Ręka Jareda wyprężyła się w moją stronę, ale opuścił ją, zanim mnie dosięgła.

– Bo... Miałam kłopoty z pamięcią... z jej pamięcią... Nie mogłam zrozumieć... nie mogłam sobie wszystkiego przypomnieć. Natykałam się na przeszkody. Dlatego przydzielono mi Łowczynię, miała czekać, aż wszystkiego się dowiem. – Za dużo, za dużo. Ugryzłam się w język.

Ian i Jared wymienili spojrzenia. Nigdy wcześniej nie słyszeli czegoś podobnego. Nie mieli do mnie zaufania, ale bardzo pragnęli uwierzyć, że to wszystko możliwe. Tak bardzo, że obudził się w nich strach.

Jared zaskoczył mnie ostrym tonem.

– Przypomniałaś sobie moją *kryjówkę*?

– Tylko na chwilę.

– I pewnie od razu powiedziałaś o tym Łowczyni.

– Nie.

– Nie? Dlaczego?

– Bo... wtedy już *nie chciałam* jej nic powiedzieć.

Oczy Iana zastygły w zdumieniu.

Jared znów zmienił ton. Odezwał się cicho, wręcz łagodnie. Przerażał mnie teraz bardziej, niż gdy krzyczał.

– Dlaczego nie chciałaś jej nic powiedzieć?

Zacisnęłam zęby. Ciągle nie pytał o najważniejszą z tajemnic, pytał jednak o coś, czego nie miałam zamiaru tanio sprzedać. Moje milczenie było w tej chwili spowodowane nie tyle instynktem samozachowawczym, ile głupią, urażoną dumą. Miałabym powiedzieć mężczyźnie, który mnie nienawidzi, że go kocham? Wykluczone.

Zauważył moje zbuntowane spojrzenie i chyba zrozumiał, do czego musiałby się posunąć, żeby wydobyć ze mnie odpowiedź na to pytanie. Postanowił to sobie darować – a może wrócić do tego później, zostawić to na koniec, a teraz wyciągnąć ze mnie inne rzeczy, dopóki byłam w stanie mówić.

– Dlaczego nie mogłaś sobie przypomnieć niektórych rzeczy? To... normalne?

Kolejne bardzo niebezpieczne pytanie. Po raz pierwszy musiałam się ratować otwartym kłamstwem.

– Spadła z dużej wysokości. Ciało się uszkodziło.

Miałam trudności z kłamaniem i dało się to wyczuć w moim głosie. Zarówno Jared, jak i Ian od razu zwietrzyli fałszywą nutę. Jared nadstawił ucha, Ian uniósł czarną brew.

– Dlaczego ta... Łowczyni nie zrezygnowała jak pozostali? – zapytał Ian.

Ogarnęło mnie nagle przemożne zmęczenie. Byłam pewna, że są w stanie przesłuchiwać mnie całą noc i że tak właśnie będzie, jeżeli nie przestanę odpowiadać. Wiedziałam też, że prędzej czy później popełnię jakiś błąd. Osunęłam się i zamknęłam oczy.

– Nie wiem – wyszeptałam. – Ona nie jest jak inne dusze. Jest... nie do zniesienia.

Ian parsknął krótkim śmiechem, jakby moja odpowiedź go zaskoczyła.

– A ty? Jesteś jak inne... dusze? – zapytał Jared.

Otworzyłam oczy i przez dłuższą chwilę wpatrywałam się w niego zmęczonym wzrokiem. *Co za durne pytanie,* pomyślałam. Następnie ponownie zamknęłam oczy, schowałam twarz w kolanach i zakryłam głowę rękoma.

Albo Jared zrozumiał, że mam dosyć, albo nie mógł dłużej znieść niewygody. Chrząknął parę razy i wygramolił się z groty, zabierając ze sobą lampę. Potem przeciągnął się i wydał z siebie ciche stęknięcie.

– Kto by się spodziewał – zwrócił się do niego szeptem Ian.

– Kłamie, to jasne – odparł Jared równie cicho. Z trudem, ale jednak rozumiałam, co mówią. Zapewne nie zdawali sobie do końca sprawy z siły pogłosu. – Nie wiem tylko, do czego próbuje nas przekonać. Co próbuje nam wmówić.

– Moim zdaniem nie kłamie. Z jednym wyjątkiem. Zwróciłeś uwagę?

– To była gra.

– Ale pomyśl, spotkałeś kiedyś pasożyta, który by tak kłamał? Oczywiście nie licząc Łowców.

– Widocznie jest Łowcą.

– Mówisz poważnie?

– To najbardziej prawdopodobne wytłumaczenie.

– Ona – on – w niczym nie przypomina Łowcy. Gdyby jakiś Łowca miał pojęcie, gdzie nas szukać, przyprowadziłby ze sobą całą zgraję.

– I nic by nie znaleźli. A jej – temu tutaj – udało się tu dostać.

– Mógł już dziesięć razy zginąć, a...

– A jednak wciąż żyje, prawda?

Obaj zamilkli na dłużej. Na tak długo, że zaczęłam myśleć o zmianie pozycji na leżącą, ale bałam się, że mnie usłyszą. Marzyłam, aby Ian już sobie poszedł, bym mogła się położyć spać. Adrenalina całkiem opadła, pozostało jedynie zmęczenie.

– Chyba pójdę pogadać z Jebem – szepnął w końcu Ian.

– No tak, gratuluje wspaniałego p o m y s ł u. – Głos Jareda był pełen sarkazmu.

– Pamiętasz pierwszą noc? Jak wskoczyła między ciebie a Kyle'a? To było dziwne.

– Po prostu szukał szansy na przeżycie, na ucieczkę...

– Podkładając się Kyle'owi, tak? Świetny plan.

– Podziałało.

– Podziałał dopiero Jeb i jego strzelba. Przecież nie wiedziała, że Jeb przyjdzie – tak czy nie?

– Za bardzo to komplikujesz, Ian. Pasożyt właśnie tego chce.

– Nie zgadzam się z tobą. Nie wiem czemu... ale mam wrażenie, że ona w ogóle nie chce, żebyśmy o niej myśleli. – Usłyszałam, jak Ian wstaje. – Wiesz, co jest najdziwniejsze? – wymamrotał cicho, ale już nie szeptem.

– No co?

– Miałem wyrzuty sumienia – jak diabli – kiedy zobaczyłem, jak się nas boi. I kiedy zobaczyłem te sińce na jej szyi.

– Nie możesz tak reagować – odparł Jared, nagle zaniepokojony. – To nie jest człowiek. Nie zapominaj.

– To jeszcze nie znaczy, że nie czuje bólu, nie uważasz? – Głos Iana powoli się oddalał. – Że nie czuje się po prostu jak pobita dziewczyna. I to my ją pobiliśmy.

– Weź się w garść – rzucił za nim Jared.

– Na razie.

Kiedy Ian zniknął, Jared długo nie mógł się odprężyć. Przez chwilę dreptał w tę i we w tę, wreszcie usiadł na macie, zasłaniając mi światło, i zaczął mamrotać coś do siebie. Straciłam nadzieję, że pójdzie wkrótce spać, i rozciągnęłam się na tyle, na ile mogłam, na krzywej podłodze. Drgnął, słysząc, że się poruszyłam, po czym znowu zaczął mówić do siebie pod nosem.

– W y r z u t y s u m i e n i a! – utyskiwał cicho. – Daje sobie mydlić oczy. Jak Jeb i Jamie. Trzeba coś zrobić. Po co ja go broniłem. Niech mnie.

Dostałam na ramionach gęsiej skórki, ale starałam się o tym nie myśleć. Gdybym wpadała w panikę za każdym razem, gdy się zastanawiał, czy mnie zabić, nie miałabym ani chwili spokoju. Obróciłam się na brzuch, żeby wygiąć kręgosłup w przeciwną stronę, i usłyszałam, jak znowu się poderwał, by po chwili położyć się w ciszy. Zasypiając, byłam pewna, że nadal rozmyśla.

*

Kiedy się obudziłam, ujrzałam go siedzącego na macie z łokciami na kolanach i głową wspartą na pięści.

Spałam pewnie nie dłużej niż godzinę lub dwie, ale byłam zbyt obolała, by od razu położyć się z powrotem. Zaczęłam więc rozmyślać o wizycie Iana i martwić się, że teraz Jared będzie się starał jeszcze bardziej mnie izolować. Czy Ian musiał się wygadać, że ma wyrzuty sumienia? Skoro w ogóle ma sumienie, to dlaczego o tym nie pomyślał, kiedy próbował mnie udusić? Melanie również była poirytowana jego zachowaniem i obawiała się skutków.

I pewnie zamartwiałybyśmy się dalej, ale nagle zjawił się Jeb.

– To tylko ja! – zawołał. – Nic się nie bój.

Jared chwycił za strzelbę.

– No śmiało, synu, strzelaj. Na co czekasz? – Z każdym słowem głos Jeba rozbrzmiewał coraz bliżej.

Jared westchnął i odłożył broń.

– Proszę, idź sobie.

– Muszę z tobą porozmawiać – rzekł Jeb, siadając zdyszany naprzeciw niego. – Serwus, maleńka – rzucił w moją stronę, skinąwszy głową.

– Wiesz, że tego nie znoszę – wymamrotał Jared.

– Mhm.

– Ian powiedział mi o Łowcach...

– Wiem, przed chwilą z nim o tym rozmawiałem.

– Świetnie. W takim razie czego chcesz?

– Wiesz, tu nie idzie o to, czego ja chcę, tylko o to, czego wszyscy potrzebujemy. Kończą nam się zapasy. Musimy się porządnie zaopatrzyć.

– Aha – powiedział pod nosem Jared. Nie tego tematu się spodziewał. – Wyślij Kyle'a – dodał po chwili.

– No dobra – odrzekł Jeb, powoli zaczynając wstawać.

Jared westchnął. Chyba nie mówił serio. Widząc, że Jeb wcale nie protestuje, natychmiast się z tego wycofał. – Nie, Kyle nie. Jest zbyt...

Jeb zachichotał.

– Ostatnim razem, gdy pojechał sam, o mały włos nie napytał nam biedy, co? Temu chłopakowi brakuje pomyślunku. No to Ian?

– Ian myśli z a d u ż o.

– Brandt?

– Nie nadaje się na dłuższe wyprawy. Po paru tygodniach puszczają mu nerwy i zaczyna popełniać błędy.

– No to ty mi powiedz kto.

Mijały sekundy. Jared co jakiś czas nabierał gwałtowniej powietrza, jak gdyby już miał coś powiedzieć, po czym wydychał je w milczeniu.

– Ian i Kyle razem? – zasugerował Jeb. – Może w parze spiszą się lepiej?

Jared jęknął.

– Tak jak ostatnio? No dobra, wiem, że to muszę być ja.

– Jesteś najlepszy – przyznał Jeb. – Spadłeś nam z nieba, bo kiedy się tu zjawiłeś.

Melanie i ja pokiwałyśmy sobie nawzajem ze zrozumieniem, ani trochę nas te słowa nie dziwiły.

Jared jest niesamowity. Przy nim zawsze czuliśmy się z Jamiem bezpieczni. Nigdy nie mieliśmy żadnych nerwowych sytuacji. Gdyby to Jared pojechał do Chicago, na pewno nic by mu się nie stało.

Jared skinął ramieniem w moją stronę.

– A co z?...

– Postaram się mieć na nią oko. A ty weź ze sobą Kyle'a. To powinno pomóc.

– To nie wystarczy – to że Kyle pojedzie ze mną, a ty postarasz się mieć na nią oko. Długo nie pożyje.

Jeb wzruszył ramionami.

– Zrobię, co będę mógł. Więcej ci nie mogę obiecać.

Jared zaczął powoli kiwać głową w przód i w tył.

– Ile czasu może ci to zająć?

– Nie wiem – odszepnął Jared.

Nastało długie milczenie. Po paru minutach Jeb zaczął gwizdać fałszywą melodię.

W końcu Jared odetchnął głośno. Musiał od dłuższego czasu wstrzymywać powietrze, choć nie zwróciłam na to uwagi.

– Jadę wieczorem – wypowiedział te słowa wolno, tonem zrezygnowania, ale też ulgi. Głos nieco mu złagodniał. Można było odnieść wrażenie, że przemienia się z powrotem w człowieka, którym był, zanim się zjawiłam. Zdjęto mu z barków jedną odpowiedzialność i nałożono drugą, o wiele mniej przykrą.

Postanowił nie chronić mnie dłużej przed innymi i pozwolić, by natura – a raczej sprawiedliwość plemienna – robiła swoje. Gdy wróci i zastanie mnie martwą, nie będzie nikogo winić. Nie będzie mnie opłakiwać. Wszystko to zawarł w dwóch słowach: „Jadę wieczorem".

Wiedziałam, że ludzie, gdy mają na myśli wielki smutek, mówią o „złamanym sercu". Wiedziałam też ze wspomnień Melanie, że jej samej zdarzyło się kiedyś użyć tego określenia. Zawsze jednak myślałam, że to zwykła przenośnia, utarte powiedzenie niemające żadnego pokrycia w ludzkiej fizjologii, coś jak „błękitna krew". Dlatego ból w piersi zupełnie mnie zaskoczył. Mdłości – owszem, gula w gardle – jak najbardziej, i tak, oczywiście, łzy i pieczenie w oczach. Ale to rozdzierające uczucie w piersi? Nie mogłam tego pojąć.

Zresztą czułam nie tylko, że coś rozdziera mi serce, lecz również że szarpie je i rozciąga w różne strony. Działo się tak, ponieważ Melanie także pękło serce i było to osobne doznanie, tak jakby wyrosło nam drugie serce, oddające bliźniaczość naszych umysłów. Podwójna świadomość, podwójne serce. Podwójny ból.

Odchodzi, zanosiła się płaczem Melanie. *Już nigdy go nie zobaczymy.* Nie miała wątpliwości, że wkrótce zginiemy.

Chętnie zapłakałabym wraz z nią, ale jedna z nas musiała zachować zimną krew. Zacisnęłam zęby na dłoni, powstrzymując jęk.

– Tak będzie chyba najlepiej – powiedział Jeb.

– Muszę zadbać o parę spraw... – Jared był już myślami daleko stąd.

– Posiedzę tu za ciebie. Uważajcie na siebie.

– Dzięki, Jeb. To co, do zobaczenia kiedyś tam.

– Ano.

Jared oddał Jebowi broń, wstał, machinalnie otrzepał się z kurzu i ruszył znajomym, spiesznym krokiem w głąb tunelu, rozmyślając już o innych rzeczach. Nawet nie spojrzał na mnie ostatni raz, ani na chwilę nie przejął się moim losem.

Wsłuchiwałam się w cichnące kroki. Gdy już całkiem zamilkły, schowałam twarz w dłoniach i nie zważając na obecność Jeba, wybuchnęłam szlochem.

Rozdział 20

Wolność

Jeb siedział spokojnie, pozwalając mi się wypłakać. Nie odzywał się też, kiedy już przestałam i tylko co jakiś czas pociągałam nosem. Dopiero gdy całkiem się uspokoiłam i przez dobre pół godziny nie wydałam z siebie żadnego dźwięku, przemówił:

– Nie śpisz jeszcze?

Nie odpowiedziałam. Za bardzo przyzwyczaiłam się do milczenia.

– Może wyjdź stamtąd, tu ci będzie wygodniej – zasugerował. – Na sam widok tej dziury bolą mnie plecy.

Co dziwne, biorąc pod uwagę, że ostatni tydzień upłynął mi w nieznośnej ciszy, w ogóle nie byłam w nastroju do rozmów. Padła jednak propozycja, której nie potrafiłam odrzucić. Nie zdążyłam nawet pomyśleć, a już moje dłonie chwytały się krawędzi wyjścia.

Jeb siedział na macie z założonymi nogami. Rozciągałam na stojąco kończyny i kręciłam barkami, czekając, aż coś powie, lecz miał zamknięte oczy. Wyglądał, jakby spał, tak jak wtedy, gdy rozmawiałam z Jamiem.

Ile czasu minęło, od kiedy widziałam się z Jamiem? Jak się teraz czuł? Poczułam lekkie szarpnięcie w i tak już obolałym sercu.

– I co, lepiej? – zapytał Jeb, otwierając oczy.

Wzruszyłam tylko ramionami.

– Wszystko będzie dobrze. – Na twarz zawitał mu szeroki uśmiech. – To, co powiedziałem Jaredowi... No wiesz, nie twierdzę, że to było kłamstwo, ściśle rzecz biorąc, bo jeśli na to spojrzeć z pewnej perspektywy, była to szczera prawda, ale jeśli spojrzeć z nieco innej, to powiedziałem mu raczej to, co potrzebował usłyszeć.

Stałam wgapiona w niego. Nie rozumiałam ani słowa.

– Tak czy siak, Jared musi odpocząć. Nie od ciebie, dziecko – dodał spiesznie – tylko od całej tej sytuacji. Będzie mógł teraz poukładać to sobie w głowie.

Zadziwiał mnie tym, że zawsze wiedział, jakie słowa mogą mi sprawić ból. A przede wszystkim, dlaczego w ogóle miałoby go obchodzić, że słowa mnie ranią, albo nawet, że łupie mnie w krzyżu? Serdeczność, jaką mi okazywał, była na swój sposób straszna, bo niezrozumiała. Zachowanie Jareda przynajmniej miało sens. Brutalność Kyle'a i Iana, zapał Doktora – to wszystko też dawało się logicznie wytłumaczyć. Ale serdeczność? Czego Jeb ode mnie chciał?

– Nie rób takiej smutnej miny – poprosił. – Jest też jasna strona medalu. Jared był strasznie uparty. Ale teraz, gdy go nie ma, będzie ci tu o wiele lepiej, zobaczysz.

Zmarszczyłam brwi, próbując zrozumieć, co ma na myśli.

– Na przykład – ciągnął – to miejsce służy nam zwykle za przechowalnię. Kiedy Jared i reszta wrócą, będziemy musieli gdzieś upchnąć wszystko, co przywiozą. To chyba dobry powód, żeby znaleźć ci jakieś inne lokum. Może coś ciut większego, jak myślisz? Na przykład z łóżkiem? – Uśmiechał się znowu. Czułam się, jakby machał mi przed nosem marchewką.

Czekałam, aż mi ją zabierze i powie, że tylko żartował.

Tymczasem jego oczy – koloru wypranych niebieskich dżinsów – jeszcze bardziej łagodniały. Było w nich coś, co sprawiło, że znowu ścisnęło mnie w gardle.

– Nie musisz wracać do tej dziury, skarbie. Najgorsze już za tobą.

Jego twarz przybrała teraz tak szczery wyraz, że nie mogłam mu nie uwierzyć. Po raz drugi w ciągu godziny schowałam twarz w dłoniach i rozpłakałam się.

Jeb wstał i poklepał mnie nieśmiało po ramieniu. Chyba nie do końca wiedział, jak się zachować, widząc łzy.

– No już dobrze, już – zamamrotał.

Tym razem opanowałam się dużo szybciej. Kiedy zobaczył, że wycieram łzy i uśmiecham się do niego, kiwnął głową z aprobatą.

– Dobra dziewczynka – powiedział, znów mnie poklepując. – Musimy tu jeszcze trochę posiedzieć, aż będziemy mieli pewność, że Jared pojechał i nas nie przyłapie. – Posłał mi konspiratorski uśmiech. – A potem będzie fajno! Zobaczysz.

Nie wiedziałam, czy mam się cieszyć. Najwięcej uciechy sprawiały mu do tej pory konfrontacje ze strzelbą w roli głównej.

Zachichotał na widok mojej miny.

– Nic się nie martw. Na razie możesz trochę odpocząć. Te materace są cienkie, ale coś mi mówi, że nawet takim nie pogardzisz, co?

Przeniosłam wzrok z jego twarzy na leżącą na podłodze matę i z powrotem na niego.

– Nie krępuj się – rzekł. – Widać po tobie, że potrzeba ci odrobiny snu. Będę stał na straży.

Znów stanęły mi w oczach łzy wzruszenia. Usiadłam na posłaniu i złożyłam głowę na poduszce. Wbrew temu, co sugerował Jeb, uczucie było niebiańskie. Rozprostowałam się od stóp do głów, wyciągając wszystkie palce. Słyszałam, jak strzelają mi stawy. W końcu przykurczyłam się z powrotem. Miałam wrażenie, że materac mnie przytula, że uzdrawia wszystkie bolące miejsca. Odetchnęłam.

– Serce mi rośnie – odezwał się pod nosem Jeb. – Wiedzieć, że ktoś cierpi pod twoim dachem, to jak czuć swędzenie i nie móc się podrapać.

Ułożył się wygodnie na podłodze parę metrów dalej i zaczął cichutko coś nucić. Usnęłam, zanim skończył pierwszy takt.

Kiedy się obudziłam, wiedziałam, że spałam długo – dłużej niż kiedykolwiek, odkąd się tu znalazłam. Nic mnie nie bolało, nikt mnie nie niepokoił. Byłoby mi jeszcze lepiej, gdyby poduszka nie przypomniała mi od razu o Jaredzie. Czułam na niej jego zapach.

No to znowu zostały nam tylko sny, westchnęła rzewnie Melanie.

Kiedy się obudziłam, nie pamiętałam żadnego snu, ale na pewno śnił mi się Jared, tak jak zawsze, gdy mogłam zasnąć wystarczająco głęboko.

– Dobry, maleńka – przywitał mnie Jeb rześkim głosem.

Podniosłam powieki, by mu się przyjrzeć. Czy to możliwe, że siedział pod ścianą całą noc? Nie wyglądał na zmęczonego, lecz mimo to miałam wyrzuty sumienia, że zajęłam wygodniejsze miejsce do spania.

– Chłopcy już dawno pojechali – oznajmił radośnie. – To co, może cię trochę oprowadzę? – Bezwiednym ruchem pogłaskał wiszącą u pasa strzelbę.

Otworzyłam szeroko oczy, wpatrując się w niego z niedowierzaniem.

– Oj, nie bądź mięczakiem. Nikt cię nie będzie zaczepiał. I tak będziesz musiała się w końcu usamodzielnić.

Wyciągnął dłoń, by pomóc mi wstać.

Sięgnęłam po nią odruchowo, usilnie próbując zrozumieć sens jego słów. Będę musiała się usamodzielnić? Dlaczego? I co miał na myśli, mówiąc „w końcu"? Przecież długo chyba nie pożyję?

Poderwał mnie na nogi i poprowadził naprzód.

Zapomniałam już, jak to jest chodzić ciemnymi tunelami za rękę z przewodnikiem. Było to nieporównanie łatwiejsze, prawie wcale nie musiałam się skupiać.

– Zastanówmy się – wymamrotał Jeb. – Może najpierw prawe skrzydło. Znajdziemy ci porządny pokój. Potem kuchnia... – Planował na głos całą wycieczkę, nie przestając, nawet gdy przedostaliśmy się przez wąską szczelinę do jasnego korytarza prowadzącego do jeszcze jaśniejszej dużej jaskini. Kiedy dotarły do nas głosy ludzi, zrobiło mi się sucho w ustach.

Jeb jednak gadał dalej, nic sobie nie robiąc z mojego strachu – albo po prostu go nie dostrzegając.

– Założę się, że marchewki już wyrastają – rzucił, gdy wchodziliśmy na plac. Światło mnie oślepiło i nie widziałam, kto tu jest, ale czułam na sobie spojrzenia. Jak zwykle zapanowała złowroga cisza.

– No ba – odpowiedział Jeb samemu sobie. – Zawsze mi się to podoba. Na taką wiosenną zieleń to aż miło popatrzeć.

Przystanął i wyciągnął przed siebie otwartą dłoń, jakby chciał powiedzieć: „Patrz i podziwiaj". Zmrużyłam oczy i spojrzałam we wskazanym kierunku, ale wzrok błądził mi po jaskini, powoli przyzwyczajając się do światła. Minęło parę chwil, zanim ujrzałam to, o czym mówił. Naliczyłam też około piętnastu osób. Wszystkie patrzyły na mnie krzywym wzrokiem, lecz miały także inne zajęcia.

Szeroki, ciemny kwadrat zajmujący środek jaskini tym razem nie był ciemny. Połowa jaśniała świeżą zielenią, tak jak to przewidział Jeb. Widok rzeczywiście mógł się podobać. I zdumiewać.

Nic dziwnego, że nikt tam nie stał. Był to ogród.

– Marchewki? – wyszeptałam.

– To ta połowa, która się zieleni – odparł zwyczajnym głosem. – Po drugiej stronie jest szpinak. Potrzebuje jeszcze paru dni.

Ludzie zabrali się z powrotem do pracy, czasem tylko zerkali w moją stronę, ale skupiali się na swoich zajęciach. Teraz, gdy już wiedziałam, że to ogród, ich obecność miała sens, podobnie jak wielka beczka oraz węże ogrodowe.

– Nawadnianie? – szepnęłam znowu.

– Bingo. W tym upale wszystko migiem wysycha.

Przytaknęłam. Podejrzewałam, że jest dość wcześnie, a mimo to się pociłam. Ciepłe promienie słońca sprawiały, że w jaskiniach robiło się duszno. Spróbowałam znowu przyjrzeć się sufitowi, ale był zbyt jasny.

Pociągnęłam Jeba za rękaw i spojrzałam w górę, mrużąc oczy.

– Jak?...

Uśmiechnął się radośnie.

– Tak jak to robią magicy, moja droga. Lusterkami. Są ich tam setki. Zajęło mi to trochę czasu, nie powiem. Dobrze, że mam dużo rąk do pomocy, gdy trzeba je czyścić. Widzisz, tam na górze są tylko cztery otwory, a ja potrzebowałem więcej światła. I co o tym sądzisz? – Wypiął dumnie pierś.

– Cudowne – wyszeptałam. – Niesamowite.

Jeb uśmiechnął się i przytaknął, ucieszony moją reakcją.

– No, ale chodźmy dalej – rzekł. – Mamy jeszcze dzisiaj wiele do zrobienia.

Poprowadził mnie do nowego, szerokiego tunelu o naturalnych kształtach. Znalazłam się nagle na nieznanym terenie. Poczułam, jak napinają mi się mięśnie. Szłam na sztywnych nogach, prawie nie zginając kolan.

Jeb poklepał mnie po dłoni, poza tym jednak nie zwracał uwagi na moje zdenerwowanie.

– Tutaj mamy głównie sypialnie i trochę zapasów. Te tunele są bliżej powierzchni, więc łatwiej o trochę światła.

Wskazał jasne, wąskie pęknięcie w suficie, rzucające na podłogę plamę światła wielkości dłoni.

Dotarliśmy do szerokiego rozwidlenia o bardzo wielu odnogach. Liczne korytarze schodziły się tu niczym ramiona ośmiornicy.

– Trzeci od lewej – powiedział i spojrzał na mnie wyczekująco.

– Trzeci od lewej? – powtórzyłam.

– Zgadza się. Nie zapomnij. Łatwo się tu zgubić, a tego przecież nie chcemy. Prędzej cię tu zadźgają, niż wskażą drogę.

Przeszły mnie ciarki.

– Dzięki – mruknęłam z nieśmiałą nutą sarkazmu.

Roześmiał się, jakbym powiedziała coś bardzo zabawnego.

– Po co się oszukiwać. Nie ma nic złego w mówieniu prawdy na głos.

Ani nic dobrego, pomyślałam, ale tego nie powiedziałam. Musiałam jednak przyznać, że czas upływa mi teraz milej. Dobrze było znowu móc z kimś porozmawiać. Potrzebowałam towarzystwa.

– Raz, dwa, trzy – odliczył i ruszył w głąb trzeciego korytarza z lewej. Zaczęliśmy mijać okrągłe wejścia z różnego rodzaju prowizorycznymi drzwiami. W niektórych wisiała jedynie zasłona z wzorzystego materiału, inne zakrywał posklejany karton. W jeden z otworów wstawiono dwoje prawdziwych drzwi – jedne z pomalowanego na czerwono drewna, drugie z szarej blachy.

– Siedem – doliczył się Jeb, stając przed okrągłą dziurą średnich rozmiarów, niewiele wyższą ode mnie. Wnętrze zasłaniał zielonkawy parawan, który mógłby pewnie służyć za przepierzenie w gustownym salonie. Na jedwabiu wyszyto wzór w kwitnące wiśnie.

– To na razie jedyny pokój, który przychodzi mi do głowy. Jedyny, który się nadaje do tego, by mieszkał w nim człowiek. Przez parę tygodni pozostanie wolny, a kiedy znów będzie potrzebny, wymyślimy coś nowego.

Odsunął parawan i przywitało nas dość silne światło.

Pokój przyprawił mnie w pierwszej chwili o dziwny zawrót głowy, być może dlatego, że był o wiele wyższy niż szerszy. Czułam się w nim trochę jak w wieży lub silosie – nie to, żebym bywała w takich miejscach, ale takie skojarzenia podsunęła mi Melanie. Wysoki sufit był mocno popękany. Szczeliny wiły się na nim niczym świetliste winorośle, w paru miejscach niemal się stykając. Na moje oko nie wyglądało to zbyt bezpiecznie, lecz Jeb widocznie nie podzielał tych obaw, gdyż beztroskim krokiem wmaszerował do wnętrza.

Na środku leżał podwójny materac, oddalony od ścian mniej więcej o metr. Sądząc po kocach i poduszkach zwiniętych bezładnie na obu połowach materaca, mieszkały tu dwie osoby. Na przeciwległej ścianie, na wysokości ramion, w dwóch dziurach w skale umocowano poziomo długi drewniany kij – jakby od grabi. Wisiało na nim kilka podkoszulek i dwie pary dżinsów. Obok, tuż pod ścianą, stał drewniany stołek, a pod nim na podłodze leżała sterta wytartych książek.

– Kto? – zapytałam, i tym razem szeptem. Pokój był w tak oczywisty sposób cudzy, że czułam się, jakbyśmy nie byli sami.

– Jeden z chłopaków, którzy pojechali. Trochę go nie będzie. Przez ten czas coś ci znajdziemy.

Nie podobało mi się to – nie samo pomieszczenie, lecz to, że miałam w nim zamieszkać. Choć urządzone było skromnie, czułam w powietrzu obecność właściciela. Kimkolwiek był, na pewno nie byłby szczęśliwy, gdyby mnie tu zobaczył. Mówiąc najdelikatniej.

Jeb jakby czytał mi w myślach, a może to mój wyraz twarzy wszystko mu powiedział.

– Spokojnie, spokojnie – odezwał się. – Nic się nie martw. To m ó j dom, a to jest jeden z wielu pokojów dla gości. To ja decyduję, kto jest moim gościem, a kto nie. W tej chwili jesteś moim gościem i oferuję ci ten pokój.

Nadal nie podobał mi się ten pomysł, ale nie chciałam denerwować Jeba. Przyrzekłam sobie, że niczego tu nie tknę, choćbym musiała z tego powodu spać na ziemi.

– No dobra, chodźmy dalej. Tylko pamiętaj: trzeci od lewej, siódmy pokój.

– Zielony parawan – dodałam.

– Właśnie.

Jeb zabrał mnie z powrotem do jaskini z ogrodem, a stamtąd do największego z tuneli. Kiedy mijaliśmy pracujących ludzi, sztywnieli i obracali się w naszą stronę, jakby czuli się bezpieczniej, mając mnie na oku.

Duży tunel był dobrze oświetlony, prześwity w suficie powtarzały się tutaj w nienaturalnie równych odstępach.

– Teraz podejdziemy jeszcze bliżej powierzchni. Będzie bardziej sucho i goręcej.

Zauważyłam to niemal od razu. Zaczęliśmy się piec. Powietrze było mniej parne i stęchłe. W ustach czułam pył pustyni.

Z daleka dobiegały czyjeś głosy. Postanowiłam tym razem przygotować się na nieprzychylną reakcję. Skoro Jeb uparcie traktował mnie jak... jak człowieka, jak miłego gościa, to pozostawało mi się przyzwyczaić. Ile można było reagować mdłościami na widok ludzi? Mimo to mój żołądek już zaczynał się niepokoić.

– Tędy do kuchni – powiedział Jeb.

W pierwszej chwili myślałam, że znaleźliśmy się w kolejnym tunelu, tyle że zatłoczonym. Przywarłam do ściany, starając się zachować bezpieczną odległość.

Kuchnia okazała się długim korytarzem, wyższym niż szerszym, tak jak w moim nowym pokoju. Światło było tu jasne i gorące. Wpadało nie przez cienkie szczeliny, lecz przez wielkie otwory w skale.

– Oczywiście za dnia nie wolno nic gotować. Dym, rozumiesz. Dlatego od świtu do zmierzchu to miejsce służy za stołówkę.

Słowa Jeba słychać było w całym pomieszczeniu, gdyż chwilę wcześniej ucichły nagle wszystkie rozmowy. Próbowałam się za nim schować, lecz ani na moment nie przystanął.

Zjawiliśmy się w porze śniadania, może lunchu.

Tym razem ludzie – około dwudziestu osób – znajdowali się bardzo blisko, inaczej niż w jaskini z ogrodem. Starałam się utkwić wzrok w podłodze, ale nie mogłam się powstrzymać, żeby co jakiś czas się nie rozejrzeć. Na wszelki wypadek. Czułam, jak moje mięśnie gotują się do ucieczki, choć nie bardzo wiedziałam, dokąd miałabym uciekać.

Po obu stronach korytarza wzdłuż ścian ciągnęły się sterty kamieni. W większości były to chropowate, fioletowe skały wulkaniczne, przedzielone od czasu do czasu jaśniejszą substancją – cementem? – pełniącą funkcję spoiwa. Na samym wierzchu leżały inne kamienie, płaskie, brązowawe, także połączone jasnoszarą zaprawą. Dawało to w rezultacie względnie równą powierzchnię. Służyły one niewątpliwie za blaty.

Na niektórych ludzie siedzieli, na innych się opierali. Rozpoznałam w ich dłoniach te same bułki, którymi mnie karmiono; trzymali je zawieszone między stołem a ustami i patrzyli oniemiali na Jeba i jego jednoosobową wycieczkę.

Kilka twarzy było znajomych. Najbliżej mnie siedzieli Sharon, Maggie i Doktor. Ciotka i kuzynka spozierały gniewnie na Jeba – nie mogłam się oprzeć dziwnemu wrażeniu, że choćbym nawet stanęła na głowie i zaczęła wyśpiewywać na całe gardło piosenki, i tak by na mnie nie spojrzały – za to Doktor przyglądał mi się z nieskrywaną, niemal przyjacielską ciekawością, aż przejął mnie chłód.

Z tyłu pomieszczenia wyłapałam wzrokiem wysokiego mężczyznę o kruczoczarnych włosach i krew zastygła mi w żyłach. Dotychczas myślałam, że Jared zabrał groźnych braci ze sobą, by choć trochę ułatwić Jebowi życie. Cóż, na szczęście został tylko młodszy z dwójki, Ian, który ostatnio wyhodował sobie sumienie – zawsze to lepiej, niż gdyby zamiast niego był tu Kyle. To marne pocieszenie nie uspokoiło jednak mojego szaleńczego pulsu.

– No co, wszyscy nagle najedzeni? – zapytał ironicznie Jeb.

– Straciliśmy apetyt – mruknęła Maggie.

– A ty? – Jeb zwracał się teraz do mnie. – Głodna?

Wśród obecnych przebiegł cichy pomruk niezadowolenia.

Potrząsnęłam głową nieznacznie, ale bardzo szybko. Nie dałam sobie nawet czasu do namysłu, po prostu wiedziałam, że nie zjem nic na oczach ludzi, którzy są gotowi zjeść mnie.

– A ja owszem – mruknął Jeb. Ruszył z wolna wzdłuż blatów, ale nie poszłam za nim. Ani mi się śniło – mieliby mnie na wyciągnięcie ręki. Stałam w miejscu, przywierając plecami do ściany. Jedynie Sharon i Maggie odprowadziły Jeba wzrokiem do wielkiego plastikowego pojemnika i patrzyły, jak wyjmuje z niego bułkę. Cała reszta wpatrywała się we mnie. Byłam przekonana, że rzucą się na mnie, jeśli tylko ruszę się o centymetr. Wstrzymywałam oddech.

– No dobra, chodźmy dalej – zaproponował Jeb, przeżuwając. Wracał do mnie spacerowym krokiem. – Biedaczyska nie mogą się skupić na lunchu.

Spoglądałam na nich, oczekując gwałtownych ruchów. Nie przyglądałam się tak naprawdę twarzom, nie licząc pierwszej chwili, w której parę rozpoznałam. Pewnie dlatego spostrzegłam Jamiego dopiero, gdy się podniósł.

Był o głowę niższy od siedzących przy nim dorosłych, ale wyższy od dwójki mniejszych dzieci przycupniętych obok na blacie. Zeskoczył lekko z siedzenia i ruszył za Jebem. Twarz miał ściągniętą, skupioną, jakby próbował rozwiązać w myślach jakieś skomplikowane równanie. Zbliżył się w ślad za Jebem, przyglądając mi się badawczo zmrużonymi oczami. Przestałam być jedyną osobą wstrzymującą oddech. Pozostali patrzyli to na mnie, to na niego.

Ach, Jamie, pomyślała Melanie. Bolał ją ten smutny, dorosły wyraz twarzy. Mnie bolał chyba jeszcze bardziej, gdyż wiedziałam, że to ja ponoszę większą winę.

Gdyby tak można było sprawić, żeby znowu był szczęśliwy. Westchnęła. *Za późno. Co możemy zrobić, żeby poczuł się lepiej?*

Było to w zamierzeniu pytanie retoryczne, ale zaczęłam sama szukać na nie odpowiedzi. Melanie też. Nic nie znalazłyśmy, zresztą nie było teraz na to czasu. Poza tym byłam pewna, że nie da się nic wymyślić. Mimo to obie dobrze wiedziałyśmy, że będzie nas to męczyć, jak tylko wrócimy z tego idiotycznego spaceru i położymy się w ciszy i spokoju. O ile tego dożyjemy.

– Co tam, młody człowieku? – zapytał Jeb, nie spoglądając na chłopca.

– Nic. Co robicie? – odparł Jamie. Próbował zabrzmieć obojętnie, ale nie do końca mu się to udało.

Jeb stanął przy mnie i obejrzał się przez ramię.

– Oprowadzam ją po jaskiniach. Tak jak każdego nowego gościa.

Rozległ się kolejny pomruk.

– Mogę iść z wami?

Widziałam, jak wzburzona Sharon gorączkowo potrząsa głową. Jeb w ogóle jednak nie zwracał na nią uwagi.

– Nie widzę przeszkód... jeżeli potrafisz się zachować.

Jamie wzruszył ramionami.

– No pewnie.

Musiałam się nagle poruszyć i spleść palce. Korciło mnie bowiem, by odgarnąć Jamiemu włosy z oczu i położyć mu dłoń na szyi. Bez wątpienia nie zostałoby to tutaj dobrze odebrane.

– No to idziemy – powiedział Jeb.

Prowadził nas tą samą drogą, którą przyszliśmy. Szedł po mojej lewej stronie. Jamie szedł po prawej i chyba starał się patrzeć pod nogi, ale co jakiś czas zerkał w górę na moją twarz – tak samo jak ja nie umiałam odmówić sobie zerkania na niego. Za każdym razem, gdy nasze spojrzenia się spotykały, natychmiast odwracaliśmy wzrok.

Byliśmy mniej więcej w połowie dużego tunelu, gdy usłyszałam za plecami ciche kroki. Moja reakcja była natychmiastowa i automatyczna. Odskoczyłam w bok, porywając ze sobą Jamiego, i stanęłam pomiędzy nim a zbliżającym się niebezpieczeństwem.

– Hej! – zaprotestował, ale nie odtrącił mojej ręki.

Jeb był równie szybki. Strzelba w okamgnieniu zatańczyła na pasku. Ian i Doktor unieśli ręce ponad głowy.

– My też umiemy się zachować – odezwał się Doktor. Nie chciało się wierzyć, że ten łagodny mężczyzna o przyjaznej twarzy jest tutaj etatowym oprawcą. Przerażał mnie tym bardziej, że wyglądał tak dobrotliwie. Każdy wie, że należy mieć się na baczności w ciemnościach nocy. Ale w biały, pogodny dzień? Nikt wówczas nie myśli o ucieczce, bo i gdzie miałoby się czaić niebezpieczeństwo?

Jeb spojrzał pytająco na Iana, a lufa strzelby jakby sama podążyła za jego wzrokiem.

– Niczego nie knuję, Jeb. Będę tak samo grzeczny jak Doktor.

– Okej – odparł szorstko Jeb, poprawiając sobie broń. – Ale dobrze ci radzę, nie wystawiaj mojej cierpliwości na próbę. Dawno już nikogo nie zastrzeliłem i trochę tęsknię za tym uczuciem.

Zaparło mi dech w piersi. Wszyscy usłyszeli, jak nabieram gwałtownie powietrza, i spojrzeli w moim kierunku. Byłam przerażona. Pierwszy zaśmiał się Doktor, ale nawet Jamie po chwili do niego dołączył.

– To był żart – szepnął mi. Zdjął rękę z biodra, jak gdyby chciał mnie chwycić za dłoń, ale szybko ją cofnął i schował do kieszeni spodenek. Ja także opuściłam rękę, którą wciąż go osłaniałam.

– No, chłopcy i dziewczęta, szkoda dnia – odezwał się Jeb nieco burkliwie. – Lepiej się nie ociągajcie, bo nie mam zamiaru na was czekać. – Zanim jeszcze skończył mówić, szedł już cichym krokiem naprzód.

Rozdział 21

Imię

Szłam u jego boku, o pół kroku z przodu. Doktor i Ian maszerowali za nami. Wolałam się od nich trzymać z daleka. Jamie szedł w środku, jakby niezdecydowany.

Nie mogłam się już skupić na spacerze. Ani na drugim ogrodzie – w gorącym blasku luster rosła tu sięgająca pasa kukurydza – ani na szerokiej i niskiej grocie, którą nazwał „salą gier". Ta ostatnia znajdowała się głęboko pod ziemią, w zupełnych ciemnościach, ale – jak mi tłumaczył – kiedy mieli ochotę się wyluzować, przynosili ze sobą lampy. Słowo „wyluzować" jakoś mi nie pasowało do tej bandy gniewnych ludzi, ale nie wnikałam w szczegóły. Była tu też woda – siarkowe źródełko służące czasem za drugą ubikację, gdyż, jak twierdził Jeb, woda nie nadawała się do picia.

Dzieliłam całą uwagę między Jamiego i dwóch mężczyzn idących z tyłu.

Ian i Doktor rzeczywiście zachowywali się nadspodziewanie dobrze. Wbrew moim obawom nie rzucili się na mnie od tyłu, wciąż jednak zezowałam na lewo i prawo, aż bolały mnie oczy. Szli za nami cicho, od czasu do czasu rozmawiając ściszonymi głosami, głównie o ludziach, których imiona nic mi nie mówiły, oraz miejscach i rzeczach znajdujących się w jaskiniach, a przynajmniej tak mi się wydawało. Niewiele z tego wszystkiego rozumiałam.

Jamie się nie odzywał, ale często na mnie spoglądał. Gdy nie podpatrywałam innych, również zerkałam w jego stronę. W rezultacie miałam mało czasu na podziwianie rzeczy, które pokazywał mi Jeb, ten jednak zdawał się nie zauważać, że zajmuje mnie zupełnie co innego.

Niektóre tunele były bardzo długie – aż nie chciało się wierzyć, że ziemia skrywa takie miejsca. Przez większość czasu szliśmy w zupełnych ciemnościach, a mimo to Jeb i reszta nie przystawali ani na sekundę; najwidoczniej byli przyzwyczajeni do chodzenia po ciemku i znali na pamięć wszystkie trasy. Było mi trudniej niż kiedy poruszałam się po jaskiniach tylko z Jebem. W ciemnościach każdy dźwięk brzmiał złowrogo. Nawet niewinna pogawędka między Doktorem i Ianem wydawała mi się jedynie przykrywką dla niecnych planów.

Masz paranoję, skwitowała Melanie.

Jeżeli to jedyny sposób na przeżycie, to czemu nie.

Szkoda, że nie słuchasz uważniej tego, co mówi wuj Jeb. To fascynujące.

Rób, co chcesz, ze swoim własnym czasem.

Widzę i słyszę tylko to co ty, Wagabundo, odparła, po czym zmieniła temat. *Jamie nie wygląda najgorzej, nie sądzisz? Nie sprawia wrażenia bardzo nieszczęśliwego.*

Wydaje się... trochę zagubiony.

Przebyliśmy najdłuższy do tej pory odcinek w ciemnościach, aż w końcu zaczęło się nieco rozjaśniać.

– Jesteśmy teraz najdalej na południe, jak się tylko da – powiedział Jeb. – Trochę daleko, ale za to przez cały dzień jest tu w miarę jasno. Dlatego właśnie tutaj urządziliśmy szpital. To tu pracuje Doktor.

Krew zastygła mi w żyłach, stawy zlodowaciały. Zerkałam przestraszonymi oczami to na Jeba, to na Doktora.

A więc to wszystko podstęp? Poczekali, aż uparty Jared zniknie, żeby móc mnie tutaj sprowadzić? Nie mogłam uwierzyć, że przyszłam tu z własnej, nieprzymuszonej woli. Jaka ja byłam głupia!

Melanie również nie posiadała się ze zdumienia. *Mogłyśmy się jeszcze dla nich zapakować!*

Obaj na mnie spojrzeli. Twarz Jeba była pozbawiona wyrazu, za to Doktor wyglądał na równie zaskoczonego jak ja – choć nie tak przerażonego.

Poczułam czyjś dotyk na ramieniu i pewnie podskoczyłabym ze strachu, gdyby nie to, że była to znajoma dłoń.

– Nie – powiedział Jamie, nieśmiało opierając rękę tuż pod moim łokciem. – To nie tak. Wszystko jest w porządku. Naprawdę. Prawda, wujku? – Jamie spojrzał na starca ufnym wzrokiem. – Prawda, że nie ma się czego bać?

– No jasne, maleńka. – Oczy Jeba były spokojne i wyraziste. – Oprowadzam cię tylko po moim domu, ot co.

– O czym wy mówicie? – mruknął za moimi plecami niezadowolony Ian.

– Myślałaś, że przyprowadziliśmy cię tutaj specjalnie? – zapytał mnie Jamie, ignorując jego pytanie. – Nie zrobilibyśmy tego. Obiecaliśmy Jaredowi.

Przyglądałam się jego szczerej buzi i bardzo chciałam mu wierzyć.

– Aha – odezwał się Ian, zrozumiawszy, o czym mowa, i roześmiał się. – Niczego sobie plan. Że też na to nie wpadłem.

Jamie zmierzył go krzywym wzrokiem, a mnie poklepał po ręce i dopiero wtedy zabrał dłoń.

– Nie bój się.

Jeb wrócił do opowiadania.

– No więc jest tu parę łóżek, na wypadek gdyby ktoś się pochorował albo zrobił sobie krzywdę. Ale dotychczas rzadko się przydawały. Doktor nie ma zbyt wielu nagłych przypadków. – Uśmiechnął się do mnie. – Pozbyliście się wszystkich n a s z y c h lekarstw. Niełatwo nam zdobyć potrzebne rzeczy.

Potaknęłam lekko głową w roztargnieniu. Wciąż jeszcze dochodziłam do siebie. Pomieszczenie wyglądało raczej niewinnie, jakby istotnie służyło wyłącznie do celów medycznych, lecz mimo to przyprawiało mnie o mdłości.

– Co wiesz o waszej medycynie? – zapytał nagle Doktor, obracając głowę. Spoglądał mi w twarz z nieskrywaną ciekawością.

Patrzyłam na niego oniemiała.

– Nie musisz się bać Doktora – odezwał się Jeb. – Wierz mi, że koniec końców to bardzo poczciwy facet.

Potrząsnęłam głową. Chciałam przez to powiedzieć, że nic nie wiem, ale źle mnie zrozumieli.

– Nie zdradzi nam żadnych sekretów – skwitował cierpko Ian. – Prawda, kotku?

– Zachowuj się, Ian – sarknął Jeb.

– Czy to tajemnica? – zapytał Jamie powściągliwym tonem, lecz widać było, że jest ciekawy.

Jeszcze raz zaprzeczyłam gestem. Patrzyli na mnie zdezorientowani. Doktor również powoli potrząsnął głową, jakby nie wiedział, co myśleć.

Westchnęłam głęboko, po czym wyszeptałam:

– Nie jestem Uzdrowicielką. Nie wiem, jak działają te lekarstwa. Wiem jedynie, że d z i a ł a j ą – nie tylko zwalczają objawy, ale naprawdę leczą. Są niezawodne. Dlatego wyrzucono wszystkie wasze leki.

Cała czwórka przyglądała mi się w osłupieniu. Najpierw dziwiło ich, że nie odpowiadam, a teraz – że się odezwałam. Trudno było dogodzić ludziom.

– Tak naprawdę nie zmieniło się zbyt wiele – rzekł po chwili Jeb z zadumą. – Tylko sposoby leczenia, no i macie statki kosmiczne zamiast samolotów. Poza tym życie toczy się jak dawniej... przynajmniej na pierwszy rzut oka.

– Nie chcemy zmieniać światów, tylko je przeżywać – odszepnęłam. – Zdrowie jest pewnym wyjątkiem od tej filozofii.

Zamknęłam raptownie usta. Powinnam bardziej uważać. Ludzie raczej nie oczekiwali wykładów na temat filozofii dusz. Nigdy nie wiadomo, co ich rozzłości, kiedy puszczą im nerwy.

Jeb pokiwał głową w zamyśleniu, po czym dał znak, byśmy szli dalej. O kolejnych grotach opowiadał już bez zapału. Gdy wreszcie zawróciliśmy ku ciemnemu tunelowi, całkiem zamilkł. Szliśmy długo i w ciszy. Zastanawiałam się, czy mogłam go czymś urazić. Nie potrafiłam jednak przejrzeć tego dziwaka. Pozostali mogli być groźni i nieufni, ale ich zachowanie przynajmniej miało sens. Jeb pozostawał dla mnie zagadką.

Spacer gwałtownie dobiegł końca, gdy weszliśmy z powrotem do jaskini z ogrodem, gdzie na ciemnej ziemi grządki marchwi układały się w jasnozielony dywan.

– Przedstawienie skończone – odezwał się oschle Jeb, spoglądając na Iana i Doktora. – Weźcie się teraz za coś pożytecznego.

Ian spojrzał na Doktora i przewrócił oczami, ale obaj posłusznie obrócili się i ruszyli ku największemu wyjściu, prowadzącemu, jak sobie przypomniałam, do kuchni. Jamie się wahał, spoglądał za nimi, ale stał w miejscu.

– Ty pójdziesz ze mną – zwrócił się do niego Jeb, tym razem mniej szorstko. – Mam dla ciebie zadanie.

– Okej – odparł Jamie. Cieszył się, że padło na niego.

Udaliśmy się z powrotem do części mieszkalnej. Jamie maszerował raźno u mojego boku. Zaskoczyło mnie, że wydawał się świetnie wiedzieć, dokąd idziemy. Jeb szedł nieco w tyle, lecz Jamie sam zatrzymał się przed zielonym parawanem. Odsunął mi go, ale nie wszedł do środka.

– Co powiesz na odrobinę słodkiego lenistwa? – zapytał mnie Jeb.

Pokiwałam twierdząco głową, ucieszona, że znowu będę mogła się schować. Schyliłam głowę, weszłam do środka i stanęłam w miejscu, nie bardzo wiedząc, co ze sobą zrobić. Melanie przypomniała mi, że widziałam książki, lecz wtedy ja przypomniałam jej, że obiecałam sobie niczego tu nie dotykać.

– Mam trochę pracy, chłopcze – zwrócił się Jeb do Jamiego. – Jedzenie samo się nie zrobi, że tak powiem. Postoisz na straży?

– Jasne – odparł Jamie z promiennym uśmiechem, nadymając chudą klatkę piersiową.

Zobaczyłam, że Jeb podaje mu strzelbę, i otworzyłam szeroko oczy ze zdumienia.

– Zwariowałeś?! – wykrzyknęłam tak głośno, że w pierwszej chwili nie poznałam własnego głosu. Miałam wrażenie, że wcześniej całe życie tylko szeptałam.

W jednej chwili znalazłam się znowu obok nich na korytarzu. Patrzyli na mnie oniemiali.

Niewiele brakowało, a chwyciłabym za lufę i wyrwała małemu strzelbę z dłoni. Powstrzymała mnie nie tyle świadomość, że przypłaciłabym to życiem, ile moja własna słabość. Nawet dla ratowania Jamiego nie potrafiłam się zmusić do złapania za broń.

Zamiast tego zwróciłam się do Jeba.

– Co ci strzeliło do głowy? Dawać broń dziecku? Przecież może się zabić!

– Jamie to już mężczyzna. Jest młody, ale wiele przeżył. Zna się na rzeczy, potrafi obchodzić się z bronią.

Jamie wyprostował się, przyciskając strzelbę do piersi.

Nie mogłam wyjść ze zdumienia.

– A jeśli po mnie przyjdą, kiedy tu będzie? Przyszło ci do głowy, co się może stać? To nie są żarty! Zrobią mu krzywdę, byle tylko mnie dopaść.

Jeb zachowywał spokój.

– Nie sądzę, żeby były dzisiaj jakieś kłopoty – odparł łagodnie. – Nie martwiłbym się.

– Ale ja owszem! – krzyknęłam znowu. Mój głos odbijał się echem od ścian korytarza – ktoś na pewno mnie usłyszał, ale mało mnie to obchodziło. Nawet lepiej, żeby przyszli, dopóki jest z nami Jeb. – Skoro nie mam czego się bać, to zostaw mnie tu samą. Niech się dzieje, co ma się dziać. Ale nie ryzykuj jego życia!

– Boisz się o niego, czy może raczej jego? – zapytał Jeb niemalże ospale.

Zamrugałam, całkiem zbita z tropu. Coś takiego nie przeszło mi nawet przez myśl. Popatrzyłam tępym wzrokiem na Jamiego i napotkałam jego zdziwione spojrzenie. Był tak samo zdezorientowany jak ja.

Potrzebowałam chwili, żeby się pozbierać. Tymczasem twarz Jeba przybrała nowy wyraz. Oczy miał teraz skupione, usta zaciśnięte – jak gdyby miał lada chwila dopasować ostatni element frustrującej układanki.

– Daj broń Ianowi albo komukolwiek. Wszystko mi jedno – powiedziałam powoli i spokojnie. – Tylko nie mieszaj w to Jamiego.

Uśmiechnął się wówczas szeroko. Nie wiedzieć czemu, przypominał mi teraz polującego kota w chwili skoku.

– To mój dom, drogie dziecko, i zrobię to, co uznam za słuszne. Tak jak zawsze.

Odwrócił się i ruszył z wolna korytarzem, pogwizdując. Spoglądałam za nim z rozdziawionymi ustami. Kiedy zniknął, zwróciłam twarz w stronę Jamiego. Patrzył na mnie spochmurniały.

– Nie jestem dzieckiem – odezwał się cicho głosem głębszym niż zwykle, wystawiając zadziornie podbródek. – A teraz lepiej wracaj... wracaj do pokoju.

Rozkaz nie zabrzmiał może zbyt stanowczo, ale i tak nie miałam innego wyjścia. Tę bitwę przegrałam z kretesem.

Usiadłam w środku i oparłam się o ścianę obok wejścia – w ten sposób mogłam się schować za na wpół odsuniętym parawanem, nie tracąc Jamiego z oczu. Objęłam nogi rękoma i zaczęłam robić jedyną rzecz, która mi pozostała, czyli się martwić.

Oprócz tego wytężałam wzrok i słuch, wyczekując kroków. Nie powinnam dać się zaskoczyć. Jeb mógł sobie mówić, co chciał, ale postanowiłam nie dopuścić, by Jamie musiał stanąć w mojej obronie. Zamierzałam oddać się w ręce napastników, nim sami zaczną się tego domagać.

Tak, poparła mnie Melanie.

Jamie przez kilka minut stał na korytarzu z bronią w ręku, nie do końca wiedząc, jak się zachowywać. Potem zaczął chodzić przed wejściem w tę i z powrotem, ale po paru takich rundach poczuł się chyba nieswojo. W końcu usiadł na ziemi obok parawanu. Położył broń na skrzyżowanych nogach i oparł brodę na dłoniach. Po paru chwilach westchnął. Stanie na straży okazało się nudniejsze, niż przypuszczał.

Za to ja mogłabym się w niego wpatrywać bez końca.

Po godzinie lub dwóch zaczął spoglądać w moją stronę, posyłając mi co jakiś czas ukradkowe spojrzenia. Kilka razy otworzył nawet usta, ale rozmyślił się i nic nie powiedział.

Oparłam brodę na kolanach i czekałam. W końcu moja cierpliwość została wynagrodzona.

– Ta planeta, na której byłaś wcześniej – odezwał się. – Jaka ona była? Taka jak ta?

Zaskoczył mnie wyborem tematu.

– Nie – odparłam. Teraz, gdy byłam z nim sama, nie miałam oporów przed mówieniem normalnym głosem. – Nie, była zupełnie inna.

– Opowiesz mi o niej? – zapytał, nadstawiając ucha, tak jak zwykł to robić, kiedy Melanie mówiła mu na dobranoc szczególnie ciekawą historię.

Opowiedziałam.

O Wodorostach i ich podwodnym świecie. O dwóch słońcach, orbicie w kształcie elipsy, szarych wodach, nieruchomych korzeniach, tysiącu oczu i wspaniałych widokach; o długich rozmowach pomiędzy milionem bezgłośnych istot.

Słuchał tego wszystkiego zafascynowany, z szeroko otwartymi oczami i rozmarzonym uśmiechem.

– Są jeszcze jakieś planety? – odezwał się, gdy umilkłam. Usilnie zastanawiał się, o co by jeszcze zapytać. – Czy Wodorosty to jedyna obca rasa?

Zaśmiałam się.

– O nie, wierz mi, że nie.

– Opowiedz.

Więc opowiedziałam o Nietoperzach na Planecie Śpiewu – o tym, jak to jest żyć w zupełnych ciemnościach i fruwać wśród dźwięków muzyki. Później mówiłam o Planecie Mgieł – o tym, jak się czułam, mając grube białe futerko i cztery serca, dzięki którym było mi ciepło, i o tym, jak omijałam szerokim łukiem szponowce.

Zaczynałam opowiadać o Planecie Kwiatów, o tamtejszym świetle i kolorach, gdy przerwał mi kolejnym pytaniem.

– A te zielone ludki z trójkątnymi głowami i wielkimi czarnymi oczami? No wiesz, te, co się kiedyś rozbiły w Roswell – to byliście wy?

– Nie, to nie my.

– Czyli to wszystko ściema?

– Nie wiem, może tak, a może nie. Wszechświat jest duży i ma wielu mieszkańców.

– W takim razie, jak tu przylecieliście? Skoro nie byliście zielonymi ludkami, to kim? Musieliście mieć jakieś ciała, żeby móc się poruszać i w ogóle, prawda?

– To prawda – przyznałam. Byłam pod wrażeniem tego, z jaką łatwością kojarzy fakty. Nie powinno mnie to dziwić – wiedziałam przecież, że jest bystry, że jego umysł chłonie wiedzę jak gąbka.

– Na początku korzystaliśmy z ciał Pająków.

– Pająków?

Opowiedziałam o Pająkach – były to naprawdę fascynujące istoty. Ich umysły nie miały sobie równych, a każdy Pająk miał aż trzy. Trzy mózgi, po jednym w każdym segmencie wieloczłonowego ciała. Rozwiązywały dla nas najbardziej skomplikowane problemy. Zarazem jednak były tak chłodne, tak analityczne, że prawie nigdy nie stawiały same nowych pytań. Ze wszystkich żywicieli to właśnie Pająki najlepiej znosiły naszą obecność. Prawie nie dostrzegały różnicy, a nawet jeśli dostrzegały, zdawały się wdzięczne. Niewiele dusz miało okazję spojrzeć na tę planetę oczyma innego gatunku, ale te, które tego doświadczyły, mówiły, że jest szara i zimna – nic więc dziwnego, że Pająki widziały wszystko w czerni i bieli, jak również miały bardzo ograniczone poczucie temperatury. Żyły krótko, ale młode dziedziczyły po rodzicach całą wiedzę, więc mądrzały z pokolenia na pokolenie.

Mieszkałam tam krótko, a gdy mój żywiciel umarł, zmieniłam planetę i wiedziałam, że raczej nigdy tam nie wrócę. Niesamowita jasność myśli, natychmiastowe odpowiedzi na skomplikowane pytania, marsz i taniec ciągów liczb – wszystko to nie było w stanie wynagrodzić mi braku kolorów i uczuć, o których Pająki miały bardzo ograniczone pojęcie. Dziwiłam się, jak ktokolwiek może tam być zadowolony z życia, niemniej planeta przez tysiące ziemskich lat była samowystarczalna. Kolonizacja jeszcze się tam nie zakończyła, a to dlatego, że Pająki bardzo szybko się rozmnażały – znosiły mnóstwo jaj.

Zaczęłam opowiadać Jamiemu o tym, jak rozpoczynano kolonizację Ziemi. Pająki były naszymi najlepszymi inżynierami – na zbudowanych przez nich statkach kosmicznych mogliśmy śmigać niezauważeni wśród gwiazd. Ciała Pająków były niemal tak użyteczne jak ich umysły: każdy segment poruszał się na czterech długich nogach – stąd właśnie taka ziemska nazwa tych istot – a każda noga była zakończona dwunastoma palcami. Palce miały po sześć stawów, były wąskie oraz mocne jak stal i można było nimi wykonywać zadania wymagające największej precyzji. Pająki ważyły mniej więcej tyle co krowa, ale były niskie i chude. Pierwsze wszczepienia przebiegły bezproblemowo. Pająki były silniejsze i inteligentniejsze od ludzi, no i przygotowane...

Przerwałam opowieść w pół zdania, widząc błysk na policzku Jamiego.

Patrzył gdzieś daleko, a usta miał mocno zaciśnięte. Po twarzy spływała mu powolutku duża kropla słonej wody.

Idiotka, zganiła mnie Melanie. *Nie przyszło ci do głowy, jak się poczuje?*

A tobie nie przyszło do głowy ostrzec mnie wcześniej?

Nic nie odpowiedziała. Niewątpliwie opowieść pochłonęła ją bez reszty.

– Jamie – wydusiłam z siebie skrzeczącym głosem. Na widok jego łez działo mi się z gardłem coś dziwnego. – Jamie, przepraszam. Głupia jestem.

Potrząsnął głową.

– W porządku. Zapytałem. Chciałem wiedzieć, jak to było. – Mówił grubym głosem, próbując ukryć ból.

To był instynkt – zapragnęłam nagle pochylić się i otrzeć mu łzę. Przez chwilę próbowałam się pohamować. Przecież nie byłam Melanie. Lecz nieszczęsna łza wisiała nieruchomo na policzku, jakby w ogóle nie zamierzała spaść. Jamie nie odrywał wzroku od ściany. Usta mu drżały.

Nie siedział daleko. Wyciągnęłam rękę i przesunęłam mu czule palcami po policzku, patrząc, jak łza rozchodzi się cieniutko po skórze i znika. Potem, znowu kierując się instynktem, zostawiłam dłoń na ciepłym policzku i delikatnie go pogłaskałam.

Przez chwilę udawał, że nie zwraca na mnie uwagi.

Wreszcie przysunął się do mnie gwałtownie, z zamkniętymi oczami i wyciągniętymi rękoma. Przytulił mi się do boku, przyciskając policzek w tym samym miejscu co kiedyś – choć trochę już z niego wyrósł – i zaczął łkać.

Nie były to łzy dziecka, lecz tym potężniejszą miały wymowę – to, że przy mnie płakał, świadczyło o ogromie bólu. Był to smutek mężczyzny stojącego nad grobem rodziny.

Objęłam go – nie było to już tak łatwe jak kiedyś – i zapłakałam razem z nim.

– Przepraszam – powtórzyłam kilka razy. Przepraszałam za wszystko. Za to, że nasz gatunek znalazł tę planetę. Że wybrał ją do zasiedlenia. Że zabrałam ciało jego siostry. Że przyprowadziłam ją tutaj i ponownie go skrzywdziłam. Że sprawiłam mu przykrość, opowiadając te straszne historie.

Nie opuściłam rąk, nawet kiedy już się uspokoił. Nie chciałam go puszczać. Miałam wrażenie, że moje ciało czekało na to od samego początku, po prostu wcześniej nie zdawałam sobie z tego sprawy. Tajemnicza więź pomiędzy matką a dzieckiem – tak potężna na tej planecie – przestała być dla mnie zagadką. Nie było wspanialszej więzi nad tę, która kazała poświęcić życie dla drugiej osoby. Rozumiałam to już wcześniej, lecz do tej pory nie rozumiałam, d l a c z e g o tak jest. Teraz wiedziałam już, czemu matka jest gotowa oddać życie za dziecko, i to odkrycie miało na zawsze zmienić moje spojrzenie na wszechświat.

– Nie tak cię uczyłem, chłopcze.

Odskoczyliśmy od siebie przestraszeni. Jamie zerwał się na nogi, a ja przywarłam do ściany i się skuliłam.

Jeb schylił się i podniósł z podłogi strzelbę. Oboje o niej zapomnieliśmy.

– Musisz uważniej pilnować broni, Jamie. – Strofował go, lecz ton miał łagodny. Wyciągnął dłoń, by potargać go po rozczochranych włosach.

Jamie zrobił unik. Rumienił się ze wstydu.

– Przepraszam – wymamrotał i odwrócił się, jakby chciał uciec. Zatrzymał się jednak w pół kroku i spojrzał w moją stronę.

– Nie wiem, jak masz na imię – powiedział.

– Mówili na mnie Wagabunda – odszepnęłam.

– Wagabunda?

Kiwnęłam głową.

Jamie przytaknął i oddalił się szybkim krokiem, z rumieńcem na karku.

Kiedy już zniknął, Jeb oparł się o skałę w miejscu, gdzie wcześniej siedział chłopiec, i zsunął się do pozycji siedzącej. Strzelbę położył na kolanach, tak samo jak Jamie.

– Ciekawe imię – stwierdził. Najwyraźniej wrócił mu rozmowny nastrój. – Może kiedyś opowiesz mi, skąd się wzięło. To musi być nie lada historia. Ale, ale, jest trochę długaśne – Wagabunda. Nie sądzisz?

Patrzyłam na niego z uwagą.

– Co byś powiedziała, gdybym mówił na ciebie Wanda? Tak będzie wygodniej.

Czekał, aż coś odpowiem. W końcu wzruszyłam ramionami. Nie robiło mi zbytniej różnicy, czy będzie się do mnie zwracał „maleńka", czy jakoś inaczej. Ważne, że robił to z sympatii, a przynajmniej takie odniosłam wrażenie.

– No dobrze, Wando. – Uśmiechnął się, zadowolony z siebie. – Wolę ci mówić po imieniu. Jesteśmy teraz prawie jak starzy znajomi.

Znów uśmiechnął się całą twarzą, szczerząc zęby. Odpowiedziałam smutnym uśmiechem. Dziwne, przecież Jeb powinien mnie traktować jak wroga. Co za szalony człowiek. Tak czy inaczej, był moim przyjacielem. Nie znaczyło to, że mnie nie zabije, gdy sprawy przybiorą zły obrót, ale uczyni to niechętnie. Czego więcej można było oczekiwać od przyjaciela, który jest człowiekiem?

Rozdział 22

Zgoda

Jeb założył ręce pod głowę i spojrzał w zamyśleniu na ciemny sufit. Nie opuszczał go towarzyski nastrój.

– Dużo myślałem o tym, jak to jest – no wiesz, jak cię złapią. Nieraz już to widziałem na własne oczy, a parę razy niewiele brakowało, a i mnie by dopadli. Zastanawiałem się, jak by to było. Włożyliby mi coś do głowy – czy to by bolało? Widziałem, jak to robią.

Otworzyłam szeroko oczy z wrażenia, ale nie zauważył tego.

– Zdaje się, że używacie jakiegoś znieczulenia – to znaczy, mogę się tylko domyślać. Ale nikt się nie wydzierał z bólu ani nic z tych rzeczy, więc to nie mogła być żadna straszna tortura.

Zmarszczyłam nos. Tortury. O nie, to akurat nie nasza specjalność.

– Strasznie ciekawe rzeczy opowiadałaś małemu.

Zesztywniałam, a wtedy zaśmiał się lekko.

– Tak, podsłuchiwałem. Przyznaję się. I nie żałuję – to były naprawdę niezłe opowieści, a ze mną byś tak nie porozmawiała. Słuchałem z wypiekami na twarzy. O tych wszystkich nietoperzach, roślinach, pająkach. To daje człowiekowi do myślenia. Zawsze lubiłem czytać różne dziwne książki o kosmitach, no wiesz, science fiction i takie tam. Pożerałem jedną za drugą. Jamie ma to samo – przeczytał już wszystkie książki, które tu mam, i to po parę razy. Musi mieć niezłą frajdę, że może usłyszeć coś nowego. Ja mam. Umiesz opowiadać.

Nie podniosłam wzroku, ale czułam, że mięknę, daję się udobruchać. Udzieliła mi się ludzka słabość do pochlebstw.

– Tutaj wszyscy myślą, że zjawiłaś się, żeby ściągnąć nam na głowę Łowców.

Ostatnie słowo przyprawiło mnie o dreszcze. Dostałam szczękościsku i skaleczyłam sobie zębami język. Poczułam w ustach smak krwi.

– No bo w jakim innym celu? – Nie dostrzegł mojego zdenerwowania, a może po prostu się nim nie przejął. – Ale oni myślą utartymi schematami. Tylko ja tu zadaję pytania... Na przykład: co to za plan, zabłądzić na pustyni i nie mieć jak wrócić? – Zachichotał. – Aż taką wagabundą to chyba nie jesteś, co, Wando?

Pochylił się i trącił mnie łokciem. Spuściłam oczy na podłogę, zerknęłam mu w twarz, po czym znowu utkwiłam wzrok w ziemi. Ponownie się roześmiał.

– O mały włos to by była udana próba samobójcza. Chyba się ze mną zgodzisz, że nie tak pracują Łowcy. Próbowałem to wszystko rozgryźć. No wiesz, wziąć to na logikę. A więc, skoro nie miałaś wsparcia, a raczej nie miałaś, i nie miałaś jak wrócić, to musiałaś tu przyjść w jakimś innym celu. Od początku byłaś małomówna, nie licząc rozmów z małym, ale gdy już coś mówiłaś, uważnie cię słuchałem. No i wychodzi mi, że po prostu bardzo chciałaś odnaleźć Jamiego i Jareda, i to dla nich prawie postradałaś życie na pustyni.

Zamknęłam oczy.

– Tylko dlaczego *ci* na tym tak bardzo zależało? – rzekł Jeb, bardziej rozmyślając na głos niż zadając pytanie. – No więc oto jak ja to widzę: albo jesteś naprawdę niezłą aktorką, jakimś super-Łowcą, nową, przebieglejszą odmianą, i knujesz coś, czego nie rozumiem, albo nie udajesz. To pierwsze nijak nie tłumaczy niektórych twoich zachowań, więc raczej odpada. Ale skoro nie udajesz...

Zamilkł na chwilę.

– Długo się przyglądałem waszej rasie. Czekałem, aż zaczniecie się inaczej zachowywać – no wiesz, aż przestaniecie udawać, bo już nie będzie przed kim. Czekałem i czekałem, a wy ciągle zachowywaliście się jak ludzie. Żyliście w tych samych rodzinach co wcześniej, jeździliście w weekendy na pikniki, sadziliście kwiaty, malowaliście obrazy i tak dalej. W końcu zacząłem się zastanawiać, czy wy się przypadkiem nie zamieniacie w ludzi. Czy to nie jest tak, że jednak mamy na was jakiś wpływ.

Zamilkł w oczekiwaniu na odpowiedź, ale nie odezwałam się ani słowem.

– Parę lat temu zobaczyłem coś, co zapadło mi głęboko w pamięć. To była starsza para, mężczyzna i kobieta, to znaczy ciała mężczyzny i kobiety. Byli tak długo po ślubie, że mieli na skórze ślady obrączek. Trzymali się za dłonie, on pocałował ją w policzek, a ona cała się zarumieniła pod tymi wszystkimi zmarszczkami. I wtedy dotarło do mnie, że macie te same uczucia co my, bo jesteście nami, a nie tylko rękami w pacynkach.

– Tak – odszepnęłam. – Doznajemy tych samych uczuć. Ludzkich uczuć. Nadziei... bólu... miłości.

– A zatem, skoro nie udajesz... no to dałbym głowę, że ich kochasz. *Ty*, Wanda – a nie tylko ciało Mel.

Zwiesiłam głowę. Tym samym mimowolnie przyznałam mu rację, ale było mi już wszystko jedno. Nie mogłam tego dłużej kryć.

– Tyle, jeśli chodzi o ciebie. Ale myślę też dużo o mojej bratanicy. Jakie to było dla niej przeżycie, jak by to było, gdyby to się przytrafiło mnie. Wkładają ci kogoś do głowy i co... znikasz? Nie ma cię? Jakbyś umarła? A może to bardziej jak sen? Może zdajesz sobie sprawę z tego, że ktoś tobą steruje? A ten ktoś zdaje sobie sprawę z twojego istnienia? I jesteś tam uwięziona, możesz tylko krzyczeć, ale nikt cię nie słyszy?

Siedziałam nieruchomo z kamienną twarzą, a przynajmniej taki był mój zamiar.

– Pewnie tracisz wtedy pamięć i kontrolę nad ciałem. Ale świadomość... Nie wydaje mi się, żeby wszyscy poddawali się bez walki. Ja tam bym się bronił – łatwo nie odpuszczam, każdy ci to powie. Walczę do końca. My wszyscy, którzy przetrwaliśmy, jesteśmy tacy. I wiesz, co ci powiem? Zdziwiłbym się, gdyby Mel była inna.

Nie odrywał wzroku od sufitu, lecz mimo to ja nadal wpatrywałam się w skalną podłogę. Próbowałam zapamiętać wzory w piasku.

– O tak, sporo się nad tym zastanawiałem.

W pewnym momencie poczułam na sobie jego spojrzenie. Prawie się nie ruszałam, oddychałam tylko powoli i miarowo. Zachowanie tego wolnego rytmu kosztowało mnie wiele wysiłku. Przełknęłam gromadzącą się w ustach ślinę. Nadal miałam w nich krew.

Skąd nam przyszło do głowy, że jest wariatem? – zastanawiała się Mel. *On widzi wszystko jak na dłoni. To geniusz.*

Geniusz i wariat.

Tak czy inaczej, może nie musimy już teraz milczeć. Skoro wie. Wstąpiła w nią nadzieja. Ostatnio była bardzo wyciszona, wręcz nieobecna. Odkąd się uspokoiła, trudniej było jej się skoncentrować. Wygrała najważniejszą potyczkę. Przyprowadziła mnie w to miejsce. Jej sekrety były tutaj bezpieczne, wspomnienia nie mogły już nikomu zaszkodzić.

Nie miała motywacji, żeby się odzywać, nawet do mnie. Teraz jednak ożywiła ją perspektywa zmian – tego, że pozostali ludzie nareszcie się o niej dowiedzą.

Jeb wie, owszem. Tylko czy to cokolwiek zmienia?

Przypomniała sobie, jak reszta spoglądała na Jeba. *No tak.* Westchnęła. *Ale Jamie chyba... to znaczy, nic nie wie ani się nie domyśla, ale wydaje mi się, że coś wyczuwa.*

Być może. Czas pokaże, czy to dobrze. Dla niego, dla nas.

Jeb wytrzymał w milczeniu zaledwie kilka sekund. Odezwał się znowu, przerywając nam wewnętrzny dialog.

– To diablo ciekawe. Może akcja nie jest tak wartka jak w filmach, ale mimo wszystko to diablo ciekawe. Chętnie bym jeszcze trochę posłuchał o tych wszystkich pająkach. Bardzo mnie to ciekawi, oj bardzo.

Wzięłam głęboki oddech i podniosłam głowę.

– Co chcesz wiedzieć?

Uśmiechnął się do mnie ciepło i zmrużył oczy.

– Więc mówisz, że mają trzy mózgi?

Przytaknęłam.

– A ile oczu?

– Dwanaście, po jednym na każdym styku nogi z ciałem. Zamiast powiek mieliśmy mnóstwo stalowych włókien.

Pokiwał głową, oczy mu lśniły.

– Były włochate, jak tarantule?

Oparłam się ciężko o ścianę. Zanosiło się na długą rozmowę.

I taka też była. Zadawał niezliczoną ilość pytań. Chciał znać szczegóły – jak wyglądały pająki, jak się zachowywały, co robiły na Ziemi. Nie wzdrygał się, słuchając o kolonizacji, przeciwnie, ciekawiło go to chyba najbardziej. Gdy tylko kończyłam mówić, od razu zadawał kolejne pytanie, po czym szeroko się uśmiechał. Kiedy wreszcie po paru godzinach wyczerpał temat Pająków, zaczął wypytywać o Kwiaty.

– Niewiele o nich opowiedziałaś – zauważył.

Zaczęłam więc mówić o najpiękniejszej i najspokojniejszej z planet. Niemal za każdym razem, gdy robiłam przerwę na oddech, wtrącał następne pytanie. Lubował się w zgadywaniu i wcale się nie przejmował, gdy musiałam go wyprowadzać z błędu.

– I co, żywiliście się muchami, jak muchołówki? Na pewno właśnie tak było – a może jedliście coś większego, może ptaki – albo pterodaktyle!

– Nie, czerpaliśmy pokarm ze światła słonecznego, tak jak większość roślin na Ziemi.

– Ee, szkoda, moja wersja była ciekawsza.

Czasami zarażał mnie śmiechem.

Przechodziliśmy właśnie do Smoków, gdy nagle zjawił się Jamie z posiłkiem dla trzech osób.

– Cześć, Wagabundo – powiedział nieco zawstydzony.

– Cześć, Jamie – odparłam niepewnie. Bałam się, że jeszcze pożałuję tej zażyłości. W końcu, jak by nie patrzeć, byłam tu czarnym charakterem.

Ale Jamie usiadł tuż obok, między mną a Jebem, skrzyżował nogi i położył na nich tacę z jedzeniem. Umierałam z głodu, a od mówienia zaschło mi w gardle. Wzięłam do ręki miseczkę zupy i opróżniłam ją duszkiem.

– No tak, mogłem się domyślić, że na stołówce wolałaś się nie przyznawać. Mów śmiało, kiedy jesteś głodna, Wando. Nie umiem czytać w myślach.

Co do tego miałam akurat poważne wątpliwości, lecz byłam zbyt zajęta przeżuwaniem chleba, by cokolwiek odpowiedzieć.

– Wando? – zapytał Jamie.

Kiwnęłam głową na znak aprobaty.

– Pasuje, nie sądzisz? – Jeb promieniał dumą. Aż dziwne, że sam się nie poklepał po plecach dla lepszego efektu.

– No w sumie. Rozmawialiście o smokach?

– Tak – odparł entuzjastycznie Jeb – ale nie takich jaszczurowatych, tylko galaretowatych. Umieją latać, wyobraź sobie... no, w pewnym sensie. Powietrze jest tam gęstsze, też galaretowate. Więc trochę jakby w nim pływały. I zieją kwasem – to może nawet lepsze niż ogień, nie sądzisz?

Jeb opowiadał dalej, a ja w tym czasie jadłam – więcej, niż mi się należało – i piłam jak smok. Kiedy skończyłam, Jeb natychmiast zaczął kolejną rundę pytań.

– Czyli ten kwas...

Jamie nie był taki dociekliwy, poza tym odkąd się zjawił, odpowiadałam ostrożniej. Nie musiałam jednak bardzo uważać, gdyż Jeb – czy to świadomie, czy przypadkowo – nie pytał już o nic drażliwego.

Światło z wolna gasło, aż w końcu korytarz ponownie wypełnił mrok. Oczy szybko mi jednak przywykły. Twarze oświetlał nam teraz słaby blask księżyca.

Z czasem Jamie przysunął się bliżej. Nie zdawałam sobie nawet sprawy, że głaszczę go po głowie, dopóki nie spostrzegłam, że Jeb spogląda mi na dłoń.

Założyłam ręce na ciało.

W końcu Jeb ziewnął przeciągle, zarażając nas sennością.

– Masz dar opowiadania, Wando – powiedział, gdy wszyscy troje skończyliśmy się przeciągać.

– Na tym polegała moja praca. Byłam wykładowczynią na uniwersytecie w San Diego. Uczyłam historii.

– Wykładowczynią! – powtórzył Jeb podekscytowany. – No proszę, świetnie! Możesz nam się przydać. Mamy tu trójkę dzieci, uczy je Sharon, córka Mag, ale nie na wszystkim się zna. Najlepiej radzi sobie z matematyką i tym podobnymi. Ale historia...

– Uczyłam tylko *naszej* historii – przerwałam mu w końcu. Od dłuższej chwili czekałam na próżno, aż zrobi pauzę, by zaczerpnąć powietrza. – Nie będzie tu ze mnie pożytku. Nie mam żadnego przygotowania.

– Lepsza wasza historia niż żadna. Zresztą my, ludzie, też powinniśmy ją znać, skoro kosmos jest większy, niż nam się wydawało.

– Ale ja nie byłam prawdziwą nauczycielką – odparłam rozpaczliwym głosem. Naprawdę myślał, że ktoś będzie chciał mnie w ogóle słuchać, a tym bardziej moich opowieści? – Byłam kimś w rodzaju profesora nadzwyczajnego, to były gościnne wykłady. Chcieli, żebym to robiła, tylko dlatego, że... To długa historia. To ma związek z moim imieniem.

– To miało być moje następne pytanie – odparł Jeb tonem zadowolenia. – O twojej pracy na uczelni możemy pogadać później. Teraz lepiej powiedz, dlaczego nazwali cię Wagabundą. Słyszałem już kilka dziwacznych imion – Sucha Woda, Palce na Niebie, Szum Przestworzy – oczywiście wszystkie w połączeniu z całkiem normalnymi, jak Pam i Jim. Wierz mi, to jedna z tych zagadek, od których można umrzeć z ciekawości.

Odczekałam chwilę, by upewnić się, że skończył mówić.

– No więc zwykle jest tak, że dusza próbuje życia na paru planetach, najczęściej na dwóch, a potem osiedla się na stałe na jednej z nich. Kiedy ciało jest już bliskie śmierci, przenosi się do nowego żywiciela tego samego gatunku. Przenosiny do ciała innego gatunku są dezorientujące, większość dusz bardzo tego nie lubi. Niektóre w ogóle nie opuszczają planety urodzenia. Czasem zdarzy się, że ktoś ma kłopot ze znalezieniem sobie odpowiedniego miejsca i zmienia planetę więcej niż raz. Poznałam kiedyś duszę, która była na pięciu, zanim zamieszkała wśród Nietoperzy. Mnie też się tam podobało – gdybym miała gdzieś zostać, to najprędzej właśnie tam. Gdyby nie to, że Nietoperze są ślepe...

– A ty na ilu byłaś planetach? – zapytał Jamie ściszonym głosem. Dopiero teraz spostrzegłam, że trzymam go za rękę.

– To moja dziewiąta – odparłam, delikatnie ściskając mu palce.

– Łał, dziewiąta!

– Dlatego chcieli, żebym prowadziła wykłady. Każdy może uczyć suchych liczb, ale nie każdy widział na własne oczy większość planet, które... przejęliśmy. – Zawahałam się przy ostatnim słowie, ale Jamie wcale się tym nie przejął. – Nie byłam tylko na trzech – no, teraz już czterech. Właśnie zaczęto zasiedlać kolejną.

Oczekiwałam, że Jeb podskoczy z wrażenia i zacznie wypytywać mnie o nowy świat lub o te, na których nie byłam, tymczasem siedział zamyślony i bawił się brodą.

– Dlaczego nigdzie nie zostałaś? – zapytał Jamie.

– Nigdzie mi się aż tak nie podobało.

– A Ziemia? Myślisz, że mogłabyś tu zostać?

Słysząc ten całkiem poważny ton, miałam ochotę się uśmiechnąć. Pytał, jak gdyby nigdy nic, jakbym mogła jeszcze kiedyś zmienić żywiciela. Jakbym mogła liczyć na to, że przeżyję w ciele Melanie kolejny miesiąc.

– Ziemia jest... bardzo ciekawa – wymamrotałam. – Trudniejsza niż wszystkie inne miejsca, w których byłam.

– Nawet to z mrozem i szponowcami?

– Na swój sposób tak. – Jak miałam mu wytłumaczyć, że na Planecie Mgieł niebezpieczeństwo groziło mi tylko i wyłącznie z zewnątrz? Że czymś o wiele gorszym jest atak od wewnątrz?

Atak, prychnęła Melanie.

Ziewnęłam. *Nie myślałam akurat o tobie. Chodziło mi o gwałtowne uczucia, które ciągle mnie zdradzają. Ale ty też mnie atakowałaś. Wspomnieniami.*

Wyciągnęłam z tego naukę, zapewniła mnie oschle. Poczułam, że skupia się bardzo na dłoni, którą trzymam w ręku. Narastało w niej jakieś nienazwane uczucie. Coś przypominającego gniew, ale zaprawiony szczyptą tęsknoty i rozpaczy.

Zazdrość, oświeciła mnie nagle.

Jeb znowu ziewnął.

– Gdzie moje dobre wychowanie. Musisz być przecież diablo śpiąca – złaziliśmy całe jaskinie, a potem pół nocy musiałaś ze mną rozmawiać. Nie powinienem cię sobą zamęczać. Chodź, Jamie, niechże Wanda się wyśpi.

Byłam wyczerpana. Czułam się jak po bardzo długim dniu, a słowa Jeba utwierdziły mnie w przekonaniu, że sobie tego nie uroiłam.

– Dobrze, wujku. – Jamie z lekkością stanął na nogi i podał starcowi dłoń.

– Dzięki, chłopcze – stęknął Jeb, podnosząc się z ziemi. – I dzięki, Wando – dodał po chwili. – To była najciekawsza rozmowa od... hm, chyba odkąd żyję. Niech ci gardło odpocznie, bo będę miał jeszcze wiele pytań. O, przyszedł w końcu. Najwyższy czas.

Dopiero teraz usłyszałam odgłosy zbliżających się kroków. Odruchowo przesunęłam się w głąb pokoju, lecz było tam nawet jaśniej, przez co czułam się jeszcze bardziej odsłonięta.

Dziwiło mnie, że dopiero teraz usłyszeliśmy pierwsze kroki, w końcu korytarz wyglądał na zamieszkany.

– Wybacz, Jeb, zagadałem się z Sharon, a potem trochę mi się przysnęło.

Od razu rozpoznałam ten łagodny głos. Zabulgotało mi w brzuchu i natychmiast pożałowałam, że nie jest pusty.

– Nawet nie zauważyliśmy, Doktorze – odparł Jeb. – To był fantastycznie spędzony czas. Musisz ją kiedyś namówić, żeby opowiedziała ci jakąś historię – naprawdę warto. No, ale to już innym razem. Musi być strasznie zmęczona. Widzimy się rano.

Doktor rozkładał przed wejściem matę, tak jak wcześniej Jared.

– Miej na to oko – rzucił Jeb, kładąc strzelbę na ziemi.

– Wanda, wszystko w porządku? – zapytał Jamie. – Trzęsiesz się.

Dopiero teraz uświadomiłam sobie, że cała drżę. Nic nie odpowiedziałam – nie potrafiłam z siebie wydusić ani słowa.

– Już dobrze, spokojnie – odezwał się Jeb kojącym głosem. – Poprosiłem Doktora, żeby cię popilnował. Nie masz się czego obawiać. To bardzo przyzwoity człowiek.

Doktor uśmiechnął się ospale na te słowa.

– Nie zrobię ci krzywdy... Wanda, tak? Obiecuję. Będę stał na straży, żebyś mogła spokojnie spać.

Zagryzłam wargę, ale dreszcze nie ustawały.

Jeb uznał jednak najwyraźniej, że wszystko zostało już ustalone.

– Branoc, Wanda. Branoc, Doktorze – powiedział, odchodząc.

Jamie się wahał, spoglądał na mnie zmartwiony.

– Doktor jest wporzo – szepnął.

– Dalej, chłopcze, późno już!

Jamie pobiegł za Jebem.

Kiedy zniknęli, zaczęłam wypatrywać zmiany na twarzy Doktora, ale panował na niej ciągle ten sam niezmącony spokój. Rozłożył długie ciało na macie, tak że wystawały mu stopy i łydki. Był naprawdę chudy; leżąc, sprawiał wrażenie mniejszego.

– Dobranoc – zamamrotał śpiącym głosem.

Oczywiście nie odezwałam się słowem. Obserwowałam go w bladym świetle księżyca, patrzyłam, jak unosi mu się klatka piersiowa, i odmierzałam jego oddechy własnym pulsem, który dudnił mi w uszach. Oddychał coraz wolniej i głębiej, w końcu zaczął cicho pochrapywać.

Nawet jeżeli udawał, niewiele mogłam zrobić. Przesuwałam się po cichu w głąb pokoju, aż poczułam pod plecami brzeg materaca. Obiecałam sobie wcześniej, że niczego tutaj nie tknę, ale pomyślałam, że przecież nic się nie stanie, jeśli położę się na skraju łóżka. Podłoga była nierówna i bardzo twarda.

Chrapanie Doktora mi nie przeszkadzało, wręcz przeciwnie. Być może miało uśpić moją czujność, ale przynajmniej go słyszałam i wiedziałam, gdzie jest.

Niezależnie od tego, jaki los mnie czekał, pozostało mi położyć się spać. Byłam wypompowana, jak by to powiedziała Melanie. Materac był cudownie miękki. Ułożyłam się wygodnie, powoli się w niego zapadając...

Nagle usłyszałam ciche szuranie – rozległo się gdzieś w pokoju. Otworzyłam oczy i zobaczyłam pomiędzy sobą a księżycowym sufitem jakiś cień. Doktor wciąż chrapał na korytarzu.

Rozdział 23

Wyznanie

Wiszący nade mną cień był wielki i bezkształtny, szerszy u góry. W pewnym momencie zbliżył mi się do twarzy.

Chyba chciałam krzyczeć, ale głos ugrzązł mi w krtani i na zewnątrz wydostało się jedynie bezgłośne piśnięcie.

– Cii, to tylko ja – szepnął Jamie. Coś dużego zsunęło mu się z ramienia i upadło miękko na ziemię. Dopiero teraz widziałam na tle światła jego prawdziwą, smukłą sylwetkę.

Zadyszałam, trzymając się za gardło.

– Przepraszam – szepnął, siadając na brzegu materaca. – To było niemądre. Ale nie chciałem obudzić Doktora. Nie przyszło mi do głowy, że cię wystraszę. Wszystko okej? – Poklepał mnie po kostce, gdyż była najbliżej.

– Jasne – wysapałam.

– Przepraszam – zaszemrał ponownie.

– Co ty tu robisz, Jamie? Nie powinieneś spać?

– Właśnie dlatego przyszedłem. Wujek Jeb chrapie jak nie wiem co. Nie mogłem z nim wytrzymać.

Wydało mi się to podejrzane.

– Myślałam, że śpisz z nim codziennie?

Ziewnął i schylił się, by rozsupłać posłanie.

– Nie, normalnie śpię z Jaredem. Jared nie chrapie. Zresztą wiesz.

To prawda, wiedziałam.

– W takim razie czemu nie śpisz w pokoju Jareda? Boisz się spać sam? – Nie uważałam tego za powód do wstydu. Sama bez przerwy wpadałam w popłoch.

– Czy się boję? – burknął urażony. – No coś ty. To jest pokój Jareda. I mój.

– Co? Jeb dał mi pokój Jareda?

Nie mogłam w to uwierzyć. Jared mnie zabije. A raczej zabije Jeba, a *potem* mnie.

– To też mój pokój. Powiedziałem Jebowi, że możesz tu spać.

– Jared będzie wściekły – szepnęłam.

– Mogę robić z moim pokojem, co mi się podoba – mruknął Jamie buntowniczo, lecz po chwili zagryzł wargę. – Nie powiemy mu. Nie musi wiedzieć.

Przytaknęłam.

– Mogę się tu położyć? Wujek naprawdę hałasuje.

– Jamie... Mnie to nie przeszkadza. Ale to chyba nie jest dobry pomysł.

Zmarszczył brwi, próbując ukryć, że jest mu przykro.

– Dlaczego nie?

– Bo nie będziesz tu bezpieczny. Czasem nocą szukają mnie różni ludzie.

Otworzył szeroko oczy ze zdziwienia.

– Naprawdę?

– Jared zawsze miał przy sobie broń, więc się go bali.

– Kto?

– Nie wiem. Czasem Kyle. Ale na pewno też tacy, którzy nie pojechali z Jaredem.

Kiwnął głową.

– No to tym bardziej powinienem zostać. Doktor może potrzebować pomocy.

– Jamie...

– Wanda, nie jestem dzieckiem. Dam sobie radę.

Było jasne, że nic nie wskóram.

– Połóż się chociaż na łóżku. Ja będę spała na podłodze. To twój pokój.

– Nie. Jesteś gościem.

Prychnęłam cicho.

– Ha. Nie ma mowy, łóżko jest twoje.

– Zapomnij. – Położył się na macie i założył ręce na piersi.

I tym razem uznałam, że dalsza kłótnia nie ma sensu. Zresztą wiedziałam, że wystarczy poczekać, aż uśnie. Miał twardy sen. Gdy w niego zapadał, Melanie mogła go nosić na rękach.

– Możesz wziąć moją poduszkę – powiedział, klepiąc leżący między nami jasiek. – I nie musisz się tak kurczyć na samym brzegu.

Westchnęłam, ale powlokłam się w górę łóżka.

– Tak lepiej. A możesz mi rzucić poduszkę Jareda?

Zawahałam się. Chciałam już sięgnąć po jasiek, który miałam pod głową, lecz wtedy Jamie poderwał się, wyciągnął nade mną i wziął tę, o którą prosił. Westchnęłam po raz kolejny.

Przez chwilę leżeliśmy w ciszy, wsłuchując się w świszczący oddech Doktora.

– Takie chrapanie to jeszcze ujdzie – szepnął Jamie.

– Raczej cię nie obudzi.

– Jesteś zmęczona?

– O tak.

– Aha.

Czekałam, aż powie coś więcej, ale milczał.

– Chciałeś czegoś ode mnie? – zapytałam.

W pierwszej chwili nic nie odpowiedział, ale czułam, że szuka słów, więc czekałam.

– Gdybym cię o coś zapytał, powiedziałabyś mi prawdę?

Teraz to ja miałam moment zawahania.

– Nie wiem wszystkiego – wykręciłam się.

– Ale to będziesz wiedzieć. Kiedy szliśmy korytarzem... to znaczy, ja i wuj Jeb... rozmawialiśmy o paru rzeczach. Powiedział mi, co myśli, ale nie wiem, czy ma rację.

W głowie poczułam nagle silną obecność Melanie.

Jamie mówił ledwie słyszalnym szeptem, cichszym niż mój oddech.

– Wuj Jeb podejrzewa, że Melanie żyje. Że jest tam z tobą w środku.

Mój Jamie, westchnęła Melanie.

Nie odpowiedziałam ani jemu, ani jej.

– Nie wiedziałem, że to w ogóle możliwe. To możliwe? – Głos mu się załamał, słyszałam, że zbiera mu się na płacz. Wzruszył się przy mnie dwa razy w ciągu doby, a przecież nie był beksą. Poczułam ból w klatce piersiowej.

– Wanda, powiedz, proszę.

Powiedz mu. Proszę, powiedz mu, że go kocham.

– Czemu nie chcesz mi powiedzieć? – Teraz już naprawdę płakał, choć próbował tłumić łkanie.

Zsunęłam się z łóżka, wcisnęłam w twardą szparę między materacem a matą i objęłam go ramieniem. Czułam, jak drży. Dotknęłam twarzą jego policzka i poczułam na szyi ciepłe łzy.

– Melanie żyje? Proszę cię, Wanda, powiedz.

Był pewnie mimowolnym narzędziem w rękach Jeba. Stary lis zapewne celowo go przysłał, wiedząc, że przy chłopcu rozwiązuje mi się język. Szukał potwierdzenia swoich domysłów i był gotów w tym celu posłużyć się chłopcem. Ale jak postąpi, gdy już ustali niebezpieczną prawdę? Co z nią zrobi? Nie miał chyba wobec mnie złych zamiarów, ale czy mogłam ufać własnej ocenie? Przecież ludzie to przewrotne, zdradzieckie istoty.

Nie byłam w stanie ich przejrzeć. Wśród dusz niecne intencje były nie do pomyślenia.

Jamie cały się trząsł.

Cierpi, jęknęła Melanie. Rozpaczliwie próbowała odzyskać władzę nad ciałem.

Odezwałam się jednak sama, świadoma odpowiedzialności za to, co mówię.

– Obiecała, że wróci, prawda? – powiedziałam cicho. – Przecież zawsze dotrzymuje słowa.

Jamie objął mnie wpół i mocno się przytulił.

– Kocham cię, Mel – szepnął po chwili.

– Ona ciebie też. Jest bardzo szczęśliwa, że tu jesteś i że nic ci nie grozi.

Milczał przez dłuższy czas. Jego łzy na mojej skórze zdążyły wyschnąć i został po nich jedynie słony proszek.

– Czy tak jest ze wszystkimi? – szepnął w końcu, gdy już myślałam, że dawno zasnął.

– Nie – odparłam ze smutkiem. – Nie. Melanie jest wyjątkowa.

– Jest odważna i silna.

– Bardzo.

– Myślisz, że... – Przerwał, pociągając nosem. – Myślisz, że nasz tata też żyje?

Przełknęłam ślinę, żeby pozbyć się guli w gardle, ale nie pomogło.

– Nie, Jamie. Nie sądzę. Przynajmniej nie tak jak Melanie.

– Dlaczego?

– Ponieważ przyprowadził do was Łowców. To znaczy nie on, tylko dusza w jego ciele. Gdyby twój tata żył, nie dopuściłby do tego. Twoja siostra nigdy mi nie pokazała, jak dotrzeć do waszej kryjówki – bardzo długo nie miałam nawet pojęcia o twoim istnieniu. Przyprowadziła mnie tutaj, gdy stało się jasne, że nie zrobię ci krzywdy.

Powiedziałam za dużo. Dopiero kiedy zamilkłam, dotarło do mnie, że Doktor przestał chrapać. W ogóle nie słyszałam jego oddechu. Skarciłam się w myślach za głupotę.

– O rany – powiedział Jamie.

– Tak, jest bardzo silna – szepnęłam mu na ucho, tak by Doktor nie mógł słyszeć.

Jamie zmarszczył brwi, wytężając słuch, po czym zerknął w stronę ciemnego korytarza. Widocznie uświadomił sobie, że możemy być podsłuchiwani, gdyż zbliżył się do mojego ucha i odszepnął ciszej niż poprzednio:

– Dlaczego nie chcesz, żeby nas złapali? Przecież... powinnaś tego chcieć?

– Ale nie chcę.

– Dlaczego?

– Bo... spędziłam z twoją siostrą dużo czasu. Jej wspomnienia i uczucia są teraz jak moje własne. I... ja też cię... kocham.

– I Jareda?

Zacisnęłam na chwilę zęby. Zaskoczyło mnie, że tak łatwo połączył fakty.

– Oczywiście, że nie chcę, żeby coś mu się stało.

– On cię nienawidzi – powiedział smutno Jamie.

– Wiem. Jak wszyscy. – Westchnęłam. – Nie mogę mieć do nich o to żalu.

– Nie wszyscy. Jeb nie. Ja też nie.

– Może jeszcze zmienisz zdanie, jak to przemyślisz.

– Przecież nawet nie było cię tutaj w czasie inwazji. Nie wybrałaś sobie specjalnie mojego taty ani mamy, ani Melanie. Byłaś wtedy w kosmosie, prawda?

– Tak, Jamie, ale jestem tym, kim jestem. Robię to, co wszystkie inne dusze. Zanim zamieszkałam w Melanie, miałam wielu innych żywicieli i nigdy nie odczuwałam skrupułów przed... odebraniem życia. My, dusze, po prostu tak żyjemy.

– Czy Melanie cię nienawidzi?

Chwilę się zastanawiałam.

– Nie tak bardzo jak kiedyś.

Nieprawda. Całkiem przestałam.

– Mówi, że całkiem przestała – dodałam ledwie słyszalnym głosem.

– Jak się... jak się czuje?

– Cieszy się, że tu jest. Bardzo się cieszy, że cię znalazła. Nie przejmuje się tym, że nas zabiją.

Poczułam, jak Jamie cały sztywnieje.

– Nie mogą! Nie mogą! Przecież Melanie żyje!

Po co mu to powiedziałaś, żachnęła się Melanie. *To było niepotrzebne.*

Chyba lepiej, żeby był przygotowany.

– Nikt nie uwierzy – szepnęłam do chłopca. – Pomyślą, że kłamię, że próbuję cię oszukać. Jeżeli im powiesz, jeszcze bardziej będą chcieli mnie zabić. Bo tylko Łowcy kłamią.

Wzdrygnął się na to słowo.

– Ale ty nie kłamiesz. Wiem, że nie – odezwał się po chwili.

Wzruszyłam tylko ramionami.

– Nie pozwolę im, żeby ją zabili – dodał.

W jego cichym głosie pobrzmiewała determinacja. Przeraziłam się na myśl, że teraz jeszcze bardziej się we wszystko uwikła. Pomyślałam o barbarzyńcach, z którymi tu żyje. Jeżeli stanie w mojej obronie, czy powstrzyma ich to, że jest tylko małym chłopcem? Śmiałam w to wątpić. Gorączkowo szukałam w myślach sposobu, by skutecznie go zniechęcić, pamiętałam jednak, jak bardzo potrafi być uparty.

Odezwał się, zanim zdążyłam cokolwiek powiedzieć. Tym razem spokojnym tonem, jakby stwierdzał coś oczywistego.

– Jared coś wymyśli. Jak zawsze.

– Jared też ci nie uwierzy. Wścieknie się najbardziej ze wszystkich.

– Nawet jeśli nie uwierzy, będzie ją chronił. Na wszelki wypadek.

– Zobaczymy – wymamrotałam. Postanowiłam przekonać go później, kiedy już znajdę odpowiednie słowa, takie, które zabrzmią, jakbym wcale nie próbowała go do niczego nakłaniać.

Jamie milczał, myślał. Z czasem oddech mu zwolnił, usta się otwarły. Odczekałam trochę, chcąc mieć pewność, że śpi twardo, po czym stanęłam nad nim na czworakach i bardzo ostrożnie przeniosłam go na łóżko. Był cięższy niż kiedyś, ale jakoś udało mi się go nie zbudzić.

Odłożyłam poduszkę Jareda na miejsce i rozłożyłam się na macie.

No, pomyślałam, *to właśnie uciekłam z deszczu*. Byłam jednak zbyt zmęczona, by się zastanawiać, co przyniesie jutro. Usnęłam w ciągu minuty.

Kiedy się obudziłam, przez szczeliny w suficie prześwitywały promienie słońca. Ktoś gwizdał.

Po chwili gwizdanie ustało.

Otworzyłam powoli oczy.

– No, nareszcie – mruknął Jeb.

Przewróciłam się na bok, żeby móc na niego spojrzeć, i poczułam, jak z ręki ześlizguje mi się dłoń Jamiego. Widocznie objął mnie w nocy – a właściwie siostrę.

Jeb stał z założonymi rękoma w wejściu, oparty o skalną futrynę.

– Dobry – przywitał się. – Wyspana?

Przeciągnęłam się i kiwnęłam twierdząco głową.

– Tylko nie baw się znowu w milczka. – Skrzywił się.

– Przepraszam – wymamrotałam. – Spałam dobrze, dziękuję.

Jamie poruszył się na dźwięk mego głosu.

– Wanda?

Może to nie miało sensu, ale rozczuliło mnie, że właśnie moje durne „imię” wypowiedział, budząc się ze snu.

– Tak?

Jamie zamrugał i odgarnął sobie z oczu poplątane włosy.

– O, cześć, wujku.

– Źle ci było ze mną, chłopcze?

– Strasznie głośno chrapiesz – odparł Jamie, ziewając.

– Naprawdę nie nauczyłem cię lepszych manier? – zapytał go Jeb. – Od kiedy to pozwala się gościom, na dodatek damie, spać na ziemi?

Jamie podniósł się gwałtownie i rozejrzał, zdezorientowany. Zmarszczył brwi.

– To nie jego wina – odezwałam się. – Upierał się, że będzie spał na macie. Przeniosłam go, jak zasnął.

Jamie prychnął.

– Zupełnie jak Melanie.

Spojrzałam na niego i otworzyłam szerzej oczy, dając do zrozumienia, że powinien uważać na to, co mówi.

Jeb zachichotał. Popatrzyłam w jego stronę i zobaczyłam ten sam koci wyraz twarzy co wczoraj. Zupełnie jakby rozwiązał jakąś zagadkę. Podszedł bliżej i trącił stopą brzeg materaca.

– Przespałeś już jedną lekcję. Sharon będzie zła. Lepiej się uwijaj.

– Sharon zawsze jest zła – poskarżył się Jamie, ale natychmiast wstał.

– Raz dwa, chłopcze, raz dwa.

Jamie spojrzał jeszcze na mnie, po czym obrócił się i zniknął w korytarzu.

– A teraz posłuchaj – odezwał się Jeb, gdy już zostaliśmy sami. – Nie będę cię dzisiaj niańczył. Mam dużo roboty. Zresztą jak wszyscy. Nikt nie ma czasu bawić się w strażnika. Dlatego dzisiaj będziesz mi pomagać przy pracy.

Poczułam, jak opada mi szczęka.

Jeb spoglądał na mnie bez cienia uśmiechu.

– Nie bój się tak – burknął. – Nic ci się nie stanie. – Poklepał strzelbę. – Mój dom to nie miejsce dla sierotek.

Akurat z tym trudno się było nie zgodzić. Wzięłam trzy szybkie, głębokie oddechy, żeby opanować nerwy. Krew huczała mi w uszach tak głośno, że kiedy odezwał się ponownie, miałam wrażenie, że mówi dużo ciszej.

– No dalej, Wando. Rachu ciachu. Szkoda dnia.

Obrócił się i wyszedł ciężkim krokiem na korytarz.

Leżałam przez chwilę nieruchomo, po czym zerwałam się i wybiegłam za nim. Wcale nie blefował – zdążył już zniknąć za pierwszym zakrętem. Zaczęłam go gonić, przerażona myślą, że mogłabym się natknąć na kogoś innego, w końcu było to skrzydło mieszkalne. Złapałam go przed skrzyżowaniem tuneli, zwalniając tempo dopiero u jego boku. Nawet na mnie nie spojrzał.

– Pora obsiać wschodnie pole. Będziemy musieli się trochę pobabrać w ziemi, mam nadzieję, że nie masz nic przeciwko. Trzeba przygotować glebę. Potem dopilnuję, żebyś mogła się umyć. Potrzebujesz kąpieli. – Znacząco pociągnął nosem, po czym się roześmiał.

Poczułam, jak ciepły rumieniec oblewa mi kark, ale zignorowałam tę uwagę.

– Nie, nie mam nic przeciw temu, żeby sobie pobrudzić ręce. – Z tego, co pamiętałam, wschodnie pole znajdowało się na uboczu. Pomyślałam, że może będziemy tam pracować sami.

Doszliśmy do jaskini z ogrodem i zaczęliśmy mijać ludzi. Wszyscy jak zwykle patrzyli na mnie ze wściekłością w oczach. Zaczynałam rozróżniać twarze. Rozpoznałam kobietę w średnim wieku z ciemnoszarym warkoczem, która wczoraj pracowała przy nawadnianiu, podobnie jak niski mężczyzna z okrągłym brzuchem, rzadkimi rudoblond włosami i czerwonymi policzkami. Atletycznie zbudowana kobieta o karmelowej skórze schylała się, by zawiązać but, gdy pierwszy raz przyszłam tu za dnia. Inną kobietę o ciemnej cerze, z grubymi ustami i sennymi oczami, widziałam wcześniej w kuchni obok dwójki czarnowłosych dzieci – może była ich matką? Następnie minęliśmy Maggie, która spojrzała tylko gniewnie na Jeba, odwracając ode mnie twarz. Przeszliśmy też obok siwego, bladego mężczyzny o schorowanym wyglądzie, którego nigdy wcześniej nie widziałam; byłam o tym przekonana. Parę chwil później spotkaliśmy Iana.

– Czołem, Jeb – przywitał się wesoło. – Dokąd to?

– Idziemy kopać wschodnie pole – odmruknął Jeb.

– Może wam pomóc?

– Może byś raczył.

Ian uznał to za zgodę i ruszył w ślad za mną. Czułam na plecach jego wzrok i dostawałam gęsiej skórki.

Minęliśmy młodego człowieka, co najwyżej kilka lat starszego niż Jamie, o ciemnych włosach sterczących niczym stalowa wełna nad oliwkowym czołem.

– Czołem, Wes – przywitał się Ian.

Chłopak przyglądał się nam w milczeniu. Ian roześmiał się, widząc wyraz jego twarzy.

Minęliśmy Doktora.

– Czołem, Doktorze – rzucił Ian.

– O, Ian. – Doktor kiwnął głową. Trzymał w dłoniach duży kawał ciasta. Koszulę miał powalaną ciemną, grubą mąką. – Dzień dobry, Jeb. Dzień dobry, Wando.

– Dobry – odparł Jeb.

Kiwnęłam niemrawo głową, zakłopotana.

– Wando? – zapytał zdziwiony Ian.

– To mój pomysł – wyjaśnił Jeb. – Pasuje do niej, według mnie.

– Ciekawe – skwitował Ian.

W końcu dotarliśmy na wschodnie pole i pozbyłam się złudzeń.

Było tu więcej ludzi niż w tunelach – pięć kobiet i dziewięciu mężczyzn. Wszyscy na mój widok przerwali pracę i, rzecz jasna, skrzywili się.

– Nie zwracaj na nich uwagi – powiedział do mnie półgłosem Jeb.

Jak mi doradził, tak sam uczynił. Podszedł do sterty narzędzi pod ścianą, przytroczył sobie strzelbę do pasa i sięgnął po kilofek oraz dwie łopaty.

Zawsze, gdy się oddalał, czułam się niepewnie. Ian stał tuż za mną – słyszałam jego oddech. Reszta nadal spoglądała na mnie z narzędziami w dłoniach. Miałam świadomość, że kilofy i motyki używane do przekopywania ziemi mogą równie dobrze posłużyć do rozorania mi czaszki. Sądząc po niektórych twarzach, nie tylko ja wpadłam na ten pomysł.

Jeb wrócił i podał mi łopatę. Złapałam za wytarty drewniany uchwyt i zważyłam narzędzie w dłoni. Po tym, jak ujrzałam w oczach ludzi zew krwi, trudno było nie myśleć o nim jak o broni. Brzydziłam się jednak tym pomysłem. Raczej nie byłabym w stanie wykorzystać łopaty w taki sposób, nawet do zablokowania ciosu.

Ian dostał kilof. Ostry, poczerniały, wyglądał w jego rękach śmiertelnie niebezpiecznie. Z trudem powstrzymałam się, żeby nie odskoczyć na bezpieczną odległość.

– Chodźmy w tamten kąt.

Przynajmniej ze wszystkich miejsc w długiej, słonecznej jaskini Jeb wybrał to najmniej zatłoczone. Kazał Ianowi iść przodem i rozkopywać spieczony na skorupę grunt, ja przewracałam wykopane bryły ziemi, a on sam rozgniatał je kantem łopaty, zamieniając w pulchną glebę.

Po paru sekundach w gorących promieniach odbitego słońca Ian zdjął koszulę. Zobaczyłam pot spływający po jego jasnej skórze, usłyszałam za plecami dyszenie Jeba i zrozumiałam, że mam najlżejsze zadanie. Żałowałam, że nie dostałam czegoś trudniejszego, na czym musiałabym się bardziej skupić, co chwila bowiem zerkałam nerwowo na pozostałych ludzi. Każdy uchwycony kątem oka ruch sprawiał, że serce skakało mi do gardła.

Nie mogłabym robić tego co Ian – nie miałam wystarczająco silnych ramion ani pleców, by przebijać się przez twardą ziemię. Postanowiłam ułatwić pracę Jebowi i rozbijałam bryły na mniejsze grudki. Trochę mi to pomagało – zajmowało wzrok i męczyło, przez co skupiałam się bardziej na sobie.

Co pewien czas Ian chodził po wodę. Była tu wprawdzie niska, jasna kobieta – widziałam ją wczoraj w kuchni – której praca zdawała się polegać właśnie na roznoszeniu wody, ale w ogóle nie zwracała na nas uwagi. Za każdym razem Ian przynosił tyle, by starczyło dla trzech osób. Nie wiedziałam, co myśleć o zmianie w jego zachowaniu. Naprawdę nie chciał już mojej śmierci? A może po prostu czekał na dogodną okazję? Woda w tych jaskiniach zawsze smakowała dziwnie – trąciła stęchlizną i siarką – lecz teraz zaczęłam nabierać podejrzeń. Starałam się jednak ignorować paranoiczne myśli.

Pracowałam dość ciężko, by całkiem się wyłączyć. Nawet nie zauważyłam, kiedy dotarliśmy do końca ostatniej grządki. Dopiero widząc, że Ian przestał rozkopywać ziemię, sama się zatrzymałam. Przeciągnął się, unosząc kilof oburącz ponad głowę. Odskoczyłam na widok wzniesionego ostrza, ale nie zauważył tego. Nagle spostrzegłam, że cała reszta także już przestała pracować. Popatrzyłam wzdłuż i wszerz jaskini na świeżo przekopaną ziemię i zrozumiałam, że pole jest gotowe.

– Dobra robota – oznajmił głośno Jeb całej grupie. – Jutro będziemy obsiewać i podlewać.

Grotę wypełnił cichy gwar oraz brzęk odkładanych na stertę narzędzi. Jedni rozmawiali beztrosko, inni prawie nie spuszczali mnie z oka. Oddając Ianowi łopatę, czułam, że mój i tak kiepski nastrój sięgnął właśnie dna. Nie wątpiłam, że słowo „będziemy" obejmowało także mnie. Jutrzejszy dzień miał być równie ciężki.

Posłałam Jebowi żałosne spojrzenie i zobaczyłam, że się do mnie uśmiecha. Było w tym uśmiechu coś, co mówiło, że wie, co sobie myślę – że nie tylko jest świadom mojej udręki, ale wręcz czerpie z niej przyjemność.

Mrugał teraz do mnie. Co za dziwny człowiek. Po raz kolejny uprzytomniłam sobie, że po ludzkiej przyjaźni nie należy się zbyt wiele spodziewać.

– Do jutra, Wando! – zawołał Ian z drugiego końca groty i zaśmiał się sam do siebie.

Wszyscy spojrzeli zdziwieni.

Rozdział 24

Zmiana

Rzeczywiście, nie pachniałam fiołkami.

Straciłam już rachubę czasu spędzonego w jaskiniach – ponad tydzień? dwa? – a przez wszystkie te dni nosiłam to samo ubranie co na pustyni. Bawełniana koszulka wchłonęła już tyle potu, że pogięła się i przypominała akordeon. Kiedyś była bladożółta, teraz – całkiem upaćkana, ciemnofioletowa jak skalna podłoga. Moje krótkie włosy były poplątane i zapiaszczone. Czułam, jak sterczą mi na głowie niczym czub kakadu. Dawno nie widziałam swojej twarzy, ale domyślałam się, że dominują na niej dwa odcienie fioletu, które zawdzięczałam jaskiniowemu pyłowi oraz siniakom.

Dlatego rozumiałam, o co chodziło Jebowi. Istotnie, potrzebowałam kąpieli. Oraz nowych ubrań, inaczej mycie się nie miało sensu. Jeb zaproponował, żebym ponosiła rzeczy Jamiego, dopóki moje nie wyschną, ale bałam się, że je rozciągnę i zniszczę. Na szczęście nie zaoferował mi żadnych ubrań Jareda. W końcu dostałam jego własną flanelową koszulę z odprutymi rękawami, starą, lecz czystą, a także wyblakłe, dziurawe spodnie z bawełny, których nikt inny nie chciał. Niosłam je zwinięte na ramieniu, a w dłoni trzymałam cuchnącą bryłę zlepioną z kawałków czegoś, co Jeb nazywał mydłem kaktusowym domowej roboty. Z tym wszystkim maszerowałam do łaźni.

Znów okazało się, że nie będziemy tam sami. Nad strumykiem stało trzech mężczyzn oraz kobieta – ta o ciemnoszarych włosach – napełniali wiadra wodą. Natomiast z łaźni dobiegały pluski i śmiechy.

– Poczekamy na naszą kolej – powiedział Jeb i oparł się o ścianę.

Stałam sztywno obok niego i czułam na sobie nieprzyjemne spojrzenia czterech par oczu, sama jednak nie odrywałam wzroku od gorącego źródła, płynącego wartkim nurtem pod dziurawą podłogą.

Po paru chwilach łaźnię opuściły trzy kobiety – atletyczna o karmelowej cerze, młoda blondynka, której chyba wcześniej nie widziałam, oraz Sharon, kuzynka Melanie. Kiedy nas ujrzały, od razu przestały się śmiać.

– Dzień dobry, dziewczęta – odezwał się Jeb, dotykając czoła niczym brzegu kapelusza.

– Cześć, Jeb – odparła bez entuzjazmu kobieta o ciemnej karnacji.

Sharon i blondynka całkiem nas zignorowały.

– No dobra, Wando – powiedział, gdy sobie poszły. – Twoja kolej.

Posłałam mu ponure spojrzenie i ruszyłam ostrożnym krokiem w stronę ciemnego pomieszczenia.

Próbowałam sobie przypomnieć jego rozmiary – byłam pewna, że mam jeszcze parę kroków do wody. Zdjęłam buty, żeby móc jej poszukać palcami.

Ciemności mnie przerażały. Zadrżałam na wspomnienie czarnej powierzchni wody, pod którą mogło się czaić dosłownie wszystko. Ale gra na zwłokę nie przybliżała mnie do wyjścia, więc położyłam czyste rzeczy obok butów, z cuchnącym mydłem w ręku ruszyłam powolutku przed siebie i w końcu poczułam pod stopą krawędź basenu.

W porównaniu do parnego powietrza w grocie na zewnątrz, woda była chłodna. Przyjemna. Potrafiłam to docenić mimo strachu. Dawno już nie miałam kontaktu z niczym chłodnym. Zamoczyłam się w brudnym ubraniu aż do pasa. Czułam prąd strumyka wokół kostek. Cieszyło mnie, że woda nie stoi w miejscu, dzięki temu nie musiałam się obawiać, że ją pobrudzę.

Przykucnęłam, zanurzając się po ramiona. Przejechałam mydłem po ubraniu. Tam, gdzie dotknęło skóry, czułam łagodne pieczenie.

Zdjęłam namydlone rzeczy i zaczęłam trzeć pod wodą. Następnie wypłukałam je niezliczoną ilość razy, by mieć pewność, że po łzach i pocie nie został ani ślad, wykręciłam i położyłam na ziemi obok butów, a przynajmniej tak mi się wydawało.

Zaczęłam się namydlać. Pieczenie było teraz silniejsze, ale jakoś to znosiłam, bo bardzo chciałam być znowu czysta. Gdy skończyłam, czułam na całym ciele szczypanie, a skóra głowy bolała mnie jak oparzona. Niektóre miejsca były szczególnie wrażliwe – musiałam nadal mieć siniaki. Z ulgą odłożyłam mydło na bok i spłukałam się dokładnie wiele razy, tak jak wcześniej ubranie.

Wychodząc z basenu, czułam zarazem ulgę i żal. Chłodna woda była przyjemna, podobnie jak uczucie czystości. Miałam jednak dość poruszania się po omacku i wyobrażania sobie w ciemnościach różnych rzeczy. Wymacałam dłonią suchą koszulę oraz spodnie i szybko je włożyłam, po czym wsunęłam buty na pomarszczone od wody stopy. Jedną ręką podniosłam mokre rzeczy, drugą chwyciłam mydło między palce i ruszyłam w stronę wyjścia.

Jeb roześmiał się, widząc, jak ostrożnie je niosę.

– Trochę piecze, co? Pracujemy nad tym. – Wyciągnął zawiniętą w brzeg koszuli dłoń, a wtedy ja położyłam na niej mydło.

Nic nie odpowiedziałam, bo nie byliśmy sami. Czekało za nim w milczeniu pięć osób, wszystkie ze wschodniego pola.

Pierwszy w kolejce stał Ian.

– Lepiej wyglądasz – zwrócił się do mnie, ale nie potrafiłam odgadnąć, czy jest tym zaskoczony, czy może poirytowany.

Uniósł dłoń i wyciągnął ku mojej szyi długie, jasne palce. Odskoczyłam do tyłu, a wtedy on opuścił rękę.

– Przepraszam – wymamrotał.

Nie wiedziałam, czy przeprasza za to, że mnie przestraszył, czy za sińce na szyi. Ale chyba nie za to, że próbował mnie zabić – wydało mi się to całkiem nieprawdopodobne. Na pewno wciąż życzył mi śmierci. Nie miałam jednak zamiaru pytać. Ruszyłam z miejsca, a w ślad za mną Jeb.

– No, dzisiaj nie było aż tak źle – odezwał się w ciemnym korytarzu.

– Nie aż tak – odparłam cicho. W końcu nikt mnie nie zabił. Zawsze to coś.

– Jutro będzie jeszcze lepiej – obiecał. – Bardzo lubię siać. To niesamowite, ile te małe, niepozorne ziarenka mają w sobie życia. Myślę wtedy, że może nawet taki stary dziad jak ja jest jeszcze coś wart. Może na przykład będzie ze mnie dobry nawóz. – Zaśmiał się z własnego żartu.

Gdy znaleźliśmy się w jaskini z ogrodem, Jeb wziął mnie za łokieć i poprowadził nie na zachód, lecz na wschód.

– Nawet nie próbuj mi wmówić, że nie jesteś głodna po pracy. Nie mam czasu się bawić w obsługę hotelową. Będziesz musiała jeść tam gdzie wszyscy.

Skrzywiłam się i spuściłam wzrok na podłogę, ale pozwoliłam się zaprowadzić do kuchni.

Dobrze, że jedzenie było takie jak zawsze, bo gdyby nawet podano mi soczysty stek albo paczkę cheetosów, i tak nie mogłabym się cieszyć smakiem. W zupełnej ciszy, jaka zapanowała w kuchni, samo przełykanie było nie lada wyzwaniem. Nie było w niej tłoczno, około dziesięciu osób jadło przy stołach twarde bułki i wodnistą zupę. Gdy tylko się zjawiłam, ucichły wszelkie rozmowy. Zastanawiało mnie, jak długo to jeszcze potrwa.

Prawidłowa odpowiedź na to pytanie brzmiała: równo cztery dni.

Tyle samo czasu zajęło mi zrozumienie, dlaczego Jeb z serdecznego gospodarza przemienił się w mrukliwego nadzorcę.

Nazajutrz po kopaniu pola spędziłam cały dzień obsiewając i nawadniając ziemię. Tym razem pracowali z nami inni ludzie. Domyśliłam się, że obowiązuje tu rotacja. W nowej grupie była Maggie, a także kobieta o karmelowej cerze, ale wciąż nie wiedziałam, jak ma na imię. Przez większość czasu wszyscy pracowali w milczeniu. Była to nienaturalna cisza – wyraz sprzeciwu wobec mojej obecności.

Ian pracował z nami, choć nie była jego kolej. Martwiło mnie to.

Po pracy znowu musiałam jeść w kuchni. Był tam Jamie i tylko dlatego w pomieszczeniu nie panowała zupełna cisza. Wiedziałam, że jest doskonale świadom złowrogiego milczenia, ale rozmyślnie je lekceważył, jakby udając, że on, Jeb i ja jesteśmy sami. Opowiadał o lekcjach z Sharon, mówiąc nie bez pewnej dumy o tym, że dostał od niej burę za to, iż odzywał się niepytany, i narzekając na zadanie domowe, którym go ukarała. Jeb napomniał go dobrodusznym tonem. Obaj zachowywali się, jakby wszystko było w jak najlepszym porządku. Ja nie umiałam tak dobrze grać. Kiedy Jamie pytał mnie o mój dzień, utkwiłam wzrok w jedzeniu i odpowiadałam półsłówkami. Chyba go to zasmuciło, ale nie naciskał.

Co innego nocą – wówczas zadawał pytania, dopóki nie ubłagałam go, aby dał mi się wyspać. Przeniósł się z powrotem do swojego pokoju i spał na łóżku po stronie Jareda, uparłszy się, że jego strona jest teraz moja. Melanie to odpowiadało, właśnie za tym tęskniła.

Jeb również nie miał zastrzeżeń.

– Przynajmniej nie muszę szukać chętnych do pełnienia straży. Miej broń pod ręką i nigdy o niej nie zapominaj – powiedział Jamiemu.

Znowu protestowałam, ale nikt mnie nie słuchał. Jamie spał między mną a strzelbą, a ja się martwiłam i dręczyły mnie koszmary.

Trzeciego dnia pracy trafiłam do kuchni. Jeb nauczył mnie ugniatać ciasto na bułki i dzielić je na okrągłe kawałki, a później także rozpalać ogień pod kamiennym piecem, gdy jest już ciemno i nie widać dymu.

Po południu nagle sobie poszedł.

– Idę po mąkę – rzucił pod nosem, bawiąc się paskiem.

Trzy kobiety, które w milczeniu pracowały obok nas, nawet nie podniosły wzroku. Byłam upaprana po łokcie, więc zaczęłam zdrapywać z siebie lepkie ciasto, by pójść z nim.

Jeb uśmiechnął się szeroko, zerknął w stronę kobiet, po czym spojrzał na mnie i potrząsnął głową. Obrócił się na pięcie i zniknął, zanim zdążyłam się uwolnić.

Wstrzymałam oddech. Spojrzałam na kobiety – młodą blondynkę z łaźni, matkę o sennych oczach oraz tę z ciemnoszarym warkoczem. Lada chwila powinny się zorientować, że mogą mnie zabić. Nie było Jeba ani strzelby – co mogło je powstrzymać?

Lecz one dalej ugniatały ciasto, jakby nieświadome niczego. Po pewnym czasie zaczęłam znowu normalnie oddychać i wróciłam do lepienia bułek. Uznałam, że stojąc w bezruchu tylko zwracam na siebie uwagę.

Jeba nie było całą wieczność. Może poszedł zemleć trochę mąki. Nie potrafiłam inaczej wytłumaczyć tak długiej nieobecności.

– Trochę ci to zajęło – odezwała się kobieta z ciemnoszarym warkoczem, gdy w końcu wrócił. Upewniła mnie tym samym, że mi się nie zdawało.

Jeb upuścił na ziemię ciężką torbę.

– To góra mąki. Sama spróbuj ponieść, jak chcesz, Trudy.

Trudy prychnęła.

– Musiałeś pewnie wiele razy przystawać.

Jeb uśmiechnął się do niej szeroko.

– Oj tak.

Bijące dotychczas w szaleńczym tempie serce nieco mi się uspokoiło.

Następnego dnia myliśmy lusterka nad polem kukurydzy. Jeb wytłumaczył mi, że trzeba to robić dość często, gdyż szybko pokrywa je wilgoć i kurz, a rośliny potrzebują dużo światła. Ian, który znów do nas dołączył, wspinał się tym razem po chybotliwej drabinie, a my staraliśmy się utrzymać ją w miejscu. Nie było łatwo, Ian był ciężki, a domowej roboty drabina niestabilna. Na koniec dnia nie czułam rąk, jedynie ból.

Dopiero gdy zbieraliśmy się do kuchni, spostrzegłam, że przy pasku Jeba nic nie wisi.

Zaparło mi dech w piersiach, kolana zesztywniały jak przestraszonemu źrebięciu. Zachwiałam się.

– Co się dzieje, Wando? – zapytał niewinnie Jeb.

Odpowiedziałabym, gdyby nie to, że Ian stał tuż obok i przyglądał mi się błękitnymi oczami.

Spojrzałam tylko na Jeba z pretensją i niedowierzaniem, po czym ruszyłam dalej, potrząsając głową. Jeb zachichotał.

– O co chodzi? – zamamrotał Ian do Jeba, jakby myślał, że jestem przygłucha.

– Żebym to ja wiedział. – Jeb skłamał tak, jak potrafi tylko człowiek, gładko i prosto w twarz.

Był dobrym kłamcą. Zaczęłam się zastanawiać, czy to, że nie wziął dziś broni, i to, że zostawił mnie wczoraj samą, i całe to wpychanie mnie między ludzi nie oznacza, że czeka, aż ktoś mnie zabije, bo nie ma ochoty zrobić tego własnoręcznie? Czy to możliwe, że tylko sobie tę przyjaźń ubzdurałam? Albo że była jednym z wielu kłamstw?

Po raz czwarty miałam zjeść lunch w kuchni.

Jeb, Ian i ja weszliśmy do środka. W dużym, dusznym pomieszczeniu siedziało wiele osób. Rozmawiały półgłosem o mijającym dniu. Weszliśmy – i nic się nie stało.

Nic.

Nie zapanowała cisza. Nikt nie przerwał rozmowy, by zmierzyć mnie lodowatym wzrokiem. W ogóle nie zwrócono na nas uwagi.

Jeb posadził mnie na wolnym miejscu i poszedł po pieczywo dla trzech osób. Ian usiadł koło mnie i zagadał do siedzącej obok dziewczyny. Była nią młoda blondynka, którą ostatnio często widywałam. Okazało się, że ma na imię Paige.

– Co tam słychać? Jak sobie dajesz radę bez Andy'ego?

– W porządku, tylko się o niego martwię – odparła i zagryzła wargę.

– Niedługo wróci – uspokajał ją Ian. – Jared zawsze przywozi wszystkich z powrotem. Ma talent. Odkąd jest z nami, nie mieliśmy żadnych wypadków, żadnych problemów. Andy jest bezpieczny.

Zainteresowała mnie wzmianka o Jaredzie – nawet pogrążona ostatnio w letargu Melanie drgnęła na dźwięk jego imienia – lecz Ian nie powiedział nic więcej. Poklepał tylko Paige po ramieniu i zwrócił się twarzą do Jeba, który właśnie przyniósł jedzenie.

Starzec usiadł obok mnie i rozejrzał się po jadalni z wyrazem głębokiej satysfakcji. Spojrzałam dookoła, ciekawa, co takiego zobaczył. Tak właśnie musiało wyglądać to miejsce, gdy mnie tu nie było. Tyle że dziś nikt się mną nie przejął. Widocznie nie chciało im się już przerywać rozmów na mój widok.

– Emocje opadają – zauważył Ian, zwracając się do Jeba.

– Wiedziałem, że tak będzie. Jak by nie patrzeć, mieszkają tu sami rozsądni ludzie.

Odruchowo zmarszczyłam brwi.

– To prawda – odparł Ian, śmiejąc się. – Przynajmniej dopóki nie wróci Kyle.

– Otóż to – przytaknął mu Jeb.

A więc Ian zaliczał siebie do grona rozsądnych. Czy zauważył, że Jeb nie ma przy sobie broni? Nie dawało mi to spokoju, ale nie chciałam nic mówić, bo przecież mógł po prostu nie zauważyć.

Jedliśmy w spokoju. Najwyraźniej przestałam budzić emocje.

Kiedy skończyliśmy, Jeb stwierdził, że należy mi się odpoczynek. Odprowadził mnie do drzwi, znów odgrywając przede mną dżentelmena.

– Do widzenia, Wando – rzekł i trącił dłonią wyimaginowany kapelusz.

Wzięłam głęboki oddech, żeby zebrać w sobie odwagę.

– Jeb, poczekaj.

– Tak?

– Jeb... – Milczałam chwilę, szukając wystarczająco uprzejmych słów. – Ja... Może to głupie, ale... myślałam, że jesteśmy... choć trochę... przyjaciółmi.

Uważnie przyglądałam się jego twarzy, wypatrując zmiany, jakiegoś znaku, że będzie próbował mnie okłamać. Spoglądał na mnie z serdecznością – ale skąd miałam wiedzieć, po czym poznaje się kłamcę?

– Oczywiście, że jesteśmy.

– W takim razie dlaczego chcesz, żeby mnie zabili?

Ściągnął brwi.

– Powiedz mi, skarbie, skąd ci to przyszło do głowy?

Wymieniłam dowody.

– Nie nosisz dzisiaj broni. A wczoraj zostawiłeś mnie samą.

Jeb szeroko się uśmiechnął.

– Myślałem, że nie lubisz tej strzelby.

Milczałam w oczekiwaniu na odpowiedź.

– Wando, gdybym chciał, żeby cię zabili, nie przeżyłabyś pierwszej nocy.

– Wiem – odparłam cichutko. Poczułam się nagle zażenowana, nie wiedzieć czemu. – Dlatego się w tym wszystkim g u b i ę.

Jeb roześmiał się wesoło.

– Ja wcale nie chcę, żeby cię zabili. W tym rzecz, moje dziecko. Muszą się do ciebie przyzwyczaić. Najlepiej, żeby w ogóle o tym nie myśleli. To jak z gotowaniem żaby.

Zmarszczyłam czoło. Nie wiedziałam, o co mu chodzi.

– Jeżeli wrzucisz żabę do gotującej się wody – tłumaczył – to od razu wyskoczy. Ale jeśli włożysz ją do letniej wody i zaczniesz wolno podgrzewać, żaba niczego się nie domyśli, aż będzie za późno. I masz ugotowaną żabę. Trzeba działać stopniowo.

Przez chwilę się nad tym zastanawiałam – pomyślałam o ludziach, którzy nie zwracali na mnie uwagi w czasie lunchu. Jeb ich do mnie przyzwyczaił. Poczułam dziwny przypływ nadziei. Nie było to może zbyt mądre, biorąc pod uwagę moją sytuację, ale czułam, jak we mnie wzbiera i zabarwia myśli na jaśniejszy kolor.

– Jeb?

– Taak?

– Jestem żabą czy wodą?

Roześmiał się.

– Zostawię cię samą z tą zagadką. Ale nie myśl, że jestem bezduszny. – Zaśmiał się jeszcze głośniej. – Że się tak wyrażę.

– Poczekaj... mogę zapytać o coś jeszcze?

– Jasne. Zresztą teraz chyba twoja kolej na zadawanie pytań.

– Dlaczego jesteś moim przyjacielem?

Ściągnął usta, zastanawiając się nad odpowiedzią.

– Wiesz, że wszystko mnie ciekawi – zaczął, a ja przytaknęłam. – Długo się wam, duszom, przyglądałem, ale nigdy nie miałem okazji z żadną porozmawiać. Przybywało mi tylko pytań, coraz więcej i więcej... Poza tym zawsze uważałem, że jeżeli tylko ma się dobre chęci, można się dogadać dosłownie z każdym. Lubię wystawiać swoje teorie na próbę. No i popatrz, zjawiasz się tu nagle i okazujesz się jedną z najmilszych dziewczyn, jakie w życiu spotkałem. To wielka frajda mieć duszę za przyjaciela. Czuję się wielkim szczęściarzem, jak sobie myślę, że mi się udało.

Mrugnął do mnie, ukłonił się w pas i odszedł.

*

To, że rozumiałam teraz, na czym polega plan Jeba, nie znaczyło wcale, że patrzyłam ze spokojem na to, co wyprawia.

W ogóle przestał nosić przy sobie broń. Nie wiedziałam, co z nią zrobił, ale przynajmniej byłam wdzięczna, że Jamie nie musi z nią spać. Trochę mnie martwiło, że jest bezbronny, ale doszłam do wniosku, że tak jest lepiej. Nie stanowił teraz zagrożenia i nikt nie miał powodu, żeby zrobić mu krzywdę. Poza tym nikt mnie już nie nachodził.

Jeb zaczął mnie posyłać z różnymi drobnymi zadaniami. Skocz do kuchni po jeszcze jedną bułkę, bo się nie najadłem. Przynieś wiadro wody, ziemia jest sucha w tym miejscu. Wyciągnij Jamiego z lekcji, muszę z nim porozmawiać. Czy szpinak już rośnie? Idź sprawdzić. Pamiętasz drogę do szpitala? Mam coś do przekazania Doktorowi.

Za każdym razem, gdy wykonywałam te proste polecenia, pociłam się ze strachu. Dokładałam starań, by nikt mnie nie widział, przemykałam tunelami i grotami najszybciej, jak potrafiłam, nie biegnąc. Trzymałam się ścian i patrzyłam pod nogi. Od czasu do czasu ktoś na mój widok przerywał rozmowę, tak jak kiedyś, lecz zwykle nie zwracano na mnie uwagi. Tylko raz poczułam, że grozi mi śmierć, a było to wówczas, gdy przerwałam lekcję Sharon, by poprosić Jamiego. Popatrzyła wtedy na mnie takim wzrokiem, jakby za chwilę miała mi się rzucić do gardła. Kiedy jednak wybełkotałam, o co mi chodzi, kiwnęła głową, pozwalając Jamiemu na opuszczenie klasy. Gdy już byliśmy sami, złapał mnie za rękę i powiedział, że Sharon spogląda tak na każdego, kto przerywa jej zajęcia.

Najgorsze było jednak szukanie Doktora, ponieważ Ian uparł się, że pokaże mi drogę. Pewnie mogłabym odmówić, ale Jeb wydawał się zadowolony, a zatem musiał ufać, że Ian mnie nie zabije. Była to teoria, której zupełnie nie miałam ochoty testować, ale wyglądało na to, że nie mam wyjścia. Jeżeli Jeb mylił się co do Iana, prędzej czy później i tak bym się o tym przekonała. Potraktowałam więc długi spacer z Ianem w ciemnościach jak próbę ognia.

Do półmetka dotarłam cała i zdrowa. Przekazaliśmy Doktorowi wiadomość. Nie sprawiał wrażenia zdziwionego obecnością Iana. Być może to sobie uroiłam, ale zdawało mi się, że wymienili między sobą znaczące spojrzenia. Zobaczyłam oczyma wyobraźni, jak przywiązują mnie do jednego ze szpitalnych łóżek. To miejsce nadal przyprawiało mnie o mdłości.

Ale Doktor tylko mi podziękował i odesłał z powrotem, widocznie zajęty. Czym, tego nie wiedziałam – dostrzegłam jedynie na biurku kilka otwartych książek i sterty papierów zapełnionych rysunkami.

Kiedy wracaliśmy, ciekawość wzięła we mnie górę nad strachem.

– Ian? – Po raz pierwszy wypowiedziałam jego imię. Przyszło mi to nie bez trudu.

– Tak? – odezwał się zaskoczony.

– Czemu mnie jeszcze nie zabiłeś?

Parsknął.

– Jesteś bardzo bezpośrednia.

– Przecież mógłbyś. Jeb pewnie by się wkurzył, ale raczej by cię nie zastrzelił. – Co ja wygaduję, pomyślałam. Próbuję go namówić? Ugryzłam się w język.

– Wiem – odparł beztrosko.

Na chwilę zapadła cisza, tylko przytłumione odgłosy naszych kroków odbijały się od ścian tunelu.

– To by nie było w porządku – powiedział w końcu. – Dużo o tym myślałem i nie wiem, co by to miało dać. To tak, jakby rozstrzelać szeregowca za zbrodnie wojenne generała. Nie, żebym wierzył we wszystkie szalone teorie Jeba – nawet bym chciał, ale przecież nie wystarczy chcieć, żeby coś było prawdą. Zresztą, czy Jeb ma rację, czy nie, wcale nie wydajesz się groźna. Trzeba ci przyznać, że naprawdę się troszczysz o młodego. Aż nie chce się wierzyć. W każdym razie, dopóki nic nam z twojej strony nie grozi, zabić cię byłoby... *okrucieństwem*. Jeden odmieniec w tę czy we w tę naprawdę nie robi w tym miejscu różnicy.

Zastanowiłam się nad tym słowem. *Odmieniec*. Czy to aby nie najtrafniejsze określenie, jakie o sobie słyszałam? Czy kiedykolwiek gdziekolwiek pasowałam?

Ian w tym czasie milczał.

– Skoro nie chcesz mnie zabić, to czemu poszedłeś ze mną do Doktora?

Znów nie odpowiedział od razu.

– Nie jestem pewien, czy... – Zawahał się. – Jeb twierdzi, że emocje opadły, ale nie jestem tego całkiem pewien. Ciągle jest parę osób... W każdym razie Doktor i ja staramy się mieć cię na oku. Tak na wszelki wypadek. Kiedy Jeb posłał cię samą tak daleko, pomyślałem, że to lekka przesada, kuszenie losu. Ale on już taki jest – kuszenie losu to jego hobby.

– Ty... ty i Doktor mnie ochraniacie?

– Dziwny ten świat, co?

Upłynęło kilka sekund, nim zdołałam odpowiedzieć.

– Jak żaden inny.

Rozdział 25

Presja

Minął kolejny tydzień, może dwa – liczenie dni nie miało większego sensu – a ja dziwiłam się coraz bardziej.

Codziennie pracowałam z ludźmi, ale nie zawsze z Jebem. Czasami był ze mną Ian, innym razem Doktor, a czasem tylko Jamie. Wyrywałam chwasty, lepiłam bułki, szorowałam stoły. Nosiłam wodę, gotowałam zupę cebulową, prałam ubrania i parzyłam sobie dłonie, robiąc mydło z kaktusa. W jaskiniach nie było miejsca dla darmozjadów, a ponieważ nie czułam się członkiem wspólnoty, postanowiłam, że będę pracować jeszcze więcej niż pozostali. Wiedziałam, że żadną pracą nie zasłużę sobie na miejsce wśród nich, ale chciałam przynajmniej nie być dla nich ciężarem.

Dowiadywałam się coraz więcej o mieszkających tu ludziach, głównie poprzez słuchanie rozmów. Poznałam w końcu imiona. Kobieta o karmelowej cerze nazywała się Lily i pochodziła z Filadelfii. Miała ironiczne poczucie humoru i dobrze ze wszystkimi żyła, bo była zawsze pogodna. Chłopak z czarnymi, najeżonymi włosami, Wes, ciągle na nią zerkał, ale zdawała się tego nie widzieć. Miał dopiero dziewiętnaście lat, uciekł z Eureki w stanie Montana. Matka o sennym spojrzeniu miała na imię Lucina, a jej synkowie – Isaiah i Freedom. Ten drugi urodził się już w jaskiniach, poród odbierał Doktor. Nie widywałam tej trójki zbyt często. Miałam wrażenie, że matka stara się trzymać dzieci z dala ode mnie. Łysiejący mężczyzna o rumianych policzkach był mężem Trudy, nazywał się Geoffrey. Często można go było zobaczyć z innym starszym mężczyzną, Heathem, z którym przyjaźnił się od dziecka. Cała trójka uciekła razem. Blady człowiek o siwych włosach miał na imię Walter. Był chory, ale Doktor nie wiedział, co mu dolega – tu w jaskiniach nie było jak tego sprawdzić, a nawet gdyby Doktor mógł postawić diagnozę, i tak nie miał lekarstw. W miarę postępu choroby zaczął podejrzewać, że to rak. Bolało mnie bardzo, że ktoś u m i e r a na coś całkowicie uleczalnego. Walter szybko się męczył, ale był zawsze uśmiechnięty. Jasnowłosa kobieta o zaskakująco ciemnych oczach, ta sama, która pierwszego dnia podawała innym wodę, miała na imię Heidi. Travis, John, Stanley, Reid, Carol, Violetta, Ruth Ann... Przynajmniej znałam już wszystkie imiona. Ogółem w jaskiniach mieszkało trzydzieści pięć osób, z czego sześć, w tym Jared, pojechało po zapasy. Pozostało dwadzieścioro dziewięcioro ludzi i jeden intruz.

Dowiedziałam się też nieco o sąsiadach.

W pokoju z dwiema parami drzwi mieszkali Ian z Kyle'em. Ten pierwszy na początku przeniósł się do innego korytarza, do pokoju Wesa, żeby zaprotestować przeciw mojej obecności, ale już po dwóch dniach wrócił do siebie. Również inne sąsiednie groty chwilowo opustoszały. Jeb powiedział, że lokatorzy się mnie boją. Bardzo mnie to rozbawiło. Dwadzieścia dziewięć grzechotników obawiało się samotnej polnej myszy?

Teraz jednak do sąsiedniego pokoju wprowadziła się z powrotem Paige. Mieszkała tam z partnerem, Andym, którego nieobecność bardzo przeżywała. Pierwsza jaskinia, z zasłoną w kwiaty, należała do Lily i Heidi; w drugiej, za drzwiami z kartonu, był Heath, a w trzeciej, przesłoniętej pasiastym kocem – Trudy i Geoffrey. Mój pokój nie był ostatni – na końcu korytarza mieszkali Reid i Violetta; wejście do ich groty zakrywał wytarty i poplamiony orientalny dywan.

Czwarta grota należała do Doktora i Sharon, a piąta do Maggie, lecz na razie żadne z nich nie wróciło do siebie.

Doktor i Sharon byli parą. Gdy Maggie ogarniał ironiczny nastrój, co nie zdarzało się zbyt często, śmiała się z Sharon i mawiała, że musiał nastąpić koniec świata, by córka znalazła właściwego mężczyznę; jak prawie każda matka, Maggie chciała mieć zięcia lekarza.

Sharon nie była dziewczyną, jaką znałam ze wspomnień Melanie. Być może lata spędzone samotnie z matką sprawiły, że tak bardzo się do niej upodobniła. Była z Doktorem krócej niż ja na Ziemi, lecz próżno było szukać w jej zachowaniu dobroczynnego wpływu kwitnącego uczucia.

Wiedziałam o ich związku od Jamiego – Sharon i Maggie bardzo się pilnowały, gdy byłam w pobliżu. Nadal buntowały się przeciw mojej obecności i jako jedyne wciąż otwarcie okazywały mi wrogość.

Zapytałam Jamiego, jak się tu znalazły – czy pojawiły się wcześniej niż oni? Chyba jednak się domyślił, że tak naprawdę ciekawi mnie, czy wyprawa Melanie do Chicago była całkowicie niepotrzebna.

Okazało się, że nie. Opowiedział mi o tym, jak Jared pokazał mu ostatnią wiadomość od Melanie i wytłumaczył, że nigdy więcej jej nie zobaczą – po tych słowach potrzebował chwili, by odzyskać mowę, i wtedy nagle zrozumiałam, jak bardzo to przeżyli. Potem sami pojechali szukać Sharon. Ukrywała się z matką. Gdy Jared przekonywał je, że jest człowiekiem, Maggie trzymała mu na gardle zabytkowy miecz. Niewiele brakowało.

Później wspólnymi siłami rozwikłali zagadkę tajemniczych znaków. Cała czwórka zjawiła się tutaj, zanim jeszcze przeniosłam się z Chicago do San Diego.

Rozmowy z Jamiem o Melanie były łatwiejsze, niż się spodziewałam. Za każdym razem do nas dołączała, pocieszała brata i prostowała moje myśli, choć sama miała niewiele do powiedzenia. Ostatnio była niemrawa i rzadko się do mnie odzywała. Czasem nie byłam pewna, czy rzeczywiście coś powiedziała, czy tylko sama to sobie wyobraziłam. Tylko dla Jamiego starała się bardziej. Odzywała się jedynie, gdy był blisko. Nawet kiedy milczała, czuliśmy jej obecność.

– Dlaczego Melanie jest taka cicha? – zapytał raz Jamie.

Tego wieczoru wyjątkowo nie zasypywał mnie pytaniami o Pająki i Ogniojady. Oboje byliśmy wyczerpani – cały dzień zbieraliśmy marchew. Bolał mnie krzyż.

– Mówienie ją męczy. Dużo bardziej niż ciebie i mnie. Nie ma akurat nic ważnego do powiedzenia.

– A co ona r o b i przez cały dzień?

– Chyba słucha. Właściwie to nie wiem.

– Słyszysz ją teraz?

– Nie.

Ziewnęłam. Jamie się nie odzywał. Myślałam, że usnął, i sama zaczęłam powoli zapadać w sen.

– Myślisz, że może zniknąć? Na zawsze? – wyszeptał nagle. Głos załamał mu się na ostatnim słowie.

Nie umiałam kłamać, a nawet gdybym potrafiła, i tak nie mogłabym go oszukiwać. Starałam się nie myśleć o tym, co do niego czuję. Pierwszy raz odezwał się we mnie instynkt macierzyński, pierwszy raz doświadczyłam tak potężnego uczucia miłości. I do kogo? Do obcej formy życia. Odepchnęłam tę myśl.

– Nie wiem – odparłam. Po chwili dodałam zgodnie z prawdą: – Mam nadzieję, że nie.

– Lubisz ją tak samo jak mnie? Nienawidziłaś jej kiedyś tak jak ona ciebie?

– Z nią jest inaczej niż z tobą. Poza tym nigdy tak naprawdę nie czułam do niej nienawiści, nawet na początku. Bardzo się jej bałam i byłam zła, że nie potrafię być taka jak inne dusze. Ale zawsze, zawsze podziwiałam jej siłę. Melanie to najsilniejsza osoba, jaką kiedykolwiek znałam.

Jamie się zaśmiał.

– Ty bałaś się jej?

– Myślisz, że twoja siostra nie potrafi być straszna? Przypomnij sobie, jak zniknąłeś w kanionie i wróciłeś późno, a ona „wpadła w dziki szał". Tak to określił Jared.

Jamie zachichotał. Byłam zadowolona, że udało mi się zmienić temat na mniej przykry.

Zależało mi na przyjaznych stosunkach ze wszystkimi współmieszkańcami. Z początku wydawało mi się, że nie ma takiego poświęcenia, na które bym się dla nich nie zdobyła, szybko jednak okazało się, że byłam w błędzie.

– Tak sobie pomyślałem... – rzekł do mnie Jeb pewnego dnia, jakieś dwa tygodnie po tym, jak „emocje opadły".

Coraz mniej lubiłam, gdy tak zaczynał.

– Pamiętasz, jak mówiłem ci, że mogłabyś uczyć?

Moja odpowiedź była krótka.

– Tak.

– I co ty na to?

Nie potrzebowałam ani chwili zastanowienia.

– Nie.

Lecz ogarnęły mnie nagle wyrzuty sumienia. Nigdy wcześniej nie odrzuciłam żadnego Powołania – takie zachowanie byłoby oznaką egoizmu. Ale też znajdowałam się teraz w innej sytuacji. Jeb chciał, żebym podjęła się zadania wręcz samobójczego. Dusze nigdy by mnie o coś takiego nie poprosiły.

Ściągnął gąsienicowate brwi i patrzył na mnie krzywo.

– Dlaczego?

– A co by na to powiedziała Sharon? – zapytałam spokojnym tonem. Posłużyłam się tylko jednym z wielu przykładów, ale chyba najmocniejszym.

Kiwnął głową ze zrozumieniem.

– Tu chodzi o większe dobro – mruknął.

Parsknęłam.

– Większe dobro? Większym dobrem byłoby chyba mnie zastrzelić.

– To by było bardzo niemądre. – Wdał się ze mną w dyskusję, jak gdyby potraktował moją odpowiedź poważnie. – Mamy niezwykłą szansę, żeby się czegoś nauczyć. Nie skorzystać z niej to straszne marnotrawstwo.

– Naprawdę nie sądzę, żeby ktoś chciał się ode mnie czegokolwiek uczyć. Chętnie rozmawiam z tobą i Jamiem...

– Nieważne, czego chcą – upierał się Jeb. – Ważne, co jest dla nich dobre. To jak wybór między czekoladą a szpinakiem. Powinni wiedzieć więcej o wszechświecie, nie mówiąc już o nowych mieszkańcach Ziemi.

– Ale Jeb, jaki oni będą mieli z tego pożytek? Myślisz, że wiem coś, co pozwoli wam zniszczyć dusze? Odwrócić bieg historii? Spójrz prawdzie w oczy, jest już po wszystkim.

– Właśnie, że nie jest, dopóki my tu jesteśmy – odparł, szczerząc zęby w uśmiechu. – Ale wcale nie oczekuję, że zdradzisz własną rasę i sprezentujesz nam tajną broń. Po prostu myślę sobie, że powinniśmy więcej wiedzieć o świecie, w którym żyjemy.

Wzdrygnęłam się na słowo „zdradzisz".

– Nie dałabym wam żadnej broni, nawet gdybym chciała. Nie mamy słabego punktu, pięty achillesowej. Ani śmiertelnych wrogów w kosmosie, którzy przybędą wam z odsieczą, ani wirusów, które nas zabiją, a was nie tkną. Przykro mi.

– Nic się nie bój! – Zwinął palce w pięść i trącił mnie w ramię. – Możesz się jeszcze zdziwić. Mówiłem ci, że bywa tu nudno. Ludzie będą ciekawsi twoich opowieści, niż ci się wydaje.

Wiedziałam, że Jeb nie odpuści. Czy w ogóle wiedział, co znaczy dać za wygraną? Miałam co do tego wątpliwości.

W czasie posiłków siedziałam zwykle z Jebem i Jamiem, o ile ten nie był na przykład w szkole. Ian zawsze siadał w pobliżu, ale nigdy z nami. Nie wiedziałam, co myśleć o tym, że sam mianował się moim ochroniarzem. Wydawało się to zbyt piękne, żeby mogło być prawdziwe, a zatem – idąc tropem ludzkiej filozofii – musiało być fałszywe.

Kilka dni po tym, jak odmówiłam uczenia ludzi „dla ich własnego dobra", dosiadł się do mnie przy kolacji Doktor.

Sharon pozostała na swoim miejscu w najdalszym kącie jadalni. Siedziała tam dzisiaj sama, nie było z nią matki. Nie obróciła się nawet, by odprowadzić Doktora wzrokiem. Związane w kok gęste włosy odsłaniały napiętą szyję, miała też przygarbione ramiona. Zapragnęłam natychmiast wstać i wyjść, zanim Doktor zdąży się do mnie odezwać, bo nie chciałam, żeby coś sobie pomyślała.

Ale siedzący obok Jamie dostrzegł na mojej twarzy znajomy wyraz paniki i chwycił mnie za dłoń. Jak mało kto potrafił wyczuć, kiedy się boję. Westchnęłam i pozostałam na miejscu. Najbardziej powinno mnie chyba martwić, że spełniam posłusznie wszystkie jego życzenia.

– Co słychać? – zagaił Doktor, siadając na blacie koło mnie.

Siedzący niedaleko Ian obrócił się, by móc się włączyć do rozmowy.

Wzruszyłam ramionami.

– Gotowaliśmy dzisiaj zupę – oznajmił Jamie. – Jeszcze mnie oczy szczypią.

Doktor pokazał nam zaczerwienione dłonie.

– Mydło.

Jamie roześmiał się.

– Wygrałeś.

Doktor żartobliwie ukłonił mu się w pas, po czym zwrócił się do mnie.

– Wando, mam do ciebie pytanie... – zaczął, ale urwał.

Uniosłam brwi.

– Tak się zastanawiam... Ze wszystkich znanych ci planet, który gatunek jest fizycznie najbliższy człowiekowi?

Zamrugałam.

– Dlaczego?

– Pytam z czystej zawodowej ciekawości. Ostatnio dużo myślałem o tych waszych Uzdrowicielach... Skąd wiedzą, jak leczyć choroby, a nie tylko objawy? – Mówił zbyt głośno, jego łagodny głos niósł się dalej niż zwykle. Parę osób podniosło głowy znad talerzy – Trudy i Geoffrey, Lily, Walter...

Założyłam ręce na tułów. Chciałam zajmować jak najmniej miejsca.

– To są dwa różne pytania – odparłam pod nosem.

Doktor uśmiechnął się i pokazał dłonią, bym kontynuowała.

Jamie ścisnął mnie za rękę.

Westchnęłam.

– Chyba Niedźwiedzie na Planecie Mgieł.

– Tej ze szponowcami? – szepnął Jamie.

Kiwnęłam twierdząco głową.

– Na czym polega podobieństwo?

Przewróciłam oczami, czując w tym wszystkim rękę Jeba, ale mówiłam dalej.

– Pod wieloma względami przypominają ssaki. Mają futro, są ciepłokrwiste. Krew mają trochę inną niż wasza, ale zasadniczo pełni tę samą funkcję. Doznają podobnych uczuć, wchodzą w bogate interakcje, lubią tworzyć...

– Tworzyć? – Doktor pochylił się zafascynowany, a może tylko udawał. – Jak to?

Spojrzałam na Jamiego.

– Może opowiesz Doktorowi?

– Nie wiem, czy czegoś nie pomylę.

– Dasz radę.

Popatrzył na Doktora, a ten skinął głową.

– No więc one mają takie niesamowite ręce. – Ożywił się, gdy tylko zaczął opowiadać. – Jakby z podwójnymi stawami – mogą je wyginać w obie strony. – Pociągnął do tyłu palce u dłoni. – Po jednej stronie są miękkie jak moja dłoń, a po drugiej ostre jak brzytwy! Tną nimi lód – rzeźbią w nim. Ich miasta to lodowe zamki, które nigdy nie topnieją! Są przepiękne. Prawda? – Szukał u mnie potwierdzenia.

Przytaknęłam.

– Niedźwiedzie postrzegają inne pasmo barw, dlatego lód na Planecie Mgieł mieni się tęczą kolorów. Są bardzo dumne ze swoich miast. Bez przerwy starają się je upiększać. Był tam pewien Niedźwiedź nazywany przez wszystkich... powiedzmy, że Tkaczem Błysków, choć w ich języku brzmi to znacznie lepiej, a nazywał się tak dlatego, że pod jego rękoma lód zawsze przybierał wyśniony przez niego kształt. Miałam okazję go poznać i zobaczyć te arcydzieła. To jedno z moich najpiękniejszych wspomnień.

– Mają sny? – zapytał cicho Ian.

Uśmiechnęłam się.

– Nie tak sugestywne jak ludzie.

– Skąd wasi Uzdrowiciele czerpią wiedzę na temat fizjologii nowych gatunków? Byli przygotowani, kiedy się tu zjawili. Pamiętam, jak to się zaczęło, widziałem, jak śmiertelnie chorzy ludzie wychodzą ze szpitala o własnych siłach. – Na jego czole pojawiła się zmarszczka w kształcie klina. Nienawidził najeźdźców tak samo jak pozostali, ale też miał dla nich dużo podziwu.

Nie kwapiłam się do odpowiedzi na to pytanie. Słuchała nas już cała kuchnia, a przecież mowa była nie o Niedźwiedziach rzeźbiących w lodzie, lecz o klęsce ludzkości.

Doktor czekał ze zmarszczonymi brwiami.

– Robią wcześniej... badania – wymamrotałam.

Ian uśmiechnął się.

– No tak, porwania przez kosmitów.

Puściłam to mimo uszu.

Doktor zacisnął usta.

– To by miało sens.

Panująca dookoła cisza skojarzyła mi się z pierwszą wizytą w kuchni.

– Skąd pochodzicie? – zapytał Doktor. – Pamiętacie? Wiecie, jak wyglądała wasza ewolucja?

– Naszą ojczystą planetą jest Początek – odparłam, potakując. – Nadal ją zamieszkujemy. Właśnie tam się... urodziłam.

– To bardzo nietypowe – dodał Jamie. – Rzadko spotyka się kogoś stamtąd, prawda? Większość dusz raczej tam zostaje, prawda, Wando? – Wcale jednak nie czekał, aż cokolwiek powiem. Zaczynałam żałować, że wieczorami odpowiadałam mu tak drobiazgowo na wszystkie pytania. – Więc jeśli ktoś przenosi się gdzie indziej, staje się prawie jak... gwiazda filmowa? Albo członek rodziny królewskiej.

Poczułam, że się rumienię.

– To bardzo fajne miejsce – ciągnął Jamie. – Mnóstwo chmur, a każda warstwa ma inny kolor. To jedyna planeta, gdzie dusze mogą żyć długo poza ciałem żywiciela. A w ogóle to żywiciele są tam bardzo ładni, mają coś jakby skrzydła i macki, i wielkie, srebrne oczy.

Doktor siedział pochylony z twarzą w dłoniach.

– A czy pamiętają, skąd się wziął ten pasożytniczy tryb życia? Jak wyglądały początki kolonizacji?

Jamie wzruszył ramionami i spojrzał na mnie.

– Zawsze tacy byliśmy – odpowiedziałam niechętnie, z ociąganiem. – Przynajmniej odkąd mamy świadomość. Odkrył nas inny gatunek – nazywamy je tu Sępami, ale bardziej ze względu na charakter niż wygląd. To były... mało sympatyczne istoty. Zauważyliśmy, że możemy się z nimi zespalać tak jak z naszymi pierwszymi żywicielami. Przejęliśmy nad nimi kontrolę i zaczęliśmy wykorzystywać zdobytą technologię. Najpierw zajęliśmy ich rodzimą planetę, a później Planetę Smoków i Planetę Słońca – piękne światy, których mieszkańcom Sępy również dawały się we znaki. W końcu zaczęliśmy kolonizować inne planety – nasi żywiciele rozmnażali się znacznie wolniej niż my, poza tym żyli krótko. Musieliśmy szukać dalej, odkrywać wszechświat...

Urwałam, czując na sobie wzrok bardzo wielu osób. Tylko Sharon wciąż spoglądała w inną stronę.

– Mówisz o tym tak, jakbyś to wszystko widziała – zauważył Ian ściszonym głosem. – Jak dawno to było?

– Po wyginięciu dinozaurów, ale zanim pojawiliście się wy. Nie było mnie tam wtedy, ale pamiętam trochę z opowieści matki matki mojej matki.

– Ile masz lat? – zapytał Ian, pochylając się ku mnie i patrząc lśniącymi błękitnymi oczyma.

– Nie wiem, ile to ziemskich lat.

– Mniej więcej? – naciskał.

– Może parę tysięcy. – Wzruszyłam ramionami. – Nie wiem, ile czasu spędziłam w hibernacji.

Ian zdumiony wyprostował plecy.

– Łał... To bardzo dużo! – szepnął Jamie.

– Ale tak naprawdę jestem od ciebie młodsza – zwróciłam się do niego półgłosem. – Jakbym miała mniej niż rok. Czuję się jak małe dziecko.

Uśmiechnął się delikatnie. Podobało mu się, że w pewnym sensie jest ode mnie dojrzalszy.

– Jak wygląda u was proces starzenia? – zapytał Doktor. – Jak długo żyjecie?

– Nie ma czegoś takiego. Jeżeli tylko mamy zdrowego żywiciela, możemy żyć wiecznie.

Po grocie przetoczył się cichy pomruk – gniewu? lęku? może niesmaku? Zrozumiałam, że moja odpowiedź nie była zbyt roztropna. Mogłam sobie wyobrazić, co te słowa dla nich znaczą.

– Pięknie. – Był to głos Sharon, cichy i wściekły. Nadal jednak była do nas zwrócona plecami.

Jamie znów dostrzegł w moich oczach pragnienie ucieczki i ścisnął mi dłoń. Tym razem delikatnie się wyswobodziłam.

– Już nie jestem głodna – szepnęłam, choć bułka leżała obok prawie nietknięta. Zeskoczyłam z blatu i trzymając się ściany, ruszyłam żwawym krokiem do wyjścia.

Jamie od razu pobiegł za mną. Dogonił mnie w jaskini z ogrodem i wręczył mi niezjedzone pieczywo.

– To było naprawdę ciekawe. Słowo! – powiedział. – Nie sądzę, żeby ktoś się obraził.

– To Jeb namówił Doktora, prawda?

– Opowiadasz świetne historie. Zobaczysz, jak inni się dowiedzą, też będą chcieli cię słuchać. Tak jak ja i Jeb.

– A może ja wcale nie *chcę* nic opowiadać?

Jamie spochmurniał.

– No, skoro tak... to nie musisz. Ale myślałem, że lubisz mi opowiadać.

– To co innego. Ty mnie lubisz. – Mogłam powiedzieć: „Ty nie chcesz mnie zabić", ale wtedy pewnie by się przejął.

– Polubią cię, muszą tylko cię poznać. Jak Ian i Doktor.

– Ian i Doktor wcale mnie nie lubią, Jamie. Po prostu są chorobliwie ciekawi.

– Proszę.

– Ech – jęknęłam. Doszliśmy już do pokoju. Odsunęłam parawan i rzuciłam się na materac. Jamie usiadł obok i założył ręce na kolana.

– Nie wygłupiaj się – błagał. – Jeb ma dobre chęci.

Jęknęłam po raz kolejny.
– Nie będzie tak źle.
– Doktor będzie mnie teraz maglował za każdym razem, kiedy przyjdę do kuchni, prawda?
Jamie posłusznie przytaknął.
– Albo Ian. Albo Jeb.
– Albo ty.
– Wszyscy jesteśmy ciekawi.
Westchnęłam i przewróciłam się na brzuch.
– Czy Jeb za każdym razem musi dopiąć swego?
Jamie pomyślał chwilę, po czym pokiwał twierdząco głową.
– Raczej tak.
Ugryzłam spory kęs chleba.
– Chyba zacznę jeść tutaj – powiedziałam, skończywszy przeżuwać.
– Ian będzie cię jutro wypytywał przy wyrywaniu chwastów. Jeb wcale go nie namówił. Sam jest ciekaw.
– Doprawdy? Cudownie.
– Jesteś ironiczna. Myślałem, że pasożyty – to znaczy dusze – nie lubią takiego poczucia humoru. Że nie potrafią śmiać się ze wszystkiego.
– Tutaj szybko by się nauczyły.
Jamie roześmiał się i złapał mnie za dłoń.
– Nie jest ci z nami źle, prawda? Chyba nie jesteś nieszczęśliwa?
Widziałam troskę w jego dużych, czekoladowych oczach.
Przycisnęłam do twarzy jego dłoń.
– Nie jest źle.
Mówiłam prawdę.

Rozdział 26

Powrót

Choć nigdy oficjalnie na to nie przystałam, zostałam nauczycielką, tak jak chciał tego Jeb.

„Zajęcia" ze mną miały bardzo luźny charakter. Każdego wieczoru po kolacji odpowiadałam na pytania. Ian, Doktor i Jeb nie męczyli mnie już teraz w ciągu dnia, dzięki czemu mogłam się skupić na pracy. Zbieraliśmy się zawsze w kuchni. W trakcie opowiadania lubiłam pomagać przy wypieku pieczywa. Dawało mi to pretekst do namysłu przed odpowiedzią na trudne pytanie, miałam też gdzie spojrzeć, gdy nie chciałam patrzeć nikomu w oczy. Przede wszystkim jednak cieszyłam się, że ciągle coś dla nich robię, nawet jeśli mówię czasem rzeczy, które ich smucą.

Nie miałam zamiaru przyznać Jamiemu racji. Oczywiście, że ci ludzie mnie nie l u b i l i. Nie mogli, w końcu byłam obca. Owszem, Jamie mnie lubił, lecz tłumaczyłam to sobie dziwną, całkiem irracjonalną reakcją chemiczną. Jeb też mnie lubił, ale on był zdrowo stuknięty. Reszta nie miała żadnej wymówki.

A zatem nie, wcale mnie nie lubili. Musiałam jednak przyznać, że odkąd zaczęłam snuć wieczorne opowieści, trochę się pozmieniało.

Pierwszy raz zdałam sobie z tego sprawę nazajutrz po tym, jak odpowiadałam przy kolacji na pytania Doktora. Byłam w ciemnej łaźni z Trudy, Lily i Jamiem. Robiliśmy pranie.

– Wando, podasz mi mydło? – odezwała się nagle Trudy.

Na dźwięk swojego imienia poczułam się jak rażona prądem. Osłupiała podałam jej mydło i opłukałam szczypiącą dłoń.

– Dziękuję – powiedziała.

– Nie ma za co – wymamrotałam. Głos załamał mi się na ostatniej sylabie.

Następnego dnia przed kolacją, szukając Jamiego, minęłam się w korytarzu z Lily.

– Hej, Wando – odezwała się i skinęła głową.

Zaschło mi w gardle.

– Hej, Lily – odparłam.

Wkrótce pytania zadawali już nie tylko Doktor i Ian. Zaskoczyło mnie, jak bardzo niektórzy garnęli się do rozmowy. Blady i schorowany Walter dopytywał się bez przerwy o Nietoperze z Planety Śpiewu. Heath, który zwykle pozwalał Geoffreyowi i Trudy mówić za siebie, wieczorem bardzo się ożywiał. Był zafascynowany Planetą Ognia i zarzucał mnie mnóstwem pytań. Choć nie był to mój ulubiony temat, musiałam podzielić się z nim wszystkimi szczegółami. Lily bardzo interesowały sprawy mechaniczne, ciekawiły ją statki międzyplanetarne – kto je pilotuje, jaki mają napęd. Na jej prośbę wyjaśniłam działanie kapsuł hibernacyjnych – wszyscy je widzieli, ale niewielu rozumiało, do czego służą. Nieśmiały Wes, zwykle siedzący blisko Lily, nie pytał o inne światy, lecz o to, jak zmieniło się życie na Ziemi. Jak funkcjonuje społeczeństwo? Bez pieniędzy, bez wynagrodzenia za pracę – jak to możliwe, że się nie rozpadło? Próbowałam mu wyjaśnić, że w gruncie rzeczy niewiele się to różni od życia w jaskiniach. W końcu tu też nikt nie miał pieniędzy, a mimo to wszyscy dzielili się owocami wspólnej pracy.

– No tak – przerwał mi, potrząsając głową – ale to co innego. Jeb ma strzelbę i goni nas do roboty.

Wszyscy spojrzeli na starca i roześmiali się głośno, gdy ten w odpowiedzi puścił oko.

Jeb zjawiał się mniej więcej co drugi wieczór. Nie zabierał jednak głosu, siedział zamyślony w głębi pomieszczenia i tylko czasem się uśmiechnął.

Musiałam mu przyznać rację, moje opowieści rzeczywiście stały się źródłem rozrywki. Przypominało mi to trochę planetę Wodorostów, gdzie istniało nawet specjalne Powołanie polegające na snuciu opowieści. Byłam tam właśnie jednym z takich Gawędziarzy, dlatego praca wykładowcy w San Diego nie była dla mnie czymś szczególnie nowym. Kiedy zapadał zmrok, wypełniona zapachem chleba i dymu kuchnia przypominała mi tamten nastrój. Wszyscy słuchali w skupieniu, jakby wrośnięci w ziemię. Moje barwne opowieści były odmianą od szarej codzienności – od tych samych mozolnych prac, trzydziestu pięciu znajomych twarzy, wspomnień o utraconych bliskich. Były też ucieczką od strachu i rozpaczy. Toteż wieczorami kuchnia wypełniała się po brzegi. Jedynie Sharon i Maggie nie pojawiły się ani razu.

Minęły mniej więcej trzy tygodnie, odkąd zaczęłam dzielić się wspomnieniami z odległych światów, gdy nagle życie w jaskiniach ponownie się zmieniło.

Tego wieczoru kuchnia była zatłoczona jak zawsze. Oprócz dwóch stałych nieobecnych brakowało tylko Jeba i Doktora. Na blacie obok mnie leżała metalowa taca z surowymi bułkami czekającymi w kolejce do pieca. Trudy zaglądała do niego co parę minut, by sprawdzić, czy nic się nie przypala.

Czasem namawiałam Jamiego, żeby opowiadał za mnie historie, które dobrze znał. Lubiłam patrzeć, jak ożywia mu się twarz i jak gestykuluje. Tym razem Heidi chciała dowiedzieć się czegoś więcej o Delfinach, więc poprosiłam go, żeby odpowiadał, oczywiście na tyle, na ile potrafi.

Ludzie zawsze pytali o tę najnowszą z odkrytych planet ze smutkiem w głosie. Widzieli w Delfinach siebie z pierwszych lat okupacji. Kiedy Heidi zadawała kolejne pytania, jej ciemne oczy, mocno kontrastujące z blond grzywką, były pełne współczucia.

– Wyglądają raczej jak olbrzymie ważki, prawda, Wando? – Jamie prawie zawsze prosił mnie o potwierdzenie, choć nigdy na nie nie czekał. – Ale mają skórę i trzy, cztery albo pięć par skrzydeł, zależy od wieku, prawda? I wyglądają, jakby latały w wodzie – bo woda jest tam lżejsza, nie tak gęsta jak nasza. Mają pięć, siedem lub dziewięć nóg w zależności od płci, prawda, Wando? Mają trzy płcie. Mają bardzo długie ręce i mocne palce do budowania różnych rzeczy. Budują podwodne miasta z bardzo twardych roślin, trochę takich jak nasze drzewa, ale nie do końca. Są za nami w tyle, prawda, Wando? Nie zbudowali nigdy statku kosmicznego ani na przykład telefonów. Nasza cywilizacja była bardziej zaawansowana.

Trudy wyjęła z pieca upieczone bułki, a ja schyliłam się, by wsunąć do dymiącego otworu kolejną tacę. Jak zwykle musiałam się trochę napocić, żeby włożyć ją prawidłowo.

Tymczasem gdzieś w jaskiniach podniosła się wrzawa, której echo zaczęło właśnie docierać do kuchni. Trudno było jednak oszacować odległość, gdyż podziemne tunele miały dziwną akustykę.

– Hej! – zawołał Jamie gdzieś za moimi plecami. Obejrzałam się, ale zdążyłam jedynie zobaczyć tył jego głowy znikający w drzwiach.

Wyprostowałam się i już miałam odruchowo pójść za nim.

– Czekaj – powiedział Ian. – Zaraz wróci. Opowiedz nam jeszcze o Delfinach.

Siedział na blacie obok pieca, w nagrzanym miejscu, którego ja bym nie wybrała, wystarczająco blisko, by wyciągnąć rękę i dotknąć mojego nadgarstka. Instynktownie cofnęłam dłoń, ale nie ruszyłam się z miejsca.

– Co tam się dzieje? – zapytałam. Z tunelu wciąż dobiegały hałasy. Przez chwilę zdawało mi się, że wśród odległego zgiełku słyszę podekscytowany głos Jamiego

Ian wzruszył ramionami.

– Kto to wie? Może Jeb... – Jeszcze raz wzruszył ramionami, jakby chciał pokazać, że nie chce mu się sprawdzać. Zachowywał się beztrosko, ale spojrzenie miał dziwnie niespokojne.

Byłam pewna, że wkrótce i tak się dowiem, więc sama wzruszyłam ramionami i zaczęłam tłumaczyć niezwykle skomplikowane relacje rodzinne Delfinów, jednocześnie pomagając Trudy przełożyć ciepłe bułki do plastikowych pojemników.

– Sześcioro spośród dziewięciorga... dziadków, tak ich nazwijmy, zwykle opiekuje się larwami w pierwszym okresie rozwoju, a pozostała trójka pracuje z sześciorgiem własnych dziadków nad nowym skrzydłem domu, gdzie młode zamieszkają, gdy zaczną się poruszać – tłumaczyłam, jak zwykle nie spoglądając na słuchaczy, tylko na bułki, gdy nagle z końca groty dobiegło mnie głośne westchnienie. Zaczęłam rozglądać się po twarzach słuchaczy w poszukiwaniu osoby, którą przestraszyłam. Nie przerywałam jednak wykładu. – Pozostałych troje dziadków zgodnie ze zwyczajem...

Szybko jednak zrozumiałam, że wcale nikogo nie przestraszyłam. Wszystkie głowy zwrócone były w tym samym kierunku. Przebiegłam po nich wzrokiem i utkwiłam spojrzenie w ciemnym wyjściu.

Z początku widziałam tylko smukłą postać Jamiego, uczepioną czyjejś ręki. Był to ktoś tak brudny od stóp do głów, że prawie zlewał się ze ścianą groty. Ktoś zbyt wysoki, by mógł to być Jeb, który zresztą właśnie pojawił się za Jamiem. Nawet z tej odległości widziałam, że Jeb ma przymrużone oczy i zmarszczony nos, jakby się niepokoił, co przecież zdarzało mu się niezwykle rzadko. Za to twarz chłopca promieniała radością.

– Oho – powiedział Ian cichym głosem, ginącym w trzasku płomieni.

Tajemnicza postać zrobiła krok do przodu, podniosła drżącą dłoń i zacisnęła ją w pięść.

Z jej gardła wydobył się głos Jareda, chłodny i beznamiętny.

– Co to ma znaczyć, Jeb?

Ścisnęło mnie w gardle. Próbowałam przełknąć ślinę, ale nie mogłam. Próbowałam oddychać, ale nie byłam w stanie. Serce waliło mi nierówno.

Jared! Melanie przebudziła się i piszczała w uniesieniu. *Jared wrócił!*

– Wanda opowiada nam o kosmosie – zatrajkotał Jamie, chyba wciąż nie zdając sobie sprawy z grozy sytuacji. Być może był zbyt przejęty, by zwrócić na to uwagę.

– W a n d a? – powtórzył Jared, prawie warcząc.

Za nim w korytarzu stało jeszcze kilku brudnych mężczyzn. Zauważyłam ich, dopiero gdy zawtórowali mu gniewnym pomrukiem.

Wśród zastygłych w bezruchu słuchaczy mignęła blond czupryna.

– Andy! – zawołała Paige, przedzierając się do przodu. Jeden z przybyszów obszedł Jareda i chwycił ją w ramiona, ratując przed upadkiem, gdyż potknęła się o nogę Wesa. – Och, Andy! – wybuchła szlochem. Ton jej głosu przypominał mi Melanie.

Spontaniczna reakcja Paige w jednej chwili odmieniła atmosferę. Ludzie zaczęli coś mówić i podnosić się z miejsc. Witali powracających towarzyszy. Próbowałam zrozumieć ich miny – na twarzach mieli nienaturalne uśmiechy i od czasu do czasu zerkali ukradkiem w moją stronę. Minęła długa, wolna sekunda – czas zdawał się zastygać dookoła mnie i krępować mi ruchy. W końcu dotarło do mnie, że czują się winni.

– Wszystko będzie dobrze, Wando – powiedział cicho Ian.

Spojrzałam mu w twarz zaszczutym wzrokiem. Spodziewałam się ujrzeć ten sam wyraz zażenowania, tymczasem znalazłam czujne oczy wpatrzone w Jareda i resztę świty.

– Co tu się dzieje, do cholery? – zagrzmiał nowy głos.

Był to Kyle, łatwy do rozpoznania z racji postury. Przecisnął się koło Jareda i ruszył... w moją stronę.

– Sami pozwalacie się okłamywać? Upadliście wszyscy na łeb? A może przyprowadził tu Łowców? Jesteście pasożytami?

Większość spuściła głowy ze wstydu. Tylko kilka osób nie ugięło karku i trzymało się prosto: Lily, Trudy, Heath, Wes... i biedny Walter, kto by pomyślał, że właśnie on!

– Spokojnie, Kyle – odezwał się schorowanym głosem.

Kyle nie zwrócił na niego uwagi. Szedł ku mnie zdecydowanym krokiem, a kobaltowe oczy, podobne jak u brata, płonęły mu gniewem. Nie potrafiłam jednak utrzymać na nim wzroku – spojrzenie co chwila uciekało mi w stronę mrocznej sylwetki Jareda. Próbowałam wyczytać coś z jego zakamuflowanej twarzy.

Uczucie Melanie rozlewało się we mnie niczym woda z przerwanej tamy.

Nagle zobaczyłam przed sobą Iana. Musiałam wygiąć szyję, gdyż zasłonił mi Jareda.

– Trochę się pozmieniało, jak was nie było, braciszku.

Kyle przystanął, nie wierząc własnym uszom.

– Co, Łowcy przyszli?

– Wanda jest niegroźna.

Starszy z braci zacisnął zęby. Kątem oka spostrzegłam, że sięga po coś do kieszeni.

Dopiero to mnie otrzeźwiło. Drgnęłam, oczekując w jego ręku broni.

– Zejdź mu z drogi, Ian – powiedziałam zdławionym głosem.

Ian nie zareagował. Dziwiło mnie, jak bardzo drżałam o jego zdrowie. Nie była to jednak instynktowna, podskórna potrzeba, by go chronić, taka jak w przypadku Jamiego czy nawet Jareda. Wiedziałam po prostu, że Ian nie powinien ryzykować życia w mojej obronie.

Kyle wyciągnął dłoń z kieszeni i spomiędzy palców wystrzeliło mu światło. Przez chwilę świecił bratu w twarz. Ian nawet nie drgnął.

– A więc o co chodzi? – zapytał Kyle, chowając latarkę z powrotem do kieszeni. – Nie jesteś pasożytem. Więc co z tobą?

– Uspokój się, a wszystko ci wyjaśnimy.

– Nie. – Odpowiedź nie padła z ust Kyle'a, lecz rozległa się za jego plecami. Patrzyłam, jak Jared idzie przez tłum w naszą stronę. Razem z nim szedł zdezorientowany Jamie, który ani na chwilę go nie puścił. W miarę jak się zbliżali, coraz lepiej widziałam twarz ukrytą pod maską brudu. Nawet majacząca ze szczęścia Melanie od razu spostrzegła bijącą od niej nienawiść.

Jeb chciał dobrze, ale skupił się nie na tych ludziach, co trzeba. Co z tego, że Trudy i Lily zaczęły się do mnie odzywać, że Ian chciał mnie bronić przed bratem, że Sharon i Maggie nie próbowały mi zrobić krzywdy. Jedyna osoba, której zdanie naprawdę się liczyło, właśnie podjęła decyzję.

– Za późno na spokój – powiedział Jared przez zęby. – Jeb – dodał, nie oglądając się na starca. – Podaj mi strzelbę.

Zapanowała cisza tak napięta, że czułam w uszach ciśnienie.

Wiedziałam, że to koniec, odkąd ujrzałam z bliska jego twarz. Wiedziałam też, co robić, a Melanie się ze mną zgadzała. Najciszej, jak potrafiłam, zrobiłam krok w bok i do tyłu, tak by Ian nie stał na linii strzału, po czym zamknęłam oczy.

– Nie mam jej przy sobie – odparł Jeb rozwlekłym tonem.

Zerknęłam spod powiek i zobaczyłam, jak Jared obraca się, by zobaczyć to na własne oczy.

– Trudno – wymamrotał i uczynił kolejny krok w moją stronę. – Gdybyś przyniósł broń, byłoby szybciej po sprawie. Bardziej humanitarnie.

– Jared, porozmawiajmy – odezwał się cicho Ian, nie ruszając się z miejsca.

– Dość już gadania – burknął Jared. – Jeb zostawił to mnie i podjąłem decyzję.

Jeb odchrząknął głośno. Jared obejrzał się na niego.

– No co? – sarknął. – Sam ustaliłeś zasadę.

– I owszem.

Jared zwrócił się z powrotem ku mnie.

– Ian, zejdź mi z drogi.

– Ale, ale – odezwał się Jeb, dając do zrozumienia, że jeszcze nie skończył. – Nie wiem, czy pamiętasz, jak ona brzmi. Decyduje ten, kto ma prawo do ciała.

Jaredowi wystąpiła na czoło żyła.

– No i?

– Mnie się wydaje, że ktoś tu ma do niej takie samo prawo jak ty. A może i większe.

Jared zamyślił się, zapatrzony gdzieś daleko. Po dłuższej chwili zmarszczył brwi, jakby coś zrozumiał. Spojrzał na chłopca.

Na twarzy Jamiego nie było już śladu radości, tylko blady strach.

– Nie wolno ci, Jared! – wydusił. – Nie możesz. Wanda jest dobra. Przyjaźnimy się! A Mel? Co z Mel? Nie możesz zabić Mel! Proszę! Musisz... – Urwał. Widać było, że bardzo cierpi.

Zamknęłam oczy i starałam się wyprzeć ten obraz z umysłu. Z wielkim trudem powstrzymywałam się, żeby nie podejść do chłopca. Usztywniłam mięśnie i powtarzałam sobie, że wcale by mu to nie pomogło.

– Sam widzisz, że mamy tu różnicę zdań – powiedział Jeb gawędziarskim tonem, nieprzystającym do powagi sytuacji. – A Jamie ma chyba tyle samo do powiedzenia co ty.

Nastało milczenie tak długie, że otworzyłam oczy.

Jared spoglądał na udręczoną, przelękłą twarz chłopca. Sam też miał w oczach strach, ale zupełnie inny.

– Jeb, jak mogłeś do tego dopuścić? – szepnął.

– Musimy porozmawiać – odparł Jeb. – Ale może najpierw trochę odpocznij. Kąpiel poprawi ci humor.

Jared posłał starcowi posępne spojrzenie, pełne bólu i niedowierzania. Nasuwały mi się jedynie ludzkie skojarzenia. Cezar i Brutus. Jezus i Judasz.

Napięta cisza ciągnęła się przez kolejną minutę. W końcu Jared wyrwał się Jamiemu z rąk.

– Kyle – warknął i ruszył w stronę wyjścia.

Kyle popatrzył jeszcze krzywo na brata i uczynił to samo.

Reszta uczestników wyprawy poszła w ich ślady, Andy pod rękę z Paige.

Potem wywlekli się z kuchni wszyscy ci, którzy wcześniej zwiesili głowy ze wstydu. Zostali tylko Jamie, Jeb i Ian oraz Trudy, Geoffrey, Heath, Lily, Wes i Walter.

Dopóki echo kroków w tunelu całkiem nie ucichło, nikt nie odzywał się ani słowem.

– Uff – westchnął Ian. – Niewiele brakowało. Ładnie wybrnąłeś, Jeb.

– Potrzeba matką wynalazku – odparł Jeb. – Ale za wcześnie jeszcze, by się cieszyć.

– Nie musisz mi tego mówić. Lepiej powiedz, że nie zostawiłeś broni nigdzie na wierzchu.

– Nie. Wiedziałem, co się święci.

– Przynajmniej tyle.

Roztrzęsiony Jamie stał sam jak palec na środku opustoszałego pomieszczenia. Uznałam, że wszystkie osoby, które zostały, są mi przyjazne, i ośmieliłam się do niego podejść. Objął mnie w talii, a ja drżącymi rękoma poklepałam go po plecach.

– Już dobrze – skłamałam szeptem. – Już dobrze. – Wiedziałam, że każdy głupi wychwyciłby fałszywą nutę w moim głosie, a Jamie nie był głupi.

– Nie zrobi ci krzywdy – powiedział Jamie niskim tonem, powstrzymując łzy. – Nie pozwolę mu.

– Cii.

Byłam przerażona, czułam, że moja twarz stężała w wyrazie trwogi. Jared miał rację – jak Jeb mógł do tego dopuścić? Gdyby zabili mnie pierwszego dnia, zanim jeszcze Jamie w ogóle mnie zobaczył... Albo w pierwszym tygodniu, gdy siedziałam w celi, zanim zdążył mnie polubić... Albo gdybym chociaż trzymała język za zębami i nie powiedziała nic o Melanie... Było jednak za późno. Przytuliłam go mocniej.

Melanie była nie mniej przerażona. *Moje biedne maleństwo.*

Mówiłam ci, że to zły pomysł wszystko mu powiedzieć, przypomniałam dla porządku.

Jak on teraz zniesie naszą śmierć?

To będzie straszne. Będzie zszokowany i zrozpaczony, i...

Starczy, przerwała. *Wiem. Ale co możemy zrobić?*

Przeżyć?

Zastanowiłyśmy się nad szansami na przetrwanie i ogarnęła nas rozpacz.

Ian poklepał Jamiego po plecach. Ich drżenie przenosiło się na moje ciało.

– Nie gryź się tak, młody – powiedział. – Jesteśmy z tobą.

– Muszą się najpierw otrząsnąć z szoku. – Rozpoznałam za plecami altowy głos Trudy. – Jak tylko pozwolą sobie wszystko wyjaśnić, zmienią zdanie.

– Kto zmieni zdanie? Kyle? – syknął ktoś prawie niezrozumiale.

– Wiadomo było, że to się stanie – rzekł pod nosem Jeb. – Trzeba to przeczekać. Żadna burza nie trwa wiecznie.

– Może jednak powinieneś iść po strzelbę – zasugerowała spokojnie Lily. – Zapowiada się długa noc. Wanda może spać u mnie i Heidi...

– A ja uważam, że trzeba ją ukryć gdzie indziej – odezwał się Ian. – Może w tunelach na południu? Mogę jej pilnować. Jeb, pomożesz mi?

– U mnie nie będą jej szukać – wyszeptał Walter. Nie skończył jeszcze mówić, kiedy odezwał się Wes:

– Mogę iść z tobą, Ian. Ich jest sześciu.

– Nie – wydusiłam wreszcie z siebie. – Nie. Tak być nie może. To wasz dom. Jesteście wspólnotą. Nie wolno wam ze sobą walczyć z mojego powodu.

Wydostałam się z objęć Jamiego. Gdy próbował mnie powstrzymać, chwyciłam go za nadgarstki.

– Muszę pobyć sama – zwróciłam się do niego, nie zważając na utkwione we mnie spojrzenia. – Potrzebuję chwili dla siebie. – Skierowałam wzrok w stronę Jeba. – A wy będziecie mogli przedyskutować to beze mnie. To nie w porządku, żebyście musieli podejmować decyzje w obecności wroga.

– Proszę cię, nie bądź taka – odparł.

– Potrzebuję chwili skupienia, Jeb.

Odsunęłam się od Jamiego i puściłam jego ręce. Poczułam czyjąś dłoń na ramieniu i drgnęłam.

Był to Ian.

– To naprawdę nie jest dobry pomysł, żebyś włóczyła się sama po jaskiniach.

Pochyliłam się w jego stronę i odezwałam cicho, by Jamie nie mógł mnie zrozumieć.

– Po co odwlekać to, co nieuniknione? Czy to mu jakoś pomoże?

Byłam przekonana, ze znam odpowiedź na to pytanie. Prześliznęłam mu się pod ręką i ruszyłam biegiem do wyjścia.

– Wanda! – krzyknął za mną Jamie.

Ktoś go uciszył. Nie słyszałam za plecami żadnych kroków. Widocznie zrozumieli, że tak będzie najlepiej.

Tunel był ciemny i pusty. Przy odrobinie szczęścia mogłam przemknąć całkiem niepostrzeżenie skrajem jaskini z ogrodem.

Jedyną rzeczą, jakiej nigdy mi nie pokazano, było wyjście z jaskiń. Miałam wrażenie, że byłam już wszędzie po kilka razy i że nie było takiej szczeliny, przez którą bym nie przechodziła w tym czy innym celu. Myślałam o tym teraz, idąc chyłkiem wzdłuż najbardziej zacienionej ściany jaskini z ogrodem. Gdzie mogło być wyjście? I przede wszystkim: czy gdybym je znalazła, mogłabym uciec?

Nie przychodziła mi do głowy żadna rzecz, dla której byłoby warto – na pewno nie dla bezkresnej pustyni, ale też nie dla Łowczyni ani Uzdrowiciela, ani Pocieszycielki, ani dla tamtego życia, po którym nie został już prawie żaden ślad. Wszystko, co miało dla mnie jakąś wartość, było tutaj. Jamie. Jared, mimo że chciał mnie zabić. Nie wyobrażałam sobie, bym mogła ich opuścić.

Jeb. Ian. Miałam tu teraz przyjaciół. Doktor, Trudy, Lily, Wes, Walter, Heath. Dziwni ludzie, którzy umieli przymknąć oko na to, czym jestem, i dostrzec we mnie kogoś, kogo wcale nie muszą zabijać. Może kierowała nimi jedynie ciekawość, ale nie zmieniało to faktu, że byli gotowi mnie bronić wbrew całej reszcie, ryzykując jedność ludzkiej wspólnoty. Potrząsnęłam w zdumieniu głową, nie przestając posuwać się po omacku wzdłuż ściany.

Nie byłam w jaskini sama, z drugiego końca dobiegały czyjeś głosy. Nie zatrzymywałam się, bo wiedziałam, że jestem niewidoczna, a poza tym właśnie znalazłam szczelinę, której szukałam.

Koniec końców, było tylko jedno miejsce, dokąd mogłam się udać. Poszłabym tam, nawet gdybym jakimś trafem znalazła stąd wyjście. Zanurzyłam się powoli w zupełnych ciemnościach.

Rozdział 27

Dylemat

Wracałam po omacku do celi.

Nie szłam tym korytarzem od wielu tygodni. Ostatni raz, gdy Jared pojechał na wyprawę. Teraz, kiedy powrócił, wracałam na swoje miejsce.

Tym razem nie przywitało mnie z daleka blade światło niebieskiej lampy. Mimo to wiedziałam, że to już ostatnia prosta – nie zapomniałam całkiem przebiegu korytarza. Wiodłam palcami nisko po ścianie, szukając wejścia do groty. Nie miałam zamiaru wchodzić do środka, po prostu potrzebowałam punktu odniesienia, chciałam się upewnić, że dotarłam na miejsce.

Okazało się zresztą, że wcale nie miałam wyboru.

Równo w chwili, gdy wyczułam palcami brzeg dziury, potknęłam się i upadłam na kolana. Wyciągnęłam ręce przed siebie i wylądowałam z trzaskiem na czymś, co nie było skałą i czego nie powinno tu być.

Zdziwiłam się i przestraszyłam. Co to był za dźwięk, skąd się wzięła zagadkowa przeszkoda? Może jednak gdzieś źle skręciłam i trafiłam w całkiem inne miejsce? Może ktoś tu mieszka? Prześledziłam w pamięci całą trasę, nie rozumiejąc, jak mogłam zabłądzić. Jednocześnie stałam w zupełnym bezruchu i nasłuchiwałam wśród ciemności, czy hałas kogoś nie zaalarmował.

Nic jednak nie słyszałam, nikt nie nadchodził. Było ciemno, duszno i wilgotno jak zawsze, i tak cicho, że musiałam być sama.

Ostrożnie i nie robiąc hałasu, rozeznałam się w otoczeniu.

Moje ręce w czymś tkwiły. Uwolniłam je i wyczułam kartonowe pudło zakryte cienką, szeleszczącą folią, którą rozerwałam, upadając. Sięgnęłam do środka i natrafiłam na mnóstwo miękkich, prostokątnych opakowań, równie hałaśliwych w dotyku. Szybko cofnęłam rękę, gdyż bałam się, że ktoś mnie w końcu usłyszy.

Przypomniałam sobie, że przecież chwilę wcześniej znalazłam po omacku krawędź groty. Wysunęłam dłoń w lewo i natrafiłam na kolejne kartony, ułożone jeden na drugim. Gdy spróbowałam namacać wierzch sterty, okazało się, że muszę wstać – sięgała mi głowy. Następnie znalazłam ścianę, a potem otwór; był dokładnie tam, gdzie się spodziewałam. Postanowiłam wdrapać się do środka i upewnić, że to rzeczywiście to samo miejsce – od razu poznałabym tę strasznie wklęsłą podłogę – ale po chwili musiałam z tego zrezygnować, bo wnętrze również okazało się zagracone.

Wyciągnęłam ręce przed siebie i zaczęłam się wycofywać w głąb korytarza, ale i tędy nie zaszłam daleko – wszędzie pełno było tajemniczych pudeł.

Gdy tak kluczyłam w ciemnościach wśród kartonów, nie wiedząc, co myśleć, natrafiłam na coś jeszcze innego – ciężki, zgrzebny worek, którego zawartość przesunęła się pod naporem mojej dłoni, wydając przy tym cichy szmer. Nacisnęłam go mocniej – w przeciwieństwie do szelestu plastikowych opakowań nie był to odgłos, który mógł mnie zdradzić.

Nagle mnie olśniło. Pomógł mi węch. Ugniatając sypką zawartość worka, poczułam niespodziewanie znajomy zapach, który zabrał mnie na chwilę z powrotem do San Diego, do kuchennej szafki na prawo od zlewu. Widziałam w myślach torebkę surowego ryżu, plastikową miarkę, z tyłu rząd puszek...

Kiedy tylko zrozumiałam, że dotykam worka ryżu, wszystko stało się jasne. A zatem wcale nie zabłądziłam. W końcu Jeb wspominał, że używają tego miejsca jako przechowalni. A Jared właśnie wrócił z długiej wyprawy. Wszystko, co udało im się zdobyć przez te kilka tygodni, przechowywano teraz tutaj, w odległej grocie.

Naraz przyszło mi do głowy kilka myśli.

Po pierwsze, dotarło do mnie, że zewsząd otacza mnie jedzenie. I to nie twarde bułki ani cienka zupa cebulowa, tylko j e d z e n i e. Mogło tu gdzieś być masło orzechowe. Ciastka z czekoladą. Czipsy ziemniaczane. Cheetosy.

Jednak nawet sama myśl, że miałabym wyciągnąć te rarytasy z kartonów, zjeść je ze smakiem i po raz pierwszy, odkąd opuściłam cywilizację, poczuć się syta, budziła we mnie poczucie winy. Jared nie po to ryzykował życie, żebym to ja mogła się najeść. To jedzenie było przeznaczone dla ludzi.

Poza tym zlękłam się, że może nie znieśli tu jeszcze wszystkiego. Co, jeśli przyjdą z kolejnymi kartonami? Jeżeli przyniosą je Jared i Kyle? Nie trzeba było wielkiej fantazji, żeby to sobie wyobrazić.

Ale czy nie dlatego właśnie tu przyszłam? Czy nie dlatego chciałam być sama?

Oparłam się plecami o ścianę i osunęłam na ziemię. Worek ryżu był niczego sobie poduszką. Zamknęłam oczy – nie żeby w ciemnościach cokolwiek to zmieniało – i postanowiłam się naradzić.

No dobra, Mel. Co dalej?

Ucieszyło mnie, że nadal jest przytomna i czujna. Problemy ją mobilizowały. Co innego, gdy wszystko szło ku dobremu, wtedy się wyłączała.

Ustalmy priorytety, zarządziła. *Na czym nam najbardziej zależy? Na życiu? Czy na Jamiem?*

Dobrze znała odpowiedź. J a m i e, potwierdziłam, wzdychając na głos. Dźwięk odbił się cicho od czarnych ścian.

No to mamy to uzgodnione. Możemy pewnie jeszcze trochę pożyć, jeśli pozwolimy Jebowi i Ianowi, żeby nas chronili. Ale czy to mu jakoś pomoże?

Nie wiem. Zastanówmy się. Czym sprawimy mu więcej bólu, poddając się czy niepotrzebnie odwlekając koniec?

Ten ostatni pomysł nie przypadł jej do gustu. Czułam, że się miota, że szuka innych rozwiązań.

Próba ucieczki? – zasugerowałam.

Nie sądzę, stwierdziła. *Zresztą co byśmy zrobiły? Jak byśmy się z tego wszystkiego wytłumaczyły?*

Obie próbowałyśmy to sobie wyobrazić – jak wyjaśniłabym moją paromiesięczną nieobecność? Mogłabym skłamać, zmyślić jakąś historię albo powiedzieć, że nic nie pamiętam. Ale przypomniałam sobie podejrzliwe spojrzenie Łowczyni, błysk niedowierzania w oczach, i zrozumiałam, że moje nieporadne próby matactwa byłyby skazane na porażkę.

Pomyśleliby, że przejęłam nad tobą władzę, przytaknęła Melanie. *Wyjęliby cię ze mnie i włożyli ją.*

Skręciłam się – tak jakby zmiana ułożenia ciała mogła mi pomóc uciec od tej myśli – i zadrżałam. Po chwili doprowadziłam jednak myśl do jedynej logicznej konkluzji. *Powiedziałaby Łowcom, jak tu dotrzeć.*

Przeszyła nas zgroza.

Właśnie, odparłam. *Czyli wykluczamy ucieczkę.*

Tak, szepnęła łamiącym się głosem.

A więc wybór brzmi... szybko czy wolno. Co mniej go zrani?

Miałam wrażenie, że dopóki skupiam się na praktycznej stronie problemu, jestem w stanie zachować trzeźwy osąd. Melanie próbowała mnie naśladować.

Nie jestem pewna. Z jednej strony, logicznie rzecz biorąc, im dłużej będziemy ze sobą we trójkę, tym trudniejsze będzie dla niego... rozstanie. Z drugiej strony, gdybyśmy się poddały bez walki... na pewno miałby do nas wielki żal. Czułby się zdradzony.

Przyjrzałam się obu argumentom, by dokonać racjonalnej oceny.

A więc... szybko, ale robiąc, co w naszej mocy, żeby przeżyć?

Polec w walce, przytaknęła surowo.

W walce. No pięknie. Spróbowałam to sobie wyobrazić – jak odpowiadam przemocą na przemoc. Jak biorę zamach, by kogoś uderzyć. Umiałam to opisać słowami, ale nie potrafiłam tego zobaczyć.

Dasz radę, dopingowała mnie Melanie. *Pomogę ci*.

Dzięki, ale nie. Musi być jakiś inny sposób.

Nie rozumiem cię, Wando. Wyrzekłaś się swojej rasy, jesteś gotowa zginąć za mojego brata, kochasz mojego mężczyznę, który chce nas zabić, a nie potrafisz się pozbyć przyzwyczajeń, które zupełnie nam nie pomagają.

Jestem, kim jestem, Mel. Wszystko inne może się zmienić, ale tego jednego zmienić nie mogę. Ty też pozostałaś sobą, pozwól mi na to samo.

Ale jeśli oni...

Kłótnia trwałaby dłużej, ale nam przerwano. Z głębi tunelu doszło nas echo podeszew szurających o skalną podłogę.

Nasłuchiwałam w bezruchu – zamarło we mnie wszystko prócz serca, a i ono jakby zgubiło rytm. Przez krótką chwilę łudziłam się, że może się przesłyszałam. Jednakże po paru sekundach ponownie dobiegł mnie odgłos kroków.

Melanie zachowywała zimną krew, za to ja byłam całkiem spanikowana.

Wstawaj, rozkazała.

Po co?

Skoro nie chcesz walczyć, możesz przynajmniej uciekać. Czegoś musisz spróbować – dla Jamiego.

Zaczęłam znowu oddychać, cicho i płytko. Podniosłam się powoli i stanęłam na palcach. Adrenalina krążyła mi w mięśniach, czułam, jak się napinają i drżą. Byłam szybsza od większości prześladowców, ale dokąd miałam uciekać?

– Wanda? – szepnął ktoś. – Wanda? Jesteś tu? To ja.

Głos mu się załamał i natychmiast go poznałam.

– Jamie! – zachrypiałam. – Co ty tu robisz? Mówiłam, że muszę pobyć sama.

W jego głosie usłyszałam teraz wyraźną ulgę.

– Wszyscy cię szukają. No wiesz, Trudy, Lily, Wes – ci wszyscy. Tylko mamy nikomu o tym nie mówić. Nikt nie może się dowiedzieć, że zniknęłaś. Jeb znowu nosi strzelbę. Ian jest z Doktorem. Jak tylko Doktor będzie miał chwilę, porozmawia z Jaredem i Kyle'em. Doktora wszyscy słuchają. Nie musisz się ukrywać. Wszyscy są teraz zajęci, a ty pewnie jesteś zmęczona...

W miarę jak objaśniał mi sytuację, zbliżał się do mnie, aż wreszcie dotknął palcami mojego ramienia, a potem dłoni.

– Nie *ukrywam* się, Jamie. Mówiłam ci, że muszę pomyśleć.

– A nie mogłabyś myśleć z Jebem?

– Niby gdzie mam iść? Z powrotem do pokoju Jareda? Tu jest moje miejsce.

– Już nie. – W jego głosie pojawiła się znajoma nuta uporu.

– Czym wszyscy są zajęci? – zapytałam, rozmyślnie zmieniając temat. – Co robi Doktor?

Nic jednak w ten sposób nie zdziałałam. Jamie milczał.

Po minucie dotknęłam jego policzka.

– Słuchaj, powinieneś być teraz z Jebem. Powiedz reszcie, żeby mnie nie szukali. Posiedzę tu trochę.

– Tu się nie da spać.

– Już to kiedyś robiłam.

Poczułam, jak potrząsa głową.

– Przyniosę chociaż maty i poduszki.

– Nie potrzebuję dwóch.

– Nie będę spał w jednym pokoju z Jaredem, dopóki nie zmądrzeje.

Jęknęłam w duchu.

– To śpij u Jeba. Tam jest twoje miejsce, nie tutaj.

– Ja sam decyduję, gdzie jest moje miejsce.

Ciążyła mi myśl, że może mnie tu znaleźć Kyle. Ale gdybym o tym wspomniała, Jamie poczułby się jeszcze bardziej odpowiedzialny za moje bezpieczeństwo.

– Dobrze, ale Jeb musi się zgodzić.

– Później. Nie będę mu dzisiaj zawracał głowy.

– A co takiego robi?

Jamie nie odpowiedział. Dopiero teraz zrozumiałam, że za pierwszym razem celowo przemilczał moje pytanie. Było coś, o czym nie chciał mi powiedzieć. Może reszta również mnie szukała. Może powrót Jareda sprawił, że wrócili do starego zdania na mój temat. W kuchni mniej więcej tak to wyglądało – zwiesili głowy i zerkali na mnie zakłopotani.

– Jamie, co się dzieje?

– Nie wolno mi powiedzieć – wymamrotał. – I nie powiem. – Objął mnie w talii i przycisnął twarz do mojego ramienia. – Wszystko będzie dobrze – obiecał niskim głosem.

Poklepałam go po plecach i pogłaskałam po rozwichrzonych włosach.

– Dobrze – odparłam, godząc się na jego milczenie. W końcu ja też miałam swoje tajemnice. – Nie martw się, Jamie. Nie wiem, o co chodzi, ale na pewno wszystko się ułoży. Nic ci nie będzie. – Bardzo chciałam, żeby te słowa okazały się prawdziwe.

– Sam już nie wiem, co myśleć – szepnął.

Wpatrywałam się w ciemności, próbując zgadnąć, o czym nie chce mi powiedzieć, gdy nagle spostrzegłam w oddali poświatę – bardzo słabą, ale jaśniejącą pośród czerni korytarza.

– Cii – szepnęłam. – Ktoś idzie. Szybko, schowaj się za kartonami.

Jamie gwałtownie obrócił twarz ku żółtemu światłu, które z każdą sekundą przybierało na sile. Nasłuchiwałam kroków, ale nic nie słyszałam.

– Nie będę się chował – odszepnął. – Stań za mną.

– Nie!

– Jamie! – zawołał Jared. – Wiem, że tam jesteś!

Nogi zamieniły mi się w watę. Dlaczego akurat Jared? Gdyby to chociaż Kyle przyszedł mnie zabić! Biedny Jamie.

– Idź sobie! – odkrzyknął.

Żółta poświata zaczęła się przybliżać jeszcze szybciej i zmieniła się w plamę światła na ścianie tunelu.

Jared wyłonił się po cichu zza rogu, świecąc w nas latarką. Był już umyty, miał na sobie wyblakłą czerwoną koszulkę, która wisiała w pokoju podczas jego nieobecności. Również twarz wyglądała teraz znajomo – miał tę samą minę co zawsze, odkąd tu przybyłam.

Oślepiający promień latarki zatrzymał się na mojej twarzy. Oczy musiały mi zalśnić srebrem, gdyż poczułam, że Jamie drgnął. Po chwili jednak przylgnął do mnie jeszcze mocniej.

– Odsuń się! – zaryczał Jared.

– Sam się odsuń! – odkrzyknął Jamie. – W ogóle jej nie znasz. Zostaw ją w spokoju!

Próbowałam uwolnić się z jego uścisku, ale nie chciał mnie puścić.

Jared dopadł do nas niczym rozjuszony byk. Jedną ręką chwycił Jamiego za koszulę i odciągnął ode mnie. Zaczął nim potrząsać, krzycząc:

– Co robisz, głupi? Nie widzisz, że ona cię wykorzystuje?

Odruchowo rzuciłam się pomiędzy nich. Zgodnie z moim oczekiwaniem Jared puścił Jamiego. Chodziło mi tylko o to, reszta – znajomy zapach, który uderzył mnie w nozdrza, kształt jego piersi pod moimi palcami – była nieistotna.

– Zostaw go – powiedziałam, żałując, że nie potrafię być taka, jaką chciałaby mnie oglądać Melanie; że nie umiem zacisnąć pięści, a mój głos nie jest dość stanowczy.

Pochwycił jedną dłonią moje nadgarstki i odrzucił mnie w bok. Uderzyłam o ścianę i zaparło mi dech. Odbiłam się i wylądowałam na podłodze, z powrotem wśród kartonów, rozdzierając kolejny celofan.

Czułam tętnienie krwi w skroniach. Przed oczami migały mi przez chwilę dziwne światełka.

– Tchórz! – krzyknął Jamie. – Ona by prędzej zginęła, niż cię skrzywdziła! Zostaw ją w spokoju!

Usłyszałam szuranie pudeł o ziemię i poczułam na ramieniu dłoń Jamiego.

– Wanda, wszystko w porządku?

– Tak – wydyszałam, choć głowa pękała mi z bólu. Widziałam nad sobą jego zatroskaną twarz. Jared musiał upuścić latarkę. – Idź stąd, Jamie – wyszeptałam. – Biegnij.

Jamie potrząsnął stanowczo głową.

– Odsuń się od niego! – krzyknął Jared. Do Jamiego, nie do mnie.

Zobaczyłam, jak chwyta chłopca za ramiona i podnosi z kucek, przewracając przy okazji kilka pudeł, które spadły na mnie niczym lawina. Przeturlałam się w bok, osłaniając głowę rękoma. Jakiś ciężki karton uderzył mnie dokładnie pomiędzy łopatkami. Jęknęłam z bólu.

– Przestań! – zawył Jamie.

Usłyszałam trzask i ktoś nagle wstrzymał oddech.

Wyczołgałam się spod ciężkiego pudła i podniosłam chwiejnie na łokciach.

Jared trzymał się za nos, coś ciemnego ściekało mu po ustach. Oczy miał szeroko otwarte ze zdziwienia. Jamie stał naprzeciw niego z wściekłym wyrazem twarzy i dłońmi zaciśniętymi w pięści.

Jared spoglądał na niego w szoku. Twarz chłopca zaczęła łagodnieć. W miejsce gniewu pojawiło się rozgoryczenie i żal – tak wielki, że mógł konkurować ze spojrzeniem, jakie Jared posłał w kuchni Jebowi.

– Myślałem, że jesteś inny – szepnął Jamie. Spoglądał na Jareda jak gdyby z bardzo daleka, jakby dzielił ich mur nie do pokonania.

W oczach stanęły mu łzy. Odwrócił głowę, wstydząc się swojej słabości, po czym oddalił się szybkim, niespokojnym krokiem.

Starałyśmy się, pomyślała smutno Melanie. Serce wyrywało jej się za bratem, choć jednocześnie pragnęła, bym zwróciła wzrok w stronę Jareda. Dałam jej to, czego chciała.

Jared w ogóle na mnie nie spoglądał. Trzymał się za nos, wpatrzony w ciemności, w których przed chwilą zniknął Jamie.

– Do diabła! – krzyknął nagle. – Jamie! Wracaj!

Odpowiedziała mu cisza.

Zerknął ponuro w moim kierunku, przyprawiając mnie o dreszcz, choć jego gniew zdawał się ustępować; potem podniósł z ziemi latarkę, kopnął zawadzający mu karton i ruszył za chłopcem.

– Przepraszam! Nie płacz. – Zniknął za zakrętem, co chwila coś wołając. Zostałam sama.

Przez dłuższą chwilę musiałam się koncentrować na oddychaniu. W skupieniu wdychałam i wydychałam powietrze z płuc. Kiedy już poczułam, że mam to opanowane, spróbowałam się podnieść. Minęło kilka sekund, nim przypomniałam sobie, jak poruszać nogami, ale ponieważ trzęsły mi się i uginały, usiadłam z powrotem pod ścianą i przesuwałam się wzdłuż niej, dopóki nie znalazłam worka z ryżem. Oparłam na nim głowę i zabrałam się do oceny obrażeń.

Niczego sobie nie złamałam. Co innego Jared, tu nie miałam już pewności. Potrząsnęłam wolno głową. Jamie i Jared nie powinni się bić. Ściągnęłam na nich tyle nieszczęścia. Westchnęłam i skupiłam się z powrotem na ciele. Czułam rozległy ból w środkowej części pleców. Poza tym piekła mnie część twarzy, którą uderzyłam o ścianę. Dotknęłam skóry i poczułam szczypanie, a na palcach została mi ciepła maź. Ogólnie rzecz biorąc, nie było jednak najgorzej. Resztę obrażeń stanowiły niegroźne siniaki i zadrapania.

Uświadomiłam to sobie i niespodziewanie ogarnęła mnie wielka ulga.

Żyję. Jared miał okazję mnie zabić i tego nie zrobił. Wolał iść pogodzić się z Jamiem. Wygląda więc na to, że stosunki między nimi, choć mocno z mojego powodu nadszarpnięte, dadzą się naprawić.

To był długi dzień – nawet zanim wrócił Jared, a miałam wrażenie, że od tamtej chwili minęła wieczność. Zamknęłam oczy, nie ruszając się z miejsca, i usnęłam z głową na worku ryżu.

Rozdział 28

Tajemnica

Obudziłam się w zupełnych ciemnościach, zdezorientowana. Zdążyłam się bowiem przyzwyczaić do promieni słońca oznajmiających nadejście poranka. W pierwszej chwili myślałam, że ciągle jest noc, ale pieczenie na twarzy i ból pleców przypomniały mi, gdzie jestem.

W pobliżu ktoś cicho i równo oddychał. Nie wystraszyłam się – ten odgłos był mi dobrze znajomy. Nie dziwiło mnie, że Jamie wrócił, by ze mną spać.

Być może zbudziła go zmiana w moim oddechu, a może po prostu byliśmy nieźle zsynchronizowani. W każdym razie chwilę po tym, jak się ocknęłam, nabrał głęboko powietrza.

– Wanda?

– Jestem.

Odetchnął z ulgą.

– Strasznie tu ciemno.

– To prawda.

– Myślisz, że już pora śniadania?

– Nie wiem.

– Jestem głodny. Chodźmy sprawdzić.

Odpowiedziałam milczeniem.

Odczytał je właściwie, czyli jako odmowę.

– Nie musisz się tu ukrywać – powiedział po chwili, przekonany o prawdziwości tych słów. – Rozmawiałem wczoraj z Jaredem. Przestanie ci dokuczać, obiecał.

Dokuczać. Prawie się uśmiechnęłam.

– Pójdziesz ze mną? – nalegał. Znalazł w ciemnościach moją dłoń.

– Naprawdę tego chcesz? – zapytałam cicho.

– Tak. Wszystko będzie tak jak wcześniej.

Mel? Co o tym sądzisz?

Nie wiem. Była rozdarta. Wiedziała, że nie potrafi się zdobyć na obiektywizm. Pragnęła znowu zobaczyć Jareda.

To szalone, wiesz o tym.

Nie bardziej niż to, że ty też za nim tęsknisz.

– Dobra – zgodziłam się. – Ale nie gniewaj się, jeśli nie będzie tak samo jak wcześniej, dobrze? Jeżeli znowu będą jakieś kłopoty... Po prostu niech cię to nie zdziwi.

– Wszystko będzie w porządku. Zobaczysz.

Pozwoliłam się poprowadzić przez tunel za rękę. Do jaskini z ogrodem wchodziłam spięta. Nie mogłam być dzisiaj pewna niczyjej reakcji. Kto wie, jakie słowa padły, gdy spałam?

Ale ogród był pusty, choć jasno oświetlony promieniami porannego słońca. Odbijały się od setek lusterek i na początku całkiem mnie oślepiły.

Jamie nawet się nie rozejrzał po jaskini, wzrok miał utkwiony w mojej twarzy, a kiedy ukazała mu się w świetle dnia, zasyczał, wciągając powietrze przez zęby.

– O nie! – zadyszał. – Nic ci nie jest? Bardzo boli?

Przejechałam delikatnie palcami po twarzy. Była nierówna od piasku i żwiru w zakrzepłej krwi. Najlżejszy dotyk sprawiał mi ból.

– To nic takiego – szepnęłam. Pusta jaskinia napawała mnie lękiem, bałam się mówić zbyt głośno. – Gdzie są wszyscy?

Jamie wzruszył ramionami, nie odrywając wzroku od mojej twarzy.

– Pewnie są zajęci – odparł, nie ściszając głosu.

Przypomniało mi się, że poprzedniego wieczoru nie chciał mi czegoś powiedzieć. Ściągnęłam brwi.

Jak myślisz, o co może chodzić?

Wiesz tyle samo co ja.

Ale ty jesteś człowiekiem. Myślałam, że masz intuicję czy coś w tym rodzaju.

Intuicję? Intuicja podpowiada mi, że nie znamy tego miejsca tak dobrze, jak nam się wydaje.

Zadumałyśmy się nad złowróżbnym wydźwiękiem tych słów.

Kiedy chwilę później usłyszałam dobiegające z kuchni normalne odgłosy śniadania, poczułam coś w rodzaju ulgi. Nie to, żebym miała szczególną ochotę kogoś spotkać – oczywiście nie licząc chorobliwej tęsknoty za Jaredem – ale cisza opustoszałych tuneli w połączeniu z wiedzą, iż coś jest przede mną ukrywane, budziła we mnie rosnący niepokój.

Kuchnia nie była wypełniona nawet w połowie – jak na tę porę dnia było to cokolwiek dziwne. Nie roztrząsałam tego jednak, gdyż całą moją uwagę zaprzątał zapach wydobywający się z kamiennego pieca.

– Ooo – westchnął Jamie. – Jajka!

Prowadził mnie teraz szybciej, zresztą ja sama wcale się nie opierałam. Popędziliśmy do blatu przy piecu, gdzie z plastikową chochlą stała Lucina, matka chłopców. Zazwyczaj śniadanie każdy robił sobie sam – ale też zwykle były to suche bułki.

Odpowiadając, spoglądała tylko na Jamiego.

– Godzinę temu smakowały lepiej.

– Teraz też będą smakować – odparł podekscytowany. – Wszyscy już jedli?

– Raczej tak. Doktorowi i reszcie ktoś chyba zaniósł tacę... – Lucina przerwała i dopiero teraz pierwszy raz na mnie zerknęła, podobnie zresztą jak Jamie. Nie rozumiałam wyrazu jej twarzy – zbyt szybko zniknął, ustępując miejsca reakcji na mój wygląd.

– Dużo jeszcze zostało? – zapytał. Tym razem jego entuzjazm wydał mi się odrobinę wymuszony.

Lucina obróciła się i pochyliła, by za pomocą chochli ściągnąć blaszaną patelnię z gorących kamieni na spodzie pieca.

– Ile chcesz? Jest dużo – powiedziała, nadal odwrócona.

– Udajmy, że jestem Kyle'em – odparł ze śmiechem.

– Porcja *à la* Kyle, proszę cię bardzo. – Uśmiechnęła się, ale oczy miała smutne.

Napełniła jedną z miseczek po brzegi nieco gumowatą jajecznicą, wyprostowała się i podała ją Jamiemu.

Zerknęła na mnie ponownie i tym razem zrozumiałam, o co jej chodzi.

– Usiądźmy gdzieś – odezwałam się, trącając Jamiego.

Spojrzał na mnie zdumiony.

– A ty? Nie chcesz jajecznicy?

– Nie, nie jestem... – Już miałam powiedzieć „głodna", gdy nagle zaburczało mi głośno w brzuchu.

– Ej, co jest? – Spojrzał na mnie, a potem znowu na stojącą z założonymi rękami Lucinę.

– Wystarczy mi chleb – wymamrotałam, próbując odciągnąć go od blatu.

– Nie, nie. Lucino, w czym problem? – Popatrzył na nią pytająco. Stała nieruchomo. – Jeżeli już skończyłaś, mogę cię zastąpić – dodał, po czym przymrużył oczy i zacisnął usta.

Lucina wzruszyła ramionami i odłożyła chochlę na kamienny blat, a następnie oddaliła się powoli, ani razu na mnie nie spojrzawszy.

– Jamie – wyszeptałam spiesznym głosem. – To jedzenie nie jest dla mnie. Jared i reszta nie ryzykowali życia po to, żebym mogła zjeść na śniadanie jajecznicę. Chleb mi wystarczy.

– Nie bądź głupia – odparł. – Mieszkasz tu tak jak wszyscy inni. Nikt nic nie mówi, jak pierzesz im rzeczy i pieczesz dla nich chleb. Poza tym trzeba zjeść te jajka, póki są świeże. Inaczej się zmarnują.

Czułam na plecach wzrok wszystkich obecnych.

– Może niektórzy woleliby je wyrzucić – odparłam jeszcze ciszej, tak by nikt inny nie usłyszał.

– Zapomnij – burknął Jamie. Jednym susem przesadził blat i napełnił drugą miseczkę, po czym gwałtownym ruchem wyciągnął ją ku mnie. – Masz zjeść wszystko – oznajmił stanowczo.

Spojrzałam na jajecznicę i poczułam, jak cieknie mi ślina. Mimo to odsunęłam miseczkę od siebie i założyłam ręce na piersi.

Jamie zmarszczył brwi.

– Okej – powiedział, kładąc swoją porcję na blat i gwałtownie ją odpychając. – Skoro ty nie jesz, ja też nie. – Kiedy zamilkł, zabulgotało mu w żołądku. Założył ręce.

Patrzyliśmy na siebie przez dwie długie minuty, wdychając zapach jajek. Ciszę przerywało tylko burczenie naszych głodnych brzuchów. Jamie co pewien czas zerkał na jedzenie kątem oka. Właśnie to tęskne spojrzenie sprawiło, że się poddałam.

– Dobra – westchnęłam. Popchnęłam miseczkę z powrotem ku niemu i sięgnęłam po własną. Nie ruszył swojej porcji, dopóki nie wzięłam pierwszego kęsa. Gdy poczułam smak jajek na języku, miałam ochotę głośno westchnąć. Wystygłe i gumowate, nie mogły być najlepszą rzeczą, jakiej kiedykolwiek skosztowałam, ale właśnie tak się czułam. Moje ciało żyło teraźniejszością.

Jamie zareagował podobnie. Chwilę później zaczął wcinać jajecznicę tak szybko, że zdawał się w ogóle nie robić przerw na oddech. Przyglądałam mu się uważnie, pilnując, aby się nie udusił.

Sama jadłam wolniej w nadziei, że kiedy skończy, uda mi się go przekonać, by zjadł część mojej porcji.

Dopiero teraz, kiedy doszłam z Jamiem do porozumienia i zaspokoiłam głód, zdałam sobie sprawę z panującej w kuchni atmosfery.

Biorąc pod uwagę to, że po wielu miesiącach monotonnej diety podano na śniadanie jajka, można się było spodziewać weselszych nastrojów. Tymczasem wszyscy byli raczej ponurzy i rozmawiali ściszonymi głosami. Czy to z powodu wczorajszego zajścia? Rozglądałam się po twarzach, próbując zrozumieć, w czym rzecz.

Co prawda niektórzy zerkali w moją stronę, ale szeptem mówili wszyscy, łącznie z tymi, którzy w ogóle nie zwracali na mnie uwagi. Poza tym nie wyglądali na złych, zawstydzonych czy spiętych. Nie okazywali żadnych uczuć, których się po nich spodziewałam.

Byli za to smutni. Na każdej twarzy malowało się przygnębienie.

Ostatnią osobą, którą zauważyłam, była Sharon, siedząca w odległym kącie, jak zwykle samotnie. Jadła śniadanie mechanicznymi ruchami, w sposób tak opanowany, że w pierwszej chwili nie zauważyłam łez ściekających jej po twarzy. Kapały do jedzenia, ale zupełnie nie zwracała na to uwagi.

– Czy Doktorowi coś się stało? – zapytałam Jamiego szeptem, nagle wystraszona. Zastanawiałam się, czy nie zachowuję się jak paranoik – może to nie ma nic wspólnego ze mną? Panujący tu smutek wydawał się częścią jakiegoś dramatu, o którym nie miałam pojęcia. Czy właśnie dlatego wszyscy poznikali? Czy zdarzył się jakiś wypadek?

Jamie spojrzał w stronę Sharon i westchnął.

– Nie, Doktor jest cały i zdrowy.

– Ciotka Maggie? Coś z nią nie tak?

Potrząsnął głową.

– Gdzie jest Walter? – zapytałam, nadal szepcząc. Na myśl o tym, że komukolwiek, nawet któremuś z moich wrogów, mogła się stać krzywda, ogarnął mnie niepokój.

– Nie wiem. Ale na pewno nic mu nie jest.

Dotarło do mnie, że Jamie jest tak samo przygnębiony jak pozostali. Jadł teraz wolno i w skupieniu.

– Co się stało, Jamie? Czemu jesteś smutny?

Jamie spuścił wzrok na jajecznicę i nic nie odpowiedział.

Do końca posiłku nie odezwał się już ani słowem. Kiedy skończył, próbowałam podsunąć mu resztę swojej porcji, ale zmierzył mnie tak srogim spojrzeniem, że cofnęłam rękę i sama zjadłam to, co zostało.

Odłożyliśmy miseczki do plastikowego pojemnika z brudnymi naczyniami. Był pełny, więc postanowiłam zabrać go ze sobą. Nie byłam pewna, co takiego dzieje się w jaskiniach, ale uznałam, że zmywanie powinno być bezpiecznym zajęciem.

Jamie nie odstępował mnie na krok i bacznie się rozglądał. Martwiło mnie to. Obiecałam sobie, że w razie kłopotów nie pozwolę, żeby mnie bronił. Problem sam się jednak rozwiązał, gdy przechodząc naokoło ogrodu spotkaliśmy mojego etatowego ochroniarza.

Ian był cały umorusany – od stóp do głów pokrywał go brud, ciemniejszy w miejscach wilgotnych od potu. Choć twarz miał umazaną na brązowo, znać było po nim zmęczenie. Jak dało się przewidzieć, był w takim samym nastroju jak wszyscy. Zastanawiał mnie jednak brud.

Nie był to wszechobecny w jaskiniach ciemnofioletowy pył. Ian musiał być rano na pustyni.

– O, tu jesteś – rzekł pod nosem, gdy nas zobaczył. Szedł żwawo, stawiając długie kroki. Kiedy do nas dołączył, nie zwolnił, lecz chwycił mnie za łokieć. – Schowajmy się tutaj na moment.

Wciągnął mnie do wąskiego tunelu prowadzącego w stronę wschodniego pola, gdzie powoli dojrzewała już kukurydza. Nie weszliśmy daleko w głąb, lecz przystanęliśmy w ciemnościach, niewidoczni z dużej jaskini. Poczułam, jak Jamie kładzie mi lekko dłoń na ramieniu.

Po upływie pół minuty w jaskini z ogrodem rozbrzmiały echem głębokie głosy. Nie były gwałtowne, lecz posępne, tak jak twarze wszystkich ludzi, których dzisiaj spotkałam. Mijały nas w bliskiej odległości. Ian zacisnął dłoń na moim łokciu, wczepiając palce w miękkie miejsce nad kością. Poznałam głosy Jareda i Kyle'a. Melanie zaczęła wyrywać się do przodu, ja sama również miałam na to ochotę. Obie pragnęłyśmy ujrzeć twarz Jareda. Na szczęście Ian trzymał nas w ryzach.

– ...nie wiem, dlaczego w ogóle mu na to pozwalamy. Jak koniec, to koniec – mówił Jared.

– Naprawdę myślał, że tym razem będzie inaczej... Zresztą, jeżeli kiedyś w końcu mu się uda, to znaczy, że było warto – dyskutował Kyle.

– Jeżeli. – Jared prychnął. – Chyba dobrze, że znaleźliśmy tę brandy. Chociaż jeśli będzie pił w takim tempie, to do wieczora obali całą skrzynkę.

– Nie zdąży, prędzej zaśnie – odparł Kyle. Jego głos zaczął ginąć w oddali. – Szkoda, że Sharon nie... – Dalej nic już nie zrozumiałam.

Ian czekał, aż głosy całkiem ucichną, potem wytrwał jeszcze parę minut i dopiero wtedy mnie puścił.

– Jared obiecał – rzucił w jego stronę Jamie.

– Ale Kyle nie – brzmiała odpowiedź.

Weszli z powrotem do słonecznej jaskini. Podążyłam wolno za nimi. Nie do końca wiedziałam, jak się czuję.

Dopiero teraz Ian zauważył, że coś niosę.

– Nie czas teraz na zmywanie – powiedział. – Najpierw niech tamci się umyją i sobie pójdą.

Myślałam, czy go nie zapytać, dlaczego jest brudny, ale pewnie by nie odpowiedział, tak jak wcześniej Jamie. Zamyślona obróciłam głowę w stronę tunelu prowadzącego do łaźni.

Ian wydał gniewny odgłos.

Popatrzyłam na niego przestraszona i zrozumiałam, co go zdenerwowało – dopiero teraz zobaczył moją twarz.

Wyciągnął rękę, jakby chciał mi unieść podbródek, ale opuścił ją, zobaczywszy, że drgnęłam nerwowo.

– Aż mnie skręca. – Głos miał taki, jakby naprawdę było mu niedobrze. – Chociaż chyba najbardziej boli mnie myśl, że gdybym pojechał z nimi, to pewnie byłbym gotów ci zrobić to samo.

Potrząsnęłam głową.

– To nic takiego, Ian.

– Mam na ten temat inne zdanie – mruknął, po czym zwrócił się do Jamiego: – Powinieneś chyba iść do szkoły. Im szybciej wszystko wróci do normalności, tym lepiej.

Jamie jęknął.

– Sharon będzie dzisiaj straszna.

Ian uśmiechnął się.

– No trudno, młody, ktoś musi to wziąć na siebie. Ale wcale ci nie zazdroszczę.

Jamie westchnął i kopnął żwir.

– Pilnuj Wandy.

– No ba.

Jamie oddalił się niespiesznym krokiem, parę razy oglądając się za siebie, aż w końcu po kilku minutach zniknął w jednym z tuneli.

– Daj, ja poniosę – odezwał się Ian i zabrał mi pojemnik z naczyniami, zanim zdążyłam cokolwiek odpowiedzieć.

– Potrafię je unieść – powiedziałam.

Uśmiechnął się znowu.

– Głupio mi tak stać z pustymi rękoma i patrzeć, jak je taszczysz. Taki już ze mnie dżentelmen, nic nie poradzę. No, chodźmy usiąść w jakimś ustronnym miejscu i tam poczekamy, aż zwolnią łazienkę.

Podążyłam za nim. Jego słowa były dla mnie niezrozumiałe. Dlaczego miałby się poczuwać do dżentelmeństwa w mojej obecności?

Zaszliśmy aż na pole kukurydzy, a wtedy Ian zaczął iść wzdłuż bruzd, między rzędami łodyg. Szłam za nim, nieco w tyle, dopóki nie zatrzymał się mniej więcej na środku pola. Odłożył pojemnik z naczyniami i wyciągnął się na ziemi.

– No tak, to rzeczywiście ustronne miejsce – przyznałam, siadając obok i krzyżując nogi. – Ale czy nie powinniśmy pracować?

– Pracujesz zbyt ciężko, Wando. Jesteś jedyną osobą, która nigdy nie robi sobie wolnego.

– Przynajmniej mam zajęcie – bąknęłam.

– Wszyscy mają dziś przerwę, więc ty też możesz.

Przyjrzałam mu się. Oświetlone promieniami słońca łodygi kukurydzy rzucały na niego krzyżujące się cienie. Twarz miał pobladłą i zmęczoną.

– Wyglądasz, jakbyś pracował.

Przymrużył oczy.

– Ale teraz odpoczywam.

– Jamie nie chce mi powiedzieć, co jest grane – wybąknęłam.

– Ja też ci nie powiem. – Westchnął. – Nie chcesz wiedzieć.

Ścisnęło mnie w dołku. Wbiłam wzrok w fioletowo-brązową ziemię. Nie rozumiałam, co może być gorsze od niewiedzy, ale pewnie po prostu brakowało mi wyobraźni.

– To trochę nie fair – odezwał się Ian po chwili – bo sam nie chcę nic powiedzieć, ale czy mogę ci zadać pytanie?

Ucieszyła mnie zmiana tematu.

– Dawaj.

Nie zaczął od razu, więc podniosłam wzrok. Teraz to on miał spuszczone oczy; wpatrywał się w smugi brudu na dłoniach.

– Wiem, że mogę ci ufać. Teraz już wiem – powiedział cicho. – Uwierzę ci, cokolwiek odpowiesz.

Przerwał na chwilę, wciąż spoglądając na nie.

– Wcześniej nie kupowałem tego, co mówił Jeb, ale... on i Doktor są pewni swego... Wando? – zapytał, podnosząc wzrok i spoglądając mi w twarz. – Czy ona tam ciągle z tobą jest? Ta dziewczyna?

Nie była to już tajemnica – zarówno Jamie, jak i Jeb znali prawdę. Zresztą przestała mieć znaczenie. Poza tym ufałam Ianowi, wiedziałam, że nie wypapla tego nikomu, kto byłby gotów mnie zabić.

– Tak. Melanie żyje.

Kiwnął powoli głową.

– Jak to jest? Dla ciebie? Dla niej?

– To... frustrujące dla nas obu. Na początku oddałabym wszystko, byleby sprawić, że zniknie. Ale potem... przyzwyczaiłam się do niej. – Uśmiechnęłam się krzywo. – Czasem miło jest mieć towarzystwo. Dla niej to dużo trudniejsze. Pod wieloma względami jest jak więzień zamknięty w mojej głowie. Ale wolała pogodzić się z takim życiem niż zniknąć.

– Nie wiedziałem, że człowiek ma wybór.

– Na początku tak nie było. Dopiero gdy ludzie zorientowali się w sytuacji, zaczęli stawiać opór. To chyba właśnie jest klucz – świadomość zagrożenia. Ci, którzy dali się zaskoczyć, w ogóle się nie bronili.

– A gdyby mnie złapali?

Przyjrzałam się jego walecznej twarzy, roziskrzonym oczom.

– Nie sądzę, byś zniknął. Tylko że ostatnio trochę się pozmieniało. Dorosłych ludzi nie używa się już jako żywicieli. Za dużo było z nimi problemów. – Znów lekko się uśmiechnęłam. – Takich jak *mój*. Zmiękłam, zaczęłam współczuć żywicielowi, pobłądziłam...

Rozmyślał o tym przez dłuższą chwilę, spoglądając od czasu do czasu na moją twarz, czasem na kukurydzę, a czasem – na nic.

– W takim razie co by ze mną zrobili, gdyby mnie złapali? – zapytał w końcu.

– Pewnie i tak wszczepiliby ci duszę, prawdopodobnie Łowcę, żeby się czegoś dowiedzieć.

Wzdrygnął się.

– Ale później, niezależnie od tego, czy dowiedzieliby się czegoś, czy nie, zostałbyś... usunięty. – Wymówiłam to słowo z dużym trudem. Napawało mnie wstrętem. Dziwne – zwykle to ludzkie wymysły budziły we mnie odrazę. Ale też nigdy wcześniej nie oceniałam sytuacji z perspektywy ciała, bo i na żadnej innej planecie nie byłam do tego zmuszona. Ciał, które nie funkcjonowały, jak należało, szybko i bezboleśnie się pozbywano, gdyż były bezużyteczne, zupełnie jak niesprawny samochód. Jaki był sens trzymania ich przy życiu? Mogły też decydować pewne przypadłości umysłowe: groźne żądze i uzależnienia, czyli nieuleczalne słabości stwarzające zagrożenie dla innych. Oczywiście pozbywano się też silnych umysłów, które nie chciały zniknąć. Ta ostatnia kategoria była swoistą anomalią, po raz pierwszy zaobserwowaną na Ziemi.

Dopiero teraz, gdy patrzyłam Ianowi w oczy, dotarło do mnie z całą mocą, jakie to okropne – traktować hart ducha jako defekt.

– A gdyby *ciebie* złapali? – zapytał.

– Gdyby wiedzieli, kim jestem... jeżeli ciągle mnie szukają... – Pomyślałam o Łowczyni i wzdrygnęłam się tak samo jak on przed chwilą. – Przenieśliby mnie do innego żywiciela. Młodego, potulnego. W nadziei, że będę znowu sobą. Może wysłaliby mnie na inną planetę, żeby uchronić przed złym wpływem.

– I byłabyś znowu sobą?

Spojrzałam mu w oczy.

– Jestem sobą. Nie zniknęłam. Czułabym to samo co teraz, nawet będąc Kwiatem albo Niedźwiedziem.

– Nie *usunęliby* cię?

– Nie, bo jestem duszą. U nas nie ma kary śmierci. W ogóle nie ma kar. Cokolwiek by zrobili, kierowaliby się moim dobrem. Kiedyś wierzyłam, że nie istnieje żaden powód, by miało być inaczej, ale zdaje się, że mój przypadek temu przeczy. Chyba jednak należałoby mnie usunąć. W końcu jestem zdrajczynią, nieprawdaż?

Ian zacisnął usta.

– Prędzej... emigrantką. Nie zdradziłaś ich, tylko wyemigrowałaś.

Ponownie zamilkliśmy. Chciałam wierzyć w prawdziwość jego słów. Zastanawiałam się nad wyrazem „emigrantka", próbując przekonać siebie, że rzeczywiście nie zasługuję na gorszy epitet.

Ian westchnął głośno, aż drgnęłam.

– Jak Doktor wytrzeźwieje, obejrzy ci twarz. – Wyciągnął dłoń i dotknął mojego podbródka. Tym razem nie odskoczyłam. Obrócił moją głowę w bok, by przyjrzeć się ranie.

– To nic pilnego. Na pewno wygląda gorzej, niż jest naprawdę.

– Mam nadzieję, bo wygląda okropnie. – Westchnął i przeciągnął się. – No, chyba daliśmy Kyle'owi dość czasu, żeby się umył i poszedł spać. Pomóc ci z naczyniami?

Ian nie pozwolił mi zmywać w strumyku, gdzie robiłam to do tej pory. Nalegał, żebyśmy zabrali je do łaźni, gdzie nikt mnie nie zobaczy. Szorowałam naczynia w płytkiej wodzie, podczas gdy on obmywał się z zagadkowego brudu. Później pomógł mi dokończyć zmywanie.

Kiedy skończyliśmy, odprowadził mnie z powrotem do kuchni, gdzie ludzie zbierali się już powoli na lunch. Serwowano kolejne świeże produkty: kromki miękkiego białego chleba, plasterki ostrego sera cheddar, krążki soczystej różowej mortadeli. Zajadano się tym wszystkim bez opamiętania, lecz wciąż wyczuwałam ogólną posępność, która objawiała się choćby spuszczonymi głowami i brakiem uśmiechów.

Jamie czekał na mnie przy tym samym blacie co zwykle. Przed sobą miał stertę nietkniętych kanapek, lecz siedział z założonymi rękoma. Ian spojrzał na niego z zaciekawieniem, ale nic nie powiedział, tylko poszedł wziąć sobie jedzenie.

Usiadłam naprzeciw Jamiego, przewróciłam oczami i ugryzłam kęs. Gdy tylko zobaczył, że nie udaję, sam zabrał się do jedzenia. Wkrótce zjawił się Ian i jedliśmy w milczeniu we troje. Wszystko było tak smaczne, że nikomu nie chciało się otwierać ust.

Nasyciłam się dwoma kanapkami, ale Jamie i Ian jedli dalej, dopóki nie zaczęli pojękiwać. Ian wyglądał, jakby miał się zaraz przewrócić. Oczy same mu się zamykały.

– No, młody, wracaj na lekcje.

Jamie zmierzył go wzrokiem.

– Może powinienem cię zmienić...

– Idź na lekcje – ucięłam szybko. Z dala ode mnie był bezpieczniejszy.

– Zobaczymy się później, tak? Nie martw się o... o nic.

– Jasne. – Krótkie kłamstwo zabrzmiało w moich ustach całkiem naturalnie. A może po prostu znowu zebrało mi się na sarkazm.

Kiedy Jamie już sobie poszedł, zwróciłam się do sennego Iana.

– Idź odpocząć. Poradzę sobie – schowam się w jakimś bezpiecznym miejscu. Na przykład w kukurydzy.

– Gdzie wczoraj spałaś? – zapytał. Oczy miał na wpół zamknięte, ale zaskakująco czujne.

– Dlaczego pytasz?

– Mogę tam teraz z tobą pójść i się położyć.

Rozmawialiśmy ściszonymi głosami, niemalże szeptem. Nikt nie zwracał na nas najmniejszej uwagi.

– Nie możesz mnie pilnować bez przerwy.

– Założymy się?

Wzruszyłam ramionami w geście kapitulacji.

– Byłam z powrotem w... celi. Tam, gdzie mieszkałam na samym początku.

Ian zmarszczył brwi – nie spodobało mu się to – ale wstaliśmy i ruszyliśmy do przechowalni. W jaskini z ogrodem znowu roiło się od ludzi, lecz wszyscy mieli zmartwione twarze i spuszczony wzrok.

Gdy znaleźliśmy się sami w ciemnym korytarzu, ponownie spróbowałam przemówić mu do rozsądku.

– Ian, jaki to ma sens? Nie rozumiesz, że im dłużej żyję, tym gorzej Jamie to zniesie? Sam powiedz, czy nie będzie dla niego lepiej, jeśli...

– Nie myśl w ten sposób, Wando. Wcale nie musisz zginąć. Nie jesteśmy zwierzętami.

– Nie uważam cię za zwierzę – odrzekłam cicho.

– Dzięki. Ale to nie miało zabrzmieć jak wyrzut. Gdybyś uważała mnie za zwierzę, nie miałbym do ciebie o to żalu.

Musieliśmy nagle przerwać rozmowę, gdyż oboje zobaczyliśmy w dali bladoniebieską poświatę.

– Cii – szepnął Ian. – Poczekaj tu.

Nacisnął mi lekko ramię, dając do zrozumienia, bym nie ruszała się z miejsca. Potem ruszył śmiało przed siebie. Po chwili zniknął za zakrętem.

– Jared? – usłyszałam, jak udaje zaskoczonego.

Poczułam ciężar na sercu, bardziej ból niż strach.

– Wiem, że jest z tobą – odezwał się Jared podniesionym głosem, który musiało być słychać w całym tunelu. – Wyłaź, gdziekolwiek się chowasz! – zawołał surowym, szyderczym głosem.

Rozdział 29

Zdrada

Może trzeba było uciekać. Lecz tym razem nikt mnie nie trzymał, a słowa Jareda, choć lodowate i pełne złości, były skierowane do mnie. Melanie wyrywała się do przodu jeszcze bardziej ochoczo niż ja. Minęłam powoli zakręt i zatrzymałam się w niebieskim świetle.

Ian stał zaledwie parę kroków przede mną, przyczajony, gotowy w każdej chwili odeprzeć atak.

Lecz Jared siedział na ziemi na jednej z mat, które zostawiliśmy tutaj z Jamiem. Wydawał się równie zmęczony jak Ian, ale też miał tak samo czujne spojrzenie.

– Spokojnie – zwrócił się do Iana. – Chcę z nim tylko porozmawiać. Obiecałem młodemu i chcę dotrzymać słowa.

– Gdzie Kyle? – zapytał Ian.

– Chrapie. Obawiam się, że wasz pokój może się zawalić.

Ian ani drgnął.

– Nie kłamię, Ian. Nie chcę zabić pasożyta. Jeb ma racje. Nieważne, jak bardzo to wszystko jest zagmatwane, Jamie ma tyle samo do powiedzenia co ja, a skoro dał się całkiem omotać, to chyba szybko zdania nie zmieni.

– Nikt nikogo nie omotał – warknął Ian.

Jared machnął dłonią, ucinając dyskusję.

– Mniejsza z tym, chcę tylko powiedzieć, że nic mu nie grozi. – Po raz pierwszy spojrzał w moją stronę. Patrzył, jak stoję wciśnięta w ścianę, obserwował moje roztrzęsione dłonie. – Nie zrobię ci więcej krzywdy – powiedział.

Zrobiłam mały krok do przodu.

– Nie musisz z nim rozmawiać, jeśli nie chcesz, Wando – rzucił Ian. – To nie żaden obowiązek, nikt cię do tego nie zmusza. Masz wolny wybór.

Jared ściągnął brwi ze zdziwienia.

– Nie – odszepnęłam. – Porozmawiam z nim. – Zrobiłam kolejny kroczek. Jared uniósł dłoń i dwukrotnie skinął zapraszająco palcami.

Szłam wolno, co chwila przystając. Wreszcie zatrzymałam się metr od niego. Ian postępował w ślad za mną, tuż obok.

– Chciałbym porozmawiać z nim sam, jeśli nie masz nic przeciwko – zwrócił się do niego Jared.

– Oczywiście, że mam – odparł Ian, nie ruszając się z miejsca.

– Nie, Ian, nie trzeba. Idź się przespać. Dam sobie radę. – Trąciłam go lekko w ramię.

Ian spojrzał na mnie z niepewną miną.

– Nie próbujesz mnie czasem oszukać? Poświęcić się dla małego?

– Nie. Jared nie okłamałby Jamiego.

Jared skrzywił się na dźwięk swojego imienia, które na dodatek wypowiedziałam stanowczo.

– Proszę cię, Ian – ciągnęłam. – Chcę z nim porozmawiać.

Ian przyglądał mi się przez dłuższą chwilę, potem popatrzył krzywo na Jareda.

– To nie jest żaden o n, tylko W a n d a. Nie wolno ci jej tknąć. Spróbuj zrobić jej krzywdę, a połamię ci gnaty.

Skrzywiłam się.

Ian odwrócił się gwałtownie i rozpłynął w mrokach tunelu.

Przez chwilę oboje milczeliśmy, zapatrzeni w ciemności. Pierwsza zerknęłam na niego, gdy wciąż jeszcze spoglądał za Ianem. Kiedy wreszcie popatrzył na mnie, spuściłam wzrok.

– No proszę. Chyba nie żartował, co? – zapytał.

Potraktowałam to jako pytanie retoryczne.

– Siadaj śmiało – powiedział i poklepał matę.

Po chwili zastanowienia usiadłam pod tą samą ścianą, lecz na drugim końcu posłania, niedaleko wejścia do groty. Melanie była niepocieszona, chciała mieć go bliżej, czuć jego ciepło i zapach.

Ja tego nie chciałam. Nie bałam się, że zrobi mi krzywdę – złość mu przeszła, wyglądał jedynie na zmęczonego. Po prostu nie chciałam. Było w tej bliskości coś bolesnego.

Przyglądał mi się z twarzą obróconą w bok. Nie potrafiłam spojrzeć mu w oczy, nie odwracając natychmiast wzroku.

– Przepraszam za wczoraj – za to, co ci zrobiłem. Nie powinienem.

Popatrzyłam na swoje dłonie, złączone na kolanach w pięść.

– Nie musisz się mnie bać.

Kiwnęłam głową, nie podnosząc wzroku.

– Wydawało mi się, że mówiłaś, iż chcesz ze mną porozmawiać?

Wzruszyłam ramionami. Atmosfera nienawiści była tak gęsta, że nie potrafiłam wydobyć z siebie głosu.

Usłyszałam, że się poruszył. Dźwignął się na ramieniu i przysunął bliżej. Siedział teraz obok mnie, tak jak sobie tego życzyła Melanie. Zbyt blisko – trudno było mi się skupić, a nawet normalnie oddychać – lecz nie potrafiłam się od niego odsunąć. O dziwo, Melanie, która przecież bardzo tej bliskości pragnęła, nagle zaczęła się irytować.

Co jest? – zapytałam, zaskoczona siłą tego uczucia.

Nie podoba mi się, że siedzicie obok siebie. To nie w porządku. Nie podoba mi się, że tobie to się podoba. Po raz pierwszy, odkąd opuściłyśmy cywilizację, czułam bijącą od niej wrogość. Byłam w szoku. Poczułam się dotknięta.

– Mam tylko jedno pytanie – przerwał nam Jared.

Spojrzałam mu w oczy i od razu odwróciłam twarz, uciekając przed jego surowym wzrokiem, lecz także przed gniewem Melanie.

– Pewnie się domyślasz. Jeb i Jamie truli mi całą noc...

Wyczekiwałam pytania, wpatrzona w stojący naprzeciw worek ryżu, moją wczorajszą poduszkę. Kątem oka spostrzegłam, że uniósł rękę, i skuliłam się ze strachu.

– Nie zrobię ci krzywdy – powtórzył trochę zniecierpliwiony, po czym szorstką dłonią chwycił mnie za podbródek i obrócił twarzą do siebie, bym na niego spojrzała.

Moje serce zgubiło rytm, a oczy zaszły wilgocią. Zamrugałam, by lepiej widzieć.

– Wando. – Wypowiedział moje imię powoli, niechętnie – czułam to, mimo że jego głos był spokojny i beznamiętny. – Czy Melanie żyje – jest częścią ciebie? Powiedz mi prawdę.

Melanie natarła z siłą buldożera. Próbowała się wydostać, sprawiając mi fizyczny ból, zupełnie jak nagły atak migreny.

Przestań! Nic nie rozumiesz?

Patrzyłam na ułożenie jego warg, na lekko przymrużone oczy, i nie miałam najmniejszych wątpliwości.

On myśli, że kłamię, tłumaczyłam jej. *Nie chodzi mu o prawdę – szuka tylko dowodów, chce pokazać Jebowi i Jamiemu, że jestem kłamcą, Łowcą, i że trzeba mnie zabić.*

Melanie nie odpowiadała na moje słowa ani im nie wierzyła. Z najwyższym trudem powstrzymywałam ją przed odezwaniem się na głos.

Jared zauważył krople potu na moim czole, dreszcze targające plecami, i przymrużył oczy. Nadal trzymał mnie za brodę, nie pozwalając, bym odwróciła twarz.

Jared, kocham cię, próbowała wykrzyknąć. *Jestem tu.*

Usta nawet mi nie drgnęły, ale wcale bym się nie zdziwiła, gdyby wyczytał te słowa z moich oczu.

Każda minuta ciszy dłużyła się w nieskończoność. Obrzydzenie, z jakim na mnie patrzył, wyczekując odpowiedzi, rozdzierało mi serce. Jak gdyby tego było mało, Melanie nie przestawała dźgać mnie od środka swym gniewem. Jej zazdrość wezbrała i zalała mnie potężną falą, przetoczyła się przez moje ciało, trwale je zanieczyszczając.

Mijały kolejne minuty, aż w końcu nie mogłam już powstrzymać łez. Wylały mi na policzki i spłynęły mu w dłoń. Miał jednak wciąż ten sam wyraz twarzy.

Poczułam, że dłużej nie mogę. Zamknęłam oczy i szarpnęłam głową w dół. Mógł użyć siły, ale opuścił dłoń.

Westchnął rozczarowany.

Myślałam, że sobie pójdzie. Ponownie wlepiłam wzrok w dłonie i czekałam. Bicie serca odmierzało mi upływające minuty. Oboje siedzieliśmy nieruchomo. Pasował do niego ten kamienny bezruch – do jego nowego, twardego oblicza, do oczu zimnych jak głaz.

Melanie pogrążyła się w zadumie. Porównywała go z mężczyzną, którym był kiedyś. Przypomniała sobie jeden z dawnych dni.

– No nieeee – jęczą razem Jamie i Jared.

Jared leży wyciągnięty na skórzanej sofie, Jamie obok na dywanie. Oglądają na telewizorze plazmowym mecz koszykówki. Pasożyty mieszkające w tym domu są w pracy, nasz jeep jest już pełny. Możemy tu spokojnie posiedzieć jeszcze parę godzin.

Na ekranie dwaj koszykarze grzecznie wyjaśniają między sobą różnicę zdań. Stoją blisko kamery, słychać każde ich słowo.

– Wydaje mi się, że to ja ostatni dotknąłem piłki.

– Nie jestem pewien. Nie chciałbym cię oszukać. Może lepiej poprośmy sędziów, żeby sprawdzili zapis wideo.

Ściskają sobie dłonie i poklepują się po plecach.

– To jakiś absurd – psioczy Jared.

– Nie mogę na to patrzeć – przytakuje Jamie, naśladując jego ton. Z każdym dniem mówi coraz bardziej jak Jared – to jeden z wielu przejawów uwielbienia. – Jest coś innego?

Jared przeskakuje kilka kanałów i zatrzymuje się na transmisji z zawodów lekkoatletycznych. Na Haiti odbywają się właśnie igrzyska olimpijskie. Wygląda na to, że pasożyty bardzo się nimi emocjonują. Wielu zatknęło przed domami olimpijskie flagi. Trochę się jednak pozmieniało. Teraz każdy uczestnik olimpiady dostaje medal. Żałosne.

Ale bieg na sto metrów przez płotki jeszcze się broni. Współzawodnictwo pasożytów jest o wiele ciekawsze, gdy rywalizują ze sobą oddzielnie, na przykład na osobnych torach.

– Mel, chodź odpocząć.

Stoję przy drzwiach z przyzwyczajenia, a nie ze strachu. Stary nawyk i nic więcej.

Podchodzę do Jareda. Sadza mnie sobie na kolanach i kładzie moją głowę na swoim ramieniu.

– Dobrze ci?

– Tak – odpowiadam, bo naprawdę, naprawdę jest mi dobrze. Mimo że to dom obcych.

Tata miał dużo śmiesznych powiedzonek – czasem można było pomyśleć, że mówi swoim własnym językiem. Ryzyk-fizyk, niech to dunder świśnie, kuku na muniu, wystrychnięty na dudka i coś o wąsach babci. Jednym z jego ulubionych było „jesteśmy w domu". Mawiał tak, gdy na przykład naprawił mi rower, włączono nam prąd po awarii albo gdy udało nam się schować przed ulewą pod rozłożystym drzewem.

Potem nagle z dnia na dzień nasze życie zamieniło się w koszmar, a ulubione powiedzenie taty w ponury żart. Domy stały się dla mnie i Jamiego najniebezpieczniejszymi miejscami. – Myślisz, że pasożyty pojechały gdzieś na dłużej? – pytał mnie, gdy opróżniałam czyjąś lodówkę, a ja odpowiadałam: – Zapomnij. Jesteśmy w domu. Wiejemy stąd.

A teraz siedzę sobie i oglądam telewizję, jak gdybym cofnęła się pięć lat w czasie, jakby mama z tatą siedzieli w pokoju obok, jakbym nigdy nie chowała się z Jamiem w rurze ściekowej przed pasożytami szukającymi złodziei, którzy ukradli paczkę fasoli i talerz zimnego spaghetti.

Wiem, że nawet gdybyśmy radzili sobie jakoś przez następnych dwadzieścia lat, nigdy nie zaznalibyśmy tego uczucia. Uczucia bezpieczeństwa. A nawet czegoś więcej – szczęścia. Bezpieczeństwo i szczęście – dwie rzeczy, które uważałam za bezpowrotnie stracone.

Jared daje nam obie, i to nawet szczególnie się nie wysilając – po prostu jest sobą.

Upajam się zapachem jego skóry i rozkoszuję ciepłem jego ciała.

Jared sprawia, że wszędzie jest bezpiecznie. Nawet w domach.

Ciągle czuję się przy nim bezpieczna, uprzytomniła sobie Melanie, czując ciepło ramienia, którym prawie się ze mną stykał. *Choć nie wie nawet, że tu jestem.*

Za to ja nie czułam się bezpieczna. Moja miłość do Jareda wydawała mi się bardziej niebezpieczna niż cokolwiek innego.

Zastanawiało mnie, czy kochałybyśmy Jareda, gdyby zawsze był taki jak teraz, nigdy taki, jakim go pamiętałyśmy, uśmiechnięty, opiekuńczy i czyniący cuda. Czy poszłaby za nim, gdyby zawsze był tak szorstki i cyniczny? Gdyby utrata ojca i braci podziałała na niego tak jak utrata Melanie?

Oczywiście, że tak. Melanie nie miała wątpliwości. *Kochałabym go w każdej postaci. Kocham go nawet takiego jak teraz.*

Zastanawiałam się, czy to samo dotyczy mnie. Czy kochałabym go, gdyby właśnie taki był w jej wspomnieniach?

Nie dane mi jednak było pomyśleć o tym dłużej. Jared przemówił znienacka, jak gdyby zaczynał od połowy zdania.

– I dlatego Jeb i Jamie są przekonani, że można mniej lub bardziej zachować świadomość nawet po... schwytaniu. Są pewni, że Mel ciągle walczy.

Delikatnie popukał mnie pięścią w głowę. Odsunęłam twarz, a wtedy założył ręce na piersi.

– Jamie twierdzi, że z nią rozmawia. – Przewrócił oczami. – To naprawdę nie fair, wykorzystywać go w ten sposób. No, ale rozumiem, że odwołując się do moralności, grzeszę naiwnością.

Otoczyłam się ramionami.

– Tylko że Jeb ma trochę racji – i to mi nie daje spokoju! O co ci właściwie chodzi? Łowcy nie bardzo wiedzieli, gdzie cię szukać, ani nawet nie wyglądali zbyt... podejrzliwie. Wyglądało to tak, jakby szukali tylko ciebie, a nie nas. Więc może rzeczywiście nic nie wiedzieli o twoich planach. Może jesteś wolnym strzelcem? Może to jakaś tajna misja. Albo...

Kiedy wygadywał bzdury, łatwiej mi było go ignorować. Skupiłam wzrok na kolanach. Jak zwykle były umazane, fioletowe i czarne.

– Może mają rację... Przynajmniej co do tego, żeby cię nie zabijać.

Poczułam całkiem niespodziewane muśnięcie jego palców na skórze, a raczej na gęsiej skórce, o jaką przyprawiły mnie te słowa. Kiedy odezwał się znowu, jego głos zabrzmiał łagodniej.

– Nikt ci nie zrobi krzywdy. Jeżeli tylko nie będziesz sprawiała kłopotów... – Westchnął. – Nawet rozumiem, o co im chodzi, i może w jakimś chorym sensie to rzeczywiście byłoby złe. Może faktycznie nie ma wystarczającego powodu, żeby... Nie licząc tego, że Jamie...

Podniosłam głowę. Przyglądał mi się bacznie, badając moją reakcję. Pożałowałam, że okazałam zainteresowanie, i utkwiłam wzrok z powrotem w kolanach.

– Przeraża mnie to, jak bardzo się przywiązuje – wymamrotał Jared. – Nie powinienem był go zostawiać samego. Nie przyszło mi do głowy... A teraz nie wiem, co robić. On myśli, że Mel żyje. Jak on to zniesie, gdy...

Nie uszło mojej uwadze, że powiedział „gdy", a nie „jeżeli". Wcześniej obiecał, że jestem bezpieczna, ale na dłuższą metę nie dawał mi szans.

– Nie mogę uwierzyć, że urobiłaś sobie Jeba – rzekł, zmieniając temat. – To stary lis. Potrafił przejrzeć każdego. Aż do teraz.

Zamyślił się na chwilę.

– Nie jesteś w nastroju do rozmowy, co?

Nastała kolejna długa cisza.

Kiedy odezwał się ponownie, mówił szybko i bez zająknienia.

– Jedno mnie męczy: co, jeśli oni mają rację? Skąd u diabła ja mam to wiedzieć? Wkurza mnie, że wszystko, co mówią, trzyma się kupy. Musi być jakieś inne wytłumaczenie.

Melanie znów próbowała odezwać się na głos, choć tym razem mniej zaciekle, bez wiary w sukces. I bez skutku.

Jared odsunął plecy od ściany, zwracając się całym ciałem w moją stronę. Przyglądałam się temu kątem oka.

– Co ty tu robisz? – szepnął.

Spojrzałam ukradkiem na jego twarz. Była łagodna, dobra, prawie taka jak we wspomnieniach. Poczułam, że tracę panowanie, że drżą mi usta. Mnóstwo wysiłku kosztowało mnie utrzymanie rąk na wodzy. Pragnęłam dotknąć jego twarzy. Ja, Wanda. Melanie była zła.

Skoro nie pozwalasz mi się odezwać, to chociaż trzymaj ręce przy sobie, syknęła.

Staram się. Przepraszam. Naprawdę było mi przykro. Sprawiałam jej ból. Obie cierpiałyśmy, każda inaczej. Trudno było powiedzieć, która bardziej.

Znowu miałam łzy w oczach. Jared przyglądał mi się uważnie.

– Powiesz mi? – zapytał łagodnie. – Wiesz, Jeb sobie ubzdurał, że przyszłaś tu dla mnie i Jamiego. Czy to nie chore?

Poczułam, jak otwierają mi się usta. Zagryzłam szybko wargę.

Jared pochylił się wolno i wziął moją twarz w dłonie. Zamknęłam oczy.

– Powiesz mi?

Kiwnęłam przecząco głową. Sama już nie wiedziałam, czy to ja dałam znak – że nie powiem, czy Melanie – że nie może.

Poczułam, jak zaciska mi palce na policzkach. Otworzyłam oczy i zobaczyłam, że nasze twarze dzielą zaledwie centymetry. Serce mi zatrzepotało, żołądek się skurczył – próbowałam złapać oddech, lecz płuca odmawiały mi posłuszeństwa.

Widziałam po jego spojrzeniu, co zamierza zrobić. Wiedziałam, jaki wykona ruch i co poczuję, gdy przywrze do mnie ustami. A mimo to, kiedy mnie pocałował, było to dla mnie czymś zupełnie nowym i nie dało się porównać z niczym innym.

Chciał chyba jedynie dotknąć delikatnie moich ust, lecz gdy tylko zetknęliśmy się wargami, rozpętała się burza. Gwałtownie przylgnął do mnie twarzą, poruszając naszymi ustami w szaleńczym rytmie. Było zupełnie inaczej, niż gdy to sobie przypominałam, o wiele intensywniej. Wirowało mi w głowie.

Ciało przestało się mnie słuchać. Nie miałam już nad nim kontroli – to ono kontrolowało mnie. To nie była Melanie – ciało było teraz silniejsze od nas obu. Moje dzikie dyszenie i jego głośny, prawie warczący oddech odbijały się echem od ścian.

Straciłam panowanie nad ramionami. Lewa ręką sięgnęła jego twarzy i zagrzebała się w brązowych włosach.

Moja prawa ręka była szybsza. I nie była moja.

Wściekła pięść Melanie z głuchym odgłosem wylądowała mu na szczęce.

Siła uderzenia nie odrzuciła go zbyt daleko, lecz gdy tylko nasze usta się rozdzieliły, odskoczył ode mnie gwałtownie, spoglądając na mnie przerażonymi oczami. Moja twarz musiała być równie przerażona.

Spojrzałam ze wstrętem na zaciśniętą pięść niczym na skorpiona, który wyrósł mi z dłoni. Zatrzęsła mną odraza. Schwyciłam prawy nadgarstek lewą ręką, by nie pozwolić, aby Melanie znowu użyła przemocy.

Popatrzyłam na Jareda. Spoglądał na poskromioną pięść, a przerażenie na jego twarzy ustępowało miejsca zdumieniu. Przez moment miał całkiem bezbronną minę. Z jego oczu dało się czytać jak z książki.

Nie tego się spodziewał – a czegoś spodziewał się na pewno. Wystawił mnie na próbę. Myślał, że potrafi przewidzieć jej rezultat. Zdziwił się jednak.

Ale czy to oznaczało, że przeszłam ją pomyślnie?

Ból w piersi nie był dla mnie zaskoczeniem. Zdążyłam się już przekonać, że pękające serce nie jest jedynie wymysłem poetów.

Wybór pomiędzy walką a ucieczką w rzeczywistości nie istniał – mogłam tylko uciekać. Ponieważ drogę do tunelu zagradzał mi Jared, obróciłam się i rzuciłam w stronę wypchanej kartonami groty.

Pudła trzeszczały i chrzęściły pod moim ciężarem, gdy wgniatałam je w podłogę i ściany. Z trudem wcisnęłam się w niewielką przestrzeń, zgniatając mniejsze kartony i omijając większe. Poczułam, że Jared próbuje mnie złapać za kostkę, i wkopnęłam pomiędzy nas jedno z cięższych pudeł. Usłyszałam jęknięcie i rozpacz ścisnęła mi gardło. Nie chciałam sprawić mu bólu, w ogóle nie chciałam go uderzyć. Próbowałam tylko uciec.

Dopiero gdy wcisnęłam się najgłębiej, jak potrafiłam, i przestałam hałasować, usłyszałam własny szloch i poczułam wstyd.

Wstyd i upokorzenie. Byłam zatrwożona przemocą, do której dopuściłam, świadomie czy nie, ale nie dlatego płakałam. Płakałam, ponieważ Jared poddał mnie jedynie próbie, podczas gdy ja – głupia, uczuciowa istota! – chciałam, żeby to była prawdziwa namiętność.

Melanie wiła się w bólu, ale każda z nas miała własny powód do rozpaczy. Ja cierpiałam, bo pocałunek nie był prawdziwy, a ona dlatego, że wydał jej się aż nazbyt prawdziwy. Wiele w życiu wycierpiała, ale dotychczas nikt jej nie zdradził. Kiedy ojciec nasłał Łowców na nią i brata, nie był już sobą. Była to tragedia, ale nie zdrada. Ojciec nie żył. Co innego Jared.

Nikt cię nie zdradził, głupia, ofuknęłam ją. Chciałam, żeby się uspokoiła. Nie mogłam znieść podwójnego ciężaru bólu. Wystarczał mi własny.

Jak on mógł? Jak mógł? – zawodziła, nie zwracając na mnie uwagi.

Obie zanosiłyśmy się niekontrolowanym szlochem.

Ze skraju histerii wyrwało nas jedno krótkie słowo.

Cichy głos Jareda łamał się i miał w sobie coś dziecięcego.

– Mel?

Rozdział 30

Choroba

– Mel? – powtórzył. W jego głosie dało się słyszeć nadzieję, przed którą wcześniej tak bardzo się bronił.

Targnął mną kolejny szloch.

– Mel, wiesz, że to było dla ciebie. Dobrze o tym wiesz. Nie dla ni... niego. Wiesz, że to ciebie pocałowałem.

Załkałam ponownie, tym razem głośniej. Dlaczego nie potrafiłam się uciszyć? Spróbowałam wstrzymać oddech.

– Mel, jeżeli tam jesteś... – Urwał.

Melanie zabolało to „jeżeli". Znowu wybuchłam szlochem, łapiąc dech.

– Kocham cię – powiedział Jared. – Nawet jeśli cię tam nie ma, jeśli mnie nie słyszysz. Kocham cię.

Ponownie wstrzymałam oddech, zagryzając wargę do krwi. Ale ból fizyczny rozpraszał mniej, niżbym chciała.

Na zewnątrz zrobiło się cicho. Po chwili i ja ucichłam. Nasłuchiwałam, nie skupiając się na niczym innym – nie miałam ochoty myśleć. Nie dochodziły mnie jednak żadne odgłosy.

Leżałam nieprawdopodobnie powyginana. Najniżej miałam głowę, prawy policzek przywierał do skalnej podłogi. W przekrzywione plecy wrzynała mi się krawędź zgniecionego kartonu, tak że prawy bark miałam wyżej od lewego. Biodra wyginały się w drugą stronę, lewym dotykałam sufitu. Zmagania z pudłami zostawiły ślady na moim ciele – czułam, jak robią mi się siniaki. Wiedziałam, że będę musiała jakoś przekonać Iana i Jamiego, że nabiłam je sobie sama, ale jak? Co im powiem? Że Jared pocałował mnie na próbę, tak jak poraża się prądem szczura, żeby sprawdzić, jak zareaguje?

Zastanawiałam się też, jak długo wytrwam w tej pozycji. Nie chciałam robić hałasu, ale czułam się, jakby za chwilę miał mi pęknąć kręgosłup. Ból z każdą sekundą doskwierał coraz bardziej. Wiedziałam, że nie wytrzymam zbyt długo w milczeniu. Już teraz rodził mi się w gardle jęk.

Melanie nie miała mi nic do powiedzenia. Była skupiona na sobie, ogarnięta gniewem i ulgą. Jared nareszcie do niej przemówił, w końcu uwierzył w to, że żyje. Wyznał jej miłość. Ale to mnie pocałował. Próbowała przekonać sama siebie, że nie ma powodu, by czuć się skrzywdzona, że to wcale nie było tak, jak wyglądało. Próbowała, lecz z marnym rezultatem. Słyszałam jej myśli, ale były skierowane do wewnątrz. Nie rozmawiała ze mną – była jak obrażone dziecko. Rozmyślnie mnie ignorowała.

Byłam na nią zła, lecz całkiem inaczej niż do tej pory. Nie tak jak na samym początku, kiedy się bałam i chciałam od niej uwolnić. Nie, teraz czułam się przez nią w jakimś sensie zdradzona. Jak mogła mieć do mnie żal o to, co się stało? Niby dlaczego? Jak mogła obwiniać mnie za to, że najpierw zakochałam się we wspomnieniach, które sama mi podsuwała, a potem straciłam panowanie nad tym dzikim ciałem? Martwiłam się o nią, tymczasem mój ból nic dla niej nie znaczył. Mało tego – cieszył ją. Ot, ludzka złośliwość.

Po policzkach znów ciekły mi łzy, choć tym razem dużo mniej gwałtowne. Czułam, jak kipi w niej wrogość.

Ból w poobijanych, wykręconych plecach stał się nagle nie do zniesienia. Czara goryczy się przelała.

– Uch – jęknęłam, odpychając się od skały i pudła.

Nie obchodziło mnie już, że zwrócę na siebie uwagę, chciałam się tylko wydostać. Przyrzekłam sobie, że nigdy więcej nie przekroczę progu tej parszywej klitki – prędzej umrę. Dosłownie.

Wygrzebać się stamtąd było trudniej niż wejść. Wiłam się i kotłowałam, ale czułam, że tylko pogarszam sprawę, zginając się w kształt koślawego precla. Zaczęłam znowu płakać jak wystraszone dziecko. Bałam się, że nigdy się stąd nie uwolnię.

Melanie westchnęła. *Zaczep stopę o krawędź i pomóż nią sobie*, podpowiedziała.

Zignorowałam ją, starając się przecisnąć tułów obok skalnego rogu, który wciskał mi się tuż pod żebra.

Nie dąsaj się, burknęła.

Proszę, proszę, kto to mówi.

Zawahała się, po czym zmiękła. *No dobra. Przepraszam. Słuchaj, jestem człowiekiem. Zdarza mi się nie myśleć obiektywnie. Nas czasem zwodzą emocje, nie zawsze postępujemy słusznie.* Nadal żywiła urazę, ale starała się wybaczyć i zapomnieć o tym, że przed chwilą całowałam się z jej ukochanym – a tak to odebrała.

Zaczepiłam stopę o krawędź otworu i pociągnęłam. Dotknęłam kolanem podłogi i wsparłam się na nim, unosząc żebra. Teraz łatwiej było mi wystawić na zewnątrz drugą stopę. W końcu udało mi się sprowadzić ręce na podłogę i wyczołgałam się tyłem. Wylądowałam na ciemnozielonej macie. Leżałam na niej chwilę twarzą do ziemi, oddychając. Byłam przekonana, że Jared dawno już sobie poszedł, ale zamiast upewnić się natychmiast, tylko wdychałam i wydychałam powietrze, dopóki nie poczułam, że mogę już podnieść głowę.

Byłam sama. Poczułam jednocześnie smutek i ulgę, ale starałam się skupić na tym drugim. Lepiej, że byłam sama. Nie musiałam się wstydzić.

Skuliłam się na macie, przyciskając twarz do zatęchłego materiału. Nie chciało mi się spać, ale byłam zmęczona. Czułam się odrzucona przez Jareda i było mi z tym bardzo ciężko. Zamknęłam oczy, próbując pomyśleć o czymś przyjemniejszym. O czymkolwiek, byle nie o twarzy Jareda w tamtej chwili, gdy ode mnie odskoczył...

Ciekawe, gdzie był teraz Jamie? Czy wiedział, że tu jestem, czy mnie szukał? Ian pewnie dawno już spał, wyglądał na wykończonego. A Kyle? Czy niedługo wstanie? Czy będzie mnie szukał? Gdzie był Jeb? Nie widziałam go cały dzień. Czy Doktor naprawę upił się do nieprzytomności? Nigdy bym go o to nie podejrzewała...

Ocknęłam się powoli, zbudzona burczeniem brzucha. Przez kolejnych parę minut leżałam w ciszy, próbując rozeznać się w czasie. Był dzień czy noc? Jak długo tu spałam?

Nie mogłam jednak dłużej lekceważyć pustego żołądka, więc podniosłam się na kolana. Musiałam długo spać, skoro byłam tak głodna, jakbym ominęła co najmniej jeden posiłek.

Przeszło mi przez myśl, by zjeść coś ze zgromadzonych w grocie zapasów – w końcu i tak prawie wszystko uszkodziłam, może nawet coś zniszczyłam. Ale to tylko wzmogło wyrzuty sumienia. Postanowiłam, że pójdę do kuchni i zjem parę suchych bułek.

Niezależnie od wszystkich innych, poważniejszych zmartwień było mi trochę przykro, że przez cały ten czas nikt mnie nie szukał – to takie próżne, niby czemu ktoś miałby się mną przejmować? – dlatego ucieszyłam się i odetchnęłam z ulgą, widząc Jamiego u wejścia do jaskini z ogrodem. Siedział obrócony tyłem do świata ludzi. Bez wątpienia czekał na mnie.

Obojgu nam zabłysły oczy. Jamie wstał, wyraźnie uspokojony.

– Nic ci nie jest – stwierdził. Żałowałam, że to nie do końca prawda. – Znaczy się, nie żebym nie wierzył Jaredowi, ale powiedział, że chyba chcesz być sama, a Jeb nie kazał mi iść sprawdzić, tylko zostać tutaj, żeby widział, że tam nie zaglądam, ale wiesz, chociaż nie pomyślałem, że coś ci się stało, to jednak nie wiedziałem na pewno i trochę się martwiłem, rozumiesz.

– Nic mi nie jest – zapewniłam, ale wyciągnęłam ku niemu ramiona, szukając pocieszenia. Objął mnie w pasie i spostrzegłam ze zdumieniem, że kiedy stoi wyprostowany, może mi oprzeć głowę na barku.

– Masz czerwone oczy – szepnął. – Był dla ciebie niedobry?

– Nie. – W końcu ludzie porażali szczury prądem nie ze złej woli, tylko po to, żeby się czegoś dowiedzieć.

– Nie wiem, co mu powiedziałaś, ale chyba zaczął nam wierzyć. W sensie, że Mel żyje. Jak ona się czuje?

– Cieszy się.

Kiwnął głową zadowolony.

– A ty?

Zawahałam się, by nie skłamać.

– Ja też się cieszę, że nie muszę już tego przed nim ukrywać.

Ta wymijająca odpowiedź chyba go zadowoliła.

Za jego plecami, w dużej jaskini, bladło czerwone światło. Słońce zachodziło nad pustynią.

– Głodna jestem – przyznałam, uwalniając się z jego objęć.

– Tak myślałem. Mam dla ciebie coś dobrego.

Westchnęłam.

– Chleb wystarczy.

– Daj spokój, Wanda. Ian mówi, że za bardzo się umartwiasz.

Zrobiłam minę.

– Ma rację – dodał cicho. – Nawet jeśli wszyscy się zgodzą, żebyś została, nie będziesz jedną z nas, jeżeli sama tego nie zechcesz.

– Nigdy nie będę jedną z was. Poza tym nikt tak naprawdę nie chce, żebym została.

– Ja chcę.

Nie miałam ochoty z nim dyskutować, ale był w błędzie. Nie kłamał; wierzył w to, co mówi. W rzeczywistości jednak nie chodziło mu o mnie, lecz o Melanie. Nie rozróżniał nas tak, jak powinien.

W kuchni Trudy i Heidi piekły bułki, jedząc na zmianę soczyste zielone jabłuszko.

– Dobrze cię widzieć, Wando – ucieszyła się Trudy, zakrywając usta, bo nie skończyła jeszcze przeżuwać. Heidi, która właśnie wgryzała się w jabłko, przywitała mnie skinieniem głowy. Jamie trącił mnie ukradkiem, żeby dać mi do zrozumienia, że jestem tu przez wszystkich mile widziana. Nie przyszło mu do głowy, że mogła to być zwyczajna uprzejmość.

– Odłożyłyście dla niej kolację? – zapytał żywo.

– Tak – odparła Trudy. Schyliła się obok pieca i po chwili podeszła do nas z metalową tacą w dłoni. – Jeszcze ciepłe. Pewnie już trochę stwardniało, ale to i tak smaczniejsze jedzenie niż zwykle.

Na tacy leżał pokaźny kawałek czerwonego mięsa. Poczułam, jak w ustach zbiera mi się ślina, ale nie chciałam brać wielkiej porcji.

– To za dużo.

– Rzeczy, które się psują, trzeba zjeść pierwszego dnia. – Jamie nie dawał za wygraną. – Wszyscy objadają się do oporu, taki mamy zwyczaj.

– Potrzebujesz białka – dodała Trudy. – Zbyt długo byliśmy na diecie jaskiniowców. Aż dziwne, że wszyscy tak dobrze się trzymają.

Jadłam swoją porcję białka, a Jamie śledził uważnie drogę każdego kęsa z tacy do ust. Zjadłam wszystko, żeby sprawić mu przyjemność, choć żołądek bolał mnie z przejedzenia.

Kiedy już kończyłam, kuchnia zaczęła się znowu zapełniać. Kilka osób trzymało w dłoniach jabłka – każdy dzielił je z kimś innym. Niektórzy spoglądali na siniec na mojej twarzy.

– Dlaczego wszyscy przychodzą akurat teraz? – zapytałam Jamiego półgłosem. Na zewnątrz było ciemno, pora kolacji dawno już minęła.

Jamie przez chwilę spoglądał na mnie zdziwiony.

– Posłuchać twoich opowieści. – Ton jego głosu był równoznaczny ze słowem „oczywiście".

– Żartujesz sobie?

– Mówiłem ci, że wszystko będzie po staremu.

Rozejrzałam się po wąskim pomieszczeniu. Nie wszyscy byli obecni. Brakowało Doktora i mężczyzn, którzy wrócili z wyprawy, a także Paige. Nie było Jeba, Iana ani Waltera, jak również paru innych osób: Travisa, Carol, Ruth Ann. Ale i tak było więcej ludzi, niżbym się spodziewała, gdyby w ogóle przyszło mi do głowy, że na koniec tak dziwnego dnia ktoś może się przejmować normalnym porządkiem zajęć.

– Możemy wrócić do Delfinów, tam gdzie skończyliśmy? – zapytał Wes, przerywając mi rozważania. Oczywiście wcale nie był jakoś żywotnie zainteresowany stopniami pokrewieństwa na obcej planecie, po prostu wiedział, że ktoś musi zacząć.

Wszyscy patrzyli na mnie wyczekująco. Najwidoczniej życie w jaskiniach nie zmieniło się tak bardzo, jak sądziłam.

Wzięłam od Heidi tackę z bułkami, obróciłam się, by włożyć ją do pieca, i zaczęłam opowiadać, wciąż odwrócona plecami do słuchaczy.

– A więc... yyy... hmm... ach tak, trzecia grupa dziadków. Tradycyjnie służą wspólnocie, w ich rozumieniu tego pojęcia. Na Ziemi byliby żywicielami... to znaczy... karmicielami... wychodziliby z domu i wracali z pożywieniem. W większości wykonują prace rolnicze. Uprawiają coś na kształt roślin, wyciskają z nich sok...

Życie toczyło się dalej.

Jamie próbował mnie namówić, żebym nie wracała na noc do przechowalni, choć robił to bez przekonania. Zdawał sobie chyba sprawę, że nie ma dla mnie innego miejsca. Upierał się jednak, by spać ze mną. Domyślałam się, że Jared nie jest tym zachwycony, ale nie widziałam się z nim ani tego wieczoru, ani nazajutrz.

Odkąd cała szóstka powróciła z wyprawy, znów czułam się nieswojo, tak jak na początku, gdy Jeb zmuszał mnie, żebym stała się częścią wspólnoty. Wróciły gniewne spojrzenia i chwile złowrogiej ciszy. Dla nich jednak było to jeszcze trudniejsze niż dla mnie – przynajmniej byłam przyzwyczajona, podczas gdy oni musieli dopiero przywyknąć do tego, iż jestem traktowana normalnie. Kiedy na przykład pomagałam przy zbieraniu kukurydzy i Lily podziękowała mi z uśmiechem za świeżo napełniony koszyk, Andy wytrzeszczył oczy ze zdumienia. Innym razem czekałam z Trudy i Heidi w kolejce do kąpieli i Heidi zaczęła się bawić moimi włosami. Były coraz dłuższe, prawie wpadały mi do oczu, i miałam zamiar je niedługo skrócić. Heidi próbowała wymyślić dla mnie fryzurę i układała mi kosmyki na różne sposoby. W pewnym momencie pojawili się Brandt z Aaronem – najstarszym z szabrowników, którego wcześniej zupełnie nie kojarzyłam. Widząc, jak Trudy śmieje się z tego, co Heidi zmajstrowała mi na głowie, obaj zzielenieli na twarzach, po czym minęli nas bez słowa.

Oczywiście były to drobne incydenty, nic poważnego. Bardziej bałam się Kyle'a, który znowu kręcił się po jaskiniach. Byłam pewna, że Jeb kazał mu się trzymać ode mnie z daleka, ale wiedziałam, jak bardzo go to mierzi. Zawsze, gdy go spotykałam, byłam w towarzystwie innych osób. Zastanawiało mnie, czy tylko dlatego nic mi jeszcze nie zrobił, a jedynie gniewnie na mnie spozierał i zaciskał palce niczym szpony. Czułam ten sam paniczny strach co w pierwszych tygodniach i kto wie, może nawet zaczęłabym się znów ukrywać i unikać głównych tuneli, gdyby nie to, że kolejnego wieczoru dowiedziałam się czegoś, co przejęło mnie znacznie bardziej niż Kyle i jego żądne krwi spojrzenie.

Kuchnia znowu wypełniła się po brzegi – nie wiem, ile było w tym zasługi moich opowieści, a ile rozdawanych przez Jeba czekoladowych batoników. Ja sama podziękowałam, tłumacząc obruszonemu Jamiemu, że nie mogę jednocześnie mówić i przeżuwać. Podejrzewałam, że z właściwym sobie uporem odłoży dla mnie jednego na później. Ian wrócił na swoje miejsce obok pieca, przyszedł też Andy – siedział z Paige i łypał na mnie nieufnym wzrokiem. Oczywiście nie było nikogo z pozostałych szabrowników, włącznie z Jaredem. Nie zjawił się także Doktor. Ciekawiło mnie, czy nadal jest pijany, czy może po prostu odchorowuje.

Tego wieczoru pierwszy raz zadał mi pytanie Geoffrey, mąż Trudy. Choć starałam się tego nie okazywać, cieszyło mnie, że dołączył do grona tolerujących mnie osób. Żałowałam jednak, że nie potrafię udzielić mu wyczerpujących odpowiedzi. Jego pytania przypominały te, które zadawał Doktor.

– Zupełnie się nie znam na pracy Uzdrowicieli – przyznałam. – Nigdy nie korzystałam z ich pomocy, odkąd... odkąd przybyłam na Ziemię. Nie chorowałam. Wiem tylko, że nie kolonizowalibyśmy planety, nie wiedząc, jak utrzymać ciała żywicieli w doskonałym stanie. Wszystko da się uleczyć, od zwykłego skaleczenia przez złamaną kość po ciężką chorobę. Umiera się teraz tylko ze starości. Nawet w pełni zdrowe ludzkie ciało nie może żyć wiecznie. No i pewnie ciągle zdarzają się różne wypadki, choć o wiele rzadziej. Dusze są ostrożniejsze.

– Wypadek to jedno, a uzbrojeni ludzie to drugie – rzucił ktoś pod nosem. Wyciągałam akurat z pieca gorące pieczywo i nie widziałam, kto to powiedział, nie rozpoznałam też głosu.

– Tak, to prawda. – Nie miałam zamiaru z tym dyskutować.

– Czyli nie wiesz, czym leczą choroby? – dociekał Geoffrey. – Co jest w lekarstwach?

Potrząsnęłam głową.

– Przykro mi, nie wiem. Wcześniej, gdy miałam możliwość zgłębienia tematu, mało się tym interesowałam. Na wszystkich planetach, na których byłam, zdrowie jest po prostu czymś danym raz na zawsze, więc się o nim nie myśli.

Rumiane policzki Geoffreya zaczerwieniły się bardziej niż zwykle. Spuścił wzrok, krzywiąc usta. Co takiego powiedziałam, że go uraziłam?

Siedzący obok Heath poklepał go po plecach. Kuchnię wypełniała ponura cisza.

– A te... Sępy – odezwał się Ian, byle tylko zmienić temat. – Może mnie coś ominęło, ale nie przypominam sobie, żebyś tłumaczyła, co to znaczy, że były „mało sympatyczne"?

Owszem, nic na ten temat nie mówiłam, ale też nie wierzyłam, że Ian jest tym szczególnie zainteresowany. Zapytał po prostu o pierwszą rzecz, jaka przyszła mu do głowy.

Wykład zakończył się wcześniej niż zwykle. Nikt nie garnął się do zadawania pytań, większość padała z ust Jamiego i Iana. Wszystkim chodziło po głowie to, co odpowiedziałam Geoffreyowi.

– No, jutro trzeba wcześnie wstać, czeka nas dużo pracy... – przerwał kolejną kłopotliwą ciszę Jeb, dając do zrozumienia, że to koniec. Ludzie zaczęli wstawać z miejsc i się przeciągać. Rozmawiali ściszonymi głosami, jakby bardziej zamyśleni niż zwykle.

– Co ja takiego powiedziałam? – zapytałam Iana szeptem.

– Nic. Rozmyślają o śmierci. – Westchnął.

Doznałam olśnienia, które ludzie nazywają przeczuciem.

– Gdzie jest Walter? – zapytałam, nadal szepcząc.

Ian znowu westchnął.

– W południowym skrzydle... Nie jest z nim najlepiej.

– Dlaczego nikt mi nie powiedział?

– Miałaś ostatnio wystarczająco dużo... wrażeń, więc...

Potrząsnęłam gwałtownie głową.

– Co mu jest?

U mego boku zjawił się Jamie. Wziął mnie za rękę.

– Popękały mu kości, są bardzo kruche – powiedział ściszonym głosem. – Doktor mówi, że to końcowe stadium raka.

– Musiało go boleć od dłuższego czasu, ale się nie przyznawał – dodał smutno Ian.

Skrzywiłam się.

– I nic się nie da zrobić? Nic?

Ian potrząsnął głową, nie odrywając ode mnie lśniących oczu.

– Zrobiliśmy wszystko, co w naszej mocy. Nawet gdybyśmy nie mieszkali w jaskiniach, i tak nie dałoby się już nic zrobić. Nie wynaleziono lekarstwa na tę chorobę.

Zagryzłam wargę, powstrzymując się przed powiedzeniem czegoś głupiego. Oczywiście, że nie można było mu pomóc. Wszyscy oni woleliby umierać długo i w cierpieniu niż stracić świadomość. Teraz było to dla mnie jasne.

– Pytał o ciebie – kontynuował Ian. – To znaczy, czasem wypowiada twoje imię, trudno powiedzieć, o co mu chodzi. Doktor znieczula go alkoholem.

– I ma wyrzuty sumienia, że sam tyle zużył. Tak się głupio złożyło w czasie.

– Mogę się z nim zobaczyć? – zapytałam. – Czy będzie to komuś przeszkadzało?

Ian prychnął i zmarszczył brwi.

– Niektórym pewnie tak, to bardzo w ich stylu. – Potrząsnął głową. – Ale kto by się przejmował? Skoro to ostatnie życzenie Walta...

– Racja – przytaknęłam. Na dźwięk słowa „ostatnie" poczułam pieczenie w oczach. – Jeżeli Walter tego chce, to chyba nieważne, co sobie pomyślą inni, choćby nawet mieli dostać szału.

– Nie martw się, nie pozwolę, żeby ktokolwiek cię niepokoił. – Ian mocno zacisnął usta.

Zaczęłam się denerwować, trochę jakbym potrzebowała spojrzeć na zegarek. Czas dawno już przestał dla mnie cokolwiek znaczyć, teraz jednak poczułam, jak ucieka nieubłaganie.

– Możemy tam pójść jeszcze dziś? Nie jest za późno?

– Nie sypia o normalnych porach. Możemy iść sprawdzić.

Od razu ruszyłam z miejsca, pociągając ze sobą Jamiego, który wciąż ściskał moją dłoń. Popychała mnie do przodu świadomość upływającego czasu, przemijania i ostateczności. Po chwili Ian dogonił nas swoimi długimi krokami.

Skąpana w księżycowym blasku jaskinia z ogrodem nie była pusta, ale nie zwracano na nas najmniejszej uwagi. Mój widok już dawno przestał budzić ciekawość. Nikt nawet nie zauważył, że idziemy w innym kierunku niż zwykle.

Nikt oprócz Kyle'a. Widząc mnie w towarzystwie Iana, znieruchomiał w pół kroku. Omiótł mnie wzrokiem, spostrzegł dłoń Jamiego w mojej dłoni i wykrzywił usta.

Ian wyprostował ramiona, a twarz przybrała identyczny wyraz jak u brata. Odruchowo sięgnął po moją wolną rękę. Wtedy Kyle wydał z siebie odgłos, jakby miał zwymiotować, i odwrócił się do nas plecami.

Kiedy już znaleźliśmy się w ciemnościach południowego tunelu, próbowałam uwolnić dłoń, lecz Ian ścisnął ją jeszcze mocniej.

– Po co go prowokujesz – odezwałam się cicho.

– Kyle nie ma racji. Jak zwykle – to u niego nawyk. Potrzebuje więcej czasu niż inni, żeby zmądrzeć, ale to nie znaczy, że należy go traktować ulgowo.

– Boję się go – przyznałam szeptem. – Nie chcę, żeby miał jeszcze więcej powodów, by mnie nienawidzić.

Ian i Jamie równocześnie ścisnęli mnie za dłonie i odezwali się.

– Nie bój się – powiedział Jamie.

– Jeb wyraził się jasno – zauważył Ian.

– Co masz na myśli? – zapytałam.

– Jeżeli Kyle nie uzna jego reguł, będzie musiał stąd odejść.

– Ale przecież tak nie można. Tu jest jego miejsce.

– Zostaje – mruknął Ian – a więc będzie musiał się przyzwyczaić.

Dalej szliśmy już w milczeniu. Znów czułam się winna – jak przez większość czasu spędzonego w jaskiniach. Wciąż tylko wina, rozpacz, strach. Po co tu przyszłam?

Bo, choć to dziwne, właśnie tu jest twoje miejsce, szepnęła Melanie. Czuła ciepło dłoni Iana i Jamiego splecionych z moimi. *Gdzie indziej doświadczyłaś czegoś takiego?*

Nigdzie, przyznałam, lecz tylko bardziej mnie to przygnębiło. *Ale to wcale nie oznacza, że tu jest moje miejsce. Twoje owszem.*

Jesteśmy nierozłączne, Wando.

Jak gdyby trzeba mi było o tym przypominać...

Zdziwiłam się trochę, że słyszę ją tak wyraźnie. Przez ostatnie dwa dni była milcząca, wyczekiwała niecierpliwie kolejnego spotkania z Jaredem. Ja, oczywiście, też.

Może jest u Waltera. Może dlatego go nie widywałyśmy, pomyślała z nadzieją Melanie.

Nie po to tam idziemy.

Nie. Oczywiście. Powiedziała to ze skruchą, lecz nagle uświadomiłam sobie, że Walter nie znaczy dla niej tyle co dla mnie. Naturalnie było jej smutno, że umiera, ale od razu przeszła nad tym do porządku, podczas gdy ja wciąż nie mogłam się z tym pogodzić. Walter był moim przyjacielem. To mnie bronił.

Z oddali przywitało nas bladoniebieskie światło szpitala. (Wiedziałam już, że są to lampy zasilane energią słoneczną, za dnia wystawiane na słońce). Wszyscy troje równocześnie zwolniliśmy kroku. Szliśmy teraz ciszej.

Nie znosiłam tego miejsca. W półmroku, wśród dziwacznych cieni, wyglądało jeszcze mniej zachęcająco. Wyczułam w powietrzu nowy zapach – cuchnęło zgnilizną, alkoholem i żółcią.

Dwa łóżka były zajęte. Z jednego zwisały stopy Doktora, poznałam go po chrapaniu. Na drugim leżał Walter, wykoślawiony i uwiędły. Patrzył, jak się zbliżamy.

– Przyjmujesz gości, Walt? – szepnął Ian, spoglądając mu w oczy.

– Uhm – jęknął Walter. Wargi zwisały mu ze zwiotczałej twarzy, skóra lśniła wilgocią w słabym świetle lampy.

– Możemy ci jakoś pomóc? – wymamrotałam. Uwolniłam dłonie i wyciągnęłam je przed siebie, zatrzepotały bezradnie w powietrzu.

Wpatrywał się rozbieganymi oczami w ciemność. Zrobiłam krok do przodu.

– Możemy coś dla ciebie zrobić? Cokolwiek?

Błądził wzrokiem, aż w końcu natrafił na moją twarz. Zdołał się na niej skupić mimo bólu i zamroczenia alkoholem.

– Nareszcie – zadyszał. Oddech miał świszczący. – Wiedziałem, że w końcu przyjdziesz. Ach, Gladys. Tyle mam ci do powiedzenia.

Rozdział 31

Zadanie

Zamarłam. Po chwili spojrzałam przez ramię, by sprawdzić, czy nikt za mną nie stoi.

– Tak miała na imię jego żona – szepnął Jamie ledwie słyszalnym głosem. – Złapali ją.

– Gladys – powiedział Walter, zupełnie nieświadomy mojego zdziwienia. – Dostałem raka, dasz wiarę? Kto by pomyślał, co? Przez całe życie ani razu nie wziąłem zwolnienia... – Głos mu słabł, aż w końcu w ogóle przestałam go słyszeć, lecz nie przestawał ruszać ustami. Nie miał siły podnieść ręki, powlókł jedynie palcami po łóżku ku mnie.

Ian trącił mnie lekko.

– Co mam robić? – szepnęłam. W pomieszczeniu było parno, ale nie dlatego miałam na czole krople potu.

– ...dziadek dożył stu lat – zaświstał Walter, odzyskując głos. – Nikt w rodzinie nie miał raka, nawet kuzyni. Ale twoja ciocia Regan chyba miała, prawda?

Spoglądał na mnie ufnie, czekając, aż coś powiem. Ian poklepał mnie po plecach.

– Yyy...

– A może to była ciotka Billa – przyznał Walter.

Posłałam Ianowi przerażone spojrzenie, lecz wzruszył tylko ramionami.

– Pomocy – szepnęłam, a właściwie pokazałam ustami.

Dał znak dłonią, żebym złapała Waltera za rękę.

Skóra chorego była biała jak kreda i prześwitująca. Widziałam, jak w niebieskich żyłach na dłoni pulsuje słabo krew. Podniosłam mu rękę, bardzo ostrożnie w trosce o kruche kości, o których wspominał Jamie. Była nadspodziewanie lekka, jakby pusta w środku.

– Och, Gladdie, smutno mi było bez ciebie. To miłe miejsce, spodoba ci się, nawet gdy mnie już nie będzie. Jest tu z kim porozmawiać – wiem, jak bardzo tego potrzebujesz... – Przestałam go rozumieć, gdyż mówił zbyt cicho, ale nadal kierował słowa do żony. Nawet gdy zamknął oczy, a głowa osunęła mu się na bok, usta były w ciągłym ruchu.

Ian znalazł mokrą szmatkę i zaczął mu ocierać twarz.

– Nie jestem dobra w... udawaniu – szepnęłam, zerkając na mamroczące usta Waltera, by mieć pewność, że mnie nie słyszy. – Wszystko popsuję.

– Nie musisz nic mówić – uspokajał mnie Ian. – Jest ledwie przytomny.

– Czy wyglądam jak jego żona?

– Ani trochę, widziałem ją na zdjęciu. Była ruda i krępa.

– Daj, ja to mogę robić.

Wzięłam od Iana szmatkę i wytarłam Walterowi pot z szyi. Jak zwykle czułam się pewniej, gdy miałam co robić z rękoma. Walter nie przestawał mamrotać. Wydawało mi się, że słyszę, jak mówi: „Dzięki, Gladdie, tak mi lepiej".

Nawet nie wiedziałam, kiedy ustało chrapanie. Usłyszałam nagle za plecami znajomy głos Doktora – zbyt łagodny, by mnie przestraszył.

– Jak się czuje?

– Majaczy – odszepnął Ian. – To od brandy czy z bólu?

– Chyba raczej z bólu. Oddałbym prawą rękę za odrobinę morfiny.

– Może Jared dokona kolejnego cudu.

– Może – westchnął Doktor.

Ocierałam machinalnie bladą twarz Waltera, przysłuchując się rozmowie, ale imię Jareda więcej nie padło.

Nie ma go, szepnęła Melanie.

Pojechał po coś dla Waltera, przytaknęłam.

Sam, dodała.

Przypomniał mi się ostatni raz, kiedy się widzieliśmy – pocałunek, nadzieja... *Pewnie potrzebował trochę czasu dla siebie.*

Oby tylko nie po to, żeby przekonać samego siebie, że jesteś Łowcą z talentem aktorskim.

To oczywiście możliwe.

Melanie jęknęła cicho.

Ian i Doktor rozmawiali szeptem o mało istotnych rzeczach, głównie o tym, co działo się ostatnio w jaskiniach.

– Co się stało Wandzie w twarz? – zapytał Doktor Iana, ale słyszałam go wyraźnie.

– To co zwykle – odparł Ian surowym tonem.

Doktor westchnął, po czym mlasnął językiem.

Ian opowiedział mu pokrótce o dzisiejszym wykładzie i pytaniach Geoffreya.

– Byłoby nam łatwiej, gdyby w Melanie umieszczono Uzdrowiciela.
Drgnęłam, ale stali za mną i prawdopodobnie nie zauważyli.
– Mamy szczęście, że to Wanda – wstawił się za mną Ian. – Nikt inny...
– Wiem – przerwał Doktor dobrotliwym tonem. – Powinienem raczej powiedzieć: szkoda, że Wanda nie interesowała się medycyną.
– Przepraszam – wymamrotałam. To prawda, cieszyłam się doskonałym zdrowiem, nie zadając sobie trudu, by cokolwiek się na jego temat dowiedzieć. Była to pożałowania godna beztroska.
Poczułam czyjąś dłoń na ramieniu.
– Nie masz za co przepraszać – zapewnił Ian.
Jamie był bardzo cichy. Obejrzałam się i zobaczyłam, że leży na łóżku, na którym wcześniej drzemał Doktor.
– Późno już – zauważył Doktor. – Walter nigdzie się nie wybiera. Powinniście się wyspać.
– Wrócimy – obiecał Ian. – Daj znać, czy mamy coś przynieść, dla ciebie albo dla niego.
Położyłam dłoń Waltera na łóżku, delikatnie ją poklepując. Otworzył nagle oczy i skupił na mnie wzrok jeszcze bardziej niż przedtem.
– Idziesz sobie? – zaświszczał. – Musisz już iść?
Szybko chwyciłam go za dłoń.
– Nie, nie muszę.
Uśmiechnął się i znowu zamknął oczy. Zacisnął też lekko palce wokół moich.
Ian westchnął.
– Idźcie – powiedziałam. – Ja zostanę. Połóż Jamiego do łóżka.
Ian rozejrzał się po grocie.
– Chwila – odezwał się, po czym chwycił za pierwsze z brzegu łóżko. Nie było ciężkie, uniósł je z łatwością i postawił obok łóżka chorego. Aby mu to ułatwić, wyciągnęłam ramię, jak tylko potrafiłam, starając się nie potrząsnąć Walterem. Potem Ian podniósł mnie równie łatwo i posadził na dostawionym łóżku. Walter nawet nie zamrugał. Westchnęłam cicho, zaskoczona, że Ian nie miał żadnych oporów przed wzięciem mnie na ręce. Zupełnie jakbym była człowiekiem.
Wskazał brodą na dłoń Waltera zaciśniętą na mojej.
– Dasz radę tak spać?
– Tak, spokojnie.
– No to śpij dobrze. – Uśmiechnął się do mnie, po czym obrócił się i wziął Jamiego na ręce. – Idziemy, młody – zamamrotał, ruszając się z taką łatwością, jakby niósł niemowlę. Kroki oddalały się i w końcu umilkły.

Doktor ziewnął, zabrał niebieską lampę i usiadł za biurkiem z drewnianych skrzynek i aluminiowych drzwi. Gdy twarz Waltera pociemniała, ogarnął mnie niepokój. Wyglądała tak, jakby już odszedł. Na szczęście wciąż zaciskał palce wokół moich.

Doktor zaczął nucić coś cichutko pod nosem i przeglądać papiery. Ich delikatny szelest ukołysał mnie do snu.

Rano Walter mnie poznał.

Obudził się dopiero kiedy zjawił się po mnie Ian – mieliśmy oczyszczać pole kukurydzy z badyli. Obiecałam Doktorowi, że przed pracą przyniosę mu śniadanie. Na koniec delikatnie rozluźniłam zdrętwiałe palce i uwolniłam je z uścisku Waltera.

Wtedy otworzył oczy.

– Wanda – szepnął.

– Walter? – Nie byłam pewna, jak długo będzie wiedział, kim jestem, ani czy pamięta cokolwiek z zeszłego wieczoru. Szukał czegoś ręką, więc podałam mu lewą, nieodrętwiałą dłoń.

– Przyszłaś mnie odwiedzić. To miło. Teraz, jak tamci wrócili... pewnie nie jest ci lekko... Twoja twarz...

Miałam wrażenie, że z trudem rusza ustami, a oczy na przemian łapały i gubiły ostrość. Pierwsze słowa, którymi się do mnie odezwał, były słowami troski – taki właśnie był Walter.

– Wszystko w porządku. Jak się czujesz?

– Och. – Jęknął cicho. – Nie najlepiej... Doktorze?

– Jestem. – Usłyszałam go tuż za plecami.

– Mamy jeszcze trochę brandy? – wydyszał Walter.

– Jasne.

Doktor był już przygotowany. Przyłożył szyjkę grubej szklanej butelki do zwiotczałych ust Waltera i powoli wlewał do nich ciemnobrązowy płyn. Chory krzywił się z każdym palącym gardło łykiem. Trochę brandy wypłynęło mu z kącika ust i pociekło na poduszkę. Ostry zapach trunku uderzył mnie w nozdrza.

– Lepiej? – zapytał Doktor po długiej chwili, odejmując butelkę.

Walter chrząknął. Nie zabrzmiało to jak przytaknięcie. Zamknął oczy.

– Więcej?

Chory skrzywił się, a po chwili jęknął.

Doktor zaklął pod nosem.

– Gdzie się podziewa Jared? – zamamrotał.

Zesztywniałam. Melanie drgnęła i znowu znikła.

Głowa Waltera opadła i przekrzywiła się na bok.

– Walter? – szepnęłam.
– Stracił przytomność z bólu. Zostawmy go – powiedział Doktor.
Ścisnęło mnie w gardle.
– Co mogę zrobić?
– Obawiam się, że tyle co ja. Czyli nic. Jestem do niczego.
– Przestań – mruknął Ian. – To nie twoja wina. Świat wygląda teraz inaczej. Nikt nie oczekuje od ciebie cudów.
Skuliłam ramiona. O tak, ich świat wyglądał teraz inaczej.
Ktoś popukał mnie palcem po barku.
– Chodźmy – szepnął Ian.
Kiwnęłam głową i jeszcze raz spróbowałam uwolnić dłoń.
Walter otworzył niedowidzące oczy.
– Gladdie? Jesteś tu? – odezwał się błagalnym głosem.
– Yyy... jestem – odparłam z wahaniem, pozwalając mu zacisnąć palce na mojej dłoni.
Ian wzruszył ramionami.
– Przyniosę wam coś do jedzenia – szepnął i poszedł.
Wyczekiwałam niecierpliwie jego powrotu, zakłopotana sytuacją. Walter powtarzał w kółko imię żony, ale najwyraźniej nie miał żadnych próśb. Cieszyło mnie to. Po jakimś czasie – minęło może pół godziny – zaczęłam nasłuchiwać kroków w tunelu. Zastanawiałam się, czemu Ian tak długo nie wraca.
Doktor nie odchodził od biurka, stał przy nim zgarbiony, zapatrzony w dal. Widać było, że czuje się bezużyteczny.
W końcu usłyszałam jakiś odgłos, lecz nie były to kroki.
– Co to? – zapytałam szeptem. Walter chwilę wcześniej się uspokoił, może nawet zasnął. Nie chciałam go obudzić.
Doktor spojrzał na mnie i jednocześnie nadstawił ucha.
Dobiegało nas dziwne dudnienie, ciche i szybkie. Przez chwilę miałam wrażenie, że się wzmogło, lecz potem znów jakby ucichło.
– Dziwne – stwierdził Doktor. – Prawie jak... – Zamilkł, marszcząc czoło w skupieniu.
Nasłuchiwaliśmy uważnie, dlatego bardzo wcześnie usłyszeliśmy kroki. Nie był to równy chód, jakiego spodziewaliśmy się po Ianie. Ktoś biegł do nas, i to bardzo szybko.
Doktor natychmiast zareagował, przeczuwając kłopoty, i myśląc, że to Ian, wyszedł naprzeciw. Też byłam ciekawa, co się dzieje, ale nie chciałam niepokoić Waltera, który ciągle trzymał mnie za rękę, więc jedynie nadstawiałam uszu.

– Brandt? – odezwał się Doktor zdumionym głosem.

– Gdzie on jest? G d z i e o n j e s t?! – wydyszał niespodziewany gość. Odgłosy kroków umilkły tylko na moment, po chwili znów zerwał się do biegu, choć nieco już wolniejszego.

– Ale kto? – zapytał Doktor.

– Pasożyt! – syknął Brandt, wpadając do środka.

Nie był tak wielki jak Kyle czy Ian, przewyższał mnie ledwie o kilka centymetrów, ale miał budowę nosorożca. Omiótł pomieszczenie gniewnym spojrzeniem: na pół sekundy zatrzymał je na mojej twarzy, następnie zerknął na nieobecną postać Waltera, rozejrzał się jeszcze wkoło, po czym znów popatrzył na mnie.

Uczynił już pierwszy krok w moją stronę, gdy dogonił go Doktor i chwycił za ramię długimi palcami.

– Co ty wyprawiasz? – zawołał. Pierwszy raz podniósł przy mnie głos.

Zanim Brandt zdążył cokolwiek odpowiedzieć, ponownie rozległ się zagadkowy odgłos, najpierw cicho, potem bardzo głośno i znowu cicho. Przez chwilę wszyscy troje staliśmy jak wryci.

– Czy to... helikopter? – wyszeptał Doktor.

Uderzenia rozbrzmiewały jedno po drugim. W pewnym momencie zaczęło nawet drgać powietrze.

– Tak – odszepnął Brandt. – To Łowca, ten sam co wtedy, ten co go szukał. – Wskazał brodą na mnie.

Gardło nagle jakby mi się zwęziło, oddech stał się słaby i płytki. Zakręciło mi się w głowie.

Nie. Proszę. Nie teraz.

Czy ona jest nienormalna? – warknęła Mel. *Nie może nas zostawić w spokoju?*

Nie możemy pozwolić, żeby zrobiła im krzywdę!

Jak chcesz ją powstrzymać?

Nie wiem. To wszystko moja wina.

Moja też, Wando. Nasza wspólna.

– Jesteś pewien? – zapytał Doktor.

– Kyle widział ją wyraźnie przez lornetkę. To ta sama.

– S z u k a t u t a j? – W głosie Doktora pojawiła się nagle trwoga. Obrócił się na pięcie i spojrzał ku wyjściu. – Gdzie Sharon?

Brandt potrząsnął głową.

– Przeczesuje całą okolicę. Zaczyna w Picacho, leci w jednym kierunku, potem wraca i od nowa. Nie wygląda, jakby koncentrowała się na jednym miejscu. Zatoczyła parę kółek tam, gdzie zostawiliśmy auto.

– Gdzie Sharon? – powtórzył Doktor.

– Jest z Luciną i dzieciakami. Są bezpieczni. Chłopaki się pakują, na wypadek gdybyśmy musieli się stąd w nocy zwijać, ale Jeb mówi, że to mało prawdopodobne.

Doktor odetchnął, podszedł do biurka i oparł się o nie zgarbiony, prawie jak po długim i męczącym biegu.

– Czyli w gruncie rzeczy nic nowego – powiedział pod nosem.

– Tak. Musimy tylko przez parę dni uważać jeszcze bardziej niż zwykle. – Brandt znowu miał rozbiegane oczy, wodził nimi po pomieszczeniu, co jakiś czas zawadzając o moją twarz. – Masz tu jakiś sznur? – zapytał, po czym zaczął się przyglądać leżącemu na wolnym łóżku prześcieradłu i złapał je za brzeg.

– Sznur? – powtórzył zdziwiony Doktor.

– Żeby związać pasożyta. Kyle mnie po to przysłał.

Dostałam skurczu mięśni. Walter jęknął, gdyż ścisnęłam mu mocno palce. Próbowałam rozluźnić dłoń, nie odrywając wzroku od surowego oblicza Brandta. Czekał, aż Doktor coś mu odpowie.

– Przyszedłeś z w i ą z a ć Wandę? – Doktor znów przybrał srogi ton. – Skąd ten pomysł?

– Daj spokój, Doktorze. Nie bądź głupi. Jest tu kilka otworów i mnóstwo błyszczącego metalu. – Wskazał na stojącą pod ścianą szafkę. – Spuścisz go na chwilę z oka i od razu zacznie puszczać sygnały temu Łowcy.

Nabrałam gwałtownie powietrza, mimowolnie zwracając na siebie uwagę.

– Widzisz? – dodał. – Przejrzałem go.

Byłam gotowa zakopać się pod wielkim głazem, byle tylko skryć się przed wytrzeszczonymi oczami Łowczyni, tymczasem on myślał, że pragnę ją tu sprowadzić. Żeby mogła zabić Jamiego, Jareda, Jeba, Iana... Miałam ochotę go wyśmiać.

– Możesz wracać, Brandt – odparł lodowato Doktor. – Będę jej pilnował.

Brandt uniósł brew.

– Ludzie, co się z wami stało? Z tobą, Ianem, Trudy i resztą? Jesteście jak zahipnotyzowani. Gdyby nie to, że wasze oczy są w porządku, zacząłbym się zastanawiać...

– Śmiało, Brandt, zastanawiaj się, ile chcesz. Tylko nie tutaj.

Brandt potrząsnął głową.

– Mam zadanie do wykonania.

Doktor podszedł bliżej i stanął dokładnie pomiędzy Brandtem a mną. Założył ręce na piersi.

– Nie myśl sobie, że jej dotkniesz.

Gdzieś daleko znowu zafurkotał helikopter. Zamarliśmy, wstrzymując oddechy, dopóki nie odleciał.

Wtedy Brandt potrząsnął głową. Nic nie powiedział, tylko podszedł do biurka i złapał za krzesło. Zaniósł je pod ścianę obok szafki, postawił z hukiem na podłodze i usiadł na nim ciężko, aż metalowe nogi zazgrzytały o skałę. Pochylił się, położył dłonie na kolanach i zaczął się we mnie wpatrywać. Był jak sęp, który czeka, aż konający zając przestanie się ruszać.

Doktor głośno zacisnął szczękę.

– Gladys – wymamrotał Walter, odzyskawszy przytomność. – Jesteś tu.

Byłam zbyt zdenerwowana obecnością Brandta, by się odezwać, więc tylko poklepałam go po dłoni. Przyglądał się mętnym wzrokiem mojej twarzy, dopatrując się w niej rysów żony.

– Boli mnie, Gladdie. Boli jak cholera.

– Wiem – szepnęłam. – Doktorze?

Stał już obok z brandy w ręku.

– No, Walter, otwieramy usta.

Znowu dobiegł nas furkot helikoptera. Rozbrzmiewał gdzieś w dali, ale wciąż o wiele za blisko. Doktor drgnął i wylał mi na rękę kilka kropel brandy.

*

To był straszny dzień. Mój najgorszy na Ziemi, nie wyłączając pierwszego w jaskiniach i ostatniego na gorącej pustyni, kiedy byłam parę godzin od śmierci.

Helikopter krążył i krążył. Czasem znikał i mijała dobra godzina, ale kiedy już myślałam, że Łowczyni wreszcie sobie poleciała, huk śmigła rozlegał się ponownie, a mnie stawała w pamięci jej zawzięta twarz i wyłupiaste oczy, którymi przeczesywała teraz pustynię w poszukiwaniu ludzi. Próbowałam ją odegnać, przywołując obrazy pustego, bezbarwnego krajobrazu, jakbym mogła w ten sposób sprawić, że nic innego nie zobaczy i w końcu odleci.

Brandt nie przestawał mierzyć mnie podejrzliwym wzrokiem. Bez przerwy czułam na sobie jego oczy, choć rzadko na niego spoglądałam. Na szczęście wkrótce zjawił się Ian, przynosząc od razu śniadanie i lunch. Był cały brudny od pakowania się na wypadek ewakuacji – cokolwiek to znaczyło. Nie bardzo rozumiałam, dokąd mieliby się udać. Kiedy Brandt wyjaśnił mu urywanymi zdaniami powód swojej obecności, twarz

Iana przybrała tak groźny wyraz, że wyglądał jak Kyle. Ustawił potem obok mnie inne wolne łóżko i usiadł na nim, zasłaniając mnie przed wzrokiem Brandta.

Moim największym zmartwieniem nie był jednak ani helikopter, ani stały dozór. W zwykły dzień – o ile takie w ogóle jeszcze się zdarzały – każda z tych rzeczy zapewne nie dawałaby mi spokoju. Dziś jednak zdawały się czymś błahym.

Przed południem Doktor podał Walterowi resztkę brandy. Miałam wrażenie, że nie minęło nawet dziesięć minut, a Walter znowu zaczął się skręcać i jęczeć. Z trudem łapał oddech. Jego palce obcierały mi skórę na dłoni, lecz gdy tylko próbowałam ją zabrać, jęki przeradzały się w przeraźliwy krzyk. Raz musiałam skorzystać z ubikacji. Brandt poszedł za mną, a więc także Ian. Kiedy wróciliśmy, pokonawszy niemal całą drogę biegiem, okrzyki Waltera brzmiały nieludzko. Doktor miał zapadniętą twarz, widać było, że bardzo to przeżywa. Walter uspokoił się, dopiero gdy się do niego odezwałam, ponownie odgrywając rolę żony. Okłamywałam go dla jego dobra, dlatego przychodziło mi to z pewną łatwością. Brandt mruczał coś pod nosem, niezadowolony, ale wiedziałam, że nie ma racji. Teraz liczył się tylko Walter i jego cierpienie.

Chory jednak nadal wił się i pojękiwał, aż w końcu Brandt udał się na drugi koniec pomieszczenia i zaczął chodzić w tę i z powrotem, próbując się wyłączyć.

Kiedy światło prześwitujące przez sufit zaczęło pomarańczowieć, zjawił się Jamie z jedzeniem dla czworga. Nie pozwoliłam mu zostać; nakłoniłam Iana, by odprowadził go z powrotem do kuchni, i kazałam mu obiecać, że będzie go pilnował całą noc, gdyż bałam się, że chłopiec spróbuje wrócić. Wcześniej Walter, poruszywszy złamaną nogą, wydał z siebie mrożący krew w żyłach wrzask. Nie chciałam, żeby ta noc wyryła się Jamiemu w pamięci, tak jak mnie i Doktorowi. Może również Brandtowi, choć ten robił, co mógł, by ignorować cierpienia Waltera; zatykał sobie uszy i nucił fałszywe melodie.

Doktor przeciwnie, wcale nie próbował się dystansować, lecz cierpiał razem z Walterem. Twarz miał pobrużdżoną, tak jakby rozdzierające okrzyki chorego przeorały ją niczym pazury.

Nie spodziewałam się ujrzeć tyle współczucia w człowieku, a tym bardziej w Doktorze. Odkąd zobaczyłam, jak przeżywa cierpienia Waltera, patrzyłam na niego zupełnie inaczej. Miał w sobie tyle empatii, że zdawał się krwawić w środku. Przestałam wierzyć w jego okrucieństwo, ten człowiek po prostu nie mógł być katem. Próbowałam sobie przypomnieć, co takiego sprawiło, że miałam o nim podobne wyobrażenie –

czy ktokolwiek powiedział coś wprost? Chyba nie. Widocznie pod wpływem strachu wyciągnęłam niewłaściwe wnioski.

Tego koszmarnego dnia Doktor raz na zawsze zdobył moje zaufanie. Natomiast jego szpital wydawał mi się teraz jeszcze bardziej odstręczający.

Wraz z ostatnimi promieniami słońca zniknął helikopter. Jeszcze długo siedzieliśmy w ciemnościach, nie ważąc się zapalić nawet bladoniebieskiej lampy. Nie byliśmy pewni, czy poszukiwania się zakończyły. Jako pierwszy uwierzył w to Brandt – on również miał już dość szpitala.

– Pewnie zrezygnował – mruknął znużony, kierując się do wyjścia. – W nocy nic nie widać. Zabieram lampę, Doktorze, żeby pasożyt nie wyciął jakiegoś numeru.

Doktor nic nie odpowiedział, nawet za nim nie spojrzał.

– Zrób coś, Gladdie, zrób coś! – błagał Walter, ściskając mnie za dłoń. Otarłam mu pot z twarzy.

Miałam wrażenie, że czas zwolnił, stanął w miejscu. Czarna noc zdawała się nie mieć końca. Walter krzyczał coraz częściej i coraz głośniej.

Melanie była nieobecna; zdawała sobie sprawę, że nic nie może zdziałać. Ja również najchętniej bym się ukryła, gdyby nie to, że Walter mnie potrzebował. Byłam sama ze swoimi myślami – ziściło się moje dawne pragnienie. Czułam się jednak zagubiona.

W końcu przez otwory w wysokim suficie zaczęło się wkradać słabe, szare światło. Balansowałam na krawędzi snu, co jakiś czas słysząc jęki i krzyki Waltera. Z tyłu dochodziło chrapanie Doktora. Cieszyło mnie, że uda mu się choć trochę odpocząć.

W ogóle nie usłyszałam nadejścia Jareda. Szemrałam coś bezładnie do Waltera, próbując go uspokoić.

– Jestem, jestem – wymamrotałam, gdy po raz kolejny wypowiedział imię żony. – Cii, już dobrze. – Moje słowa nie miały znaczenia, ale sam głos zdawał się działać na niego kojąco.

Nie wiem, jak długo Jared nam się przyglądał, zanim go zauważyłam. Zapewne dłuższą chwilę. Co dziwne, nie zareagował gniewem. Głos miał spokojny.

– Doktorze. – Usłyszałam za plecami skrzypienie łóżka. – Doktorze, wstawaj.

Słysząc znajomy głos, nie do pomylenia z żadnym innym, obróciłam się gwałtownie, uwalniając dłoń.

Jared potrząsał Doktorem i spoglądał na mnie. W mroku jego oczy były nieprzeniknione, a twarz pozbawiona wyrazu.

Melanie nagle się przebudziła. Obserwowała uważnie tę maskę, próbując zmiarkować, jakie kryją się pod nią myśli.

– Gladdie! Nie odchodź! Proszę! – zaskrzeczał Walter, aż Doktor zerwał się z łóżka, omal go nie wywracając.

Obróciłam się z powrotem ku choremu i wsunęłam swoją obolałą dłoń między wyciągnięte palce.

– Cii, cii! Już dobrze, Walter. Jestem. Nigdzie nie pójdę. Obiecuję.

Uspokoił się. Kwilił teraz jak małe dziecko. Otarłam mu czoło wilgotną szmatką i łkanie urwało się nagle, przechodząc w westchnienie.

– Co jest grane? – zapytał pod nosem Jared.

– Ona jest najlepszym środkiem przeciwbólowym, jaki udało mi się znaleźć – odparł Doktor zmęczonym głosem.

– Mam dla ciebie coś lepszego niż oswojony Łowca.

Poczułam skurcz w żołądku, a Melanie syknęła wściekle. *Boże, jaki on jest ślepy i uparty! Nie uwierzyłby ci nawet gdybyś mu powiedziała, że słońce wstaje na wschodzie.*

Ale Doktor był zbyt podekscytowany, by przejąć się wymierzoną we mnie obelgą.

– Znalazłeś coś!

– Morfinę. Nie za dużo. Byłbym wcześniej, ale wypatrzył mnie Łowca.

Doktor nie marnował ani chwili. Usłyszałam, jak wyciąga coś z szeleszczącego opakowania i wydaje okrzyk zachwytu.

– Jared, jesteś cudotwórcą.

– Poczekaj...

Ale Doktor stał już obok mnie, promieniejąc na zmizerniałej twarzy. W rękach trzymał niewielką strzykawkę. Wbił Walterowi cieniutką igłę w fałdę na łokciu. Odwróciłam głowę. Nie mogłam na to patrzeć, wbijanie czegoś w skórę wydawało mi się strasznie inwazyjne.

Jednakże już po upływie pół minuty zastrzyk zaczął działać. Naprężone ciało chorego zmiękło i opadło na materac, niespokojny oddech wyrównał się i przycichł, ręka rozluźniła się, uwalniając moją.

Zaczęłam masować lewą dłoń, by odzyskać czucie w koniuszkach palców. Tam, gdzie wracała krew, czułam lekkie mrowienie.

– Słuchaj, naprawdę nam nie starczy – bąknął Jared.

Oderwałam wzrok od twarzy Waltera, nareszcie niczym niezmąconej. Jared stał tyłem do mnie, ale widziałam zdziwienie na twarzy Doktora.

– Nie starczy na co? Nie mam zamiaru oszczędzać morfiny na czarną godzinę, Jared. Pewnie niedługo będziemy żałować, że jej nie mamy, ale nie pozwolę, żeby Walter oszalał z bólu, skoro mogę mu ulżyć!

– Nie o to mi chodziło – odparł Jared głosem, jakim mówił, gdy dobrze coś przemyślał. Niespiesznym i równym, jak oddech Waltera.

Doktor zmarszczył brwi.

– Wystarczy tylko na trzy, może cztery dni, nie więcej – powiedział Jared. – I to jeżeli będziesz mu ją odpowiednio dawkował.

Nie rozumiałam, o czym mówi, ale Doktor najwyraźniej tak.

– Ech – westchnął. Obrócił się twarzą do Waltera i zobaczyłam, że nad jego dolnymi powiekami gromadzą się świeże łzy. Otworzył usta, żeby coś powiedzieć, ale nie padło z nich ani jedno słowo.

Bardzo chciałam się dowiedzieć, o czym rozmawiają, ale powściągała mnie obecność Jareda; znów czułam lęk przed mówieniem, uczucie, od którego powoli się już odzwyczajałam.

– Nie uratujesz mu życia. Możesz jedynie uratować go od bólu.

– Wiem – odparł Doktor. Głos mu się załamał, jakby powstrzymywał płacz. – Masz rację.

Co się dzieje? – zapytałam. Pomyślałam, że skorzystam z obecności Melanie, dopóki ze mną jest.

Chcą go zabić, stwierdziła suchym tonem. *Mają dość morfiny, by wstrzyknąć mu śmiertelną dawkę.*

Z trudem złapałam powietrze. Mój oddech, choć niezbyt głośny, wypełnił ciche pomieszczenie. Nie zaprzątałam sobie jednak głowy reakcją Jareda ani Doktora. Pochyliłam się ze łzami w oczach nad Walterem.

Nie, pomyślałam, *nie. Jeszcze nie. Nie.*

Wolisz, żeby umarł z bólu?

Po prostu... przeraża mnie ta... ostateczność. To takie nieodwracalne. To mój przyjaciel. Nigdy więcej go nie zobaczę.

A ilu przyjaciół poleciałaś odwiedzić na innych planetach?

Jeszcze nigdy nie miałam takich przyjaciół jak tu.

Przyjaciele z poprzednich wcieleń zlewali mi się w głowie. Dusze były do siebie bardzo podobne, pod pewnymi względami wręcz identyczne. Walter był inny – nie dało się go nikim zastąpić.

Tuliłam jego głowę, kapiąc na nią łzami. Próbowałam zdusić płacz, ale nadaremnie. Był to raczej lament niż szloch.

Wiem, wiem. Kolejny pierwszy raz, szepnęła Melanie ze współczuciem. Współczuła mi – to również był pierwszy raz.

– Wando? – odezwał się Doktor.

Potrząsnęłam tylko głową. Nie byłam w stanie mu odpowiedzieć.

– Chyba za długo tu siedzisz. – Poczułam na ramieniu jego ciepłą, lekką dłoń. – Powinnaś odpocząć.

Jeszcze raz potrząsnęłam głową, wciąż popłakując.

– Jesteś wykończona – przekonywał. – Idź się umyć, rozprostować. Zjedz coś.

Spojrzałam mu w oczy.

– Czy Walter będzie tu, kiedy wrócę? – wymamrotałam przez łzy.

Przymrużył oczy.

– Chcesz tego?

– Chciałabym się pożegnać. To mój przyjaciel.

Poklepał mnie po ramieniu.

– Wiem, Wando, wiem. Ja też. Wcale mi się nie spieszy. Idź się przewietrzyć i wróć. Walter jeszcze trochę pośpi.

Jego zmęczona twarz miała szczery wyraz. Ufałam mu.

Przytaknęłam i ostrożnie oparłam głowę Waltera na poduszce. Pomyślałam, że może łatwiej mi będzie sobie z tym poradzić, jeśli odpocznę trochę od tego miejsca. Nie wiedziałam jednak, jak to właściwie jest – pożegnać kogoś na zawsze.

Wychodząc, musiałam jeszcze spojrzeć na Jareda – chcąc nie chcąc, byłam w nim zakochana. Mel pragnęła tego samego, najlepiej bez mojego udziału. Jak gdyby jedno nie wykluczało drugiego.

Jared patrzył na mnie. Odniosłam wrażenie, że już od dłuższego czasu. Twarz miał opanowaną, ale znów pojawił się na niej cień zdumienia i podejrzenia. Byłam już tym zmęczona. Nawet gdybym istotnie była dobrą aktorką, po co miałabym to wszystko przed nim odgrywać? Wiadome było, że Walter już nigdy nie stanie w mojej obronie. Po co miałabym go sobie „urabiać"?

Przez jedną długą sekundę spoglądałam Jaredowi w oczy, po czym obróciłam się i ruszyłam w głąb tunelu, czarnego jak smoła, a mimo to bardziej przyjaznego niż tamto srogie oblicze.

Rozdział 32

Zasadzka

W jaskiniach było cicho, słońce jeszcze nie wstało. Lusterka nad głównym placem szarzały dopiero bladym brzaskiem świtającego dnia.

Moje jedyne ubrania zostały u Jamiego i Jareda. Zakradłam się do ich pokoju. Nie bałam się, bo wiedziałam, że Jared jest w szpitalu.

Jamie spał twardo, zwinięty w kulkę w górnym rogu materaca. Zwykle nie spał tak przykurczony, ale tym razem miał powód. Resztę łóżka zajmował Ian, wystając rękoma i stopami poza wszystkie cztery brzegi.

Nie wiedzieć czemu, strasznie mnie to rozbawiło. Musiałam zagryźć pięść, żeby zdusić śmiech. Zabrałam prędko moją starą brudną koszulkę oraz szorty i wymknęłam się na korytarz, wciąż powstrzymując się od chichotu.

Masz głupawkę, skomentowała Melanie. *Potrzebujesz snu.*

Później. Jak już... Urwałam w pół zdania, otrzeźwiona ponurą myślą. Znów nastała zupełna cisza.

Ruszyłam do łaźni, ani na chwilę nie zwalniając kroku. Ufałam Doktorowi, ale... Co, jeśli zmieni zdanie? Jared mógł go przekonać. Nie miałam całego dnia.

Kiedy dotarłam do skrzyżowania korytarzy, wydało mi się, że coś usłyszałam. Obejrzałam się, ale nikogo nie było. Ludzie budzili się dopiero ze snu. Zbliżała się pora śniadania i kolejny dzień pracy. Trzeba było przekopać wschodnie pole, o ile uprzątnięto je z suchych łodyg. Może znajdę trochę czasu, żeby pomóc... później...

Podążałam znajomą trasą do pieczary z rzekami, ale myślami byłam w tysiącu innych miejsc. Nie mogłam się na niczym skupić. Za każdym razem, gdy próbowałam skoncentrować umysł na rzeczy lub osobie – na Walterze, Jaredzie, śniadaniu, pracy, kąpieli – świtała mi w głowie jakaś nowa myśl. Melanie miała rację, potrzebowałam snu. Sama też była rozkojarzona. Jej myśli krążyły wokół Jareda, ale były równie chaotyczne jak moje.

Zdążyłam się przyzwyczaić do łaźni. Panujący tu mrok już dawno przestał mi przeszkadzać. W jaskiniach było mnóstwo takich miejsc. Spędziałam po ciemku połowę dnia. Poza tym myłam się w basenie już wiele razy i nigdy nic w nim na mnie nie czyhało.

Tym razem nie miałam czasu się moczyć. Nadchodził czas pobudki, a niektórzy lubili zacząć dzień od kąpieli. Zabrałam się do pracy, najpierw umyłam siebie, potem chwyciłam za ubrania. Szorowałam je zawzięcie, żałując, że nie mogę wyprać pamięci, tak by zniknęły z niej wspomnienia ostatnich dwóch nocy.

Kiedy skończyłam, szczypały mnie dłonie. Najbardziej piekła mnie popękana skóra na kłykciach. Opłukałam ręce w wodzie, lecz nie przyniosło to żadnej ulgi. Westchnęłam i wyszłam z basenu, żeby się ubrać.

Suche ubranie czekało na mnie na kamieniach w kącie. Idąc po nie, kopnęłam niechcący kamyk, na tyle mocno, by skaleczyć się w bosą stopę. Kamyk potoczył się hałaśliwie po ziemi, odbił od ściany i wylądował z pluskiem w wodzie, i choć dźwięk prawie zginął wśród bulgotu rzeki, podskoczyłam przestraszona.

Akurat zakładałam z powrotem obdarte tenisówki, gdy mój czas na kąpiel dobiegł końca.

– Puk, puk – odezwał się w ciemnościach znajomy głos.

– Dzień dobry, Ian – odpowiedziałam. – Właśnie skończyłam. Dobrze spałeś?

– Ian śpi – odparł głos Iana. – Ale pewnie niedługo się obudzi, więc musimy się pospieszyć.

Poczułam, jak lodowacieją mi stawy. Nie mogłam się ruszyć z miejsca. Zaparło mi dech.

Zwróciłam kiedyś na to uwagę, a potem, gdy Kyle zniknął na kilka tygodni, całkiem o tym zapomniałam: bracia mieli nie tylko bardzo podobną fizjonomię, ale też identyczny głos. Oczywiście pod warunkiem, że Kyle mówił normalnym tonem, czyli dość rzadko.

Brakowało mi powietrza. Znalazłam się w potrzasku. Byłam w grocie czarnej jak noc, a Kyle stał u wyjścia. Nie miałam dokąd uciec.

Bądź cicho! – pisnęła Melanie.

Posłuchałam jej. I tak nie mogłam krzyczeć, nie miałam powietrza w płucach.

Nasłuchuj!

Robiłam, co kazała. Spróbowałam się skupić mimo strachu przeszywającego mnie milionem lodowatych sopli.

Nic nie słyszałam. Czyżby Kyle czekał, aż coś odpowiem? Zakradał się po cichu? Jeszcze mocniej wytężyłam słuch, ale bulgot rzeki zagłuszał inne dźwięki.

Szybko, podnieś jakiś kamień! – rozkazała Melanie.

Po co?

W myślach stanął mi obraz, jak rozbijam Kyle'owi głowę.

Nie potrafię!

Inaczej zginiemy! – krzyknęła. *Ja potrafię! Pozwól mi to zrobić.*

Musi być jakieś inne wyjście, jęknęłam, ale posłusznie ugięłam zesztywniałe kolana i zaczęłam przeczesywać rękoma ciemną podłogę. Znalazłam jeden duży, strzępiasty kamień oraz garść małych.

Walcz albo uciekaj.

Zdesperowana, próbowałam uwolnić Melanie, ale nie mogłam znaleźć właściwych drzwi – ręce ciągle były moimi rękoma, to ja ściskałam w nich kamienie, których nie potrafiłam użyć jako broni.

Jakiś dźwięk. Cichy plusk w strumyku odprowadzającym wodę z basenu do sąsiedniej groty. Parę metrów ode mnie.

Oddaj mi moje ręce!

Nie wiem jak! Weź je sobie!

Ruszyłam po cichu wzdłuż ściany w stronę wyjścia. Melanie próbowała wydostać mi się z głowy, ale ona również nie mogła odnaleźć furtki.

Kolejny odgłos. Oddech. Tym razem nie od strony strumienia, lecz... przy wyjściu. Zamarłam.

Gdzie on jest?

Nie wiem!

Znowu słyszałam tylko rzekę. Czy Kyle był sam? Czy miał kogoś do pomocy, czekającego w drzwiach? Jak blisko już podszedł?

Włosy na rękach i nogach stanęły mi dęba. Wyczuwałam w powietrzu dziwne napięcie, tak jakbym czuła jego bezszelestne ruchy. Zawróciłam powoli tam, skąd przyszłam.

Wiedziałam, że nie będzie czekał bez końca. Z tego, co mówił, wynikało, że nie ma zbyt wiele czasu. W każdej chwili mógł ktoś przyjść. Z drugiej strony, więcej było takich, którzy raczej przymkną oko na to, co się dzieje, niż spróbują go powstrzymać, a osób, które mogłyby tego dokonać, było jeszcze mniej. Chyba tylko Jeb ze swoją strzelbą mógł tu coś wskórać. Wprawdzie Jared nie był od Kyle'a słabszy, ale mniej mu zależało. Tym razem pewnie nie stanąłby z nim do walki.

Kolejny dźwięk. Chyba krok w okolicach drzwi. A może się przesłyszałam? Jak długo jeszcze potrwa ta gra? Straciłam rachubę czasu, nie miałam pojęcia, ile minęło sekund albo minut.

Przygotuj się. Melanie czuła, że zabawa w kotka i myszkę powoli dobiega końca. Chciała, żebym mocniej ścisnęła kamień w dłoni.

Postanowiłam jednak spróbować najpierw ucieczki. Nawet gdybym się przemogła i stanęła do walki, nie byłabym przecież równorzędnym przeciwnikiem. Kyle ważył pewnie dwa razy więcej ode mnie i miał dłuższe ramiona.

Uniosłam dłoń, w której trzymałam garść kamyków, mierząc w kierunku przejścia do ubikacji. Liczyłam, że uda mi się go zmylić, tak by pomyślał, że chcę się tam schować i czekać na pomoc. Uderzyły o ścianę z takim hałasem, aż schowałam głowę w ramiona.

Znowu oddech przy wyjściu. Miękkie kroki. Przynęta zadziałała. Ruszyłam wzdłuż ściany najciszej, jak umiałam.

Co, jeśli jest ich dwóch?

Nie wiem.

Byłam już bardzo blisko wyjścia. Byle tylko dostać się do tunelu, pomyślałam. Tam mnie nie dogoni, jestem lżejsza i szyb...

Usłyszałam krok, tym razem wyraźnie. Postawił nogę w strumyku. Przyspieszyłam.

Ciszę przerwał ogromny plusk. Wzdrygnęłam się, opryskana wodą. Część chlusnęła głośno o ścianę.

Idzie przez basen! Biegnij!

Wahałam się o sekundę za długo. Wielkie palce schwyciły mnie za kostkę i łydkę. Szarpnęłam nogą i upadłam jak długa na ziemię, wyślizgując mu się z dłoni. Złapał mnie za but. Natychmiast wyszarpnęłam z niego stopę.

Leżałam na ziemi, ale on też, więc rzuciłam się czym prędzej do ucieczki, rozdzierając sobie kolana o skalną podłogę.

Kyle chrząknął i chwycił się mojej bosej pięty, ale nie miał na czym oprzeć palców i od razu mu się wysmyknęłam. Wyrwałam do przodu na nogach, lecz mocno pochylona, tak że w każdej chwili mogłam się znowu przewrócić, poruszałam się bowiem niemal równolegle do podłogi. Utrzymywałam równowagę jedynie siłą woli.

Nikogo więcej nie było. Nikt nie czekał przy wejściu, żeby mnie złapać. Zaczęłam pędzić przed siebie. Czułam, jak rośnie we mnie nadzieja i wzbiera adrenalina. Wpadłam biegiem do pieczary z rzeką, myśląc jedynie o tym, by dotrzeć do tunelu. Słyszałam za sobą dyszenie Kyle'a – blisko, ale nie dość blisko. Z każdym krokiem odbijałam się mocniej od ziemi, powiększałam przewagę.

Nagle poczułam ostry, przeszywający ból w nodze.

Wśród szumu rzeki rozległ się odgłos dwóch kamieni uderzających o podłogę – tego, który ściskałam w dłoni, oraz tego, który mnie ugodził.

Zraniona noga przekręciła się pode mną i upadłam plecami na ziemię. Kyle dopadł do mnie w mgnieniu oka.

Przygniótł mnie swoim ciężarem do podłogi, tak że uderzyłam głową o skałę i zadzwoniło mi w uszach. Nie byłam w stanie się ruszyć ani tym bardziej dźwignąć.

Krzycz!

Z piersi wydarł mi się przenikliwy wrzask. Nie sądziłam, że uda mi się narobić tyle hałasu – ktoś na pewno mnie usłyszał. Oby to był Jeb. Oby miał ze sobą broń.

– Uch! – zaprotestował Kyle. Jego wielka dłoń zakrywała mi prawie całą twarz. Zacisnął ją na moich ustach.

Zaczęliśmy się toczyć. Tak bardzo mnie tym zaskoczył, że nawet nie próbowałam tego wykorzystać. Przeciągał mnie płynnie nad i pod sobą. Byłam oszołomiona, wciąż kręciło mi się w głowie, ale gdy tylko zanurzył mnie w wodzie, wszystko stało się jasne.

Chwycił mnie mocno za kark i wepchnął do chłodnego, płytkiego strumyka płynącego krętym torem w stronę łaźni. Było za późno, by nabrać powietrza. Łyknęłam już sporo wody.

Kiedy wlała mi się do płuc, moje ciało ogarnęła panika. Broniło się z nadspodziewaną siłą. Kończyny miotały się we wszystkie strony, szyja wyśliznęła się z uścisku. Próbował mnie lepiej chwycić, a wtedy ja zamiast schować się głębiej, tak jak się spodziewał, instynktownie poderwałam głowę. Nieznacznie, ale to wystarczyło, żeby wynurzyć brodę ze strumienia, wykasłać trochę wody i zaczerpnąć powietrza.

Próbował zanurzyć mnie z powrotem, ale tak się pod nim wiłam i szarpałam, że jego własny ciężar tylko mu przeszkadzał. Targał mną kaszel, ciało wciąż zmagało się z wodą w płucach.

– Dość tego! – warknął Kyle.

Zszedł ze mnie. Próbowałam się odczołgać.

– Nawet o tym nie myśl – rzucił przez zęby.

Wiedziałam, że to już koniec.

Z ranną nogą było coś nie tak. Zdrętwiała i odmawiała posłuszeństwa. Mogłam się tylko odpychać rękoma i drugą nogą, ale nie szło mi to najlepiej, bo przeszkadzał mi kaszel. Nie byłam też w stanie znowu krzyknąć.

Kyle chwycił mnie za nadgarstek i poderwał z ziemi. Noga ugięła mi się pod ciężarem ciała i osunęłam się na niego.

Wtedy jedną ręką ścisnął mi nadgarstki, a drugą objął w pasie. Podniósł mnie z podłogi i przycisnął do boku jak nieporęczny worek mąki. Wywijałam w powietrzu zdrową nogą.

– Miejmy to z głowy.

Przesadził strumień jednym susem i zaniósł mnie do pierwszego z brzegu otworu w podłodze. Uderzyła mnie w twarz para z gorącego źródła.

Zamierzał wrzucić mnie do ciemnej dziury na pastwę bystrej, wrzącej wody.

– Nie, nie! – krzyczałam, ale zbyt cicho i chrapliwie, by ktokolwiek mógł mnie usłyszeć.

Miotałam się gorączkowo. Uderzyłam kolanem w jedną ze skalnych kolumn, a po chwili zaczepiłam o nią stopę, próbując mu się wyrwać, ale wyszarpnął mnie, dysząc gniewnie.

Przynajmniej musiał poluzować nieco uścisk, dzięki czemu mogłam wykonać jeszcze jeden manewr. Raz już mi się udał, więc postanowiłam spróbować znowu. Zamiast się wyrywać, objęłam go nogami w pasie i, nie zważając na ból, zacisnęłam zdrową stopę na tej zdrętwiałej, by mocno się go uczepić.

– Złaź ze mnie, ty... – Kiedy próbował mnie zrzucić, udało mi się uwolnić nadgarstek. Owinęłam mu rękę wokół szyi i złapałam go za gęstą czuprynę. Gdybym spadła teraz w rzeczną czeluść, poleciałby ze mną.

Kyle zasyczał, puścił na chwilę moją nogę i zdzielił mnie pięścią w bok.

Jęknęłam z bólu, ale udało mi się złapać go za włosy drugą ręką.

Objął mnie rękoma, jakbyśmy się przytulali, a nie walczyli w śmiertelnym zwarciu. Potem chwycił mnie z obu stron za talię i naparł z całej siły, próbując przerwać klincz.

Jego włosy zaczęły mi zostawać w dłoniach, lecz tylko warczał i ciągnął jeszcze mocniej.

Słyszałam blisko bulgot wrzącej wody, miałam wrażenie, że jest tuż pode mną. Para wydobywała się gęstymi kłębami. Przez minutę nie widziałam nic poza wykrzywioną gniewem twarzą Kyle'a, dziką i bezwzględną.

Poczułam, że ranna noga słabnie. Spróbowałam przywrzeć do niego jeszcze bardziej, ale brutalna siła powoli brała górę nad moją desperacją. Jeszcze chwila i się uwolni, a mnie pochłonie sycząca para.

Jared! Jamie! – rozpaczałyśmy obie. Nigdy się nie dowiedzą, co się ze mną stało. Ian. Jeb. Doktor. Walter. Nie pożegnałam się.

Kyle nagle podskoczył i wylądował ciężko na nogach. Wstrząs przyniósł zamierzony skutek: nogi mi się obsunęły.

Zanim jednak zdążył to wykorzystać, stało się coś jeszcze.

Huk pękającej skały prawie mnie ogłuszył. Myślałam, że wali się cała grota. Zatrzęsła się pod nami podłoga.

Kyle wydał stłumiony krzyk i odskoczył do tyłu, a ja z nim. Znowu rozległ się huk i mój napastnik zaczął tracić grunt pod nogami.

To brzeg skalnego otworu załamał się pod naszym ciężarem. Kyle próbował się wycofać, lecz skała pękała w zastraszającym tempie, wyprzedzając jego kroki.

Kawałek podłogi osunął mu się spod pięty i runęliśmy z łoskotem na ziemię. Kyle upadł na plecy, uderzając głową o skalny słup. Ręce opadły mu bezwładnie.

Pękająca podłoga coraz głośniej hałasowała. Czułam, jak pod nim drży. Leżałam mu na piersi. Nasze nogi wisiały nad czeluścią, parująca woda skraplała się na nich milionem kropelek.

– Kyle?

Cisza.

Bałam się ruszyć.

Musisz z niego zejść. Razem jesteście za ciężcy. Ostrożnie – złap się słupa. Odsuń się od dziury.

Byłam zbyt przerażona i rozełkana, by samodzielnie myśleć, więc słuchałam Melanie. Puściłam włosy Kyle'a i powlokłam się ostrożnie po jego nieprzytomnym ciele, używając skalnego słupa jako oparcia. Wydawał się stabilny, ale podłoga wciąż złowrogo pod nami trzeszczała.

Minęłam słup i dobrnęłam do miejsca, w którym skała była nieruchoma, ale czołgałam się dalej w stronę tunelu.

Za mną znów coś pękło. Obejrzałam się i zobaczyłam, że noga Kyle'a zwisa teraz jeszcze niżej. Fragment skalnej podłogi osunął się spod niego i wylądował z pluskiem w rzece. Skała drżała pod jego ciężarem.

Spadnie, uprzytomniłam sobie.

I dobrze, warknęła Melanie.

Ale!...

Jak spadnie, nie będzie mógł nas zabić. Jak nie spadnie, to nas zabije. Proste.

Nie mogę tak zwyczajnie...

Możesz, Wando. Możesz. Nie chcesz żyć?

Chciałam.

Oto pojawiła się szansa, że Kyle zniknie. I że nikt mnie już więcej nie skrzywdzi. W każdym razie żaden człowiek. Była jeszcze Łowczyni, ale może kiedyś w końcu się podda? I będę mogła pozostać na zawsze z ludźmi, których kocham...

Rwało mnie w kolanie – ból powoli wypierał odrętwienie. Po ustach spływał mi ciepły płyn. Skosztowałam go w roztargnieniu i zrozumiałam, że to krew.

Zostaw go, Wagabundo. Chcę żyć. Ja też chyba mam coś do powiedzenia.

Nawet tu, gdzie stałam, czułam drgania. Kolejny kawałek skały runął z pluskiem do wody. Miałam wrażenie, że Kyle zsunął się o parę centymetrów.

Zostaw go.

Melanie wiedziała, co mówi. To był jej świat. Znała rządzące nim zasady.

Spoglądałam na człowieka, który miał lada chwila zginąć – człowieka, który chciał mnie zabić. Nie przypominał już dzikiego zwierzęcia. Na jego twarzy malowało się odprężenie, wręcz błogi spokój.

Był łudząco podobny do brata.

Nie! – zaprotestowała Melanie.

Wróciłam po niego na czworakach, powoli, co chwila badając grunt. Bałam się minąć słup, więc zaczepiłam o niego zdrową nogę i wyciągnęłam się w stronę Kyle'a. Wsunęłam mu ręce pod ramiona i splotłam dłonie na piersi.

Ciągnęłam tak mocno, że oczy prawie wyszły mi z orbit, ale nawet nie drgnął. Podłoga wciąż się sypała, niczym piasek w klepsydrze.

Szarpnęłam ponownie, ale sprawiłam tylko, że skała zaczęła się kruszyć jeszcze szybciej.

Ledwie to sobie uświadomiłam, gdy odpadł kolejny, tym razem większy kawałek. Punkt ciężkości nieprzytomnego ciała niebezpiecznie się przesunął. Kyle zaczął się osuwać.

– Nie! – wykrzyknęłam, nagle odzyskując głos.

Zacisnęłam dłonie mocniej na szerokiej piersi i z wielkim trudem przycisnęłam go do skały. Bolały mnie ręce.

– Pomocy! – krzyczałam. – Niech mi ktoś pomoże!

Rozdział 33

Kłamstwo

Kolejny plusk. Ręce powoli opadały mi z sił.

– Wanda? Wanda!

– Pomocy! Kyle! Podłoga! Pomocy!

Twarz miałam przyciśniętą do skały, a oczy zwrócone ku wejściu do pieczary. W górze robiło się coraz jaśniej, wstawał dzień. Wstrzymałam oddech. Ból rozsadzał mi ramiona.

– Wanda! Gdzie jesteś?

Ian wpadł do groty ze strzelbą w ręku. Trzymał ją nisko, gotową do strzału. Na twarzy miał ten sam wyraz gniewu co jego brat parę chwil wcześniej.

– Uważaj! – krzyknęłam. – Podłoga się wali! Dłużej go nie utrzymam!

Potrzebował dwóch długich sekund, żeby ogarnąć umysłem to, co zobaczył. Spodziewał się ujrzeć Kyle'a próbującego mnie zabić. I całkiem słusznie, ale się spóźnił.

Rzucił broń na ziemię i ruszył pędem w moją stronę.

– Połóż się! Rozłóż równo ciężar!

Padł na ręce i podszedł do mnie na czworakach. W bladym świetle poranka widziałam, jak płoną mu oczy.

– Nie puszczaj.

Jęknęłam z bólu.

Pomyślał sekundę, po czym położył się za mną i przycisnął mnie do skały. Sięgał ramionami o wiele dalej niż ja. Z łatwością objął brata, mimo że leżałam między nimi.

– Raz, dwa, trzy – wystękał.

Jednym pewnym ruchem odciągnął Kyle'a od dziury. Uderzyłam twarzą w skałę, na szczęście zdartym policzkiem. Nie mógł wyglądać dużo gorzej.

– Przyciągnę go. Możesz się wydostać?

– Spróbuję.

Powoli, z bolesną ulgą w ramionach, puściłam Kyle'a, upewniając się najpierw, że Ian mocno go trzyma. Następnie wycofałam się spomiędzy Iana i skały, unikając kontaktu z niepewnym fragmentem podłogi. Przeczołgałam się tyłem półtora metra w stronę wyjścia, gotowa w każdej chwili złapać Iana, gdyby zaczął się osuwać.

Ian zaciągnął bezwładne ciało brata za słup, przesuwając je pojedynczymi szarpnięciami, za każdym razem o kilkanaście centymetrów. Większość podłogi już się zawaliła, ale podstawa słupa trwała nieporuszona.

Ian przeczołgał się tyłem w ślad za mną, taszcząc brata zrywami mięśni i woli. Minutę później wszyscy troje byliśmy już u wejścia do tunelu, Ian i ja zasapani.

– Co się... stało... u diabła?

– Byliśmy... za ciężcy... Podłoga... nie wytrzymała.

– Co tam robiliście... na skraju? Z Kyle'em?

Spuściłam głowę, skupiając się na oddychaniu.

No co, powiedz mu.

Ale co wtedy...?

Dobrze wiesz. Kyle złamał zasady. Jeb go zastrzeli albo wyrzuci. Może Ian najpierw skopie mu tyłek. Chętnie na to popatrzę.

Melanie nie mówiła tego serio; w każdym razie nie podejrzewałam jej o to. Po prostu była na mnie wściekła, że ryzykowałam nasze życie, ratując niedoszłego mordercę.

No właśnie, odparłam. *Jeżeli wyrzucą Kyle'a z mojego powodu... albo zastrzelą...* Zadrżałam. *Nie widzisz, że to nie ma sensu. On jest jednym z was.*

Naraziłaś nasze życie, Wando.

To także moje życie. Nie potrafię nie być... nie być sobą.

Melanie jęknęła z niesmakiem.

– Wando? – rzucił pytająco Ian.

– Nic – odparłam pod nosem.

– Kłamiesz jak najęta.

Nie podnosiłam głowy.

– Co ci zrobił?

– Nic – skłamałam. Nieprzekonująco.

Ian dotknął mi brody i podniósł twarz.

– Krew ci leci z nosa. – Obrócił mi głowę. – I masz krew we włosach.

– Uderzyłam się... kiedy skała się zawaliła.

– Po obu stronach?

Wzruszyłam ramionami.

Ian wpatrywał się we mnie przez dłuższą chwilę. Błysk jego oczu ginął w mroku tunelu.

– Musimy zabrać Kyle'a do Doktora – powiedziałam. – Rozbił sobie głowę.

– Dlaczego go chronisz? Próbował cię zabić. – Nie było to pytanie, lecz stwierdzenie faktu. Gniew na jego twarzy zaczął powoli ustępować miejsca przerażeniu. Pewnie wyobrażał sobie szamotaninę na krawędzi skały. Widziałam to po jego oczach. Nie doczekawszy się odpowiedzi, odezwał się ponownie, tym razem szeptem. – Chciał cię wrzucić do rzeki... – Przeszył go dreszcz.

Do tej pory jedną ręką obejmował Kyle'a – tak usiadł i nie miał siły się ruszyć. Teraz jednak gwałtownie odepchnął nieprzytomnego brata i odsunął się od niego ze wstrętem. Przycisnął mnie do piersi. Czułam jego nierówny oddech.

Było mi dziwnie.

– Powinienem go tam zaciągnąć z powrotem i wrzucić do wody.

Potrząsnęłam gwałtownie głową, aż odezwał się w niej pulsujący ból.

– Nie.

– Po co marnować czas. Jeb jasno powiedział, jakie są zasady. Jeżeli próbujesz zrobić komuś krzywdę, czeka cię kara. Trzeba zwołać sąd.

Spróbowałam się od niego odsunąć, ale przycisnął mnie do siebie jeszcze mocniej. Nie przestraszyłam się – nie tak jak wtedy, gdy chwycił mnie Kyle. Czułam się jednak nieswojo.

– Nie. Nie wolno ci tego zrobić. Nikt nie złamał zasad. Podłoga się zawaliła, to wszystko.

– Wando...

– To twój brat.

– Wiedział, co robi. Tak, to mój brat, ale zrobił to, co zrobił, a ty jesteś... jesteś moją przyjaciółką.

– Nic nie zrobił. Jest człowiekiem – odszepnęłam. – Jego miejsce jest tutaj z wami.

– Nie zamierzam z tobą znowu o tym dyskutować. Widocznie masz inną definicję człowieka niż ja. Dla ciebie to słowo jest... obelgą. Dla mnie – komplementem. Według mnie ty jesteś człowiekiem, a on nie jest. Nie po tym, co zrobił.

– „Człowiek" wcale nie jest dla mnie obelgą. Poznałam was lepiej. Ale, Ian, to przecież twój brat!

– Wstydzę się tego.

Uwolniłam się z jego uścisku. Tym razem nie stawiał oporu. Może dlatego, że gdy ruszyłam nogą, wyrwało mi się z ust ciche jęknięcie.

– Wszystko w porządku?

– Chyba tak. Musimy znaleźć Doktora, ale nie wiem, czy dam radę iść. Ude... uderzyłam się w nogę.

Ian wydał zduszony okrzyk.

– Która to? Pokaż.

Spróbowałam wyprostować prawą nogę i znów jęknęłam. Dotknął palcami mojej kostki, sprawdzając kości i stawy. Pokręcił nią ostrożnie.

– Wyżej. Tu. – Położyłam jego dłoń na tylnej stronie uda, tuż nad kolanem. Kiedy dotknął obolałego miejsca, wydałam kolejny jęk. – To chyba nie złamanie ani nic takiego. Po prostu boli.

– W najlepszym razie to głębokie stłuczenie mięśnia – zamamrotał. – Jak to się stało?

– Musiałam... uderzyć się o skałę, jak upadłam.

Westchnął.

– Dobra, idziemy do Doktora.

– Kyle bardziej potrzebuje pomocy.

– I tak muszę najpierw znaleźć Doktora albo kogokolwiek. Nie zaniosę Kyle'a tak daleko, a ciebie mogę. A niech to, poczekaj.

Obrócił się gwałtownie i zniknął w pieczarze z rzeką. Postanowiłam, że nie będę się z nim kłócić. Chciałam zobaczyć Waltera, zanim... Doktor obiecał, że na mnie poczeka. Jak długo jeszcze podziała pierwsza dawka morfiny? Kręciło mi się w głowie. Miałam dużo zmartwień i mało sił. Adrenalina opadła, czułam się wyczerpana.

Ian wrócił ze strzelbą. Przypomniało mi się, że pomyślałam o niej w łaźni, i zmarszczyłam brwi. Byłam z siebie niezadowolona.

– Chodźmy.

Bez namysłu podał mi broń. Wpadła mi w otwarte dłonie, ale nie potrafiłam ich zacisnąć. Doszłam jednak do wniosku, że to zasłużona kara.

Ian zaśmiał się pod nosem.

– Nie rozumiem, jak można się ciebie bać – powiedział cicho.

Uniósł mnie łatwo i ruszył w głąb tunelu, zanim jeszcze zdążyłam się ułożyć. Starałam się oszczędzać obolały kark i udo.

– Czemu masz takie mokre rzeczy? – zapytał. Mijaliśmy akurat jeden z otworów w suficie i zobaczyłam na jego bladych ustach ponury uśmiech.

– Nie wiem – odparłam cicho. – Od pary?

Znowu zanurzyliśmy się w ciemnościach.

– Zgubiłaś but.

– O.

Minęliśmy kolejną strugę światła i oczy na moment zalśniły mu szafirem. Były poważne, zwrócone na moją twarz.

– Wando... nie masz pojęcia, jaki jestem szczęśliwy, że nic ci się nie stało. To znaczy – że nie stało się nic gorszego.

Milczałam. Bałam się, że powiem coś, czego będzie mógł użyć przeciw Kyle'owi.

Jeb znalazł nas przed wejściem do jaskini z ogrodem. Wystarczyło światła, żebym dojrzała w jego oczach błysk zaciekawienia. Nic dziwnego, skoro Ian niósł mnie na rękach, miałam krew na twarzy, a w otwartych dłoniach strzelbę.

– Czyli miałeś rację – odezwał się. W jego głosie słychać było gniew. Zaciskał szczękę pod gęstą brodą. – Nie słyszałem strzałów. Co z Kyle'em?

– Jest nieprzytomny – odparłam pospiesznie. – Trzeba wszystkich ostrzec, że urwał się kawałek podłogi nad rzeką. Może tam być niebezpiecznie. Kyle uderzył się mocno w głowę. Potrzebuje pomocy.

Jeb uniósł brew tak wysoko, że prawie dotknęła wypłowiałej chusty.

– To jej wersja – uściślił Ian, nie kryjąc wątpliwości. – Upiera się przy niej.

Jeb roześmiał się.

– Pozwól, że uwolnię cię od tego ciężaru – powiedział do mnie.

Chętnie oddałam mu broń. Zaśmiał się znowu, tym razem z mojej miny.

– Ściągnę Andy'ego i Brandta, pomogą mi z Kyle'em. Dojdziemy do was.

– Nie spuszczajcie go z oka, kiedy już się ocknie – rzucił Ian surowym tonem.

– Spokojna głowa.

Jeb poszedł szukać rąk do pomocy. Ian zabrał mnie do południowego tunelu.

– Kyle może być poważnie ranny... Jeb powinien się pospieszyć.

– Kyle ma głowę twardszą niż wszystkie skały w tych jaskiniach.

Tunel zdawał się jeszcze dłuższy niż zwykle. Czy Kyle umierał pomimo moich starań? Może doszedł do siebie i znowu mnie szuka? Co z Walterem? Ciągle śpi? Co, jeśli... już go nie ma? A Łowczyni? Poddała się czy znowu dziś przyleci?

Czy Jared nadal jest u Doktora? – dodała od siebie Melanie. *Czy będzie zły, gdy cię zobaczy? Czy mnie pozna?*

Kiedy w końcu dotarliśmy do słonecznego szpitala, odniosłam wrażenie, że Jared i Doktor przez cały ten czas prawie się nie ruszali. Stali ramię w ramię, oparci o biurko. Nie rozmawiali, tylko patrzyli na śpiącego Waltera.

Gdy Ian wniósł mnie do środka i położył na łóżku, obaj poderwali się, szeroko otwierając oczy. Ian złapał mnie delikatnie za nogę i ostrożnie ją wyprostował.

Walter chrapał. Trochę mnie to uspokoiło.

– Co tym razem? – zapytał Doktor wzburzonym tonem. Sekundę później pochylał się już nade mną i wycierał mi krew z policzka.

Twarz Jareda zastygła w wyrazie zaskoczenia. Był bardzo ostrożny, pilnował się, by nie okazać żadnych innych emocji.

– Kyle – odparł Ian.

– Podłoga... – powiedziałam równo z nim.

Doktor przyglądał się nam na przemian, nie wiedząc, co myśleć.

Ian westchnął i przewrócił oczami. Machinalnie położył mi dłoń na czole.

– Załamała się podłoga nad rzeką. Kyle upadł i rozbił sobie głowę. Wanda uratowała łajdakowi życie. Twierdzi, że się przewróciła. – Ian posłał Doktorowi znaczące spojrzenie. – Coś – kontynuował, nie szczędząc ironii w głosie – nieźle jej przyłożyło w głowę. – Zaczął wymieniać moje obrażenia. – Nos jej krwawi, ale raczej nie jest złamany. Ma coś z mięśniem. – Dotknął mojego zbolałego uda. – Kolana nieźle poharatane, no i znowu dostała w twarz, choć to akurat mogłem być ja, kiedy wyciągałem Kyle'a z dziury, nie wiadomo po co. – Ostatnie słowa już tylko wymamrotał.

– Coś jeszcze? – zapytał Doktor, badając mój bok. Dotknął palcami miejsca, gdzie uderzył mnie Kyle. Drgnęłam.

Doktor podciągnął mi koszulkę, a wtedy Ian i Jared zasyczeli, przejęci tym, co zobaczyli.

– Niech zgadnę – odezwał się Ian lodowatym głosem. – Przewróciłaś się.

– Właśnie – przytaknęłam na bezdechu. Doktor wciąż dotykał mojego boku. Musiałam się powstrzymywać, żeby znowu nie jęknąć.

– To może być nawet złamane żebro, ale nie jestem pewien – wymamrotał w końcu. – Żałuję, że nie mogę ci dać nic przeciwbólowego...

– Nie martw się, Doktorze – wydyszałam. – Nic mi nie jest. Jak się czuje Walter? Budził się w ogóle?

– Nie, dostał końską dawkę, pewnie jeszcze trochę pośpi – odparł Doktor. Uniósł moją rękę i zaczął ją zginać w nadgarstku i łokciu.

– Nic mi nie jest.

Spojrzał na mnie troskliwie.

– Nic ci nie będzie. Musisz tylko trochę odpocząć. Zajmę się tobą. No, obróć głowę.

Zrobiłam, jak kazał, krzywiąc się z bólu, gdy oglądał ranę.

– Nie tutaj – wymamrotał Ian.

Nie widziałam twarzy Doktora, ale Jared rzucił Ianowi pytające spojrzenie.

– Przyniosą tu Kyle'a. Wanda nie może być z nim w jednym pomieszczeniu.

Doktor kiwnął głową.

– Chyba masz rację.

– Przygotuję jej jakieś miejsce. Musicie pilnować Kyle'a, dopóki... dopóki nie zdecydujemy, co z nim zrobić.

Otworzyłam usta, żeby coś powiedzieć, ale Ian położył mi na nich palec.

– Dobra – powiedział Doktor. – Mogę go nawet przywiązać, jeśli chcesz.

– Jeżeli będzie trzeba. Mogę ją zabrać? – Ian zerknął nerwowo w stronę ciemnego tunelu.

Doktor zawahał się.

– Nie – szepnęłam, choć Ian ciągle trzymał mi palec na ustach. – Walter. Chcę być z Walterem.

– Uratowałaś już dzisiaj życie, komu mogłaś. – Głos Iana brzmiał łagodnie i smutno.

– Chcę... chcę się... pożegnać.

Ian kiwnął głową ze zrozumieniem. Po chwili spojrzał na Jareda.

– Mogę ci zaufać?

Jared zaczerwienił się ze złości. Ian podniósł dłoń w pojednawczym geście.

– Nie chcę jej zostawiać bez ochrony – wyjaśnił. – Nie wiem, czy Kyle będzie przytomny. Jeżeli Jeb go zastrzeli, Wanda będzie się obwiniać. Ale ty i Doktor powinniście dać mu radę. Nie chcę, żeby Doktor był tu sam i musiał liczyć na Jeba i jego strzelbę.

– Doktor nie będzie sam – odpowiedział przez zęby Jared.

Ian zawahał się.

– Pamiętaj, że przeszła piekło.

Jared kiwnął głową, wciąż zaciskając zęby.

– Ja też tu będę – przypomniał Doktor.

Ian spojrzał mu w oczy.

– Dobrze. – Pochylił się nade mną i popatrzył błyszczącymi oczami. – Niedługo wrócę. Nic się nie bój.

– Nie boję się.

Zniżył twarz i dotknął ustami mojego czoła.

Nikt chyba nie był zaskoczony bardziej niż ja, aczkolwiek usłyszałam ciche stęknięcie Jareda. Ian obrócił się na pięcie i niemalże wybiegł, zostawiając mnie z otwartymi ze zdziwienia ustami.

Doktor nabrał powietrza przez zęby, jakby próbował zagwizdać w przeciwną stronę.

– No cóż – odezwał się.

Obaj patrzyli na mnie przez dłuższą chwilę. Byłam tak zmęczona i obolała, że mało mnie obchodziło, co sobie myślą.

– Doktorze – zaczął Jared naglącym tonem, ale przerwał mu jakiś hałas dochodzący z tunelu.

Do groty weszło pięciu mężczyzn. Jeb trzymał Kyle'a za lewą nogę, Wes – za prawą. Andy i Aaron podtrzymywali tułów. Głowa rannego opadała Andy'emu za bark.

– Rany boskie, jaki on ciężki – mruknął Jeb.

Jared i Doktor rzucili się do pomocy. Po paru minutach jęczenia i przeklinania udało się Kyle'a położyć na łóżku. Leżał teraz parę kroków ode mnie.

– Wando, jak długo jest nieprzytomny? – zapytał Doktor. Podniósł mu powieki, wpuszczając światło do źrenic.

– Yyy... – Zastanowiłam się pospiesznie. – Odkąd tu jestem plus dziesięć minut, bo tyle Ian mnie tu niósł, i może jeszcze pięć przedtem.

– Czyli co najmniej dwadzieścia?

– Tak, mniej więcej.

Tymczasem Jeb zdążył już postawić własną diagnozę. Niezauważony obszedł łóżko rannego. Nikt nie zwracał na niego uwagi – dopóki nie wyjął butelki i nie chlusnął Kyle'owi w twarz.

– Jeb – zaprotestował Doktor, odsuwając mu rękę.

Ale Kyle parsknął wodą, zamrugał i wydał z siebie jęk.

– Co się stało? Gdzie pasożyt? – Zaczął się wiercić, próbując rozejrzeć się po grocie. – Podłoga... się wali...

Na dźwięk jego głosu ogarnęła mnie panika i zacisnęłam palce na bokach materaca. Bolała mnie noga. Czy dałabym radę uciec, kuśtykając? Może niezbyt szybko...

– Spokojnie – powiedział ktoś cicho. Nie, to nie był żaden ktoś. Poznam ten głos zawsze i wszędzie.

Jared stanął pomiędzy naszymi łóżkami, plecami do mnie, twarzą do Kyle'a. Ten obracał głową w tę i we w tę, cicho utyskując.

– Jesteś bezpieczna – oznajmił Jared, nie spoglądając w moją stronę. – Nie bój się.

Wzięłam głęboki oddech.

Melanie pragnęła go dotknąć. Opierał się ręką o brzeg mojego łóżka. Była tak blisko.

Proszę cię, nie, powiedziałam. *I tak już boli mnie twarz.*

Nie uderzy cię.

Być może. Nie mam ochoty sprawdzać.

Melanie westchnęła. Tęskniła do niego. Pewnie jakoś bym to zniosła, gdyby nie to, że czułam się podobnie.

Daj mu trochę czasu, poprosiłam. Niech się do nas przyzwyczai. Poczekajmy, aż naprawdę uwierzy.

Znowu westchnęła.

– Cholera! – warknął Kyle. Spojrzałam mimowolnie w jego stronę. Jared mi go zasłaniał, widziałam jedynie lśniące oczy. Wpatrywały się we mnie z furią. – Nie spadł!

Rozdział 34

Pogrzeb

Jared doskoczył do Kyle'a i zdzielił go pięścią w twarz.

Trafiony opadł na materac z wywróconymi oczami i otwartymi ustami.

Przez kilka sekund panowała cisza.

– No więc – odezwał się Doktor łagodnym głosem – z medycznego punktu widzenia to chyba nie było najwłaściwsze.

– Ale za to ja czuję się lepiej – odparł chmurno Jared.

Na twarzy Doktora zagościł nikły uśmiech.

– Z drugiej strony, parę minut snu raczej go nie zabije.

Jeszcze raz zajrzał mu pod powieki i sprawdził puls.

– Co się stało? – odezwał się cicho Wes gdzieś znad mojej głowy.

– Kyle próbował go zabić – odparł Jared, zanim zdążyłam cokolwiek powiedzieć. – Chyba nas to nie dziwi?

– Nie próbował – bąknęłam.

Wes spojrzał pytająco na Jareda.

– Altruizm przychodzi mu łatwiej niż kłamstwa – zauważył Jared.

– Robisz mi to na złość? – zapytałam. Moja cierpliwość nie tyle się kończyła, co nie było po niej śladu. Jak długo już nie spałam? Bardziej niż noga bolała mnie tylko głowa. Każdy oddech sprawiał mi ból w boku. Uświadomiłam sobie, nie bez pewnego zdziwienia, że jestem w bardzo złym nastroju. – Bo jeżeli tak, to muszę przyznać, że dobrze ci idzie.

Jared i Wes spojrzeli na mnie ze zdumieniem. Byłam pewna, że miny pozostałych wyglądają podobnie. Może z wyjątkiem Jeba, który jak nikt inny umiał zachować twarz pokerzysty.

– Jestem kobietą – żachnęłam się. – I całe to mówienie o mnie per „on" strasznie działa mi na nerwy.

Jared zamrugał, zbity z tropu. Po chwili jednak odzyskał srogi wyraz.

– Bo jesteś przebrana w kobiece ciało?

Wes spojrzał na niego krzywo.

– Bo jestem sobą – syknęłam.

– Według czyjej definicji?
– Chociażby według waszej. Należę do płci, która wydaje na świat młode. A może to niewystarczająco kobiece?
Zamknęło mu to usta. Poczułam namiastkę samozadowolenia.
I słusznie, przyklasnęła mi Melanie. *Zachowuje się jak świnia.*
Dzięki.
My, dziewczyny, musimy się trzymać razem.
– Nigdy nam o tym nie opowiadałaś – powiedział cicho Wes, podczas gdy Jared zastanawiał się nad ripostą. – Jak to u was wygląda?
Jego oliwkowa cera nabrała rumieńców, jak gdyby dopiero po fakcie zdał sobie sprawę, że wypowiedział te słowa na głos.
– To znaczy, nie musisz odpowiadać, jeżeli to nietaktowne pytanie.
Zaśmiałam się. Byłam w dziwnym, rozchwianym nastroju. Miałam głupawkę, jak to ujęła Mel.
– Nie, nie pytasz o nic... niestosownego. U nas to nie przebiega w tak... skomplikowany sposób jak u was. – Zaśmiałam się znowu i zrobiło mi się ciepło. Pamiętałam to aż nazbyt wyraźnie.
Masz kosmate myśli.
To twoje myśli, odparowałam.
– A więc?... – zapytał Wes.
Westchnęłam.
– Wśród nas jest bardzo niewiele... Matek. To znaczy, niezupełnie Matek. Tak się nas nazywa, ale tak naprawdę chodzi o samą możliwość macierzyństwa... – Zaczęłam o tym rozmyślać i szybko spoważniałam. W świecie dusz w ogóle nie było żywych Matek, trwały jedynie w pamięci potomnych.
– Masz taką m o ż l i w o ś ć? – zapytał sztywno Jared.
Wiedziałam, że wszyscy mnie słuchają. Nawet Doktor zastygł z uchem nachylonym nad piersią Kyle'a.
Nie odpowiedziałam na to pytanie.
– Jesteśmy... trochę jak ule pszczół albo jak mrówki. Mamy mnóstwo bezpłciowych osobników i królową...
– Królową? – powtórzył za mną Wes, spoglądając dziwnie.
– Nie do końca. Ale na każde pięć, dziesięć tysięcy dusz przypada tylko jedna Matka. Czasem nawet mniej. Nie ma żelaznej reguły.
– A ile jest trutni? – zapytał Wes.
– Nie, nie – nie ma żadnych trutni. Mówiłam, to prostsze.
Czekali, aż im wszystko wyjaśnię. Przełknęłam ślinę. Nie powinnam była poruszać tego tematu. Nie miałam ochoty dłużej o tym rozprawiać. Czy naprawdę nie mogłam przecierpieć, że Jared mówi o mnie „on"?

Nie zamierzali mi teraz odpuścić. Zmarszczyłam brwi, lecz kontynuowałam. Przecież sama zaczęłam.

– Matki... się dzielą. Każda... komórka – chyba tak to byście nazwali, choć różnimy się od was budową – no więc każda komórka staje się nową duszą. Każda nowa dusza nosi w sobie okruch pamięci matki, ślad po niej.

– Ile komórek? – zapytał Doktor zaciekawiony. – Ile młodych?

Wzruszyłam ramionami.

– Około miliona.

Otworzyli szeroko oczy w przerażeniu. Wes odsunął się ode mnie, ale powtarzałam sobie, że nie powinnam czuć się urażona.

Doktor zagwizdał pod nosem. Był jedyną osobą, która chciała słuchać dalej. Aaron i Andy wyglądali na zaniepokojonych. Nigdy wcześniej nie słuchali moich opowieści, nie wiedzieli, jak dużo potrafię mówić.

– Kiedy to się dzieje? Potrzeba jakiegoś katalizatora?

– To wybór. Własnowolna decyzja. Tylko tak umieramy. Poświęcamy się dla nowego pokolenia.

– Mogłabyś to zrobić w każdej chwili, podzielić wszystkie komórki, ot tak, po prostu?

– Może nie „ot tak, po prostu", ale tak.

– Czy to bardzo złożone?

– Decyzja, owszem. Sam proces jest... bolesny.

– Bolesny?

Czemu go to dziwiło? Przecież na Ziemi było podobnie.

Mężczyźni, prychnęła Mel.

– Bardzo – powiedziałam. – Wszystkie dusze pamiętają, co czuła wtedy ich Matka.

Doktor gładził się po brodzie, zafascynowany.

– Ciekawe, jak przebiegała ewolucja waszego gatunku... zanim wykształciło się społeczeństwo z królowymi-samobójczyniami. – Myślami był gdzieś daleko.

– Altruizm – powiedział cicho Wes.

– Hmm. Tak – przytaknął Doktor.

Zamknęłam oczy, żałując, że się w ogóle odzywałam. Kręciło mi się w głowie. Nie byłam pewna, czy to po prostu zmęczenie, czy może rana głowy.

– Ach – westchnął cicho Doktor. – Spałaś chyba jeszcze mniej niż ja, prawda? Należy ci się odpoczynek.

– Nic mi nie jest – wymamrotałam, ale nie otworzyłam oczu.

– No to pięknie – rzucił ktoś pod nosem. – Mamy w jaskiniach pieprzoną królową matkę obcych. Za chwilę może się zamienić w milion małych robali.

– Cii.

– Nic by wam nie zrobiły – odpowiedziałam, nie otwierając oczu. – Bez żywicieli od razu by poumierały. – Skrzywiłam się na myśl o tak niewyobrażalnej tragedii. Milion malutkich, bezbronnych duszyczek, srebrzystych niemowląt, usychających...

Nikt nic nie powiedział, ale czułam w powietrzu ulgę.

Byłam bardzo zmęczona. Nie obchodziło mnie już nawet, że parę kroków dalej leży Kyle. Ani że dwaj z mężczyzn, którzy go przynieśli, wezmą jego stronę, gdy się ocknie. Obchodził mnie jedynie sen.

Ale oczywiście wtedy obudził się Walter.

– Au – zajęczał cichutko. – Gladdie?

Ja także jęknęłam i obróciłam się ku niemu. Ból w nodze wykrzywił mi twarz, ale nie byłam w stanie przekręcić tułowia. Wyciągnęłam do niego ręce i chwyciłam go za dłoń.

– Już – szepnęłam.

Walter odetchnął z ulgą.

Doktor uciszył protestujących Andy'ego i Aarona.

– Wanda odmawia sobie snu i spokoju, żeby mu ulżyć. Ma obolałe dłonie od ściskania go za rękę. A wy co dla niego zrobiliście?

Walter jęknął przeciągle, z początku nisko i głęboko, lecz jego głos szybko przeszedł w wizg.

Doktor skrzywił się.

– Aaron, Andy, Wes... Moglibyście, hm, powiedzieć Sharon, żeby przyszła?

– Wszyscy trzej?

– Wynocha – przetłumaczył Jeb.

Jedyną odpowiedzią było szuranie stóp zmierzających ku wyjściu.

– Wando – szepnął Doktor, nachylając mi się nad uchem. – On bardzo cierpi. Nie mogę pozwolić, żeby całkiem odzyskał przytomność.

Próbowałam równo oddychać.

– To lepiej, że mnie nie poznaje. Że bierze mnie za Gladdie.

Otworzyłam oczy. Jeb stał przy łóżku Waltera; twarz chorego wyglądała, jakby nadal spał.

– Żegnaj, Walt – powiedział Jeb. – Do zobaczenia po tamtej stronie.

Odstąpił od łóżka.

– Jesteś dobrym człowiekiem. Będzie nam ciebie brakowało – odezwał się cicho Jared.

Doktor znów odpakowywał morfinę z szeleszczącego papieru.

– Gladdie? – załkał Walt. – Boli mnie.

– Cii. Zaraz przestanie. Doktor da ci zastrzyk.

– Gladdie?

– Tak?

– Kocham cię, Gladdie. Zawsze cię kochałem.

– Wiem, Walter. Ja... ja ciebie też. Wiesz jak bardzo.

Walter westchnął.

Zobaczyłam, jak Doktor pochyla się nad nim ze strzykawką, i zamknęłam oczy.

– Śpij spokojnie, przyjacielu – zamamrotał.

Palce Waltera odprężyły się i poluzowały. Nadal je ściskałam – teraz to ja nie chciałam go puścić.

Minęły trzy minuty i zrobiło się tak cicho, że słyszałam jedynie własny oddech. Niejednostajny, urywany, przypominający łkanie.

Ktoś poklepał mnie po ramieniu.

– Odszedł – powiedział Doktor napiętym głosem. – Już nie cierpi.

Wyciągnął moją dłoń z ręki zmarłego, obrócił mnie ostrożnie i ułożył w wygodniejszej pozycji. Ale prawie nie odczułam zmiany. Teraz, gdy wiedziałam, że Walter już mnie nie słyszy, łkałam głośniej. Złapałam się za rwący bok.

– Jak tam sobie chcesz. Skoro musisz – wymamrotał Jared tonem urazy. Próbowałam otworzyć oczy, ale nie dałam rady.

Coś ukłuło mnie w ramię. Nie pamiętałam, żebym miała tam jakąś ranę. I to jeszcze w tak dziwnym miejscu, po wewnętrznej stronie łokcia.

Morfina, szepnęła Melanie.

Powoli odpływałyśmy. Nie czułam nawet niepokoju, choć przecież powinnam.

Nikt się ze mną nie pożegnał, pomyślałam otępiale. Nie liczyłam na Jareda... ale Jeb... Doktor... Iana nie było...

Nie umierasz, zapewniła mnie Mel. *Zasypiasz.*

*

Kiedy się obudziłam, sufit był ciemny, gwiaździsty. Noc. Mnóstwo gwiazd. Zaczęłam się zastanawiać, gdzie jestem. Nic nie przesłaniało mi nieba, nie widziałam ani kawałka sufitu. Wszędzie tylko gwiazdy, gwiazdy, gwiazdy...

Wiatr delikatnie omiótł mi twarz. Pachniał... pyłem i... czymś jeszcze, czymś dziwnym. Nieobecnością. Nie czułam stęchlizny ani siarki. Powietrze było suche.

– Wanda? – szepnął ktoś, dotykając mojego zdrowego policzka.

Ruszyłam oczami i ujrzałam nad sobą oświetloną przez gwiazdy twarz Iana. Jego dłoń była chłodniejsza niż wiatr, lecz miła w dotyku, ponieważ powietrze było bardzo suche. Co to za miejsce?

– Wanda? Śpisz? Nie mogą dłużej czekać.

Mówił szeptem, więc odpowiedziałam równie cicho.

– Co?

– Zaraz zaczną. Pomyślałem, że będziesz chciała przy tym być.

– Ocknęła się? – rozległ się głos Jeba.

– Co zaczną?

– Pogrzeb Waltera.

Próbowałam usiąść, ale ciało miałam jak z waty. Ian położył mi dłoń na czole. Nie chciał, żebym wstawała.

Zaczęłam obracać głową, by zobaczyć więcej...

Byliśmy na zewnątrz.

N a z e w n ą t r z.

Po lewej niczym miniaturowa góra wznosił się usypany stos głazów porośnięty krzakami. Po prawej rozciągała się i ginęła w ciemnościach pustynna równina. Spojrzałam wzdłuż ciała i zobaczyłam gromadę ludzi pod gołym niebem. Byli jacyś nieswoi. Dobrze ich rozumiałam – czuli się odsłonięci.

Znów spróbowałam wstać. Chciałam podejść bliżej, zobaczyć więcej. Ian wciąż mi nie pozwalał.

– Spokojnie – powiedział. – Nie podnoś się.

– Pomóż mi – poprosiłam.

– Wanda?

Najpierw usłyszałam głos Jamiego, a po chwili zobaczyłam jego samego. Biegł w moją stronę, włosy mu podskakiwały.

Palcami wyczułam pod sobą krawędź maty. Jak się tu dostałam?

– Nie poczekali – powiedział Jamie do Iana. – Zaraz skończą.

– Pomóżcie mi wstać.

Jamie wyciągnął rękę, ale Ian potrząsnął głową.

– Ja to zrobię.

Ostrożnie wsunął pode mnie ręce, uważając szczególnie na obolałe miejsca. Kiedy dźwignął mnie z ziemi, głowa przechyliła mi się na bok jak tonący statek. Jęknęłam.

– Co mi dał Doktor?

– Trochę morfiny, żebyś straciła przytomność. Zresztą i tak potrzebowałaś snu.

Zmarszczyłam brwi.

– Ktoś kiedyś może jej potrzebować bardziej.

– Cii.

Usłyszałam w oddali cichy głos. Obróciłam głowę.

Ponownie ukazała mi się gromada ludzi. Stali w nierównym szeregu przed niewielkim, ciemnym otworem wykopanym przez wiatr w stercie kamieni.

Poznałam głos Trudy.

– Walter zawsze umiał dostrzec we wszystkim jasną stronę. Potrafił doszukać się jasnej strony w czarnej dziurze. Będzie mi tego brakować.

Jakaś postać uczyniła krok do przodu. To była Trudy – poznałam ją po ciemnoszarym warkoczu. Rzuciła do dziury garść czegoś drobnego. Piasku. Opadł na ziemię, cichutko szeleszcząc.

Trudy stanęła z powrotem u boku męża, a wtedy on wystąpił naprzód.

– W końcu odnajdzie Gladys. Jest teraz szczęśliwszy. – Geoffrey rzucił swoją garść piasku.

Ian stanął ze mną na prawym krańcu szeregu, na tyle blisko, że widziałam czarne wnętrze groty. Na ziemi przed nami czerniał jakiś podłużny kształt, wokół niego stali w półkolu wszyscy ludzie z jaskiń.

Wszyscy – dosłownie wszyscy.

Teraz Kyle zrobił krok do przodu.

Zadrżałam, a wtedy Ian przycisnął mnie lekko do siebie.

Kyle nie spoglądał w naszą stronę. Widziałam jego twarz z profilu. Prawe oko miał tak spuchnięte, że ledwie się otwierało.

– Walter do końca pozostał człowiekiem – odezwał się. – To najlepsze, co mogło go spotkać. – Rzucił garść piachu na czarny prostokąt i zajął z powrotem swoje miejsce.

Obok niego stał Jared. Ruszył przed siebie i zatrzymał się u brzegu grobu.

– Walter był dobry na wskroś. Nikt z nas mu nie dorównywał. – Rzucił swoją garść.

Następny był Jamie. Jared poklepał go po ramieniu, gdy się mijali.

– Walter był dzielny – powiedział Jamie. – Nie bał się umierać, nie bał się żyć i... nie bał się u w i e r z y ć. Podejmował własne decyzje i to były słuszne decyzje. – Rzucił garść piasku, obrócił się i wrócił na miejsce, spoglądając mi w oczy.

– Twoja kolej – odezwał się, stanąwszy obok.

Andy zbliżał się już do grobu z łopatą w ręku.

– Poczekaj – powiedział Jamie półgłosem niosącym się wśród ciszy. – Jeszcze Wanda i Ian.

Dookoła rozległ się szmer niezadowolenia. Miałam wrażenie, że mózg próbuje mi się wyrwać z czaszki.

– Okażmy trochę szacunku – odezwał się Jeb, głośniej niż Jamie. Jak dla mnie zbyt głośno.

W pierwszej chwili chciałam dać znak Andy'emu, żeby zaczynał, i poprosić Iana, by mnie stamtąd zabrał. To był ludzki rytuał, ludzka żałoba. Ale ja też byłam pogrążona w żałobie. I miałam coś do powiedzenia.

– Ian, pomóż mi wziąć trochę piasku.

Ian przykucnął, dzięki czemu mogłam nabrać w garść drobnych kamyczków. Oparł mój ciężar na kolanie, by samemu też po nie sięgnąć. Potem wyprostował się i poniósł mnie nad grób.

Nie widziałam, co jest w dziurze. W cieniu skały było ciemno, a grób wydawał się bardzo głęboki.

Ian przemówił pierwszy.

– Walter był wszystkim tym, co w ludziach najlepsze i najjaśniejsze – powiedział, rozrzucając piasek. Dopiero po dłuższej chwili usłyszałam, jak ziarenka lądują cicho na dnie.

Ian spojrzał na mnie.

Pod rozgwieżdżonym niebem zapanowała zupełna cisza. Nawet wiatr ustał. Mówiłam szeptem, ale wiedziałam, że wszyscy mnie słyszą.

– Miałeś serce niezatrute nienawiścią. Twoje istnienie jest dowodem naszego błędu. Nie mieliśmy prawa odbierać ci tego świata, Walterze. Mam nadzieję, że twoje marzenia się ziszczą. Mam nadzieję, że odnajdziesz Gladdie.

Rozwarłam palce, przepuszczając przez nie kamyki. Czekałam, dopóki nie usłyszałam, jak rozpryskują się cicho na ciele Waltera na dnie ciemnego grobu.

Gdy tylko Ian uczynił krok do tyłu, Andy zabrał się do pracy i zaczął zasypywać grób jasną, piaszczystą ziemią z kopca usypanego parę kroków dalej. Lądowała na dnie z ciężkim dźwiękiem, od którego przechodziły mnie dreszcze.

Po chwili dołączył do niego Aaron z drugą łopatą. Ian obrócił się z wolna i poniósł mnie na bok, by zrobić im miejsce. Ciężki odgłos upadającego piasku unosił się echem za naszymi plecami. Ludzie zaczęli szeptać między sobą. Słyszałam, jak się snują, wymieniając uwagi na temat pogrzebu.

Dopiero gdy Ian niósł mnie z powrotem w stronę ciemnej maty – obcego ciała na piaszczystej równi – pierwszy raz mu się przyjrzałam. Twarz miał zmęczoną, pokrytą smugami kurzu. Już raz go takiego widziałam, ale nie mogłam sobie przypomnieć, kiedy to było. Po chwili położył mnie z powrotem na matę. Co niby miałam tu robić, pod gołym niebem? Spać? Tuż za nami był Doktor – obaj z Ianem klęknęli przy mnie w piasku.

– Jak się czujesz? – zapytał Doktor, dotykając mojego boku.

Chciałam wstać, lecz Ian przycisnął mi ramię.

– Dobrze. Może dam radę iść o własnych...

– Nie ma co się spieszyć. Dajmy nodze parę dni, zgoda? – Uniósł mi machinalnie lewą powiekę i zaświecił w oko malutkim strumieniem światła. Prawym okiem widziałam, jak na twarzy zatańczył mu jasny refleks. Zmrużył oczy i odsunął się o kilka centymetrów. Za to dłoń Iana na moim barku nawet nie drgnęła. Zdziwiło mnie to.

– Hmm. Cóż, to mi nie pomaga w pracy. Jak tam głowa? – zapytał Doktor.

– Mam lekkie zawroty. Ale to chyba nie od rany, tylko od tego leku, który mi dałeś. Nie podoba mi się to uczucie – już chyba wolałabym, żeby mnie bolało.

Obaj skrzywili się.

– No co? – zapytałam zdziwiona.

– Będę cię musiał uśpić jeszcze raz, Wando. Przykro mi.

– Ale... dlaczego? – szepnęłam. – Naprawdę nic mi nie jest. Nie chcę...

– Musimy cię zanieść z powrotem do jaskiń – uciął Ian ściszonym głosem, tak jakby nie chciał, żeby inni usłyszeli. Wciąż dochodziły nas głosy odbijające się cichym echem od skał. – Obiecaliśmy... że będziesz nieprzytomna.

– Zwiążcie mi oczy, tak jak ostatnio.

Doktor wyjął z kieszeni strzykawkę. Była już wciśnięta, zostało jedynie ćwierć zawartości. Odsunęłam się bojaźliwie w kierunku Iana, lecz ten zacisnął dłoń, którą trzymał mi na ramieniu.

– Zbyt dobrze znasz jaskinie – bąknął Doktor. – Chcą mieć pewność, że niczego się nie domyślisz...

– Ale dokąd miałabym uciec? – wyszeptałam gorączkowo. – Nawet gdybym znała drogę do wyjścia? Po tym wszystkim, co się wydarzyło, dlaczego miałabym tego chcieć?

– Jeżeli to ich uspokoi... – powiedział Ian.

Doktor wziął do ręki mój nadgarstek. Nie broniłam się. Kiedy wbijał mi igłę w skórę, odwróciłam się. Spojrzałam na Iana. W mroku nocy jego oczy były zupełnie ciemne. Zmrużył je, gdy popatrzyłam na niego skrzywdzonym wzrokiem.

– Przykro mi – wymamrotał. Była to ostatnia rzecz, jaką usłyszałam.

Rozdział 35

Sąd

Jęknęłam. Wirowało mi w głowie, jakbym się chwiała. Targały mną mdłości.

– Nareszcie – powiedział ktoś z ulgą. Ian. Oczywiście. – Głodna?

Pomyślałam o jedzeniu i dostałam odruchu wymiotnego.

– Hm. No, nieważne. Przepraszam. Musieliśmy to zrobić. Ludzie zaczęli... świrować, jak cię wynieśliśmy na zewnątrz.

– W porządku – westchnęłam.

– Wody?

– Nie.

Otworzyłam oczy, próbując po ciemku złapać ostrość. Widziałam nad sobą w szczelinach dwie gwiazdy. Nadal była noc. A może znowu noc, kto to wiedział?

– Gdzie jestem? – zapytałam. Szczeliny nie wyglądały znajomo. Mogłabym przysiąc, że nigdy wcześniej nie wpatrywałam się w ten sufit.

– W swoim pokoju – odparł Ian.

Poszukałam wzrokiem jego twarzy w ciemnościach, ale zobaczyłam jedynie czarny kształt głowy. Przeciągnęłam palcami po posłaniu; był to prawdziwy materac. Pod głową miałam poduszkę. Natrafiłam ręką na jego dłoń, a wtedy chwycił mnie za palce, zanim zdążyłam je cofnąć.

– A tak naprawdę czyj to pokój?

– Twój.

– Ian...

– Wcześniej był nasz, to znaczy mój i Kyle'a. Ale teraz trzymają go w szpitalu, dopóki... sprawa się nie rozstrzygnie. A ja mogę zamieszkać z Wesem.

– Nie chcę zajmować ci pokoju. Co za sprawa ma się rozstrzygnąć?

– Mówiłem ci, będzie sąd.

– Kiedy?

– Czemu chcesz wiedzieć?

– Bo jeżeli się odbędzie, to muszę tam być. Wyjaśnić, jak to było.
– Nakłamać.
– Kiedy? – powtórzyłam pytanie.
– O świcie. Nie zabiorę cię tam.
– W takim razie sama się zabiorę. Dam radę iść, muszę tylko poczekać, aż przestanie mi się kręcić w głowie.
– Zrobiłabyś to, prawda?
– Tak. To nie fair nie pozwolić mi zabrać głosu.
Ian westchnął. Puścił moją dłoń i powoli dźwignął się na nogi. Słyszałam, jak strzelają mu stawy. Jak długo siedział tu po ciemku, czekając, aż się obudzę?
– Zaraz wracam. Może ty nie masz apetytu, ale ja umieram z głodu.
– To była dla ciebie długa noc.
– To prawda.
– Jeżeli zacznie świtać, nie będę tu siedzieć i na ciebie czekać.
Zaśmiał się niewesoło.
– Nie wątpię. Dlatego wrócę szybko i pomogę ci tam dojść.
Odchylił drzwi i wyszedł, pozwalając, by same wróciły na miejsce. Zmarszczyłam brew. To może być trudne do zrobienia na jednej nodze. Miałam nadzieję, że naprawdę wróci.
Czekając, wpatrywałam się w dwie widoczne gwiazdy i dochodziłam do siebie. Ludzkie leki były paskudne. Fuj. Wszystko mnie bolało, ale zawroty głowy były jeszcze gorsze.
Czas płynął powoli, ale nie usnęłam z powrotem. Przez ostatnią dobę głównie spałam. Pewnie jednak byłam głodna. Żeby się upewnić, musiałam poczekać, aż uspokoi mi się żołądek.
Ian wrócił przed brzaskiem, tak jak obiecał.
– Lepiej się czujesz? – zapytał w progu.
– Chyba tak. Ale nie ruszałam jeszcze głową.
– Myślisz, że to t w o j a reakcja na morfinę, czy ciała Melanie?
– To Mel. Słabo znosi większość środków przeciwbólowych. Dziesięć lat temu złamała nadgarstek i wtedy to odkryła.
Zastanawiał się przez chwilę.
– To... dziwne. Mieć do czynienia z dwoma osobami naraz.
– Rzeczywiście.
– Zgłodniałaś już?
Uśmiechnęłam się.
– Wydawało mi się, że czuję chleb. Tak, mój żołądek najgorsze ma już chyba za sobą.

– Miałem nadzieję, że to powiesz.

Jego cień rozłożył się obok mnie. Znalazł po ciemku moją dłoń, otworzył ją i poczułam w niej znajomy, okrągły kształt.

– Pomożesz mi wstać?

Objął mnie ostrożnie za ramię i podniósł jednym sztywnym ruchem, tak że prawie nie poczułam bólu w boku. Poczułam za to, że coś przylega mi do skóry pod koszulką. – I co z moimi żebrami? Połamane?

– Doktor nie jest pewien. Robi, co może.

– Bardzo się stara.

– To prawda.

– Głupio mi, że... na początku go nie lubiłam – przyznałam.

Ian zaśmiał się.

– Trudno, żeby było inaczej. Dziwię się, że w ogóle potrafiłaś polubić kogokolwiek z nas.

– Wiesz, o co mi chodzi – wymamrotałam, po czym wbiłam zęby w twardą bułkę. Przeżułam ją mechanicznie i połknęłam, odkładając resztę na bok, gdyż wolałam się najpierw przekonać, jak zareaguje mój brzuch.

– Wiem, nie jest zbyt smaczna – powiedział Ian.

Wzruszyłam ramionami.

– Tylko sprawdzam, czy mdłości mi przeszły.

– Może to ci bardziej zasmakuje.

Spojrzałam zaciekawiona, ale nie widziałam jego twarzy. Usłyszałam przenikliwy szelest, odgłos rozdzieranego opakowania... i nagle poczułam woń, która wszystko wyjaśniła.

– Cheetosy! – zawołałam. – Naprawdę? To dla mnie?

Coś dotknęło mojej wargi. Bez wahania wgryzłam się w podsunięty mi przysmak.

– Marzyłam o tym – westchnęłam, przeżuwając.

Roześmiał się, po czym położył mi na dłoni całą paczkę.

Opróżniłam pospiesznie niewielkie opakowanie, a następnie skończyłam bułkę, przyprawioną serowym smakiem, który został mi w ustach. Zanim zdążyłam poprosić, sam podał mi butelkę wody.

– Dziękuję. Nie tylko za cheetosy, no wiesz. Za wszystko.

– Cała przyjemność po mojej stronie, Wando.

Popatrzyłam mu w ciemne niebieskie oczy, próbując odszyfrować znaczenie tych słów – miałam wrażenie, że kryje się za nimi coś więcej niż tylko grzeczność. Wtedy jednak uprzytomniłam sobie, że widzę kolor jego oczu. Spojrzałam w górę. Gwiazdy zniknęły, a niebo szarzało. Nadchodził świt.

– Jesteś pewna, że tego chcesz? – zapytał Ian z na wpół wyciągniętymi rękoma, jakby chciał mnie podnieść.

Kiwnęłam twierdząco głową.

– Nie musisz mnie nieść. Moja noga ma się już lepiej.

– Zobaczymy.

Pomógł mi się podźwignąć. Kiedy już stanęłam, nie zdjął ręki z mego boku, a moją rękę założył sobie na kark.

– Tylko ostrożnie. I jak?

Zrobiłam krok do przodu, kuśtykając. Bolało, lecz ból był do zniesienia.

– Świetnie. Chodźmy.

Ian chyba za bardzo cię lubi.

Za bardzo? Nie spodziewałam się usłyszeć Melanie, w dodatku tak wyraźnie. Ostatnio odzywała się tak głośno jedynie na widok Jareda.

Ja też tu jestem. Mam wrażenie, że jego to nie obchodzi.

Oczywiście, że obchodzi. Wierzy nam bardziej niż ktokolwiek inny, oprócz Jamiego i Jeba.

Nie to mam na myśli.

A co?

Ale Melanie znowu zniknęła.

Dotarcie na miejsce zajęło nam dużo czasu. Zaskoczyło mnie to, jaki kawał drogi musieliśmy przejść. W pierwszej chwili myślałam, że idziemy do jaskini z ogrodem albo do kuchni, ponieważ tam zwykle odbywały się zebrania. Tymczasem przemierzyliśmy wschodnie pole i szliśmy dalej, aż w końcu dotarliśmy do dużej, głębokiej i czarnej groty, którą Jeb nazwał kiedyś przy mnie „salą gier". Nie byłam tu od czasu, gdy pierwszy raz oprowadzał mnie po jaskiniach. Przywitał nas gryzący zapach siarkowego źródełka.

W przeciwieństwie do większości grot sala gier była dużo szersza niż wyższa. Tym razem było to widać, gdyż niebieskie lampy nie stały na ziemi, lecz zwisały z sufitu, od którego dzieliło mnie ledwie kilkadziesiąt centymetrów, tak jak w zwyczajnym mieszkaniu. Nie widziałam za to w ogóle ścian, były zbyt daleko od światła. Nie widziałam też gryzącego źródełka, ukrytego gdzieś w dalekim kącie, ale słyszałam jego chlupotanie.

Kyle siedział w najjaśniej oświetlonym punkcie groty, z długimi rękoma założonymi na nogi. Jego twarz przypominała kamienną maskę. Nie podniósł wzroku, kiedy z pomocą Iana weszłam do środka, kuśtykając.

Po jego bokach stali Jared i Doktor, obaj czujni, z rękoma zwieszonymi luźno wzdłuż ciała. Wyglądali jak... strażnicy.

Obok Jareda stał Jeb ze strzelbą zarzuconą na ramię. Wydawał się odprężony, ale wiedziałam już, jak szybko potrafi mu się zmienić nastrój. Jamie trzymał go za drugą rękę... a właściwie to Jeb ściskał chłopcu nadgarstek, z czego Jamie chyba nie był zadowolony. Jednakże kiedy mnie zobaczył, uśmiechnął się i pomachał. Westchnął głęboko i spojrzał dosadnie na Jeba. Wtedy ten puścił jego dłoń.

Obok Doktora stała Sharon, a po jej drugiej stronie ciotka Maggie.

Ian poprowadził mnie do brzegu cienia otaczającego ten żywy obrazek. Nie byliśmy sami. Widziałam sylwetki wielu osób, ale nie ich twarze.

Dziwne – przez całą drogę Ian z łatwością mnie podpierał, teraz jednak jakby nagle się zmęczył. Ręka, którą obejmował mnie w pasie, wisiała na mnie luźno. Poruszałam się chwiejnie, choć najsprawniej, jak mogłam, dopóki nie wybrał miejsca. Pomógł mi usiąść na ziemi, po czym usadowił się obok.

– Auć – szepnął ktoś.

Obejrzałam się i poznałam Trudy. Przysunęła się do nas, a w ślad za nią Geoffrey i Heath.

– Okropnie wyglądasz – powiedziała. – To coś poważnego?

Wzruszyłam ramionami.

– Nic mi nie jest. – Zaczęłam się zastanawiać, czy Ian specjalnie przestał mi pomagać, żeby wszyscy zobaczyli, że ledwo chodzę – było to nieme świadectwo przeciw Kyle'owi. Zmarszczyłam brwi, widząc jego niewinne spojrzenie.

Po chwili zjawili się Wes oraz Lily i oboje dołączyli do grupki moich stronników. Parę sekund później przyszedł Brandt, potem Heidi, a następnie Andy i Paige. Ostatni zjawił się Aaron.

– Wszyscy są – oznajmił. – Lucina została z dziećmi. Nie chciała ich tu przyprowadzać. Powiedziała, żebyśmy zaczynali bez niej.

To powiedziawszy, usiadł obok Andy'ego i nastało krótkie milczenie.

– No dobra – odezwał się głośno Jeb, tak by wszyscy słyszeli. – Oto zasady. Robimy głosowanie. Tak jak zawsze, mogę sam podjąć decyzję, jeżeli nie spodoba mi się wola większości, bo to...

– Mój dom – dokończyło za niego chórem kilka osób. Ktoś zachichotał, lecz od razu przestał. Nikomu nie było do śmiechu. Dokonywał się sąd nad człowiekiem, który próbował zabić obcego. Musiał to być straszny dzień dla nich wszystkich.

– Kto oskarża? – zapytał Jeb.

Ian zaczął się podnosić.

– Nie! – szepnęłam, ciągnąc go za łokieć.

Uwolnił rękę i wstał.

– To bardzo proste – odezwał się. Chciałam się zerwać na nogi i zakryć mu usta, ale nie dałabym rady sama wstać. – Mój brat dostał ostrzeżenie. Miał pełną jasność co do reguł ustalonych przez Jeba. Wanda jest członkiem wspólnoty – zasady i prawa dotyczące każdego z nas dotyczą również jej. Jeb powiedział Kyle'owi wprost, że jeśli nie potrafi się z tym pogodzić, musi odejść. Kyle zdecydował, że zostaje. Wiedział – i wie nadal – jaka jest kara za morderstwo.

– Przecież go nie zabiłem – warknął Kyle.

– I dlatego nie domagam się twojej śmierci – odparował Ian. – Ale nie możesz tu zostać, skoro w głębi serca jesteś mordercą.

Patrzył przez chwilę na brata, po czym z powrotem usiadł obok mnie.

– Mogą go złapać, a my nie będziemy nic wiedzieć – zaprotestował Brandt, podnosząc się. – Przyprowadzi ich tutaj znienacka.

Rozległ się szmer głosów.

Kyle popatrzył krzywo na Brandta.

– Żywego mnie nie dostaną.

– No to zostaje kara śmierci – powiedział ktoś cicho.

– Nie możesz być tego pewien – odezwał się Andy równo w tej samej chwili.

– Po kolei – napomniał ich Jeb.

– Potrafię przeżyć na powierzchni, to dla mnie nic nowego – powiedział Kyle gniewnym tonem.

– Zawsze to pewne ryzyko – odezwał się kolejny głos. Nie potrafiłam rozpoznać ich właścicieli; mówili niewyraźnym szeptem.

I jeszcze jeden.

– Co złego zrobił Kyle? Nic.

Jeb zrobił krok w stronę pytającego, rozeźlony.

– To moje zasady.

– Wcale nie jest jedną z nas – zaprotestował jeszcze ktoś.

Ian znów zaczął wstawać.

– Hej! – wybuchnął Jared. Odezwał się tak głośno, że wszyscy aż podskoczyli. – To nie jest sąd nad Wandą! Ktoś ma jakiś konkretny zarzut wobec niej – wobec samej Wandy? Niech poprosi o osobne zebranie. Ale jak wszyscy dobrze wiemy, ona nikogo tu nie skrzywdziła. Mało tego, uratowała mu życie. – Wskazał na Kyle'a, dźgając palcem powietrze, a wtedy ten drgnął, jakby poczuł to na własnej skórze. – Chwilę po tym, jak próbował ją wrzucić do rzeki, zaryzykowała życie, żeby uchronić go przed taką samą śmiercią. Na pewno zdawała sobie sprawę, że jeśli pozwoli mu zginąć, będzie bezpieczniejsza, a mimo to go uratowała. Czy ktoś z was uczyniłby to samo – ocalił wroga od śmierci? Próbował ją zabić, a ona nawet go nie oskarża.

Jared wskazywał na mnie otwartą dłonią. Czułam na sobie oczy wszystkich osób zgromadzonych w ciemnej grocie.

– Oskarżysz go, Wando?

Patrzyłam na niego szeroko otwartymi oczami, nie mogąc uwierzyć, że odezwał się w mojej obronie, że odezwał się do mnie, że wypowiedział moje imię. Melanie również była w szoku, a ponadto silnie rozdarta. Radował ją ten serdeczny wyraz twarzy, ciepłe spojrzenie, którego tak dawno już nie widziała. Ale to moje imię padło z jego ust...

Potrzebowałam paru sekund, żeby odzyskać głos.

– Zaszło jedno wielkie nieporozumienie – szepnęłam. – Oboje upadliśmy, bo załamała się podłoga. Nic więcej się nie wydarzyło. – Powiedziałam to szeptem, ponieważ miałam nadzieję, że dzięki temu nikt nie usłyszy kłamliwej nuty w moim głosie, ale gdy tylko zamilkłam, Ian zaczął się śmiać pod nosem. Trąciłam go łokciem, lecz nic sobie ze mnie nie robił.

Nawet Jared się do mnie uśmiechnął.

– Sami widzicie. Próbuje jeszcze kłamać w jego obronie.

– Przy czym „próbuje" jest tu słowem kluczowym – dodał Ian.

– A gdzie jest powiedziane, że kłamie? Kto ma na to dowód? – zapytała surowo Maggie, zajmując puste miejsce obok Kyle'a. – Kto ma dowód na to, że to, co brzmi w jej ustach jak fałsz, nie jest prawdą?

– Mag... – zaczął Jeb.

– Zamknij się, Jebediah, teraz ja mówię. Nie rozumiem, o co ta cała awantura. Nikt z nas nie został zaatakowany. Ten przebiegły intruz na nikogo się nie poskarżył. Marnujemy tylko czas.

– Popieram – dodała Sharon głośno i wyraźnie.

Doktor posłał jej zranione spojrzenie.

Trudy zerwała się na nogi.

– Nie możemy pozwolić, by wśród nas żył morderca – i czekać, aż w końcu mu się powiedzie!

– Morderstwo to pojęcie względne – syknęła Maggie. – Według mnie o morderstwie można mówić tylko wtedy, gdy zabito człowieka.

Poczułam na ramionach rękę Iana. Nie zdawałam sobie sprawy z tego, że cała się trzęsę, dopóki nie przylgnął do mnie nieruchomym ciałem.

– Człowiek to także pojęcie względne – odparł Jared, mierząc ją wzrokiem. – Zawsze mi się wydawało, że warunkiem człowieczeństwa jest choćby odrobina współczucia i miłosierdzia.

– Zagłosujmy – zaproponowała Sharon, zanim jej matka zdążyła cokolwiek odpowiedzieć. – Niech podniosą rękę ci, którzy uważają, że Kyle powinien zostać i że nie należy go karać za to... nieporozumienie. – Wypowiadając słowo, którego wcześniej użyłam ja, zerknęła groźnie na Iana.

Ludzie zaczęli podnosić ręce. Przyglądałam się coraz bardziej skrzywionej twarzy Jareda.

Próbowałam unieść dłoń, lecz Ian jeszcze mocniej przycisnął mi ręce do tułowia i wydał przez nos odgłos poirytowania. Uniosłam ją najwyżej, jak mogłam. W ostatecznym rozrachunku mój głos okazał się jednak niepotrzebny.

Jeb liczył na głos.

– Dziesięć... piętnaście... dwadzieścia... dwadzieścia trzy. No dobra, mamy wyraźną większość.

Nie rozglądałam się, by zobaczyć, kto jak głosował. Wystarczyło mi, że dookoła mnie wszyscy trzymali ręce założone na piersiach i z nadzieją w oczach spoglądali na Jeba.

Jamie opuścił swoje dotychczasowe miejsce i wcisnął się między Trudy a mnie. Objął mnie ręką w pasie, tuż pod ramieniem Iana.

– Może twoje dusze miały rację – powiedział surowym tonem, na tyle głośno, by większość mogła go usłyszeć. – Większość ludzi to zwykłe...

– Cicho! – syknęłam.

– No dobra – rzekł Jeb. Wszyscy zamilkli. Spojrzał na Kyle'a, później na mnie, w końcu na Jareda. – No dobra, jestem gotów uznać zdanie większości.

– Jeb... – odezwali się jednocześnie Jared i Ian.

– Mój dom, moje reguły – przypomniał im Jeb. – Nigdy o tym nie zapominajcie. A teraz posłuchaj mnie, Kyle. I ty lepiej też, Magnolio. Jeśli ktoś jeszcze spróbuje zrobić Wandzie krzywdę, czeka go nie sąd, lecz pochówek. – Jakby dla podkreślenia wagi swych słów, poklepał kolbę strzelby.

Wzdrygnęłam się.

Magnolia rzuciła bratu nienawistne spojrzenie.

Kyle kiwnął głową, najwyraźniej przystając na te warunki.

Jeb rozglądał się po rozrzuconym tłumie, patrząc w oczy wszystkim z wyjątkiem grupki skupionej wokół mnie.

– Sąd zakończony – ogłosił wreszcie. – Kto gra w piłkę?

Rozdział 36

Wiara

Atmosfera się rozluźniła, po półkolu przebiegł tym razem szmer ożywienia.

Spojrzałam na Jamiego. Zacisnął usta i wzruszył ramionami.

– Jeb chce tylko, żeby wszystko wróciło do normalności. To było kilka ciężkich dni. Pogrzeb Waltera...

Skrzywiłam się.

Zobaczyłam, że Jeb uśmiecha się szeroko do Jareda. Ten przez chwilę się opierał, po czym westchnął i przewrócił oczami. Obrócił się i ruszył żwawym krokiem w stronę wyjścia.

– Jared przywiózł nową piłkę? – zapytał ktoś.

– Bosko – skomentował stojący obok mnie Wes.

– Będą grać – zamamrotała Trudy i potrząsnęła głową.

– Jeżeli to pomoże rozładować emocje... – odparła pod nosem Lily, wzruszając ramionami.

Mówiły cicho, ale dochodziły mnie również inne, donośniejsze głosy.

– Tylko uważaj tym razem na piłkę – powiedział Aaron do Kyle'a. Stanął nad nim z wyciągniętą dłonią.

Kyle chwycił za nią i podniósł się powoli. Kiedy już stał wyprostowany, prawie sięgał głową wiszących lamp.

– Z tamtą coś było nie tak – odparł, uśmiechając się. – Wada konstrukcyjna.

– Andy kapitanem – zawołał ktoś.

– Ja proponuję Lily – krzyknął Wes, wstając z ziemi, po czym zaczął się rozciągać.

– Andy i Lily.

– Tak, Andy i Lily.

– Biorę Kyle'a – powiedział szybko Andy.

– Ian – odpowiedziała natychmiast Lily.

– Jared.

– Brandt.

Jamie podniósł się z ziemi i stanął na palcach, żeby dodać sobie wzrostu.
– Paige.
– Heidi.
– Aaron.
– Wes.
Ustalanie składów trwało dalej. Jamie rozpromienił się, gdy Lily wzięła go do drużyny, choć miała do wyboru jeszcze połowę dorosłych. Nawet Maggie i Jeb zostali przydzieleni do zespołów. Liczba zawodników była parzysta, dopóki Jared nie przyprowadził Luciny z dwoma podekscytowanymi chłopcami. W ręku miał nową, lśniącą piłkę nożną. Trzymał ją w górze, a Isaiah, starszy z chłopców, podskakiwał, próbując mu ją wytrącić.
– Wanda? – zapytała Lily.
Potrząsnęłam głową, wskazując palcem na chorą nogę.
– No tak. Przepraszam.
Jestem dobra w piłkę, odezwała się Mel, rozczarowana. *To znaczy byłam.*
Ledwie chodzę, przypomniałam jej.
– Ja chyba sobie dzisiaj odpuszczę – rzekł Ian.
– Nie – zaprotestował Wes. – Oni mają Kyle'a i Jareda. Bez ciebie jesteśmy załatwieni.
– Zagraj – odezwałam się do niego. – Ja... będę pilnować wyniku.
Popatrzył na mnie, układając usta w cienką, napiętą linię.
– Nie bardzo jestem w nastroju do gry.
– Potrzebują cię.
Prychnął.
– No dalej, Ian – namawiał go Jamie.
– Chcę popatrzeć – powiedziałam. – Ale to będzie... nudne, jeżeli jedna drużyna będzie miała zbyt dużą przewagę.
– Wando – westchnął Ian. – Jesteś najgorszym kłamcą, jakiego w życiu spotkałem.
Wstał jednak i zaczął się rozciągać wraz z Wesem.
Paige ustawiła słupki – cztery lampy.
Spróbowałam wstać, gdyż siedziałam na samym środku groty. W słabym świetle nikt nie zwracał na mnie uwagi. Atmosfera zdecydowanie się poprawiła, zawodnicy obu drużyn czekali w napięciu na rozpoczęcie gry. Jeb miał rację. Potrzebowali tego, jakkolwiek dziwne mogło mi się to wydawać.
Udało mi się stanąć na czworakach. Wysunęłam zdrową nogę do przodu, opierając się na zranionej. Zabolało. Dalej postanowiłam skakać na jednym kolanie. Trudno mi jednak było utrzymać równowagę.

Już byłabym upadła na twarz, gdyby nie czyjeś silne ręce. Nieco przygnębiona podniosłam wzrok, by podziękować Ianowi za pomoc. Słowa ugrzęzły mi jednak w gardle, gdy zobaczyłam, że to Jared mnie złapał.

– Wystarczyło poprosić o pomoc – zagaił luźnym tonem.

– Tak. – Odchrząknęłam. – Powinnam. Nie chciałam...

– Zwracać na siebie uwagi? – zapytał tak, jakby naprawdę go to ciekawiło. Nie było w tych słowach ani krzty oskarżenia. Pomógł mi doczłapać się do wejścia.

Potrząsnęłam głową.

– Nie chciałam... żeby ktokolwiek robił coś z grzeczności, nie mając na to ochoty. – Nie wyjaśniłam tego najlepiej, ale zdawał się rozumieć, o co mi chodzi.

– Nie sądzę, by Jamie albo Ian mieli ci to za złe.

Zerknęłam przez ramię. Żaden z nich nie zauważył jeszcze w półmroku mojego zniknięcia. Ćwiczyli grę głową i właśnie się roześmiali, bo Wes odbił piłkę twarzą.

– Ale dobrze się bawią. Nie chciałam im przerywać.

Jared przyglądał mi się uważnie. Uświadomiłam sobie, że na mojej twarzy pojawił się tkliwy uśmiech.

– Mały dużo dla ciebie znaczy – powiedział.

– To prawda.

Przytaknął głową.

– A Ian?

– Ian jest... Ian mi wierzy. Opiekuje się mną. Potrafi być bardzo serdeczny... jak na człowieka. – Miałam ochotę dodać, że jest prawie jak dusza. Ale nie zostałoby to chyba właściwie odebrane.

Jared parsknął.

– Jak na człowieka. Nie wiedziałem, że to takie ważne rozróżnienie.

Opuścił mnie na krawędź wejścia, która posłużyła mi za wklęsłą ławkę, nieco wygodniejszą niż płaska skalna podłoga.

– Dziękuję – powiedziałam. – Jeb słusznie postąpił.

– Mam inne zdanie. – Ton jego głosu był łagodniejszy niż same słowa.

– I jeszcze dziękuję... za to, co było wcześniej. Nie musiałeś mnie bronić.

– Mówiłem tylko prawdę.

Utkwiłam wzrok w ziemi.

– Rzeczywiście, nigdy nie zrobiłabym niczego, co mogłoby kogoś tu skrzywdzić. Na pewno nie umyślnie. Przepraszam, że cię zraniłam, zjawiając się tutaj. Ciebie i Jamiego. Tak mi przykro.

Usiadł obok mnie z zamyśloną miną.

– Szczerze mówiąc... – Zawahał się. – Mały się rozpogodził, od kiedy tu jesteś. Prawie zapomniałem, jak wygląda, kiedy się śmieje.

Śmiech Jamiego właśnie niósł się echem po grocie; wyróżniał się na tle niskiego rechotu dorosłych.

– Dziękuję, że mi to powiedziałeś. To moje... największe zmartwienie. Bałam się, że może na trwałe coś zepsułam.

– Dlaczego?

Spojrzałam na niego zagubiona.

– Dlaczego go kochasz? – zapytał zaciekawionym, lecz spokojnym głosem.

Zagryzłam wargę.

– Możesz mi powiedzieć. Ja... – Długo szukał właściwych słów. – Możesz mi powiedzieć – powtórzył w końcu.

– Po części z powodu Melanie – odparłam, nie podnosząc wzroku. Nie zerknęłam, by zobaczyć, czy jej imię zrobiło na nim wrażenie. – Pamiętałam go takim, jakim ona go zapamiętała... To potężna siła. No a potem go tu zobaczyłam... – Wzruszyłam ramionami. – Nie potrafię go n i e kochać. To jest we mnie, w każdej komórce tego ciała. Wcześniej nie doceniałam wpływu żywiciela. Może to tylko te ludzkie ciała. A może tylko Melanie.

– Mówi do ciebie? – Jego głos był nadal spokojny, ale dało się w nim teraz wyczuć lekkie napięcie.

– Tak.

– Jak często?

– Kiedy ma ochotę. Kiedy coś ją zainteresuje.

– A dzisiaj?

– Nie za dużo... Jest na mnie trochę zła.

Parsknął zdziwionym śmiechem.

– Zła? Dlaczego?

– Bo... – Zaczęłam się zastanawiać, czy mogą osądzić Kyle'a drugi raz. – Nic.

Jared znów wychwycił kłamstwo w moim głosie i skojarzył fakty.

– Ach, chodzi o Kyle'a. Na pewno chciała dla niego surowej kary. – Zaśmiał się. – Znając ją.

– Bywa... agresywna – przyznałam. Uśmiechnęłam się, by złagodzić oskarżenie.

Wcale jednak nie odebrał tego jako zarzutu.

– Naprawdę? Kiedy?

– Chce, żebym się broniła. Ale ja... nie potrafię. Nie umiem walczyć.

– To widać. – Dotknął mojej sponiewieranej twarzy opuszką palca. – Przepraszam.

– Nie. Każdy zachowałby się tak samo. Wiem, jak się musiałeś czuć.

– Ty byś się tak nie...

– Gdybym była człowiekiem, owszem. Zresztą, nie to miałam na myśli... Myślałam o Łowczyni.

Zesztywniał.

Ponownie się uśmiechnęłam, żeby rozluźnić atmosferę.

– Mel chciała, żebym ją udusiła. Naprawdę jej nienawidzi. I jakoś... nie potrafię jej za to potępić.

– Ciągle cię szuka. Ale chyba musiała w końcu oddać helikopter. Przynajmniej tyle.

Zamknęłam oczy, zacisnęłam pięści i przez parę chwil koncentrowałam się na oddechu.

– Kiedyś się jej nie bałam – szepnęłam. – Nie wiem, dlaczego teraz tak bardzo mnie przeraża. Gdzie ona jest?

– Nie martw się. Wczoraj jeździła tylko wzdłuż autostrady. Nie znajdzie cię.

Kiwnęłam głową, powtarzając sobie, że to prawda.

– Czy... słyszysz teraz Mel? – zapytał cicho.

Nie otwierałam oczu.

– Czuję jej obecność – odrzekłam po chwili wahania. – Słucha nas uważnie.

– Co sobie myśli? – szepnął.

Wreszcie masz swoją szansę, odezwałam się do niej. *Co chcesz mu powiedzieć?*

Tym razem była wyjątkowo ostrożna. Nasza rozmowa ją zaniepokoiła. *Dlaczego? Dlaczego teraz ci wierzy?*

Otworzyłam oczy i zobaczyłam, że Jared patrzy mi w twarz, wstrzymując oddech.

– Chce wiedzieć, co się stało, że jesteś... inny niż do tej pory. Dlaczego nam wierzysz?

Zastanawiał się chwilę.

– Złożyło się na to parę rzeczy. Byłaś taka... troskliwa wobec Waltera. Jeszcze nigdy nie widziałem, żeby ktokolwiek prócz Doktora okazywał komuś tyle współczucia. No i uratowałaś życie Kyle'owi, podczas gdy większość z nas choćby dla własnego bezpieczeństwa pozwoliłaby, żeby się utopił. A poza tym zupełnie nie potrafisz kłamać. – Zaśmiał się krótko. – Wmawiałem sobie, że to wszystko zasłona dymna. Może gdy obudzę się jutro rano, znowu będę tak myślał.

Otrząsnęłam się. Mel również.

– Ale kiedy zaczęli cię dzisiaj atakować... coś we mnie pękło. Zobaczyłem w nich wszystko to, czego nie powinno być we mnie. Zrozumiałem, że już wcześniej ci uwierzyłem, tylko byłem po prostu uparty. Okrutny. Ale wydaje mi się, że zacząłem wierzyć – to znaczy trochę – już tamtej pierwszej nocy, gdy chciałaś mnie obronić przed Kyle'em. – Roześmiał się, jakby nie uważał go za kogoś groźnego. – Tyle że jestem lepszym kłamcą niż ty. Potrafię nawet okłamywać samego siebie.

– Mel ma nadzieję, że nie zmienisz zdania. Boi się tego.

Zamknął oczy.

– Mel.

Serce zabiło mi szybciej. Sprawiła to jej radość, nie moja. Na pewno się domyślał, że go kocham. Po tym, co mu powiedziałam o Jamiem, musiało to być dla niego jasne.

– Powiedz jej... że nie zmienię.

– Słyszy cię.

– Jak... bezpośrednie macie połączenie?

– Słyszy i widzi to co ja.

– I czuje to co ty?

– Tak.

Zmarszczył nos. Po raz kolejny dotknął mojej twarzy, delikatnie, czule.

– Nie masz pojęcia, jak mi przykro.

Jego dotyk rozpalał mi skórę i było to przyjemne uczucie, ale słowa, które wypowiedział, paliły mnie bardziej. Oczywiście, że było mu przykro głównie ze względu na nią. Oczywiście. Nie powinnam się tym przejmować.

– Jared, no chodź! Gramy!

Oboje podnieśliśmy wzrok. To Kyle wołał. Sprawiał wrażenie zupełnie odprężonego, jak gdyby wcale przed chwilą nie ważyło się jego życie. Może wiedział, że wszystko pójdzie po jego myśli. Może szybko się z tego otrząsnął. W każdym razie zdawał się mnie teraz w ogóle nie zauważać.

Za to inni – owszem.

Jamie przyglądał się nam z uśmiechem zadowolenia. Musiał go ten widok radować. Ale czy słusznie?

Co masz na myśli?

Co widzi, kiedy na nas patrzy? Odzyskaną rodzinę?

A nie jest tak? W pewnym sensie?

Szkoda, że pojawił się w niej ktoś nieproszony.

I tak jest dużo lepiej niż wczoraj.

W sumie...

Wiem, przyznała. *Cieszę się, że Jared o mnie wie... ale wciąż nie podoba mi się, że cię dotyka.*

A mnie to się podoba za bardzo. Czułam przyjemne łaskotanie na skórze w miejscu, gdzie mnie dotknął. *Przepraszam.*

Nie mam do ciebie żalu. W każdym razie wiem, że nie powinnam *mieć.*

Dzięki.

Nie tylko Jamie nam się przyglądał.

Również Jeb był wyraźnie zaciekawiony, znów uśmiechał się leciutko zza brody.

Sharon i Maggie spoglądały na nas złowrogo. Miały identyczny wyraz twarzy, przez co Sharon, pomimo młodzieńczej cery i jaskrawej fryzury, wyglądała równie staro jak jej szpakowata matka.

Ian był zaniepokojony. Miał przymrużone oczy i wyglądał, jakby miał za chwilę do nas podejść i po raz kolejny stanąć w mojej obronie, upewnić się, że Jared nie sprawi mi żadnej przykrości. Posłałam mu kojący uśmiech. Nie odwzajemnił go jednak, a jedynie ciężko westchnął.

Myślę, że martwi go co innego, odezwała się Mel.

– Mówi do ciebie teraz? – Jared wstał, ale wciąż spoglądał mi w twarz.

Rozproszył mnie tym pytaniem i nie zdążyłam zapytać Melanie, co ma na myśli.

– Tak.

– Co mówi?

– Widzimy, co inni myślą o... zmianie twojego nastawienia. – Wskazałam głową ciotkę i kuzynkę Mel, a wtedy obie jednocześnie odwróciły się do mnie plecami.

– Twarde sztuki – przyznał.

– Okej – zagrzmiał Kyle i obrócił się w stronę piłki, ustawionej w najjaśniejszym punkcie groty. – Poradzimy sobie bez ciebie.

– Idę! – Jared posłał mi – nam – na pożegnanie tęskne spojrzenie i dołączył do drużyny.

Pilnowanie wyniku nie szło mi najlepiej. Z miejsca, gdzie siedziałam, nie było zbyt dobrze widać piłki. Mrok sprawiał, że słabo widziałam nawet samych zawodników, chyba że akurat znaleźli się tuż pod którąś z lamp. Musiałam się wszystkiego domyślać po zachowaniu Jamiego. Gdy jego drużyna strzelała gola, wydawał okrzyk zwycięstwa, a gdy traciła – głośno jęczał. To drugie zdarzało się częściej.

Grali dosłownie wszyscy. Maggie stała na bramce w drużynie Andy'ego, a Jeb u Lily. Oboje spisywali się nadspodziewanie dobrze. Widziałam ich postacie w świetle rzucanym przez lampy, poruszali się bardzo zwinne, jakby mieli dużo mniej lat. Jeb nie bał się rzucać na podłogę, by obronić strzał, Maggie grała mniej ofiarnie, lecz równie skutecznie. Przyciągała niewidzialną piłkę jak magnes. Za każdym razem, gdy Ian lub Wes strzelali na bramkę... pac! – piłka trafiała jej do rąk.

Trudy i Paige zeszły z boiska po upływie pół godziny i opuściły grotę, przechodząc obok mnie, pochłonięte żywą rozmową. Niewiarygodne, że ten dzień zaczął się od sądu. Tak czy inaczej, owa skrajna zmiana nastrojów bardzo mnie cieszyła.

Wkrótce kobiety wróciły, dźwigając mnóstwo pudełek. Batoniki musli, te z nadzieniem owocowym. Zawodnicy przystanęli. Jeb ogłosił przerwę i wszyscy zaczęli się pospiesznie schodzić po śniadanie.

Dzielono je na środku groty. W pierwszej chwili zapanował straszny zamęt.

– Wanda, to dla ciebie – powiedział Jamie, wydostawszy się z tłumu. Ręce miał pełne batoników, a pod pachami ściskał butelki wody.

– Dzięki. Fajnie się gra?

– Super! Szkoda, że nie możesz.

– Następnym razem.

– Proszę bardzo... – Ian pojawił się nagle z garściami batoników.

– Ha, byłem pierwszy – odezwał się Jamie.

– O – powiedział Jared, ukazując się po drugiej stronie chłopca. Również on trzymał w dłoniach więcej batoników, niż potrzebował.

Ian i Jared wymienili długie spojrzenia.

– Co się stało z jedzeniem? – zapytał gniewnie Kyle. Stał nad pustym pudełkiem i rozglądał się po grocie w poszukiwaniu winowajcy.

– Łap – zawołał Jared, rzucając mu szybko batony, jeden za drugim, niczym noże.

Kyle chwytał je z łatwością. Potem podbiegł, by sprawdzić, czy Jared nie przywłaszczył sobie zbyt wielu.

– Masz – odezwał się Ian i rzucił bratu połowę swoich, nawet na niego nie spoglądając. – A teraz znikaj.

Kyle zignorował go. Po raz pierwszy dzisiaj spojrzał na mnie. Jego oczy wydawały się czarne na tle świecącej za nim lampy. Nie mogłam odczytać wyrazu jego twarzy.

Otrząsnęłam się i złapałam oddech, przypłacając to bólem w żebrach.

Stojący przede mną Jared i Ian zacieśnili szyk, schodząc się niczym kotary w teatrze.

– Słyszałeś brata – rzekł Jared.

– A mogę najpierw coś powiedzieć? – zapytał Kyle, zerkając przez szczelinę pomiędzy nimi.

Nie usłyszał żadnej odpowiedzi.

– Niczego nie żałuję – zwrócił się do mnie. – Nadal uważam, że zrobiłem to, co należało.

Ian odepchnął brata. Kyle zatoczył się do tyłu, lecz po chwili znowu podszedł bliżej.

– Poczekaj. Nie skończyłem.

– A właśnie, że skończyłeś – odparował Jared. Dłonie miał zaciśnięte w pięści, skóra bieliła mu się na knykciach.

Gwałtowna scena nie uszła niczyjej uwadze. Wszyscy ucichli, atmosfera zabawy nagle wyparowała.

– A właśnie, że nie. – Kyle uniósł ręce w pojednawczym geście, po czym kontynuował: – Uważam, że miałem rację, ale uratowałaś mi życie. Nie wiem, dlaczego to zrobiłaś, ale stało się. A więc – życie za życie. Nie zabiję cię. Tak spłacę dług.

– Ty głupi palancie – odezwał się Ian.

– A kto tu się, braciszku, zabujał w robalu? Mnie nazywasz głupim?

Ian podniósł pięści i wychylił się do przodu.

– Powiem ci, dlaczego – przemówiłam, głośniej niż chciałam. Odniosło to jednak zamierzony skutek. Ian, Jared i Kyle spojrzeli w moją stronę, zapominając na chwilę o kłótni.

Poczułam napięcie. Odchrząknęłam.

– Nie pozwoliłam ci wpaść do wody, bo... bo nie jestem taka jak ty. Nie chodzi mi o to, że nie jestem... jak ludzie. Są tu tacy, którzy na moim miejscu postąpiliby tak samo. Ludzie dobrzy i serdeczni. Na przykład twój brat, Jeb, Doktor... Chcę powiedzieć, że nie jestem taką o s o b ą jak ty.

Kyle wpatrywał się we mnie przez dłuższą chwilę, aż w końcu zarechotał.

– Auć – powiedział, nie przestając się śmiać. Następnie odwrócił się, uznawszy widocznie, że przekazał mi wszystko, co miał do powiedzenia, i poszedł napić się wody. – Życie za życie! – zawołał jeszcze przez ramię.

Nie byłam wcale pewna, czy mu wierzę. Starałam się nie zapominać, że ludzie to doskonali kłamcy.

Rozdział 37

Zazdrość

Wynikami meczów rządziła pewna prawidłowość. Kiedy Jared i Kyle grali w jednej drużynie, wygrywali. Kiedy Jared był z Ianem, również wygrywał. Miałam wrażenie, że jest nie do pokonania – dopóki nie zobaczyłam, jak bracia grają razem.

Z początku wydawało się to trudne, przynajmniej dla Iana, grać w tym samym zespole co Kyle. Jednak po kilku minutach gonienia po ciemku za piłką wpasowali się w pewien schemat, istniejący na długo przed tym, jak przybyłam na Ziemię.

Kyle zdawał się wiedzieć, co za chwilę zrobi Ian, i odwrotnie. Rozumieli się bez słów. Byli nie do zatrzymania, nawet gdy Jared przeciągnął do swojej drużyny wszystkich najlepszych zawodników – Brandta, Andy'ego, Wesa, Aarona, Lily oraz Maggie na bramkę.

– No dobra – odezwał się Jeb, wtykając sobie pod pachę piłkę, którą przed chwilą wyłapał jedną ręką po strzale Aarona. – Chyba wiadomo, kto wygrał. Nie lubię być tym, który psuje zabawę, ale czeka nas dużo pracy... Poza tym nie wiem jak wy, ale ja się trochę zmachałem.

Parę osób protestowało bez większego animuszu, niektóre narzekały półgębkiem, ale większość się śmiała. Nikt jakoś bardzo się tym nie przejął. Widać było, że nie tylko Jeb się zziajał – kilka osób od razu usiadło na podłodze z głową między kolanami, żeby odetchnąć.

Ludzie zaczęli powoli wychodzić dwójkami, trójkami. Usunęłam się w przejściu, żeby zrobić im miejsce. Zapewne zmierzali do kuchni, musiała już minąć pora lunchu, choć w tej ciemnej grocie trudno było zgadnąć. Wśród wychodzącego tłumu majaczyły mi stojące w oddali postaci Kyle'a i Iana.

Kiedy Jeb zarządził koniec meczu, Kyle chciał przybić „piątkę", ale Ian przeszedł obok, nie zwracając na niego uwagi. Wtedy Kyle złapał brata za ramię i obrócił. Ian odepchnął jego dłoń. Napięłam mięśnie ze zdenerwowania. Zanosiło się na bójkę – i w pierwszej chwili właśnie tak to wyglądało. Kyle próbował uderzyć Iana w brzuch, lecz ten z łatwością zrobił unik i zrozumiałam, że nie był to prawdziwy cios. Kyle roześmiał się i wyciągnął długie ramię, by potargać bratu włosy pięścią. Ian odtrącił ją, ale tym razem prawie się uśmiechnął.

– Dobry mecz, braciszku – powiedział Kyle. – Nie zapomniałeś, jak się gra.

– Jesteś idiotą – odparł Ian.

– Ty jesteś bystry, a ja przystojny. To chyba sprawiedliwe.

Kyle wyprowadził kolejny słaby cios. Tym razem Ian złapał brata za nadgarstek, po czym założył mu chwyt. Teraz już się uśmiechał, a Kyle jednocześnie śmiał się i przeklinał.

Wszystko to wydawało mi się bardzo gwałtowne i przyglądałam się temu w napięciu, marszcząc brwi. Zarazem jednak przywiodło mi to na myśl wspomnienie Mel: widok trzech szczeniaków turlających się na trawie, ujadających zaciekle i szczerzących kły, jak gdyby chciały się pozagryzać.

Tak, wygłupiają się, potwierdziła Melanie. *Więź braterstwa jest bardzo silna.*

I dobrze. Tak powinno być. Jeżeli Kyle naprawdę nas nie zabije, to dobrze się stało.

Jeżeli, powtórzyła ponuro Mel.

– Głodna?

Podniosłam wzrok i serce zamarło mi na moment. Poczułam lekkie ukłucie w piersi. Wyglądało na to, że Jared wciąż nie zmienił zdania.

Potrząsnęłam głową. Dało mi to chwilę, której potrzebowałam, by się przemóc.

– Nie wiem czemu, ale jestem tylko zmęczona, choć siedziałam tu cały czas i nic nie robiłam.

Wyciągnął dłoń.

Weź się w garść, skarciła mnie Melanie. *Po prostu jest uprzejmy.*

Myślisz, że nie wiem?

Sięgnęłam po jego dłoń, robiąc, co mogłam, by ręce mi się nie trzęsły.

Podniósł mnie ostrożnie na nogi – a właściwie na nogę. Stałam na niej, balansując ciałem, niepewna, co dalej począć. Jared również czuł się nieco zagubiony. Nadal trzymał mnie za rękę, ale dzielił nas duży odstęp. Wyobraziłam sobie, jak komicznie będę wyglądać, skacząc na jednej nodze po jaskiniach, i zrobiło mi się ciepło. Palce zacisnęły się na jego dłoni, choć właściwie się na niej nie opierałam.

– Dokąd?

– Aa. – Zmarszczyłam brwi. – Sama nie wiem. Pewnie obok ce... to znaczy w przechowalni... ciągle jest jakaś mata.

Zobaczyłam, że podobnie jak ja, nie jest tym pomysłem zachwycony. Nagle objęła mnie z tyłu czyjaś silna dłoń, dając mi oparcie.

– Ja ją zabiorę tam, gdzie trzeba – odezwał się Ian.

Twarz Jareda przybrała powściągliwy wyraz, tak jak za każdym razem, gdy nie chciał, żebym wiedziała, co sobie myśli. Tym razem jednak spoglądał w ten sposób na Iana.

– Właśnie rozmawialiśmy o tym, gdzie to dokładnie jest. Wanda jest zmęczona. Może szpital...?

Ian i ja jednocześnie potrząsnęliśmy głowami. Kiedyś mój lęk przed tym miejscem był urojony, ale teraz, po tych paru okropnych dniach, nie zniosłabym chyba kolejnego tam pobytu. A szczególnie pustego łóżka Waltera...

– Mam dla niej lepsze miejsce – odparł Ian. – Łóżka w szpitalu są niewiele miększe od skał, a Wanda jest obolała.

Jared wciąż trzymał mnie za rękę. Czy zdawał sobie sprawę, jak mocno ją ściska? Zaczynało mi to przeszkadzać, ale chyba nie był tego świadomy, a ja na pewno nie miałam zamiaru się uskarżać.

– Nie chcesz iść na lunch? – zasugerował Ianowi Jared. – Wyglądasz na głodnego. Zabiorę ją, gdzie chcesz...

Ian zaśmiał się cicho i ponuro.

– Dobrze się czuję. Jared, musisz wiedzieć, że Wanda potrzebuje nieco więcej pomocy niż tylko podania dłoni. Nie wiem, czy... jesteś gotów jej to zapewnić. Bo widzisz...

Ian urwał, nachylił się i żwawym ruchem wziął mnie na ręce. Westchnęłam gwałtownie, czując ból w stłuczonym boku. Jared nie puszczał mojej dłoni. Opuszki palców zaczęły mi czerwienieć.

– ...miała już chyba dość sportu jak na jeden dzień. Ty idź do kuchni.

Mierzyli się nawzajem wzrokiem, tymczasem koniuszki moich palców zrobiły się fioletowe.

– Zaniosę ją – powiedział w końcu Jared półgłosem.

– Jesteś pewien? – Ian wyciągnął mnie ku niemu.

Propozycja.

Jared przyglądał mi się przez długą chwilę. W końcu westchnął i puścił moją dłoń.

Au, to boli! – żachnęła się Melanie. Nie chodziło jej o krew wracającą do palców, lecz o nagły ból, który przeszył mi pierś.

Wybacz. Co mam ci na to poradzić?

On nie jest twój.

Wiem o tym.

Au.

Przepraszam.

Ian nieznacznie uniósł kąciki ust w triumfalnym uśmiechu, obrócił się i ruszył w stronę wyjścia.

– Pójdę z wami – powiedział Jared. – Chcę z tobą o czymś porozmawiać.

– Nie krępuj się.

Szliśmy jednak ciemnym tunelem w milczeniu. Jared zachowywał się tak cicho, że nie miałam pewności, czy w ogóle tam jest. Kiedy jednak wyszliśmy z ciemności na pole kukurydzy, okazało się, że idzie z nami krok w krok.

Nie odzywał się, dopóki nie dotarliśmy do jaskini z ogrodem – i nie zostaliśmy sami we trójkę.

– Ufasz Kyle'owi? – zapytał Iana.

Ten prychnął.

– Mówi o sobie, że jest człowiekiem honoru. Normalnie uwierzyłbym, że dotrzyma słowa. Ale w tej konkretnej sytuacji... nie zamierzam spuszczać Wandy z oka.

– To dobrze.

– Nic mi się nie stanie, Ian – powiedziałam. – Nie boję się.

– Nie ma powodu. Obiecuję – nic podobnego już cię nie spotka. Dopilnuję, żebyś czuła się tu bezpiecznie.

Trudno było odwrócić wzrok, gdy tak płonęły mu oczy. I trudno było wątpić w to, co mówi.

– Tak – poparł go Jared. – Nic ci nie grozi.

Szedł teraz za Ianem. Nie widziałam wyrazu jego twarzy.

– Dzięki – odszepnęłam.

Potem nikt się nie odzywał, dopóki Ian nie zatrzymał się przed czerwono-szarymi drzwiami do swojego pokoju.

– Mógłbyś mi otworzyć? – poprosił Jareda, wskazując brodą drzwi.

Ale Jared nie ruszył się z miejsca. Ian obrócił się. Teraz oboje go widzieliśmy. Twarz miał znowu nieprzeniknioną.

– T w ó j pokój? To ma być to lepsze miejsce? – W głosie Jareda pobrzmiewało zwątpienie.

– To teraz jej pokój.

Zagryzłam wargę. Chciałam powiedzieć Ianowi, że to z całą pewnością nie jest mój pokój, ale nie zdążyłam, gdyż Jared zaczął go wypytywać.

– Gdzie śpi Kyle?

– Na razie u Wesa.

– A ty?

– Jeszcze nie wiem.

Spoglądali na siebie badawczym wzrokiem.

– Ian, to nie jest... – zaczęłam.

– Ach – przerwał mi, jakby właśnie sobie o mnie przypomniał... jakbym była tak lekka, że całkiem zapomniał, iż trzyma mnie na rękach. – Jesteś bardzo zmęczona, prawda? Jared, czy mógłbyś otworzyć te drzwi?

Jared otworzył czerwone drzwi szarpnięciem, tak że zatrzymały się dopiero na drugich, szarych.

Po raz pierwszy zobaczyłam pokój Iana w świetle dnia. Przez wąskie szpary w suficie sączyło się południowe słońce. Nie był tak jasny jak pokój Jamiego i Jareda, ani tak wysoki. Miał bardziej równomierny kształt i był mniejszy. Okrągły – trochę jak moja dawna cela, tylko że dziesięć razy większy. Na podłodze leżały dwa podwójne materace, dociśnięte do przeciwległych ścian, tak by można było między nimi przejść. Za nimi pod ścianą stała niska, podłużna szafka, a na niej, po lewej, sterta ubrań, dwie książki oraz talia kart. Prawa strona była pusta, ale od niedawna, sądząc po śladach w kurzu.

Ian położył mnie ostrożnie na materacu po prawej, starannie układając mi nogę i poprawiając poduszkę pod głową. Jared stał w drzwiach, przodem do korytarza.

– Tak dobrze?

– Tak.

– Wyglądasz na zmęczoną.

– Nie wiem czemu – ostatnio głównie spałam.

– Twoje ciało potrzebuje snu, żeby wyzdrowieć.

Przytaknęłam. Istotnie, oczy same mi się zamykały.

– Później przyniosę ci jedzenie – o nic się nie martw.

– Dziękuję. Ian?

– Tak?

– To twój pokój – wymamrotałam. – Oczywiście, że śpisz tutaj.

– Nie będziesz miała nic przeciwko?

– Niby czemu?

– Może to i dobry pomysł – będę cię mógł lepiej pilnować. Prześpij się.

– Dobrze.

Oczy miałam już zamknięte. Poklepał mnie po dłoni, potem usłyszałam, jak wstaje. Kilka sekund później drewniane drzwi stuknęły lekko o skałę.

Co ty wyprawiasz? – zapytała gwałtownie Melanie.

Jak to? Co takiego znowu zrobiłam?

Wando, jesteś... zasadniczo człowiekiem. Chyba zdajesz sobie sprawę, jak Ian potraktuje to zaproszenie?

Zaproszenie? Zaczynałam rozumieć, do czego zmierza. *To nie tak. To jego pokój. Są tu dwa łóżka. Mają za mało pokojów, żebym dostała cały dla siebie. To oczywiste, że trzeba je dzielić. Ian o tym wie.*

Czyżby? Otwórz oczy, Wando. On zaczyna... Jak mam ci to wytłumaczyć, żebyś mnie dobrze zrozumiała? Zaczyna czuć do ciebie... to, co ty czujesz do Jareda. Nie widzisz tego?

Zanim zdołałam odpowiedzieć, serce zabiło mi dwa razy.

To niemożliwe, powiedziałam w końcu.

– Myślisz, że to, co się stało rano, wpłynie jakoś na Aarona albo Brandta? – zapytał Ian półgłosem po drugiej stronie drzwi.

– To, że Kyle'owi się upiekło?

– Tak. Do tej pory nie... musieli nic robić. Myśleli, że Kyle zrobi to za nich.

– No tak. Pogadam z nimi.

– Sądzisz, że to wystarczy? – zapytał Ian.

– Obydwu uratowałem życie. Mają u mnie dług wdzięczności. Jeżeli ich o coś poproszę, posłuchają.

– Jesteś pewien? Tu chodzi o jej życie.

Milczeli przez chwilę.

– Będziemy jej pilnować – powiedział w końcu Jared.

Kolejna długa cisza.

– Nie idziesz na lunch? – zapytał Jared.

– Nie, na razie tu zostanę... A ty?

Jared nic nie odpowiedział.

– Co? – zapytał Ian. – Chcesz mi coś powiedzieć, Jared?

– Ta dziewczyna... – zaczął powoli Jared.

– Tak?

– To ciało nie jest jej.

– No i?

– Trzymaj ręce przy sobie. – Ton Jareda był stanowczy.

Ian zaśmiał się pod nosem.

– Jesteś zazdrosny, Howe?

– Nie w tym rzecz.

– Doprawdy. – Ian przybrał sarkastyczny ton.

– Wygląda na to, że Wanda i Melanie jakoś się dogadują. Trochę jakby... się przyjaźniły. Ale oczywiście to Wanda podejmuje decyzje. Postaw się teraz na miejscu Melanie. Jak byś się czuł? Gdybyś to ty miał w sobie... intruza. Gdybyś był uwięziony we własnym ciele, a ktoś inny kierowałby jego ruchami? Gdybyś nie mógł nawet się odezwać? Nie chciałbyś, żeby twoja wola – na tyle, na ile można by ją ustalić – została uszanowana? Przynajmniej przez innych ludzi?

– No dobrze, dobrze. Rozumiem. Będę to miał na uwadze.
– Co to znaczy „będę to miał na uwadze"?
– To znaczy, że to przemyślę.
– Tu nie ma o czym myśleć – odparował Jared. Potrafiłam wyobrazić sobie jego twarz na podstawie głosu – zaciskał zęby, napinał szczękę. – To ciało i uwięziona w nim osoba należą do mnie.
– Jesteś pewien, że Melanie wciąż czuje...
– Melanie zawsze będzie moja. A ja zawsze jej.
Zawsze.
Znalazłyśmy się nagle z Melanie na przeciwnych biegunach. Ona niemal fruwała w uniesieniu, a ja... a ja nie.
Czekałyśmy w napięciu, aż znowu się odezwą.
– A teraz postaw się na miejscu Wandy – powiedział Ian prawie szeptem. – Co by było, gdyby wsadzono cię do ludzkiego ciała i kazano żyć na Ziemi, i okazałoby się, że czujesz się zagubiony wśród własnej rasy? Gdybyś był tak dobrą... osobą, że spróbowałbyś ocalić życie, które zabrałeś, i zwrócić tego człowieka rodzinie, prawie przy tym ginąc? A potem znalazłbyś się wśród obcych, brutalnych istot, które cię nienawidzą, krzywdzą i co jakiś czas próbują zabić? – Głos na chwilę mu się załamał. – A mimo to robiłbyś, co w twojej mocy, żeby tym ludziom pomóc? Nie zasługiwałbyś wtedy na własne życie? Nie należałoby ci się choć tyle?
Jared milczał. Czułam, jak oczy zachodzą mi łzami. Czy Ian naprawdę miał o mnie tak wysokie mniemanie? Czy naprawdę uważał, że zasłużyłam na to, by żyć wśród nich?
– Rozumiesz? – naciskał Ian.
– Muszę to przemyśleć.
– I bardzo słusznie.
– Ale tak czy inaczej...
Ian przerwał mu, wzdychając.
– Nie masz co się tak denerwować. Wanda niezupełnie jest człowiekiem, mimo że ma ciało. Nie zauważyłem, żeby reagowała na... dotyk tak jak ludzie.
Tym razem to Jared się zaśmiał.
– Czy to twoja teoria?
– Co w tym śmiesznego?
– Wierz mi, potrafi reagować na dotyk – zapewnił go Jared, przybierając na powrót poważny ton. – Jest pod tym względem wystarczająco ludzka. A przynajmniej jej ciało.
Zrobiło mi się gorąco na twarzy.
Ian milczał.

– Jesteś zazdrosny, O'Shea?

– Wyobraź sobie... że tak. Dziwne, prawda? – Głos Iana brzmiał nienaturalnie. – Skąd o tym wiesz?

Teraz to Jared się zawahał.

– To był... taki eksperyment.

– Eksperyment?...

– Skończył się inaczej, niż przypuszczałem. Mel walnęła mnie w twarz. – Słyszałam, że się uśmiecha, i wyobrażałam sobie, jak wokół oczu pojawiają mu się maleńkie zmarszczki.

– Melanie... cię... walnęła?

– Jestem pewien, że to nie była Wanda. Musiałbyś widzieć jej twarz... Co? Hej, wyluzuj, człowieku!

– Pomyślałeś choć przez chwilę, jak się musiała poczuć?

– Mel?

– Nie, idioto! Wanda!

– Wanda? – zapytał Jared ze zdziwieniem, jakby nie rozumiejąc.

– Ech. Wynoś się stąd. Idź coś zjedz. Trzymaj się ode mnie przez parę godzin z daleka.

Ian nie dał mu szansy na odpowiedź. Otworzył drzwi szarpnięciem – gwałtownie, ale bardzo cicho – i wśliznął się do pokoju, po czym zamknął je za sobą.

Obrócił się i natrafił na moje spojrzenie. Sądząc po jego minie, był zaskoczony tym, że nie śpię. Zaskoczony i zmartwiony. Oczy zapłonęły mu ogniem, po czym z wolna przygasły. Ściągnął usta.

Przekrzywił głowę na bok, nadstawiając uszu. Ja także nasłuchiwałam, ale Jared poszedł sobie bezszelestnie. Ian odczekał jeszcze chwilę, potem westchnął i osunął się na brzeg swojego materaca, naprzeciw mnie.

– Chyba rozmawialiśmy głośniej, niż mi się wydawało – powiedział.

– Dźwięk się niesie w tych jaskiniach – szepnęłam.

Kiwnął twierdząco głową.

– A więc... – odezwał się w końcu. – Co ty o tym myślisz?

Rozdział 38

Dotyk

– Co myślę o czym?

– No... o tej naszej rozmowie – uściślił Ian.

Co o niej myślałam? Nie wiedziałam.

Jakimś sposobem Ianowi udało się spojrzeć na sytuację z mojej perspektywy, z obcej perspektywy. Uważał, że zasłużyłam na życie.

Ale że był... zazdrosny? O Jareda?

Wiedział, czym jestem. Wiedział, że jestem tylko małą istotą przyczepioną do mózgu Melanie. Robalem, jak nazwał mnie Kyle. Ale nawet Kyle stwierdził, że Ian się we mnie „zabujał". We mnie? To przecież niemożliwe.

A może chciał wiedzieć, co myślę o Jaredzie? O jego eksperymencie? Jak reaguję na dotyk? Otrząsnęłam się.

Może chodziło mu o mój stosunek do Melanie? A może o to, co ona myśli o ich rozmowie? Albo chciał wiedzieć, czy zgadzam się z Jaredem co do jej praw?

Prawdę mówiąc, nie wiedziałam, co myśleć na którykolwiek z tych tematów.

– Nie wiem, naprawdę – odparłam.

Kiwnął głową.

– To zrozumiałe.

– Tylko dlatego, że jesteś bardzo wyrozumiały.

Uśmiechnął się do mnie. Zadziwiające, jak jego oczy potrafiły jednocześnie ogrzewać i palić. Tym bardziej, że jeśli chodzi o kolor, było im bliżej do lodu niż do ognia. W tej chwili biło z nich ciepło.

– Bardzo cię lubię, Wando.

– Dopiero teraz to widzę. Chyba jestem mało spostrzegawcza.

– Ja też się tego nie spodziewałem.

Oboje zamyśliliśmy się nad tymi słowami.

Zacisnął usta.

– No więc... domyślam się, że... to jest właśnie jedna z tych rzeczy, o których nie wiesz, co myśleć?

– Nie. To znaczy, tak... Nie wiem. Ja... Ja...

– W porządku. Nie miałaś zbyt wiele czasu, żeby to przemyśleć. To wszystko musi ci się wydawać... dziwne.

Kiwnęłam głową.

– Tak. Więcej niż dziwne. Niemożliwe.

– Powiedz mi coś – rzekł Ian po chwili.

– Jeżeli znam odpowiedź.

– To nie jest trudne pytanie.

Nie wypowiedział go od razu. Zamiast tego sięgnął w poprzek wąskiego przejścia po moją rękę. Trzymał ją przez chwilę w obu dłoniach, po czym przeciągnął wolno palcami lewej ręki po mojej skórze, od nadgarstka aż do ramienia i z powrotem, równie powoli. Nie przyglądał się mojej twarzy, lecz gęsiej skórce, która pojawiała się w ślad za jego dotykiem.

– Dobrze ci? – zapytał.

Nie, podpowiedziała Melanie.

Przecież nie boli, zaprotestowałam.

Nie o to pyta. Kiedy mówi „dobrze"... Rany, z tobą jak z dzieckiem!

Mam niecały rok, jakbyś zapomniała. A może już cały? Zaczęłam się zastanawiać, ile minęło czasu.

Melanie była bardziej skoncentrowana. *Kiedy mówi „dobrze", chodzi mu o to, co czujemy, kiedy dotyka nas Jared.* Wspomnienie, którym zilustrowała tę myśl, nie pochodziło z jaskiń, lecz z owego magicznego kanionu o zachodzie słońca. Jared stał za nią, z rękoma opuszczonymi wzdłuż jej rąk, od ramion do nadgarstków. Na myśl o tym prostym dotyku przeszły mnie przyjemne ciarki. *Właśnie tak.*

Ach.

– Wando?

– Melanie mówi, że źle – szepnęłam.

– A ty co mówisz?

– Ja... ja nie wiem.

Kiedy zebrałam się w sobie i spojrzałam mu w oczy, były cieplejsze, niż się spodziewałam.

– Trudno mi sobie nawet wyobrazić, jaki musisz mieć z tego powodu mętlik w głowie.

Cieszyło mnie, że rozumie.

– Tak, mam mętlik.

Ponownie powiódł palcami w górę mojej ręki i z powrotem.

– Chcesz, żebym przestał?

Zawahałam się.

– Tak – odparłam w końcu. – To... co robisz... nie pozwala mi się skupić. Poza tym Melanie... jest na mnie zła. I to też mnie rozprasza.

Nie na ciebie jestem zła. Powiedz mu, żeby sobie poszedł.

Ian odsunął się i założył ręce na pierś.

– Pewnie nie zostawi nas na chwilę samych?

Zaśmiałam się.

– Wątpię.

Ian przechylił głowę na bok, zaciekawiony.

– Melanie Stryder?

Obie drgnęłyśmy, słysząc jej nazwisko.

Ian mówił dalej.

– Chciałbym porozmawiać z Wandą na osobności, jeżeli nie masz nic przeciwko. Czy da się to jakoś załatwić?

Chyba kpi! Powiedz mu, że mówię, żeby o tym zapomniał! Nie lubię tego faceta.

Zmarszczyłam nos.

– Co powiedziała?

– Powiedziała, że nie. – Starałam się wypowiadać te słowa jak najdelikatniej. – I że... cię nie lubi.

Ian roześmiał się.

– Potrafię to uszanować. Uszanować ją. No trudno, przynajmniej spróbowałem. – Westchnął. – Obecność osób trzecich jakby zamyka temat.

Jaki temat? – warknęła Melanie.

Skrzywiłam się. Nie lubiłam jej gniewu. Był dużo bardziej gwałtowny niż mój.

Musisz się przyzwyczaić.

Ian położył mi dłoń na twarzy.

– Dam ci czas do namysłu, dobrze? Żebyś mogła się zastanowić, co czujesz.

Próbowałam na chłodno przeanalizować swoją reakcję na jego dotyk. Był miękki. Miły. Inny niż dotyk Jareda. Ale też różnił się od tego, co czułam, gdy przytulał mnie Jamie.

– To może zająć trochę czasu. Jestem całkiem zagubiona – powiedziałam.

Uśmiechnął się.

– Wiem.

Uświadomiłam sobie nagle, patrząc na jego uśmiech, że zależy mi na tym, by mnie lubił. Co do reszty – dłoni na mojej twarzy, palców na moim ramieniu – wciąż nie miałam pewności. Ale chciałam, żeby mnie lubił i żeby ciepło o mnie myślał. I właśnie dlatego trudno mi było powiedzieć mu prawdę.

– Wiesz, tak naprawdę nie czujesz nic do m n i e – szepnęłam. – Tylko do tego ciała... Jest ładna, prawda?

Kiwnął głową.

– Tak. Melanie to bardzo ładna dziewczyna. A nawet piękna. – Przesunął dłoń i dotknął mojego rannego policzka, pogładził mnie palcami po nierównej, gojącej się skórze. – Pomimo tego, co ci zrobiłem.

Normalnie natychmiast bym zaprzeczyła, przypomniała mu, że to nie on ponosi winę za rany na mojej twarzy. Byłam jednak tak zbita z tropu, że kręciło mi się w głowie i nie byłam w stanie zbudować spójnego zdania.

Dlaczego przeszkadzało mi, że uważał Melanie za piękną dziewczynę?

Tu mnie masz. Moje uczucia były dla niej równie nieprzeniknione jak dla mnie samej.

Odgarnął mi włosy z czoła.

– Ale choćby nie wiem jak była ładna, jest dla mnie kimś obcym. To nie na niej mi... zależy.

Te słowa sprawiły, że poczułam się lepiej. A zarazem jeszcze bardziej zagubiona.

– Ian, wcale nie... Nikt nas tu nie rozróżnia tak, jak należy. Ani ty, ani Jamie, ani Jeb. – Wypowiadałam te słowa prawdy pospiesznie, bardziej rozemocjonowana, niżbym chciała. – N i e m o ż e ci zależeć na mnie. Gdybyś mógł mnie dotknąć – m n i e! – poczułbyś wstręt. Rzuciłbyś mnie na ziemię i rozdeptał.

Ściągnął krucze brwi, jednocześnie marszcząc blade czoło.

– Nieprawda... nie, gdybym wiedział, że to ty.

Zaśmiałam się, rozbawiona.

– A skąd byś to wiedział? Nie poznałbyś mnie.

Mina mu zrzedła.

– Zależy ci po prostu na tym ciele – powtórzyłam.

– To nieprawda – zaprotestował. – Nie obchodzi mnie ta twarz, tylko jej wyraz. Nie obchodzi mnie ten głos, tylko to, co mówisz. Nie obchodzi mnie to, jak w tym ciele wyglądasz, tylko co nim robisz. T y jesteś piękna. – Mówiąc, przysunął się bliżej, uklęknął obok mojego łóżka i wziął moją rękę w dłonie.

– Nigdy mi tak na nikim nie zależało.

Westchnęłam.

– Ian, a gdybym zjawiła się tutaj w ciele Magnolii?

Skrzywił się, a następnie roześmiał.
– Okej. To dobre pytanie. Nie wiem.
– Albo Wesa?
– Przecież... jesteś kobietą.
– I zawsze proszę o żywiciela odpowiadającego mojej płci. Tak jest chyba... lepiej. Ale mogliby mnie umieścić w ciele mężczyzny i normalnie bym funkcjonowała.
– Ale nie masz ciała mężczyzny.
– A widzisz? O tym właśnie mówię. Ciało i dusza. W moim przypadku to dwie różne rzeczy.
– Nie chcę samego ciała.
– Nie chcesz samej m n i e.
Znów dotknął mojego policzka i zostawił na nim dłoń, podpierając mi brodę kciukiem.
– Ale to ciało jest częścią ciebie. Częścią tego, kim jesteś. Kim będziesz już zawsze, o ile nie zmienisz zdania i nas nie wydasz.
Ach, to takie definitywne. Tak, umrę razem z tym ciałem. To będzie śmierć ostateczna.
A ja już nigdy nie będę miała ciała, szepnęła Melanie.
Nie tak każda z nas wyobrażała sobie przyszłość, prawda?
Tak, zwłaszcza biorąc pod uwagę, że nie mamy żadnej przyszłości.
– Znowu sobie rozmawiacie? – domyślił się Ian.
– Rozmyślamy o naszej śmiertelności.
– Gdybyś stąd odeszła, mogłabyś żyć wiecznie.
– To prawda. – Westchnęłam. – Musisz wiedzieć, że ludzie żyją najkrócej ze wszystkich gatunków, jakimi byłam, nie licząc Pająków. Macie tak mało czasu.
– Nie wydaje ci się w takim razie... – Ian zatrzymał się i pochylił w moją stronę, tak że nie widziałam nic poza jego twarzą, poza śnieżną bielą, szafirem i czernią jego oczu. – Że może powinnaś ten czas jak najlepiej wykorzystać? Że powinnaś żyć pełnią życia, dopóki możesz?
Nie spodziewałam się tego, co miało nastąpić, tak jak to było z Jaredem. Nie znałam Iana na tyle dobrze. Melanie odkryła jego zamiar pierwsza, na sekundę przed tym, jak mnie pocałował.
Nie!
Czułam się inaczej niż całując Jareda. Wtedy nie myślałam, kierowało mną niedające się okiełznać pożądanie. To było jak iskra w zetknięciu z benzyną. Tym razem nie wiedziałam, co czuję. Miałam mętlik w głowie.
Usta miał miękkie i ciepłe. Przycisnął je lekko do moich, po czym zaczął ocierać się nimi o moje wargi.

– Przyjemnie czy nie? – szepnął, nie odrywając ode mnie ust.

Nie, nie, nie!

– Nn... nie wiem. Nie mogę myśleć. – Kiedy ruszałam ustami, poruszał się wraz z nimi.

– To chyba... dobrze.

Naparł nieco mocniej. Chwycił ustami moją dolną wargę i delikatnie za nią pociągnął.

Melanie chciała go uderzyć – o wiele bardziej niż wtedy Jareda. Chciała go odepchnąć, a potem kopnąć w twarz. Był to okropny obraz, ostro kontrastujący z dotykiem ust Iana.

– Proszę – szepnęłam.

– Tak?

– Proszę, przestań. Nie mogę myśleć. Proszę.

Natychmiast usiadł z powrotem na łóżku i złożył dłonie.

– Dobrze – powiedział rozważnym tonem.

Przycisnęłam dłonie do twarzy, żałując, że nie mogę wypchnąć jej gniewu na zewnątrz.

– Przynajmniej nie dostałem pięścią w twarz. – Ian uśmiechnął się.

– Na tym by nie poprzestała. Uch. Nie cierpię, gdy jest zła. To jak ból głowy. Gniew jest czymś... paskudnym.

– To dlaczego mnie nie uderzyła?

– Bo nie straciłam panowania. Dochodzi do głosu tylko, gdy jestem bardzo... poruszona.

Patrzył, jak marszczę czoło.

Uspokój się, błagałam Mel. *Przecież mnie nie dotyka.*

Chyba zapomniał, że tu jestem. Ma to gdzieś? To przecież jestem ja, to ja!

Próbowałam mu to wytłumaczyć.

A co z tobą? Zapomniałaś o Jaredzie?

Zaatakowała mnie wspomnieniami, tak jak to zwykła robić kiedyś, tyle że teraz naprawdę były jak ciosy. Biła we mnie jego uśmiechem, oczami, pocałunkami, dotykiem jego rąk...

Oczywiście, że nie. A ty zapomniałaś, że nie chcesz, żebym go kochała?

– Mówi do ciebie.

– Krzyczy na mnie – poprawiłam.

– Teraz już potrafię to poznać. Widzę, że się skupiasz. Wcześniej tego nie dostrzegałem.

– Nie zawsze jest taka elokwentna.

– Przepraszam cię, Melanie. Naprawdę. Wiem, że to musi być dla ciebie bardzo trudne.

Znów wyobraziła sobie, że kopie go w nos, wykrzywiając go na podobieństwo nosa Kyle'a. *Powiedz mu, że nie chcę jego przeprosin.*

Skrzywiłam się.

Ian uśmiechnął się krzywo.

– Chyba nie przyjmuje przeprosin.

Potrząsnęłam głową.

– Więc czasami dochodzi do głosu? Kiedy jesteś bardzo poruszona?

Wzruszyłam ramionami.

– Czasem, gdy dam się zaskoczyć, bo mocno coś przeżywam. Silne uczucia mnie rozpraszają. Ale ostatnio jej się to nie udaje. Tak jakby dzieliły nas zamknięte drzwi. Nie wiem czemu. Sama próbowałam ją uwolnić, gdy Kyle... – Urwałam gwałtownie, zaciskając zęby.

– Gdy Kyle próbował cię zabić – dokończył za mnie beznamiętnym tonem. – Chciałaś ją uwolnić? Dlaczego?

Patrzyłam tylko.

– Żeby się broniła?

Milczałam.

Westchnął.

– Okej. Nie musisz mi mówić. Jak myślisz, dlaczego... te drzwi są zamknięte?

Zmarszczyłam brwi.

– Nie wiem. Może to przez upływ czasu... Martwi nas to.

– Ale raz się przebiła, żeby uderzyć Jareda.

– Tak. – Wzdrygnęłam się na wspomnienie tego ciosu.

– Bo byłaś wtedy poruszona i zdekoncentrowana?

– Tak.

– Co takiego zrobił? Po prostu cię pocałował?

Kiwnęłam twierdząco głową.

Ian drgnął, przymrużył oczy.

– Co? – zapytałam. – O co chodzi?

– Kiedy całuje cię Jared, rozpraszają cię... silne uczucia.

Patrzyłam na niego, zmartwiona wyrazem jego twarzy. Za to Melanie była w końcu zadowolona. *Właśnie tak!*

Westchnął.

– A kiedy ja cię całuję... nie jesteś pewna, czy ci się podoba. Nie jesteś... poruszona.

– Ach. – Ian był zazdrosny. Co za dziwny świat. – Przepraszam.

– Nie masz za co. Powiedziałem, że dam ci czas, mogę poczekać, aż się namyślisz. Nie mam z tym żadnego problemu.

– A z czym masz? – Widziałam, że coś go boli.

Wziął głęboki oddech, powoli wydychając powietrze.

– Widzę, jak bardzo kochasz Jamiego. To było oczywiste od początku. Ale powinienem też chyba zauważyć, że kochasz Jareda. Może nie chciałem tego widzieć. Ale to ma sens. Znalazłaś to miejsce ze względu na nich. Kochasz ich obu, tak samo jak Melanie. Jamiego jak brata. A Jareda...

Nie patrzył na mnie, lecz na ścianę. Ja także odwróciłam wzrok. Zapatrzyłam się w plamę słońca na czerwonych drzwiach.

– Ile w tym jest Melanie? – zapytał.

– Nie wiem. Czy to ważne?

Ledwie dosłyszałam jego odpowiedź.

– Tak. Dla mnie tak. – Nie spoglądając na mnie, ani nawet nie zdając sobie chyba z tego sprawy, złapał mnie znowu za rękę.

Przez minutę było bardzo cicho. Nawet Melanie się uspokoiła. Pozwoliło mi to odpocząć.

Potem, jak gdyby za naciśnięciem guzika, Ian znów nagle był sobą. Roześmiał się.

– Czas działa na moją korzyść – powiedział, szczerząc zęby. – Mamy na to całe życie. Kiedyś będziesz się zastanawiać, co takiego widziałaś w Jaredzie.

Możesz sobie tylko pomarzyć.

Zaśmiałam się razem z nim, ucieszona, że odzyskał dobry humor.

– Wanda? Wanda, mogę wejść?

Głos Jamiego rozbrzmiał najpierw w głębi korytarza, przy akompaniamencie szybkich kroków, a ucichł już pod samymi drzwiami.

– Oczywiście, Jamie.

Wyciągnęłam do niego rękę, zanim jeszcze otworzył drzwi ramieniem. Ostatnio widywałam go o wiele rzadziej, niżbym chciała. Nie miałam jak, gdyż byłam albo nieprzytomna, albo nie w pełni sprawna.

– Cześć, Wanda! Cześć, Ian! – Uśmiechał się od ucha do ucha, a potargane włosy podskakiwały mu przy każdym ruchu. Podszedł w stronę mojej wyciągniętej dłoni, ale Ian siedział mu na drodze. Usiadł więc na brzegu mojego materaca, opierając głowę na mojej stopie. – Jak się czujesz?

– Lepiej.

– Zgłodniałaś już? Jest suszone mięso i gotowana kukurydza. Mogę ci przynieść.

– Na razie nie trzeba. Co u ciebie? Ostatnio rzadko cię widywałam.

Skrzywił się.

– Sharon kazała mi zostać po lekcjach.

Uśmiechnęłam się.

– Co przeskrobałeś?

– Nic. Wrobiono mnie. – Zrobił przesadnie niewinną minę, po czym zmienił temat. – Ale słuchaj tego. Jared przy lunchu powiedział, że to niesprawiedliwe, żebyś musiała się wyprowadzać z pokoju, do którego się przyzwyczaiłaś. Mówi, że to by było nieuprzejme. I że powinnaś znowu ze mną zamieszkać. Super, co? Zapytałem go, czy mogę iść od razu ci powiedzieć, i powiedział, że to dobry pomysł. I że znajdę cię tutaj.

– Jakoś mnie to nie dziwi – bąknął pod nosem Ian.

– Cieszysz się, Wanda? Będziemy znowu spać w jednym pokoju!

– Ale Jamie, co z Jaredem? Gdzie będzie spał?

– Czekaj, niech zgadnę – przerwał Ian. – Na pewno powiedział, że zmieścicie się we trójkę. Zgadza się?

– Tak. Skąd wiedziałeś?

– Strzelałem.

– Fajnie, prawda, Wanda? Będzie tak samo jak kiedyś!

Słysząc te słowa, poczułam się, jakby ktoś przejechał mi brzytwą między żebrami – ból był zbyt ostry i wyraźny, by można go było porównać do uderzenia lub pękania.

Jamie wystraszył się, widząc moją zbolałą minę.

– Nie, nie. Chciałem powiedzieć, że z tobą też. We czwórkę, rozumiesz. Będzie fajne.

Próbowałam śmiać się mimo bólu – nie robiło mi to większej różnicy.

Ian ścisnął mnie za dłoń.

– We czwórkę – wymamrotałam. – Tak, fajnie.

Jamie podczołgał się do mnie, przewijając się obok Iana, i zawiesił mi się na szyi.

– Przepraszam. Nie bądź smutna.

– Nie martw się.

– Przecież wiesz, że ciebie też kocham.

Uczucia tych istot były tak ostre, tak przeszywające. Jamie nigdy wcześniej nie powiedział mi tych słów. Temperatura ciała skoczyła mi nagle o kilka stopni.

Ostre, to prawda, zgodziła się Melanie, krzywiąc się z bólu.

– Zamieszkasz z nami? – zapytał Jamie błagalnym tonem, wtulony w moje ramię.

Nie byłam w stanie odpowiedzieć od razu.

– Co sobie myśli Mel? – zapytał.

– Chce z wami mieszkać – odszepnęłam. Nie musiałam jej pytać o zdanie, żeby to wiedzieć.

– A ty?
– A chcesz, żebym z wami mieszkała?
– Przecież wiesz, że tak. Proszę.
Zawahałam się.
– Proszę...
– Skoro tego chcesz, Jamie. Dobrze.
– Łuuhuu! – zapiał mi do ucha. – Super! Powiem Jaredowi! I przyniosę ci coś do jedzenia, dobra? – Był już na nogach, sprężynując nimi tak, że czułam w żebrach drganie materaca.
– Dobra.
– Ian, chcesz coś?
– O tak. Powiedz ode mnie Jaredowi, że nie ma wstydu.
– He?
– Nic, nic. Przynieś Wandzie lunch.
– Jasne. I poproszę Wesa o jeszcze jedno łóżko. Kyle może tu wrócić i wszystko będzie tak, jak powinno.
– Znakomicie – odparł Ian i choć nie spoglądałam mu w twarz, wiedziałam, że wywraca oczami.
– Znakomicie – szepnęłam i znowu poczułam ostrze brzytwy.

Rozdział 39

Niepokój

Znakomicie, pomyślałam gorzko. *Po prostu znakomicie.*

Jadłam właśnie lunch, kiedy zjawił się Ian z wielkim uśmiechem przyklejonym do twarzy. Chciał mnie pocieszyć. Znowu.

Chyba ostatnio trochę przesadzasz z sarkazmem, powiedziała Melanie.

Postaram się o tym pamiętać.

Przez ostatni tydzień rzadko się do mnie odzywała. Obie nie byłyśmy zbyt rozmowne. Wolałyśmy unikać interakcji towarzyskich, nawet między sobą.

– Cześć, Wando – przywitał mnie Ian, siadając obok. W ręku miał miskę wrzącej zupy pomidorowej. Moja stała obok mnie, zimna i do połowy opróżniona. Bawiłam się bułką, krusząc ją na małe kawałki.

Nic nie odpowiedziałam.

– Daj spokój. – Położył mi dłoń na kolanie. Mel była niezadowolona, ale nie wybuchnęła gniewem. Zdążyła przywyknąć. – Wrócą dzisiaj. Przed zachodem słońca, jestem pewien.

– Mówiłeś to samo trzy dni temu, dwa dni temu i wczoraj.

– Dzisiaj mam dobre przeczucie. Nie dąsaj się – to takie ludzkie – zażartował.

– Nie dąsam się. – Powiedziałam prawdę. Tak bardzo się martwiłam, że ledwie zbierałam myśli. Całkowicie mnie to pochłaniało.

– To nie pierwszy raz, kiedy Jared zabrał młodego na eskapadę.

– Dziękuję, od razu mi lepiej – odparłam, znów z sarkazmem. Melanie miała rację, trochę przesadzałam.

– Nie martw się, jest z nim Geoffrey i Trudy. No i Jared. A Kyle jest tutaj. – Zaśmiał się. – Więc nic mu nie grozi.

– Nie chcę o tym rozmawiać.

– Okej.

Zajął się jedzeniem, zostawiając mnie samą z moimi myślami. Lubiłam w nim to, że zawsze starał się spełniać moje oczekiwania, nawet jeżeli nie były jasne – ani dla niego, ani dla mnie. Wyjątek stanowiły oczywiście uparte próby poprawienia mi humoru. Akurat tego z pewnością nie oczekiwałam. Chciałam się martwić – była to jedyna rzecz, którą mogłam robić.

Minął już miesiąc, odkąd wprowadziłam się z powrotem do pokoju Jamiego i Jareda. Przez trzy pierwsze tygodnie mieszkaliśmy w nim wszyscy czworo. Jared spał na materacu wciśniętym między ścianę a łóżko, na którym spaliśmy Jamie i ja.

Przyzwyczaiłam się – przynajmniej do samego spania. Teraz, gdy ich nie było, miałam kłopoty z zaśnięciem w pustym pokoju. Brakowało mi odgłosu ich oddechów.

Natomiast trudno było mi się przyzwyczaić do budzenia się każdego ranka w obecności Jareda. Wciąż odpowiadałam na jego poranne powitanie z sekundowym opóźnieniem. On także nie czuł się całkiem swobodnie, ale zawsze był miły. Oboje byliśmy dla siebie mili.

Nasze rozmowy przebiegały według tego samego scenariusza.

– Dzień dobry, Wando. Jak się spało?

– W porządku, dziękuję. A tobie?

– Dzięki, nie najgorzej. A... Mel?

– Ma się dobrze, dzięki.

Atmosferę rozluźniał Jamie, zawsze rozradowany i gadatliwy. Mówił dużo o Melanie – jak również do niej – i wkrótce dźwięk jej imienia w obecności Jareda już mnie nie stresował tak jak kiedyś. Z każdym kolejnym dniem czułam się nieco pewniej, moje życie stawało się trochę przyjemniejsze.

W pewnym sensie byłyśmy nawet... szczęśliwe. Melanie i ja.

Aż nagle, tydzień temu, Jared pojechał na kolejny krótki rajd, przede wszystkim po nowe narzędzia, i zabrał Jamiego ze sobą.

– Jesteś zmęczona? – zapytał Ian.

Uświadomiłam sobie, że trę oczy.

– Niespecjalnie.

– Ciągle się nie wysypiasz?

– Jest zbyt cicho.

– Mogę spać z tobą... Och, Melanie, daj spokój. Wiesz, o czym mówię.

Teraz nawet najmniejsza reakcja spowodowana złością Melanie nie uchodziła jego uwadze.

– Podobno jesteś pewien, że dzisiaj wrócą.

– No tak, racja. Chyba nie ma potrzeby, żebym się do ciebie wprowadzał.

Westchnęłam.

– Może powinnaś dzisiaj odpocząć.

– Daj spokój – odparłam. – Mam mnóstwo energii do pracy.

Uśmiechnął się szeroko, jak gdybym powiedziała mu coś, na co liczył.

– Świetnie. Przyda mi się pomoc.

– W czym?

– Pokażę ci – skończyłaś jeść?

Kiwnęłam twierdząco głową.

Wyprowadził mnie z kuchni za rękę. Również to nie było dla nas niczym nowym. Melanie prawie nie protestowała.

– Dlaczego idziemy tędy? – Na wschodnim polu nie było nic do roboty. Rano je nawodniliśmy.

Ian nic nie odpowiedział. Z twarzy nie schodził mu uśmiech.

Poprowadził mnie wzdłuż wschodniego tunelu, a następnie przez pole aż do korytarza wiodącego tylko w jedno miejsce. Dobiegły mnie z oddali niesione echem głosy i sporadyczne dźwięki – bum, bum – których w pierwszej chwili nie skojarzyłam. Dopiero zapach stęchłego, siarkowego powietrza rozjaśnił mi w głowie.

– Ian, nie jestem w nastroju.

– Mówiłaś, że masz mnóstwo energii.

– Do pracy. Nie do gry w piłkę.

– Lily i Wes będą zawiedzeni. Obiecałem im mecz dwoje na dwoje. Specjalnie ciężko pracowali rano, żeby mieć wolne popołudnie...

– Nie próbuj grać moim sumieniem – powiedziałam. Mijaliśmy ostatni zakręt w tunelu. Widziałam niebieską poświatę kilku lamp i migające przed nimi cienie.

– Myślałem, że to działa – odparł żartem Ian. – No chodź, Wando. To ci dobrze zrobi.

Pociągnął mnie za rękę i weszliśmy do sali gier. Lily i Wes podawali sobie piłkę wzdłuż groty.

– Cześć, Wanda. Cześć, Ian – zawołała Lily.

– Dam ci wycisk, O'Shea! – krzyknął Wes.

– Chyba nie pozwolisz, żebym przegrał z Wesem, co? – zwrócił się do mnie Ian pod nosem.

– Możesz ich ograć w pojedynkę.

– Wtedy się obrażą. Nie zapomną mi takiej zniewagi.

Westchnęłam.

– Dobrze. Dobrze. Niech ci będzie.

Ian uściskał mnie z przesadnym, według Melanie, entuzjazmem.

– Jesteś moją ulubioną osobą we wszechświecie.

– Dzięki – wymamrotałam sucho.

– Jesteś gotowa przegrać z kretesem, Wando? – zawołał pyszałkowato Wes. – Może i zajęłaś nam planetę, ale tego meczu nie wygrasz.

Ian się roześmiał, ale ja nie zareagowałam. Ten żart wprawił mnie w zakłopotanie. Jak Wes mógł sobie żartować na ten temat? Ludzie nie przestawali mnie zaskakiwać.

Dotyczyło to również Melanie. Przez cały czas była tak samo przygnębiona jak ja, a teraz nagle się ożywiła.

Ostatnim razem nie mogłyśmy zagrać, wytłumaczyła. Czułam, jak rwie się do biegania – w końcu mogła pobiegać dla przyjemności, a nie tylko uciekać przed kimś ze strachu. Kiedyś uwielbiała biegać. *Siedząc bezczynnie, nie sprawimy, że szybciej wrócą. Przyda nam się rozrywka*. Obmyślała już taktykę, bacznym wzrokiem oceniając rywali.

– Znasz zasady gry? – zapytała mnie Lily.

Kiwnęłam głową.

– Tak, pamiętam.

Mimowiednie zgięłam nogę w kolanie i chwyciłam się za łydkę, by rozciągnąć mięśnie. Taka pozycja nie była dla mojego ciała niczym nowym. Zrobiłam to samo z drugą nogą i z zadowoleniem stwierdziłam, że wydaje się całkiem zdrowa. Siniak na tylnej części uda był już bladożółty, prawie niewidoczny. Również bok mi wydobrzał, co kazało przypuszczać, że tak naprawdę nie miałam złamanego żebra.

Dwa tygodnie temu, myjąc lusterka, widziałam swoją twarz. Blizna na policzku była ciemnoczerwona, wielkości połowy dłoni, postrzępiona na brzegach. Bardziej niż ja przejmowała się nią Melanie.

– Będę obstawiał bramkę – powiedział mi Ian, podczas gdy Lily cofnęła się w głąb swojej połowy, a Wes truchtał obok piłki. Siły w polu były nierówne. Melanie wcale to jednak nie przeszkadzało, paliła się do rywalizacji.

Gra się zaczęła – Wes kopnął piłkę w stronę Lily, po czym sam wystrzelił do przodu, wysuwając się do podania – i nagle nie było już czasu na myślenie. Liczył się instynkt i szybkie reakcje. Zobaczyłam, jak Lily składa się do podania, i błyskawicznie oceniłam jego kierunek. Przecięłam lot piłki – Wes musiał się nieźle zdziwić – kopnęłam ją do Iana i popędziłam do przodu. Lily była zbyt wysunięta. Wyprzedziłam ją, Ian z mistrzowską precyzją dograł mi piłkę i strzeliłam pierwszego gola.

Czułam się świetnie, napinając mięśnie, pocąc się ze zdrowego wysiłku, a nie z gorąca, grając zespołowo. Stanowiliśmy z Ianem dobraną parę. Ja byłam szybka, a on celnie podawał. Kiedy Ian strzelił trzeciego gola, Wes nie był już taki bańczuczny.

Po dwudziestym pierwszym Lily ogłosiła koniec meczu. Była mocno zasapana, w przeciwieństwie do mnie. Czułam się dobrze, mięśnie miałam rozgrzane i giętkie.

Wes chciał rewanżu, ale Lily miała już dość.

– Umówmy się, są od nas lepsi.

– To było nieuczciwe.

– Nikt nie mówił, że Wanda nie umie grać.

– Nikt nie mówił, że gra jak zawodowiec.

Uśmiechnęłam się na ten komplement.

– Trzeba umieć przegrywać – powiedziała Lily, wyciągając rękę, by połaskotać Wesa po brzuchu. Chwycił ją za palce i przyciągnął do siebie. Próbowała mu się wyrwać, cała rozweselona, ale Wes zakręcił nią, złapał ją w ramiona i pocałował w roześmiane usta.

Wymieniłam z Ianem krótkie, zdumione spojrzenie.

– Dla ciebie będę przegrywał z klasą – powiedział Wes, po czym ją puścił.

Gładka, karmelowa skóra Lily nabrała nieco rumieńców na policzkach. Zerknęła na mnie i Iana, lekko zawstydzona

– A teraz – kontynuował Wes – idę ściągnąć posiłki. Zobaczymy, Ian, jak twój nowy as poradzi sobie z Kyle'em. – Odkopnął piłkę w ciemny kąt groty, gdzie wylądowała z pluskiem w źródełku.

Ian ruszył po nią truchtem, a ja wciąż zaciekawionym wzrokiem przyglądałam się Lily.

Zaśmiała się na widok mojej miny, lecz był to niepodobny do niej śmiech zakłopotania.

– Wiem, wiem.

– Jak długo... to trwa? – zapytałam.

Zrobiła minę.

– Przepraszam. To nie moja sprawa.

– W porządku. To żadna tajemnica – zresztą jak w tym miejscu utrzymać coś w tajemnicy? Po prostu... to zupełnie świeże. Jest w tym trochę twojej winy – dodała z uśmiechem, dając do zrozumienia, że mówi żartem.

Mimo to poczułam się odrobinę winna. I zagubiona.

– Co ja takiego zrobiłam?

– Nic – uspokoiła mnie. – Ale zaskoczyło mnie... to, jak Wes na ciebie zareagował. Nie wiedziałam, że ma w sobie tyle wrażliwości. Wcześniej jakoś w ogóle nie zwracałam na niego uwagi. Jest dla mnie trochę za młody, ale jakie to ma tutaj znaczenie? – Znowu się roześmiała. – To ciekawe, jak życie i miłość trwają. Nie spodziewałam się tego.

– Prawda? To zabawne – przytaknął Ian. Nie słyszałam, jak nadchodził. Objął mnie za ramię. – Ale to dobrze. Wiesz chyba, że Wes podkochiwał się w tobie, odkąd się tu zjawił?

– Tak mi powiedział. Ja tego nie widziałam.

Ian roześmiał się.

– Chyba tylko ty jedna. To co, Wando, może mała gierka jeden na jednego, dopóki tamci nie przyjdą?

Czułam niewysłowiony zapał Melanie.

– Dobra.

Pozwolił mi zacząć, a sam cofnął się pod bramkę. Mój pierwszy strzał zmieścił się między nim a słupkiem. Kiedy wznowił grę, nacisnęłam na niego, przejęłam piłkę i strzeliłam drugiego gola.

Daje nam fory, fuknęła Melanie.

– Ian, nie wygłupiaj się. Graj.

– Przecież gram.

Powiedz mu, że gra jak baba.

– Jak baba.

Roześmiał się, a wtedy znów wyłuskałam mu piłkę spod nóg. Prowokacja na nic się nie zdała. Nagle przyszedł mi do głowy inny pomysł. Strzeliłam do pustej bramki, przeczuwając, że to prawdopodobnie ostatni raz.

Nie podoba mi się ten pomysł, mruknęła Mel.

Ale założę się, że zadziała.

Postawiłam piłkę z powrotem na środku boiska.

– Jeżeli wygrasz, możesz spać w moim pokoju, dopóki nie wrócą. – I tak musiałam się w końcu wyspać.

– Gramy do dziesięciu. – Wydał gardłowy odgłos i kopnął piłkę tak mocno, że odbiła się od niewidocznej ściany gdzieś daleko za moją bramką i wróciła do nas.

Spojrzałam na Lily.

– Pudło?

– W sam środek bramki – odparła, potrząsając głową.

– Jeden trzy – oznajmił Ian.

Pokonał mnie w kwadrans, ale przynajmniej się zmęczyłam. Udało mi się nawet wbić mu jeszcze jednego gola, z czego byłam bardzo dumna. Kiedy strzelał ostatnią, dziesiątą bramkę, brakowało mi już tchu.

Nie można było tego samego powiedzieć o nim.

– Dziesięć cztery. Wygrałem.

– Dobry mecz – wydyszałam.

– Zmęczona? – zapytał niewinnym tonem, trochę zbyt niewinnym. Błaznował. Przeciągnął się. – Jeżeli o mnie chodzi, to chyba będę się już kładł do łóżka. – Udał chytre spojrzenie.

Skrzywiłam się.

– Oj, Mel, przecież wiesz, że sobie żartuję. Nie bądź taka.

Lily spoglądała na nas zafrapowana.

– Melanie Jareda za mną nie przepada – wyjaśnił Ian, puszczając do niej oko.

Uniosła brwi.

– Aha... No proszę.

– Ciekawe, gdzie się podział Wes? – mruknął pod nosem Ian, nie zważając zbytnio na jej reakcję. – Może pójdźmy sprawdzić? Przy okazji bym się napił.

– Ja też – przytaknęłam.

– Przynieście mi też. – Lily nie ruszyła się z podłogi.

Gdy weszliśmy do wąskiego tunelu, Ian objął mnie delikatnie ręką w pasie.

– Wiesz – odezwał się – to naprawdę nie fair, że to ty musisz cierpieć, gdy Melanie jest na mnie zła.

– Od kiedy to ludzie są fair?

– No tak, słuszna uwaga.

– Poza tym już ona chętnie by dopilnowała, żebyś cierpiał, gdybym jej na to pozwoliła.

Zaśmiał się.

– Fajnie, że Wes i Lily są parą, nie uważasz? – zapytał.

– Tak. Oboje wydają się bardzo szczęśliwi. Cieszy mnie to.

– Mnie też. Wes w końcu znalazł sobie dziewczynę. To mi daje nadzieję. – Puścił do mnie oko. – Myślisz, że Melanie zrobiłaby ci piekło, gdybym cię teraz pocałował?

Zesztywniałam na sekundę, po czym wzięłam głęboki oddech.

– Pewnie tak.

O tak.

– Na pewno.

Ian westchnął.

Jednocześnie w oddali rozległo się wołanie Wesa. Jego głos dobiegał z końca tunelu, ale zbliżał się z każdym słowem.

– Wrócili! Wando, wrócili!

Pojęłam w mig, o co chodzi, i już po chwili biegłam co tchu. Za moimi plecami Ian mamrotał coś o daremnym trudzie.

Prawie wpadłam na Wesa.
– Gdzie? – wydyszałam.
– W ogrodzie.
Popędziłam dalej. Wbiegając do jaskini z ogrodem, rozglądałam się już wokół. Nietrudno było ich znaleźć. Jamie stał na czele grupy ludzi, przy wejściu do południowego tunelu.
– Wanda! – zawołał, wymachując dłonią.
Biegłam ku niemu, omijając uprawy. Trudy trzymała go za ramię, jakby nie chciała, żeby wybiegł mi na spotkanie.
Chwyciłam go dłońmi za ramiona i przycisnęłam do siebie.
– Och, Jamie!
– Tęskniłaś za mną?
– Troszeczkę. Gdzie są wszyscy? Wszyscy wrócili? Nikomu nic się nie stało? – Jedyną osobą wśród zgromadzonych, która również wróciła z wyprawy, była Trudy. Pozostali – Lucina, Ruth Ann, Kyle, Travis, Violetta, Reid – przyszli ich przywitać.
– Wszyscy wrócili cali i zdrowi – zapewniła mnie Trudy.
Omiotłam wzrokiem ogromną grotę.
– Gdzie są?
– Myją się, rozładowują łupy...
Chciałam zaoferować pomoc – cokolwiek, byle tylko zobaczyć na własne oczy, że Jaredowi nic się nie stało – ale wiedziałam, że nie pokażą mi, którędy wnoszą ładunek.
– Przydałaby ci się kąpiel – powiedziałam Jamiemu, czochrając mu brudne, posplatane włosy i ani na chwilę go nie puszczając.
– Ma się położyć – powiedziała Trudy.
– Trudy! – mruknął Jamie, posyłając jej krzywe spojrzenie.
Zerknęła na mnie, po czym odwróciła wzrok.
– Położyć?... – Odsunęłam się, by dokładniej mu się przyjrzeć. Nie wyglądał na zmęczonego – oczy mu błyszczały, a na policzkach, pod opalenizną, miał zdrowe rumieńce. Obrzuciłam go całego wzrokiem i zatrzymałam spojrzenie na prawej nodze.
Miał postrzępioną dziurę w dżinsach, kilka centymetrów nad kolanem. Brzegi rozdartego materiału były czerwonobrązowe. Złowieszczy kolor ciągnął się długą plamą aż do nogawki.
Krew, uprzytomniła sobie ze zgrozą Melanie.
– Jamie! Co się stało?
– Wielkie dzięki, Trudy.
– Wanda i tak by zauważyła. Chodź, porozmawiamy po drodze.

Trudy wzięła go pod rękę. Kuśtykał powoli, po jednym kroku naraz, opierając ciężar ciała na lewej nodze.

– Jamie, mów, co się stało! – Objęłam go ramieniem z drugiej strony, starając się dać mu jak najwięcej oparcia.

– To było głupie. I całkiem z mojej winy. I mogło się wydarzyć wszędzie, nawet tu.

– Opowiedz.

Westchnął.

– Trzymałem nóż i się potknąłem.

Zadrżałam.

– Nie powinniśmy iść w drugą stronę? Doktor musi na to spojrzeć.

– Właśnie od niego wracam. Od razu tam poszliśmy.

– I co powiedział?

– Że wszystko w porządku. Oczyścił mi ranę, zabandażował i kazał się położyć.

– I musiałeś iść całą drogę ze szpitala? Dlaczego tam nie zostałeś?

Jamie zrobił minę i spojrzał na Trudy, jakby szukając pomocy.

– Będzie mu wygodniej we własnym łóżku – stwierdziła.

– Właśnie – przytaknął. – Kto by chciał leżeć na tych okropnych wyrkach w szpitalu.

Spojrzałam na nich, po czym obejrzałam się za siebie. Reszta gdzieś zniknęła. Słyszałam tylko ich głosy, odbijające się echem od ścian południowego tunelu.

Co jest grane? – zaniepokoiła się Mel.

Dotarło do mnie, że Trudy również nie potrafi kłamać. Kiedy mówiła, że pozostali myją się i rozładowują skradzione rzeczy, w jej głosie zabrzmiała fałszywa nuta. Zdawało mi się nawet, że pamiętam, jak zerknęła wtedy w prawo, w stronę południowego tunelu.

– Czołem, młody! Cześć, Trudy! – Ian dopiero teraz do nas dołączył.

– Cześć, Ian – odpowiedzieli mu jednocześnie.

– Co się stało?

– Upadłem na nóż – mruknął Jamie, spuszczając głowę.

Ian zaśmiał się.

– To nie jest śmieszne – odezwałam się stanowczym tonem. Nieprzytomna ze zmartwienia Melanie wyobraziła sobie, że wymierzam mu policzek. Zignorowałam ją.

– Każdemu mogło się zdarzyć – powiedział Ian, trącając chłopca pięścią w ramię.

– No – bąknął Jamie.

– Gdzie są wszyscy?

Spoglądałam na Trudy kątem oka.

– Yyy, znoszą jeszcze jakieś rzeczy. – Tym razem znacząco spojrzała w stronę południowego tunelu. Twarz Iana na moment stężała, przemknął przez nią wyraz gniewu. Trudy obróciła twarz z powrotem ku mnie i zobaczyła, że na nią patrzę.

Zmień temat, szepnęła Melanie.

Spojrzałam pospiesznie na Jamiego.

– Jesteś głodny?

– Tak.

– Czy ty w ogóle bywasz najedzony? – zażartował Ian. Znowu sprawiał wrażenie odprężonego. Udawał lepiej niż Trudy.

Kiedy dotarliśmy do pokoju, Jamie osunął się z błogą miną na materac.

– Na pewno wszystko w porządku? – zapytałam, klękając obok.

– Nic mi nie jest, naprawdę. Doktor mówi, że za parę dni wyzdrowieję.

Przytaknęłam, choć bez przekonania.

– Idę się umyć – powiedziała pod nosem Trudy, wychodząc.

Ian oparł się o ścianę. Najwidoczniej nigdzie się nie wybierał.

Kiedy kłamiesz, opuszczaj twarz, zasugerowała Melanie.

– Ian? – Utkwiłam wzrok w zakrwawionej nogawce Jamiego. – Mógłbyś nam przynieść coś do jedzenia? Ja też jestem głodna.

– Właśnie. Przynieś nam coś dobrego.

Czułam na sobie wzrok Iana, ale nie podnosiłam głowy.

– Okej – odparł. – Zaraz wracam. Dosłownie za chwilę.

Nie podnosiłam wzroku, udając, że przyglądam się ranie, dopóki jego kroki nie zaczęły cichnąć.

– Nie jesteś na mnie zła? – zapytał Jamie.

– Oczywiście, że nie.

– Wiem, że nie chciałaś, żebym z nimi jechał.

– Teraz już jesteś bezpieczny i tylko to się liczy. – Poklepałam go po ramieniu, zamyślona. – Zaraz wrócę. Zapomniałam o czymś powiedzieć Ianowi.

– Jak to? – zapytał, zdziwiony tonem mojego głosu.

– Poradzisz sobie sam?

– No jasne – odparł obruszony, zapominając na chwilę o swoim pytaniu.

Wymknęłam się z pokoju, zanim zdążył zadać kolejne.

Korytarz był pusty, Ian zniknął. Musiałam się spieszyć. Wiedziałam, że coś podejrzewa. Zauważył, że spostrzegłam w zachowaniu Trudy sztuczność i nieporadność. Mogłam być pewna, że niedługo wróci.

Przez jaskinię z ogrodem szłam prędko, ale nie biegłam. Zdecydowanym krokiem, jakbym miała coś do załatwienia. Było tam tylko parę osób: Reid, zmierzający w stronę tunelu prowadzącego do łaźni; Ruth Ann i Heidi, rozmawiające przy wejściu do wschodniego korytarza; Lily i Wes, stojący plecami do mnie i trzymający się za ręce. Nikt nie zwrócił na mnie uwagi. Patrzyłam przed siebie, jakby moim celem wcale nie był południowy tunel, i skręciłam w niego dopiero w ostatniej chwili.

Gdy tylko zanurzyłam się w znajomych ciemnościach korytarza, przyspieszyłam, przechodząc w bieg.

Coś mi mówiło, że to powtórka z ostatniego razu, gdy Jared i reszta wrócili z wyprawy i wszyscy byli przygnębieni, Doktor się upił i nikt nie chciał mi nic powiedzieć. Znowu coś się działo, a ja nie wiedziałam co i miałam się nie dowiedzieć. Nie chciałam wiedzieć, jak stwierdził któregoś razu Ian. Poczułam ciarki na karku. Może naprawdę wolałam nie wiedzieć?

Chcesz wiedzieć. Obie tego chcemy.

Boję się.

Ja też.

Biegłam dalej najciszej, jak umiałam.

Rozdział 40

Zgroza

Zwolniłam, słysząc czyjeś głosy. Byłam zbyt daleko, by mogły dochodzić ze szpitala. Ktoś stamtąd wracał. Przywarłam do skalnej ściany i zaczęłam się posuwać do przodu najciszej, jak potrafiłam. Byłam zdyszana biegiem. Zakryłam usta, by nikt mnie nie usłyszał.

– ...po co to robimy – narzekał ktoś.

Nie byłam pewna, czyj to głos. Kogoś, kogo nie znałam zbyt dobrze. Może Violetty? Dźwięczała w tych słowach ta sama posępna nuta co poprzednim razem. Teraz już wiedziałam, że niczego sobie nie ubzdurałam.

– Doktor nie chciał. To Jared tym razem naciskał.

Poznałam głos Geoffreya, choć mówił innym tonem niż zazwyczaj, jakby tłumił w sobie obrzydzenie. Oczywiście Geoffrey również pojechał na wyprawę. Byli z Trudy nierozłączni.

– Myślałem, że akurat on był temu zawsze przeciwny.

Domyśliłam się, że to Travis.

– Teraz ma większą... motywację – odparł Geoffrey. Mówił cicho, ale wyczułam w jego głosie złość.

Minęli mnie o centymetry. Zamarłam, wstrzymując oddech.

– Dla mnie to jest chore – mruknęła Violettta. – Odrażające. Nic z tego nigdy nie wyjdzie.

Szli powoli, ciężko stawiając kroki, jakby dźwigali jakieś brzemię.

Nikt jej nie odpowiedział. W ogóle już nie rozmawiali. Trwałam w bezruchu, dopóki się nie oddalili, ale nie czekałam, aż kroki całkiem ucichną. Ian mógł już ruszyć za mną w pogoń.

Skradałam się najszybciej, jak mogłam, a kiedy uznałam, że są już wystarczająco daleko, puściłam się znowu biegiem.

W oddali ukazały mi się pierwsze promienie dziennego światła. Zaczęłam biec ciszej, ale większymi susami, prawie nie zwalniając. Wiedziałam, że gdy pokonam długi zakręt, ujrzę wejście do królestwa Doktora. W miarę jak biegłam po łuku, robiło się coraz jaśniej.

Poruszałam się teraz ostrożniej, uważnie stawiając każdy krok. Było bardzo cicho. Przez chwilę myślałam, że może się pomyliłam i wcale tam nikogo nie ma. Kiedy jednak zobaczyłam w końcu nieforemne wejście, rzucające na przeciwległą ścianę bryłę białego światła, dobiegło mnie ciche łkanie.

Podeszłam na palcach do samej krawędzi przejścia i przystanęłam, nasłuchując.

Łkanie nie ustawało. Towarzyszył mu miękki, rytmiczny odgłos klepania.

– No już, spokojnie. – Był to głos Jeba, napięty ze wzruszenia. – Już dobrze. Głowa do góry.

Słyszałam odgłos ściszonych kroków więcej niż jednej osoby. Szelest materiału. Dźwięk zamiatania. Tak jakby ktoś sprzątał.

W powietrzu unosił się dziwny, niepasujący tu zapach. Niecałkiem metaliczny, ale też nie przypominający nic innego. Nie wydawał się znajomy – byłam pewna, że nigdy wcześniej go nie czułam – a jednak miałam dziwne wrażenie, że p o w i n n a m go znać.

Bałam się zajrzeć do środka.

Co nam zrobią w najgorszym razie? – zauważyła Mel. *Wygonią nas?*

Masz rację.

Jak wiele się zmieniło, skoro właśnie to było najgorszą rzeczą, jaka mogła mnie tu spotkać.

Wzięłam głęboki oddech – znów poczułam ten dziwny, n i e w ł a ś c i w y zapach – i wsunęłam się do szpitalnej groty.

Nikt mnie nie zauważył.

Doktor klęczał na podłodze z twarzą w dłoniach. Drżały mu ramiona. Jeb pochylał się nad nim, poklepując go po plecach.

Jared i Kyle kładli prymitywne nosze obok jednego z łóżek na środku pomieszczenia. Jared miał surowy wyraz twarzy – jakby wróciła na nią ta sama maska, którą nosił wcześniej.

Tym razem łóżka nie były puste. Na całej długości obu, pod ciemnozielonymi kocami, coś leżało. Coś długiego, o nieregularnym kształcie, znajomo wyglądających krzywiznach i zgięciach...

U wezgłowia łóżka, w najmocniej oświetlonym miejscu pomieszczenia, stał prowizoryczny stół zabiegowy. Srebrzył się cały błyszczącymi skalpelami oraz innymi przestarzałymi narzędziami lekarskimi, których nie potrafiłam nazwać.

Jeszcze jaśniej od nich lśniło coś innego – połyskujące kawałki srebrnej materii, rozciągnięte i powykręcane... rozrzucone po stole, poszarpane, nagie srebrne wstążki... plamy srebrnej mazi na stole, kocach, ścianach...

Ciszą wstrząsnął krzyk. Mój krzyk. Wstrząsnął całą grotą. Zaczęła wirować wokół mnie. Nie mogłam znaleźć wyjścia. Usłane srebrnymi plamami ściany pojawiały się przede mną, w którąkolwiek stronę się obróciłam.

Ktoś zawołał mnie po imieniu, lecz nie wiedziałam, czyj to głos. Ogłuszał mnie mój własny krzyk. Bolała mnie od niego głowa. Zderzyłam się ze spływającą srebrem ścianą i upadłam na ziemię. Przycisnęły mnie do niej czyjeś ciężkie ręce.

– Doktorze, pomocy!

– Co z nią?

– Ma atak?

– Co zobaczyła?

– Nic – nic. Ciała są zakryte!

To było kłamstwo. Ciała leżały na wierzchu, porozrzucane po stole. Okaleczone, rozczłonkowane, zmasakrowane ciała, porwane na szkaradne strzępy...

Widziałam wyraźnie szczątki wici wyrastających z obciętej przedniej części dziecka. Dziecka! Niemowlęcia! Pokrojonego na kawałki i rzuconego na stół umazany jego własną krwią...

Żołądek falował mi tak jak ściany szpitala. Poczułam, jak kwas podchodzi mi do gardła.

– Wanda? Słyszysz mnie?

– Jest przytomna?

– Chyba będzie wymiotować.

Ktokolwiek to powiedział, nie pomylił się. Poczułam czyjeś twarde ręce na głowie, a chwilę później gwałtowny skurcz brzucha, wstrząsający całym ciałem.

– Co robimy, Doktorze?

– Trzymaj ją – uważaj, żeby nie zrobiła sobie krzywdy.

Wiłam się i kaszlałam, próbując uciec. Gardło mi się odetkało.

– Puszczajcie! – wykrztusiłam w końcu. Moje słowa były zniekształcone. – Zostawcie mnie! Zostawcie! Wy potwory! Bestie!

Znów wydałam nieartykułowany krzyk, wyrywając się z czyjegoś uchwytu.

– Uspokój się, Wando! Cii! Już dobrze! – Był to głos Jareda. Tym razem jednak wyjątkowo nie miało to żadnego znaczenia.

– Potwór! – wrzasnęłam.

– Wpadła w histerię – odezwał się Doktor. – Trzymaj ją mocno.

Poczułam ostry, piekący cios wszerz policzka.

Gdzieś daleko w górze ktoś zadyszał z niedowierzaniem.

– Co ty wyprawiasz? – zaryczał Ian.

– Ma jakiś atak. Doktor próbuje ją ocucić.

Dzwoniło mi w uszach. Nie od ciosu, lecz od zapachu – zapachu srebrzystej krwi ściekającej po ścianach – zapachu krwi dusz. Pomieszczenie wyginało się wokół mnie, jak gdyby żyło. Światło zawijało się w dziwne wzory, układało w kształty potworów z mojej przeszłości. Olbrzymi Sęp rozkładał nade mną skrzydła... Szponowiec sięgał ciężkimi łapami po moją twarz... Doktor uśmiechnął się i wyciągnął ku mnie dłoń; z palców skapywały mu srebrne krople...

Cała grota jeszcze raz wolno zawirowała, po czym wszystko zrobiło się czarne.

*

Nie trwało to zbyt długo. Minęło chyba ledwie kilka sekund i odzyskałam świadomość. Byłam zbyt rozbudzona. Żałowałam, że ocknęłam się tak szybko.

Byłam w ruchu, kołysałam się, a dookoła panowały ciemności. Na szczęście nie czułam już okropnego zapachu krwi. Wilgotne jaskiniowe powietrze zdawało się teraz mieć woń perfum.

Kołysałam się w czyichś ramionach i było to uczucie, które dobrze znałam. Pierwszego tygodnia po tym, jak Kyle mnie poturbował, Ian dużo mnie nosił.

– ...sądziłem, że się domyśli. Widać się pomyliłem – mówił pod nosem Jared.

– Myślisz, że o to chodzi? – Głos Iana rozbrzmiał w tunelu potężnym echem. – Że przestraszyła się, bo Doktor próbował wyjmować inne dusze? Że bała się o siebie?

Jared milczał przez parę chwil.

– A ty tak nie myślisz?

Ian wydał krótki, gardłowy dźwięk.

– Nie. Nie. Przy całym moim obrzydzeniu tym, że przywiozłeś Doktorowi kolejne... ofiary, i to teraz – przy całym moim obrzydzeniu uważam, że nie to ją przeraziło. Jak możesz tego nie rozumieć? Naprawdę nie potrafisz sobie wyobrazić, co musiała poczuć, kiedy tam weszła?

– Przykryliśmy ciała, zanim...

– Może i przykryliście, ale nie te, co trzeba, Jared. To znaczy, jestem pewien, że ludzkie zwłoki też by ją przeraziły – jest przecież taka delikatna, nie przywykła do przemocy i śmierci. Ale pomyśl, co musiało dla niej znaczyć to wszystko, co zobaczyła na stole.

Jared potrzebował kolejnej chwili, żeby zrozumieć.
– No tak.
– No tak. Gdyby któryś z nas zobaczył wiwisekcję człowieka, a na niej oderwane kawałki ciała i plamy krwi wszędzie dookoła, i tak nie przeżyłby tego tak bardzo jak ona przed chwilą. My już to widzieliśmy, i to nawet przed inwazją, przynajmniej na horrorach. Jestem pewien, że ona nigdy wcześniej czegoś takiego nie oglądała, w żadnym ze swoich wcieleń.

Znowu robiło mi się niedobrze. Słowa Iana przypomniały mi tamten widok. Tamten zapach.

– Puść mnie – szepnęłam. – Postaw mnie na ziemię.
– Nie chciałem cię obudzić. Przepraszam. – To ostatnie wypowiedział gorączkowo, jakby przepraszał mnie za coś więcej niż tylko zbudzenie.
– Puść mnie.
– Źle się czujesz. Zaniosę cię do twojego pokoju.
– Nie. Puść mnie teraz.
– Wando...
– Teraz! – krzyknęłam. Odepchnęłam się od jego piersi, jednocześnie uwalniając nogi. Nie spodziewał się takiej zaciekłości. Upuścił mnie i wylądowałam na kuckach.

Natychmiast wstałam i rzuciłam się do biegu.
– Wanda!
– Zostaw ją.
– Ty mnie zostaw. Wanda, wracaj!

Zza pleców dobiegły mnie odgłosy szamotaniny, ale nie zwolniłam. Oczywiście, że się bili. W końcu to ludzie. Lubowali się w przemocy.

Nie zatrzymałam się, gdy wybiegłam na światło dnia. Pędziłam przez jaskinię z ogrodem, nie oglądając się na żadnego z tych potworów. Czułam na sobie ich spojrzenia, ale nic mnie nie obchodziły.

Nie obchodziło mnie też, dokąd biegnę. Po prostu chciałam być sama. Ominęłam tunele, przy których stali ludzie, i wbiegłam do pierwszego pustego.

Był to tunel wschodni. Już raz nim dzisiaj biegłam. Wtedy uradowana, teraz zatrwożona. Trudno mi było nawet przypomnieć sobie, jak się czułam tego popołudnia, dowiedziawszy się, że Jared i Jamie wrócili z wyprawy. Wszystko wydawało mi się teraz mroczne i ponure, włącznie z ich powrotem. Miałam wrażenie, że zło jest wszędzie dookoła, nawet w skałach.

Wybrałam jednak dobrą drogę. Korytarz był pusty, nikt nie miał powodu, by tu przychodzić.

Dobiegłam do samego końca, aż do czarnej jak noc, opustoszałej sali gier. Czy to możliwe, że dopiero co grałam z nimi w piłkę? Wierząc ich uśmiechom, nie dostrzegając kryjących się pod nimi bestii...

Parłam do przodu, dopóki nie wdepnęłam po kostki w mętne wody mrocznego źródełka. Cofnęłam się, po omacku szukając dłońmi ściany. Natrafiwszy palcami na ostrą krawędź skalnego występu, obeszłam go i usiadłam skulona w zagłębieniu.

To nie tak, jak myślałyśmy. Doktor nie zrobił nikomu umyślnie krzywdy. Próbował tylko uratować...

WYNOŚ SIĘ Z MOJEJ GŁOWY! – wrzasnęłam.

Odepchnęłam ją od siebie – założyłam jej knebel, by nie musieć słuchać tych marnych usprawiedliwień – i nagle uzmysłowiłam sobie, jak bardzo osłabła przez te wszystkie miesiące przyjaźni. Zrozumiałam, że na wiele jej pozwalałam. Ba, zachęcałam ją.

Uciszyłam ją z zaskakującą łatwością. Tak właśnie powinno być od samego początku.

Zostałam teraz sama. Tylko ja i mój ból, i zgroza, która zostanie ze mną na zawsze. Wiedziałam, że nigdy nie pozbędę się tego obrazu z pamięci. Nigdy się od niego nie uwolnię. Stał się częścią mnie.

Nie wiedziałam, jak mam opłakiwać zabite dusze, już na zawsze bezimienne. Jak opłakiwać pokawałkowane dziecko leżące na stole. Nie mogłam przecież tego robić na ludzką modłę.

Na macierzystej planecie nie zdarzyło mi się nikogo opłakiwać. Nie wiedziałam, w jaki sposób to tam przebiega. Dlatego sięgnęłam po zwyczaj Nietoperzy. Wydało mi się to stosowne do okoliczności – otaczała mnie w końcu ciemność, zupełnie jakbym nie miała wzroku. Nietoperze opłakiwały bliskich milczeniem – przestawały śpiewać na długie tygodnie, dopóki pustka spowodowana brakiem dźwięków nie stała się bardziej bolesna niż strata opłakiwanej duszy. Byłam tam raz w żałobie, gdy przyjaciel zginął w głupi sposób, przygnieciony w nocy spadającym drzewem. Znaleziono go zbyt późno, by móc go uratować ze zmiażdżonego ciała żywiciela. Harmonia... Spiralnego... Ruchu. Tak brzmiałoby jego imię w tym języku. Nie do końca, ale w przybliżeniu. Jego śmierć nie była przerażająca, jedynie smutna. Zwykły wypadek.

Jednostajny szmer strumyka miał na szczęście niewiele wspólnego z muzyką i ani trochę nie przypominał tamtejszych śpiewów. Mogłam więc skupić się na żalu.

Objęłam się za ramiona i w milczeniu opłakiwałam dziecko oraz drugą duszę. Moich braci. Moją rodzinę. Gdybym wcześniej znalazła wyjście z tych jaskiń i ostrzegła Łowców, tych dusz nie spotkałby tak krwawy i okrutny los.

Chciałam płakać, łkać nieszczęśliwie. Byłoby to jednak rzeczą ludzką. Dlatego zacisnęłam usta i skuliłam się jeszcze bardziej, tłumiąc w sobie ból.

Wkrótce jednak pozbawiono mnie mojej ciszy, mojej żałoby.

Zajęło im to kilka godzin. Słyszałam, jak mnie szukają, jak ich zniekształcone głosy roznoszą się echem po tunelach. Wołali mnie, nasłuchiwali odpowiedzi. Nie doczekawszy się, przynieśli lampy. Nie te bladoniebieskie, które nigdy nie odkryłyby przed nimi mojej ciemnej kryjówki, lecz silne latarki strzelające snopami żółtego światła. Ich promienie śmigały w tę i z powrotem niczym świetlne wahadła. Mimo to znaleźli mnie, dopiero przeszukując grotę po raz trzeci. Czy nie mogli zostawić mnie w spokoju?

Kiedy w końcu promień latarki wydobył mnie z cienia, ktoś westchnął z ulgą.

– Znalazłem ją! Dajcie znać reszcie, żeby wrócili pod ziemię!

Znałam ten głos, ale nie chciało mi się nawet zastanawiać, kto to jest. Potwór jak każdy inny.

– Wanda? Wanda? Nic ci nie jest?

Nie podniosłam głowy ani nie otworzyłam oczu. Byłam w żałobie.

– Gdzie jest Ian?

– Zawołać Jamiego? Jak myślicie?

– Lepiej nie, musi leżeć.

Jamie. Zadrżałam na dźwięk jego imienia. Mój Jamie. On też był potworem. Tak jak cała reszta. Mój Jamie. Myślenie o nim sprawiało mi fizyczny ból.

– Gdzie ona jest?

– Tam, Jared. Ale w ogóle nie... reaguje.

– Nie ruszaliśmy jej.

– Podaj mi latarkę – powiedział Jared. – A teraz sobie idźcie. Alarm odwołany. Dajcie jej trochę spokoju, dobra?

Rozległo się szuranie stóp, które po chwili nagle ucichło.

– Ludzie, ja nie żartuję. Nie pomagacie. Wracajcie na górę.

Znów zaczęli niemrawo powłóczyć nogami, lecz tym razem z lepszym skutkiem. Odgłosy ich kroków oddalały się, aż w końcu zniknęły w tunelu.

Jared czekał, aż nastanie cisza.

– Poszli sobie, Wando. Jesteśmy tu tylko we dwójkę.

Czekał, aż coś powiem.

– Słuchaj, domyślam się, że to musiało być dla ciebie... nieprzyjemne. Nie chcieliśmy, żebyś to zobaczyła. Przykro mi.

Przykro? Geoffrey powiedział, że to był jego pomysł. Chciał mnie wyciąć, pokroić, obryzgać ściany moją krwią. Rozszarpałby z namysłem milion dusz, żeby uratować swojego ulubionego potwora. Posiekałby nas na kawałki.

Milczał przez dłuższą chwilę, znowu czekając, aż się odezwę.

– Chyba chcesz być teraz sama. W porządku. Nikogo tu nie wpuszczę, jeżeli tego właśnie chcesz.

Ani drgnęłam.

Coś dotknęło mojego ramienia. Odsunęłam się gwałtownie, uderzając barkiem o ostre kamienie.

– Przepraszam – wymamrotał.

Usłyszałam, jak wstaje i odchodzi. Światło latarki – od którego zamknięte powieki jaśniały mi na czerwono – zaczęło słabnąć.

Wychodząc z groty, natknął się na kogoś.

– Gdzie ona jest?

– Chce być sama. Zostaw ją.

– Nie wchodź mi w drogę, Howe.

– Myślisz, że ją pocieszysz? Ty, człowiek?

– Nie miałem z tym nic...

Jared przerwał mu ściszonym głosem, ale wciąż słyszałam jego echo.

– Nie tym razem. Jesteś jednym z nas, Ian. Jesteś dla niej wrogiem. Chyba słyszałeś, co mówiła w szpitalu. Nazwała nas potworami. Właśnie takie ma w tej chwili o nas zdanie. Nie chce twoich czułości.

– Daj mi latarkę.

Dłużej nie rozmawiali. Po minucie usłyszałam odgłos stóp zbliżających się wzdłuż ściany groty. Parę chwil później światło latarki znów rozżarzyło mi powieki.

Nie miałam dokąd uciec, więc skuliłam się jeszcze mocniej.

Dobiegło mnie ciche westchnienie, po czym usłyszałam, jak Ian siada na ziemi, blisko, ale dalej, niż się spodziewałam.

Rozległo się pstryknięcie i światło zgasło.

Czekałam, aż przerwie ciszę, ale był równie milczący jak ja.

W końcu przestałam wyczekiwać i pogrążyłam się z powrotem w żałobie. Ian w ogóle się nie odzywał. Siedziałam w ciemnościach skalnego wgłębienia, opłakując zabite dusze, a obok siedział człowiek.

Rozdział 41

Zniknięcie

Ian siedział ze mną w ciemnościach przez trzy dni.

Czasem tylko wychodził na kilka minut, by przynieść jedzenie i wodę. Z początku jadł przy mnie, mimo że odmawiałam posiłku. Później, gdy zorientował się, że nie poszczę z braku apetytu, również przestał jeść.

Korzystałam z krótkich chwil jego nieobecności, załatwiając w siarkowym źródełku potrzeby fizjologiczne, choć te zanikały w miarę trwania postu.

Nie mogłam nie spać, ale odmawiałam sobie wszelkiej wygody. Pierwszego dnia obudziłam się na jego kolanach. Odskoczyłam gwałtownie, cała roztrzęsiona. Więcej już nie próbował. Później zasypiałam oparta o kamienie, a kiedy się budziłam, natychmiast przybierałam z powrotem skulony kształt.

– Proszę cię – szepnął Ian trzeciego dnia. A przynajmniej wydawało mi się, że to trzeci dzień; w mroku i ciszy tego miejsca trudno było mieć pewność. Do tej pory ani razu się nie odezwał.

Wiedziałam, że leży przede mną taca z jedzeniem. Podsunął ją bliżej, tak że dotknęła mojej nogi. Drgnęłam.

– Proszę cię, Wando. Zjedz coś.

Położył mi dłoń na ramieniu, ale cofnął ją, gdy spod niej uciekłam.

– Proszę cię, wybacz mi. Tak mi przykro. Gdybym wiedział... tobym ich powstrzymał. Nie pozwolę, żeby to się powtórzyło.

Nie powstrzymałby ich. Był ledwie jednym z wielu. Poza tym, jak powiedział Jared, wcześniej mu to nie przeszkadzało. Byłam tu wrogiem. Nawet w najbardziej współczujących ludzkich sercach miłosierdzie było zarezerwowane dla innych ludzi.

Wiedziałam, że Doktor nigdy nie skrzywdziłby rozmyślnie drugiego człowieka. Pewnie nawet nie zniósłby tego widoku, był w końcu bardzo wrażliwy. Ale robala, pasożyta? Czemu miałby się przejąć agonią całkiem obcej istoty? Czemu miałby odczuwać opory przed zamordowaniem niemowlęcia – pokrajaniem go nożem, kawałek po kawałku – skoro nie miało ludzkiej twarzy i nie mogło krzyczeć?

– Powinienem był ci powiedzieć – szepnął Ian.

Czy coś by się zmieniło, gdybym o tym usłyszała zamiast ujrzeć krwawe szczątki na własne oczy? Czy mniej bym wtedy cierpiała?

– Proszę cię, zjedz.

Nastała z powrotem cisza. Siedzieliśmy w niej przez jakiś czas, może godzinę.

Potem Ian wstał i odszedł cicho.

Targały mną sprzeczne emocje. Poczułam nienawiść do tego ciała. To wszystko nie miało sensu. Dlaczego przygnębiło mnie, że sobie poszedł? Dlaczego upragniona samotność sprawiała mi teraz ból? Chciałam, by ten potwór wrócił, i miałam to sobie za złe.

Nie byłam sama zbyt długo. Nie wiedziałam, czy Jeb przyszedł za namową Iana, czy też czekał, aż tamten sobie pójdzie, ale od razu poznałam dochodzące z oddali ciche pogwizdywanie.

Ucichło dopiero parę kroków przede mną. Chwilę później rozległo się głośne pstryknięcie i oślepiła mnie struga żółtego światła. Zmrużyłam oczy.

Jeb postawił latarkę na ziemi żarówką do góry. Światło odbijało się teraz od sufitu i rozchodziło łagodnie na wszystkie strony.

Usadowił się obok mnie, wsparty o ścianę.

– A więc chcesz się zagłodzić? Taki masz plan?

Utkwiłam wzrok w skalnej podłodze.

O ile byłam uczciwa wobec samej siebie, moja żałoba dobiegła już końca. Oddałam szacunek zgładzonym duszom. Nie mogłam opłakiwać w nieskończoność kogoś, kogo nie znałam. Teraz przepełniało mnie inne uczucie – był nim gniew.

– No bo wiesz, jeśli naprawdę chcesz umrzeć, to są łatwiejsze i szybsze sposoby.

Jak gdybym nie miała okazji się przekonać.

– Śmiało, dajcie mnie Doktorowi – zachrypiałam.

Nie zdziwiło go, że przemówiłam. Przytaknął głową, sam do siebie, jakby właśnie to spodziewał się usłyszeć.

– Myślałaś, że się tak po prostu poddamy, Wagabundo? – Głos Jeba zabrzmiał surowiej i poważniej niż kiedykolwiek wcześniej. – Nie doceniasz naszego instynktu przetrwania. Oczywiście, że chcemy znaleźć sposób na odzyskiwanie ciał. Każdy z nas może być następny. Straciliśmy już tylu bliskich.

Nie twierdzę, że to łatwe. Doktor strasznie przeżywa kolejne niepowodzenia – sama widziałaś. Ale taka jest rzeczywistość, Wando. W takim świecie przyszło nam żyć. Przegraliśmy wojnę. Jesteśmy na skraju wymarcia. Szukamy sposobów, by się uratować.

Po raz pierwszy Jeb rozmawiał ze mną jak z duszą, a nie jak z człowiekiem. Odniosłam jednak wrażenie, że zawsze był w pełni świadom tej różnicy. On też był potworem, tyle że uprzejmym.

Nie mogłam zaprzeczyć prawdziwości jego słów ani podważyć ich sensu. Otrząsnęłam się już z szoku i byłam znowu sobą. Uczciwość leżała w mojej naturze.

Paru spośród tych ludzi potrafiło zrozumieć mój punkt widzenia, chociażby Ian. W takim razie ja również mogłam spojrzeć na to wszystko z ich perspektywy. Byli potworami, ale może przynajmniej mieli jakieś usprawiedliwienie.

Oczywiście wydawało im się, że przemoc jest jedyną możliwą odpowiedzią. Nie byli w stanie wyobrazić sobie innego rozwiązania. Czy mogłam ich winić za to, że właśnie tak byli zaprogramowani?

Odchrząknęłam, ale gardło wciąż miałam zachrypnięte od kilkudniowego milczenia.

– Nikogo nie uratujecie, zarzynając niewiniątka, Jeb. Teraz *wszyscy* są martwi.

Milczał przez chwilę.

– Nie potrafimy odróżnić waszych młodych od dorosłych.

– Wiem.

– Wy nie oszczędzacie naszych dzieci.

– Ale ich nie torturujemy. Nigdy nie sprawiamy nikomu celowo bólu.

– Robicie coś gorszego. Unicestwiacie je.

– Wy robicie jedno i drugie.

– Owszem, ponieważ nie mamy wyjścia. Musimy się bronić. Inaczej nie potrafimy. Albo będziemy walczyć, albo zginiemy. – Spojrzał na mnie z uniesioną brwią.

Sama też musiałam tak wyglądać.

– To wam nic nie da, Jeb. Możecie nas kroić na kawałki, ale zabijecie w ten sposób jeszcze więcej żywych istot obu gatunków. Nie mamy zwyczaju nikogo zabijać, ale też nie jesteśmy bezbronnymi stworzeniami. Nasze wici może i wyglądają jak miękkie, srebrne włosy, ale są bardzo silne. Tak się właśnie dzieje, prawda? Doktor tnie *moich* braci i siostry, a wtedy oni wbijają się w mózgi *waszych* braci i sióstr.

– Jak w masło – przyznał.

Żołądek podszedł mi do gardła, chwilę później przebiegł mnie dreszcz.

– Też mi się robi niedobrze na samą myśl – powiedział. – Doktor naprawdę źle to znosi. Za każdym razem wydaje mu się, że znalazł sposób, a potem znowu wszystko bierze w łeb. Próbował już wszystkiego, co mu przychodzi do głowy, ale dusza zawsze rozgniatała mózg na miazgę. Twój gatunek nie reaguje na zastrzyki środka usypiającego... ani trucizny.

– Oczywiście, że nie – odparłam przejętym głosem. – Mamy zupełnie inny skład chemiczny.

– Raz jedna dusza zrozumiała chyba, co się święci. Porwała mózg na strzępy, zanim Doktor zdążył uśpić ciało. Oczywiście nie wiedzieliśmy tego, dopóki go nie rozciął. Facet po prostu się przewrócił.

Byłam zaskoczona, ale też pełna podziwu. Dusza, o której mowa, musiała być bardzo dzielna. Ja nie miałam tyle odwagi, nawet na początku, gdy byłam przekonana, że będą mnie torturować, by wydobyć ze mnie właśnie ową tajemnicę. Nie podejrzewałam jednak, że mogliby próbować dojść do tego sami, majstrując przy mnie skalpelem. Taka próba była z góry skazana na niepowodzenie, dlatego nawet nie przyszło mi to do głowy.

– Jeb, jesteśmy stosunkowo małymi istotami, całkowicie uzależnionymi od nieprzyjaznych żywicieli. Nie przetrwałybyśmy, nie mając czym się bronić.

– Ja nie twierdzę, że nie macie do tego prawa. Powiedziałem tylko, że będziemy walczyć, na wszelkie możliwe sposoby. Nie zależy nam wcale na wyrządzaniu krzywdy. Improwizujemy. Ale na pewno się nie poddamy.

Wymieniliśmy się spojrzeniami.

– Więc może jednak trzeba było mnie pokroić. Jaki ze mnie inny pożytek?

– Oj, Wando. Nie wygłupiaj się. Nie jesteśmy znowu tacy zupełnie racjonalni. Mamy w sobie szersze spektrum dobra i zła niż wy. No, może głównie zła.

Przytaknęłam na te ostatnie słowa, ale mówił dalej, nie zważając na mój gest.

– Cenimy człowieka jako jednostkę. Może nawet kładziemy zbyt duży nacisk na jednostkę, jak przychodzi co do czego. Ile osób – przypuszczalnie – poświęciłaby... no powiedzmy, że Paige... ile osób poświęciłaby, żeby uratować życie Andy'emu? Odpowiedź wyda ci się absurdalna, jeżeli spojrzysz na ludzkość jak na zbiór równych istot.

– To, jak jesteś tutaj szanowana... No cóż, może się to wydawać dziwne nawet z ludzkiego punktu widzenia. Ale są tu tacy, dla których znaczysz więcej niż nieznajomy człowiek. Muszę przyznać, że zaliczam się do tej grupy. Uważam cię za przyjaciółkę, Wando. No, ale to się, rzecz jasna, na niewiele zda, jeżeli będziesz mnie nienawidzić.

– Nie nienawidzę cię, Jeb. Ale...

– Hmm?

– Po prostu nie wyobrażam sobie, żebym mogła tu dalej z wami żyć. Wiedząc, że mordujecie za ścianą moją rodzinę. Ale też, jak wiadomo, nie mogę stąd odejść. Teraz rozumiesz, o czym mówię? Co mi zostało innego niż dać się pokroić? – Zadrżałam.

Pokiwał głową zadumany.

– No tak, masz słuszność. To nie w porządku oczekiwać, że się z tym pogodzisz.

Ścisnęło mnie w dołku.

– Jeżeli mam coś w tej sprawie do powiedzenia, to wolałabym już, żebyś mnie zastrzelił – szepnęłam.

Jeb roześmiał się.

– Spokojnie, maleńka. Do moich przyjaciół się nie strzela ani się ich nie kroi. Wiem, że nie kłamiesz, Wando. Skoro twierdzisz, że nic w ten sposób nie wskóramy, to może powinniśmy od nowa przemyśleć sprawę. Powiem chłopcom, żeby na razie nie przywozili więcej dusz. Zresztą Doktor ma już chyba nerwy w strzępach. Więcej tego nie zniesie.

– Możesz mnie okłamywać – zauważyłam. – Pewnie bym się nie zorientowała.

– No cóż, moja droga, w takim razie musisz mi zaufać. Bo nie mam zamiaru do ciebie strzelać. Ani pozwolić ci umrzeć z głodu. Zjedź coś, skarbie. Potraktuj to jako rozkaz.

Wzięłam głęboki oddech, próbując zebrać myśli. Nie byłam pewna, czy doszliśmy w końcu do porozumienia. Będąc w tym ciele, trudno się było w czymkolwiek połapać. Darzyłam tych ludzi zbyt dużą sympatią. Byli moimi przyjaciółmi. Potworami, ale jednak przyjaciółmi, na których nie potrafiłam spojrzeć chłodnym okiem, przynajmniej w obecnym stanie.

Jeb wziął do ręki grubą kromkę chleba kukurydzianego moczonego w skradzionym miodzie i wcisnął mi ją w dłoń.

Poczułam, jak lepkie okruchy przyklejają mi się do skóry. Ponownie westchnęłam i zaczęłam je zlizywać.

– Grzeczna dziewczynka. Mówię ci, jakoś to wszystko wyprostujemy. Jeszcze wszyscy będą szczęśliwi, zobaczysz. Staraj się myśleć pozytywnie.

– Myśleć pozytywnie – wymamlałam z pełnymi ustami, potrząsając głową z niedowierzaniem. Tylko Jeb...

Nagle zjawił się Ian. Wszedł w krąg światła, zobaczył, że mam w dłoni chleb, i spojrzał na mnie tak, że ogarnęły mnie wyrzuty sumienia. Jego oczy wyrażały radość i ulgę.

Może i nigdy nie sprawiłam nikomu umyślnie fizycznego bólu, ale robiąc krzywdę sobie, skrzywdziłam Iana. Świat ludzkich uczuć był nieprawdopodobnie poplątany. Co za bałagan.

– A więc tu jesteś – zwrócił się do Jeba ściszonym głosem, siadając naprzeciw nas, nieco bliżej starca. – Jared miał nosa.

Przysunęłam się do niego odrobinę, obolała po długim bezruchu, i dotknęłam jego ręki.

– Przepraszam – szepnęłam.

Podniósł rękę wraz z moją dłonią.

– Nie przepraszaj mnie.

– Powinnam była wiedzieć. Jeb ma rację. To oczywiste, że się nie poddajecie. Nie mogę mieć do was o to pretensji.

– Twoja obecność wszystko zmienia. Nie powinniśmy byli tego dłużej robić.

Wiedziałam jednak, że przeze mnie problem stał się jeszcze bardziej palący – jak uratować Melanie? Jak się mnie pozbyć i przywrócić jej życie?

– Na wojnie wszystko wolno – wymamrotałam, próbując się uśmiechnąć.

Ian odwzajemnił niemrawy uśmiech.

– Na wojnie i w m i ł o ś c i. Nie zapominaj.

– Dobra, starczy tego – odezwał się pod nosem Jeb. – Nie skończyłem.

Spojrzałam na niego zdziwiona. Co jeszcze zamierzał powiedzieć?

– No więc tak. – Wziął głęboki oddech. – Postaraj się tym razem nie wpadać w histerię, dobra? – rzekł, spoglądając na mnie.

Zlodowaciałam, ściskając tylko mocniej dłoń Iana.

Ian posłał Jebowi zaniepokojone spojrzenie.

– Chcesz jej powiedzieć? – zapytał.

– O czym? – zadyszałam. – O czym znowu?

Jeb po raz kolejny przybrał wyraz twarzy pokerzysty.

– Chodzi o Jamiego.

Te krótkie słowa wywróciły znowu cały świat do góry nogami.

Przez trzy długie dni byłam Wagabundą, duszą wśród ludzi. Teraz nagle stałam się na powrót Wandą, zagubioną duszą targaną potężnymi ludzkimi uczuciami.

Zerwałam się na nogi – porywając ze sobą Iana, którego dłoń nadal ściskałam jak w imadle – i zachwiały mną zawroty głowy.

– Cii. Powiedziałem, nie wpadaj w histerię. Nic mu nie jest. Słyszał o tym, co się stało, i teraz ciągle się o ciebie dopytuje – odchodzi od zmysłów ze zmartwienia – a to mu raczej szkodzi. Przyszedłem do ciebie, by cię prosić, żebyś poszła go odwiedzić. Ale nie możesz iść w takim stanie. Wyglądasz strasznie. Tylko się niepotrzebnie zmartwi. Najpierw usiądź i coś zjedz.

– Co z jego nogą?

– Wdała się lekka infekcja – wymamrotał Ian. – Doktor każe mu leżeć, inaczej już dawno by tu do ciebie przybiegł. A właściwie to nie przybiegł tylko dlatego, że Jared stoi nad nim i nie pozwala mu wychodzić z łóżka.

Jeb kiwnął głową.

– Jared już chciał tu przyjść i zabrać cię do niego siłą, ale powiedziałem mu, żeby pozwolił mi najpierw z tobą porozmawiać. Nie chciałem, żeby mały zobaczył cię w takim stanie. To by mu nie wyszło na zdrowie.

Poczułam, jakby krew zamarzała mi w żyłach, choć pewnie tylko to sobie uroiłam.

– Ale chyba coś robicie?

Jeb wzruszył ramionami.

– Niewiele możemy zrobić. Dzieciak jest silny, poradzi sobie.

– Jak to niewiele możecie zrobić? Nie rozumiem.

– To infekcja bakteryjna – wyjaśnił Ian. – A my nie mamy antybiotyków.

– Bo są do niczego – bakterie są sprytniejsze od waszych lekarstw. Musi być coś innego, coś lepszego.

– My nic takiego nie mamy – odparł Jeb. – To zdrowy chłopak. Organizm musi zrobić swoje.

– Zrobić... swoje – wyszeptałam w osłupieniu.

– Zjedz coś – nalegał Ian. – Zmartwi się, jak cię zobaczy w takim stanie.

Przetarłam oczy, próbując zebrać myśli.

Jamie był chory. Nie było dla niego lekarstwa. Można było tylko czekać, aż jego organizm sam zwalczy infekcję. A jeśli nie...

– Nie – wydyszałam.

Miałam wrażenie, że znowu stoję nad grobem Waltera i wsłuchuję się w odgłos rzucanego w czeluść piasku.

– Nie – powtórzyłam jękliwie, broniąc się przed tym wspomnieniem.

Obróciłam się instynktownie i ruszyłam mechanicznym krokiem w stronę wyjścia.

– Poczekaj – odezwał się Ian, ale nie pociągnął mnie za dłoń, którą nadal miał w ręku, tylko szedł ze mną.

Po chwili dogonił mnie Jeb, wpychając mi do wolnej dłoni kolejną kromkę.

– Zjedz. Dla jego dobra.

Wgryzłam się w nią, nie smakując, przeżuwałam, nie myśląc, połknęłam, nie czując.

– Wiedziałem, że tak będzie – mruczał Jeb.

– Więc po co jej mówiłeś? – odparł sfrustrowany Ian.

Jeb nic nie odpowiedział. Zastanawiało mnie dlaczego. Czyżby z Jamiem było jeszcze gorzej, niż przypuszczałam?

– Jest w szpitalu? – zapytałam równym, beznamiętnym głosem.

– Nie, nie – odparł natychmiast Ian. – Jest u ciebie w pokoju.

Nawet nie poczułam ulgi. Byłam zbyt otępiała.

Odwiedziłabym Jamiego w szpitalu, nawet jeśli ciągle czuć tam było krew.

Nie widziałam znajomych jaskiń, przez które szłam. Prawie nie zwróciłam uwagi na to, że jest dzień. Nie potrafiłam spojrzeć w oczy żadnej z mijanych po drodze osób. Mogłam tylko stawiać kolejne kroki, aż w końcu dotarłam do skrzydła mieszkalnego.

Przed wejściem do siódmego pokoju zgromadziło się kilka osób. Zaglądali do środka, obok odsuniętego parawanu, wyciągając szyje. Były to same znajome twarze, ludzie, których uważałam za przyjaciół. Przyjaźnili się również z Jamiem. Co tu robili? Czy naprawdę było z nim tak źle, że co chwila przychodzili sprawdzić, jak się czuje?

– Wanda – powiedział ktoś. Heidi. – Wanda przyszła.

– Przepuśćcie ją – odezwał się Wes. Poklepał Jeba po plecach. – Dobra robota.

Przeszłam wśród tych ludzi, w ogóle na nich nie spoglądając. Rozstąpili się przede mną, ale gdyby tego nie zrobili, pewnie i tak bym się nie zatrzymała. Nie mogłam się skupić na niczym innym niż na posuwaniu się naprzód.

Wewnątrz wysokiego pokoju było jasno. Samo pomieszczenie nie było zatłoczone. Doktor i Jared nie pozwalali nikomu wchodzić do środka. Jared opierał się o ścianę z rękoma splecionymi za plecami; przybierał taką pozycję tylko, gdy był bardzo zatroskany. Jamie leżał na dużym łóżku, tam gdzie go zostawiłam, a obok klęczał Doktor.

Jak mogłam go zostawić?

Twarz miał czerwoną, ociekającą potem. Obcięta prawa nogawka dżinsów ukazywała niezabandażowaną ranę. Była mniejsza, niż myślałam. Nie wyglądała tak strasznie, jak się spodziewałam. Zwykłe kilkucentymetrowe rozcięcie o równych brzegach. Miały one jednak zatrważająco czerwony kolor, a skóra wokół rany była spuchnięta i świecąca.

– Wanda – szepnął na mój widok. – Nic ci nie jest. O, jak dobrze. – Westchnął ciężko.

Padłam na kolana przy łóżku, a wraz ze mną Ian. Dotknęłam rozpalonej twarzy Jamiego. Otarłam się przy tym łokciem o Doktora, ledwie tego świadoma. Odsunął się prędko, ale nie widziałam, z jakim wyrazem na twarzy – wstrętu czy winy.

– Jamie, skarbie, jak się czujesz?

– Głupio – odparł, uśmiechając się. – Po prostu głupio. Wyobrażasz sobie? – Wskazał na nogę. – Ja to mam szczęście.

Podniosłam z poduszki mokrą ściereczkę i otarłam mu czoło.

– Wyzdrowiejesz – obiecałam. Zaskoczyło mnie, jak stanowczo zabrzmiał mój głos.

– No jasne. To nic takiego. Ale Jared nie pozwolił mi cię odwiedzić. – Spochmurniał nagle na twarzy. – Słyszałem o... Bo wiesz, Wanda, ja...

– Cii. Nie myśl o tym. Gdybym wiedziała, że jesteś chory, przyszłabym dużo wcześniej.

– Nie jestem jakoś bardzo chory. To tylko głupia infekcja. Ale cieszę się, że przyszłaś. To było straszne, nie wiedzieć, co u ciebie.

Żal ściskał mi gardło. Mój mały Jamie potworem? Nigdy.

– Słyszałem, że pokazałaś Wesowi, jak się gra w piłkę – powiedział z szerokim uśmiechem, zmieniając temat. – Kurde, szkoda, że tego nie widziałem. Melanie musiała mieć niezłą frajdę.

– O tak.

– Wszystko u niej w porządku? Nie martwi się za bardzo?

– No pewnie, że się martwi – bąknęłam, przyglądając się dłoni ocierającej mu czoło, jakby nie była moja.

Melanie.

Gdzie się podziewała?

Zaczęłam szukać w myślach znajomego głosu. Nic, wszędzie cisza. Czemu jej tu ze mną nie było? Czułam rozpalone czoło Jamiego pod palcami. Powinna panikować z powodu tej gorączki tak samo jak ja.

– Wszystko w porządku? – zapytał Jamie. – Wanda?

– Jestem... zmęczona. Przepraszam cię, Jamie. Po prostu... ledwo myślę.

Przyjrzał mi się uważnie.

– Nie wyglądasz najlepiej.

Co ja narobiłam?

– Dawno się nie myłam.

– Mnie nic nie jest. Powinnaś iść coś zjeść. Jesteś blada.

– Nie martw się o mnie.

– Przyniosę ci coś do jedzenia – odezwał się Ian. – Młody, jesteś głodny?

– Yyy... nie, nie bardzo.

Spojrzałam na niego zaniepokojona. Jamie był wiecznie głodny.

– Poślij kogoś innego – zwróciłam się do Iana, ściskając go mocniej za dłoń.

– Jasne. – Twarz miał spokojną, ale wyczuwałam zdziwienie i troskę. – Wes, skoczysz po coś do jedzenia? Dla Jamiego też. Jak go znam, apetyt zaraz mu wróci.

Zmierzyłam wzrokiem twarz chłopca. Miał gorączkę, ale oczy mu się świeciły. Uznałam, że nic mu nie będzie, jeżeli go na parę minut zostawię.

– Jamie, pójdę umyć twarz, dobrze? Czuję się trochę... brudna.

Wychwycił fałsz w moim głosie i zmarszczył brwi.

– Pewnie.

Wstałam, podrywając Iana ze sobą.

– Zaraz wrócę. Tym razem naprawdę.

Był to słaby żart, ale Jamie się uśmiechnął.

Wychodząc, czułam na sobie czyjeś spojrzenie. Może Jareda, a może Doktora. Nie dbałam o to.

W przejściu stał już tylko Jeb, reszta sobie poszła, zapewne uspokojona dobrym samopoczuciem Jamiego. Starzec przekrzywił głowę i lustrował mnie wzrokiem. Dziwiło go, że tak szybko odchodzę od łóżka chłopca. Wyczuł, że szukałam tylko pretekstu.

Przemknęłam obok jego zaciekawionego spojrzenia, ciągnąc Iana ze sobą.

Zawlekłam go do wielkiego skrzyżowania tuneli. Następnie, zamiast iść dalej ku jaskini z ogrodem, zaciągnęłam go do pierwszego z brzegu ciemnego korytarza. Był pusty.

– Wando, co...

– Musisz mi pomóc, Ian – powiedziałam przejętym, rozgorączkowanym głosem.

– Co tylko zechcesz. Wiesz dobrze.

Położyłam mu dłonie na policzkach i spojrzałam w oczy. W mroku tunelu ich błękit był ledwie dostrzegalny.

– Musisz mnie pocałować. Teraz. Proszę.

Rozdział 42

Przymus

Ianowi ze zdziwienia opadła szczęka.

– Co?

– Wyjaśnię ci to za chwilę. To nieuczciwe, ale... proszę. Pocałuj mnie.

– Nie poczujesz się źle? Melanie nie będzie zła?

– Ian! – ponagliłam. – Proszę cię!

Zdezorientowany, objął mnie w pasie i przycisnął do siebie. Twarz miał tak zatroskaną, iż bałam się, że nic z tego nie wyjdzie. Nie była mi w tej chwili potrzebna romantyczna atmosfera, ale być może jemu owszem.

Nachylił się ku mnie, instynktownie zamykając oczy. Przywarł do mnie na chwilę ustami, po czym cofnął twarz, by spojrzeć na mnie tym samym zatroskanym wzrokiem.

Nic.

– Nie, Ian. P o c a ł u j mnie. Naprawdę. Tak jakbyś c h c i a ł oberwać w twarz. Rozumiesz?

– Nie. Co się dzieje? Najpierw mi powiedz.

Położyłam mu ręce na szyi. Czułam się dziwnie, nie byłam pewna, jak się do tego zabrać. Uniosłam się na palcach i jednocześnie przyciągnęłam jego głowę, sięgając ust.

Gdzie indziej, wśród innego gatunku, nie poszłoby mi tak łatwo. Inny umysł nie uległby tak szybko pragnieniom ciała. Inne gatunki miały lepiej uporządkowane priorytety. Lecz Ian był człowiekiem i nie mógł nie zareagować.

Przycisnęłam usta do jego ust, jeszcze mocniej przytrzymując go za kark, gdyż w pierwszej chwili próbował się odsunąć. Przypomniałam sobie rytm, w jakim poruszały się nasze usta za pierwszym razem, i próbowałam to powtórzyć. Kiedy je otworzył, ogarnęło mnie przyjemne uczucie triumfu. Złapałam zębami jego dolną wargę, a wtedy z gardła wyrwał mu się cichy, gwałtowny odgłos zaskoczenia.

Potem już nie musiałam nic robić. Ian jedną ręką przytrzymał mi twarz, a drugą położył na plecach, przyciskając mnie do siebie tak mocno, że zapierało mi dech. Oboje dyszeliśmy, nasze oddechy się mieszały. Poczułam, jak opiera mnie plecami o ścianę, żeby przywrzeć do mnie jeszcze mocniej. Byliśmy ze sobą scaleni od stóp do głów.

Tylko nas dwoje – tak blisko siebie, że stanowiliśmy jedność.

Tylko my.

Nikt więcej.

Sami.

Ian sam wyczuł, że mam dość. Musiał się tego spodziewać – miał jednak silniejszą wolę, niż przypuszczałam. Gdy tylko rozluźniłam ręce, odsunął się powoli, nie odrywając jednak twarzy – stykaliśmy się koniuszkami nosów.

Opuściłam ramiona, a wtedy on odetchnął głęboko. Po chwili poluzował ręce i położył mi je lekko na ramionach.

– Wyjaśnij mi – powiedział.

– Nie ma jej – wyszeptałam, ciągle łapiąc oddech. – Nie mogę jej znaleźć. Nawet teraz.

– Melanie?

– W ogóle jej nie słyszę! Powiedz, jak mam teraz wrócić do Jamiego? Pozna, że kłamię. Jak mam mu powiedzieć, że straciłam jego siostrę? Ian, on jest chory! Nie mogę mu tego powiedzieć! Załamie się i nie wyzdrowieje. Nie...

Ian przycisnął mi palce do ust.

– Cii. Spokojnie. Zastanówmy się. Kiedy ostatnio ją słyszałaś?

– Po tym, jak zobaczyłam... to w szpitalu. Próbowała ich bronić... i wtedy na nią nawrzeszczałam... i... przegoniłam. I od tamtego czasu się nie odezwała. Nie mogę jej znaleźć!

– Cii. Spokojnie. Zastanów się, na czym ci najbardziej zależy. Wiem, że nie chcesz zmartwić Jamiego, ale on i tak z tego wyjdzie. Więc pomyśl – czy nie byłoby lepiej, choćby dla ciebie, gdybyś...

– Nie! Nie mogę pozbyć się Melanie! Nie mogę. To by było złe. Sama stałabym się wtedy potworem!

– Okej, okej! Okej. Cii. Czyli musimy ją znaleźć?

Potaknęłam rozpaczliwie głową.

Wziął kolejny głęboki oddech.

– W takim razie... potrzebujesz silniejszych doznań?

– Nie wiem, co masz na myśli.

Obawiałam się jednak, że wiem.

Całowanie się z Ianem było jedną rzeczą – może nawet przyjemną, gdyby nie cały ten stres – ale posunąć się jeszcze dalej... Czy mogłam? Melanie byłaby wściekła, gdybym tak się obeszła z jej ciałem. Czyżbym to właśnie musiała zrobić, żeby ją odzyskać? Ale co z Ianem? To było nieuczciwe również wobec niego.

– Zaraz wracam – obiecał. – Nie ruszaj się stąd.

Przycisnął mnie do ściany dla podkreślenia wagi swych słów, po czym pobiegł tam, skąd przyszliśmy.

Niełatwo było spełnić jego prośbę. Miałam ochotę popędzić za nim, zobaczyć, co robi, dokąd biegnie. Musieliśmy o tym porozmawiać, potrzebowałam to przemyśleć. Nie było jednak czasu. Jamie czekał na mnie z pytaniami, na które nie mogłam mu odpowiedzieć. Nie, wcale nie czekał na mnie, tylko na Melanie. Jak mogłam do tego dopuścić? Co, jeśli zniknęła na zawsze?

Mel, Mel, Mel, wracaj! Melanie, Jamie cię potrzebuje. Nie mnie – ciebie. Jest chory, Mel. Słyszysz? Jamie jest chory!

Ale mówiłam do siebie. Nikt mnie nie słyszał.

Ręce trzęsły mi się ze strachu i zdenerwowania. Nie mogłam tu czekać w nieskończoność. Miałam wrażenie, że wzbierająca panika zacznie mnie zaraz rozdymać, aż w końcu pęknę.

Wreszcie usłyszałam kroki. I głosy. Ian nie był sam. Zgłupiałam.

– Pomyśl o tym jak o... eksperymencie – mówił Ian.

– Zwariowałeś? – odparł Jared. – To jakiś chory żart?

Poczułam skurcz w żołądku.

Silniejsze doznania. A więc to miał na myśli.

Krew napłynęła mi do twarzy, gorącej jak czoło Jamiego. Chciałam uciekać, schować się gdzieś, lepiej niż ostatnio, tak by już nigdy mnie nie odnaleziono, choćby nawet szukali mnie tysiącem latarek. Ale nogi mi się trzęsły i nie mogłam się ruszyć.

Ian i Jared ukazali się w grocie, w której krzyżowały się korytarze. Twarz Iana była pozbawiona wyrazu, trzymał Jaredowi dłoń na ramieniu, prowadząc go do przodu, prawie popychając. Jared patrzył na niego oczami pełnymi złości i zwątpienia.

– Tędy – powiedział Ian, pchając go w moją stronę. Przylgnęłam plecami do ściany.

Jared ujrzał moją zażenowaną twarz i zatrzymał się.

– Wando, co jest grane?

Posłałam Ianowi krótkie, lecz pełne wyrzutu spojrzenie, po czym spróbowałam popatrzeć Jaredowi w oczy.

Zabrakło mi jednak odwagi. Utkwiłam wzrok w jego stopach.

– Straciłam kontakt z Melanie – szepnęłam.

– Co!?

Pokiwałam smutno głową.

– Jak to? – zapytał gniewnie.

– Nie jestem pewna, jak to się stało. Kazałam jej się uciszyć... ale zawsze wraca... do tej pory zawsze wracała... Nie słyszę jej... a Jamie...

– Zniknęła? – W jego głosie dało się słyszeć cierpienie.

– Nie wiem. Nie mogę jej znaleźć.

Głęboki oddech.

– O co chodzi Ianowi? Chce, żebym cię pocałował.

– Nie m n i e – powiedziałam tak cicho, że ledwie się słyszałam. – Ją. Nic jej tak bardzo nie wzburzyło jak to, że nas pocałowałeś. Na nic innego tak gwałtownie nie zareagowała. Więc może... Albo nie. Nie musisz. Sama jej poszukam.

Ciągle patrzyłam na jego stopy, dzięki czemu widziałam, jak robi krok w moją stronę.

– Myślisz, że jak ją pocałuję?...

Nie byłam w stanie nawet kiwnąć głową. Przełknęłam ślinę.

Znajome dłonie dotknęły mojej szyi i zsunęły się po niej do ramion. Serce waliło mi tak głośno, że zaczęłam się zastanawiać, czy go nie słyszy.

Czułam zażenowanie. Zmusiłam go, by mnie dotknął. Co, jeśli pomyśli, że to zwykła sztuczka, podstęp?

Zastanawiałam się, czy Ian ciągle tam jest, czy się nam przygląda. Jak bardzo go to boli?

Jared przesunął jedną dłonią wzdłuż mojej ręki aż do nadgarstka; jego dotyk zostawiał za sobą smugę ognia. Drugą chwycił mnie delikatnie za brodę i uniósł mi twarz. Wyprzedzałam myślami każdy jego ruch.

Przywarł gorącym policzkiem do mojego i szepnął mi na ucho:

– Melanie. Wiem, że tam jesteś. Wróć do mnie.

Powoli cofnął policzek i obrócił twarz tak, że zetknęliśmy się ustami.

P r ó b o w a ł pocałować mnie delikatnie. Czułam, że się stara. Lecz tak jak poprzednim razem, nic mu z tego nie wyszło.

Poczułam ogień wszędzie, ponieważ Jared nagle b y ł wszędzie. Wodził rękoma po mojej skórze, wzniecając pożar. Całował każdy skrawek mojej twarzy. Poczułam, jak uderzam plecami o ścianę, ale nie czułam bólu, jedynie ogień.

Moje dłonie zaplątały się w jego włosy i próbowały go przyciągnąć, tak jakbyśmy mogli być jeszcze bliżej. Moje nogi zacisnęły mu się wokół bioder. Nasze języki tańczyły wokół siebie. Szalone pożądanie wypełniło mi cały umysł.

Oderwał ode mnie usta i przystawił mi je z powrotem do ucha.

– Melanie Stryder! – zagrzmiał. – Nie opuścisz mnie! Przecież mnie kochasz? Pokaż mi, że mnie kochasz! Pokaż! Mel, do cholery! Wracaj!

Znowu natarł na mnie ustami.

Ach, jęknęła cichutko Melanie.

Nie byłam w stanie jej przywitać. Płonęłam.

Ogień dotarł do niej, do odległego zakamarka, w którym leżała zgaszona, na wpół żywa.

Moje dłonie zacisnęły się na koszulce Jareda i zadarły ją do góry. Nie mówiłam im, co mają robić, same wpadły na ten pomysł. Czułam na plecach jego ręce, ich rozżarzony dotyk.

Jared? – szepnęła. Próbowała się zorientować w położeniu, ale nasz wspólny umysł był całkiem zdezorientowany.

Poczułam, jak twarde mięśnie jego brzucha przygniatają mi dłonie.

Co? Gdzie... Melanie powoli dochodziła do siebie.

Oderwałam usta od jego warg, by zaczerpnąć powietrza, a wtedy zaczął obsypywać płomiennymi pocałunkami moją szyję.

Jared! Jared! NIE!

Pozwoliłam jej zawładnąć ramionami, gdyż tego właśnie chciałam, choć teraz ledwie zdawałam sobie z tego sprawę. Dłonie na jego brzuchu nagle stwardniały. Palce zaczęły wpijać mu się w ciało, po czym odepchnęły go najmocniej, jak mogły.

– NIE! – wykrzyknęła Melanie przez moje usta.

Jared pochwycił jej ręce i od razu przycisnął mnie do ściany, nim zdążyłam upaść. Uginały się pode mną nogi, tak jak reszta ciała ogłupione sprzecznymi sygnałami.

– Mel? Mel!

– Co ty w y r a b i a s z?

Jared wydał jęk ulgi.

– Wiedziałem, że dasz radę! Ach, Mel!

Pocałował ją znowu, w usta, w których odzyskała czucie, i obie mogłyśmy skosztować łez cieknących mu po policzkach.

Ugryzła go.

Odskoczył od nas, a ja osunęłam się bezwolnie na podłogę.

Roześmiał się.

– Cała ona. Moja Mel. Masz ją tam ciągle, Wando?

– Tak – wydyszałam.

Co to miało być, do cholery? – srożyła się Melanie.

Gdzie byłaś? Masz pojęcie, przez co przeszłam, próbując cię znaleźć?

No właśnie widzę, jak cierpiałaś.

O, uwierz mi, że będę cierpieć, zapewniłam. Czułam, że to się zbliża. Tak jak ostatnio...

Wertowała moje myśli najszybciej, jak się dało. *Jamie?*

Właśnie próbuję ci to powiedzieć. On cię potrzebuje.

To dlaczego nie jesteśmy z nim?

Może dlatego, że jest chyba jeszcze za mały, żeby oglądać takie rzeczy.

Nadal grzebała w mojej pamięci. *No proszę, z Ianem też. Dobrze, że mnie przy tym nie było.*

Tak się martwiłam. Nie wiedziałam, co robić.

Dobra, chodźmy. Szkoda czasu.

– Mel? – zapytał Jared.

– Jest ze mną. Jest wściekła. Chce się zobaczyć z Jamiem.

Jared objął mnie w pasie i pomógł mi wstać.

– Możesz sobie być wściekła, Mel, tylko nie odchodź.

Jak długo mnie nie było?

Całe trzy dni.

Przycichła nagle. *Gdzie byłam?*

Nie wiesz?

Nie pamiętam... nic nie pamiętam.

Przeszły nas dreszcze.

– Wszystko w porządku? – zapytał Jared.

– Powiedzmy.

– To ona do mnie wcześniej mówiła? Wtedy na głos?

– Tak.

– Czy... możesz jej pozwolić powiedzieć coś jeszcze?

Westchnęłam. Byłam wyczerpana.

– Mogę spróbować. – Zamknęłam oczy.

Możesz mnie obejść? – zapytałam. *Możesz się do niego odezwać?*

Yyy... Jak? Gdzie?

Próbowałam przywrzeć do wnętrza głowy.

– Dawaj – mruknęłam. – Tędy.

Melanie starała się przedostać, ale na próżno.

Wtem poczułam na ustach wargi Jareda. Podniosłam gwałtownie powieki, przerażona. Jego oczy również były otwarte, przyglądały mi się z odległości dwóch centymetrów.

Melanie szarpnęła głową do tyłu.

– Co robisz! Nie dotykaj jej!

Uśmiechnął się, po swojemu mrużąc oczy.

– Cześć, skarbie.

To nie jest śmieszne.

Próbowałam złapać oddech.

– To jej nie bawi.

Nadal jedną ręką obejmował mnie – nas – w pasie. Wyszliśmy na skrzyżowanie tuneli, ale nikogo tam nie było. Ian zniknął.

– Ostrzegam cię, Mel – żartował Jared, nie przestając się szeroko uśmiechać. – Lepiej nigdzie nie odchodź. Nie wiem, do czego mogę się posunąć, żeby cię odzyskać.

Poczułam niepokój w żołądku.

Powiedz mu, że go uduszę, jeśli jeszcze raz cię tak dotknie. Tym razem jednak ona także żartowała.

– Teraz grozi ci śmiercią – powiedziałam. – Ale to chyba taki dowcip.

Roześmiał się, udając ulgę.

– Jesteś zawsze taka poważna, Wando.

– Wasze żarty nie są zabawne – odrzekłam pod nosem. W każdym razie nie były dla mnie.

Jared znowu się zaśmiał.

Jest ci przykro, spostrzegła Melanie.

Postaram się, żeby Jamie nic nie zauważył.

Dziękuję, że mnie uratowałaś.

Nie pozbędę się ciebie, Melanie. Przykro mi, że to wszystko, co mogę dla ciebie zrobić.

Dziękuję.

– Co mówi?

– Właśnie się... pogodziłyśmy.

– Dlaczego nie mogła się odezwać, kiedy chciałaś jej na to pozwolić?

– Nie wiem, Jared. Chyba nie ma dość miejsca dla nas obu. Nie potrafię całkiem usunąć jej się z drogi. To jak... nie jak wstrzymywanie oddechu. Raczej jak zatrzymywanie bicia serca. Nie mogę przestać istnieć. Nie umiem.

Zabolało mnie, gdy nic nie odpowiedział. O ile byłby szczęśliwszy, gdybym jednak znalazła jakiś sposób na to, by zniknąć.

Melanie chciała... nie tyle zaprzeczyć, co mnie pocieszyć. Szukała słów, które uśmierzyłyby moje cierpienie, ale nic jej nie przychodziło do głowy.

Ian byłby zrozpaczony. I Jamie. Jeb też by za tobą tęsknił. Masz tu tylu przyjaciół.

Dzięki.

Cieszyłam się, że wracamy do naszego pokoju. Musiałam jak najszybciej zająć czymś myśli, żeby się nie rozpłakać. Nie czas użalać się nad sobą, pomyślałam. Jest tyle ważniejszych spraw niż moje delikatne serce.

Rozdział 43

Gorączka

Domyślałam się, że wyglądam jak posąg. Ręce miałam skrzyżowane przed sobą, twarz pozbawioną wyrazu, oddech zbyt płytki, by unosił mi pierś.

Za to w środku kotłowałam się, jakby cząstki moich atomów zmieniły ładunek i nawzajem się odpychały.

Uratowałam Melanie, lecz nie mogłam uratować Jamiego. Zrobiłam wszystko, co w mojej mocy, i okazało się, że to nie wystarczy.

Przed wejściem do naszego pokoju zgromadził się tłum ludzi. Jared, Kyle i Ian dopiero co wrócili z rozpaczliwego wypadu, niestety z pustymi rękoma. Przez trzy dni narażali życie, lecz jedyną rzeczą, jaką udało im się zdobyć, była przenośna lodówka wypełniona kostkami lodu. Trudy robiła teraz zimne kompresy i kładła je Jamiemu na czole i piersi, a także pod kark.

Lód zbijał wprawdzie szalejącą gorączkę, ale nie mógł starczyć na długo. Na kolejną godzinę? Dłużej? Krócej? Wiedziałam, że prędzej czy później Jamie znów będzie na krawędzi śmierci.

To ja zmieniałabym mu okłady, gdyby nie to, że nie mogłam się ruszyć. Gdybym się ruszyła, rozpadłabym się na mikroskopijne kawałki.

– Nic? – wymamrotał Doktor. – A sprawdziliście...

– We wszystkich miejscach, jakie nam tylko przyszły do głowy – przerwał mu Kyle. – Antybiotyki to nie środki przeciwbólowe ani narkotyki, ludzie nigdy nie mieli powodów, by trzymać je w ukryciu. Gdyby ciągle istniały, leżałyby na wierzchu. Ale już ich nie ma.

Jared milczał, wpatrzony w zaczerwienioną twarz chorego chłopca.

Ian stał obok mnie.

– Nie rób takiej miny – szepnął mi. – Wyliże się z tego. To twardziel.

Nie byłam w stanie mu odpowiedzieć. Zresztą ledwie słyszałam, co do mnie mówi.

Doktor ukląkł obok Trudy i opuścił Jamiemu brodę. Drugą ręką, w której trzymał miseczkę, zaczerpnął lodowatej wody i zwilżył chłopcu usta. Wszyscy usłyszeli, jak Jamie przełyka głośno, z trudem. Oczy mu się jednak nie otwierały.

Miałam wrażenie, że już nigdy nie będę w stanie się ruszyć. Że stanę się częścią skalnego muru. Pragnęłam być skałą.

Pomyślałam, że jeśli wykopią na pustyni dół dla Jamiego, będą mnie musieli zakopać razem z nim.

To za mało, za mało, denerwowała się Melanie.

O ile mną owładnęła rozpacz, o tyle nią – wściekłość.

Starali się.

Samo staranie się niczego nie rozwiąże. Jamie n i e m o ż e umrzeć. Muszą szukać dalej.

Po co? Nawet gdyby znaleźli te wasze stare antybiotyki, jakie są szanse, że będą wciąż dobre? Zresztą i tak miały niską skuteczność. Są niewiele warte. Jamie nie potrzebuje waszych lekarstw. Potrzeba mu czegoś więcej. Czegoś, co naprawdę działa...

Nagle mnie olśniło. Oddech mi przyspieszył, stał się głębszy.

Potrzeba mu moich lekarstw, uświadomiłam sobie.

Żadnej z nas nie chciało się wierzyć, że to takie oczywiste. Takie proste.

Otworzyłam skamieniałe usta.

– Jamie potrzebuje prawdziwych lekarstw. Takich, jakich używają dusze. Musimy je zdobyć.

Doktor zmarszczył brwi.

– Nie wiemy nawet, jak działają.

– Czy to ważne? – Mój głos przechodził powoli gniewem Melanie. – Najważniejsze, że działają. Mogą uratować mu życie.

Jared patrzył na mnie. Czułam też na sobie spojrzenie Iana, Kyle'a i całej reszty zgromadzonych. Ale widziałam tylko Jareda.

– Nie mamy jak ich zdobyć – odezwał się Jeb zrezygnowanym tonem, jakby już się poddał. – Możemy się zapuszczać tylko tam, gdzie nikogo nie ma. W szpitalach zawsze ktoś jest. Przez całą dobę. Nie sposób przejść niezauważonym. Nie pomożemy Jamiemu, dając się złapać.

– No właśnie – dodał stanowczo Kyle. – Pasożyty bardzo chętnie go uleczą, jak już nas tu znajdą. A potem wpuszczą do niego robala. O to ci chodzi?

Obróciłam się i zmierzyłam go gniewnym wzrokiem. Czułam, jak napreżają mi się mięśnie, jak tułów nachyla się do przodu. Ian położył mi rękę na barku, jakby chciał mnie powściągnąć. Nie wydawało mi się, bym mogła wykonać w stronę Kyle'a jakiś gwałtowny ruch, ale być może się myliłam. Nie byłam całkiem sobą.

Odezwałam się jednostajnym, beznamiętnym głosem.

– Musi być jakiś sposób.

Jared przytaknął, kiwając głową.

– Może jakieś małe miejsce. Strzelba narobiłaby zbyt wiele hałasu, ale gdyby było nas dużo, moglibyśmy użyć noży.

– Nie. – Skrzyżowane dotychczas ręce opadły mi ze zdumienia. – Nie. Nie to miałam na myśli. Nie zabijanie...

Ale nikt mnie nawet nie słuchał. Jeb wdał się z dyskusję z Jaredem.

– Nie ma na to szans, chłopcze. Ktoś by od razu dał cynk Łowcom. Nawet gdyby udało nam się prysnąć, nie daliby nam po czymś takim spokoju. A trudno byłoby w ogóle się stamtąd wydostać. No i ruszyliby za nami w pościg.

– Poczekajcie. Czy nie możecie...

Wciąż nie zwracali na mnie uwagi.

– Ja też nie chcę, żeby chłopak umarł, ale nie możemy dla jednej osoby ryzykować życia nas wszystkich – stwierdził Kyle. – Ludzie umierają, zdarza się. Nie dajmy się zwariować z powodu jednego dziecka.

Miałam ochotę go udusić, odciąć mu dopływ powietrza, by zatrzymać ten chłodny potok słów. Ja – nie Melanie. To *ja* chciałam sprawić, żeby posiniał na twarzy. Melanie czuła podobnie, ale wiedziałam, jaka część tej agresji pochodzi bezpośrednio ode mnie.

– Musimy go uratować – powiedziałam, tym razem głośniej.

Jeb spojrzał na mnie.

– Skarbie, nie możemy tak po prostu tam wejść i poprosić o pomoc.

Wtedy dotarła do mnie kolejna prosta i oczywista prawda.

– Wy nie. Ale ja tak.

Cały pokój zamarł.

Rozkoszowałam się pięknem rodzącego mi się w głowie planu. Jego doskonałością. Mówiłam głównie do siebie i do Melanie. Była pod wrażeniem. To miało pełne szanse powodzenia. Mogłyśmy ocalić Jamiego.

– Dusze nie są ani trochę podejrzliwe. Wcale nie muszę umieć dobrze kłamać, i tak niczego się nie domyślą. Do głowy im nie przyjdzie, że coś przed nimi kryję. Oczywiście, że nie. Jestem jedną z nich. Zrobią wszystko, żeby mi pomóc. Mogę im powiedzieć, że zrobiłam sobie krzywdę, chodząc po górach, albo coś w tym rodzaju... Potem postaram się zostać na chwilę sama i zabiorę tyle lekarstw, ile dam radę schować. Pomyślcie tylko! Mogę zabrać tyle, by starczyło wam na długie lata. I Jamie będzie zdrowy! Czemu wcześniej o tym nie pomyślałam? Może nawet Waltera dałoby się uratować.

Dopiero teraz podniosłam wzrok i rozejrzałam się błyszczącymi oczami po pokoju. Co za doskonały plan!

Tak doskonały, tak nieskazitelnie słuszny, tak w moim mniemaniu oczywisty, że minęło pół wieczności, zanim zrozumiałam ich miny. Gdyby nie złowieszczy grymas Kyle'a, pewnie zajęłoby mi to jeszcze więcej czasu.

Nienawiść. Podejrzliwość. Strach.

Nawet pokerowa twarz Jeba na niewiele się tym razem zdała. W jego przymrużonych oczach widniało niedowierzanie.

Każda z tych twarzy mówiła „nie".

Czy oni są nienormalni? Nie widzą, jak bardzo wszyscy byśmy na tym skorzystali?

Nie ufają mi. Myślą, że chcę ich wydać, że chcę wydać Jamiego!

– Proszę – szepnęłam. – To jedyny sposób, żeby go uratować.

– Cierpliwa bestia, co? – fuknął Kyle. – Długo czekała na dogodny moment, trzeba jej to przyznać.

Znów musiałam się powstrzymywać, żeby nie rzucić mu się do gardła.

– Doktorze? – odezwałam się błagalnym głosem.

Nie spojrzał mi w oczy.

– Nawet gdybyśmy mogli cię wypuścić na zewnątrz, Wando... I tak nie mógłbym zaufać lekom, o których nie mam żadnego pojęcia. Jamie jest silny. Organizm sobie poradzi.

– Pojedziemy szukać dalej – wymamrotał Ian. – Na pewno coś znajdziemy. Nie wrócimy z pustymi rękami.

– To nie wystarczy. – Łzy cisnęły mi się do oczu. Spojrzałam na jedyną osobę, która mogła rozumieć ogrom mojego bólu. – Jared. Ty wiesz. W i e s z dobrze, że nie pozwoliłabym, żeby Jamiemu stała się jakaś krzywda. Wiesz, że chcę to zrobić. Proszę.

Patrzył mi w oczy przez długą chwilę. Następnie rozejrzał się po pokoju, spoglądając kolejno na pozostałe twarze: Jeba, Doktora, Kyle'a, Iana, Trudy. Potem ogarnął wzrokiem milczących gapiów stojących na korytarzu, o twarzach wykrzywionych na podobieństwo twarzy Kyle'a: Sharon, Violettę, Lucinę, Reida, Geoffreya, Heatha, Heidi, Andy'ego, Aarona, Wesa, Lily, Carol – moich przyjaciół przemieszanych z wrogami. Wszyscy oni wyglądali jak Kyle. Jared popatrzył jeszcze na drugi szereg postaci – tych już nie widziałam. Później na Jamiego. W pokoju panowała zupełna cisza, nie słychać było nawet oddechów.

– Nie, Wando – powiedział cicho. – Nie.

Reszta odetchnęła z ulgą.

Poczułam, jak uginają się pode mną kolana. Upadłam przed siebie, wyrywając dłoń z uścisku Iana, gdy ten próbował mnie podnieść. Doczołgałam się do Jamiego i odtrąciłam Trudy na bok łokciem. Wszyscy przyglądali się w milczeniu. Zdjęłam mu kompres z głowy i nałożyłam świeży lód. Ani razu nie spojrzałam w żadne z utkwionych we mnie oczu. I tak nic nie widziałam przez łzy.

– Jamie, Jamie, Jamie – zawodziłam. – Jamie, Jamie, Jamie.

Jedyne, co mogłam teraz robić, to wypowiadać jego imię i dotykać co chwila okładów, sprawdzając, czy nie trzeba ich zmienić.

Słyszałam, jak pozostali wychodzą, po kilku naraz. Słyszałam oddalające się głosy, głównie niezadowolone. Nie rozumiałam jednak, co mówią.

Jamie, Jamie, Jamie...

– Jamie, Jamie, Jamie...

Kiedy pokój prawie całkiem opustoszał, Ian uklęknął przy mnie.

– Wiem, że chcesz dobrze... ale Wando, oni cię zabiją, jeżeli spróbujesz – szeptał. – Po tym, co się stało... w szpitalu. Boją się, że masz teraz powód, żeby nas zdradzić... Zresztą Jamie wyzdrowieje. Trzeba wierzyć.

Odwróciłam twarz, a wtedy sobie poszedł.

– Przykro mi, złotko – mruknął Jeb, wychodząc za nim.

Jareda też już nie było. Nie słyszałam, jak wychodzi, ale wiedziałam, że poszedł. I słusznie, pomyślałam. Nie kochał Jamiego tak bardzo jak my. Dał tego dowód. Dobrze zrobił, że wyszedł.

Doktor został, ale przyglądał się tylko bezradnie. Nie spojrzałam na niego ani razu.

Powoli zmierzchało, światło przybrało najpierw pomarańczowy, a potem szary kolor. Skończył się lód. Czułam, jak Jamie zaczyna znowu płonąć.

– Jamie, Jamie, Jamie... – Głos dawno mi zachrypł, ale nie mogłam przestać. – Jamie, Jamie, Jamie...

W pokoju zrobiło się ciemno. Nie widziałam jego twarzy. Czy odejdzie tej nocy? Czy po raz ostatni widziałam go dzisiaj żywego?

Szeptałam jego imię głosem, na tyle bezdźwięcznym, że słyszałam słabe chrapanie Doktora.

Niestrudzenie ocierałam Jamiemu twarz letnią szmatką. Nawet zwykła woda troszkę go schładzała. Gorączka nieco osłabła. Zaczęłam wierzyć, że nie umrze tej nocy. Wiedziałam jednak, że nie dam rady trzymać go przy sobie w nieskończoność. Któregoś dnia mi się wyśliźnie. Jutro. Pojutrze. A wtedy ja też umrę. Nie przeżyję bez niego.

Jamie, Jamie, Jamie... – pojękiwała Melanie.

Jared nam nie uwierzył, zapłakałyśmy obie. Pomyślałyśmy o tym jednocześnie.

Wokół panowała niczym niezmącona cisza. Nie dochodziły mnie żadne dźwięki.

Nagle Doktor krzyknął. Był to dziwny, przytłumiony odgłos, jak gdyby usta miał przyciśnięte do poduszki.

Ujrzałam w ciemnościach ruchome kształty. W pierwszej chwili zdawały się nie mieć sensu. Doktor dziwnie podrygiwał. Zrobił się duży – jakby miał zbyt wiele rąk. Byłam przerażona. Nachyliłam się nad nieruchomą figurą Jamiego, chcąc go ochronić przed niebezpieczeństwem, jakiekolwiek ono było. Nie mogłam uciec, gdy tak leżał bezbronny. Serce tłukło mi o żebra.

Po chwili Doktor przestał wymachiwać rękoma. Znowu rozległo się chrapanie, tym razem cięższe i głośniejsze. Osunął się z powrotem na ziemię i ujrzałam, jak wyłania się z niego drugi cień. Ktoś przede mną stał.

– Chodźmy – szepnął Jared. – Nie ma czasu do stracenia.

Serce prawie mi wybuchło.

Wierzy.

Zerwałam się na nogi, siłą woli prostując zdrętwiałe kolana.

– Co zrobiłeś Doktorowi?

– Chloroform. Długo nie potrzyma.

Obróciłam się natychmiast i oblałam Jamiego letnią wodą, mocząc ubranie i materac. Ani drgnął. Miałam nadzieję, że to go ochłodzi, dopóki Doktor się nie zbudzi.

– Idź za mną.

Szłam za nim krok w krok. Poruszaliśmy się bardzo cicho, prawie się dotykając, prawie biegnąc, ale niezupełnie. Jared trzymał się ścian, a ja sunęłam w ślad za nim.

Przystanął, gdy dotarliśmy do skąpanej w świetle księżyca jaskini z ogrodem. Była całkiem pusta, pogrążona w ciszy.

Dopiero teraz mogłam mu się lepiej przyjrzeć. Przez ramię miał przerzuconą strzelbę, a u pasa nóż. W wyciągniętych ku mnie dłoniach trzymał kawałek ciemnego materiału. Pojęłam natychmiast.

– Racja, zawiąż mi oczy – wyszeptałam jednym tchem.

Przytaknął głową. Zamknęłam powieki, czekając, aż założy mi opaskę. I tak bym ich nie otwierała.

Zawiązał ją sprawnie i mocno. Gdy skończył, obróciłam się szybko parę razy wokół własnej osi – raz, dwa...

Złapał mnie i zatrzymał.

– Starczy.

Chwycił mnie jeszcze mocniej, uniósł – zadyszałam zaskoczona – i przerzucił przez ramię. Zgięło mnie wpół, zawisłam mu głową i tułowiem wzdłuż pleców, obok strzelby. Objął mnie mocno za nogi i nie tracąc czasu, ruszył truchtem przed siebie. Podskakiwałam z każdym krokiem, raz po raz ocierając się twarzą o jego koszulę.

Zupełnie straciłam poczucie kierunku. Nie próbowałam jednak zgadywać ani się domyślać. Skupiłam całą uwagę na jego nogach: liczyłam kroki. Dwadzieścia, dwadzieścia jeden, dwadzieścia dwa, dwadzieścia trzy...

Czułam, jak się nachyla, biegnąc najpierw z górki, potem pod górkę. Starałam się o tym nie myśleć.

Czterysta dwanaście, trzynaście, czternaście...

Wiedziałam, kiedy wydostaliśmy się na zewnątrz. Czułam suchy, czysty powiew pustyni. Mimo że musiała się zbliżać północ, powietrze było gorące.

Zdjął mnie z ramienia i postawił na ziemi.

– Tu jest płasko. Myślisz, że dasz radę biec z zawiązanymi oczami?

– Tak.

Chwycił mnie mocno pod łokciem i ruszył do przodu, narzucając ostre tempo. Nie było łatwo. Co chwila łapał mnie w ostatnim momencie, gdy już miałam się wywrócić. Z czasem zaczęłam się przyzwyczajać i lepiej trzymałam równowagę na wyboistej drodze. Wkrótce oboje ciężko dyszeliśmy.

– Jak tylko... dobiegniemy... do jeepa... będziemy bezpieczni.

Do jeepa? Ogarnęła mnie dziwna fala nostalgii. Mel nie widziała tego auta od czasu tragicznej wyprawy do Chicago, nie wiedziała nawet, czy przetrwało.

– A jak... nie? – zapytałam.

– To nas złapią... i cię zabiją... Ian ma rację.

Próbowałam biec jeszcze szybciej. Nie po to, by ratować swoje życie, lecz dlatego, że tylko ja mogłam uratować Jamiego. Znowu się potknęłam.

– Czekaj... zdejmę ci... opaskę... Będziesz... biec... szybciej.

– Na pewno?

– Nie rozglądaj się... Okej?

– Słowo.

Pociągnął za supeł. Gdy tylko szmatka opadła mi z oczu, utkwiłam wzrok w ziemi.

Biegło mi się teraz o wiele lepiej. Księżyc świecił jasno, piasek był równy. Jared opuścił rękę i przyspieszył. Nadążałam za nim bez problemu. Długi bieg nie był dla tego ciała niczym nowym. Złapałam ulubione tempo. Pewnie trochę ponad sześć minut na milę. Wiedziałam, że nie utrzymam go w nieskończoność, ale zamierzałam dać z siebie wszystko.

– Słyszysz... coś? – zapytał.

Wytężyłam słuch. Tylko dwie pary stóp biegnących po piasku.

– Nie.

Charknął uspokojony.

Uświadomiłam sobie, że pewnie dlatego zabrał broń. Żeby nie mogli do nas strzelać.

Biegliśmy mniej więcej godzinę. Zaczęłam zwalniać, Jared też. Suszyło mnie w gardle.

Ani razu nie oderwałam oczu od ziemi, dlatego zdziwiłam się, gdy zakrył mi je dłonią. Zwolniłam chwiejnie kroku, pozwalając się dalej prowadzić.

– Prawie jesteśmy. Prosto...

Pociągnął mnie za rękę, nie odsłaniając mi oczu. Nasze kroki zaczęły się odbijać echem. Pustynia zrobiła się nierówna.

– Chodź.

Jego dłoń nagle zniknęła.

Widziałam jednak niewiele więcej. Kolejna ciemna jaskinia. Niezbyt głęboka. Gdybym się obróciła, mogłabym z niej wyjrzeć, ale tego nie zrobiłam.

Jeep stał tyłem do wyjścia. Wyglądał tak samo, jak pamiętałam, choć widziałam go po raz pierwszy w życiu. Wskoczyłam na przedni fotel.

Jared siedział już obok. Pochylił się w moją stronę i ponownie przewiązał mi oczy. Siedziałam nieruchomo, by mu tego nie utrudniać.

Przestraszył mnie warkot silnika. Wydawał się bardzo głośny. Tylu ludzi nas teraz szukało.

Ruszyliśmy na wstecznym biegu. Chwilę później wiatr rozwiewał mi włosy. Za autem ciągnął się dziwny odgłos, którego Mel nie pamiętała.

– Jedziemy do Tucson – powiedział Jared. – Nigdy tam nie jeździmy, bo to za blisko. Ale teraz nie mamy czasu. Znam jeden nieduży szpital na obrzeżach miasta.

– Ale nie Saint Mary's?

Wyczuł niepokój w moim głosie.

– Nie, dlaczego?

– Znam tam kogoś.

Milczał przez parę chwil.

– Poznają cię?

– Nie. Moja twarz nie będzie nikomu nic mówić. My nie mamy... listów gończych.

– Aha.

Dał mi jednak do myślenia – zaczęłam się trochę martwić swoim wyglądem. Zanim zdążyłam cokolwiek powiedzieć, sięgnął po moją dłoń, włożył do niej coś bardzo małego i zacisnął mi palce.

– Nie zgub tego.

– Co to?

– Jeżeli się połapią, że jesteś... po naszej stronie, jeżeli mieliby... wsadzić w ciało Mel kogoś innego, włóż to do ust i przegryź.

– Trucizna?

– Tak.

Zamyśliłam się na chwilę. Potem zaczęłam się śmiać. Nie mogłam temu zaradzić. Nerwy miałam w strzępach z powodu stresu.

– To nie żart, Wando – powiedział ze złością. – Jeżeli nie możesz tego zrobić, będziemy musieli zawrócić.

– Nie, nie, mogę. – Próbowałam się opanować. – Mogę. Właśnie dlatego się śmieję.

– Nie widzę w tym nic śmiesznego – odparł surowym tonem.

– Nie rozumiesz? Nie chciałam oddać życia dla milionów dusz. Dla własnych... dzieci. Bałam się umrzeć na zawsze. A teraz jestem gotowa to zrobić dla jednego obcego dziecka. – Znowu się zaśmiałam. – To absurdalne. Ale nie martw się. Jeśli będzie trzeba, umrę, żeby chronić Jamiego.

– Właśnie tego oczekuję.

Milczeliśmy przez chwilę, dopóki nie przypomniałam sobie, jak wyglądam.

– Jared, nie mogę w takim stanie wejść do szpitala.

– Mamy lepsze ubrania w... lepiej zamaskowanych samochodach. Właśnie tam jedziemy. Będziemy za pięć minut.

Nie to miałam na myśli, ale musiałam przyznać mu rację. Moje rzeczy zupełnie się nie nadawały. Resztę tematu odłożyłam na potem. Chciałam się najpierw zobaczyć.

Zatrzymał jeepa i rozwiązał mi oczy.

– Nie musisz patrzeć cały czas pod nogi – powiedział, gdy odruchowo spuściłam głowę. – Niczego takiego tu nie trzymamy. Na wszelki wypadek.

Nie znajdowaliśmy się tym razem w grocie, lecz na skalnym osuwisku. Kilka większych głazów ostrożnie wykopano z ziemi, tworząc pod nimi niepozorne ciemne jamy, na pierwszy rzut oka kryjące co najwyżej piach i kamienie.

Stanęliśmy autem w jednej z nich. Skała była tak blisko, że musiałam przeciskać się tyłem, żeby z niego wyjść. Zobaczyłam wtedy coś dziwnego przymocowanego do zderzaka – łańcuchy i dwie płachty grubej tkaniny, całe podarte i obstrzępione.

– Tutaj – powiedział Jared, ruszając w stronę mrocznej szczeliny, nieco niższej od niego. Odsunął ciemną, zakurzoną płachtę i zaczął przetrząsać ukrytą za nią stertę rzeczy. Wyciągnął z niej miękką, czystą koszulkę, jeszcze z metkami. Oderwał je i rzucił mi ją do rąk. Następnie dokopał się do pary szaro-brązowo-zielonych spodni. Sprawdził rozmiar, po czym również mi je rzucił.

– Włóż.

Wahałam się przez chwilę, podczas gdy on zastanawiał się, na co czekam. Zarumieniłam się i obróciłam do niego plecami. Zdjęłam przez głowę zniszczoną koszulę, po czym ubrałam się najspieszniej, jak mogłam.

Jared odchrząknął.

– A. To ja... pójdę do auta. – Usłyszałam, jak się oddala.

Zsunęłam z nóg obdarte dresowe spodnie i założyłam nowe, świeże. Buty też miałam zniszczone, ale nie rzucały się specjalnie w oczy. Poza tym znalezienie wygodnych butów bywało trudne. Mogłam udawać, że jestem do tych przywiązana.

Usłyszałam, jak Jared zapala inny samochód, cichszy niż jeep. Obróciłam się i zobaczyłam, jak z głębokiego cienia skały wynurza się skromny sedan. Po chwili Jared wysiadł i przeczepił podarte płachty z jeepa na tylni zderzak auta. Następnie podjechał nim bliżej. Ujrzałam, jak ciężkie płachty zacierają ślad opon i zrozumiałam, do czego służą.

Jared pochylił się nad siedzeniem i otworzył drzwi od strony pasażera. Na fotelu leżał plecak – płaski, pusty. Kiwnęłam głową sama do siebie. Tak, tego też potrzebowałam.

– Jedźmy.

– Poczekaj – powiedziałam.

Zniżyłam się, by przejrzeć się w bocznym lusterku.

Niedobrze. Zaczesałam sięgające mi do brody włosy na policzek, ale to nie wystarczyło. Dotknęłam go zmartwiona, zagryzając wargę.

– Jared, nie mogę tam wejść z taką twarzą. – Wskazałam palcem długą, nierówną szramę.

– Słucham?

– Żadna dusza nie przyszłaby do szpitala z zabliźnioną raną. Takie rzeczy leczy się od razu. Zaczną się zastanawiać, gdzie byłam. Będą zadawać pytania.

Otworzył szerzej oczy, po czym je zmrużył.

– Może trzeba było o tym pomyśleć, zanim cię wyniosłem z jaskiń. Jeżeli teraz wrócimy, pomyślą, że to był wybieg z twojej strony, że chciałaś podstępem dowiedzieć się, gdzie jest wyjście.

– Nie wracamy bez lekarstwa dla Jamiego – odparłam kategorycznie.

W odpowiedzi przybrał jeszcze bardziej stanowczy ton.

– W takim razie co proponujesz?

– Potrzebuję kamienia. – Westchnęłam. – Będziesz musiał mnie uderzyć.

Rozdział 44

Pomoc

– Wando...

– Nie mamy czasu. Zrobiłabym to sama, ale mogę się pomylić. To jedyne wyjście.

– Nie sądzę, żebym mógł... to zrobić.

– Nawet dla Jamiego? – Przycisnęłam zdrowy policzek do podgłówka najmocniej, jak umiałam, i zamknęłam oczy.

Jared trzymał w ręku znaleziony przeze mnie przed paroma chwilami kamień wielkości pięści. Ważył go w dłoni od dobrych pięciu minut.

– Wystarczy, że zedrzesz kilka pierwszych warstw skóry, żeby ukryć bliznę, to wszystko. Proszę cię, Jared, musimy się pospieszyć. Jamie...

Powiedz mu ode mnie, że ma to natychmiast zrobić. I to porządnie.

– Mel każe ci to natychmiast zrobić. Mówi, żebyś uderzył mocno. Żeby wystarczył jeden raz.

Cisza.

– Zrób to, Jared!

Wziął głęboki, gwałtowny oddech. Poczułam ruch powietrza i zacisnęłam oczy z całej siły.

Najpierw usłyszałam świst i huk, a dopiero później, gdy minął szok uderzenia, poczułam ból.

– Aa – jęknęłam. Miałam zamiar nie wydać żadnego dźwięku. Nie chciałam, żeby poczuł się jeszcze gorzej. Ale odruchy tego ciała były trudne do okiełznania. Oczy zaszły mi łzami, kaszlnęłam, by ukryć płacz. Dzwoniło mi w głowie.

– Wanda? Mel? Przepraszam!

Objął nas i przytulił do piersi.

– Nie, nie – zakwiliłam. – Nic nam nie jest. Udało się?

Złapał mnie za brodę i obrócił mi twarz.

– Ach – westchnął ciężko na głos z obrzydzeniem. – Zdarłem ci pół twarzy. Przepraszam.

– Nie, o to chodziło. Znakomicie. Jedźmy.

– Dobrze. – Głos miał ciągle słaby, ale oparł mnie ostrożnie w fotelu i ruszył z hałasem.

Poczułam na twarzy podmuch lodowatego powietrza. Zaskoczyło mnie, szczypało w zdarty policzek. Zdążyłam już zapomnieć o takim wynalazku jak klimatyzacja.

Otworzyłam oczy. Jechaliśmy wzdłuż wyschniętego strumienia, po równej piaszczystej smudze – zbyt równej, niewątpliwie przez kogoś wygładzonej. Wiła się niczym wąż wśród wyschniętych krzewów, co chwila się za nimi chowając.

Opuściłam osłonę przeciwsłoneczną, żeby przejrzeć się w lusterku. W bocznym księżycowym świetle moja twarz była czarno-biała. Czerń wypełniała całą prawą stronę, sączyła się po brodzie, ściekała w poprzek szyi i wsiąkała w kołnierz nowej, czystej koszulki.

Ścisnęło mnie w dołku.

– Dobra robota – szepnęłam.

– Bardzo cię boli?

– Nie – skłamałam. – Zresztą niedługo przestanie. Jak daleko do Tucson?

Ledwie zdążyłam zadać pytanie, wjechaliśmy na asfalt. Zabawne, jak na jego widok serce zaczęło mi bić w panicznym rytmie. Jared zatrzymał samochód, nie wyjeżdżając spomiędzy krzaków. Wysiadł, odczepił płachty od zderzaka i wsadził je do bagażnika. Następnie usiadł z powrotem za kierownicą i ruszył powoli do przodu, patrząc uważnie, czy autostradą nikt nie jedzie. Wyciągnął rękę w stronę włącznika światła.

– Poczekaj – szepnęłam. Nie potrafiłam odezwać się głośniej. Czułam się w tym miejscu zbyt niepewnie. – Ja poprowadzę.

Spojrzał na mnie.

– Nie mogę w takim stanie przyjść do szpitala na piechotę. Zbyt dużo pytań. Muszę podjechać. Schowaj się z tyłu i mów mi, którędy jechać. Masz się pod czym schować?

– Dobra – odparł powoli. Zaciągnął wsteczny bieg i cofnął samochód pomiędzy krzaki. – Dobra. Schowam się. Ale jeżeli pojedziesz nie tam, gdzie ci każę...

Au. Melanie ubodło to tak samo jak mnie.

– To mnie zastrzel – odparłam beznamiętnie.

Nie odpowiedział. Wysiadł, zostawiając włączony silnik. Przesiadłam się na miejsce kierowcy. Z tyłu rozległ się huk zamykanego bagażnika. Jared wgramolił się na tylne siedzenie, ściskając pod pachą gruby kraciasty koc.

– Skręć w prawo – powiedział.

Samochód miał automatyczną skrzynię biegów, ale dawno nie prowadziłam i czułam się trochę niepewnie. Ruszyłam ostrożnie do przodu, odnotowując z zadowoleniem, że nie zapomniałam, jak się jeździ autem. Autostrada była nadal pusta. Wyjechałam na szosę i znowu serce zabiło mi szybciej na widok otwartej przestrzeni.

– Światła – powiedział Jared znad podłogi.

Odnalazłam właściwy przełącznik i je włączyłam. Wydały mi się strasznie jasne.

Tuscon było niedaleko – widziałam na niebie żółtą poświatę. Światła miasta.

– Mogłabyś jechać trochę szybciej.

– Nie mogę. Jest ograniczenie prędkości – zaprotestowałam.

Zamilkł na chwilę.

– Dusze nie przekraczają prędkości?

Roześmiałam się, odrobinę histerycznie.

– Przestrzegamy wszystkich praw, w tym przepisów ruchu drogowego.

Światła miasta nie były już tylko poświatą, lecz pojedynczymi jasnymi punktami. Zielone tablice informowały o kolejnych zjazdach.

– Zjedź na Ina Road.

Wykonywałam jego polecenia. Wypowiadał je cicho, choć w zasadzie, będąc w aucie, moglibyśmy krzyczeć.

Trudno mi było odnaleźć się w tym obcym miejscu. Patrzeć na domy, mieszkania i sklepy z rozświetlonymi szyldami, mając świadomość, że jestem otoczona ze wszystkich stron. Wyobrażałam sobie, jak musi się czuć Jared. Co prawda głos miał zdumiewająco spokojny... Cóż, robił to już wiele razy.

Na drodze zaczęły się pojawiać inne auta. Za każdym razem, gdy omiatały mnie światłami, napinałam mięśnie z przerażenia.

Nie możesz teraz pęknąć, Wando. Musisz być mocna. Dla Jamiego. Inaczej to się nie uda.

Będę. Dam radę.

Zaczęłam myśleć o Jamiem i opanowałam drżenie rąk na kierownicy.

Jared kierował mnie przez pogrążone we śnie miasto. Lecznica była rzeczywiście nieduża. Zapewne kiedyś mieściły się tu gabinety lekarzy, raczej nie szpital jako taki. W większości okien paliło się światło. Za oszklonym frontem widziałam kobietę w recepcji. Światła samochodu nie zwróciły jej uwagi. Stanęłam w najciemniejszym rogu parkingu.

Wsunęłam na siebie plecak. Nie był nowy, ale dobrze wyglądał. Doskonale. Pozostała mi do zrobienia już tylko jedna rzecz.

– Szybko, podaj nóż.

– Wando... wiem, że kochasz Jamiego, ale naprawdę nie sądzę, żeby mógł ci się przydać. Nie umiesz walczyć.

– Nie do tego mi potrzebny, Jared. Muszę mieć ranę.

Zdumienie zaparło mu dech.

– Przecież masz ranę. Jedna ci wystarczy!

– Potrzebuję takiej, jaką ma Jamie. Nie jestem Uzdrowicielem. Muszę zobaczyć dokładnie, jak to się robi. Nacięłabym się już wcześniej, ale bałam się, że nie dam rady prowadzić samochodu.

– O nie. Tylko nie znowu.

– Daj mi ten nóż. Ktoś mógł mnie widzieć. Jeżeli zaraz tam nie pójdę, będą się dziwić.

Jared nie zastanawiał się długo. Jak powiedział raz Jeb, był spośród nich najlepszy, ponieważ zawsze wiedział, co robić, i robił to bez wahania. Usłyszałam dźwięk stali wysuwanej z pokrowca.

– Tylko ostrożnie. Nie za głęboko.

– Chcesz to zrobić?

Wziął gwałtowny wdech.

– Nie.

– Dobra.

Wzięłam od niego tę paskudną broń. Rękojeść była ciężka, a sam nóż bardzo ostry, zakończony szpikulcem.

Postanowiłam o tym nie myśleć. Inaczej mogłabym stchórzyć. Ręka, nie noga – tylko tyle się zastanowiłam. Kolana miałam poranione, nie chciało mi się z nich tłumaczyć.

Wystawiłam lewą rękę. Trzęsła mi się dłoń. Oparłam ją o drzwi, po czym przekręciłam głowę, żeby móc zacisnąć zęby na podgłówku. W prawej dłoni trzymałam nóż – nie leżał w niej dobrze, ale ściskałam go mocno. Dotknęłam przedramienia czubkiem ostrza, żeby łatwiej trafić. Zamknęłam oczy.

Jared oddychał zbyt głośno. Musiałam się pospieszyć, jeszcze gotów był mnie powstrzymać.

Wyobraź sobie, że wbijasz łopatę w ziemię, pomyślałam.

Potem dźgnęłam się w rękę.

Podgłówek stłumił mój wrzask, ale i tak rozbrzmiał on zbyt głośno. Nóż wypadł mi z dłoni – wyskakując z otwartego mięśnia – i upadł z brzękiem na podłogę.

– Wando! – zachrypiał Jared.

Na razie nie mogłam mu odpowiedzieć. Musiałam dławić kolejne wyrywające się z piersi krzyki. Dobrze zrobiłam, czekając z tym, aż dojechaliśmy na miejsce.

– Pokaż!

– Zostań tam – wydyszałam. – Nie ruszaj się.

Mimo to usłyszałam szmer koca. Przycisnęłam lewą rękę do ciała, a prawą otworzyłam drzwi. Wychodząc – na wpół wypadając – z auta, poczułam jeszcze, jak dłoń Jareda muska mi plecy. Nie chciał mnie zatrzymać. Chciał być czuły.

– Zaraz wracam – wykrztusiłam, po czym zatrzasnęłam drzwi kopniakiem.

Szłam chwiejnie przez parking, zmagając się z mdłościami i strachem. Miałam wrażenie, że te dwa uczucia nawzajem się równoważą, dlatego żadne nie jest w stanie mnie obezwładnić. Ból był do zniesienia – albo po prostu przestałam go rejestrować. Byłam w szoku. Zbyt wiele różnych cierpień w zbyt krótkich odstępach czasu. Gorąca ciecz spływała mi po palcach i kapała na chodnik. Zastanawiało mnie, czy mogłabym nimi poruszyć. Bałam się sprawdzić.

Gdy wpadłam do środka przez automatycznie otwierane drzwi, kobieta w recepcji – w średnim wieku, o czekoladowej cerze i czarnych włosach z paroma srebrnymi pasemkami – poderwała się na nogi.

– O nie! Ojej! – Chwyciła za mikrofon i jej kolejne słowa rozbrzmiały już z głośników. – Uzdrowicielko Ścieg! Proszę przyjść do recepcji. Mamy ciężko ranną!

– Nie. – Starałam się mówić spokojnym tonem, ale chwiałam się na nogach. – Nic mi nie jest. To tylko wypadek.

Odłożyła mikrofon, podbiegła do mnie i objęła mnie ręką w talii.

– Rety, słońce, co ci się stało?

– Gapa ze mnie – wymamrotałam. – Byłam w górach... Przewróciłam się... Uderzyłam o skałę... Miałam nóż w ręku... Sprzątałam po kolacji...

Musiała sobie tłumaczyć moje wahanie szokiem. Nie patrzyła na mnie podejrzliwie – ani z rozbawieniem, tak jak to się zdarzało Ianowi, gdy próbowałam go okłamać. Na jej twarzy malowało się jedynie zmartwienie.

– Biedactwo! Jak się nazywasz?

– Szklane Wieże – odparłam, posługując się mało oryginalnym imieniem z Planety Mgieł.

– Dobrze, Szklane Wieże. Już idzie Uzdrowicielka. Zaraz cię wyleczy.

Uspokoiłam się. Kobieta poklepała mnie serdecznie po plecach. Miała w sobie tyle ciepła i troski. Nie mogłaby mnie skrzywdzić.

Uzdrowicielka była młoda, jej włosy, skóra i oczy miały podobny, jasnobrązowy odcień. Nadawało jej to dość osobliwy, monochromatyczny wygląd. Wrażenie to wzmagał jeszcze strój w kolorze brązu.

– Ojoj – powiedziała. – Nazywam się Ognisty Ścieg. Zaraz wszystko wyleczymy. Co się stało?

Opowiedziałam drugi raz tę samą historyjkę, gdy obie prowadziły mnie korytarzem. Otworzyły pierwsze drzwi po prawej i kazały mi się położyć na łóżku.

Pokój wyglądał znajomo. Tylko raz byłam wcześniej w podobnym miejscu, za to Melanie miała mnóstwo takich wspomnień z dzieciństwa. Krótki szereg podwójnych szafek; umywalka, nad którą Uzdrowicielka właśnie myła ręce; jasne, czyste ściany...

– Zacznijmy od początku – rzekła wesoło Ognisty Ścieg. Otworzyła jedną z szafek. Patrzyłam uważnie, co robi, gdyż wiedziałam, że to ważne. Szafka była wypełniona rzędami białych, okrągłych pojemników, ułożonych jeden na drugim. Sięgnęła machinalnie po któryś z nich – wiedziała, czego szuka. Widniała na nim etykietka, ale nie mogłam dojrzeć napisu. – Trochę bez bólu ci się przyda, prawda?

Spojrzałam na etykietkę jeszcze raz, gdy odkręcała wieczko. Jedno słowo. „Bezból"? Chyba tak.

– Otwórz usta, Szklane Wieże.

Robiłam, co kazała. Wzięła w palce mały kwadratowy płatek – przypominał bibułkę – i położyła mi go na języku. Natychmiast się rozpuścił. Nie miał smaku. Bez wahania przełknęłam ślinę.

– I co, lepiej? – zapytała Uzdrowicielka.

O niebo lepiej. Umysł od razu mi się rozjaśnił, odzyskałam swobodę koncentracji. Ból rozpłynął się bez śladu razem z płatkiem. Zniknął. Zamrugałam z niedowierzaniem.

– O tak.

– Wiem, że czujesz się już dobrze, ale nie ruszaj się jeszcze, proszę. Twoje rany trzeba dopiero wyleczyć.

– Oczywiście.

– Modra, przyniesiesz nam trochę wody? Szklane Wieże na pewno jest spragniona.

– Naturalnie, Uzdrowicielko.

Starsza kobieta wyszła na korytarz.

Uzdrowicielka zwróciła się ponownie ku szafkom, lecz tym razem otworzyła inną. Ta również była pełna białych pojemników.

– Już, już. – Sięgnęła po jedno opakowanie z wierzchu i po inne z góry.

Jednocześnie wymieniała kolejno ich nazwy, jakby chciała mi dopomóc w mojej ważnej misji.

– Czysta Rana... Czyste Serce... Zdrowe Ciało... Zrost... A gdzie jest... Ach, tu jest. Gładka Skóra. Nie chcemy przecież blizny na takiej ślicznej buzi, prawda?

– Yyy... nie.

– Nie martw się. Za chwilę będziesz jak nowa.

– Dziękuję.

– Ależ nie ma za co.

Pochyliła się nade mną z kolejnym białym pojemnikiem. Pod przykrywką znajdował się rozpylacz. Spryskała mi najpierw przedramię, pokrywając ranę bezbarwną, bezwonną mgiełką.

– Uzdrawianie musi sprawiać dużo satysfakcji. – Byłam zadowolona z tonu mojego głosu. Zaciekawionego, ale nie zanadto. – Nie byłam w szpitalu od czasu wszczepienia. Bardzo mnie to interesuje.

– Tak, lubię moją pracę. – Zaczęła spryskiwać mi policzek.

– Co pani teraz robi?

Uśmiechnęła się. Zapewne nie byłam pierwszą duszą zadającą takie pytania.

– Ten preparat służy do czyszczenia. Dzięki niemu w ranie nie zostanie nic obcego. Czysta Rana zabija mikroby, które mogłyby spowodować infekcję.

– Czysta Rana – powtórzyłam.

– A teraz jeszcze Czyste Serce do stosowania wewnętrznego, w razie gdyby coś przedostało się do organizmu. Powdychaj trochę.

Trzymała teraz w ręku inny biały pojemnik, cieńszy, z pompką zamiast rozpylacza. Nacisnęła ją, rozpylając mi nad twarzą mgiełkę. Nabrałam powietrza i poczułam w ustach smak mięty.

– A to Zdrowe Ciało – kontynuowała Ognisty Ścieg, zdejmując nakrętkę z kolejnego opakowania. – Powoduje zrastanie się tkanek.

Wkropiła niewielką ilość przezroczystego płynu do szerokiej rany, po czym złączyła jej brzegi. Czułam jej dotyk, lecz ani cienia bólu.

– Na koniec ją zagoję. – Otworzyła następny pojemnik, tym razem z giętką rurką, i wycisnęła sobie na palec trochę gęstego, bezbarwnego żelu. – To działa jak klej – wyjaśniła. – Zespaja wszystko razem i pozwala działać Zdrowemu Ciału. – Wtarła mi żel w rękę jednym płynnym ruchem. – No, teraz już możesz nią ruszać. Jest zdrowa.

Podniosłam rękę, by się jej przyjrzeć. Pod warstwą lśniącego żelu widać było jedynie delikatną różową kreskę. Wciąż miałam na ręce krew, ale źródło krwawienia zniknęło. Nie mogłam wyjść z podziwu. Tymczasem Uzdrowicielka oczyściła mi skórę jednym pociągnięciem mokrego ręcznika.

– Obróć, proszę, twarz w tę stronę. Hmm, musiałaś mieć niezłego pecha. Niezły bałagan.

– Tak. Upadłam bardzo... nieszczęśliwie.

– Całe szczęście, że udało ci się tu dojechać.

Pokropiła mi twarz Zdrowym Ciałem i rozsmarowała je opuszką palca.

– Ach, uwielbiam patrzeć, jak działa. Już widać różnicę... Teraz jeszcze wokół brzegów. – Uśmiechnęła się do siebie. – Może jeszcze jedna warstwa. Nie chcę, żeby został nawet ślad. – Zajęło jej to kolejną minutę. – No, bardzo ładnie.

– Woda – odezwała się kobieta z recepcji, wchodząc do pokoju.

– Dziękuję ci, Modra.

– Gdyby pani jeszcze czegoś potrzebowała, będę w holu.

– Dzięki.

Modra wyszła. Zastanawiało mnie, czy jest z Planety Kwiatów. Niebieskie kwiaty były tam rzadkością; może zawdzięczała imię właśnie nietypowej barwie.

– Możesz już usiąść. Jak się czujesz?

Podniosłam się.

– Znakomicie. – Mówiłam prawdę. Już dawno nie czułam się tak zdrowo. Gwałtowne przejście z bólu do komfortu jeszcze to wrażenie potęgowało.

– Czyli jest tak, jak być powinno. Dobrze, teraz jeszcze odrobina Gładkiej Skóry.

Odkręciła wieczko ostatniego pojemnika i nasypała sobie na dłoń trochę opalizującego proszku. Wklepała mi go w policzek, a następnie w rękę.

– Zostanie ci na ręce delikatny ślad – powiedziała przepraszająco. – Taki jak na karku. To była głęboka rana... – Wzruszyła ramionami. Potem machinalnym ruchem odgarnęła mi włosy z szyi i przyjrzała się bliźnie. – Dobra robota. Kto był twoim Uzdrowicielem?

– Yyy... W Stronę Słońca – odparłam, ratując się imieniem jednego z moich dawnych studentów. – Na początku byłam w... Eurece, w Montanie. Ale nie odpowiadał mi zimny klimat. Dlatego przeprowadziłam się na południe.

Stek kłamstw. Poczułam nerwowy skurcz w żołądku.

– Ja zaczynałam w Maine – odrzekła, nie zwracając uwagi na mój dziwny ton. Mówiąc, wycierała mi krew z szyi. – Też mi tam było za zimno. Jakie masz Powołanie?

– Yyy... podaję jedzenie. W meksykańskiej restauracji w... Phoenix. Lubię ostre potrawy.

– Ja też. – Ocierała mi teraz policzek, nadal niczego się nie domyślając.
– No, ślicznie. Nie masz się czym martwić, Szklane Wieże. Twoja twarz wygląda świetnie.
– Dziękuję, Uzdrowicielko.
– Ależ drobiazg. Napijesz się wody?
– Tak, poproszę. – Musiałam się hamować. Miałam ochotę opróżnić szklankę jednym haustem, ale nie wyglądałoby to najlepiej. Nie potrafiłam sobie jednak odmówić wypicia całej wody. Była zbyt smaczna.
– Może chcesz więcej?
– Yyy... tak, chętnie. Dziękuję.
– Zaraz wrócę.
Gdy tylko zniknęła za drzwiami, zeskoczyłam z materaca. Zaszeleściło papierowe nakrycie. Zamarłam. Uzdrowicielka nie wpadła jednak z powrotem. Musiałam działać błyskawicznie. Przyniesienie wody zajęło Modrej parę minut. Może Uzdrowicielki też nie będzie tyle czasu. Może po chłodną, czystą wodę trzeba iść daleko. Może.
Zrzuciłam plecak z ramion i otworzyłam na całą szerokość. Zaczęłam od drugiej szafki. Cały stos opakowań Zdrowego Ciała wylądował w środku z cichym grzechotem.
Co powiem, jeśli mnie przyłapie? Jak wybrnę?
Z pierwszej szafki wzięłam Czystą Ranę i Czyste Serce – cały rząd pojemników stojących z przodu i część drugiego. Potem Bezból, oba rzędy. Już miałam szukać Zrostu, gdy moją uwagę przykuła etykietka kolejnego szeregu opakowań.
Ochłoda. Na gorączkę? Na opakowaniu nie było napisane nic prócz nazwy. Zgarnęłam je do plecaka. Żaden z tych środków nie mógł zaszkodzić ludzkiemu organizmowi. Byłam tego pewna.
Zabrałam jeszcze wszystkie Zrosty i dwie puszki Gładkiej Skóry. Nie mogłam dłużej ryzykować. Zamknęłam po cichu szafki i zarzuciłam torbę na plecy. Oparłam się na materacu, znowu szeleszcząc. Starałam się odprężyć.
Uzdrowicielka nie wracała.
Spojrzałam na zegar. Wyszła minutę temu. Jak daleko mogła być woda?
Dwie minuty.
Trzy minuty.
Czy to możliwe, że przejrzała moje kłamstwa?
Pot zrosił mi czoło. Wytarłam go szybkim ruchem ręki.
Co, jeśli wróci z Łowcą?
Przypomniałam sobie o kapsułce w kieszeni i zadrżały mi ręce. Byłam jednak gotowa to zrobić. Dla Jamiego.
Na korytarzu rozległy się kroki dwóch osób.

Rozdział 45

Sukces

Ognisty Ścieg i Modra pojawiły się razem w drzwiach. Uzdrowicielka podała mi szklankę. Woda nie wydawała się tak chłodna jak poprzednio – palce miałam teraz zimne ze strachu. Również ciemnoskóra kobieta coś dla mnie miała. Wręczyła mi płaski, prostokątny przedmiot z rączką.

– Pomyślałam, że może chciałabyś rzucić okiem – powiedziała Ognisty Ścieg, uśmiechając się ciepło.

Poczułam, jak opada ze mnie napięcie. Na ich twarzach nie było śladu podejrzenia czy strachu. Jedynie serdeczność, jakiej mogłam oczekiwać od dusz, których powołaniem było Uzdrawianie.

Trzymałam w dłoni lusterko.

Uniosłam je i w ostatniej chwili powstrzymałam odgłos zaskoczenia.

Moja twarz wyglądała tak jak niegdyś w San Diego. Wtedy oczywiście wydawała mi się czymś najzwyczajniejszym w świecie. Prawy policzek miałam znowu gładki, delikatnie zarumieniony – ciut jaśniejszy i bardziej różowy niż drugi, ale na pierwszy rzut oka nie było widać różnicy.

Była to twarz Wagabundy, praworządnej duszy z cywilizowanego świata, w którym nie ma miejsca na przemoc i strach.

Uświadomiłam sobie, dlaczego tak łatwo było okłamać te łagodne istoty. Dlatego mianowicie, że znałam ich świat od podszewki i rozumiałam rządzące nim zasady. Nasza rozmowa wydawała mi się czymś zupełnie naturalnym. Kłamstwa, które wypowiadałam, mogłyby... albo wręcz powinny być prawdą. Powinnam wypełniać jakieś Powołanie, czy to ucząc na wyższej uczelni, czy podając jedzenie w restauracji. Wieść łatwe, spokojne życie, mieć wkład we wspólne dobro.

– I jak? – zapytała Uzdrowicielka.

– Doskonale. Dziękuję.

– Cała przyjemność po mojej stronie.

Spojrzałam na siebie jeszcze raz, tym razem dostrzegając skazę. Włosy miałam niechlujne – brudne, z nierównymi końcówkami. W ogóle nie błyszczały – należało za to winić ubogą dietę i mydło domowej roboty. Szyja, choć wytarta z krwi, wciąż była pokryta fioletowym pyłem.

– Chyba pora, żebym kończyła wycieczkę. Potrzebuję porządnej kąpieli – wymamrotałam.

– Często biwakujesz?

– Ostatnio nic innego nie robię w wolnym czasie... Pustynia mnie... przyciąga.

– Musisz być bardzo dzielna. Ja osobiście wolę wygodę życia w mieście.

– Wcale nie dzielna... po prostu inna.

Przyglądałam się w lusterku swoim piwnym oczom. Ciemnoszarym na zewnątrz, w środku w kolorze mchu i wreszcie, wokół źrenicy, brązowym jak karmel. A pod tym wszystkim delikatny połysk srebra odbijającego światło.

Jamie? – ponagliła mnie Mel, lekko podenerwowana. Czuła, że jest mi tu zbyt dobrze. Obawiała się, że mogę zejść z obranej wcześniej ścieżki, i wiedziała, czym to musiałoby się skończyć.

Wiem, kim jestem, odparłam.

Zamrugałam, po czym spojrzałam ponownie na dwie przyjazne twarze.

– Dziękuję – powtórzyłam. – Chyba czas na mnie.

– Jest bardzo późno. Jeśli chcesz, możesz tu nocować.

– Nie jestem zmęczona. Czuję się... doskonale.

Uzdrowicielka uśmiechnęła się szeroko.

– Bezból robi swoje.

Modra odprowadziła mnie do wyjścia. Kiedy byłam już przy drzwiach, położyła mi dłoń na barku.

Serce mocniej mi zabiło. Czyżby się zorientowała, że przyszłam z płaskim plecakiem, a wychodziłam z pełnym?

– Uważaj na siebie, skarbie – powiedziała, poklepując mnie po ramieniu.

– Będę. Nigdy więcej łażenia po zmroku.

Uśmiechnęła się i wróciła na swoje miejsce.

Szłam przez parking równym krokiem. Miałam jednak ochotę biec. Co, jeśli Uzdrowicielka zajrzy do szafek? Jak szybko zauważy, że zniknęła połowa lekarstw?

Samochód stał tam, gdzie go zostawiłam, w ciemnym miejscu pomiędzy dwiema latarniami. Wydawał się pusty. Oddech gwałtownie mi przyspieszył. Oczywiście, że wydawał się pusty. Właśnie o to chodziło. Mimo to płuca uspokoiły mi się dopiero, gdy pod kocem na tylnym siedzeniu mignął znajomy kształt.

Otworzyłam drzwi, rzuciłam plecak na fotel pasażera – osiadł na nim z kojącym grzechotem – po czym usadowiłam się za kierownicą i zamknęłam drzwi. Miałam ochotę zamknąć je na zamek, ale tego nie zrobiłam, gdyż nie było takiej potrzeby.

– Wszystko dobrze? – szepnął Jared, gdy tylko drzwi się zatrzasnęły. Głos miał chrapliwy, przejęty.

– Cii – odparłam, starając się nie ruszyć ustami. – Chwila.

Minęłam rozświetlone wejście do budynku, odmachując Modrej.

– Masz nowych znajomych?

Znowu jechaliśmy ciemną szosą. Nikt nas już nie widział. Osunęłam się w fotelu. Ręce zaczęły mi drżeć. Teraz już mogłam im na to pozwolić. Udało się.

– Wszystkie dusze się lubią – odpowiedziałam, tym razem na głos.

– W porządku? – zapytał znowu.

– Jestem zdrowa.

– Pokaż.

Wyciągnęłam lewą rękę w poprzek ciała, tak by zobaczył cienką różową kreskę.

Jared wziął gwałtowny wdech.

Wygrzebał się spod koca i przecisnął między fotelami. Zepchnął plecak na podłogę, usiadł z przodu, następnie położył go sobie na kolanach, ważąc go w dłoni.

Spojrzał na mnie, gdy przejeżdżaliśmy obok latarni, i zadyszał ze zdumienia.

– Twoja twarz!

– Też mi ją uzdrowili. Rzecz jasna.

Zbliżył nieśmiało dłoń do mojego policzka.

– Boli?

– No pewnie, że nie. Czuję się, jakby nigdy nic mi nie było.

Przesunął palcami po zagojonej skórze. Poczułam delikatne swędzenie, ale to dlatego, że mnie dotknął. Po chwili wrócił do zadawania pytań.

– Podejrzewali coś? Myślisz, że zadzwonią po Łowców?

– Nie. Mówiłam, że nie będą nic podejrzewać. Nawet nie sprawdzali mi oczu. Byłam ranna, więc udzielili mi pomocy. – Wzruszyłam ramionami.

– Co tu masz? – zapytał, otwierając plecak.

– Wszystko, czego Jamie potrzebuje... jeżeli wrócimy na czas... – Spojrzałam odruchowo na zegar na desce rozdzielczej, jak gdyby godzina, którą pokazywał, miała jakieś znaczenie. – I jeszcze dużo na zapas. Wzięłam tylko te lekarstwa, które rozumiem.

– Zdążymy – obiecał. Oglądał białe pojemniki. – Gładka Skóra?

– Nie jest jakoś bardzo potrzebna. Ale wiem, jak działa, więc...

Kiwnął głową i zaczął grzebać dalej. Wymawiał pod nosem nazwy lekarstw.

– Bezból? To działa?

Zaśmiałam się.

– Jest niesamowity. Jak chcesz, to ci pokażę, tylko musisz dźgnąć się nożem... Żartuję.

– Wiem.

Patrzył na mnie z miną, której nie rozumiałam. Oczy miał szeroko otwarte, jakby w głębokim zdumieniu.

– Co? – Mój żart nie był chyba aż t a k zły.

– Udało ci się – odparł z podziwem.

– Chyba taki był plan.

– No tak, ale... chyba nie do końca wierzyłem, że damy radę.

– Nie? W takim razie dlaczego...? Dlaczego pozwoliłeś mi spróbować?

Odpowiedział półgłosem, prawie szeptem.

– Stwierdziłem, że wolę spróbować i umrzeć, niż żyć bez Jamiego.

Wzruszenie ścisnęło mi gardło. Także Mel była zbyt poruszona, by cokolwiek powiedzieć. Stanowiliśmy w tej sekundzie rodzinę. Wszyscy troje.

Odchrząknęłam. Po co zatracać się w uczuciach, które nie mają żadnej przyszłości.

– To było naprawdę łatwe. Pewnie każdy z was mógłby to zrobić, musiałby się tylko zachowywać naturalnie. Chociaż oglądała mi kark. – Sięgnęłam odruchowo za szyję. – Twoja blizna jest zbyt toporna, ale można temu zaradzić, wzięłam odpowiedni preparat.

– Nie sądzę, żeby ktokolwiek z nas potrafił się odpowiednio zachowywać.

Kiwnęłam głową.

– No tak, mnie jest łatwiej. Wiem, czego oczekują. – Zaśmiałam się krótko do samej siebie. – Jestem jedną z nich. Gdybyście mi trochę zaufali, pewnie mogłabym wam załatwić, czego byście tylko pragnęli. – Zaśmiałam się znowu. Stres ze mnie opadał, ogarniał mnie dziwny nastrój. Ale też naprawdę wydało mi się to zabawne. Czy zdawał sobie z tego sprawę – że naprawdę jestem gotowa zrobić dla niego wszystko, czego tylko zapragnie?

– Ufam ci – szepnął. – Nasz los był w twoich rękach.

Istotnie, powierzył mi los każdego z nich – jego, Jamiego i wszystkich pozostałych.

– Dziękuję – odszepnęłam.

– Udało ci się – powtórzył tonem podziwu.

– Uratujemy go.

Jamie przeżyje, cieszyła się Mel. *Dziękuję, Wando.*

Dla nich – wszystko, odparłam, po czym westchnęłam nad prawdziwością tych słów.

Kiedy zjechaliśmy na pustynię, Jared przyczepił płachty do zderzaka i zamienił się ze mną miejscami. Znał drogę, poza tym jechał szybciej. Zanim wprowadził auto z powrotem do niemożebnie wąskiej kryjówki pod skałą, kazał mi wysiąść. Czekałam, aż metalowa karoseria zazgrzyta o głaz, lecz jakoś sobie poradził.

Parę chwil później pędziliśmy jeepem przez noc. Jared śmiał się zwycięsko, a wiatr unosił jego głos nad otwartą pustynią.

– Gdzie jest opaska? – zapytałam.

– Czemu?

Spojrzałam na niego.

– Wando, miałaś już szansę, żeby nas wydać. Nikt mi teraz nie powie, że nie jesteś jedną z nas.

Zastanowiłam się nad tym.

– Niektórzy ciągle mogą tak uważać. To by ich uspokoiło.

– N i e k t ó r z y powinni w końcu dorosnąć.

Potrząsałam głową, wyobrażając sobie ich powitanie.

– To nie będzie takie łatwe. Wyobraź sobie, co oni teraz myślą. Czego się spodziewają...

Nic nie odpowiedział. Przymrużył tylko oczy.

– Jared... jeśli oni... jeśli nie będą chcieli słuchać... jeżeli nie pozwolą nam... – Zaczęłam mówić szybciej, odczuwając nagle presję czasu. Chciałam przekazać mu wszystkie niezbędne informacje, dopóki nie było za późno. – Najpierw daj Jamiemu Bezból – połóż mu na języku. Potem Czyste Serce w aerozolu – musi go nabrać do płuc. Doktor będzie musiał...

– Hej, hej! To ty będziesz wydawać polecenia.

– Ale chcę ci powiedzieć, jak...

– O nie, Wando. To się tak nie skończy. Zastrzelę każdego, kto cię tknie.

– Jared...

– Nie panikuj. Będę celował po nogach, potem możesz ich uleczyć.

– Jeżeli to był żart, to mało śmieszny.

– Nie żartuję, Wando.

– Gdzie jest opaska?

Zacisnął usta.

Ale miałam swoją starą, obdartą koszulę – prezent od Jeba. Też się nadawała.

– Tak nas prędzej wpuszczą – powiedziałam, składając ją w grubą przepaskę. – A to oznacza, że szybciej pomożemy Jamiemu. – Zawiązałam ją sobie na oczach.

Przez jakiś czas było cicho. Jeep podskakiwał na nierównościach terenu. Przypomniałam sobie takie noce jak ta, kiedy to Melanie siedziała na moim miejscu...

– Jedziemy prosto do jaskiń. Mamy tam jedno miejsce, gdzie można na parę dni zostawić jeepa. Zaoszczędzimy czas.

Kiwnęłam głową. Czas był teraz najważniejszy.

– Już prawie jesteśmy – odezwał się po minucie. Westchnął. – Czekają na nas.

Usłyszałam, jak sięga po coś do tyłu; potem szczęk metalu.

– Nie strzelaj do nikogo.

– Nic nie mogę obiecać.

– Stój! – zawołał ktoś. Głos niósł się po pustkowiu.

Jeep zwolnił, w końcu stanął.

– To tylko my – odezwał się Jared. – Tak, tak, spójrzcie. Widzicie? Jestem ciągle sobą.

Wahali się.

– Słuchajcie – wprowadzam jeepa do kryjówki, dobra? Mamy lekarstwa dla Jamiego, śpieszy nam się. Nie obchodzi mnie, co sobie myślicie, nikt mi dzisiaj nie przeszkodzi.

Jeep znowu ruszył. Kiedy znaleźliśmy się w kryjówce, pogłos wzmógł warkot silnika.

– Dobra, Wando. Wszystko gra. Idziemy.

Miałam już torbę na plecach. Wysiadłam ostrożnie z samochodu, nie wiedząc, gdzie jest ściana. Jared złapał mnie za błądzące po omacku dłonie.

– Hop – powiedział, znowu kładąc mnie sobie na ramieniu.

Czułam się mniej stabilnie niż poprzednim razem. Przytrzymywał mnie tylko jedną ręką. W drugiej musiał mieć broń. Nie podobało mi się to.

Nie przeszkodziło mi to jednak cieszyć się z faktu, że jest uzbrojony, gdy przed nami rozległy się pospieszne kroki.

– Jared, ty idioto! – wydarł się Kyle. – Co ty sobie wyobrażasz?

– Spokój, Kyle – odezwał się Jeb.

– Jest ranna? – zapytał Ian z przejęciem.

– Z drogi – powiedział Jared spokojnym tonem. – Spieszy mi się. Wanda czuje się świetnie, ale uparła się, żeby zawiązać jej oczy. Co z Jamiem?

– Gorączkuje – odparł Ian.

– Wanda ma wszystko, czego trzeba. – Przyspieszył kroku, miał teraz z górki.

– Mogę ją ponieść. – Był to głos Iana, kogóż by innego.

– Nie trzeba, nie narzeka.

– Naprawdę nic mi nie jest – zapewniłam Iana głosem skaczącym w rytm kroków Jareda.

Zaczęliśmy iść pod górę, wciąż żwawym tempem mimo mojego ciężaru. Słyszałam, jak pozostali biegną za nami.

Wiedziałam, kiedy dotarliśmy do głównej jaskini. Dookoła podniósł się najpierw złowrogi szmer, potem głośny jazgot.

– Z drogi! – ryknął Jared ponad ich głosami. – Doktor jest u Jamiego?

Nie zrozumiałam odpowiedzi. Jared mógł mnie już postawić na ziemi, ale szkoda mu było każdej sekundy.

Wściekłe głosy rozbrzmiewały za nami echem zwężonym do rozmiarów tunelu, którym teraz szliśmy. Wiedziałam już, gdzie jesteśmy, liczyłam znajome zakręty, a nawet mijane przez nas drzwi, choć przecież nic nie widziałam.

Jared zatrzymał się gwałtownie, aż ześliznęłam mu się z barku i stanęłam na ziemi. Wtedy zerwał mi z oczu opaskę.

W pokoju świeciło się kilka bladoniebieskich lamp. Doktor stał sztywno, jakby właśnie zerwał się na nogi. Obok niego klęczała Sharon i przykładała Jamiemu do czoła mokrą szmatkę. Wściekłość wykrzywiała jej twarz nie do poznania. Po drugiej stronie łóżka Maggie podnosiła się właśnie na nogi.

Jamie nadal leżał bez życia, rozpalony na twarzy. Oczy miał zamknięte, pierś ledwie mu się unosiła.

– Tyyy! – zawarczała Sharon i wystrzeliła jak ze sprężyny, rzucając się na Jareda z paznokciami niczym kot.

Ten pochwycił ją za ręce, obrócił i skrzyżował jej dłonie.

Maggie wyglądała, jakby chciała przyjść córce z odsieczą, ale Jeb minął szarpiącą się parę i stanął oko w oko z siostrą.

– Puść ją! – krzyknął Doktor.

Jared go zignorował.

– Wando, ratuj Jamiego!

Doktor zagrodził mi drogę.

– Doktorze – wykrztusiłam, przerażona przemocą, jaka rozpętała się wokół nieruchomej sylwetki chłopca. – Musisz mi pomóc. Proszę. Zrób to dla Jamiego.

Doktor ani drgnął. Patrzył w stronę Sharon i Jareda.

– Doktorze – odezwał się Ian, stając u mego boku i kładąc mi rękę na ramieniu. W maleńkim pokoju zrobiło się nagle zbyt tłoczno. – Pozwolisz, żeby chłopak umarł z powodu twojej dumy?

– Tu nie chodzi o dumę. Nie wiemy, co te obce leki z nim zrobią.

– Chyba nie może być z nim gorzej, nie sądzisz?

– Doktorze – odezwałam się. – Popatrz na moją twarz.

Doktor nie był jedyną osobą, która zareagowała na te słowa. Również Jeb, Ian, a nawet Maggie spojrzeli na mnie, najpierw raz, potem drugi. Maggie szybko odwróciła wzrok, zła na siebie, że okazała mi zainteresowanie.

– Jak?... – zapytał Doktor.

– Pokażę ci. Proszę. Jamie niepotrzebnie cierpi.

Doktor zawahał się, wgapiony w moją twarz, po czym głośno westchnął.

– Ian ma rację – gorzej z nim nie będzie. Jeżeli to go zabije... – Wzruszył ramionami i uczynił krok do tyłu.

– Nie! – zawołała Sharon.

Nikt jednak na nią nie zważał.

Uklękłam obok Jamiego, zrzuciłam plecak z ramion i pospiesznie go otworzyłam. Grzebałam w środku, dopóki nie znalazłam Bezbólu. Ktoś obok włączył latarkę, kierując światło na twarz chłopca.

– Ian, woda?

Odkręciłam wieczko i wyjęłam palcami jeden płatek. Broda Jamiego była gorąca w dotyku. Położyłam mu płatek na języku, po czym, nie odrywając od niego wzroku, wyciągnęłam w górę otwartą dłoń. Ian położył na niej miseczkę z wodą.

Powoli wlałam Jamiemu do ust dość wody, by lekarstwo spłynęło mu do gardła. Przełknął ją, wydając suchy, nieprzyjemny odgłos.

Zaczęłam gorączkowo szukać pojemnika ze spryskiwaczem. Znalazłszy go, zdjęłam zakrętkę i jednym sprawnym ruchem rozpyliłam ciecz nad jego twarzą. Poczekałam, aż uniesie mu się pierś.

Dotknęłam jego twarzy – jaka gorąca! Przetrząsnęłam plecak w poszukiwaniu Ochłody, modląc się, by nie była trudna w użyciu. Otworzyłam pojemnik i zobaczyłam w środku kwadratowe płatki, tym razem jasnoniebieskie. Odetchnęłam z ulgą i położyłam jeden Jamiemu na języku. Sięgnęłam po miseczkę i jeszcze raz nalałam mu wody do spierzchniętych ust.

Tym razem przełknął ją szybciej i łatwiej.

Czyjaś dłoń dotknęła jego twarzy. Rozpoznałam długie, kościste palce Doktora.

– Doktorze, masz ostry nóż?

– Skalpel. Mam otworzyć ranę?

– Tak, muszę ją oczyścić.

– Myślałem o tym... żeby ją osuszyć, ale ból...

– Nic nie poczuje.

– Popatrz na jego twarz – szepnął Ian, nachyliwszy się koło mnie.

Nie była już czerwona, miała naturalny, zdrowy odcień. Na brwiach wciąż błyszczały krople potu, ale wiedziałam, że to jedynie pozostałość. Doktor i ja dotknęliśmy jednocześnie jego czoła.

Działa! Działa! Zarówno Mel, jak i mnie ogarnęła fala euforii.

– Niesamowite – wyszeptał Doktor.

– Gorączka spadła, ale noga może być ciągle zainfekowana. Pomóż mi z raną, Doktorze.

– Sharon, czy możesz mi podać... – zaczął z roztargnieniem, podnosząc wzrok. – Och. Kyle, mógłbyś mi podać tę torbę, która leży przy twojej nodze?

Przesunęłam się w dół łóżka, tak by klęczeć na wysokości czerwonej, spuchniętej rany. Ian poświecił na nią latarką. Doktor i ja zaczęliśmy jednocześnie grzebać w naszych torbach. On wyciągnął srebrny skalpel, na którego widok przebiegł mnie po plecach zimny dreszcz. Otrząsnęłam się i przygotowałam pojemnik Czystego Serca.

– Nic nie poczuje? – zawahał się Doktor.

– Hej – zachrypiał Jamie. Rozglądał się szeroko otwartymi oczami po pokoju, aż w końcu natrafił na moje spojrzenie. – Hej, Wanda. Co się dzieje? Skąd tu tyle ludzi?

Rozdział 46

Krąg

Jamie zaczął się podnosić.

– Nie tak szybko, brzdącu. Jak się czujesz? – Ian zbliżył się do chłopca, złapał go za ramiona i położył z powrotem na materacu.

– Hmm... bardzo dobrze. Co wy tu wszyscy robicie? Nie pamiętam...

– Jesteś chory. Nie ruszaj się, nie skończyliśmy cię leczyć.

– Mogę się napić wody?

– Jasne. Masz.

Doktor wpatrywał się w Jamiego z niedowierzaniem w oczach.

Radość tak ściskała mi gardło, że prawie nie mogłam mówić.

– To Bezból – wydusiłam. – Czyni cuda.

– Dlaczego Jared trzyma Sharon za szyję? – zapytał Jamie szeptem.

– Sharon ma zły humor – odszepnął głośno Ian, niczym aktor w teatrze.

– Nie ruszaj się, Jamie – ostrzegł Doktor. – Musimy ci... przemyć skaleczenie. Dobrze?

– Dobrze – odparł Jamie stłumionym głosikiem, spoglądając nieufnie na skalpel w jego dłoni.

– Powiedz, jeśli coś poczujesz – poinstruował go Doktor.

– Jeżeli zaboli – poprawiłam.

Doktor wprawnym ruchem przeciągnął skalpel po chorej skórze. Oboje spojrzeliśmy na Jamiego. Wpatrywał się w sufit.

– Dziwne uczucie – powiedział. – Ale nie boli.

Doktor kiwnął głową i wykonał kolejne nacięcie, w poprzek pierwszego. Z rany popłynęła czerwona krew oraz żółta wydzielina.

Gdy tylko Doktor zabrał dłoń, spryskałam dokładnie oba nacięcia Czystą Raną. Tam, gdzie lek wszedł w kontakt z wydzieliną, niezdrowa żółć zdawała się cicho skwierczeć. Po chwili zaczęła się cofać. Prawie jak piana zmywana wodą. Znikała. Z boku słyszałam przyspieszony oddech Doktora.

– Niewiarygodne.

Na wszelki wypadek spryskałam wszystko jeszcze raz. Niezdrowe zaczerwienienie zdążyło już całkiem zniknąć ze skóry. Została tylko naturalna czerwień ludzkiej krwi.

– Dobra, teraz Zdrowe Ciało – szepnęłam. Odnalazłam właściwe opakowanie i przechyliłam je nad rozciętą skórą, pokrywając nacięcie lśniącą warstwą przezroczystego płynu. Pod jego wpływem krwawienie natychmiast ustawało. Zużyłam połowę buteleczki, choć zapewne wystarczyłoby dwukrotnie mniej.

– Okej. Doktorze, ściśnij brzegi rany.

Doktor stał oniemiały, choć miał szeroko otwarte usta. Wykonał polecenie, używając obu rąk.

Jamie roześmiał się.

– Łaskocze.

Doktor wytrzeszczył oczy.

Posmarowałam nacięcia Zrostem i patrzyłam z głęboką satysfakcją, jak ich brzegi zrastają się i różowieją.

– Mogę zobaczyć? – zapytał Jamie.

– Pozwól mu usiąść, Ian. Już prawie skończyliśmy.

Jamie podniósł się na łokciach z błyskiem zaciekawienia w oczach. Spocone, brudne włosy splatały mu się w kołtun. Wyglądały teraz dziwnie w sąsiedztwie zdrowej, rumianej skóry.

– A teraz nałożę trochę tego – objaśniałam, posypując ranę opalizującym proszkiem – i blizna prawie zupełnie zniknie. Tak jak ta. – Pokazałam mu swoje lewe przedramię.

Jamie zaśmiał się.

– Ale przecież blizny podobają się dziewczynom. Skąd ty to wszystko wzięłaś, Wanda? To prawie jak czary.

– Jared zabrał mnie na wyprawę.

– Serio? Ale b o s k o.

Doktor dotknął resztek połyskliwego proszku na mojej dłoni i przystawił palec do nosa.

– Szkoda, że jej nie widziałeś – powiedział Jared. – Była niesamowita.

Zaskoczyło mnie, że jego głos rozległ się tuż za moimi plecami. Rozejrzałam się odruchowo w poszukiwaniu Sharon, ale mignęła mi tylko w drzwiach jej jaskrawa fryzura. Maggie zniknęła w ślad za nią.

To takie smutne, pomyślałam. I przerażające. Nosić w sobie tyle nienawiści, by nie potrafić się nawet ucieszyć z powrotu dziecka do zdrowia... Jak można upaść tak nisko?

– Weszła normalnie do szpitala, podeszła do recepcji i poprosiła o pomoc, tak po prostu. A kiedy na chwilę spuścili ją z oka, zwinęła im tyle lekarstw, że starczą nam na ho ho. – Jared opowiadał historię barwnym tonem. Jamie słuchał z przyjemnością, szeroko się uśmiechając. – Potem wyszła jak gdyby nigdy nic, a wyjeżdżając z parkingu jeszcze pomachała robalowi z recepcji. – To powiedziawszy, roześmiał się.

Ja bym tego dla nich nie mogła zrobić, odezwała się Melanie, nagle sposępniała. *Mają z ciebie więcej pożytku, niż mieliby ze mnie.*

Przestań, odparłam. To nie był czas na smutki i zazdrości. Należało się tylko cieszyć. *Nie mogłabym im pomóc, gdybyś mnie tu nie przyprowadziła. Uratowałyśmy go razem.*

Jamie patrzył na mnie wielkimi oczami.

– To naprawdę nie było aż takie emocjonujące – powiedziałam. Wziął mnie za rękę, a ja ścisnęłam mu dłoń. Czułam w sercu miłość i wdzięczność. – To było naprawdę łatwe. W końcu sama jestem robalem.

– Nie chciałem... – zaczął mnie przepraszać Jared.

Machnęłam ręką, uśmiechając się.

– Jak się wytłumaczyłaś z blizny na twarzy? – zapytał Doktor. – Nie dziwiło ich, że...

– No tak, oczywiście musiałam mieć świeże obrażenia. Zrobiłam, co tylko mogłam, żeby nie wzbudzać najmniejszych podejrzeń. Powiedziałam, że przewróciłam się z nożem w ręku. – Trąciłam Jamiego łokciem. – To się może zdarzyć każdemu.

Czułam się wspaniale. Wszystko dookoła zdawało się promienieć – tkaniny, twarze, nawet ściany. Ludzie zgromadzeni w pokoju i na korytarzu zaczęli między sobą szeptać i zadawać pytania, ale ich głosy zaledwie brzęczały mi cicho w uszach – jak wybrzmiewające echo dzwonu. Drżenie powietrza. Realny wydawał się jedynie krąg osób, które kocham. Jamie, Jared, Ian, Jeb. Nawet Doktor był częścią tej cudownej chwili.

– Świeże obrażenia? – zapytał Ian neutralnym tonem.

Spostrzegłam ze zdumieniem, że ma rozgniewany wzrok.

– Nie było innego wyjścia. Musiałam jakoś ukryć bliznę. I dowiedzieć się, jak wyleczyć Jamiego.

Jared podniósł mój lewy nadgarstek i powiódł delikatnie palcem po różowym śladzie na przedramieniu.

– To było straszne – powiedział nagle poważnym głosem. – Prawie sobie oderżnęła dłoń. Myślałem, że ją straci.

Jamie otworzył szeroko oczy z przerażenia.

– Skaleczyłaś się?

Ścisnęłam mu dłoń.

– Spokojnie, to nie było nic takiego. Wiedziałam, że zaraz mnie uzdrowią.

– Szkoda, że jej nie widzieliście – powtórzył cicho Jared, nie przestając mnie głaskać palcem po ręce.

Poczułam na policzku muśnięcie palców Iana. Zrobiło mi się przyjemnie i przysunęłam twarz do jego dłoni. Zastanawiało mnie, czy to Bezból, czy może po prostu radość z uratowania Jamiego sprawiła, że wszystko dookoła mieniło się ciepłymi kolorami.

– Więcej nigdzie nie pojedziesz – mruknął Ian.

– Oczywiście, że pojedzie – odparował Jared, podnosząc głos ze zdumienia. – Ian, była rewelacyjna. Musiałbyś ją wtedy widzieć, żeby zrozumieć. Dopiero zaczyna do mnie docierać, jakie to otwiera możliwości...

– Możliwości? – Dłoń Iana zsunęła mi się po szyi i spoczęła na barku. Przyciągnął mnie nieco bliżej do swego boku, zarazem odsuwając od Jareda. – Jakim kosztem? Pozwoliłeś, żeby prawie oderżnęła sobie dłoń? – Zacisnął mi palce wokół ramienia.

Jego gniew zmącił mój błogostan.

– Nie, Ian. To nie było tak – powiedziałam. – To był mój pomysł. Musiałam to zrobić.

– No jasne, że to był twój pomysł – warknął Ian. – Zrobiłabyś wszystko... Nie cofniesz się przed niczym, jeśli chodzi o tych dwóch. Ale Jared nie powinien pozwolić ci...

– Jakie mieliśmy inne wyjście, Ian? – wtrącił Jared. – Miałeś lepszy plan? Myślisz, że Wanda byłaby szczęśliwsza, gdyby nie zrobiła sobie krzywdy, a Jamie by umarł?

Wzdrygnęłam się.

Tym razem Ian odpowiedział trochę spokojniej.

– Nie. Ale nie rozumiem, jak mogłeś patrzeć bezczynnie, jak rozcina sobie rękę. – Ian potrząsnął głową z odrazą, na co Jared wzruszył ramionami. – Co z ciebie za mężczyzna...

– Praktyczny – przerwał mu Jeb.

Wszyscy w jednej chwili podnieśliśmy wzrok. Starzec stał nad nami, trzymając w rękach pokaźne kartonowe pudło.

– Dlatego jest najlepszy w tym, co robi. Zawsze potrafi zdobyć to, czego potrzebujemy. Albo dopilnować, żeby inni to zdobyli. Nawet gdy to drugie jest trudniejsze. Tak czy owak – wiem, że bliżej do śniadania niż kolacji, ale myślę sobie, że pewnie niektórzy chętnie by coś zjedli – ciągnął Jeb, bezceremonialnie zmieniając temat. – Jesteś głodny, chłopcze?

– Hmm... nie wiem – odparł Jamie. – Czuję się, jakbym miał pusty żołądek, ale... jakoś mi to wcale nie przeszkadza.

– To Bezból – odezwałam się. – Powinieneś coś zjeść.

– I napić się – dodał Doktor. – Potrzebujesz płynów.

Jeb opuścił nieporęczny karton na materac.

– Pomyślałem, że możemy sobie zrobić małe święto. Otwórz.

– Łał, pycha! – zawołał Jamie, buszując w pudle pełnym błyskawicznych dań. – Spaghetti, bosko.

– Ja zamawiam kurczaka w sosie czosnkowym – powiedział Jeb. – Brakuje mi czosnku – choć pewnie nikomu nie brakuje mojego czosnkowego oddechu. – Zachichotał.

Miał wszystko przygotowane – butelki wody i kilka przenośnych kuchenek. Ludzie zaczęli się tłumnie zbierać dookoła. Siedziałam wciśnięta pomiędzy Iana i Jareda, a Jamiego wzięłam na kolana. Był już na to za duży, ale nie protestował. Widocznie wyczuł, jak bardzo obie tego potrzebujemy – Mel i ja po prostu musiałyśmy go poczuć w ramionach, żywego i zdrowego.

Krąg nieco się powiększył, szczelnie otaczając rozłożoną na ziemi kolację. Każdy, kto się dosiadł, stawał się częścią rodziny. Wszyscy czekali cierpliwie, aż Jeb przygotuje nieoczekiwane przysmaki. Strach ustąpił miejsca uldze i dobrej nowinie. Nawet Kyle, ściśnięty po drugiej stronie brata, był mile widziany.

Melanie odetchnęła zadowolona. Czuła ciepło ciała Jamiego i bliskość Jareda, który nadal głaskał mnie po ręce. Nie przeszkadzało jej nawet, że Ian trzyma mi dłoń na ramieniu.

Na ciebie też podziałał Bezból, zażartowałam.

Nie wydaje mi się, żeby to było to. Ani u mnie, ani u ciebie.

Nie, masz rację. Jestem szczęśliwsza niż kiedykolwiek.

A ja bardziej niż kiedykolwiek czuję, co straciłam.

Co takiego sprawiało, że ta ludzka miłość przemawiała do mnie silniej niż miłość mojego gatunku? Czy to, że była zaborcza i kapryśna? Dusze dzieliły się miłością i serdecznością ze wszystkimi. Może byłam spragniona większego wyzwania? Miłość ludzka była trochę nieobliczalna, nie rządziła się wyraźnymi regułami – czasem dostawałam ją za nic, tak jak od Jamiego, czasem musiałam na nią ciężko zapracować, tak jak u Iana, a czasem była po prostu nieosiągalna i łamała mi serce, tak jak moje uczucie do Jareda.

A może po prostu pod jakimś względem była lepsza? Skoro ludzie potrafili tak zapalczywie nienawidzić, widocznie umieli też kochać mocniej, żywiej i płomienniej?

Nie rozumiałam, czemu tak rozpaczliwie pragnę tej miłości. Wiedziałam tylko, że była warta całego ryzyka i wszystkich cierpień, jakimi ją okupiłam. Była jeszcze wspanialsza, niż myślałam.

Była wszystkim.

Kiedy już zjedliśmy kolację, zaczęła do nas docierać świadomość późnej, albo raczej wczesnej pory. Ludzie zaczęli opuszczać pokój i udawać się do łóżek. Powoli robiło się więcej miejsca.

Ci, którzy zostali, rozłożyli się na podłodze. Wkrótce potem wszyscy leżeliśmy. Głowę miałam opartą na brzuchu Jareda, który od czasu do czasu głaskał mnie dłonią po włosach. Jamie leżał mi twarzą na piersi, obejmując mnie oburącz za szyję, a ja trzymałam mu dłoń na ramieniu. Ian położył głowę na moim brzuchu i przytulał do twarzy moją wolną rękę. Wzdłuż ciała czułam długą, wyprostowaną nogę Doktora. Słyszałam jego chrapanie. Kto wie, może nawet stykałam się w którymś miejscu z Kyle'em.

Jeb rozłożył się na łóżku. Odbiło mu się głośno, na co Kyle zachichotał.

– Kto by się spodziewał takiej miłej nocy. Lubię, kiedy czarne przeczucia się nie sprawdzają – dumał na głos Jeb. – Dzięki, Wando.

– Mhm – westchnęłam nieprzytomnie.

– Następnym razem, jak Wanda będzie gdzieś jechać... – odezwał się Kyle zza Jareda i urwał w pół zdania, ziewając przeciągle. – Następnym razem, jak będzie gdzieś jechać, ja też jadę.

– Nigdzie nie jedzie – odparł Ian, napinając mięśnie. Pogłaskałam go uspokajająco po twarzy.

– Oczywiście, że nie – wymamrotałam. – Nie muszę się stąd ruszać, dopóki nie będę znowu potrzebna. Dobrze mi tutaj.

– Nie chodzi mi o to, żeby cię tu więzić – dopowiedział Ian poirytowany. – Jak dla mnie możesz iść, gdzie tylko zechcesz. Możesz nawet uprawiać jogging na autostradzie. Ale nie wolno ci jeździć na wyprawy. Tu chodzi o twoje bezpieczeństwo.

– Potrzebujemy jej – odezwał się Jared. Głos miał surowszy, niżbym sobie życzyła.

– Jakoś sobie radziliśmy sami.

– Jakoś? Jamie by umarł, gdyby nie ona. Może nam załatwić rzeczy, których sami nigdy nie zdobędziemy.

– Nie zapominaj, że jest osobą, a nie narzędziem.

– Wiem o tym. Nie powiedziałem, że...

– Wszystko zależy od niej samej. – Jeb uprzedził mnie, przerywając kłótnię. Przyciskałam Iana ręką do ziemi, a Jared wiercił mi się pod głową, jakby miał wstać. Teraz jednak obaj znieruchomieli.

– Nie można jej tym obarczać, Jeb – zaprotestował Ian.

– Czemu nie? Chyba ma własny rozum. Chcesz za nią o wszystkim decydować?

– Zaraz ci powiem, czemu nie – odburknął Ian. – Wando?

– Tak?

– Czy *chcesz* jeździć na wyprawy?

– Jeżeli mogę się przydać, to oczywiście, że powinnam.

– Nie o to pytam, Wando.

Milczałam przez chwilę, próbując sobie przypomnieć jego pytanie, żeby zrozumieć, o co mu chodziło.

– Widzisz, Jeb? Ona w ogóle nie myśli o sobie – o własnym szczęściu ani nawet zdrowiu. Zrobi wszystko, o co ją poprosimy, nawet jeżeli miałaby zginąć. Nie możemy jej pytać o zdanie, tak jak pytamy siebie nawzajem. My zawsze najpierw myślimy o sobie.

Zapadła cisza. Nikt nic nie odpowiedział. Milczenie trwało dłuższą chwilę, aż w końcu poczułam, że sama muszę zabrać głos.

– To nieprawda – odrzekłam. – Bez przerwy myślę o sobie. I... bardzo chcę wam pomóc. Czy to się nie liczy? Byłam strasznie szczęśliwa, pomagając Jamiemu. Nie mogę szukać szczęścia po swojemu?

Ian westchnął.

– Widzicie?

– No cóż, jedno jest pewne. Jeżeli Wanda będzie chciała pojechać, nie mogę jej tego zabronić – powiedział Jeb. – Nie jest więźniem.

– Ale nie musimy jej o to prosić.

Jared cały czas milczał. Jamie też był cicho, ale wiedziałam, że śpi. Jared nie spał – kreślił mi palcami na twarzy przypadkowe kształty. Palące kształty.

– Nie musicie prosić – odparłam. – Sama będę nalegać. To naprawdę nie było... straszne. Ani trochę. Dusze są serdeczne. Nie boję się ich. To było aż zbyt łatwe.

– Łatwe? Musiałaś sobie rozciąć...

– To była wyjątkowa sytuacja – przerwałam mu. – Nie będę musiała więcej tego robić. – Zamilkłam na chwilę. – Prawda?

Ian jęknął.

– Jeżeli Wanda będzie gdzieś jechać, jadę z nią – powiedział ponuro. – Ktoś musi ją chronić przed nią samą.

– A ja pojadę, żeby chronić was przed nią – odezwał się Kyle, chichocząc. – Au! – stęknął chwilę później.

Nie miałam siły podnieść głowy i zobaczyć, kto tym razem go uderzył.

– A ja, żeby was wszystkich przywieźć z powrotem – powiedział cicho Jared.

Rozdział 47

Misja

– To się zrobiło za łatwe. Zero frajdy – burknął Kyle.

– Sam chciałeś jechać – wytknął mu Ian.

Siedzieli z tyłu furgonetki, przebierając w jedzeniu i kosmetykach, które przed chwilą wyniosłam ze sklepu. Był środek dnia, nad Wichitą świeciło słońce. Nie prażyło tak bardzo jak na pustyni w Arizonie, a powietrze było wilgotniejsze. Roiło się w nim od malutkich owadów.

Jared prowadził samochód w stronę autostrady, przestrzegając ograniczenia prędkości. Wciąż go to jednak irytowało.

– Zmęczona zakupami? – zapytał mnie Ian.

– Nie, wcale mnie to nie męczy.

– Stale to powtarzasz. Czy jest w ogóle c o ś, co cię męczy?

– Męczy mnie... tęsknota za Jamiem. I męczy mnie trochę przebywanie na zewnątrz. Szczególnie za dnia. To taka odwrotność klaustrofobii. Za dużo otwartych przestrzeni. Tobie to nie przeszkadza?

– Czasami. Zwykle jeździmy po zmroku.

– Przynajmniej może sobie rozprostować nogi – mruknął Kyle. – Nie wiem, czemu masz ochotę wysłuchiwać akurat jej narzekań.

– Bo to rzadkość. Miła odmiana od twojego narzekania.

Przestałam słuchać. Ich słowne utarczki ciągnęły się zwykle w nieskończoność. Spojrzałam na mapę.

– Teraz Oklahoma City? – zapytałam Jareda.

– I parę miasteczek po drodze, jeżeli nie masz nic naprzeciw – odparł, wpatrzony w drogę.

– No jasne.

W czasie wypraw Jared przez cały czas był bardzo skupiony. Nie rozprężał się jak bracia, którzy zaczynali śmiać się i rozmawiać, gdy tylko poczuli się bezpieczniej. Bawiło mnie, że określają moje wycieczki do sklepu mianem misji. Chodziłam po prostu na zakupy, tak jak swego czasu w San Diego, gdy musiałam żywić jedynie siebie.

Kyle miał rację: wszystko szło zbyt gładko, by mogło dostarczać emocji. Spacerowałam z wózkiem między regałami. Uśmiechałam się serdecznie i sięgałam po produkty z odległym terminem ważności. Zwykle brałam też coś świeżego dla siebie i chłopaków – na przykład gotowe kanapki. I może jeszcze coś na deser. Ian miał słabość do lodów miętowych z kawałkami czekolady. Kyle najbardziej lubił karmelki. Jared jadł dosłownie wszystko; można było odnieść wrażenie, że dawno wyrzekł się takich przyjemności i przystał na życie, w którym w ogóle nie ma miejsca na zachcianki. Skupiał się wyłącznie na rzeczach najpotrzebniejszych. Między innymi dlatego był tak skuteczny.

Od czasu do czasu, szczególnie w małych miastach, byłam zagadywana przez miejscowych. Znałam swoje kwestie tak dobrze, że pewnie mogłabym już oszukać nawet człowieka.

– Dzień dobry. Pani jest chyba nowa?

– O tak, pierwszy raz.

– Co panią sprowadza do Byers?

Przed wyjściem z auta zawsze sprawdzałam mapę, by wiedzieć, gdzie jestem.

– Mój partner dużo podróżuje. Jest fotografem.

– Ach tak! Artysta. No tak, mamy tu w okolicy mnóstwo pięknej przyrody.

Na początku sama podawałam się za Artystkę. Szybko jednak nauczyłam się, że warto dawać do zrozumienia, iż jestem zajęta, szczególnie w rozmowie z młodymi mężczyznami. Oszczędzałam w ten sposób trochę czasu.

– Bardzo dziękuję za pomoc.

– Ależ nie ma sprawy. Zapraszamy ponownie.

Raz tylko musiałam porozmawiać z farmaceutą, w Salt Lake City. Później wiedziałam już, czego szukać.

– Chyba nie najlepiej się odżywiam. Nie potrafię sobie odmówić łakoci. To ciało ma słabość do słodyczy.

– Musi pani mądrzej wybierać jedzenie, Tysiące Płatków. Wiem, że łatwo ulec pokusie, ale proszę zwracać uwagę na to, co pani je. Tymczasem proszę brać te witaminy i minerały.

„Zdrowie". Nazwa tabletek okazała się tak oczywista, że zrobiło mi się głupio.

– Woli pani o smaku truskawek czy czekolady?

– A czy mogę spróbować jednych i drugich?

A wtedy przyjazna dusza imieniem Dziecko Ziemi wręczyła mi oba pojemniki.

Nic prostszego. Strach ogarniał mnie tylko wtedy, gdy przypominałam sobie o maleńkiej kapsułce cyjanku schowanej w kieszeni. Na wszelki wypadek.

– Musisz sobie znaleźć nowe ubranie – powiedział Jared.

– Znowu?

– To jest już trochę sfatygowane.

– Dobrze – odparłam. Nie lubiłam brać więcej, niż potrzebowałam, ale wiedziałam, że rosnąca sterta brudnych rzeczy na pewno się nie zmarnuje. Lily, Heidi i Paige nosiły podobny rozmiar co ja i byłam pewna, że ucieszą się z nowych ubrań. Wcześniej na męskich wyprawach nikt się zbytnio nimi nie przejmował. Każdy wypad groził śmiercią, więc ubrania nie były priorytetem, podobnie jak łagodne mydła czy szampony, które zabierałam z każdego sklepu.

– Poza tym przydałaby ci się chyba kąpiel – westchnął Jared. – Co oznacza, że musimy się zatrzymać w motelu.

Na poprzednich wyprawach w ogóle nie przejmowali się wyglądem. Oczywiście tylko ja musiałam sprawiać z bliska wrażenie, jakbym mieszkała w cywilizowanych warunkach. Chłopacy nosili dżinsy i ciemne koszulki – nie brudziły się zbyt szybko i nie przyciągały wzroku na postojach.

Bardzo nie lubili nocować w zajazdach – zasypiać pod nosem nieprzyjaciół. Bali się tego bardziej niż czegokolwiek. Ian powtarzał, że wolałby stawić czoła uzbrojonemu Łowcy.

Kyle po prostu odmawiał. Wysypiał się w furgonetce w ciągu dnia, a potem w nocy siedział na czatach.

Dla mnie spanie w motelu było równie łatwe jak zakupy. Meldując nas w recepcji, ucinałam sobie pogawędkę z obsługą. Wspominałam o moim partnerze – fotografie – oraz podróżującym z nami przyjacielu (w razie gdyby ktoś nas widział we trójkę). Używałam oklepanych imion z planet, które nie budziły większych emocji. Czasem byliśmy więc Nietoperzami – Strażnikiem Słów, Pieśnią Młodych, Podniebnym Konarem – a czasami Wodorostami – Ruchem Oczu, Widokiem Fali, Drugim Wschodem. Za każdym razem je zmieniałam, choć byłam pewna, że nikt za nami nie jedzie. Po prostu Melanie czuła się dzięki temu bezpieczniej. Jak bohaterowie w ludzkich filmach szpiegowskich.

Martwiło mnie coś innego. Oczywiście nie miałam zamiaru o tym wspominać w obecności wiecznie podejrzliwego Kyle'a. Nie podobało mi się mianowicie, że zabieramy tyle rzeczy, nie dając nic w zamian. Kiedy dawniej robiłam zakupy w San Diego, nie miałam z tym żadnego problemu. Brałam to, czego potrzebowałam, nic więcej. Później szłam na uczelnię i spłacałam dług, dzieląc się wiedzą. Moje Powołanie nie było szczególnie uciążliwe, ale traktowałam je bardzo poważnie. Co pewien czas wykonywałam też mniej przyjemne zajęcia. Zbierałam śmieci, sprzątałam ulice. Tak jak wszyscy.

Teraz zaś brałam dużo więcej, nie dając nic w zamian. Czułam się z tego powodu źle.

To nie dla ciebie, tylko dla innych, przypomniała Mel, gdy znów się nad tym zadumałam.

Mimo wszystko to nie w porządku. Nawet ty to widzisz, prawda?

Nie myśl o tym, zaproponowała.

Cieszyło mnie, że nasza długa wyprawa powoli zbliża się do końca. Następnego dnia mieliśmy w planach ponownie odwiedzić miejsce, gdzie ukryliśmy dużą ciężarówkę – jeden dzień drogi od naszej trasy – i po raz ostatni załadować do niej zawartość furgonetki. Jeszcze tylko parę dni, parę miast, przejazd przez Oklahomę i Nowy Meksyk, a potem już prosto do Arizony.

Wrócimy do domu. Nareszcie.

Kiedy zamiast w ciasnej furgonetce spędzaliśmy noc w hotelu, meldowaliśmy się zwykle po zmierzchu i wyruszaliśmy dalej przed świtem, żeby nikt nam się dobrze nie przyjrzał. Trochę niepotrzebnie.

Jared i Ian zaczynali sobie to uświadamiać. Tego wieczora zatrzymaliśmy się nieco wcześniej – mieliśmy za sobą udany dzień, samochód był pełny, Kyle miał niewiele miejsca, a Ian twierdził, że wyglądam na zmęczoną. Kiedy wróciłam do auta z kluczem do pokoju, na niebie świeciło jeszcze słońce.

W motelu nie było zbyt wielu gości. Zaparkowaliśmy blisko pokoju, dosłownie kilka kroków od drzwi. Jared i Ian udali się od razu do środka, patrząc pod nogi. Na karkach mieli dla niepoznaki małe różowe kreski. Jared niósł na wpół pustą walizkę. Nikt nas nie widział.

Kiedy już zaciągnęliśmy zasłony w oknach, trochę się odprężyli.

Ian rozłożył się wygodnie na ich wspólnym łóżku i włączył telewizor. Jared postawił walizkę na stole, wyciągnął naszą kolację – wystygłe tłuste kawałki panierowanego kurczaka z ostatniego sklepu – i poczęstował mnie i Iana. Usiadłam przy oknie i zaczęłam jeść, zerkając zza zasłony na opadające słońce.

– Musisz przyznać, Wando, że my mieliśmy lepsze filmy – powiedział Ian.

W telewizji leciał jakiś serial. Dwie dusze stały wyprostowane naprzeciw siebie i starannie recytowały kwestie. Nietrudno było się zorientować w fabule, bo wszystkie scenariusze niewiele się od siebie różniły. W tym serialu dwie dusze spotykały się po długiej rozłące. Mężczyzna utknął na planecie Wodorostów, lecz później postanowił zamieszkać na Ziemi, ponieważ domyślał się, że spotka tam swoją partnerkę z Planety Mgieł. I, dziw nad dziwy, odnalazł ją.

Oczywiście wszystkie historie dobrze się kończyły.

– Pamiętaj, do kogo są kierowane.

– Wiem, wiem. Ale wolałbym, żeby puścili coś naszego. – Przeskakiwał z kanału na kanał, marszcząc brwi. – Kiedyś im się to zdarzało.

– Wasze seriale nas przerażały. Musieliśmy je zastąpić nowymi, mniej... brutalnymi.

– Nawet *The Brady Bunch?*

Zaśmiałam się. Widziałam ten serial w San Diego, a Mel znała go z dzieciństwa.

– Pochwalano w nim przemoc. Pamiętam, jak w jednym odcinku mały chłopiec uderzył dokuczającego mu osiłka. Przedstawiono to jako właściwe zachowanie. No i była krew.

Ian potrząsnął głową z niedowierzaniem, ale wrócił do oglądania serialu o spotkaniu po latach. Śmiał się w złych momentach – ze scen, które miały wzruszać.

Wyglądałam przez okno, przypatrując się czemuś o wiele ciekawszemu niż przewidywalne losy telewizyjnych bohaterów.

Po drugiej stronie dwupasmowej jezdni znajdował się niewielki park, otoczony z jednej strony szkołą, a z drugiej łąką, na której pasły się krowy. Wśród kilku młodych drzew stał plac zabaw w starym stylu, z piaskownicą, zjeżdżalnią, drabinkami oraz ręczną karuzelą. Oczywiście były też huśtawki i to właśnie jedna z nich była teraz w użyciu.

Jakaś para z dzieckiem zażywała świeżego wieczornego powietrza. Ojciec miał trochę siwych włosów na skroniach, matka wyglądała na dużo młodszą. Miała rudobrązowe włosy spięte w koński ogon. Chłopiec liczył może z roczek. Ojciec stał za huśtawką i bujał synka, a matka ustawiła się z przodu i całowała malca w czoło za każdym razem, gdy się do niej zbliżał, na co ten reagował gwałtownym śmiechem, aż czerwienił się na twarzy. To z kolei bawiło mamę; widziałam, jak trzęsie się ze śmiechu, jak tańczą jej włosy.

– Na co się patrzysz, Wando?

W głosie Jareda nie było niepokoju, gdyż widział, że się uśmiecham.

– Na coś, czego jeszcze nigdy, przenigdy nie widziałam. Na... nadzieję.

Jared stanął za mną i zerknął mi przez ramię.

– To znaczy? – Omiótł spojrzeniem budynki i drogę, nie zwracając uwagi na rodzinę.

Złapałam go za brodę i skierowałam twarz we właściwą stronę. Uświadomiłam sobie, że nawet nie drgnął, kiedy go dotknęłam, i poczułam przyjemne ciepło w żołądku.

– Spójrz – powiedziałam.

– Na co?

– Na nadzieję dla was, żywicieli. Pierwszy raz widzę coś takiego.

– Gdzie? – zapytał zdezorientowany.

Ian stanął tuż za nami i przysłuchiwał się w milczeniu.

– Widzisz? – Wskazałam na roześmianą matkę. – Widzisz, jak kocha swoje ludzkie dziecko?

W tym momencie kobieta wzięła chłopczyka na ręce, uścisnęła go i obsypała pocałunkami. Malec gaworzył i wymachiwał rączkami. Był zwyczajnym dzieckiem. Nie duszą w młodym ciele. Nie miniaturowym dorosłym.

Jaredowi zdumienie zaparło dech.

– To dziecko jest człowiekiem? Jak to? Dlaczego? Jak długo jeszcze?

Wzruszyłam ramionami.

– Nie wiem, nigdy wcześniej czegoś takiego nie widziałam. Matka nie oddała go na żywiciela. Nie wyobrażam sobie, żeby ktokolwiek mógł ją... zmusić. Otaczamy macierzyństwo wielką czcią. Jeżeli nie chce oddać dziecka... – Potrząsnęłam głową. – Nie mam pojęcia, jak to się dalej potoczy. Gdzie indziej takie rzeczy się nie zdarzają. Emocje tych ciał są dużo silniejsze niż rozum.

Zerknęłam na Jareda i Iana. Obaj wpatrywali się z rozdziawionymi ustami w międzygatunkową rodzinę.

– Nie – powiedziałam do siebie pod nosem. – Nikt im nie odbierze dziecka, jeżeli chcą je zatrzymać. A spójrzcie na nich.

Ojciec obejmował teraz matkę z dzieckiem. Spoglądał z niezwykłą czułością w oczach na chłopczyka, który z biologicznego punktu widzenia był synem żywiciela.

– Nie licząc naszej, to pierwsza planeta, jaką odkryliśmy, gdzie młode przychodzą na świat przez poród. Nie jest to z pewnością najłatwiejszy ani najwydajniejszy mechanizm. Zastanawiam się, czy właśnie to jest ta kluczowa różnica... a może chodzi o bezbronność waszych młodych. Wszędzie indziej reprodukcja dokonuje się przy udziale nasion lub jaj. Wielu rodziców w ogóle nie poznaje swojego potomstwa. Ciekawe... – Urwałam, pogrążając się w domysłach.

Matka obróciła się twarzą do partnera, a ten pocałował ją w usta. Dziecko pisnęło z zachwytu.

– Hmm. Może kiedyś dusze i ludzie będą żyli ze sobą w pokoju. Czy to by nie było... niezwykłe?

Obaj nie mogli oderwać wzroku od tego cudu.

Rodzina zaczęła się zbierać. Matka podała malca ojcu i otrzepała spodnie. Dusze złapały się za ręce i, wymachując nimi, ruszyły z dzieckiem w stronę pobliskich domów.

Ian głośno przełknął ślinę.

Przez resztę wieczoru nie zamieniliśmy już ani słowa. Dumaliśmy nad tym, co zobaczyliśmy. Położyliśmy się wcześnie spać, by z samego rana wstać i wrócić do pracy.

Spałam sama, w łóżku najdalej od drzwi. Było mi trochę źle z tego powodu. Ian i Jared nie mieli dla siebie zbyt dużo miejsca. Ian lubił się wiercić, a Jared gotów był go zdzielić pięścią. Obydwu byłoby wygodniej, gdybym to ja dzieliła z kimś większe łóżko. Leżałam zwinięta w kulkę. Być może musiałam odreagować ogrom otwartych przestrzeni, po których poruszałam się cały dzień, a może najzwyczajniej przywykłam do tej pozycji, sypiając za fotelem w ciasnej furgonetce, i nie umiałam już zasnąć z wyprostowanymi nogami.

Wiedziałam jednak, dlaczego żaden nie zaproponował, żebym dzieliła z nim łóżko. Kiedy po raz pierwszy uznali, że potrzebuję prysznica, i zatrzymaliśmy się w motelu, usłyszałam, będąc w łazience, jak o mnie rozmawiają.

– ...nie fair kazać jej wybierać – mówił Ian ściszonym głosem, ale szum wentylatora nie był dość głośny, by go zagłuszyć. To był bardzo mały pokój.

– Czemu nie? To chyba bardziej fair niż powiedzieć jej, gdzie ma spać? Nie sądzisz, że to grzeczniejsze...

– Może wobec kogoś innego. Ale Wandzie to nie będzie dawało spokoju. Będzie szukać takiego wyjścia, żebyśmy obaj byli zadowoleni.

– Znowu bierze cię zazdrość?

– Nie tym razem. Po prostu znam ją.

Zapadła cisza. Ian miał rację. Znał mnie. Musiał się domyślać, że gdyby tylko Jared uczynił najmniejszą nawet aluzję do tego, że chciałby dzielić ze mną łóżko, położyłabym się z nim od razu, a potem przez całą noc zadręczała się myślą, że może jest z tego powodu niezadowolony i że na dodatek sprawiłam przykrość Ianowi.

– Dobra – rzucił Jared. – Ale spróbuj tylko się do mnie w nocy przytulić, O'Shea, a wierz mi... nie ręczę za siebie.

Ian zachichotał.

– Nie chcę zabrzmieć zuchwale, Jared, ale nie dałbyś mi rady. No, ale nie martw się, do niczego między nami nie dojdzie.

Dlatego, choć miałam wyrzuty sumienia, że marnuję tyle potrzebnego miejsca, chyba jednak dobrze się stało, że spałam sama.

Nie musieliśmy już potem zatrzymywać się w motelu. Dni zaczęły płynąć szybciej, jak gdyby nawet sekundom spieszyło się do domu. Miałam czasem wrażenie, że jakaś siła naprawdę ciągnie moje ciało na zachód. Wszyscy bardzo chcieliśmy już wrócić do naszej ciemnej, zatłoczonej kryjówki.

Nawet Jaredowi zdarzył się moment nieuwagi.

Był wieczór, za górami na zachodzie znikało właśnie ostatnie światło dnia. Ja i Jared jechaliśmy z przodu furgonetką, za nami Ian i Kyle prowadzili na zmianę ciężarówkę obładowaną łupami. Była dużo cięższa i nie mogli się zbytnio rozpędzać. Ich światła oddalały się powoli w lusterkach, aż w końcu zniknęły za zakrętem.

Był to ostatni odcinek naszej trasy. Minęliśmy Tucson. Od spotkania z Jamiem dzieliło mnie już tylko parę godzin. Wyobrażałam sobie, jak rozładowujemy zdobycze otoczeni przez uśmiechnięte twarze. Prawdziwy powrót do domu.

Mój pierwszy.

W końcu powitanie będzie radosne, niczym niezmącone. Tym razem nie wieźliśmy na śmierć żadnych zakładników.

Wybiegałam myślami do przodu. Droga wcale nie zdawała się przesuwać pod nami zbyt szybko. Przeciwnie, miałam wrażenie, że strasznie się wleczemy.

W tyle pojawiły się znowu jasne ślepia ciężarówki.

– Chyba Kyle usiadł za kółkiem – mruknęłam. – Doganiają nas.

Lecz wtedy z ciemności nocy wyłoniły się wirujące, czerwono-niebieskie światła. Odbijały się we wszystkich lusterkach, migotały plamkami kolorów na suficie, fotelach, naszych zamarłych twarzach, a także na desce rozdzielczej, gdzie igła prędkościomierza o dwadzieścia mil przekraczała dozwoloną prędkość.

Pustynną ciszę przeszyło wycie policyjnej syreny.

Rozdział 48

Wpadka

Czerwono-niebieskie światła obracały się w rytm dźwięków syreny. Zanim na Ziemię przybyły dusze, te sygnały zwiastowały tylko jedno. Obrońców prawa, stróżów porządku, tropicieli przestępców.

Również teraz kolorowe migotanie i wściekłe wycie oznaczały tylko jedno. Prawie to samo. Stróżów porządku. Tropicieli przestępców.

Łowców.

Co prawda nie był to już tak częsty widok jak kiedyś... Policja była potrzebna jedynie w razie wypadku lub innych wyjątkowych sytuacji. Większość pojazdów służb cywilnych nie miała syren, chyba że był to ambulans lub wóz strażacki.

Ale ten niski, lśniący samochód nie jechał do wypadku. Był to pojazd pościgowy. Nigdy wcześniej takiego nie widziałam, jednak od razu pojęłam, co się dzieje.

Jared zastygł w bezruchu z nogą na gazie. Widziałam, że szuka gorączkowo jakiegoś wyjścia z tej sytuacji – przebiegł mu pewnie przez myśl szaleńczy pomysł ucieczki zdezelowanym autem albo ukrycia szerokiego, białego profilu furgonetki w niskich, rzadkich zaroślach pustyni. Nie mogliśmy wskazać Łowcom kryjówki. Byliśmy tak blisko jaskiń. Wszyscy na pewno tam teraz spali, nieświadomi zagrożenia...

Po dwóch sekundach zrezygnował, ciężko wzdychając.

– Tak mi przykro, Wando – szepnął. – Nawaliłem.

– Jared?

Sięgnął po moją dłoń, jednocześnie zdejmując nogę z gazu. Samochód zaczął wytracać prędkość.

– Masz truciznę? – wydusił z siebie.

– Tak – odszepnęłam.

– Czy Mel mnie słyszy?

Tak. Melanie zaniosła się płaczem.

– Tak – odparłam łamiącym się głosem.

– Kocham cię, Mel. Przepraszam.

– Kocha cię. Najbardziej na świecie.

Krótka, bolesna cisza.

– Wando... na tobie też mi zależy. Jesteś dobrą osobą. Zasługujesz na więcej, niż mogłem ci dać. A już na pewno nie zasłużyłaś na taki koniec.

Trzymał między palcami coś bardzo małego, tak małego, że aż nie chciało się wierzyć, że może go to zabić.

– Poczekaj – wydyszałam.

Nie wolno mu było umrzeć.

– Wando, nie możemy ryzykować. Nie uciekniemy, nie tym autem. Jeżeli pobiegniemy na pustynię, zrobią obławę. Pomyśl o Jamiem.

Furgonetka zwalniała i stopniowo zjeżdżała na bok jezdni.

– Daj mi spróbować – błagałam. Sięgnęłam pospiesznie do kieszeni po kapsułkę cyjanku. Chwyciłam ją między kciuk a środkowy palec i uniosłam w powietrze. – Spróbuję nakłamać. Może się uda. Jeżeli mi nie pójdzie, od razu to połknę.

– To Łowcy! Nie dadzą się oszukać.

– Daj mi spróbować. Szybko! – Odpięłam pasy, najpierw swoje, potem jego, i przykucnęłam. – Zamieńmy się miejscami. Prędko, są coraz bliżej.

– Wando...

– Jedno podejście. Szybko!

Umiał podejmować decyzje w mgnieniu oka. Zerwał się z fotela i stanął nade mną. Wdrapałam się na jego miejsce, a wtedy on zajął moje.

– Pasy – rzuciłam. – Zamknij oczy, odwróć głowę.

Zrobił, jak kazałam. Jego nowa różowa blizna była teraz odsłonięta, choć po ciemku nie było jej widać.

Zapięłam pasy i oparłam głowę o fotel.

Wiedziałam, że muszę kłamać całym ciałem. To była zwyczajnie kwestia odpowiednich ruchów. Naśladowania. Jak aktorzy w tamtym serialu, tylko że lepiej. Jak ludzie.

– Pomagaj mi, Mel – wymamrotałam.

Nie umiem ci pomóc być bardziej duszą, Wando. Ale wiem, że potrafisz. Uratuj go. Wiem, że możesz to zrobić.

Bardziej duszą. Musiałam po prostu być sobą.

Było późno. Byłam zmęczona. Przynajmniej tego nie musiałam udawać.

Pozwoliłam, żeby opadły mi powieki, żebym zapadła się w fotel.

Żal. To też było do zrobienia. Przecież właśnie tak się teraz czułam.

Zrobiłam gapowatą minę.

Samochód Łowców nie zatrzymał się za nami, tak jak się tego spodziewała Mel. Zaparkowali na poboczu po drugiej stronie jezdni, odwrotnie do kierunku ruchu. Z okna pojazdu wystrzelił strumień oślepiającego światła. Zamrugałam, po czym opieszale uniosłam dłoń, osłaniając twarz. Spuściłam wzrok na asfalt i ujrzałam na nim słaby odblask własnych oczu.

Trzasnęły drzwi. Usłyszałam czyjeś miarowe kroki. Nie było słychać piasku ani żwiru, a zatem Łowca wysiadł od strony pasażera. Musiało być ich co najmniej dwóch, ale tylko jeden wyszedł, żeby mnie przepytać. Był to dobry znak; widocznie niczego nie podejrzewali.

Lśniące oczy były moim talizmanem. Niezawodnym kompasem – pewnym jak Gwiazda Polarna.

Nie musiałam kłamać ciałem. Wystarczyło, że mówiłam nim prawdę. Miałam coś wspólnego z dzieckiem w parku sprzed paru dni: byłam czymś niespotykanym.

Łowca zasłonił sobą światło i odzyskałam wzrok.

Był to mężczyzna. Chyba w średnim wieku; różne cechy wyglądu nawzajem sobie przeczyły. Włosy miał całkiem siwe, lecz twarz gładką, bez zmarszczek. Ubrany był w koszulkę i szorty, na biodrze wyraźnie rysowała się masywna broń. Jedną dłoń opierał na rękojeści, w drugiej trzymał wyłączoną latarkę.

– Wszystko w porządku, młoda damo? – odezwał się z odległości dwóch kroków. – Jechała pani zdecydowanie za szybko. Wie pani, że to niebezpieczne.

Oczy miał rozbiegane. Najpierw zbadał mój wyraz twarzy – miałam nadzieję, że senny – następnie omiótł wzrokiem cały pojazd, zerknął w ciemności za autem, potem w drugą stronę, na odcinek jezdni oświetlony naszymi światłami, wreszcie znowu na moją twarz, zaczynając jeszcze raz od nowa.

Był zaniepokojony. Poczułam zimny pot na dłoniach, ale starałam się mówić bez emocji.

– Strasznie przepraszam – powiedziałam głośnym szeptem. Zerknęłam na Jareda, jakbym sprawdzała, czy się nie obudził. – Zdaje się, że... chyba przysnęłam. Nie wiedziałam, że jestem taka zmęczona.

Spróbowałam się uśmiechnąć ze skruchą. Czułam, że mój głos brzmi sztywno, zupełnie jak głosy aktorów w serialu.

Łowca jeszcze raz przebiegł wzrokiem po samochodzie i jezdni, po czym zatrzymał spojrzenie na Jaredzie. Serce podskoczyło mi w piersi, uderzając boleśnie o żebra. Zacisnęłam palce na kapsułce z cyjankiem.

– Zachowałam się nierozsądnie, prowadząc tak długo bez snu – dodałam prędko i znów spróbowałam się lekko uśmiechnąć. – Myślałam, że uda nam się dojechać do Phoenix. Strasznie przepraszam.

– Jak się pani nazywa?

Głos Łowcy nie był ani surowy, ani serdeczny. Tym razem jednak odezwał się ciszej.

– Liście o Zmroku – odparłam, posługując się imieniem z ostatniego motelu. Czy będzie chciał sprawdzić, czy mówię prawdę? Jeśli tak, mogę go tam odesłać.

– Była pani Kwiatem? – domyślił się, nadal wodząc oczyma.

– Tak, zgadza się.

– Moja partnerka też. Była pani na wyspie?

– Nie – odparłam szybko. – Na lądzie. Pomiędzy wielkimi rzekami.

Kiwnął głową, chyba odrobinę rozczarowany.

– Czy mam zawrócić do Tucson? – zapytałam. – Chyba już się obudziłam. A może powinnam się tu najpierw zdrzemnąć...

– Nie! – przerwał mi, podnosząc głos.

Drgnęłam przestraszona, wypuszczając kapsułkę z trucizną spomiędzy palców. Upadła na podłogę z prawie bezgłośnym brzękiem. Poczułam, jak krew odpływa mi z twarzy, tak jakby ktoś wyciągnął z niej korek.

– Nie chciałem pani wystraszyć – przeprosił szybko, po raz kolejny lustrując wzrokiem samochód i okolice. – Ale nie powinna tu pani zostawać.

– Dlaczego? – wyszeptałam, bębniąc nerwowo jednym palcem o drugi w miejscu, gdzie przed chwilą ściskałam truciznę.

– Ostatnio doszło tu do... zniknięcia.

– Nie rozumiem. Do zniknięcia?

– To mógł być wypadek... ale możliwe też, że... – Zawahał się, szukając innych słów. – W tej okolicy mogą być ludzie.

– Ludzie? – pisnęłam. Usłyszał strach w moim głosie i zinterpretował go w jedyny sensowny dla siebie sposób.

– Nie ma na to dowodów, Liście o Zmroku. Nikt ich nie widział. Proszę się nie martwić. Ale powinna pani od razu ruszyć w dalszą drogę do Phoenix.

– Oczywiście. A może do Tucson? To bliżej.

– Nie ma takiej potrzeby. Nie musi pani zmieniać planów.

– Jeżeli jest pan pewien...

– Jestem o tym przekonany. Proszę się tylko nie zapuszczać w głąb pustyni. – Uśmiechnął się. Jego twarz wydawała się teraz cieplejsza, serdeczniejsza. Taka jak u wszystkich innych dusz, z jakimi miałam tu kontakt. Nie bał się mnie, lecz o mnie. Nie nasłuchiwał kłamstw, a nawet gdyby to robił, pewnie i tak by ich nie rozpoznał. Był taki jak inne dusze.

– Nie miałam tego w planach. – Odwzajemniłam uśmiech. – Będę bardziej uważać. Teraz już na pewno nie zasnę. – Zerknęłam przez okno po stronie Jareda, żeby Łowca pomyślał, że strach spędził mi sen z powiek. W bocznym lusterku pojawiła się para świateł. Twarz zastygła mi w twardą maskę.

Jednocześnie Jaredowi zesztywniały plecy, ale trwał w niezmienionej pozycji. Nie było mu chyba zbyt wygodnie.

Przeniosłam prędko wzrok z powrotem na Łowcę.

– Mam coś, co pomoże – powiedział, nadal uśmiechnięty, choć spoglądał teraz w dół, szukając czegoś w kieszeni.

Nie zauważył zmiany na mojej twarzy. Starałam się zapanować nad mięśniami i je rozluźnić, ale nie potrafiłam się wystarczająco skupić.

Spojrzałam w lusterko. Światła były coraz bliżej.

– Nie powinna pani tego używać zbyt często – ciągnął Łowca, przeszukując drugą kieszeń. – Oczywiście to nic szkodliwego, inaczej Uzdrowiciele nie kazaliby nam tego rozdawać. Ale jeżeli będzie go pani stosować regularnie, może przestawić pani zegar biologiczny. O, jest... Proszę. Nazywa się Przebudzenie.

Światła za nami nieco zwolniły.

Niech przejadą obok, modliłam się w myślach. *Nie zatrzymujcie się, nie zatrzymujcie, nie zatrzymujcie.*

Oby to Kyle prowadził, dodała błagalnie Melanie.

– Proszę pani?

Zamrugałam.

– Uhm. Przebudzenie?

– Wystarczy wciągnąć do płuc.

Trzymał w dłoni wąską puszkę aerozolu. Rozpylił lek w powietrzu, a ja posłusznie wychyliłam się i wzięłam głęboki wdech, jednocześnie zerkając w lusterko.

– O zapachu grejpfruta – powiedział Łowca. – Ładny, prawda?

– O tak, bardzo. – Umysł natychmiast mi się rozjaśnił.

Ciężarówka zwolniła, po czym zatrzymała się za nami.

Nie! – krzyknęłyśmy razem w myślach. Rozglądałam się przez sekundę po podłodze w nadziei, że może uda mi się w ciemnościach dojrzeć kapsułkę. Nie widziałam jednak nawet własnych stóp.

Łowca spojrzał z roztargnieniem na ciężarówkę, po czym pokazał ręką, żeby jechała dalej.

Ja również spojrzałam do tyłu. Nie widziałam jednak, kto prowadzi. Moje oczy odbijały blask reflektorów i rzucały własny snop światła.

Kierowca ciężarówki wahał się.

Łowca ponownie dał znak do przejazdu, tym razem bardziej zamaszyście.

– Jedź – powiedział pod nosem.

Jedź! Jedź! Jedź!

Zauważyłam, że Jared ma zaciśniętą pięść.

Ciężarówka zatrzęsła się lekko, ruszyła powoli z miejsca i przejechała pomiędzy furgonetką a samochodem Łowcy. Kiedy nas mijała, na tle światła zamajaczyły dwie sylwetki, dwa ciemne profile twarzy zapatrzonych w dal. Kierowca pojazdu miał krzywy nos.

Mel i ja odetchnęłyśmy z ulgą.

– I jak się pani czuje?

– Bardzo przytomnie – odparłam Łowcy.

– Przestanie działać za jakieś cztery godziny.

– Dziękuję.

Łowca zaśmiał się cicho.

– To ja dziękuję, Liście o Zmroku. Kiedy zobaczyliśmy pani pędzące auto, pomyśleliśmy, że to może ludzie. Trochę się spociłem, i to wcale nie od upału!

Przeszedł mnie dreszcz.

– Proszę się nie martwić. Nic pani nie grozi. Możemy nawet jechać za panią aż do Phoenix.

– Dziękuję, ale naprawdę nie trzeba. Proszę się nie kłopotać.

– Miło było panią poznać. Nie mogę się doczekać, aż wrócę do domu i powiem partnerce, że spotkałem kogoś z Planety Kwiatów. Na pewno się ucieszy.

– Uhm... proszę jej ode mnie powiedzieć „słońce jasne, dzień długi" – odrzekłam, tłumacząc na język Ziemian powszechnie używane wśród Kwiatów pozdrowienie.

– Z przyjemnością. Życzę miłej podróży.

– Ja panu dobrej nocy.

Obrócił się i znów uderzyło mnie po twarzy światło punktowego reflektora. Zamrugałam gwałtownie.

– Wyłącz to, Hank – powiedział Łowca, zasłaniając oczy, i po chwili znowu zrobiło się ciemno. Posłałam kolejny wymuszony uśmiech, tym razem niewidocznemu Łowcy imieniem Hank.

Drżącymi dłońmi odpaliłam silnik.

Łowcy byli ode mnie szybsi. Ich niepozorny, czarny samochód, wyglądający nieco dziwacznie z alarmem na dachu, ruszył z warkotem z miejsca. Zatoczył ostry łuk i po chwili widać było jedynie tylne światła. Niedługo potem zniknęły w mrokach nocy.

Wjechałam z powrotem na szosę. Serce pompowało mi krew silnymi, krótkimi pchnięciami. Czułam ten gwałtowny puls nawet w czubkach palców.

– Pojechali – szepnęłam przez szczękające zęby.

Usłyszałam, jak Jared przełyka ślinę.

– Niewiele brakowało – odparł.

– Myślałam, że Kyle się zatrzyma.

– Ja też.

Oboje mówiliśmy szeptem.

– Łowca wszystko łyknął. – Jared wciąż nerwowo zaciskał zęby.

– Tak.

– Ja na jego miejscu nie dałbym się nabrać. Ciągle nie umiesz udawać.

Przebiegł mnie dreszcz. Ciało miałam tak zesztywniałe, że wszystkie jego części zadrżały jednocześnie.

– Nie mogą mi nie wierzyć. Jestem... jestem czymś, co nie ma prawa istnieć. Czymś niemożliwym.

– Czymś niewiarygodnym – przyznał. – Wspaniałym.

Moja zmrożona krew i żołądek odtajały nieco pod wpływem tych ciepłych słów.

– Tak naprawdę Łowcy są tacy sami jak reszta – powiedziałam pod nosem. – Nie ma co się ich bać.

Pokiwał wolno głową.

– Właściwie to możesz wszystko, prawda?

Nie wiedziałam, co odpowiedzieć.

– Teraz, kiedy mamy cię do pomocy, wszystko się zmieni – mówił dalej szeptem, teraz już sam do siebie.

Poczułam, że Melanie posmutniała, słysząc te słowa, lecz tym razem nie wpadła w złość. Była zrezygnowana.

Potrafisz im pomóc. Możesz ich chronić lepiej niż ja. Westchnęła.

Nie przestraszyłam się, gdy zobaczyłam w dali parę tylnych świateł. Był to znajomy, kojący widok. Przyspieszyłam – tylko trochę, uważając, by znowu nie przekroczyć dozwolonej prędkości.

Jared wyjął ze schowka latarkę. Wiedziałam po co – żeby ich uspokoić.

Kiedy zrównaliśmy się z kabiną ciężarówki, poświecił sobie w oczy. Pochyliłam się, by spojrzeć przez okno po jego stronie. Kyle kiwnął głową i odetchnął. Ian wyglądał zza niego i patrzył na mnie. Gdy mu pomachałam, skrzywił twarz.

Zbliżaliśmy się do naszego sekretnego zjazdu.

– Mam jechać do Phoenix?

Jared zastanowił się chwilę.

– Nie. Mogliby nas znowu zatrzymać w drodze powrotnej. Nie sądzę, żeby za nami jechali. Raczej tylko patrolują autostradę.

– Nie śledzą nas. – Byłam o tym przekonana.
– W takim razie jedźmy do domu.
– Do domu – przytaknęłam ochoczo.
Wyłączyliśmy światła, podobnie uczynił Kyle.
Jechaliśmy do jaskiń, żeby dokonać szybkiego rozładunku i do rana ze wszystkim zdążyć. Niewielki skalny nawis nad wejściem nie stanowił bowiem wystarczającej osłony.
Przewróciłam oczami na myśl o wejściu i wyjściu z jaskiń; o wielkiej zagadce, której nie udało mi się nigdy rozwikłać. Jeb był naprawdę sprytny.
Sprytne były też wskazówki, które narysował Mel na okładce albumu. Nie prowadziły bowiem do samej kryjówki, a jedynie zmuszały do chodzenia w tę i z powrotem w jej pobliżu, tak by Jeb miał czas się zastanowić, czy chce zaprosić gościa do środka.
– Jak myślisz, co się stało? – zapytał Jared, przerywając mi rozmyślania.
– To znaczy?
– Chodzi mi o to zniknięcie, o którym mówił Łowca.
Zapatrzyłam się w dal.
– Chyba mówili o mnie...?
– Nie sądzę, Wando. Powiedział, że to było ostatnio. Poza tym nie patrolowali autostrady przed naszym wyjazdem. To coś nowego. Szukają nas.
Przymrużył oczy, a ja otworzyłam swoje szerzej.
– Co oni zmajstrowali? – wybuchnął nagle, uderzając otwartą dłonią o obudowę deski rozdzielczej, aż podskoczyłam.
– Myślisz, że Jeb i reszta coś... zrobili?
Nic nie odpowiedział, patrzył tylko wściekłymi oczyma na rozświetloną gwiazdami pustynię.
Nie rozumiałam. Dlaczego Łowcy mieliby szukać ludzi tylko dlatego, że ktoś zniknął bez śladu na pustyni? Wypadki się zdarzały. Dlaczego mieliby wyciągnąć z tego akurat taki wniosek?
I czemu Jared jest zły? Nasi w jaskiniach na pewno nie zrobiliby nic, żeby ściągnąć na siebie uwagę. Nie byli przecież głupi. Nie wyszliby na zewnątrz, nie mając ku temu jakiegoś ważnego powodu.
W każdym razie musieli przynajmniej uważać, że mają ważny powód.
Czyżby Doktor i Jeb postanowili skorzystać z tego, że mnie nie ma?
Jeb obiecał, że nie będą zabijać dusz w mojej obecności. Czy właśnie na tym polegał ich kompromis?
– Wszystko w porządku? – zapytał Jared.

Miałam zbyt ściśnięte gardło, by móc się odezwać. Potrząsnęłam tylko głową. Łzy pociekły mi po policzkach i skapywały na nogi.

– Może lepiej ja poprowadzę.

I tym razem potrząsnęłam głową. Mimo łez widziałam całkiem dobrze. Nie sprzeciwiał się.

Wciąż jeszcze płakałam, gdy dotarliśmy do niewielkiej góry skrywającej nasze jaskinie. Właściwie był to zaledwie pagórek – kawałek wulkanicznej skały jakich wiele, przystrojony rzadko rozmieszczonymi chudymi krzewami kreozotowymi oraz płaskimi kaktusami. Tysiące malutkich otworów były całkiem niewidoczne, ginęły w natłoku fioletowych kamieni. Gdzieś stamtąd musiał się teraz wydobywać dym, czarna smuga na tle czarnej nocy.

Wysiadłam z furgonetki i oparłam się o drzwi, przecierając oczy. Jared stanął obok. Wahał się przez moment, po czym położył mi dłoń na ramieniu.

– Przepraszam. Nie wiedziałem, że coś takiego planują. Naprawdę, nie miałem pojęcia. Nie powinni...

Ale chodziło mu wyłącznie o ryzyko.

Ciężarówka zatrzymała się za nami z turkotem. Rozległ się trzask drzwi, najpierw jednych, potem drugich, i odgłos biegnących stóp.

– Co się stało? – zapytał Kyle, przybiegając pierwszy.

Ian szybko do niego dołączył. Rzucił okiem na moją twarz, na wciąż załzawione policzki, na dłoń Jareda na moim barku, po czym podbiegł i wziął mnie w ramiona, przyciskając do siebie. Nie wiedzieć czemu, rozpłakałam się wtedy jeszcze bardziej. Przywarłam do niego, a moje łzy spływały mu na koszulkę.

– Już dobrze. Byłaś świetna. Już po wszystkim.

– Nie chodzi o Łowcę, Ian – odezwał się Jared napiętym głosem, nie zdejmując dłoni z mojego ramienia, choć musiał się teraz trochę przechylać, żeby mnie sięgnąć.

– Jak to?

– Patrolowali autostradę nie bez przyczyny. Wygląda na to, że Doktor w czasie naszej nieobecności... pracował.

Przeszedł mnie nieprzyjemny dreszcz i zdało mi się, że czuję w gardle posmak srebrzystej krwi.

– A niech to... – Wściekłość odebrała Ianowi głos. Nie mógł dokończyć zdania.

– No pięknie – odezwał się Kyle, zdegustowany. – Idioci. Wystarczyło, że wyjechaliśmy na parę tygodni i już narobili kłopotów. Mogli nam przecież powiedzieć, żebyśmy...

– Zamknij się, Kyle – uciął surowo Jared. – To teraz bez znaczenia. Musimy się szybko rozładować. Nie wiadomo, ilu Łowców nas szuka. Zabieramy tyle, ile zdołamy unieść, a potem bierzemy innych do pomocy.

Uwolniłam się z objęć Iana, żeby pomóc. Do oczu wciąż napływały mi świeże łzy. Ian trzymał się blisko mnie, wziął ode mnie ciężką zgrzewkę zupy w puszkach i podał w zamian duże, ale lekkie pudło z makaronami.

Zaczęliśmy schodzić stromym tunelem, Jared prowadził. Nie przeszkadzały mi zupełne ciemności. Nadal nie znałam dobrze tej trasy, ale nie była trudna. Najpierw szło się prosto z górki, potem prosto pod górę.

W połowie drogi dobiegło nas z oddali znajome wołanie. Niosło się po tunelu rwanym echem.

– Wracają... ają... cają! – krzyczał Jamie.

Próbowałam wytrzeć łzy o ramię, ale z marnym skutkiem.

Zbliżało się do nas niebieskie, podskakujące światło. W końcu ukazała nam się pędząca postać Jamiego.

Wstrząsnął mną wyraz jego twarzy.

Starałam się opanować emocje na czas powitania, żeby go nie zmartwić, bo spodziewałam się, że będzie uradowany. Tymczasem twarz miał od razu smutną, pobladłą i napiętą, a oczy zaczerwienione. Na umorusanych policzkach widniały jasne smużki; były to ślady łez.

– Jamie? – powiedzieliśmy jednocześnie Jared i ja. Oboje upuściliśmy pudła na ziemię.

Jamie przypadł do mnie i objął mnie w pasie.

– Och, Wanda! Och, Jared! – szlochał. – Wes nie żyje! Nie żyje! Zabił go Łowca!

Rozdział 49

Przesłuchanie

To ja zabiłam Wesa.

Moje dłonie, podrapane, poobijane i umazane fioletowym pyłem w trakcie gorączkowego rozładunku, równie dobrze mogłyby być zbroczone jego krwią.

Wes zginął i była to od początku do końca moja wina, tak jakbym sama pociągnęła za spust.

Wszyscy z wyjątkiem pięciu osób zgromadzili się w kuchni i jedli świeżą żywność z ostatniego sklepu, w którym zrobiłam zakupy – chrupiący chleb, ser, mleko – jednocześnie słuchając, jak Jeb i Doc opowiadają Jaredowi, Ianowi i Kyle'owi, co się stało.

Siedziałam nieco z boku, z twarzą w dłoniach, zbyt przytłoczona smutkiem i poczuciem winy, by zadawać pytania. Obok siedział Jamie i co jakiś czas poklepywał mnie po plecach.

Wesa pochowano obok Waltera w ciemnej jamie. Zginął cztery dni temu, tego samego wieczora, gdy przyglądałam się z Jaredem i Ianem rodzinie na placu zabaw. Miałam już nigdy więcej nie zobaczyć przyjaciela, nigdy więcej nie usłyszeć jego głosu...

Łzy zaczęły mi skapywać z brody i rozpryskiwać się o podłogę. Jamie poklepywał mnie coraz energiczniej.

Nie było Andy'ego i Paige.

Pojechali odwieźć ciężarówkę i furgonetkę do kryjówki. Potem mieli zabrać stamtąd jeepa i odstawić go do skalnego garażu, a następnie wrócić do jaskiń na piechotę. Spodziewano się ich przed świtem.

Nie było też Lily.

– Lily... nie czuje się najlepiej – wymamrotał Jamie, widząc, że się za nią rozglądam. Więcej nie chciałam wiedzieć. Mogłam się domyślić.

Nie było Aarona i Brandta.

Brandt nosił pod lewym obojczykiem okrągły, różowy ślad po kuli. Minęła o włos płuco oraz serce i ugrzęzła w łopatce. Doktor zużył większość Zdrowego Ciała, żeby go wyratować. Teraz Brandt miał się dobrze.

Pocisk, który ugodził Wesa, był lepiej wymierzony. Przeszył mu wysokie, oliwkowe czoło i wyleciał z tyłu głowy. Doktor nie mógł nic zrobić, nawet gdyby miał cały galon Zdrowego Ciała i mnie do pomocy.

Brandt, który od tamtego czasu nosił na biodrze futerał z bronią – ciężkie, pakowne trofeum po śmiertelnym starciu – był teraz z Aaronem w korytarzu, gdzie normalnie przechowywalibyśmy zdobycze z wyprawy. Gdyby nie to, że znowu musiano zamienić to miejsce w więzienie.

Jak gdyby śmierć Wesa nie była wystarczająco przykra.

Nie mogłam się pogodzić z tym, że pod czysto liczebnym względem nic się w jaskiniach nie zmieniło. Trzydzieści pięć żywych ciał, zupełnie jak zanim się tu zjawiłam. Nie było już Wesa i Waltera, ale byłam ja.

I była Łowczyni.

Ta sama.

Gdybym pojechała wtedy prosto do Tucson. Albo po prostu została w San Diego. Gdybym w ogóle nie przybyła na tę planetę, tylko zamieszkała zupełnie gdzie indziej. Gdybym zdobyła się na poświęcenie i, odwiedziwszy pięć, może sześć planet, dała początek nowemu życiu, tak jak uczyniłaby na moim miejscu każda inna dusza. Gdybym, gdybym, gdybym... Gdybym się tutaj nie znalazła, gdybym nie dostarczyła Łowczyni niezbędnych wskazówek, wówczas Wes byłby nadal wśród żywych. Rozszyfrowanie tych znaków zajęło jej więcej czasu niż mnie, ale kiedy w końcu się z tym uporała, od razu podążyła ich śladem. Przeorała pustynię jeepem, znacząc delikatny krajobraz świeżymi bruzdami, z każdym kolejnym przejazdem coraz bardziej zbliżając się do celu.

Musieli coś zrobić. Musieli ją powstrzymać.

Zabiłam Wesa.

I tak by mnie złapali, Wando. To ja ich tu ściągnęłam, nie ty.

Byłam zbyt zrozpaczona, by móc cokolwiek odpowiedzieć.

Poza tym, gdybyśmy tu nie przyjechały, Jamie już by nie żył. Jared pewnie też. Zginąłby dzisiaj, gdyby nie ty.

Gdziekolwiek spojrzeć, zewsząd otaczała mnie śmierć.

Dlaczego musiała mnie znaleźć? – jęczałam. *Przecież w zasadzie, będąc tutaj, nie szkodzę innym duszom. Mało tego, ratuję im życie, powstrzymując Doktora przed kolejnymi beznadziejnymi eksperymentami. Dlaczego musiała mnie znaleźć?*

Dlaczego wzięli ją żywcem? – zapytała Mel, wzburzona. *Dlaczego od razu jej nie zabili? Albo powoli – wszystko jedno jak. Dlaczego jeszcze żyje?*

Strach ścisnął mi żołądek. Łowczyni żyje, jest tutaj.

Nie powinnam się jej bać.

Oczywiście należało się obawiać, że jej zniknięcie może nam sprowadzić na głowę innych Łowców. Wszyscy się tego bali. Widzieli, jak głośno obstawała przy swoim podczas poszukiwań mojego ciała. Próbowała przekonać pozostałych, że na pustyni ukrywają się ludzie. Wtedy nikt nie potraktował jej poważnie. Odjechali, została sama.

Teraz jednak przepadła bez śladu, szukając mnie na własną rękę. To wiele zmieniało.

Jeb i reszta porzucili jej samochód daleko stąd, na pustyni po drugiej stronie Tucson. Upozorowano zniknięcie podobne do mojego: dookoła porozrzucano skrawki jej torby, puste opakowania po jedzeniu. Tylko czy dusze uwierzą w taki zbieg okoliczności?

Wiadomo już było, że nie. W każdym razie nie całkiem. Patrolowały okolicę. Czy miały w planach nasilenie poszukiwań?

Ale strach przed samą Łowczynią?... To przecież nie miało sensu. Fizycznie była wątła, chyba jeszcze mniejsza niż Jamie. Byłam od niej szybsza i silniejsza. Otaczali mnie przyjaciele i sprzymierzeńcy, podczas gdy ona była sama, przynajmniej tu, w jaskiniach. Trzymano ją pod lufą, a raczej pod dwiema lufami – strzelby oraz jej własnego glocka, tego samego, którego zazdrościł jej Ian i z którego zginął Wes. To, że wciąż żyła, zawdzięczała tylko jednej rzeczy, która jednak nie mogła jej uratować.

Jeb uznał mianowicie, że może będę chciała z nią porozmawiać. Nic poza tym.

Teraz, gdy już wróciłam, czekała ją niechybna śmierć w przeciągu kilku godzin, niezależnie od tego, czy porozmawiam z nią, czy nie.

Dlaczego więc czułam się, jakby miała nade mną przewagę? Skąd brało się we mnie to dziwne przeczucie, że to ona wyjdzie z tej konfrontacji z podniesionym czołem?

Nie zdecydowałam jeszcze, czy chcę z nią porozmawiać. W każdym razie tak powiedziałam Jebowi.

Z pewnością nie miałam ochoty na tę rozmowę. Bałam się nawet zobaczyć znowu jej twarz. Jakoś nie potrafiłam sobie wyobrazić na niej strachu.

Wiedziałam jednak, że jeśli powiem, iż nie chcę się z nią zobaczyć, Aaron natychmiast ją zastrzeli. To tak, jakbym wydała mu polecenie. Jakbym sama pociągnęła za spust.

Albo, co gorsza, Doktor mógłby próbować ją wyciąć z ciała. Otrząsnęłam się na wspomnienie jego rąk umazanych srebrzystą krwią.

Melanie poruszyła się niespokojnie, próbując uciec od mojego bólu.

Słuchaj, Wando, oni ją po prostu zastrzelą. Nie panikuj.

Czy powinno mnie to pocieszać? Nie potrafiłam się uwolnić od makabrycznego obrazu Aarona z pistoletem Łowczyni w dłoni, jej ciała osuwającego się na skalną podłogę w rosnącej kałuży krwi...

Nie musisz tego oglądać.

To nie znaczy, że to się nie wydarzy.

Melanie zaczęła się trochę gorączkować. *Ale przecież pragniemy jej śmierci. Tak czy nie? Zabiła Wesa! Zresztą i tak długo nie pożyje. Choćby nie wiem co.*

Miała oczywiście zupełną rację. To prawda, nie było szans na to, by Łowczyni pozostała przy życiu. Gdyby ją uwięzić, zawzięcie próbowałaby uciec. Gdyby ją uwolnić, sprowadziłaby śmierć na moją nową rodzinę.

To prawda, że zabiła Wesa. Umarł tak młodo, kochał i był kochany. Jego śmierć zrodziła mnóstwo bólu. Potrafiłam zrozumieć sens ludzkiego poczucia sprawiedliwości, które nakazywało odebrać jej życie.

To prawda, że pragnęłam jej śmierci.

– Wanda? Wanda?

Jamie potrząsnął mnie za ramię. Dopiero po chwili dotarło do mnie, że ktoś wypowiedział moje imię. Może nawet wiele razy.

– Wando? – powtórzył Jeb.

Podniosłam wzrok. Stał nade mną z tą swoją chłodną twarzą pokerzysty. Była to maska oznaczająca, że w istocie targają nim silne emocje.

– Chłopcy chcą wiedzieć, czy masz jakieś pytania do Łowczyni.

Dotknęłam czoła, próbując odgonić kłębiące mi się w głowie obrazy.

– A jeśli nie mam?

– Chcieliby skończyć z pełnieniem straży. To trudne dni. Woleliby teraz być z innymi.

Kiwnęłam głową.

– Dobrze. W takim razie chyba lepiej... od razu pójdę się z nią zobaczyć. – Oparłam się ręką o ścianę i wstałam z miejsca. Dłonie mi się trzęsły, więc zacisnęłam je w pięści.

Nie masz żadnych pytań.

Coś wymyślę.

Po co odwlekać to co nieuniknione?

Nie mam pojęcia.

Próbujesz ją ratować, oskarżyła mnie Melanie oburzonym tonem.

Przecież się nie da.

To prawda. Poza tym sama chcesz, żeby zginęła. Więc pozwól im ją zastrzelić.

Drgnęłam.

– Wszystko w porządku?

Kiwnęłam głową, bojąc się odezwać na głos.
– Nie musisz – powiedział Jeb, bacznie mi się przyglądając.
– Nic mi nie jest – odszepnęłam.
Jamie złapał mnie mocno za rękę, ale mu się wyrwałam.
– Zostań tu, Jamie.
– Pójdę z tobą.
– Wybij to sobie z głowy. – Tym razem mój głos zabrzmiał bardziej stanowczo.
Przez chwilę patrzeliśmy sobie w oczy, aż w końcu wygrałam. Wysunął zadziornie podbródek, ale usiadł z powrotem, opierając się o ścianę.
Również Ian sprawiał wrażenie, jakby wybierał się tam ze mną, ale usidliłam go jednym krótkim spojrzeniem. Jared patrzył, jak odchodzę, z nieprzeniknioną miną.
– Niezłe z niej ziółko – powiedział mi Jeb ściszonym głosem, gdy szliśmy w kierunku celi. – Lubi dokazywać, nie to co ty. Ciągle się czegoś domaga – jedzenia, wody, poduszek... No i bez przerwy się odgraża. „Łowcy was znajdą!" i takie tam. Szczególnie Brandt ciężko to znosi. Można powiedzieć, że wystawiła jego cierpliwość na poważną próbę.
Potaknęłam głową. Ani trochę mnie to nie dziwiło.
– Ale nie próbowała uciekać. Dużo gada, ale nic nie robi. Na widok uniesionej lufy od razu spuszcza z tonu.
Wzdrygnęłam się.
– Jak na mój rozum, bardzo nie chce się rozstawać z życiem – wymamrotał pod nosem.
– Jesteś pewny, że to... dla niej najbezpieczniejsze miejsce? – zapytałam, spoglądając w głąb czarnego, krętego tunelu.
Jeb zachichotał.
– Ty nie znalazłaś wyjścia – przypomniał mi. – Czasem najlepiej schować coś na wierzchu.
– Ma więcej determinacji niż ja wtedy – odparłam beznamiętnie.
Byliśmy już prawie na miejscu. Tunel zakręcał ostro na kształt litery V. Ileż razy pokonywałam ten zakręt w ten sam sposób, trzymając się po omacku wewnętrznej ściany. Nigdy nie przyszło mi do głowy, by iść wzdłuż ściany zewnętrznej. Była nierówna, najeżona skałami, o które łatwo się było uderzyć lub przewrócić. Poza tym, idąc po mniejszym łuku, skracałam sobie drogę.
Kiedy się dowiedziałam, że owo V ma tak naprawdę kształt litery Y – że to dwie odnogi innego tunelu, t e g o tunelu – poczułam się głupio. Jeb miał rację, czasem najmądrzej jest schować coś na wierzchu. Kiedy jeszcze chodziły mi po głowie tak desperackie pomysły jak próba ucieczki i snułam

domysły, gdzie może się znajdować wyjście, ani przez chwilę nie brałam pod uwagę tego miejsca. Byłam przecież w więzieniu, w skalnej dziurze. Myślałam o niej jak o głębokiej, ciemnej studni.

Nawet Mel, na ogół przebieglejszej z nas dwóch, nie przyszło nigdy do głowy, że mogli mnie trzymać ledwie kilka kroków od wyjścia.

Nie było to jedyne wyjście. Drugie było jednak tak małe i ciasne, że wymagało czołgania się. Nie zauważyłam go, ponieważ za pierwszym razem weszłam do jaskiń wyprostowana, więc rozglądałam się za dużym korytarzem. Poza tym nigdy nie poznałam zbyt dobrze okolic szpitala; od początku unikałam tego miejsca.

Rozmyślania przerwał mi znajomy głos – choć zarazem jakby z innego życia.

– Ciekawe, że jeszcze nie pomarliście, jedząc takie świństwa. Fu.

Usłyszałam odgłos plastiku uderzającego o skałę.

Mijaliśmy ostatni zakręt, w oddali pokazało się już niebieskie światło lampy.

– Nie wiedziałam, że ludzie mają dość cierpliwości, żeby zagłodzić więźnia na śmierć. Jak na tak krótkowzroczne istoty to doprawdy złożony plan.

Jeb zachichotał.

– Naprawdę podziwiam chłopców. To niesamowite, że tak długo wytrzymali.

Wyszliśmy na ostatnią prostą tunelu. Brandt i Aaron siedzieli na podłodze z bronią w pogotowiu, jak najdalej od przeciwległego końca korytarza, gdzie dreptała w tę i we w tę Łowczyni. Obydwaj odetchnęli z ulgą na nasz widok.

– Nareszcie – mruknął Brandt. Na jego skamieniałej twarzy malował się smutek.

Łowczyni przystanęła.

Zaskoczyło mnie, jak dobre zapewniono jej warunki.

Zamiast leżeć w ciasnej grocie na końcu tunelu, cieszyła się względną swobodą, mogła spacerować w tę i z powrotem wszerz korytarza. Na podłodze leżała mata oraz poduszka. Mniej więcej w połowie pomieszczenia ujrzałam plastikową tacę opartą o ścianę, obok leżały rozsypane korzonki oraz miseczka, a nieopodal – odrobina rozlanej zupy. To tłumaczyło hałas sprzed kilku sekund – Łowczyni rzuciła jedzeniem. Wyglądało jednak na to, że wcześniej zdążyła większość zjeść.

Patrzyłam ze zdziwieniem na te względnie komfortowe warunki i poczułam dziwny ból w żołądku.

Czy my kogoś zabiłyśmy? – żachnęła się cicho Melanie. Ona również poczuła się dotknięta.

– Chcesz z nią pogadać? – zapytał Brandt i znowu dopadł mnie ten sam ból. Czy Brandt kiedykolwiek powiedział o mnie „ona"? Nie dziwiło mnie, że Jeb traktuje Łowczynię jak kobietę, ale pozostali?

– Tak – szepnęłam.

– Uważaj na nią – ostrzegł mnie Aaron. – Ma niezły temperamencik.

Kiwnęłam głową.

Żaden z nich nie ruszył się z miejsca. Sama ruszyłam w stronę Łowczyni.

Trudno mi było podnieść wzrok, popatrzeć w oczy, których spojrzenie czułam na twarzy niczym dotyk zimnych palców.

Łowczyni wlepiła we mnie wzrok, a usta wykrzywił jej szyderczy uśmiech. Nigdy wcześniej nie widziałam takiego wyrazu twarzy u duszy.

– No witaj, Melanie – odezwała się drwiącym głosem. – Czemu tak późno mnie odwiedzasz?

Nic nie odpowiedziałam. Podeszłam do niej wolno, wmawiając sobie, że to nie moja nienawiść we mnie pulsuje.

– Czy twoi przyjaciele myślą, że coś ci powiem? Że zdradzę ci wszystkie sekrety tylko dlatego, że nosisz w głowie zakneblowaną i ogłupiałą duszę, która błyszczy ci w oczach? – Zaśmiała się nieprzyjemnie.

Zatrzymałam się dwa kroki od niej. Wszystkie mięśnie napięły mi się, gotowe do ucieczki. Nie potrafiłam ich rozluźnić, mimo że Łowczyni nie wykonywała żadnych agresywnych gestów. Czułam się inaczej niż w czasie spotkania z Łowcą na autostradzie – nie tak bezpiecznie jak wśród innych, serdeczniejszych dusz. Znowu ogarnęła mnie dziwna pewność, że Łowczyni mnie przeżyje.

Nie bądź śmieszna. Zadaj swoje pytania. Masz już jakieś?

– A więc czego chcesz? Może chciałaś mnie zabić osobiście? Co, Melanie? – syknęła Łowczyni.

– Mówią tu na mnie Wanda – odparłam.

Poruszyła się lekko, kiedy przemówiłam. Cichy, spokojny głos przestraszył ją bardziej niż krzyk, którego się spodziewała.

Gdy tak wpatrywała się we mnie wytrzeszczonymi oczami, przyjrzałam się wnikliwie jej twarzy. Była brudna, umazana fioletowym pyłem i zaschniętym potem. Poza tym jednak nie było na niej żadnych śladów. To także mnie zabolało.

– Wanda – powtórzyła obojętnym tonem. – No, na co czekasz? Nie dostałaś pozwolenia? Zamierzałaś użyć gołych pięści czy mojego pistoletu?

– Nie przyszłam tu, żeby cię zabić.

Uśmiechnęła się cierpko.

– A po co? Żeby mnie przesłuchać? A gdzie twoje narzędzia tortur, człowieku?

Wzdrygnęłam się.

– Nie zrobię ci krzywdy.

Przez twarz przemknął jej cień niepewności, szybko jednak zniknął pod maską drwiącego uśmiechu.

– W takim razie po co mnie tu trzymają? Może myślą, że można mnie udomowić, zrobić ze mnie potulne zwierzątko, tak jak z Wagabundy?

– Nie. Po prostu... nie chcieli cię zabijać, nie... pytając mnie o zdanie. W razie gdybym chciała najpierw z tobą porozmawiać.

Opuściła nieco powieki, chowając wytrzeszczone oczy.

– Masz mi coś do powiedzenia?

Przełknęłam ślinę.

– Zastanawiałam się... – Miałam tylko jedno pytanie, to, na które sama nie umiałam znaleźć odpowiedzi. – Dlaczego? Dlaczego nie pogodziłaś się z moją śmiercią, tak jak inni? Dlaczego tak ci zależało, żeby mnie wytropić? Nie chciałam nikogo skrzywdzić. Chciałam tylko... pójść własną drogą.

Wspięła się na palcach, nachylając twarz ku mnie. Ktoś za mną się poruszył, ale nie usłyszałam nic więcej – wszystko zagłuszył jej krzyk.

– Bo miałam *rację*! – wrzasnęła. – Mało tego! *Popatrz* na nich! To gniazdo zaczajonych morderców! Jest tak, jak sądziłam, tylko jeszcze gorzej! *Wiedziałam*, że tu z nimi jesteś. Że jesteś jedną z nich. *Ostrzegałam* ich! *Ostrzegałam*!

Zamilkła, zdyszana, i zrobiła krok do tyłu, spoglądając mi przez ramię. Nie obejrzałam się, żeby sprawdzić, co tam zobaczyła. Przypomniałam sobie tylko słowa Jeba: „Na widok uniesionej lufy od razu spuszcza z tonu". Przez chwilę przyglądałam się jej twarzy. Dyszała coraz ciszej.

– Ale cię nie posłuchali. Więc sama po nas przyjechałaś.

Łowczyni milczała. Zrobiła kolejny krok do tyłu, widziałam, że się waha. Przez sekundę sprawiała wrażenie dziwnie bezbronnej, jak gdyby moje słowa pozbawiły ją tarczy, za którą się chowała.

– Będą cię szukać, ale tak naprawdę ani przez chwilę ci nie wierzyli, prawda? – dodałam, patrząc jej w oczy. Zdawały się potwierdzać każde słowo. Poczułam się dużo pewniej. – Więc nie będą szukać nikogo więcej. Stwierdzą w końcu, że przepadłaś bez śladu, i dadzą sobie spokój. My będziemy ostrożni, jak zawsze. Nie znajdą nas.

Po raz pierwszy ujrzałam w jej oczach prawdziwy strach. Przerażającą dla niej świadomość, że mam rację. Czułam się lepiej na myśl o moim ludzkim gnieździe, o mojej nowej rodzinie. Wiedziałam, że się nie mylę. Nic im nie groziło. Ale z jakiegoś powodu nie czułam się ani trochę lepiej, myśląc o sobie.

Nie miałam więcej pytań do Łowczyni. Byłam świadoma, że kiedy sobie pójdę, ona zginie. Czy poczekają, aż odejdę dość daleko, by nie słyszeć strzału? Czy w ogóle było gdzieś w jaskiniach miejsce wystarczająco odległe?

Patrzyłam na jej gniewną, zlęknioną twarz i czułam, jak bardzo jej nienawidzę. Jak bardzo nie chcę jej nigdy więcej oglądać, ani w tym życiu, ani w żadnym innym.

I ta nienawiść sprawiała, że nie mogłam dopuścić do wykonania wyroku.

– Nie wiem, jak cię uratować – szepnęłam na tyle cicho, by nikt poza nią nie słyszał. Dlaczego miałam nieodparte wrażenie, że kłamię? – Nic mi nie przychodzi do głowy.

– Czemu miałoby ci na tym zależeć? Jesteś jedną z nich! – Ale w jej oczach pojawiła się iskierka nadziei. Jeb miał rację. Może i robiła dużo hałasu, może rzucała pogróżkami... Ale bardzo chciała żyć.

Potaknęłam głową w odpowiedzi na to oskarżenie, nieco machinalnie, gdyż intensywnie myślałam.

– Ale wciąż sobą – wymamrotałam. – Nie chcę... Nie chcę...

Jak skończyć to zdanie? Nie chciałam... żeby Łowczyni umarła? Nie. To nie była prawda.

Nie chciałam... jej nienawidzić? Nienawidzić tak bardzo, że pragnęłam jej śmierci. Nie chciałam, żeby zginęła znienawidzona przeze mnie. Zupełnie jakby miała umrzeć z p o w o d u mojej nienawiści.

Jeżeli rzeczywiście nie chciałam, żeby ją zabito, czy byłam w stanie znaleźć dla niej ratunek? Czy to moja nienawiść mi na to nie pozwalała? Czy będę odpowiedzialna za jej śmierć?

Czyś ty oszalała? – zaprotestowała Melanie.

Zabiła mojego przyjaciela, zastrzeliła go na pustyni, złamała serce Lily. Naraziła moją rodzinę na niebezpieczeństwo. Dopóki żyła, stanowiła dla nich zagrożenie. Dla Iana, Jamiego, Jareda. Zrobiłaby wszystko, co w jej mocy, żeby ich uśmiercić.

No właśnie. Melanie pochwalała ten tok rozumowania.

Ale jeżeli mogę ją uratować, a tego nie zrobię... to kim ja jestem?

Musisz myśleć praktycznie, Wando. To wojna. Po czyjej jesteś stronie?

Dobrze wiesz.

Wiem. A ty wiesz, kim jesteś.

Ale... może nie muszę wybierać? Może mogę uratować jej życie i jednocześnie zapewnić nam wszystkim bezpieczeństwo?

Nagle ujrzałam rozwiązanie, w którego istnienie tak bardzo nie chciałam wierzyć. Przez żołądek przetoczyła mi się potężna fala mdłości.

Jedyny mur, jaki kiedykolwiek postawiłam między sobą a Melanie, obrócił się w pył.

Nie! – wydyszała Mel. A potem krzyknęła: *NIE!*

Musiałam podskórnie wiedzieć, że w końcu do tego dojdę. Właśnie stąd brało się moje dziwne przeczucie.

Oczywiście, że mogłam ocalić Łowczynię. Ale wymagało to ode mnie poświęcenia. Wymiany. Jak powiedział Kyle? Życie za życie.

Ciemne oczy Łowczyni mierzyły mnie spojrzeniem pełnym jadu.

Rozdział 50

Ofiara

Podczas gdy Łowczyni przyglądała się bacznie naszej twarzy, Mel i ja toczyłyśmy bitwę.

Nie, Wando, nie!

Nie bądź głupia, Mel. Ze wszystkich ludzi ty najbardziej powinnaś docenić zalety tego rozwiązania. Czy nie tego właśnie pragniesz?

Ale choć próbowałam myśleć o tym jak o szczęśliwym zakończeniu, nijak nie mogłam się uwolnić od grozy. Powinnam przecież umrzeć, broniąc tego sekretu. Miałam go chować w sobie za wszelką cenę, bez względu na tortury, jakie przyjdzie mi z tego powodu cierpieć.

Nie spodziewałam się jednak innej niezwykle bolesnej tortury – kryzysu sumienia zaciemnionego i zagmatwanego przez miłość do ludzi.

Gdybym to zrobiła, nie mogłabym już uchodzić za emigrantkę. O nie, byłabym po prostu zwykłą zdrajczynią.

Nie dla niej, Wando! Nie dla niej! – zaskowyczała Mel.

Mam czekać? Aż złapią inną duszę? Niewinną? Taką, której nie będę nienawidzić? Prędzej czy później i tak muszę się na to zdecydować.

Nie teraz! Poczekaj! Przemyśl to.

Znowu zrobiło mi się niedobrze. Musiałam się zgiąć i nabrać powietrza. Z trudem powstrzymałam odruch wymiotny.

– Wando? – zapytał Jeb z troską.

Pewnie bym to zrobiła, Mel. Znalazłabym dla siebie usprawiedliwienie, gdyby była właśnie taką niewinną duszą. Pozwoliłabym wtedy, żeby ją zabili. Byłabym pewna, że jestem obiektywna.

Ale Wando, ona jest okropna! Nienawidzimy jej!

Właśnie. A ja nie mogę sobie zaufać. Sama widzisz, że nie chciałam nawet dopuścić do siebie tej możliwości...

– Wando, wszystko w porządku?

Łowczyni spojrzała w stronę Jeba.

– Tak – wydyszałam chrapliwym głosem. Zaskoczyło mnie jego brzydkie brzmienie.

Ciemne oczy Łowczyni łypały niepewnie to na mnie, to na Jeba. W końcu odskoczyła do tyłu i przylgnęła do ściany w znajomej pozie – dobrze pamiętałam, jak to jest trzymać się tej skały.

Poczułam na ramieniu delikatną dłoń i pozwoliłam się obrócić.

– Co z tobą, złotko? – zapytał Jeb.

– Potrzebuję jeszcze chwili – odparłam, z trudem łapiąc oddech. Spojrzałam mu prosto w bladoniebieskie oczy i powiedziałam coś, co na pewno nie było kłamstwem. – Mam jeszcze jedno pytanie. Ale potrzebuję chwili samotności. Możesz... na mnie poczekać?

– Jasne, możemy jeszcze źdźiebko poczekać. Zrób sobie przerwę, skarbie.

Kiwnęłam głową i czym prędzej opuściłam więzienie. Nogi miałam z początku zesztywniałe z przerażenia, lecz po chwili odzyskałam swobodę kroku. Kiedy mijałam Aarona i Brandta, prawie już biegłam.

– Co się stało? – szepnął Aaron do Brandta zdziwionym głosem.

Nie bardzo wiedziałam, gdzie się schować. Stopy niczym statek na automatycznym pilocie niosły mnie korytarzami w stronę mojego pokoju. Mogłam tylko mieć nadzieję, że jest pusty.

Było ciemno, przez szczeliny w suficie nie przenikało prawie żadne światło. Nie zauważyłam Lily i potknęłam się o nią w ciemnościach.

Twarz miała tak spuchniętą od łez, że ledwie ją poznałam. Leżała zwinięta w kłębek na podłodze na środku korytarza. Patrzyła na mnie szeroko otwartymi oczami, chyba nie całkiem mnie rozpoznając.

– Dlaczego? – zapytała.

Spoglądałam jej niemo w twarz.

– Powiedziałam, że życie i miłość trwają. Ale dlaczego? Nie powinny. Już nie. No bo po co?

– Nie wiem, Lily. Naprawdę nie wiem.

– Dlaczego? – zapytała znowu, ale nie mówiła już do mnie. Patrzyła szklistymi oczami prosto we mnie, ale nie na mnie.

Ominęłam ją ostrożnie i pospieszyłam do mojego pokoju. Mnie też dręczyło pytanie, na które musiałam znaleźć odpowiedź.

Ku mojej wielkiej uldze w pokoju nikogo nie było. Padłam na materac twarzą do ziemi.

Kiedy mówiłam Jebowi, że mam jeszcze jedno pytanie, nie kłamałam. Nie było to jednak pytanie do Łowczyni, lecz do siebie samej.

A brzmiało ono już nie, czy mogę to zrobić, lecz – czy to zrobię.

Mogłam ocalić życie Łowczyni. Wiedziałam, jak tego dokonać, nie narażając niczyjego życia. Z wyjątkiem własnego. Musiałam się poświęcić.

Nie. Melanie mimo paniki próbowała być stanowcza.

Daj mi pomyśleć.

Nie.

Tak trzeba, Mel. To nieuniknione, tak czy inaczej. Dopiero teraz to pojęłam. Powinnam była to zrozumieć dużo wcześniej. To takie oczywiste.

Wcale że nie.

Przypomniałam sobie, jak się godziłyśmy, gdy Jamie był chory. Powiedziałam jej wtedy, że wcale nie chcę się jej pozbyć, i przeprosiłam, że to wszystko, co mogę dla niej zrobić.

Było to nie tyle kłamstwo, ile niedokończone zdanie. Nie mogłam dla niej zrobić nic więcej – jeżeli sama chciałam zachować życie.

Kłamstwem było dopiero to, co powiedziałam Jaredowi, dosłownie kilka sekund później. Stwierdziłam wtedy, że nie potrafię przestać istnieć. W kontekście tamtej rozmowy była to prawda. Nie wiedziałam, jak zniknąć z ciała Mel. Teraz jednak dziwiłam się, że wtedy nie zdałam sobie od razu sprawy z fałszywości tych słów, że nie dostrzegałam tego, co teraz było dla mnie oczywiste. Naturalnie, że wiedziałam, jak zniknąć.

Po prostu nigdy nawet nie dopuszczałam do siebie takiej możliwości – że mogłabym sprzeniewierzyć się wszystkim duszom na Ziemi.

Gdyby bowiem ludzie dowiedzieli się, że znam tajemnicę, dla której tyle razy zabijali, musiałabym za to zapłacić.

Nie, Wando!

Nie chcesz być wolna?

Długa cisza.

Nigdy bym cię o to nie poprosiła, odparła w końcu. *Ani nie zrobiłabym tego dla ciebie. A już na pewno nie zrobiłabym tego dla Łowczyni!*

Nie musisz mnie prosić. Myślę, że sama bym to zaproponowała... prędzej czy później.

Dlaczego tak sądzisz? – zapytała tonem bliskim płaczu. Wzruszyło mnie to. Spodziewałam się raczej, że będzie zachwycona.

Po części ze względu na nich. Na Jareda i Jamiego. Mogę im podarować cały świat, wszystko, czego pragną. Mogę im dać ciebie. Pewnie zdałabym sobie z tego sprawę... w końcu. Kto wie? Może Jared sam by mnie o to poprosił. Wiesz, że bym mu nie odmówiła.

Ian ma rację. Za bardzo się umartwiasz. Nie znasz miary. Musisz sobie wyznaczyć granicę, Wando!

Ach, Ian, jęknęłam. Przeszył mnie nowy ból, zaskakująco blisko serca.

Odbierzesz mu cały świat. Wszystko, czego pragnie.

Z Ianem i tak nic by nie wyszło. Nie z tym ciałem, mimo że je kocha. Ono nie kocha jego.

Wando, ja... Melanie szukała słów. Radość, której się po niej spodziewałam, wciąż nie przychodziła. *Znowu o tym pomyślałam i znowu mnie to wzruszyło. Chyba nie potrafię ci na to pozwolić. Jesteś zbyt ważna. Jeżeli spojrzeć na wszystko trzeźwym okiem, jesteś dla nich bardziej wartościowa niż ja. Możesz im pomóc, możesz ich uratować. Ja tego nie potrafię. Musisz zostać.*

Nie widzę innego wyjścia, Mel. Dziwię się, że nie zrozumiałam tego wcześniej. Teraz to się wydaje takie oczywiste. Oczywiście, że muszę odejść. Oczywiście, że muszę ci oddać ciebie. Już wcześniej wiedziałam, że my, dusze, popełniłyśmy błąd, przybywając na Ziemię. Pozostaje mi uczynić jedyną słuszną rzecz, czyli odejść. Przetrwaliście już beze mnie, uda wam się i tym razem. Wiele się ode mnie dowiedziałaś o duszach – będziesz im pomagać. Nie rozumiesz? To jest szczęśliwe zakończenie. Oni wszyscy chcą, żeby ta historia właśnie tak się zakończyła. Mogę im dać nadzieję. Mogę im dać... może nie bezpieczną przyszłość. Może nie tyle. Ale chcę im dać wszystko, co mogę.

Nie, Wando, nie.

Płakała, nie mogła się już wysłowić. Byłam wzruszona, łzy napłynęły mi do oczu. Nie miałam pojęcia, że tak jej na mnie zależy. Prawie tak bardzo jak mnie na niej. Do tej pory nie rozumiałam, że się kochamy.

Nawet gdyby Jared nigdy mnie o to nie poprosił, nawet gdyby nie istniał... Prędzej czy później ta droga i tak by mi się ukazała i nie mogłabym wybrać innej. Tak bardzo kochałam Mel.

Przewróciłam się na plecy i zaczęłam przyglądać się sobie w świetle gwiazd.

Ręce miałam brudne i podrapane, ale wiedziałam, że pod spodem są piękne, brązowawe. Skóra wyglądała ładnie nawet w bladym świetle nocy. Paznokcie, choć obgryzione, wciąż prezentowały się zdrowo, były gładkie, z małymi białymi półksiężycami u podstawy. Zatrzepotałam palcami, obserwując płynny ruch mięśni i kości. Uniosłam dłoń wyżej i patrzyłam, jak ich ciemne sylwetki tańczą na tle gwiazd.

Przesunęłam nimi po włosach. Sięgały mi już prawie do ramion. Mel będzie z nich zadowolona. Po kilku tygodniach używania w motelowych pokojach szamponów i odżywek odzyskały miękkość i blask.

Rozciągnęłam ręce najdalej, jak mogłam, aż strzeliły mi stawy. Czułam siłę w ramionach. Można było się nimi wspiąć na skalną półkę, nosić duże ciężary, orać pole. Zarazem jednak były delikatne. Można było w nich trzymać dziecko, pocieszyć przyjaciela, można było nimi kochać... ale nie mnie to było pisane.

Wzięłam głęboki oddech. Łzy wylały mi z kącików oczu, pociekły po skroniach i we włosy.

Napięłam mięśnie nóg, poczułam drzemiącą w nich moc i prędkość. Miałam ochotę biec, zapragnęłam znaleźć się na otwartym polu, by móc się przekonać, jaka jestem szybka. Biegłabym po nim boso i czułabym ziemię pod stopami. Wiatr rozwiewałby mi włosy. Padałoby i w powietrzu unosiłby się zapach deszczu.

Powoli zginałam i prostowałam stopę w rytmie oddechu. Raz, dwa. Raz, dwa. Przyjemnie.

Powiodłam po twarzy opuszkami palców. Czułam ich ciepło na gładkiej, ślicznej skórze. Cieszyło mnie, że oddam Melanie taką samą twarz, jaką dostałam. Zamknęłam oczy i delikatnie przesunęłam palcami po powiekach.

Żyłam w tylu różnych ciałach, ale nigdy żadnego tak bardzo nie kochałam. Nigdy żadnego tak nie pragnęłam. Ale, o ironio, właśnie tego jednego musiałam się zrzec.

Zaśmiałam się na tę myśl i natychmiast skupiłam na powietrzu wyskakującym z piersi. Śmiech był jak świeży powiew wiatru – oczyszczał i ożywiał ciało. Czy inne gatunki miały równie proste lekarstwo na wszystko? Nie przypominałam sobie niczego podobnego.

Dotknęłam ust, przywołując wspomnienie pocałunków Jareda i Iana. Nie każdemu dane było pocałować tyle pięknych ciał. Nawet przez ten krótki czas dostałam od życia bardzo wiele.

Tylko dlaczego było takie krótkie! Trwało może rok, nie byłam pewna. Jedno okrążenie błękitno-zielonej planety wokół niepozornej żółtej gwiazdy. To zdecydowanie najkrótsze ze wszystkich moich żyć.

Najkrótsze, najważniejsze, najbardziej rozdzierające. Życie, które pomogło mi zrozumieć, kim jestem. Życie, które związało mnie na dobre z jedną gwiazdą, jedną planetą, jedną obcą rodziną.

Nie, szepnęła Mel. *Zastanów się dłużej.*

Nigdy nie wiesz, ile czasu ci zostało, odszepnęłam.

Ale teraz wiedziałam już dokładnie, ile czasu mi zostało. Nie mogłam żądać więcej. Mój czas dobiegł końca.

Zresztą nie chciałam żądać więcej. W ostatnich chwilach, jakie mi zostały, musiałam uczynić jedyną słuszną rzecz, być wierna sobie.

Wstałam z westchnieniem, które zdawało się brać początek w dłoniach i podeszwach stóp.

Wiedziałam, że Aaron i Brandt nie będą czekali w nieskończoność. Poza tym miałam teraz parę ważnych pytań, na które nie znałam odpowiedzi. Tym razem ich adresatem był Doktor.

Wszyscy w jaskiniach mieli smutne, spuszczone spojrzenia. Nietrudno było przemykać między nimi, nie zwracając na siebie uwagi. Nikogo nie obchodziło, co robię ani dokąd idę, może z wyjątkiem Jeba, Brandta i Aarona, lecz ci byli gdzie indziej.

Nie miałam otwartego, deszczowego pola, ale wykorzystałam długi południowy tunel. W ciemnościach nie mogłam wprawdzie zbytnio się rozpędzać, ale przez cały czas biegłam równym truchtem. Czułam się dobrze z rozgrzanymi mięśniami.

Spodziewałam się zastać Doktora w szpitalu, ale gdybym go tam nie znalazła, byłam gotowa poczekać. Powinien być sam. Biedny Doktor.

Odkąd uratowaliśmy Jamiemu życie, spędzał noce samotnie w szpitalu. Sharon zabrała swoje rzeczy i wyprowadziła się do matki, a Doktor nie chciał sypiać sam w opustoszałym pokoju.

Jak wiele nienawiści miała w sobie Sharon. Wolała zniszczyć własne i cudze szczęście, niż wybaczyć Doktorowi, że pomógł mi uleczyć Jamiego.

Ostatnimi czasy Sharon i Maggie był prawie całkiem nieobecne. Ignorowały wszystkich tak, jak kiedyś tylko mnie. Byłam ciekawa, czy to minie wraz z moim zniknięciem, czy też obie tak się zapiekły, że nic już tego nie zmieni.

Jak można było tak marnować życie?

Po raz pierwszy południowy tunel wydał mi się bardzo krótki. Myślałam, że jestem co najwyżej w połowie drogi, gdy nagle ukazała mi się na zakręcie szpitalna poświata. Doktor był u siebie.

Kiedy zbliżyłam się do wejścia, przestałam biec. Nie chciałam go przestraszyć, gotów był jeszcze pomyśleć, że coś się stało.

Mimo to mocno go zaskoczyłam, zjawiając się w drzwiach, lekko zdyszana.

Poderwał się znad biurka. Książka, którą czytał, wypadła mu z rąk.

– Wanda? Coś się stało?

– Nie, Doktorze – uspokoiłam go. – Wszystko w porządku.

– Jestem komuś potrzebny?

– Tylko mnie. – Uśmiechnęłam się słabo.

Minął biurko i podszedł do mnie. Oczy miał szeroko otwarte, zaciekawione. Stanął pół kroku przede mną i uniósł brew.

Jego pociągła twarz przybrała łagodny wyraz, nie było w niej nic niepokojącego. Nie chciało się wierzyć, że kiedyś miałam go za potwora.

– Jesteś słownym człowiekiem – zaczęłam.

Kiwnął głową i już miał coś odpowiedzieć, ale podniosłam szybko dłoń.

– Nikt nie wystawi tego na próbę bardziej niż ja za chwilę – ostrzegłam.

Patrzył na mnie niepewnym, lecz czujnym wzrokiem.

Wzięłam głęboki oddech. Czułam, jak powietrze powoli wypełnia mi płuca.

– Znam sekret, dla którego tyle razy zabijałeś. Wiem, jak wyjąć duszę z ciała, nie robiąc nikomu krzywdy. Oczywiście, że wiem. Wszystkie dusze wiedzą, jak to zrobić w razie nagłej potrzeby. Raz nawet sama wykonałam taki zabieg, gdy byłam Niedźwiedziem.

Patrzyłam na niego, czekając, aż coś powie. Potrzebował chwili, żeby to wszystko ogarnąć. Z każdą sekundą spoglądał na mnie coraz mniej spokojnym wzrokiem.

– Dlaczego mi to mówisz? – wydusił w końcu.

– Bo... chcę ci powiedzieć, jak to się robi. – Znowu podniosłam rękę. – Ale pod warunkiem, że dasz mi w zamian to, o co poproszę. Od razu cię ostrzegam, że to nie będzie dla ciebie łatwe. Dla mnie też nie jest.

Jego twarz przybrała bardziej stanowczy wyraz niż kiedykolwiek wcześniej.

– Mów, czego chcesz.

– Nie wolno ci będzie ich zabijać. Mówię o duszach, które wyjmiesz. Musisz mi dać słowo – obiecać, przyrzec, przysiąc – że dopilnujesz, by trafiły na inną planetę. Wiąże się z tym pewne ryzyko: będziesz potrzebował kapsuł hibernacyjnych i będziecie musieli podrzucać te dusze na statki międzyplanetarne. Musicie je wysyłać do innych światów. Nie będzie wam nic groziło z ich strony. Zanim dotrą na kolejną planetę, twoje wnuki poumierają ze starości.

Czy te warunki pomniejszały moją winę? Tylko jeżeli Doktorowi można było ufać.

Słuchał moich wyjaśnień i bardzo intensywnie myślał. Obserwowałam bacznie jego twarz, żeby wiedzieć, jak odbiera moją propozycję. Nie wyglądał na złego, ale spojrzenie miał nadal nerwowe.

– Nie chcesz, żebyśmy zabili Łowczynię? – domyślił się.

Nie odpowiedziałam na to pytanie. Nie zrozumiałby. Chciałam, żeby ją zabili. Na tym polegał cały problem. Ciągnęłam jednak dalej.

– Ona będzie pierwsza, to będzie próba. Chcę dopilnować, dopóki tu jestem, że dotrzymasz słowa. Sama oddzielę duszę od ciała. Kiedy już będzie bezpieczna, pokażę ci, jak to się robi.

– Na kim?

– Na porwanych duszach. Ale nie gwarantuję, że tych ludzi uda się odzyskać. Nie wiem, czy wymazane umysły wracają. Sprawdzimy to na Łowczyni.

Doktor zamrugał.

– Poczekaj. Co miałaś na myśli, mówiąc „dopóki tu jestem"?

Patrzyłam na niego, czekając, aż sam to pojmie, a on na mnie, zdezorientowany.

– Nie rozumiesz, co wam daję? – szepnęłam.

W końcu na jego twarzy odmalowało się zrozumienie.

Natychmiast ciągnęłam dalej, nie pozwalając mu nic powiedzieć.

– Jest coś jeszcze, o co chcę cię poprosić. Nie chcę... nie wyślecie mnie na inną planetę. To jest moja planeta, jak żadna inna. Ale też nie ma tu dla mnie miejsca. Więc... wiem, że to może... urazić niektórych. Jeżeli uważasz, że się nie zgodzą, nie mów im o tym. Okłam ich, jeśli będzie trzeba. Ale chciałabym zostać pochowana obok Walta i Wesa. Możesz to dla mnie zrobić? Nie zajmę dużo miejsca. – Znów uśmiechnęłam się słabo.

Nie! – zawodziła Melanie. *Nie, nie, nie...*

– Nie, Wando – sprzeciwił się Doktor. Był wstrząśnięty.

– Proszę cię – szepnęłam z grymasem bólu na twarzy, gdyż protesty Melanie stawały się coraz głośniejsze. – Nie sądzę, żeby Wes i Walt mieli coś przeciwko.

– Nie o tym mówię! Nie mogę cię zabić, Wando. Uch. Mam już dość śmierci, dość zabijania przyjaciół. – Głos przeszedł mu w szloch.

Położyłam dłoń na jego chudym ramieniu i energicznie go pogłaskałam.

– Ludzie umierają. Zdarza się. – Przypomniało mi się, że Kyle powiedział kiedyś coś podobnego. To zabawne, pomyślałam, że spośród wszystkich ludzi akurat jego zacytowałam dwukrotnie jednej nocy.

– A co z Jaredem i Jamiem? – zapytał Doktor zduszonym głosem.

– Będą mieli Melanie. Nic im się nie stanie.

– A Ian?

– Tak będzie dla niego lepiej – odparłam przez zęby.

Doktor potrząsnął głową, przetarł oczy.

– Muszę to przemyśleć, Wando.

– Nie mamy wiele czasu. Nie będą wstrzymywać egzekucji w nieskończoność.

– Nie o to mi chodzi. Do tej części umowy nie mam zastrzeżeń. Ale nie sądzę, bym mógł cię zabić.

– Wszystko albo nic, Doktorze. Musisz zdecydować. Teraz. I... – Uświadomiłam sobie, że mam jeszcze jeden warunek. – I nie wolno ci nikomu powiedzieć o drugiej części umowy. Nikomu. Takie są moje warunki, możesz je przyjąć lub odrzucić. Chcesz wiedzieć, jak wyjąć duszę z ciała?

Znowu potrząsnął głową.

– Daj mi się zastanowić.

– Znasz odpowiedź. Przecież właśnie tego próbowałeś się dowiedzieć.

Nie przestawał wolno potrząsać głową.

Zignorowałam ten gest – oboje wiedzieliśmy, że dokonał już wyboru.

– Zawołam Jareda – powiedziałam. – Zrobimy błyskawiczny wypad po kapsuły. Powstrzymaj resztę. Powiedz im... powiedz im prawdę. Że pomogę ci wyjąć Łowczynię z ciała.

Rozdział 51

Przygotowania

Zastałam Jareda z Jamiem w naszym pokoju, czekających na mnie. Obaj mieli zatroskane twarze. Jared musiał rozmawiać z Jebem.

– Wszystko w porządku? – zapytał Jared, a Jamie zerwał się na równe nogi i objął mnie w pasie.

Nie bardzo wiedziałam, co odrzec. Nie znałam odpowiedzi na to pytanie.

– Jared, musisz mi pomóc.

Ledwie skończyłam mówić, a już stał na nogach. Jamie odchylił się, żeby popatrzeć mi w twarz. Nie spojrzałam mu jednak w oczy. Nie miałam pewności, jak dużo jestem w stanie znieść.

– O co chodzi? – zapytał Jared.

– Robię szybki wypad. Przyda mi się... twoja siła.

– Czego potrzebujemy? – Miał skupiony wyraz twarzy, jakby gotowy był natychmiast wyruszyć.

– Wyjaśnię ci po drodze. Musimy się spieszyć.

– Mogę jechać z wami?

– Nie! – odparliśmy naraz Jared i ja.

Jamie zmarszczył brwi, puścił mnie, usiadł gwałtownie na materacu i skrzyżował nogi, chowając obrażoną twarz w dłoniach. Od razu wyszłam z pokoju, nie spoglądając na niego wprost. I tak już walczyłam z pokusą, by przy nim usiąść, uściskać go i zapomnieć o wszystkim.

Szłam z powrotem południowym tunelem, Jared tuż za mną.

– Dlaczego tędy? – zapytał.

– Bo... – Wiedziałam, że przejrzy mój blef. – Nie chcę na nikogo wpaść. A szczególnie na Jeba, Aarona i Brandta.

– Dlaczego?

– Nie chcę się przed nimi tłumaczyć. Jeszcze nie teraz.

Milczał, próbując zrozumieć sens moich słów.

Zmieniłam temat.

– Wiesz, gdzie jest Lily? Chyba nie powinna być sama. Wygląda na...

– Ian jest przy niej.

– O, jak dobrze.

Wiedziałam, że Ian się nią zaopiekuje – właśnie kogoś takiego teraz potrzebowała. Kto zaopiekuje się Ianem, gdy?... Potrząsnęłam głową, próbując pozbyć się tej myśli.

– Czego tak pilnie potrzebujemy? – zapytał Jared.

Wzięłam głęboki oddech.

– Kapsuł.

W tunelu było zupełnie ciemno. Nie widziałam jego twarzy. Nie zwalniał kroku, ale przez kolejne kilka minut w ogóle się nie odezwał. Kiedy w końcu przemówił, zrozumiałam, że skupia się bez reszty na zadaniu – powściąga ciekawość do czasu starannego zaplanowania wyprawy.

– Gdzie można je zdobyć?

– Puste zbiorniki są wystawiane na zewnątrz szpitali. Mniej dusz odlatuje, niż przylatuje, dlatego na pewno mają ich więcej, niż potrzebują. Będą stały niestrzeżone, nikt nie zauważy zniknięcia kilku.

– Jesteś pewna? Skąd masz te informacje?

– Widziałam je w Chicago, całe stosy. Nawet ta mała przychodnia w Tucson miała ich trochę, stały w skrzyniach obok magazynów.

– Skoro były w skrzyniach, skąd wiesz, że...

– Jeszcze nie zauważyłeś, że lubimy wszystko czytelnie oznaczać?

– To nie tak, że ci nie wierzę – odparł. – Po prostu chcę mieć pewność, że dobrze to przemyślałaś.

Jego słowa zabrzmiały dwuznacznie.

– Owszem.

– No to nie ma na co czekać.

Doktora nie było w szpitalu – widocznie rozmawiał już z Jebem, skoro nie minęliśmy go w tunelu. Musiał wyjść zaraz po mnie. Ciekawiło mnie, jak reszta przyjęła wieści. Miałam nadzieję, że nie są na tyle nierozważni, by omawiać tę sprawę w obecności Łowczyni. Czy rozgniotłaby mózg żywiciela, gdyby domyśliła się moich zamiarów? Czy uznałaby je za ostateczną zdradę? Za bezwarunkową uległość wobec ludzi?

Czy nie tak właśnie było? Czy Doktor dotrzyma słowa, kiedy mnie już nie będzie?

Na pewno będzie próbował. Wierzyłam w to. Musiałam w to wierzyć. Ale sam nic nie zdziała. A kto mu pomoże?

Wspinaliśmy się ciasnym, ciemnym tunelem wychodzącym na południowe zbocze kamiennego wzgórza mniej więcej w połowie wysokości. Na wschodzie szarzało, a w miejscu zetknięcia nieba i skał rozlewał się powoli blady róż.

Schodząc ze zbocza, patrzyłam cały czas pod nogi. Nie miałam wyboru; nie przebiegała tędy żadna ścieżka, szłam po zdradliwych, luźnych kamieniach. Nawet jednak gdyby droga w dół była równa i płaska, i tak pewnie nie mogłabym podnieść wzroku ani wyprostować ramion.

Zdrajczyni. Nie odmieniec, nie wagabunda. Po prostu zdrajczyni. Oddawałam los braci i sióstr w ręce przybranej ludzkiej rodziny, zapalczywej i gotowej na wszystko.

Ludzie, wśród których żyłam, mieli pełne prawo nienawidzić dusz. Toczyli wojnę. A ja dawałam im broń pozwalającą bezkarnie zabijać.

Myślałam o tym wszystkim, biegnąc o brzasku przez pustynię z Jaredem. Biegliśmy, ponieważ nie powinniśmy się tu pokazywać za dnia, zważywszy na patrole Łowców.

Patrząc na moją decyzję z tej strony – nie jak na ofiarny gest, lecz jak na wzmocnienie ludzi w zamian za życie Łowczyni – nie miałam wątpliwości, że postępuję źle. I gdybym rzeczywiście próbowała ocalić jedynie Łowczynię, zmieniłabym teraz zdanie i zawróciła. Nie warto było dla niej zaprzedać całej reszty. Nawet ona sama by to przyznała.

A może nie? Ogarnęło mnie nagle zwątpienie. Nie sprawiała wrażenia równie... Jakiego słowa użył Jared? Altruizm. Równie altruistycznej jak pozostałe dusze. Kto wie, może ceniła swoje życie bardziej niż życie innych.

Ale było już za późno na zmianę zdania. Dobrze wszystko przemyślałam. Nie chodziło mi przecież tylko o ratowanie Łowczyni. Po pierwsze, taka sytuacja prędzej czy później by się powtórzyła. Ludzie zabijaliby kolejne dusze, dopóki nie uświadomiłabym im, że istnieje inne rozwiązanie. Co więcej, ratowałam Melanie, a to był cel wart poświęcenia. Ratowałam też Jareda i Jamiego. Mogłam więc przy okazji ocalić wstrętną Łowczynię.

Dusze źle zrobiły, zajmując ten świat. Ludzie na niego zasługiwali. Nie mogłam im go zwrócić, ale mogłam im dać przynajmniej tyle. Gdybym tylko miała pewność, że nie będą okrutni...

Mogłam jedynie zaufać Doktorowi i mieć nadzieję.

I może jeszcze wymóc obietnicę na paru innych osobach, na wszelki wypadek.

Zastanawiało mnie, ile ocalę ludzkich istnień. Ile – być może – ocalę dusz. Nie mogłam tylko ocalić siebie samej.

Westchnęłam ciężko. Choć oboje oddychaliśmy głośno, Jared zwrócił na to uwagę. Kątem oka dostrzegłam, jak obraca twarz i wlepia we mnie wzrok, ale nie obejrzałam się na niego. Spoglądałam pod nogi.

Do kryjówki z jeepem dotarliśmy, zanim słońce wspięło się ponad wschodnie szczyty, choć niebo zaczynało już błękitnieć. Schowaliśmy się w płytkiej grocie akurat w chwili, gdy pojawiły się pierwsze promienie, nadając piaskom kolor złota.

Jared zgarnął z tylnego siedzenia dwie butelki wody, rzucił jedną mnie i oparł się o ścianę. Wypił duszkiem połowę swojej, przetarł usta wierzchem dłoni i dopiero wtedy się odezwał.

– Widziałem, że ci się spieszy, ale będziemy musieli poczekać, aż się ściemni, jeżeli chcemy coś ukraść.

Przełknęłam wodę.

– W porządku. Teraz już jestem spokojna, że na nas poczekają.

Przyglądał się mojej twarzy rozbieganym wzrokiem.

– Widziałem tę twoją Łowczynię – powiedział, badając moją reakcję. – Jest... żywiołowa.

Kiwnęłam głową.

– I hałaśliwa.

Uśmiechnął się i przewrócił oczami.

– Chyba nie jest zadowolona z warunków.

Spuściłam oczy.

– Mogła mieć gorzej – mruknęłam. Przez mój głos przebijało rozżalenie, choć wcale tego nie chciałam.

– To prawda – przyznał cicho.

– Dlaczego są dla niej tacy dobrzy? – szepnęłam. – Zabiła Wesa.

– Hm, to twoja wina.

Podniosłam wzrok, by spojrzeć mu w twarz, i ze zdziwieniem spostrzegłam, że uniósł lekko kąciki ust. Żartował.

– Moja?

Niewyraźny uśmiech zgasł.

– Nie chcieli znowu czuć się potworami. To takie... zadośćuczynienie za to, co było wcześniej, tylko że trochę nie w porę – i niewłaściwej duszy. Nie sądziłem, że... to cię zaboli. Myślałem, że będziesz zadowolona.

– Jestem. – Nie chciałam, żeby kogokolwiek krzywdzili. – Zawsze lepiej być dobrym. Ale... – Wzięłam głęboki oddech. – Cieszę się, że poznałam powód.

A więc robili to dla mnie, nie dla niej. Ulżyło mi.

– To nie jest miłe uczucie: wiedzieć, że zasługujesz na miano p o t w o r a. Lepiej już być dobrym niż mieć wyrzuty sumienia. – Uśmiechnął się ponownie, po czym ziewnął. Wtedy ja również ziewnęłam.

– To była długa noc – stwierdził. – Następna też taka będzie. Trzeba się wyspać.

Przyjęłam tę sugestię z zadowoleniem. Wiedziałam, że ma do mnie dużo pytań dotyczących nagłej wyprawy. Wiedziałam też, że niektórych rzeczy pewnie się domyślił. Nie miałam ochoty o tym rozmawiać.

Rozłożyłam się na skrawku gładkiego piasku obok jeepa. Ku mojemu osłupieniu, Jared położył się przy mnie, tuż przy mnie. Zgiął się nieco, dopasowując do moich skrzywionych pleców.

– Masz – powiedział, wyciągając nade mną dłoń, by wsunąć mi palce pod twarz. Podniósł moją głowę i podłożył pod nią ramię, bym mogła się oprzeć. Drugą rękę opuścił mi na talię.

Musiało minąć kilka sekund, zanim cokolwiek odpowiedziałam.

– Dzięki.

Ziewnął. Poczułam na karku ciepło jego oddechu.

– Wypocznij, Wando.

Leżałam w jego objęciach, inaczej nie można było tego nazwać. Zasnął szybko, tak jak to miał w zwyczaju. Próbowałam się odprężyć, ale zajęło mi to dużo czasu.

Jego zachowanie dało mi do myślenia; jak wiele sam się domyślił?

Zmęczone myśli coraz bardziej mi się plątały. Jared miał rację, to była bardzo długa noc. A zarazem o wiele za krótka. Reszta moich nocy i dni miała mi już upływać z prędkością minut.

Obudziłam się potrząsana za ramię. Światło padające na ściany groty było słabe i pomarańczowe. Zachód słońca.

Jared podniósł mnie na nogi i dał mi do ręki baton energetyczny; tylko takie jedzenie trzymali w jeepie. Jedliśmy w ciszy, popijając resztkami wody. Twarz miał poważną i skupioną.

– Nadal ci się spieszy? – zapytał, gdy wsiadaliśmy do samochodu.

Nie. Pragnęłam, by czas wydłużył się w nieskończoność.

– Tak. – Nie było sensu tego odkładać. Wiedziałam, że jeżeli będę zbyt długo zwlekać, Łowczyni i jej żywiciel umrą, lecz to niczego nie zmieni w mojej sytuacji.

– No to jedziemy do Phoenix. To logiczne, że raczej się nie zorientują. Po co ludzie mieliby podbierać wam te kapsuły? Na co nam one?

Nie zabrzmiało to ani trochę jak pytanie retoryczne, i czułam, że znowu na mnie spogląda. Utkwiłam jednak wzrok w skałach i milczałam.

Kiedy dotarliśmy do autostrady, zmieniwszy uprzednio samochód, od dłuższego czasu było już ciemno. Przez kilka minut staliśmy z wyłączonymi światłami wśród krzewów. Doliczyłam się w tym czasie dziesięciu przejeżdżających aut. Jared czekał, dopóki na szosie nie zrobiło się na moment cicho i pusto.

Do Phoenix jechaliśmy krótko, choć Jared skrupulatnie przestrzegał ograniczenia prędkości. Czas płynął coraz szybciej, tak jakby Ziemia przyspieszyła obroty.

Włączyliśmy się w sznur aut sunących autostradą okalającą płaskie, rozłożyste miasto. W pewnej chwili zobaczyłam za oknem szpital. Zjechaliśmy z autostrady w następnym przeznaczonym do tego miejscu, jadąc równo, niespiesznie, w ślad za innym pojazdem.

Po chwili Jared skręcił w drogę prowadzącą na główny parking.

– Gdzie teraz? – zapytał napiętym głosem.

– Sprawdź, czy ta droga okrąża szpital. Kapsuły będą przy magazynach.

Jechaliśmy wolno. Kręciło się tu wiele dusz, jedne wchodziły, inne wychodziły, niektóre miały na sobie robocze ubranie. Uzdrowiciele. Nikt nie zwracał na nas szczególnej uwagi.

Droga ciągnęła się wzdłuż chodnika, następnie skręcała na zachód, zataczając łuk wokół całego kompleksu.

– Patrz. Ciężarówki dostawcze. Jedź tamtędy.

Przejechaliśmy pomiędzy rzędem niskich budynków a piętrowym parkingiem. Dalej ciągnęły się punkty rozładunkowe, przy kilku z nich stały tyłem ciężarówki, niewątpliwie z zaopatrzeniem dla szpitala. Przyglądałam się zalegającym tu i ówdzie skrzyniom – wszystkie były podpisane.

– Jedź dalej... chociaż właściwie możemy w drodze powrotnej zgarnąć trochę tych lekarstw. Zdrowe Ciało... Ochłoda... Bezruch? Ciekawe, co to.

Cieszyło mnie, że wszystkie leki były oznaczone i niepilnowane. Moja rodzina poradzi sobie, kiedy mnie już nie będzie. Kiedy mnie już nie będzie. Te słowa towarzyszyły teraz niemal każdej myśli.

Objechaliśmy tył kolejnego budynku. Jared nieco przyspieszył i cały czas patrzył przed siebie – kilka osób, dokładniej cztery, rozładowywało tu ciężarówkę. Moją uwagę zwróciła precyzja ich ruchów. Nie obchodziły się ze skrzynkami niedbale; przeciwnie, układały je na betonowym podwyższeniu z wielką ostrożnością.

Właściwie nie potrzebowałam nawet widzieć etykiety, ale właśnie wtedy jeden z ładowaczy obrócił skrzynię czarnym drukiem w moją stronę.

– To tutaj. Wyładowują zahibernowane dusze. Puste kapsuły muszą gdzieś tu być... O! Tam, po drugiej stronie. Tamten skład jest w połowie pełny. Te zamknięte na pewno są całkiem pełne.

Jared wciąż jechał powoli wzdłuż budynku. Potem minął róg i skręcił w prawo.

Parsknął cicho.
– Co? – zapytałam.
– Wszystko jasne. Widzisz?
Skinął brodą w stronę szyldu na budynku.
Był to oddział położniczy.
– Ach – odparłam. – No tak, ty zawsze wiesz, gdzie szukać.
Łypnął na mnie, po czym spojrzał z powrotem na jezdnię.
– Będziemy musieli chwilę poczekać. Chyba powoli kończą.
Jared jeszcze raz okrążył cały szpital, potem zaparkował na tyłach największego parkingu, z dala od latarni.
Wyłączył silnik i osunął się w fotelu. Wyciągnął rękę i złapał mnie za dłoń. Wiedziałam, o co zapyta, i próbowałam się przygotować.
– Wando?
– Tak?
– Chcesz uratować Łowczynię, prawda?
– Tak.
– Bo tak trzeba?
– To jeden z powodów.
Milczał przez chwilę.
– Wiesz, jak wyjąć duszę bez szkody dla ciała?
Serce uderzyło mi z wielką siłą. Musiałam przełknąć ślinę, żeby móc odpowiedzieć.
– Tak. Robiłam to już kiedyś. Nie tutaj. To był nagły wypadek.
– Gdzie? – zapytał. – I czemu nagły wypadek?
Z oczywistych powodów nigdy im tej historii nie opowiadałam, choć była jedną z najciekawszych. Dużo wartkiej akcji. Jamie byłby zachwycony. Westchnęłam i zaczęłam mówić ściszonym głosem.
– Na Planecie Mgieł. Byłam z moim przyjacielem, Rzęsistym Blaskiem, i przewodnikiem – nie pamiętam jego imienia. Nazywali mnie tam Mieszkanką Gwiazd. Wiedzieli, że zaliczyłam już kilka planet.
Jared zachichotał.
– Wyruszyliśmy na wyprawę przez czwarte wielkie pole lodu, żeby zobaczyć jedno z najwspanialszych kryształowych miast. To miała być bezpieczna trasa, dlatego udaliśmy się tam tylko we trójkę.
– Szponowce lubią kopać dziury i zagrzebywać się w śniegu. No wiesz, kamuflaż. Pułapka.
Szliśmy sobie spokojnie, a dookoła jak okiem sięgnąć rozciągała się śnieżna równia. I nagle – cały ten śnieg po prostu wyleciał w powietrze.
Przeciętny dorosły Niedźwiedź jest mniej więcej masy bizona. Dorosłemu szponowcowi pod tym względem bliżej do wieloryba. A ten był wyjątkowo duży.

Straciłam z oczu przewodnika. Szponowiec całkiem go zasłonił. Niedźwiedzie są szybsze od szponowców, ale temu udało się nas zaskoczyć. Machnął ogromnym, ciężkim pazurem i przeciął Rzęsisty Blask wpół, zanim dotarło do mnie, co się dzieje.

Wzdłuż krawędzi parkingu poruszał się powoli jakiś samochód. Siedzieliśmy w ciszy, dopóki nas nie minął.

– Zawahałam się. Powinnam rzucić się do ucieczki, ale... mój przyjaciel leżał umierający na lodzie. Przypłaciłabym to wahanie życiem, gdyby nie to, że szponowiec na chwilę o mnie zapomniał. Później okazało się, że to nasz przewodnik – że też nie mogę sobie przypomnieć jego imienia! – zaatakował jego ogon, żeby dać nam okazję do ucieczki. Wyskakując z ukrycia, szponowiec wzbił tumany śniegu; wyglądało to jak zamieć. Prawie nic nie było widać, dlatego wystarczyłoby przebiec kawałek. Ale nie wiedział, że dla Rzęsistego Blasku jest już za późno.

Szponowiec obrócił się w stronę przewodnika, a drugą lewą nogą kopnął mnie, aż wyleciałam w powietrze. Obok mnie wylądowała górna część ciała Rzęsistego Blasku. Jego krew topiła śnieg.

Zrobiłam przerwę, gdyż przeszedł mnie dreszcz.

– To, co potem zrobiłam, było bez sensu, bo nie miałam dla niego nowego ciała. Byliśmy w połowie drogi między miastami, za daleko, by do nich dobiec. Poza tym to musiało być bardzo bolesne, bo nie miałam żadnych środków przeciwbólowych. Ale nie mogłam patrzeć, jak umiera w rozerwanym cielsku.

Użyłam zewnętrznej części dłoni, tej do cięcia lodu. Ostrze było zbyt szerokie... Narobiłam niezłego bałaganu. Mogłam tylko mieć nadzieję, że Rzęsisty Blask jest całkiem nieprzytomny i nie czuje bólu.

Potem użyłam miękkich palców, tych po wewnętrznej części dłoni, żeby odłączyć go od mózgu Niedźwiedzia. Ciągle żył. Sprawdziłam to w mgnieniu oka, ani na chwilę się nie zatrzymując. Wcisnęłam go do kieszeni na jaja. Niedźwiedzie mają taką pośrodku ciała, pomiędzy dwoma najgorętszymi sercami. Nie musiałam się już bać, że umrze z zimna, ale i tak bez żywiciela mógł przeżyć co najwyżej kilka minut. Jak miałam mu znaleźć żywiciela na tym śnieżnym pustkowiu?

Przeszło mi przez myśl, żeby podzielić się swoim, ale doszłam do wniosku, że pewnie straciłabym przytomność, próbując go sobie włożyć do głowy. Poza tym bez lekarstw bym umarła. Niedźwiedzie szybko się wykrwawiają. To przez te wszystkie serca.

Szponowiec ryczał, czułam, jak ziemia trzęsie się pod jego wielkimi łapami. Nie wiedziałam, gdzie jest nasz przewodnik, ani nawet czy żyje. Nie wiedziałam, ile czasu zajmie szponowcowi znalezienie nas w śniegu.

Tuż obok mnie leżał odcięty kawał cielska Niedźwiedzia. Potwór mógł w każdej chwili zauważyć ciemną krew. I wtedy przyszedł mi do głowy ten szalony pomysł.

Przerwałam, śmiejąc się cicho do siebie.

– Nie miałam dla Rzęsistego Blasku ciała Niedźwiedzia. Nie mogłam oddać mu swojego. Przewodnik albo był martwy, albo uciekł. Ale było jeszcze jedno ciało. To był całkiem wariacki plan, ale myślałam wtedy tylko o Rzęsistym Blasku. Nie byliśmy nawet bliskimi przyjaciółmi, ale co z tego. Umierał powoli między moimi sercami. Nie mogłam się z tym pogodzić. Usłyszałam ryk szponowca i ruszyłam biegiem w jego stronę. Po chwili ukazało mi się grube, białe futro. Biegłam prosto na jego trzecią lewą nogę, wskoczyłam najwyżej, jak mogłam, a byłam w tym dobra. Używałam ostrzy wszystkich sześciu rąk, żeby wspiąć się potworowi na grzbiet. Ryczał i kręcił się w miejscu, ale niewiele tym zdziałał. Wyobraź sobie psa goniącego swój ogon. Szponowce mają bardzo małe mózgi.

Wdrapałam się w końcu na grzbiet i puściłam pędem wzdłuż podwójnego kręgosłupa, zaczepiając się ostrzami, żeby mnie nie zrzucił.

Po paru sekundach byłam już przy samej głowie. Ale dopiero tu zaczęły się prawdziwe trudności. Moje ostrza były krótkie... może mniej więcej długości ludzkiego przedramienia. Skóra tej bestii była dwa razy grubsza. Zamachnęłam się najmocniej, jak umiałam, i przebiłam pierwszą warstwę futra i błony. Szponowiec wrzasnął i stanął na ostatniej parze nóg. O mały włos nie spadłam. Utkwiłam w nim cztery ostrza. Rzucał się i ryczał. Pozostałymi dwoma na zmianę powiększałam dziurę. Miał tak twardą skórę, że do końca nie wiedziałam, czy uda mi się przez nią przedostać.

Potwór wpadł w dziki szał. Wierzgał tak mocno, że przez chwilę starałam się tylko nie spaść. Ale Rzęsisty Blask miał coraz mniej czasu. Wetknęłam ręce w dziurę i spróbowałam ją rozpruć.

Wtedy szponowiec rzucił się grzbietem na lód.

Gdyby nie to, że pod nami był dół, który sam wykopał, żeby się na nas zaczaić, pewnie by mnie zmiażdżyło. A tak, chociaż uderzyłam się mocno w głowę, upadek tylko mi pomógł. Tkwiłam już ostrzami w jego szyi. Kiedy uderzyłam o ziemię, ciężar bestii sprawił, że wbiły się jeszcze głębiej. Nawet głębiej, niż potrzebowałam.

Oboje byliśmy ogłuszeni, potwór mnie przygniatał. Wiedziałam, że muszę coś szybko zrobić, ale nie pamiętałam, co to było. Zamroczony szponowiec zaczął się przewracać. Świeże powietrze rozjaśniło mi w głowie i przypomniałam sobie o Rzęsistym Blasku.

Wyjęłam go z kieszeni na jaja, osłaniając przed zimnem miękką stroną dłoni, i włożyłam bestii do szyi.

Szponowiec poderwał się na nogi i znowu stanął dęba. Tym razem spadłam – miałam słabszy uchwyt, bo musiałam przełożyć Rzęsisty Blask. Potwór wpadł w furię. Rana nie była zbyt groźna, ale strasznie go rozsierdziła.

Kłęby śniegu już nieco opadły i było mnie widać jak na dłoni, tym bardziej że miałam na sobie krew szponowca, która jest bardzo jaskrawego koloru – na Ziemi takiego nie ma. Bestia uniosła pazury i opuściła je na mnie. Myślałam, że to już koniec, i pocieszałam się tym, że przynajmniej próbowałam.

Patrzę, a szpony lądują obok mnie w śniegu! Nie chciało mi się wierzyć, że nie trafił. Podniosłam wzrok, spojrzałam na tę wielką, okropną twarz i prawie się... no, może się nie roześmiałam – Niedźwiedzie się nie śmieją. Ale właśnie tak się czułam, kiedy zobaczyłam na tej szpetnej twarzy zdziwienie, niepewność i frustrację. Żaden szponowiec nigdy wcześniej nie miał takiej miny.

Rzęsisty Blask potrzebował paru minut, żeby się podłączyć. Musiał się mocno rozciągnąć, żeby ogarnąć tak wielkie cielsko. Ale kiedy już to zrobił, przejął nad nim całkowitą kontrolę. Miał zamęt w głowie i wolno reagował – z tak małym mózgiem nie było mu łatwo – ale najważniejsze, że rozpoznał we mnie przyjaciela.

Musiałam potem na nim jechać – i zatykać mu otwartą ranę na szyi – aż do kryształowego miasta. Zrobiło się o tym głośno. Przez jakiś czas nazywano mnie Ujeżdżaczką Bestii. Nie lubiłam tego imienia. Kazałam im używać starego.

Opowiadałam to wszystko, siedząc nieruchomo, zapatrzona w światła szpitala i przemykające przed nimi sylwetki dusz. Dopiero gdy skończyłam, po raz pierwszy spojrzałam na Jareda. Patrzył na mnie szeroko otwartymi oczami, usta miał rozdziawione z wrażenia.

O tak, to była jedna z moich najlepszych historii. Pomyślałam, że będę musiała poprosić Mel, żeby opowiedziała ją Jamiemu, kiedy mnie już...

– Pewnie już skończyli rozładunek, nie uważasz? – powiedziałam szybko. – Miejmy to z głowy i wracajmy do domu.

Spoglądał na mnie jeszcze przez chwilę, po czym z wolna pokiwał głową

– Tak, miejmy to z głowy, Wagabundo, Mieszkanko Gwiazd, Ujeżdżaczko Bestii. Co jak co, ale ukraść kilka niepilnowanych skrzynek to dla ciebie pestka.

Rozdział 52

Operacja

Wnieśliśmy nasze łupy do jaskiń od strony południowej, choć to oznaczało, że do rana trzeba będzie przestawić jeepa. Nie chciałam jednak korzystać z głównego wejścia, przede wszystkim dlatego, że Łowczyni mogłaby usłyszeć zamieszanie wywołane naszym przybyciem. Nie byłam pewna, czy czegokolwiek się domyśla, ale wolałam nie dawać jej najmniejszego powodu do tego, by zabiła żywiciela, a co za tym szło, również siebie. Prześladowała mnie opowieść Jeba o jednym z porwanych – mężczyźnie, który nagle przewrócił się na ziemię bez żadnych zewnętrznych oznak spustoszenia, jakiego dusza dokonała w jego czaszce.

Tym razem szpital nie był pusty. Przecisnąwszy się przez ostatnie ciasne skalne oczko, zobaczyłam Doktora zajętego przygotowaniami do operacji. Na nakrytym biurku stała gotowa do użycia lampa gazowa – najsilniejsze źródło światła, jakie mieliśmy. Obok, w słabszym, bladoniebieskim świetle lamp słonecznych, połyskiwały skalpele.

Wiedziałam, że Doktor przystał na moje warunki, lecz gdy zobaczyłam, jak się krząta, ogarnęła mnie fala mdłości. Może po prostu ów widok skojarzył mi się z tamtym strasznym dniem, kiedy to zastałam go z krwią na rękach.

– Jesteście – powiedział z ulgą. Zrozumiałam, że się o nas martwił, tak jak zresztą wszyscy się martwili, gdy ktoś opuszczał naszą bezpieczną podziemną kryjówkę.

– Mamy coś dla ciebie – odezwał się Jared, przecisnąwszy się jako drugi przez otwór w skale. Wyprostował się, sięgnął z powrotem do dziury i wydobył z niej spore pudełko. Wyciągnął je przed siebie szerokim gestem, pokazując etykietę.

– Zdrowe Ciało! – zapiał Doktor. – Dużo tego macie?

– Jeszcze jedno. Znaleźliśmy nowy sposób na odnawianie zapasów. Jego główną zaletą jest to, że Wanda nie musi sobie nic rozcinać.

Doktor nie zaśmiał się z żartu, tylko spojrzał na mnie przenikliwym wzrokiem. Musiał sobie myśleć to samo co ja: „To się na pewno sprawdzi, kiedy jej nie będzie".

– Macie kapsuły? – zapytał nieco stłumionym głosem.

Jared zauważył jego dziwne zachowanie i posłał mi nieprzeniknione spojrzenie.

– Tak – odparłam. – Dziesięć. Więcej się nie zmieściło w aucie.

Tymczasem Jared pociągnął za wystającą z otworu linę. Rozległ się gruchot kamieni i po chwili na podłogę wypadło drugie pudełko Zdrowego Ciała, a w ślad za nim kapsuły. Te ostatnie brzęczały jak metal, choć były zrobione z nieznanych na Ziemi materiałów. Wcześniej wyjaśniłam Jaredowi, że z pustymi zbiornikami nie trzeba się obchodzić delikatnie. Zostały zaprojektowane, żeby wytrzymać dużo gorsze rzeczy niż uderzenia o skałę. Leżały teraz na podłodze, lśniące i niezadraśnięte.

Doktor podniósł jeden, rozsupłał linę i obejrzał go ze wszystkich stron.

– Dziesięć? – Sprawiał wrażenie zaskoczonego. Czy uważał, że to za dużo? A może za mało? – Są trudne w obsłudze?

– Nie. Bardzo łatwe. Pokażę ci.

Doktor kiwnął głową, przyglądając się obcemu urządzeniu. Czułam na sobie wzrok Jareda, ale nie odrywałam oczu od Doktora.

– Co powiedzieli Jeb, Brandt i Aaron? – zapytałam.

Doktor podniósł wzrok i spojrzał mi w oczy.

– Zgadzają się... na twoje warunki.

Kiwnęłam głową bez przekonania.

– Nie pokażę ci, jak to się robi, dopóki się nie upewnię.

– Zgoda.

Jared spoglądał na nas pytającym, sfrustrowanym wzrokiem.

– Co mu powiedziałaś? – zapytał zachowawczo Doktor.

– Tylko, że chcę uratować Łowczynię. – Obróciłam się w stronę Jareda, nie patrząc mu jednak w oczy.

– Doktor obiecał mi, że jeśli pokażę mu, jak oddzielić duszę od ciała, dopilnujecie, żeby każda wyjęta z ciała dusza mogła zacząć nowe życie na innej planecie. Nie wolno wam nikogo zabić.

Jared kiwnął zamyślony, przenosząc wzrok z powrotem na Doktora.

– To uczciwe warunki. Mogę dopilnować, żeby reszta też ich przestrzegała. Rozumiem, że wiesz, jak je tam wysłać?

– To będzie równie łatwe jak to, co zrobiliśmy dzisiaj. Tylko że odwrotnie – zamiast zabierać kapsuły, trzeba je będzie tam dostarczyć.

– Okej.

– Czy... masz to już rozplanowane w czasie? – zapytał Doktor. Starał się przybrać obojętny ton, ale słyszałam przejęcie w jego głosie.

Chce po prostu poznać w końcu wielką niewiadomą, tłumaczyłam sobie. Wcale nie chodzi mu o to, żeby mnie jak najszybciej zabić.

– Muszę schować jeepa – odezwał się Jared. – Poczekacie chwilę? Chciałbym przy tym być.

– Jasne – odparł Doktor.

– Uwinę się raz dwa – zapewnił Jared, wciskając się z powrotem do ciasnego wylotu.

Co do tego nie miałam wątpliwości. Byłam pewna, że wróci o wiele za szybko.

Milczeliśmy z Doktorem, dopóki słyszeliśmy, jak Jared się wspina.

– Nie rozmawialiście o... Melanie? – zapytał w końcu cicho.

Potrząsnęłam głową.

– Chyba rozumie, do czego to wszystko zmierza. Musi się domyślać mojego planu.

– Ale nie w całości. Nie pozwoli...

– Nikt nie będzie go pytał o zdanie – przerwałam ostro. – Wszystko albo nic, Doktorze.

Westchnął. Po chwili ciszy rozprostował kości i zerknął w stronę wyjścia do jaskiń.

– Porozmawiam z Jebem, przygotuję wszystko.

Sięgnął po stojącą na stole butelkę. Chloroform. Byłam pewna, że dusze używają czegoś skuteczniejszego. Pomyślałam, że muszę mu to coś przywieźć, zanim odejdę.

– Kto wie?

– Na razie tylko Jeb, Aaron i Brandt. Wszyscy chcą przy tym być.

Wcale mnie to nie dziwiło. Spodziewałam się, że Aaron i Brandt będą podejrzliwi.

– Nie mów nikomu więcej. Nie dzisiaj.

Doktor kiwnął głową i zniknął w mrokach korytarza.

Usiadłam pod ścianą, jak najdalej od zasłanego łóżka. Nie spieszyło mi się na nie, jeszcze miała przyjść moja kolej – i to już niebawem.

Próbowałam nie myśleć o tym ponurym fakcie, zająć umysł czymś innym, i nagle uprzytomniłam sobie, że nie słyszałam Melanie od... Kiedy ostatnio się do mnie odezwała? Kiedy dogadywałam się z Doktorem? Ogarnęło mnie spóźnione zdziwienie, że w ogóle nie zareagowała, gdy Jared położył się ze mną spać.

Mel?

Cisza.

Nie wpadałam w panikę, gdyż było inaczej niż ostatnim razem. Czułam w głowie jej obecność, tyle że... ignorowała mnie? Co robiła?

Mel? Co się dzieje?

Cisza.

Gniewasz się na mnie? Przepraszam za to, co było wcześniej przy jeepie. Ale przecież wiesz, że nic nie zrobiłam, więc to chyba nie w porządku...

Przerwała mi nagle poirytowanym głosem. *Oj, weź już przestań. Nie g n i e w a m się na ciebie. Zostaw mnie w spokoju.*

Dlaczego nie chcesz ze mną rozmawiać?

Cisza.

Skupiłam się na niej bardziej, w nadziei, że uda mi się podążyć za jej myślami. Broniła się, próbowała znowu postawić między nami mur, ale zapomniała już, jak to się robi. Przejrzałam jej zamiary.

Czyś ty straciła rozum? Starałam się utrzymać nerwy na wodzy.

W pewnym sensie owszem, odparowała półżartem.

Myślisz, że mnie powstrzymasz, znikając?

A jak inaczej mogę cię powstrzymać? Jeżeli masz jakiś lepszy pomysł, podziel się nim, proszę.

Nie rozumiem cię, Melanie. Nie chcesz ich odzyskać? Nie chcesz być znowu z Jaredem? Z Jamiem?

Skręciła się, jakby drażniła ją oczywistość odpowiedzi. *Tak, ale... nie mogę...* Potrzebowała paru chwil, żeby się uspokoić. *Nie mogę się pogodzić z tym, że przypłacisz to życiem, Wando. Nie mogę znieść tej myśli.*

Zrozumiałam głębie jej bólu i oczy zaszły mi łzami.

Ja też cię kocham, Mel. Ale nie ma tu miejsca dla nas obu. Ani w tym ciele, ani w tych jaskiniach, ani w ich życiu...

Wcale tak nie uważam.

Słuchaj, przestań próbować się unicestwić, dobrze? Bo jeśli uznam, że może ci się udać, każę Doktorowi wyciągnąć mnie jeszcze dziś. Albo powiem wszystko Jaredowi. Możesz to sobie wyobrazić.

Wyobraziłam to sobie dla niej, uśmiechając się delikatnie przez łzy. *Pamiętasz? Powiedział, że nie wie, do czego może się posunąć, żeby cię odzyskać*. Przywołałam wspomnienie gorących pocałunków w tunelu... oraz innych pocałunków i nocy z jej pamięci. Oblałam się rumieńcem i zrobiło mi się ciepło na twarzy.

Grasz nieczysto.

Wiem.

Nie poddam się.

Dostałaś ostrzeżenie. Nie próbuj się znowu wyłączać.

Zaczęłyśmy rozmyślać o innych, przyjemnych rzeczach. Na przykład, dokąd wyślemy Łowczynię. Mając w pamięci moją dzisiejszą opowieść, Mel natychmiast zaproponowała Planetę Mgieł, lecz ja byłam zdania, że odpowiedniejsza będzie Planeta Kwiatów. Nie było w całym wszechświecie drugiego tak spokojnego miejsca. Upierałam się, że długie beztroskie życie w promieniach słońca dobrze jej zrobi.

Wspominałyśmy najładniejsze obrazy z mojej pamięci. Lodowe zamki, muzykę wśród nocy, kolorowe słońca. Dla Mel wszystko to było jak baśnie. A potem zamieniłyśmy się rolami i to ona opowiadała mi bajki – o zatrutych jabłkach, szklanych pantofelkach, syrenach marzących o duszy...

Oczywiście nie zdążyłyśmy sobie opowiedzieć zbyt wielu.

Wszyscy zeszli się razem. Jared wrócił do jaskiń głównym wejściem. Rzeczywiście, uwinął się błyskawicznie – może w pośpiechu po prostu objechał skały i ukrył jeepa pod nawisem po północnej stronie.

Słyszałam ich zbliżające się głosy, ściszone, poważne, i zrozumiałam, że jest z nimi Łowczyni. Rozpoczęła się pierwsza odsłona spektaklu, który miał się zakończyć moją śmiercią.

Nie.

Słuchaj wszystkiego uważnie. Będziesz im pomagać, kiedy mnie już...

Nie!

Ale nie buntowała się przeciw samemu poleceniu, jedynie przeciw zakończeniu.

Jared pojawił się w wejściu z Łowczynią na rękach. Pozostali szli za nim. Aaron i Brandt trzymali broń w pogotowiu – może na wypadek, gdyby tylko udawała nieprzytomną, by móc znienacka rzucić się na nich z wątłymi pięściami. Jako ostatni wszedł Jeb z Doktorem. Wiedziałam, że chytre spojrzenie Jeba będzie zwrócone ku mnie. Czego się już domyślał ten szalony, przenikliwy umysł?

Porzuciłam te dywagacje i skupiłam się na bieżących sprawach.

Jared bardzo delikatnie położył bezwładne ciało Łowczyni na stole. Wcześniej pewnie poczułabym się dotknięta, teraz jednak mnie to roztkliwiało. Wiedziałam bowiem, że robi to dla mnie i żałuje, że nie traktował mnie tak na początku.

– Doktorze, gdzie jest Bezból? – zapytałam.

– Już ci daję – odparł cicho.

Czekając, wpatrywałam się w twarz Łowczyni i zastanawiałam, jak będzie wyglądać, gdy żywiciel odzyska wolność. Czy w ogóle ktoś tam jeszcze był? Czy umysł żywiciela całkiem opustoszeje, czy też prawowity właściciel ciała przejmie nad nim kontrolę? A jeśli tak się stanie – czy ta twarz nadal będzie we mnie budzić taką samą odrazę?

– Proszę. – Doktor włożył mi w dłoń biały pojemnik.

– Dzięki.

Wyjęłam pojedynczy kwadratowy płatek, po czym oddałam mu resztę. Wcale nie miałam ochoty dotykać Łowczyni, ale przemogłam się i sprawnymi, zdecydowanymi ruchami rozchyliłam jej szczękę, po czym położyłam lekarstwo na języku. Miała małą twarz – moje ręce wydawały się przy niej duże. Jej niewielkie gabaryty zawsze mnie odrzucały – zupełnie nie pasowały do charakteru.

Zamknęłam jej szczękę. Miała wilgotno w ustach, lekarstwo powinno się szybko rozpuścić.

– Jared, możesz ją obrócić na brzuch? – poprosiłam.

Wykonał moje polecenie – i tym razem bardzo delikatnie. Wtedy zabłysła gazowa lampa. W grocie zrobiło się nagle jasno, prawie jak za dnia. Spojrzałam odruchowo w górę i zobaczyłam, że Doktor załatał dziury w suficie brezentem, żeby światło nie wydostawało się na zewnątrz. Sporo się napracował w czasie naszej nieobecności.

Było cicho. Słyszałam miarowe wdechy i wydechy Łowczyni. Słyszałam też szybsze, bardziej nerwowe oddechy zgromadzonych. Ktoś przestąpił z nogi na nogę i piasek pod butem zazgrzytał o skałę. Dosłownie czułam na skórze ciężar ich spojrzeń.

Przełknęłam ślinę, żeby mój głos brzmiał normalnie

– Doktorze, potrzebuję Zdrowego Ciała, Czystej Rany, Czystego Serca, Zrostu i Gładkiej Skóry.

– Są tutaj.

Odgarnęłam szorstkie włosy Łowczyni, odsłaniając malutką różową bliznę u podstawy czaszki. Wahałam się przez chwilę, zapatrzona w oliwkową skórę.

– Doktorze, mógłbyś zrobić nacięcie? Ja... nie chcę.

– Nie ma sprawy.

Stanął po drugiej stronie łóżka. Widziałam tylko jego dłonie. Obok ramienia Łowczyni ustawił rząd białych pojemników. Skalpel zabłysł w mocnym świetle lampy, święcąc mi po twarzy.

– Przytrzymaj jej włosy.

Użyłam obu rąk, by starannie odsłonić kark.

– Denerwuje mnie, że nie mogę zdezynfekować rąk – wymamrotał do siebie Doktor. Widać było, że czuje się nieprzygotowany.

– Na szczęście to nie jest konieczne. Mamy Oczyszczacz.

– Wiem. – Westchnął. Tak naprawdę chodziło mu o pewien rytuał i związany z nim komfort psychiczny.

– Ile potrzebujesz miejsca? – zapytał, zatrzymując czubek ostrza dwa centymetry nad skórą.

Czułam za sobą ciepło pozostałych – zbliżyli się nieco, by mieć lepszy widok, ale uważali, żeby mnie nie dotknąć.

– Wystarczy na długość blizny.

Miał co do tego wątpliwości.

– Na pewno?

– Tak. Aha, czekaj!

Doktor cofnął dłoń.

Uświadomiłam sobie, że robię wszystko w odwrotnej kolejności. Nie byłam Uzdrowicielką. Nie miałam odpowiedniego przygotowania. Ręce mi się trzęsły. Nie mogłam oderwać spojrzenia od ciała Łowczyni.

– Jared, możesz mi podać jedną kapsułę?

– Jasne.

Słyszałam, jak odchodzi na kilka kroków; potem rozległ się głuchy, metaliczny odgłos uderzających o siebie zbiorników.

– Co dalej?

– Na górze jest okrągły przycisk. Wciśnij go.

Po włączeniu kapsuła zaczęła wydawać cichy szum. Zgromadzeni zamruczeli coś i odsunęli się, szurając nogami.

– Dobra, z boku powinien być przełącznik... właściwie to gałka. Masz ją?

– Tak.

– Przekręć ją do oporu.

– Zrobione.

– Na jaki kolor świeci się lampka na pokrywie?

– Na... właśnie przechodzi z fioletowego w... jasnoniebieski. Błękitny.

Wzięłam głęboki oddech. Przynajmniej kapsuły działały.

– Świetnie. Otwórz i czekaj.

– Jak?

– Pod krawędzią pokrywy jest zatrzask.

– Mam go. – Usłyszałam szczęk zatrzasku, a po chwili furkot urządzenia. – Brr, *zimne*!

– O to nam chyba chodzi.

– Jak to działa? Jakie ma zasilanie?

Westchnęłam.

– Wiedziałam takie rzeczy, kiedy byłam Pająkiem. Teraz ich nie rozumiem. Doktorze, możesz kontynuować. Jestem gotowa.

– No to do dzieła – szepnął Doktor i zręcznie, niemal z wdziękiem, przesunął ostrzem skalpela po skórze. Krew zaczęła spływać po szyi i zbierać się na podłożonym zawczasu przez Doktora ręczniku.

– Ciut głębiej. Jeszcze kawałeczek...

– Tak, widzę. – Doktor był podekscytowany, oddychał szybko.

Wśród czerwieni krwi błysnęło srebro.

– Tak jest dobrze. Teraz ty potrzymaj włosy.

Doktor szybko i płynnie zamienił się ze mną miejscami. Znał się na swoim Powołaniu. Byłby dobrym Uzdrowicielem.

Nie musiałam taić przed nim żadnych ruchów. Były zbyt subtelne, żeby mógł cokolwiek zobaczyć. Musiał to ode mnie usłyszeć.

Przesunęłam palcem wzdłuż tylnej krawędzi srebrzystej istoty, stopniowo wsuwając palec w ciepłą ranę. Wyczułam naprężone przednie wici, naciągnięte niczym struny harfy, sięgające gdzieś w dalekie zakamarki głowy.

Przełożyłam palec spodem na drugą stronę ciała i powiodłam nim wzdłuż drugiego rzędu wici, sztywnych i gęstych jak włosie szczotki.

Dotykałam ostrożnie kolejnych spojeń owych twardych anten – malutkich stawów, nie większych niż główka szpilki. Zatrzymałam palec mniej więcej w jednej trzeciej drogi. Mogłam je liczyć, ale to zajęłoby mi dużo czasu. Szukałam dwieście siedemnastego połączenia, lecz można je było znaleźć inaczej. Niewielkie zgrubienie czyniło je nieco większym od pozostałych – bliżej mu było do drobnej perły niż główki szpilki. Wyczułam koniuszkiem palca jego gładką powierzchnię.

Nacisnęłam je leciutko, delikatnie masując. Wśród dusz można było coś zdziałać tylko dobrocią. Nigdy przemocą.

– Rozluźnij się – szepnęłam.

I dusza posłuchała, choć nie mogła mnie słyszeć. Twarde jak struny wici zaczęły wiotczeć i cofać się. Czułam, jak ślizgają mi się po skórze, jak dusza lekko pęcznieje. Wszystko wydarzyło się bardzo szybko, serce zdążyło mi zabić kilka razy. Wstrzymałam oddech, dopóki nie poczułam, że dusza zaczyna falować. Próbowała się wydostać.

Pozwoliłam jej trochę się wysunąć, po czym delikatnie objęłam małe, wrażliwe ciało palcami. Uniosłam je, srebrzyste i lśniące, całe we krwi, która jednak bardzo szybko spłynęła po gładkiej powłoce, i przytuliłam w dłoni.

Była piękna. Dusza, której imienia nigdy nie poznałam, kłębiła się w mojej dłoni niczym srebrna fala... cudowna upierzona wstęga.

Nie mogłam nienawidzić Łowczyni w tej postaci. Czułam, jak wypełnia mnie uczucie niemalże matczynej miłości.

– Śpij spokojnie, maleństwo – szepnęłam.

Zwróciłam się w stronę cichego szumu dobiegającego z kapsuły. Jared stał tuż obok mnie, trzymając ją nisko i pod kątem, tak bym mogła z łatwością wsadzić duszę do mroźnego powietrza, którym zionął otwór. Wsunęłam ją do środka, po czym starannie zamknęłam pokrywę.

Wolnym, delikatnym ruchem wzięłam zbiornik od Jareda, obróciłam go ostrożnie do pionu i przytuliłam do piersi. Z wierzchu był równie ciepły jak powietrze w pomieszczeniu. Trzymałam go przy sobie jak troskliwa matka.

Spojrzałam na leżące na stole ciało nieznajomej. Doktor posypywał już zasklepioną ranę Gładką Skórą. Stanowiliśmy sprawny duet: ja zajmowałam się duszą, on – ciałem. Nikogo nie zaniedbywaliśmy.

Doktor poniósł na mnie wzrok. Z oczu bił mu podziw.

– Niesamowite – powiedział cicho. – To było coś niezwykłego.

– Dobra robota – odszepnęłam.

– Jak myślisz, kiedy się obudzi?

– To zależy, ile się nawdychała chloroformu.

– Niedużo.

– I czy w ogóle tam jest. Czas pokaże.

Zanim zdążyłam o to poprosić, Jared delikatnie podniósł bezimienną kobietę z łóżka, obrócił na plecy i położył na innym, czystszym posłaniu. Tym razem jednak czułość jego ruchów mnie nie wzruszyła. Była to czułość wobec człowieka, wobec Melanie...

Doktor poszedł za nim, sprawdził kobiecie puls, zajrzał pod powieki. Poświecił w nieprzytomne oczy latarką i obserwował zwężające się źrenice. Nie otaczał ich już srebrny pierścień, nic nie odbijało światła. Wymienili z Jaredem długie spojrzenia.

– Naprawdę to zrobiła – powiedział Jared ściszonym głosem.

– Tak – odparł Doktor.

Nie słyszałam, kiedy Jeb zjawił się u mego boku.

– No, no. Ładna robota.

Wzruszyłam ramionami.

– Nie czujesz się ciut rozdarta?

Milczałam.

– Ja też, skarbie. Ja też.

Za nami Aaron i Brandt rozmawiali podnieconymi głosami, odpowiadając sobie nawzajem na niedokończone pytania.

O rozdarciu nie mogło być u nich mowy.

– Ale się wszyscy zdziwią!

– Pomyśl o...

– Powinniśmy jechać po...

– Ja mogę w każdej chwili...

– Spokój tam – przerwał Brandtowi Jeb. – Żadnego porywania dusz, dopóki ta nie będzie w drodze na inną planetę. Zgadza się, Wando?

– Tak – odparłam dość stanowczo, przyciskając kapsułę do piersi.

Brandt i Aaron wymienili krzywe spojrzenia.

Potrzebowałam więcej sprzymierzeńców. Co prawda Jared, Jeb i Doktor mieli najwięcej do powiedzenia, ale nawet oni potrzebowali wsparcia.

Wiedziałam, co to oznacza.

Musiałam porozmawiać z Ianem.

Z innymi oczywiście też, ale z nim koniecznie. Serce jakby zapadło mi się i skurczyło w piersi. Odkąd tu przybyłam, robiłam wiele rzeczy, na które nie miałam ochoty, ale nie mogłam sobie przypomnieć równie ostrego i przenikliwego bólu. Nawet sama decyzja o oddaniu życia za życie Łowczyni, choć niosła ze sobą ogromne, rozległe cierpienie, była w ostatecznym rozrachunku łatwiejsza, ponieważ miała uzasadnienie w szerszym kontekście wydarzeń. Ale pożegnanie z Ianem przeszywało mnie niczym brzytwa; kiedy o nim myślałam, traciłam z oczu resztę faktów. Szukałam rozpaczliwie sposobu na to, by oszczędzić podobnego bólu jemu. Było to jednak niemożliwe.

Jedyna gorsza rzecz, jaka mnie czekała, to pożegnanie z Jaredem.

Natomiast z Jamiem planowałam nie żegnać się wcale.

– Wanda! – odezwał się Doktor przenikliwym głosem.

Pospieszyłam do łóżka, przy którym stał. Zanim jeszcze tam doszłam, widziałam, jak zwisająca z brzegu materaca mała oliwkowa dłoń zaciska się i otwiera.

– Ach – jęknęło ciało znajomym głosem Łowczyni. – Ach.

W pomieszczeniu zaległa zupełna cisza. Wszyscy spoglądali na mnie, jakbym to ja była specjalistką od ludzi.

Trąciłam Doktora łokciem, nadal trzymając w objęciach kapsułę.

– Porozmawiaj z nią – szepnęłam.

– Yyy... Halo? Czy... pani mnie słyszy? Jest pani bezpieczna. Rozumie mnie pani?

– Ach – westchnęła ciężko. Zamrugała powiekami i od razu skupiła wzrok na twarzy Doktora. Wyglądała na całkiem odprężoną – musiała się czuć znakomicie, w końcu podałam jej Bezból. Oczy miała czarne jak onyks. Rozglądała się po grocie, aż ujrzała mnie i, widocznie mnie poznając, odruchowo skrzywiła twarz. Przeniosła wzrok z powrotem na Doktora.

– Jak dobrze mieć głowę z powrotem dla siebie – odezwała się głośno i wyraźnie. – Dzięki.

Rozdział 53

Przeznaczenie

Żywiciel Łowczyni nazywał się Lacey. Delikatne, kobiece imię. Lacey. Moim zdaniem równie nieodpowiednie jak budowa ciała. To tak, jakby pitbulowi dać na imię Puszek.

Lacey była tak samo głośna jak Łowczyni – i nie mniej marudna.

– Musicie mi wybaczyć, że tyle gadam – stwierdziła, nie dopuszczając innej możliwości. – Wydzierałam się tam w środku tyle czasu i nikt mnie nie słyszał. Mam sporo do powiedzenia, nazbierało się tego przez te wszystkie lata.

A to pech. Zaczęłam dostrzegać zalety faktu, że opuszczam to miejsce.

Odpowiadając na wcześniejsze pytanie, które sobie zadawałam: nie, twarz Łowczyni nie wydawała mi się teraz mniej odpychająca. Okazało się, że zamieszkiwał ją bardzo podobny umysł.

– Dlatego cię nie lubimy – powiedziała mi jeszcze tej samej nocy, nie zmieniając czasu na przeszły ani liczby na pojedynczą. – Kiedy się zorientowała, że Melanie do ciebie mówi, tak jak ja do niej, zaczęła się bać, że możesz się czegoś domyślić. Byłam jej mrocznym sekretem. – Zaśmiała się chrapliwie. – Nie mogła sprawić, żebym się zamknęła. Dlatego została Łowczynią. Miała nadzieję, że dowie się, jak sobie radzić z opornym żywicielem. A potem poprosiła o twoją sprawę, bo chciała zobaczyć, jak ty to robisz. Zazdrościła ci – czy to nie żałosne? Chciała być silna jak ty. Miałyśmy radochę, kiedy odkryłyśmy, że Melanie cię pokonała. No, ale chyba jednak było inaczej. Chyba to ty wygrałaś. Co ty tu właściwie robisz? Dlaczego pomagasz rebeliantom?

Wyjaśniłam niechętnie, że ja i Mel przyjaźnimy się. Nie była zachwycona.

– Dlaczego? – zapytała.

– Bo jest dobrą osobą.

– Ale dlaczego ona lubi ciebie?

Z tego samego powodu.

– Mówi, że z tego samego powodu.

Lacey prychnęła.

– Zrobiłaś jej pranie mózgu, co?

Ta jest jeszcze gorsza.

Rzeczywiście, przyznałam. *Teraz już rozumiem, dlaczego Łowczyni była taka niemożliwa. Wyobrażasz sobie słuchać tego jazgotu bez przerwy?*

Nie tylko do mnie Lacey miała uwagi.

– Nie macie żadnej lepszej kryjówki? Strasznie tu brudno. Może gdzieś w okolicy jest jakiś dom? Jak to trzeba dzielić pokój? Plan zajęć? Nie rozumiem. Mam pracować? Chyba się nie rozumiemy...

Następnego dnia Jeb oprowadził ją po jaskiniach, starając się wyjaśnić – przez zęby – jak wygląda nasze życie. Kiedy mijali mnie w kuchni – akurat jadłam lunch z Ianem i Jamiem – rzucił mi wymowne spojrzenie, jakby pytał z wyrzutem, dlaczego nie pozwoliłam Aaronowi jej zastrzelić.

Budziła większe zainteresowanie niż ja. Wszyscy chcieli zobaczyć cud na własne oczy. Większości nie przeszkadzało nawet, że jest... trudna w pożyciu. Była tu mile widziana. Więcej niż mile widziana. Znów czułam się trochę zazdrosna i rozgoryczona. Ale to nie miało sensu. Lacey była człowiekiem. Symbolem nadziei. Pasowała do tego miejsca. Miała tutaj przyszłość, czego nie można było powiedzieć o mnie.

Szczęściara z ciebie, szepnęła sarkastycznie Mel.

Rozmowy z Ianem i Jamiem o tym, co się stało, okazały się łatwiejsze i mniej bolesne, niż sobie wyobrażałam.

Obaj bowiem, choć każdy z innych powodów, niczego się nie domyślali. Nie rozumieli, że ten przełom oznacza, iż będę musiała odejść.

Z Jamiem sprawa była jasna. Jak nikt inny akceptował mnie i Mel jako coś nierozłącznego. Jego młody, otwarty umysł potrafił ogarnąć naszą dwoistość. Traktował nas jak dwie osoby. Mel była dla niego kimś prawdziwym, stale obecnym. Zupełnie jak dla mnie. Nie tęsknił za nią, ponieważ miał ją na co dzień. Nie widział potrzeby, żeby nas rozdzielać.

Natomiast nie bardzo wiedziałam, dlaczego Ian niczego się nie domyśla. Może za bardzo pochłaniały go inne potencjalne skutki tego odkrycia? Jego doniosłe znaczenie dla całej wspólnoty? Wszystkich bez wyjątku podniecała myśl, że odtąd bycie złapanym nie oznacza definitywnego końca. Istniała droga powrotu. To, że uratowałam Łowczynię, wydawało mu się czymś naturalnym, zgodnym z wyobrażeniem, jakie miał na mój temat. Może tylko tak to sobie wytłumaczył.

A może po prostu nie zdążył tego przemyśleć do końca, dostrzec jedynego możliwego finału, gdyż rozproszyło go co innego. Rozproszyło i rozwścieczyło.

– Powinienem go dawno zabić – utyskiwał, gdy szykowaliśmy rzeczy niezbędne do kolejnej wyprawy. Mojej ostatniej. Starałam się o tym nie myśleć. – Co ja mówię, matka powinna go utopić zaraz po urodzeniu.

– To twój brat.

– Nie wiem, czemu to w kółko powtarzasz. Chcesz mnie jeszcze bardziej zdołować?

Wszyscy byli wściekli na Kyle'a. Jared zaciskał gniewnie usta, a Jeb częściej niż zwykle gładził strzelbę.

Wcześniej zamierzał pojechać z nami na tę specjalną wyprawę, pierwszy raz odkąd zjawiłam się w jaskiniach. Nie mógł się doczekać. Szczególnie pragnął zobaczyć z bliska port wahadłowców. Wybryk Kyle'a naraził jednak nas wszystkich na niebezpieczeństwo i Jeb uznał, że musi na wszelki wypadek zostać. Całkiem popsuło mu to humor.

– Wcale mi się nie uśmiecha zostawać tu z tą zołzą – mamrotał do siebie, pocierając lufę strzelby. Wciąż nie przekonał się do nowego członka wspólnoty. – Omija mnie największa frajda. – Splunął na podłogę.

Wszyscy wiedzieliśmy, gdzie się podział Kyle. Kiedy tylko dowiedział się o magicznej przemianie Łowczyni, czyli robala, w Lacey, czyli człowieka, wykradł się z jaskiń tylnym wyjściem. Spodziewałam się, że będzie przewodził grupie domagającej się zabicia Łowczyni (nosiłam kapsułę wszędzie ze sobą, a w nocy miałam czujny sen i nie zdejmowałam z niej ręki); tymczasem przepadł bez śladu, a Jeb z łatwością stłumił protesty.

Jared był tym, który odkrył, że zniknął jeep. A Ian połączył oba zniknięcia ze sobą.

– Pojechał po Jodi – sarkał. – Co jeszcze?

Nadzieja i rozpacz. Ja dałam im to pierwsze, Kyle drugie. Czy wyda ich teraz, zanim zdążą z tej nadziei skorzystać?

Jared i Jeb chcieli odłożyć wyprawę do czasu, aż Kyle wróci – w najlepszym razie powinien wrócić po trzech dniach, o ile Jodi wciąż mieszkała w Oregonie. O ile był w stanie ją tam odnaleźć.

Istniało pewne miejsce – inne jaskinie, do których mogliśmy się ewakuować. Dużo mniejsze, bez wody, więc byłoby to rozwiązanie przejściowe. Debatowano, czy należy się tam przenieść już teraz, czy poczekać.

Zależało mi jednak na czasie. Widziałam, jak inni spoglądają na srebrną kapsułę w moich ramionach. Słyszałam ich szepty. Im dłużej trzymałam tu Łowczynię, tym większe było ryzyko, że ktoś ją w końcu zabije. Poznawszy Lacey, zaczęłam Łowczyni współczuć. Zasłużyła na spokojne, przyjemne życie wśród Kwiatów.

Paradoksalnie, to Ian wziął moją stronę i pomógł doprowadzić do wyprawy wcześniej. Nadal nie zdawał sobie sprawy, do czego to zmierza.

Byłam mu jednak wdzięczna, że pomógł mi przekonać Jareda, iż mamy dość czasu, by zrobić wypad i wrócić, nim zapadnie decyzja w sprawie Kyle'a. Byłam też wdzięczna, że wrócił do roli mojego ochroniarza. Wiedziałam, że mogę mu powierzyć bezpieczeństwo Łowczyni jak nikomu innemu. Tylko jemu pozwalałam trzymać kapsułę, gdy potrzebowałam rąk. Tylko on widział w tym niedużym zbiorniku życie, które należało chronić. Potrafił o nim myśleć jak o przyjacielu, o czymś, co można pokochać. Był moim najpewniejszym stronnikiem. Cieszyło mnie, że mogę na niego liczyć, i cieszyła mnie jego błoga nieświadomość, która ratowała go od bólu. Przynajmniej na razie.

Musieliśmy działać szybko, w razie gdyby Kyle wszystko zaprzepaścił. Pojechaliśmy znowu do Phoenix, na jedno z wielu przedmieść. Na południowym wschodzie, w miasteczku Mesa, znajdowało się duże lotnisko oraz kilka placówek medycznych. Właśnie tego szukałam; przed odejściem chciałam im dać jak najwięcej. Uznałam, że jeśli uprowadzimy Uzdrowiciela, być może żywiciel zachowa jego pamięć. Mieliby wówczas w jaskiniach kogoś, kto rozumie wszystkie lekarstwa oraz ich zastosowania. Kogoś, kto będzie wiedział, jak dostać się do niepilnowanych zapasów leków. Doktor byłby zachwycony. Wyobrażałam sobie te wszystkie pytania, które chciałby zadać takiej osobie.

Najpierw lotnisko.

Smuciło mnie, że Jeb nie mógł pojechać z nami, ale też wiedziałam, że będzie miał w przyszłości jeszcze wiele okazji. Było późno, lecz mimo to kolejne nowe małe wahadłowce podchodziły długim sznurem do lądowania, podczas gdy inne nieprzerwanie wzbijały się powietrze.

Za kierownicą furgonetki siedziałam ja, pozostali byli z tyłu – Ian, oczywiście, opiekował się kapsułą. Otoczyłam lotnisko, trzymając się z dala od tętniącego życiem terminalu. Wielkie, wymuskane białe statki międzyplanetarne same rzucały się w oczy. Nie odlatywały z taką częstotliwością jak mniejsze wahadłowce. Wszystkie, które widziałam, były zadokowane, żaden nie szykował się jeszcze do startu.

– Wszystko jest oznaczone – poinformowałam siedzących po ciemku pozostałych. – Jedna ważna sprawa. Unikajcie statków lecących do Nietoperzy, a już szczególnie do Wodorostów. Wodorosty są w sąsiedniej galaktyce, podróż w tę i z powrotem zajmuje tylko dziesięć lat. To zdecydowanie za mało. Najdalej są Kwiaty. Do Delfinów, Niedźwiedzi i Pająków też leci się przynajmniej sto lat w jedną stronę. Nie wysyłajcie kapsuł nigdzie indziej.

Jechałam powoli, blisko maszyn.

– To będzie proste. Mają tu mnóstwo różnych pojazdów dostawczych, więc nikt nie zwróci na nas uwagi. O! Tam jest ciężarówka z kapsułami –

taką samą rozładowywali za szpitalem, pamiętasz, Jared? Ktoś ich pilnuje... Przekłada je na wózek powietrzny. Będzie je załadowywał... – Zwolniłam jeszcze bardziej, żeby dobrze się przyjrzeć. – Tak, na ten statek. Przez otwarty luk. Zawrócę, poczekamy, aż wejdzie na pokład. – Pojechałam dalej, obserwując sytuację w lusterkach. Nad rękawem łączącym statek z terminalem spostrzegłam świecący napis. Uśmiechałam się, czytając go wspak. Wahadłowiec leciał na Planetę Kwiatów. Przeznaczenie?

Widząc, że mężczyzna znika w kadłubie statku, zaczęłam powoli zakręcać.

– Przygotujcie się – szepnęłam, wjeżdżając w cień rzucany przez ogromne, walcowate skrzydło sąsiedniego wahadłowca. Od ciężarówki z kapsułami dzieliło nas już tylko kilka metrów. Przy dziobie statku lecącego na Planetę Kwiatów pracowało kilku techników, widziałam też paru jeszcze dalej, na starym pasie startowym. Nie czułam się zagrożona, wiedziałam, że będę wyglądać jak jeden z wielu pracowników portu.

Wyłączyłam silnik i zeskoczyłam z fotela kierowcy – starałam się nie rzucać w oczy, udawać, że robię tylko, co do mnie należy. Poszłam na tyły furgonetki i uchyliłam drzwi. Kapsuła czekała na mnie na samym brzegu, lampka na pokrywie świeciła bladą czerwienią, co oznaczało, że w środku znajduje się dusza. Ostrożnie podniosłam kapsułę i zamknęłam drzwi.

Szłam w stronę otwartej ciężarówki niespiesznym, równym krokiem. Przyspieszył za to mój oddech. Czułam się mniej bezpieczna niż w szpitalu i trochę mnie to martwiło. Czy moi ludzie będą gotowi ryzykować w ten sposób życie?

Nie martw się. Sama będę to wszystko robić, tak jakbyś to była ty. To znaczy, jeżeli uda ci się postawić na swoim, co mało prawdopodobne.

Dzięki, Mel.

Musiałam się powstrzymywać, żeby nie spoglądać przez ramię na otwarty luk, w którym parę chwil temu zniknął mężczyzna. Postawiłam kapsułę delikatnie na pierwszej z brzegu kolumnie wewnątrz ciężarówki. Nikt nie miał prawa zwrócić na nią uwagi, podobnych były setki.

– Żegnaj – szepnęłam. – Obyś miała tym razem więcej szczęścia.

Wróciłam do furgonetki najwolniejszym krokiem, do jakiego potrafiłam się zmusić.

Kiedy ruszałam na wstecznym biegu spod wahadłowca, w samochodzie było cicho. Wracałam tą samą drogą, którą przyjechaliśmy. Serce waliło mi zbyt szybko. Spoglądałam bez przerwy w lusterka, ale luk statku był wciąż pusty. Dopóki miałam go w polu widzenia, nikt stamtąd nie wyszedł.

Ian wspiął się na miejsce pasażera.
– To było łatwe.
– Trafiliśmy idealnie z czasem. Następnym razem możecie dłużej czekać na okazję.
Ian złapał mnie za dłoń.
– Nie sądzę, przynosisz nam szczęście.
Nic nie odpowiedziałam.
– Czujesz się lepiej teraz, gdy jest już bezpieczna?
– Tak.
Zobaczyłam, jak gwałtownie obraca głowę – wyczuł w moim głosie kłamstwo. Nie spojrzałam mu jednak w oczy.
– A teraz złapmy paru Uzdrowicieli.
Przez całą krótką drogę do niewielkiego szpitala Ian był milczący i zamyślony.
Sądziłam, że drugie zadanie będzie trudniejsze i niebezpieczniejsze. Plan zakładał, że – o ile okoliczności będą temu sprzyjać – postaram się wywabić z budynku jednego lub dwóch Uzdrowicieli pod pretekstem udzielenia pomocy rannemu przyjacielowi, który został w aucie. Stara sztuczka, ale w sam raz na ufnych, niczego niepodejrzewających Uzdrowicieli.
Tymczasem okazało się, że nie muszę nawet wchodzić do środka. Kiedy wjechałam na parking, dwoje Uzdrowicieli w średnim wieku ubranych w fioletowe fartuchy akurat wsiadało do samochodu. Najwyraźniej udawali się do domu po skończonej zmianie. Ich auto było zaparkowane za rogiem od wejścia. Wkoło nie było nikogo innego.
Ian kiwnął sztywno głową.
Zatrzymałam furgonetkę tuż obok ich samochodu. Spojrzeli na mnie zaskoczeni.
Otworzyłam drzwi i zsunęłam się z fotela. Głos miałam bliski płaczu, a twarz wykrzywioną wyrzutami sumienia. Ułatwiło mi to zadanie.
– Przyjaciel leży w środku – nie wiem, co mu się stało.
Zareagowali tak, jak się spodziewałam, czyli natychmiastową troską. Pospieszyłam na tyły auta, żeby otworzyć im drzwi, a oni tuż za mną. Jared czekał już po drugiej stronie z chloroformem.
Odwróciłam wzrok.
Wszystko trwało zaledwie parę sekund. Jared wciągnął nieprzytomne ciała do samochodu, a Ian zatrzasnął drzwi. Zerknął jeszcze na moje spuchnięte od łez oczy, po czym usiadł na miejscu kierowcy.
Złapał mnie za dłoń.
– Przykro mi, Wando. Wiem, że to dla ciebie trudne.

– Tak. – Nie miał pojęcia jak bardzo ani z jak wielu powodów.

Ścisnął mi palce.

– Ale przynajmniej dobrze nam poszło. Jesteś prawdziwym amuletem.

Poszło za dobrze. Oba zadania wykonaliśmy zbyt gładko, zbyt szybko. Los mnie poganiał.

Ian wyjechał z powrotem na autostradę. Po paru minutach ujrzałam w oddali znajomy świetlisty szyld. Wzięłam głęboki oddech i otarłam oczy.

– Ian, mogę cię o coś prosić?

– O co tylko chcesz.

– Mam ochotę na fast food.

Zaśmiał się.

– Nie ma sprawy.

Zamieniliśmy się na parkingu miejscami, potem podjechałam do okienka, żeby złożyć zamówienie.

– Co chcesz? – zapytałam Iana.

– Nic. Wystarczy mi, że popatrzę, jak robisz coś tylko dla siebie. To chyba pierwszy raz.

Nie uśmiechnęłam się. W pewnym sensie był to dla mnie pożegnalny posiłek – ostatnie życzenie skazańca. Wiedziałam, że już więcej nie zobaczę cywilizacji.

– Jared, a ty?

– To samo co ty, dwa razy.

Zamówiłam więc trzy cheeseburgery, trzy paczki frytek i trzy shaki truskawkowe.

Kiedy już dostałam jedzenie, zamieniłam się znowu miejscami z Ianem; on prowadził, a ja mogłam jeść.

– Fu! – powiedział, widząc, że zanurzam frytkę w shake'u.

– Powinieneś spróbować. Pycha. – Poczęstowałam go frytką w grubej truskawkowej polewie.

Wzruszył ramionami i wziął ją ode mnie. Wrzucił do ust i zaczął żuć.

– Ciekawe.

Zaśmiałam się.

– Melanie też uważa, że to obrzydliwe. – Właśnie to było powodem, dla którego w ogóle wyrobiłam sobie kiedyś ten zwyczaj. Uśmiechałam się teraz na myśl, jak bardzo potrafiłam sobie wtedy sama uprzykrzać życie, byle tylko zrobić jej na złość.

Właściwie nie byłam głodna. Miałam jedynie ochotę jeszcze raz spróbować paru smaków, które szczególnie zapadły mi w pamięć. Kiedy byłam już pełna, Ian dokończył mojego cheeseburgera.

Dojechaliśmy do domu bez przeszkód. Nie natknęliśmy się na żadne oznaki wzmożonej aktywności Łowców. Być może uznali w końcu, że był to zbieg okoliczności. Może doszli do wniosku, że taki finał był wręcz nieunikniony – kto zapuszcza się samotnie na pustynię, ten sam się prosi o nieszczęście. Mieliśmy podobne powiedzenie na Planecie Mgieł: kto chadza sam po śnieżnych polach, tego w końcu pożre szponowiec. Tak to mniej więcej szło. Oczywiście w tamtym języku brzmiało dużo lepiej.

Zgotowano nam tłumne powitanie.

Uśmiechałam się niemrawo do przyjaciół: Trudy, Geoffreya, Heatha i Heidi. Powoli się wykruszali – nie było już Wesa ani Waltera. Nie wiedziałam, gdzie jest Lily. Smuciło mnie to. Pomyślałam, że może to i lepiej, iż opuszczam tę ponurą planetę, na której wszędzie czai się śmierć. Chyba wolę już nicość.

Może byłam małostkowa, ale zasmucił mnie również widok Luciny, Reida i Violetty stojących razem z Lacey. Rozmawiali o czymś żywo, zadając jakieś pytania. Lacey trzymała przy biodrze Freedoma. Nie wydawał się tym szczególnie zachwycony, ale podobało mu się, że bierze udział w rozmowie dorosłych, i pewnie dlatego się nie wiercił.

Nigdy nie pozwolono mi się do tego dziecka nawet zbliżyć, tymczasem Lacey już dopuścili do swego grona i obdarzyli zaufaniem.

Udaliśmy się prosto do południowego tunelu. Jared i Ian dźwigali nieprzytomnych Uzdrowicieli. Ian niósł cięższego, mężczyznę, i po czole spływał mu pot. Jeb odgonił pozostałych od wejścia do tunelu, po czym ruszył w ślad za nami.

Doktor czekał na nas w szpitalu. Pocierał bezwiednie dłonie, jak gdyby je mył.

Czas przyspieszał coraz bardziej. Zapalono jasną lampę gazową. Uzdrowicielom zaaplikowano Bezból i położono ich na łóżkach twarzą do dołu. Jared pokazał Ianowi, jak uruchomić kapsuły. Trzymali je gotowe do użycia. Ian krzywił się z zimna. Doktor stanął ze skalpelem w ręku nad kobietą. Wszystkie potrzebne lekarstwa czekały ułożone w szeregu.

– Wando?

Ścisnęło mi boleśnie serce.

– Przyrzekasz, Doktorze? Zgadzasz się na w s z y s t k i e moje warunki? Przysięgasz na własne życie?

– Tak. Wszystkie twoje warunki zostaną spełnione, Wando. Przyrzekam.

– Jared?

– Tak. Nie będzie żadnego zabijania.

– Ian?

– Będę ich bronił własnym życiem.

– Jeb?

– To mój dom. Każdy, kto nie zechce uszanować tej umowy, będzie musiał się stąd wynosić.

Przytaknęłam głową ze łzami w oczach.

– Dobrze więc. Zaczynajmy.

Doktor, znów podekscytowany, zaczął nacinać kark Uzdrowicielki, aż ukazał mu się srebrny połysk. Wówczas szybko odłożył skalpel.

– Co dalej?

Położyłam dłonie na jego dłoniach.

– Znajdź tylną krawędź. Czujesz? Wyczuj kształt segmentów. Maleją w stronę przedniej części. Na końcu powinieneś wyczuć trzy małe wypustki. Masz je?

– Tak – szepnął.

– Świetnie. To są przednie czułki. Zacznij od tego miejsca. Bardzo delikatnie przesuń palec pod ciałem. Znajdź rząd wici. Są twarde w dotyku, trochę jak druty.

Kiwnął głową.

Poprowadziłam go wzdłuż nich i zatrzymałam w jednej trzeciej. Na wszelki wypadek wytłumaczyłam mu też, jak je liczyć. Nie mieliśmy teraz na to czasu, rana krwawiła. Byłam przekonana, że Uzdrowicielka, gdyby się ocknęła, mogłaby nam coś w tej kwestii doradzić – na pewno istniał jakiś specjalny preparat powstrzymujący krwawienie. Pomogłam Doktorowi znaleźć największe połączenie.

– Teraz potrzyj lekko w stronę ciała. Możesz je delikatnie ugniatać.

– Rusza się – powiedział cienkim głosem, lekko przestraszony.

– To dobrze. To znaczy, że robisz to jak trzeba. Bądź cierpliwy. Poczekaj, aż cofnie wici i zacznie się wysuwać, wtedy weź ją do ręki.

– Dobrze – odparł drżącym głosem.

Wyciągnęłam dłoń w stronę Iana.

– Podaj mi rękę.

Poczułam, jak obejmuje mnie dłonią. Złożyłam mu palce w kształt miseczki i przyciągnęłam ją bliżej stołu operacyjnego.

– Połóż duszę Ianowi na dłoni – tylko delikatnie.

Ian byłby doskonałym pomocnikiem. Kto inny zajmie się tak czule moimi małymi krewnymi, kiedy mnie już nie będzie?

Doktor podał duszę Ianowi, po czym natychmiast zabrał się za leczenie rany po zabiegu.

Ian przyglądał się trzymanej w dłoni srebrzystej wstążce nie ze wstrętem, lecz z zachwytem w oczach. Patrzyłam na jego reakcję i czułam ciepło w piersi.

– Ładna – szepnął zaskoczony. Niezależnie od tego, co czuł do mnie, spodziewał się raczej pasożyta, stonogi, potwora. Sprzątanie okaleczonych ciał nie przygotowało go na tak piękny widok.

– Też tak uważam. Wsuń ją do kapsuły.

Ian potrzymał duszę w dłoni jeszcze przez sekundę, jakby chciał lepiej zapamiętać ten widok, to uczucie. Następnie z wielką ostrożnością pozwolił jej zsunąć się do zimnego zbiornika.

Jared pokazał mu, jak zamknąć pokrywę.

Odetchnęłam z ulgą.

Stało się. Nie mogłam już zmienić zdania. Wbrew moim przypuszczeniom nie było to wcale takie straszne uczucie. Miałam pewność, że tych czterech ludzi będzie o dusze dbać tak samo jak ja. Kiedy mnie już nie będzie.

– Uwaga! – krzyknął nagle Jeb, unosząc strzelbę i mierząc gdzieś za nas.

Obróciliśmy się gwałtownie w stronę zagrożenia. Jared upuścił pustą kapsułę na ziemię i rzucił się ku Uzdrowicielowi, który podniósł się na kolana i spoglądał na nas w osłupieniu. Ian zachował przytomność umysłu i trzymał swoją kapsułę przy ciele.

– Chloroform! – krzyknął Jared, przyciskając mężczyznę z powrotem do łóżka. Lecz było już za późno.

Uzdrowiciel patrzył na mnie wzrokiem zdumionego dziecka. Wiedziałam, dlaczego utkwił wzrok akurat we mnie – promienie lampy odbijały się nam obojgu od oczu, rzucając na ścianę diamentowe wzory.

– Dlaczego? – zapytał.

Potem z twarzy zniknął mu wszelki wyraz, a ciało opadło bezwładnie na łóżko. Z nozdrzy popłynęły dwie strużki krwi.

– Nie! – wykrzyknęłam, dopadając do jego łóżka, choć wiedziałam, że nic już nie mogę zrobić. – Nie!

Rozdział 54

Niepamięć

– Elizabeth? – zapytałam. – Anne? Karen? Jak masz na imię? Na pewno wiesz.

Ciało Uzdrowicielki nadal leżało bez czucia na łóżku. Minęło już dużo czasu. Jak dużo, nie byłam pewna. Długie godziny. Nie zmrużyłam jeszcze oka, choć słońce było już wysoko na niebie. Wcześniej Doktor wyszedł na zewnątrz i zdjął brezent, a wtedy promienie słoneczne zaczęły przezierać przez dziury w suficie i nagrzewać mi skórę. Przesunęłam bezimienną kobietę, by nie leżała twarzą w słońcu.

Dotknęłam teraz delikatnie jej cery i poklepałam ją leciutko po miękkich brązowych włosach, przepasanych tu i ówdzie białymi pasemkami.

– Julie? Brittany? Angela? Patricia? Ciepło czy zimno? Odezwij się. Proszę.

Wszyscy prócz Doktora, pochrapującego cicho na łóżku w najbardziej zacienionym kącie szpitala, dawno już poszli. Niektórzy po to, by pochować utracone ciało. Otrząsnęłam się na wspomnienie pytającej twarzy, z której po chwili prysnęło nagle całe życie.

„Dlaczego?" – zapytał.

Bardzo żałowałam, że nie dał mi szansy, że nie mogłam chociaż spróbować mu wszystkiego wyjaśnić. Bo, koniec końców, czy istniało coś ważniejszego niż miłość? Czy nie była to dla duszy rzecz absolutnie nadrzędna? I właśnie miłość byłaby moją odpowiedzią na jego pytanie.

Gdyby poczekał, może dostrzegłby prawdziwość mojego rozumowania. Gdyby zrozumiał, na pewno nie uśmierciłby żywiciela.

Taka prośba mogłaby mu się jednak wydać dziwna. To było jego ciało, a nie żaden osobny byt. Samobójstwo traktował jak samobójstwo i nic więcej, na pewno nie jak morderstwo. Wierzył, że kończy w ten sposób tylko jedno życie. I może miał słuszność.

Przynajmniej jego udało się uratować. Kapsuła, do której go włożyliśmy, stała obok kapsuły Uzdrowicielki, a lampka na pokrywie świeciła tą samą bladą czerwienią. Moi człowieczy przyjaciele ocalili mu życie. Trudno o bardziej dobitny dowód lojalności.

– Mary? Margaret? Susan? Jill?

Choć Doktor spał, a nikogo więcej nie było, wciąż wyczuwałam napięcie, które pozostawiła po sobie reszta.

Wisiało w powietrzu, ponieważ kobieta nie ocknęła się, mimo że chloroform przestał działać. Leżała nieruchomo. Nadal oddychała, serce biło, ale wysiłki Doktora na nic się nie zdały.

Czy to możliwe, że było już za późno? Że straciła świadomość? Że była tak samo nieżywa jak ciało mężczyzny?

Czy tak było ze wszystkimi? Czy uratowani mogli być tylko nieliczni, tacy jak Lacey i Melanie – krzykacze i buntownicy? Czy cała reszta odeszła na zawsze?

Czy Lacey była wyjątkowym przypadkiem? Czy Melanie odzyska świadomość tak samo jak ona... a może nawet tego nie można być pewnym?

Spokojnie. Jestem tu. Ale głos Melanie był niespokojny. Ona też się martwiła.

Tak, jesteś. I zostaniesz tu, obiecałam.

Westchnęłam i wróciłam do moich wysiłków. Czy beznadziejnych?

– Wiem, że masz imię – mówiłam. – Może Rebeka? Aleksandra? Oliwia? A może coś prostszego... Jane? Jean? Joan?

Przynajmniej pomogłam mieszkańcom jaskiń. Schwytanie nie musiało już dla nich oznaczać końca. Dobre i to, pomyślałam ponuro.

Byłam jednak rozczarowana.

– Ani trochę mi nie pomagasz – wymamrotałam. Wzięłam jej dłoń w ręce i delikatnie potarłam. – Byłabym ci wdzięczna, gdybyś chociaż spróbowała. Moi przyjaciele mają dość zmartwień. Czekają na jakąś dobrą wiadomość. A ponieważ Kyle ciągle nie wraca... W razie ewakuacji trzeba cię będzie dźwigać. Wiem, że chcesz nam pomóc. To twoja rodzina, wiesz przecież. To ludzie, tacy jak ty. Są bardzo sympatyczni. Przynajmniej większość. Polubisz ich.

Ale na delikatnej twarzyczce kobiety nie pojawiała się żadna oznaka przytomności. Była na swój sposób bardzo ładna – miała owalną twarz i bardzo symetryczne rysy. Czterdzieści pięć lat, może trochę mniej, a może ciut więcej. Trudno było powiedzieć, patrząc na zastygłe w bezruchu oblicze.

– Potrzebują cię – ciągnęłam błagalnym tonem. – Możesz im pomóc. Wiesz tyle rzeczy, o których ja nie mam pojęcia. Doktor tak bardzo się stara. Zasługuje na pomoc. To dobry człowiek. Byłaś Uzdrowicielką, ta troska o dobro innych musiała się na tobie odcisnąć. Polubisz Doktora.

– Masz na imię Sara? Emily? Kristin?

Pogłaskałam ją po policzku, ale bez skutku, więc ponownie wzięłam w ręce jej bezwładną dłoń. Spoglądałam przez otwory wysoko w suficie na błękitne niebo. Błądziłam myślami.

– Ciekawe, co zrobią, jeżeli Kyle nie wróci. Jak długo będą się ukrywać? Czy będą musieli znaleźć sobie nowe schronienie? Tylu ich jest... To może być trudne. Chciałabym móc im jakoś pomóc, ale nawet gdybym mogła zostać z nimi dłużej, i tak nie wiedziałabym, co zrobić.

– Może uda im się tu pozostać... jakimś trafem. Może Kyle jednak wszystkiego nie zepsuje. – Zaśmiałam się ponuro na myśl, jakie są na to szanse. Kyle nie słynął z rozwagi. Dopóki jednak sytuacja pozostawała niejasna, byłam potrzebna. Mogli potrzebować moich srebrnych oczu, w razie gdyby na pustyni zjawili się Łowcy. Mogło to trochę potrwać i ta świadomość ogrzewała mnie bardziej niż promienie słońca. Byłam Kyle'owi wdzięczna za jego egoizm i popędliwość. Ile jeszcze minie czasu, zanim poczujemy się znowu bezpieczni?

– Ciekawe, jak tu jest zimą. Już prawie zapomniałam, jak to jest marznąć. A kiedy spada deszcz? Musi tu przecież czasem padać, prawda? Pewnie przez te wszystkie dziury w suficie wlewa się mnóstwo wody. Ciekawe, gdzie wtedy wszyscy śpią. – Westchnęłam. – Może się dowiem. Ale raczej nie powinnam się nastawiać. Nie jesteś ciekawa? Gdybyś się obudziła, mogłabyś się wszystkiego dowiedzieć. Ja tam jestem ciekawa. Może zapytam Iana. Próbuję sobie wyobrazić, jak to miejsce się zmienia... Lato nie może przecież trwać wiecznie.

Palce kobiety drgnęły mi w dłoni.

Zaskoczyła mnie – myślami byłam daleko stąd, zaczynałam znowu pogrążać się w melancholii, która ostatnimi czasy wszędzie mi towarzyszyła.

Spuściłam na nią wzrok i nie zauważyłam żadnej zmiany – dłoń była wciąż bezwładna, twarz pozbawiona wyrazu. Może to sobie uroiłam?

– Powiedziałam coś ciekawego? O czym to ja mówiłam? – Zaczęłam się zastanawiać, nie odrywając wzroku od jej twarzy. – O deszczu? O zmianach? Przed tobą wiele zmian, co? No, ale najpierw musisz się obudzić.

Jej dłoń leżała nieruchomo, twarz ani drgnęła.

– A więc nie obchodzą cię zmiany. Nie żebym miała ci to za złe. Ja też nie chcę zmiany. Jesteś taka jak ja? Chciałabyś, żeby lato trwało wiecznie?

Gdybym nie przyglądała się bacznie jej twarzy, pewnie nie dostrzegłabym nikłego drgnienia powiek.

– Lubisz lato? – zapytałam z nadzieją w głosie.

Ruszyła nieznacznie ustami.

– Lato?

Drgnęła jej ręka.

– Tak masz na imię! Summer? Summer? Ładnie.

Dłoń zacisnęła jej się w pięść, usta rozchyliły.

– Wróć do nas, Summer. Wiem, że potrafisz. Summer? Słuchaj mnie, Summer. Otwórz oczy, Summer.

Zamrugała gwałtownie.

– Doktorze! – zawołałam przez ramię. – Wstawaj!

– Hm?

– Chyba dochodzi do siebie! – Zwróciłam się z powrotem ku niej. – Tak trzymaj, Summer. Potrafisz. Wiem, że nie jest łatwo. Summer, Summer, Summer. Otwórz oczy.

Na jej twarzy pojawił się grymas – czyżby ją coś bolało?

– Doktorze, Bezból. Szybko.

Kobieta ścisnęła mi dłoń i otworzyła oczy. W pierwszej chwili nie skupiły się na niczym, tylko błądziły po jasnej grocie. Domyślałam się, jakim zaskoczeniem musi dla niej być ten dziwny widok.

– Nic ci nie będzie, Summer. Wszystko będzie dobrze. Słyszysz mnie, Summer?

Przeniosła wzrok z powrotem na mnie, patrzyłam, jak zwężają jej się źrenice. Przyglądała mi się przez chwilę, powoli chłonąc obraz mojej twarzy. Potem wzdrygnęła się gwałtownie i obróciła, chcąc uciekać. Z jej ust wydobył się niski, zachrypły okrzyk trwogi.

– Nie, nie, nie! – krzyczała. – Tylko nie znowu.

– Doktorze!

Stał już po drugiej stronie łóżka, tak jak wcześniej w trakcie operacji.

– Proszę się nie bać – uspokajał. – Nikt pani tutaj nie skrzywdzi.

Kobieta zacisnęła mocno powieki i przylgnęła panicznie do cienkiego materaca.

– Chyba na imię jej Summer.

Posłała mi nerwowe spojrzenie i skrzywiła twarz.

– Wando, oczy – szepnął Doktor.

Mrugnęłam i uprzytomniłam sobie, że promienie słońca padają mi na twarz.

– Ach. – Puściłam dłoń kobiety.

– Proszę, nie – błagała. – Tylko nie to.

– Cii – szepnął Doktor. – Summer? Mówią mi Doktor. Nikt nie zrobi pani krzywdy. Jest pani bezpieczna.

Odsunęłam się trochę od łóżka i schowałam twarz w cieniu.

– Ja się tak nie nazywam! – załkała kobieta. – To jej imię! Jej! Nie mówcie tak do mnie!

Odgadłam nie to imię, co trzeba.

Ogarnęły mnie wyrzuty sumienia, ale Mel natychmiast zaprotestowała. *To nie twoja wina. Summer to też ludzkie imię.*

– Oczywiście – obiecał Doktor. – Jak ma pani na imię?

– Ja... ja... nie wiem! – płakała. – Co się stało? Kim byłam? Nie chcę być znowu kimś innym.

Rzucała się na łóżku i wierciła.

– Proszę się uspokoić, wszystko będzie dobrze, obiecuję. Będzie pani znowu sobą i na pewno przypomni sobie pani swoje imię. Pamięć wróci.

– Kim pan jest? – zapytała. – Kim ona jest? Jest taka... jaka ja byłam. Widziałam jej oczy!

– Mówią mi Doktor. Jestem człowiekiem, takim samym jak pani. Widzi pani? – Przysunął twarz do światła i zamrugał. – Jestem sobą i pani też jest sobą. Mieszka tu mnóstwo ludzi. Ucieszą się, gdy panią zobaczą.

Znowu drgnęła.

– Ludzie! Boję się ludzi!

– Wcale nie. To ta... osoba, którą pani nosiła w ciele, bała się ludzi. Była duszą, pamięta pani? A pani przedtem była człowiekiem i teraz znowu nim jest. Pamięta pani?

– Nie pamiętam swojego imienia – odparła histerycznym głosem.

– Wiem. Przypomni pani sobie.

– Jest pan lekarzem?

– Tak.

– Ja... to znaczy ona też była lekarzem. Kimś podobnym... Uzdrowicielem. Nazywała się Śpiewne Lato. A ja?

– Dowiemy się. Daję pani słowo.

Zaczęłam powoli przesuwać się w stronę wyjścia. Przydałaby się tu Trudy albo Heidi. Ktoś, kto by ją uspokoił.

Kobieta zauważyła mój ruch.

– To nie jest człowiek! – szepnęła nerwowym głosem w stronę Doktora.

– Jest naszym przyjacielem, proszę się nie bać. Pomagała mi panią ocucić.

– Gdzie jest Śpiewne Lato? Bała się. Widziała ludzi...

Wykorzystałam chwilę nieuwagi i wyśliznęłam się z pomieszczenia.

Słyszałam jeszcze, jak Doktor jej odpowiada.

– Leci na inną planetę. Pamięta pani, gdzie była, zanim przyleciała na Ziemię?

Domyślałam się po imieniu.

– Była... Nietoperzem? Umiała latać... I śpiewać... Pamiętam... Ale to... nie było tutaj. Gdzie jestem?

Ruszyłam pędem w głąb tunelu, żeby sprowadzić kogoś do pomocy. Zdziwiłam się, widząc światło w jaskini z ogrodem – spodziewałam się najpierw usłyszeć, tak jak zwykle, dochodzące stamtąd odgłosy. Był środek dnia. Ktoś powinien tam być, przynajmniej tamtędy przechodzić.

Wyszłam z tunelu na jasną, otwartą przestrzeń. Była opustoszała.

Świeże wici kantalupy nabrały ciemnozielonego koloru, ciemniejszego od suchej ziemi, z której wyrosły. Gleba była zbyt wyschnięta – obok stała beczka wody, a wzdłuż bruzd ciągnęły się gumowe węże. Nie było jednak nikogo, kto obsługiwałby ową prymitywną maszynę. Stała opuszczona na brzegu pola.

Zastygłam w bezruchu, wytężając słuch. W ogromnej jaskini panowała jednak złowróżbna cisza. Gdzie się wszyscy podziali?

Ewakuowali się beze mnie? Poczułam ukłucie strachu i zawodu. Ale przecież nie opuściliby jaskiń bez Doktora. Nigdy w życiu. Miałam ochotę pobiec z powrotem do szpitala i upewnić się, że Doktor nie zniknął.

Nie bądź śmieszna, bez nas też nigdzie by nie poszli. Chyba nie myślisz, że Jared, Jamie i Ian by nas zostawili.

Racja. Masz rację. To może... sprawdźmy w kuchni?

Biegłam opustoszałym korytarzem, coraz bardziej zaniepokojona przedłużającą się ciszą. Może to tylko moja wyobraźnia i hucząca w uszach krew. Przecież musiało być coś słychać. Gdybym zwolniła i uspokoiła oddech, na pewno usłyszałabym głosy.

Kiedy jednak dobiegłam do kuchni, okazała się pusta. Znalazłam tylko niedojedzone posiłki. Masło orzechowe na ostatnich kromkach miękkiego pieczywa. Jabłka, letnie puszki z napojami.

Mój żołądek upomniał się o jedzenie – cały dzień nic nie jadłam – ale ledwie to odnotowałam. O wiele silniejszy był strach.

Co, jeśli... jeśli nie zdążyłyśmy się ewakuować na czas?

Nie! – odparła Mel. *Niemożliwe, coś byśmy usłyszały. Ktoś by... albo byłoby... Ciągle by tu byli i nas szukali. Nie odpuściliby, nie przeszukawszy wszystkich jaskiń. To odpada.*

No, chyba że właśnie nas szukają.

Obróciłam się na pięcie i wpatrzyłam w ciemne wyjście.

Musiałam ostrzec Doktora. Jeżeli zostaliśmy sami we dwójkę, trzeba się było stąd niezwłocznie wynosić.

Nie! Nie mogli nas zostawić! Jamie, Jared... Widziałam wyraźnie ich twarze, jakbym miała je wyryte na wewnętrznej stronie powiek.

I jeszcze twarz Iana – dodałam ją od siebie. Jeb, Trudy, Lily, Heath, Geoffrey. *Uwolnimy ich, obiecałam sobie. Znajdziemy wszystkich po kolei i odzyskamy! Nie pozwolę im ukraść mi rodziny!*

Gdybym miała jeszcze jakieś wątpliwości, po czyjej stronie stoję, prysnęłyby teraz w mgnieniu oka. Nigdy w żadnym życiu nie byłam w tak bojowym nastroju. Zęby zacisnęły mi się ze szczękiem.

I wtedy z drugiego końca tunelu dobiegł mnie upragniony odgłos rozmów. Wstrzymałam oddech i schowałam się w cieniu pod ścianą, nasłuchując.

Duża jaskinia. Echo niesie się tunelem.

Brzmi jak duża grupa.

Tak. Ale twoich czy moich?

Naszych czy tamtych, poprawiła mnie.

Zaczęłam się skradać wzdłuż ściany, trzymając się najgłębszego cienia. Słyszałyśmy teraz głosy wyraźniej, a niektóre brzmiały znajomo. Czy jednak należało się tym sugerować? Ile czasu zajęłoby przeszkolonemu Łowcy wszczepienie nowej duszy?

Kiedy jednak zbliżyłam się do jaskini z ogrodem, głosy stały się jeszcze wyraźniejsze i mogłam wreszcie odetchnąć z ulgą; grotę wypełniał taki sam wściekły gwar jak pierwszego dnia.

To mogły być tylko ludzkie głosy.

Widocznie Kyle wrócił.

Kiedy biegłam w stronę jasności, ulga mieszała się we mnie z bólem. Czułam ulgę, gdyż moi przyjaciele byli bezpieczni. Ale też ból, bo skoro Kyle wrócił szczęśliwie do domu, to...

Ciągle jesteś potrzebna, Wando. Dużo bardziej niż ja.

Nie wątpię, że potrafiłabyś w nieskończoność wynajdywać różne preteksty. Zawsze będzie jakiś powód.

Więc zostań.

A ty nadal będziesz moim więźniem?

Przerwałyśmy kłótnię, żeby zorientować się w sytuacji.

Kyle rzeczywiście wrócił – rzucał się w oczy najbardziej z całego zbiorowiska, gdyż górował nad resztą wzrostem i jako jedyny był zwrócony w moją stronę. Stał pod przeciwległą ścianą, osaczony przez tłum. Był niewątpliwie przyczyną hałasu, ale nie jego źródłem. Minę miał potulną, pojednawczą; ramiona rozpostarte i lekko cofnięte, jakby próbował chronić kogoś za plecami.

– Tylko spokojnie, dobra? – Jego głęboki głos przebijał się przez kakofonię krzyków. – Odsuń się, Jared, nie widzisz, że się boi?

Za jego łokciem mignęły mi czarne włosy – jakaś obca twarz spoglądała wystraszonymi oczami w stronę tłumu.

Najbliżej Kyle'a stał Jared. Spostrzegłam, że kark mocno mu się czerwieni. Jamie trzymał się kurczowo jego ramienia i odciągał go do tyłu. Ian stał po drugiej stronie z rękoma skrzyżowanymi przed sobą. Widziałam, jak napina mięśnie ramion. Za nimi w gniewnym tłumie kłębiła się cała reszta, z wyjątkiem Doktora i Jeba, zadając głośno pytania.

– Co ty sobie myślałeś?

– Jak śmiesz!

– Czego tu jeszcze szukasz?

Jeb stał w kącie i tylko się wszystkiemu przyglądał.

Mój wzrok przykuła jaskrawa fryzura Sharon. Zdziwiłam się, widząc ją oraz Maggie w samym środku tłumu. Odkąd z pomocą Doktora uzdrowiłam Jamiego, obie trzymały się na uboczu, nigdy w sercu zdarzeń.

Ciągnie je do konfliktu, domyślała się Mel. *Nie trawią spokoju i szczęścia. Co innego strach i gniew – w to im graj.*

Miała chyba rację. Jakie to... przykre.

Usłyszałam w gąszczu wściekłych pytań czyjś przenikliwy głos i uświadomiłam sobie nagle, że Lacey też tam jest.

– Wanda? – Głos Kyle'a znowu wzniósł się ponad harmider. Podniosłam wzrok i zobaczyłam, że utkwił we mnie błękitne oczy. – No, nareszcie jesteś! Możesz tu podejść i mi pomóc?

Rozdział 55

Więź

Jeb utorował mi przejście, rozpychając tłum strzelbą niczym pasterz rozganiający owce drewnianą laską.

– Dosyć tego – warczał na wszystkich, którym się to nie podobało. – Jeszcze będziecie mieli czas, żeby mu nawymyślać. Jak my wszyscy. Ale najpierw wyjaśnijmy parę rzeczy, he? Przepuśćcie mnie.

Kątem oka zobaczyłam, jak Sharon i Maggie przesuwają się na tyły zbiegowiska, najwyraźniej niezadowolone z faktu, że rozsądek wziął górę nad emocjami. Przede wszystkim jednak z tego, że się pojawiłam. Obie nadal spozierały z zaciśniętymi zębami na Kyle'a.

Jared i Ian byli ostatnimi dwiema osobami, które Jeb odsunął na bok. Przechodząc, musnęłam obu, by choć trochę ich uspokoić.

– Dobra, Kyle – powiedział Jeb, plasnąwszy lufą o dłoń. – Nie próbuj się nawet tłumaczyć, szkoda na to twojego gardła. Nie wiem tylko, czy kazać ci się wynosić, czy może od razu cię zastrzelić.

Opalona, lecz pobladła twarzyczka znowu wyjrzała Kyle'owi zza łokcia, śmigając długimi, kręconymi czarnymi włosami. Usta miała szeroko otwarte z przerażenia, a ciemne oczy biegały jej we wszystkie strony. Miałam wrażenie, że ujrzałam w nich słaby połysk, mgnienie srebra wśród czerni.

– Ale najpierw przestańcie ujadać. – Jeb obrócił się, trzymając broń nisko w poprzek ciała. Wyglądało to tak, jakby zamienił się nagle w obrońcę Kyle'a oraz schowanej za nim istoty. Popatrzył chmurnie na tłum. – Kyle przyprowadził gościa, a wy zachowujecie się jak zwierzęta. Ludzie, gdzie wasze dobre maniery? Nie widzicie, jak się was boi? Wynocha wszyscy do roboty, ale prędko. Kantalupy mi usychają. Niech ktoś się tym zajmie. Zrozumiano?

Stał w miejscu, dopóki poirytowany tłum powoli się nie rozszedł. Teraz, kiedy już widziałam ich twarze, mogłam stwierdzić, że im przeszło – w każdym razie większości. W końcu przez ostatnie kilka dni spodziewali się najgorszego. Ich twarze zdawały się w tej chwili mówić: może i Kyle jest idiotą myślącym tylko o sobie, ale ważne, że wrócił i nie ściągnął na nas żadnego nieszczęścia. Nie trzeba się już ewakuować ani obawiać Łowców. W każdym razie nie bardziej niż zwykle. Wprawdzie przyprowadził jeszcze jednego robala, ale przecież i tak ostatnio pełno ich tutaj.

Po prostu już ich to nie szokowało tak jak kiedyś.

Część osób wróciła do kuchni dokończyć lunch, inni zabrali się z powrotem do nawadniania pola, jeszcze inni udali się do pokojów. Wkrótce zostali przy mnie już tylko Jared, Ian i Jamie. Jeb spojrzał na nich krzywo i otworzył usta, ale zanim zdążył cokolwiek rzec, Ian wziął mnie za rękę, a wtedy Jamie chwycił mnie za drugą. Po chwili poczułam trzeci uścisk na nadgarstku, tuż nad dłonią Jamiego. Był to Jared.

Widząc, jak cała trójka przykuła się do mnie, żeby uniknąć oddelegowania, Jeb wywrócił oczami i odszedł.

– Dzięki, Jeb! – zawołał za nim Kyle.

– Zamknij się, Kyle. Nie myśl, że żartowałem, jak mówiłem, że chcę cię zastrzelić, ty nędzna kanalio.

Za plecami Kyle'a rozległ się cichutki jęk.

– Dobrze, Jeb. Ale możesz poczekać z grożeniem mi śmiercią, aż będziemy sami? Widzisz, jak się boi. Pamiętasz, jak Wanda reagowała na takie sceny.

Kyle uśmiechnął się do mnie – poczułam, jak na mojej twarzy wykwita zdumienie – po czym obrócił się do stojącej za nim dziewczyny z najłagodniejszą miną, jaką kiedykolwiek u niego widziałam.

– Widzisz, Sunny? To jest ta Wanda, o której ci opowiadałem. Pomoże nam – nie pozwoli nikomu cię skrzywdzić, tak samo jak ja.

Dziewczyna – a może kobieta? Była malutka, ale delikatne krągłości figury kazały podejrzewać, że jest dojrzalsza, niż wskazywałby na to jej wzrost – spojrzała na mnie oczami wielkimi ze strachu. Kyle objął ją w talii i przyciągnął do boku. Przylgnęła do niego jak do podpory, trzymała się go jak bezpiecznej kotwicy.

– Kyle ma rację. – Nie sądziłam, że kiedyś to powiem. – Nie pozwolę nikomu cię skrzywdzić. Masz na imię Sunny? – zapytałam delikatnym głosem.

Kobieta podniosła wzrok na Kyle'a.

– Spokojnie. Nie musisz się bać Wandy. Jest taka jak ty – powiedział, po czym zwrócił się do mnie. – Jej prawdziwe imię jest dłuższe – coś z lodem.

– Promienie Słońca na Lodzie.

Widziałam w oczach Jeba błysk nieposkromionej ciekawości.

– Ale nie ma nic przeciw temu, żeby nazywać ją Sunny. Sama mi powiedziała – zapewnił mnie Kyle.

Sunny przytaknęła głową. Przeniosła wzrok z mojej twarzy na Kyle'a i od razu z powrotem. Jared, Jamie i Ian stali w milczeniu i zupełnym bezruchu. Widać było, że to wąskie, ciche grono podziałało na nią uspokajająco. Musiała wyczuć zmianę atmosfery. Wszelka wrogość zniknęła bez śladu.

– Też byłam kiedyś Niedźwiedziem, Sunny – powiedziałam, próbując sprawić, by poczuła się jeszcze lepiej. – Nazywali mnie tam Mieszkanką Gwiazd. A tutaj Wagabundą.

– Mieszkanka Gwiazd – szepnęła, otwierając jeszcze szerzej oczy, choć wydawało się to niemożliwe. – Ujeżdżaczka Bestii.

Stłumiłam w sobie jęk.

– Pewnie mieszkałaś w drugim kryształowym mieście.

– Tak. Słyszałam tę historię tyle razy...

– Podobało ci się bycie Niedźwiedziem, Sunny? – zapytałam szybko. Zdecydowanie nie chciałam teraz wracać do tamtej opowieści. – Było ci tam dobrze?

Zmarszczyła twarz. Wlepiła wzrok w Kyle'a, a w oczach stanęły jej łzy.

– Przepraszam – powiedziałam natychmiast i również spojrzałam na Kyle'a, pytająco.

Poklepał ją po ramieniu.

– Nie bój się. Jesteś bezpieczna. Obiecałem.

Ledwie usłyszałam jej szeptaną odpowiedź.

– Ale mnie się tu podoba. Chcę tu zostać.

Poczułam ucisk w gardle.

– Wiem, Sunny. Wiem. – Kyle położył jej dłoń z tyłu głowy i przytulił jej policzek do piersi. Zrobił to tak czule, że poczułam pieczenie w oczach.

Jeb odchrząknął, na co Sunny drgnęła przestraszona. Łatwo było sobie wyobrazić, w jakim stanie są jej nerwy. Dusze nie były przystosowane do radzenia sobie z groźbami i przemocą.

Przypomniało mi się, jak kiedyś Jared mnie przesłuchiwał – pytał, czy jestem jak inne dusze. Nie byłam, podobnie zresztą jak druga dusza, z którą mieli do czynienia, czyli Łowczyni. Tymczasem Sunny zdawała się ucieleśnieniem istoty mojego wrażliwego gatunku. Naszą główną siłą była liczebność.

– Przepraszam, Sunny – powiedział Jeb. – Nie chciałem ci napędzić strachu. Ale może powinniśmy się przenieść gdzie indziej. – Omiótł wzrokiem jaskinię, włącznie z paroma osobami, które stały u wejść do tuneli i gapiły się w naszą stronę. Popatrzył srogo na Reida i Lucinę, aż zniknęli w korytarzu wiodącym do kuchni. – Chyba czas zobaczyć, co tam u Doktora – dodał Jeb z westchnieniem, spoglądając smutno na zlęknioną kobietę. Domyślałam się, że wolałby posłuchać nowych opowieści.

– Racja – odparł Kyle, po czym ruszył w stronę południowego tunelu, ciągnąc ze sobą drobną Sunny, którą wciąż trzymał w talii.

Szłam tuż za nimi, holując trzymającą się mnie trójkę.

Jeb zatrzymał się, a my wraz z nim. Trącił Jamiego w biodro kolbą strzelby.

– A ty nie masz czasem lekcji?

– Oj, wujku, proszę. Proszę. Nie chcę przegapić...

– Zabieraj tyłek do szkoły.

Jamie spojrzał na mnie zranionym wzrokiem, ale Jeb miał absolutną rację. Nie było to nic, co chłopiec powinien oglądać. Potrząsnęłam głową.

– Możesz po drodze zawołać Trudy? – poprosiłam. – Jest potrzebna Doktorowi.

Jamie przygarbił się i puścił moją dłoń, a wtedy na jego miejsce zsunęła się dłoń Jareda.

– Zawsze mnie wszystko omija – jęknął Jamie na odchodnym.

– Dzięki, Jeb – szepnęłam, gdy Jamie nie mógł mnie już usłyszeć.

– Mhm.

Długi tunel wydawał się ciemniejszy niż zwykle, czułam bowiem promieniujący od Sunny strach.

– Nie bój się – uspokajał ją cicho Kyle. – Nic ci tu nie grozi, jestem z tobą.

Zastanawiałam się, kim jest ten dziwny mężczyzna, który wrócił zamiast Kyle'a. Czy sprawdzili mu oczy? Nie mogłam uwierzyć, że nosi w tym wielkim, wściekłym ciele tyle czułości.

Musiał to być skutek tego, że odzyskał Jodi, że spełniało się jego pragnienie. Dziwiło mnie, że potrafi okazać tej duszy tyle serdeczności, nawet gdy brałam poprawkę na to, że jest to ciało jego Jodi. Nie sądziłam, że stać go na taką empatię.

– Jak Uzdrowicielka? – zapytał mnie Jared.

– Obudziła się tuż przed tym, jak poszłam was szukać.

Usłyszałam w ciemnościach więcej niż jeden odgłos ulgi.

– Ale ma zamęt w głowie i bardzo się boi – ostrzegłam. – Nie pamięta swojego imienia. Doktor stara się jej pomóc. Kiedy zobaczy was wszystkich, przestraszy się jeszcze bardziej. Postarajcie się być cicho i nie wykonywać gwałtownych ruchów, dobrze?

– Tak, tak – odszepnęły mi ich głosy.

– Aha, Jeb, czy mógłbyś schować broń? Ciągle trochę się boi ludzi.

– Uhm... dobra.

– Boi się ludzi? – zamamrotał Kyle.

– To my jesteśmy ci źli – przypomniał mu Ian, ściskając mi dłoń. W odpowiedzi uczyniłam to samo, wdzięczna za ciepły dotyk jego palców.

Jak długo jeszcze będę mogła się cieszyć uściskiem ciepłej dłoni? Kiedy ostatni raz przejdę tym tunelem? Czy to już teraz?

Nie. Jeszcze nie, szepnęła Mel.

Zaczęłam nagle drżeć. Zarówno Ian, jak i Jared ścisnęli mnie mocniej za rękę.

Przez parę chwili szliśmy w milczeniu.

– Kyle? – zabrzmiał nieśmiały głos Sunny.

– Tak?

– Nie chcę wracać do Niedźwiedzi.

– Nie musisz. Możesz polecieć gdzie indziej.

– Ale nie mogę zostać tutaj?

– Nie, Sunny. Przykro mi.

Oddech jej zadrżał. Było ciemno, dzięki czemu nikt nie widział łez spływających po mojej twarzy. Nie miałam wolnej ręki, żeby je otrzeć, dlatego kapały mi na koszulę.

Wreszcie dotarliśmy do końca tunelu. Światło dnia wylewało się strugami z wnętrza szpitala i odbijało od tańczących w powietrzu drobinek pyłu. Dobiegł mnie cichy głos Doktora.

– Znakomicie – mówił. – Proszę się dalej koncentrować na szczegółach. Pamięta pani już stary adres – imię nie może być daleko, prawda? Boli w tym miejscu?

– Ostrożnie – szepnęłam.

Kyle przystanął u progu, wciąż trzymając Sunny u boku, i pokazał mi ręką, bym szła przodem.

Wzięłam głęboki oddech i weszłam wolnym krokiem do środka.

– Wróciłam.

Żywiciel Uzdrowicielki drgnął i wydał cichy pisk.

– To tylko ja – uspokoiłam ją.

– To Wanda – przypomniał jej Doktor.

Kobieta siedziała na łóżku. Doktor siedział obok z dłonią na jej przedramieniu.

– To ta dusza – szepnęła nerwowo do Doktora.

– Tak, ale jest naszym przyjacielem.

Kobieta zmierzyła mnie podejrzliwym spojrzeniem.

– Doktorze, masz paru gości. Mogą wejść?

Doktor spojrzał na kobietę.

– To sami przyjaciele. Ludzie, z którymi mieszkam. Żadnemu z nich nawet nie przyszłoby przez myśl, żeby panią skrzywdzić. Mogę ich poprosić?

Zawahała się, po czym przytaknęła ostrożnie głową.

– Dobrze – szepnęła.

– To jest Ian – powiedziałam, pokazując mu, żeby wszedł. – A to Jared, a to Jeb. – Wchodzili jeden po drugim i stawali obok mnie. – A to jest Kyle i... Sunny.

Doktor wytrzeszczył oczy.

– Czy to już wszyscy? – zapytała szeptem kobieta.

Doktor odchrząknął, próbując otrząsnąć się z szoku.

– Nie. Mieszka tu jeszcze wiele innych osób. Wszystkie... no, prawie wszystkie, są ludźmi – dodał, spoglądając na Sunny.

– Trudy przyjdzie – powiedziałam Doktorowi. – Może... – Zerknęłam w stronę Sunny i Kyle'a. – Może znajdzie pokój dla... tej pani.

Doktor przytaknął głową, wciąż nie mogąc wyjść ze zdumienia.

– To chyba dobry pomysł.

– Kim jest Trudy? – szepnęła kobieta.

– To bardzo miła osoba. Zaopiekuje się panią.

– Jest człowiekiem czy jest taka tak ta. – Kiwnęła głową w moim kierunku.

– Jest człowiekiem.

To ją najwyraźniej uspokoiło.

– Ach – westchnęła Sunny za moimi plecami.

Obróciłam się i zobaczyłam, że spogląda na kapsuły z duszami Uzdrowicieli. Stały na środku biurka, lampki na pokrywach świeciły na czerwono. Na podłodze przed biurkiem leżało rozrzuconych pozostałych siedem.

Sunny znów miała łzy w oczach. Przycisnęła twarz do piersi Kyle'a.

– Nie chcę lecieć gdzie indziej! Chcę z tobą zostać! – mówiła płaczliwie do potężnego mężczyzny, któremu zdawała się bezgranicznie ufać.

– Wiem, Sunny. Przykro mi.

Zaczęła szlochać.

Zamrugałam, próbując powstrzymać własne łzy. Pokonałam niewielką odległość, jaka nas dzieliła, i pogłaskałam ją po sprężystych czarnych włosach.

– Muszę z nią chwilę porozmawiać, Kyle – wymamrotałam.

Skinął twierdząco głową i odsunął dziewczynę od swego boku. Na jego twarzy widniało zakłopotanie.

– Nie, nie – błagała.

– Nie bój się – powiedziałam. – Kyle nigdzie sobie nie pójdzie. Chcę ci tylko zadać parę pytań.

Kyle obrócił jej twarz ku mnie, a wtedy objęła mnie rękoma. Zabrałam ją w odległy kąt, najdalej jak mogłam od bezimiennej kobiety. Nie chciałam jeszcze bardziej namieszać jej w głowie ani przestraszyć. Kyle szedł za nami, nie odstępując nas na krok. Usiedliśmy na podłodze, twarzami do ściany.

– Rany – mruknął Kyle. – Nie sądziłem, że to będzie takie trudne.

– Jak ją znalazłeś? I złapałeś? – zapytałam. Rozszlochana dziewczyna wcale nie reagowała, przez cały czas tylko płakała mi w ramię. – Co się z nią stało?

– Podejrzewałem, że może być w Las Vegas i zamiast do Portland, pojechałem najpierw tam. Jodi była blisko z matką, a matka mieszkała w Vegas. Widziałem, jak bardzo jesteś przywiązana do Jareda i młodego, więc pomyślałem, że może tam wróciła, mimo że nie była już sobą. No i miałem rację. Znalazłem ich wszystkich w tym samym domu: Doris, jej męża Warrena – mają teraz inne imiona, ale nie słyszałem ich wyraźnie – no i Sunny. Obserwowałem ich cały dzień, aż do zmroku. Sunny była sama w starym pokoju Jodi. Zakradłem się do środka kilka godzin po tym, jak położyli się spać. Złapałem Sunny, przerzuciłem przez ramię i wyskoczyłem przez okno. Myślałem, że zacznie krzyczeć, więc od razu pognałem do jeepa. Potem się przestraszyłem, że jednak nie krzyczy. Była zupełnie cicho! Bałem się, że... no wiesz. Jak ten facet, którego raz złapaliśmy.

Skrzywiłam się. Miałam w pamięci jeszcze świeższą tragedię.

– Więc zdjąłem ją z ramienia i widzę, że żyje i patrzy się na mnie wybałuszonymi oczami. I ciągle nie krzyczy. Zaniosłem ją do auta. Wcześniej planowałem ją związać, ale... nie wyglądała na wystraszoną. To znaczy, w ogóle nie próbowała uciekać. Więc przypiąłem ją tylko pasami do fotela i ruszyłem.

Długo się na mnie gapiła, aż w końcu powiedziała: „Jesteś Kyle", więc ja jej na to, „Tak, a ty?", a wtedy ona powiedziała, jak ma na imię. Jak to szło?

– Promienie Słońca na Lodzie – odparła Sunny rwanym szeptem. – Ale podoba mi się Sunny. To ładne imię.

– Tak czy siak – ciągnął Kyle, odchrząknąwszy – nawet chętnie ze mną rozmawiała. Myślałem, że będzie się mnie bać, a całą drogę rozmawialiśmy. – Zamilkł na chwilę. – Cieszyła się, że mnie widzi.

– Bez przerwy o nim śniłam – szepnęła do mnie Sunny. – Co noc. Marzyłam o tym, by Łowcy go znaleźli. Strasznie za nim tęskniłam... Kiedy go zobaczyłam, myślałam, że to tylko sen.

Przełknęłam głośno ślinę.

Kyle wyciągnął dłoń w poprzek mojej twarzy, żeby pogłaskać ją po policzku.

– To dobra dziewczyna, Wando. Możemy ją wysłać w jakieś naprawdę ładne miejsce?

– Właśnie o tym chciałam z nią pomówić. Gdzie mieszkałaś wcześniej, Sunny?

Słyszałam w tle, jak pozostali ściszonymi głosami witają Trudy. Siedzieliśmy do nich plecami. Miałam ochotę zobaczyć, co się dzieje, ale też byłam zadowolona, że siedzimy z boku. Starałam się skoncentrować na płaczącej duszy.

– Tylko tutaj i u Niedźwiedzi. Miałam tam pięciu żywicieli. Ale tutaj podoba mi się bardziej. Nie przeżyłam tu jeszcze nawet ćwierci życia!

– Wiem. Wierz mi, że cię rozumiem. Ale może jest jakieś inne miejsce, którego byłaś ciekawa? Może Planeta Kwiatów? Byłam tam kiedyś, to bardzo ładny świat.

– Nie chcę być rośliną – wyszeptała mi w rękaw.

– Pająki... – zaczęłam, ale od razu urwałam. To nie byłoby dla niej dobre miejsce.

– Mam dość zimna. I lubię kolory.

– Wiem. – Westchnęłam. – Nie byłam nigdy Delfinem, ale słyszałam, że to bardzo ciekawe miejsce. Dużo ruchu, kolorów, silne więzi rodzinne...

– Ale te wszystkie planety są tak strasznie daleko. Zanim gdziekolwiek dolecę, Kyle nie będzie... nie będzie... – Czknęła, po czym znowu się rozpłakała.

– Nie ma innych opcji? – zapytał zaniepokojony Kyle. – Myślałem, że tych planet jest więcej.

Słyszałam, jak Trudy rozmawia z żywicielem Uzdrowicielki, ale nie słuchałam. Na razie niech ludzie zajmą się nią sami.

– Ale nie wszędzie latają statki – odparłam, potrząsając głową. – Światów jest mnóstwo, ale tylko kilka, głównie nowych, ciągle przyjmuje nowych osiedleńców. Przykro mi, Sunny, ale muszę cię odesłać gdzieś daleko. Łowcy chcą znaleźć moich przyjaciół, mogliby cię tu sprowadzić z powrotem, żebyś im pomogła.

– Nawet nie wiem, gdzie jesteśmy – załkała. Koszulę miałam na ramieniu całkiem przesiąkniętą jej łzami. – Zakrył mi oczy.

Kyle spojrzał na mnie tak, jakbym mogła dokonać jakiegoś cudu i sprawić, że wszyscy będą szczęśliwi. Wyczarować coś, tak jak wtedy, kiedy uratowałam Jamiego. Wiedziałam jednak, że wyczerpałam już limit cudów i szczęśliwych zakończeń – w każdym razie ja, Wagabunda.

Popatrzyłam na niego zrozpaczonym wzrokiem.
– Może wybrać tylko spośród Niedźwiedzi, Kwiatów i Delfinów. Nie wyślę jej na Planetę Ognia.
Sunny wzdrygnęła się na dźwięk tej nazwy.
– Nie martw się, Sunny. Polubisz Delfiny. Spodoba ci się. To więcej niż pewne.
Zaniosła się jeszcze głośniejszym płaczem.
Westchnęłam i przeszłam do kolejnego ważnego tematu.
– Sunny, muszę cię zapytać o Jodi.
Kyle zesztywniał.
– Tak? – wymamrotała.
– Czy... czy ona ciągle z tobą jest? Słyszysz ją?
Sunny pociągnęła nosem i podniosła na mnie wzrok.
– Nie rozumiem, co masz na myśli.
– Odzywa się czasem do ciebie? Słyszysz jej myśli?
– Mojego... ciała? Jego myśli? Ono nic nie myśli. Teraz ja tu jestem.
Kiwnęłam wolno głową.
– To źle? – szepnął Kyle.
– Nie wiem, nie znam się na tyle. Ale to chyba nie najlepiej.
Kyle zmrużył oczy.
– Jak długo jesteś na Ziemi, Sunny?
Zmarszczyła brwi w zamyśleniu.
– Jak długo, Kyle? Pięć lat? Sześć? Zniknąłeś, zanim przyszłam do domu.
– Sześć.
– Ile masz lat? – zapytałam ją.
– Dwadzieścia siedem.
Zaskoczyła mnie – była taka drobna, wyglądała tak młodo. Nie chciało mi się wierzyć, że jest sześć lat starsza od Melanie.
– Jakie to ma znaczenie?
– Nie jestem pewna. Po prostu mam wrażenie, że im dłużej ktoś był człowiekiem, zanim stał się duszą, tym większa szansa na... odzyskanie świadomości. Im większą część życia przeżył jako człowiek, tym więcej ma wspomnień i skojarzeń, tym dłużej nazywano go po imieniu... Sama nie wiem.
– Dwadzieścia jeden lat wystarczy? – zapytał rozpaczliwym głosem.
– Dopiero się przekonamy.
– To niesprawiedliwe! – załkała Sunny. – Dlaczego ty możesz zostać? Dlaczego ja nie mogę, skoro tobie wolno?
Przełknęłam głośno ślinę.

– To nie byłoby w porządku, prawda? Ale ja też nie mogę tu zostać, Sunny. Będę musiała odejść. I to niedługo. Może nawet razem z tobą. – Uznałam, że poczuje się lepiej, myśląc, że nie poleci na Planetę Delfinów sama. Kiedy dowie się prawdy, będzie już miała innego żywiciela o innych uczuciach i nie będzie jej łączyła żadna więź z tym tu człowiekiem. Być może. W każdym razie będzie już za późno. – Ja też muszę odejść, Sunny. Też muszę się rozstać z moim ciałem.

Surowy głos Iana przerwał ciszę niczym trzask bicza.

– Że co?

Rozdział 56

Jednia

Ian spoglądał na nas z góry z taką furią, że Sunny aż zatrzęsła się ze strachu. Stało się coś dziwnego – miałam wrażenie, że Kyle i Ian zamienili się twarzami. Tyle tylko, że twarz Iana była wciąż doskonała, bez skazy. Wściekła, lecz mimo to piękna.

– He? – zapytał Kyle zdziwiony. – O co chodzi?

Ian mówił przez zaciśnięte zęby.

– Wando – warknął, po czym wyciągnął do mnie rękę. Wyglądało to tak, jakby musiał się powstrzymywać, żeby nie zacisnąć jej w pięść.

O-o, pomyślała Melanie.

Ogarnęła mnie żałość. Nie chciałam się żegnać z Ianem, teraz jednak nie miałam wyjścia. Oczywiście, że powinnam. Źle bym uczyniła, wykradając się nocą jak złodziej i obarczając pożegnaniami Mel.

Zniecierpliwiony Ian chwycił mnie za rękę i podniósł na nogi. Widząc, że Sunny wstaje razem ze mną, pociągnął mnie mocniej, tak by puściła moje ramię.

– Co ci odbiło? – zapytał ostro Kyle.

Ian zgiął nogę w kolanie i wymierzył Kyle'owi mocnego kopniaka w twarz.

– Ian! – oburzyłam się.

Sunny rzuciła się między nich, chcąc zasłonić drobnym ciałem trzymającego się za nos i próbującego wstać Kyle'a. Stracił przez to równowagę i upadł z jękiem na ziemię.

– Chodź – warknął Ian i pociągnął mnie za rękę, nawet się za siebie nie oglądając.

– Ian...

Wlókł mnie gwałtownie za sobą, nie dając mi się odezwać. W zasadzie mi to nie przeszkadzało. I tak zupełnie nie wiedziałam, co powiedzieć.

Przed oczami przemykały mi zdumione twarze pozostałych. Bałam się, jak zareaguje kobieta bez imienia. Nie przywykła do gniewu i przemocy.

Naraz stanęliśmy w miejscu. Jared zastawiał wyjście.

– Odebrało ci rozum, Ian? – zapytał tonem niedowierzania i oburzenia. – Co ty jej robisz?

– Wiedziałeś o tym? – krzyknął Ian, popychając mnie w jego stronę i potrząsając mną. Gdzieś z tyłu rozległo się ciche kwilenie.

– Zrobisz jej krzywdę!

– Wiesz, co ona kombinuje?

Z twarzy Jareda zniknęły nagle wszelkie emocje. Spoglądał milcząco na Iana.

Ianowi wystarczyło to za odpowiedź.

Uderzył Jareda pięścią tak szybko, że nawet nie widziałam ciosu – poczułam jedynie szarpnięcie, a potem zobaczyłam, jak Jared zatacza się w głąb ciemnego tunelu.

– Ian, przestań – odezwałam się błagalnym tonem.

– Sama przestań – odwarknął.

Przeciągnął mnie pod łukiem i zaczął prowadzić na północ. Musiałam prawie biec, żeby nadążyć za jego długimi krokami.

– O'Shea! – krzyknął za nami Jared.

– Ja jej zrobię krzywdę? – odryknął mu Ian przez ramię, nie zwalniając tempa. – Ja? Ty obłudna świnio!

Za nami rozciągała się już tylko cisza i ciemność. Potykałam się co chwila, próbując dotrzymać mu kroku.

Jego silny chwyt zaczął mi sprawiać ból. Zaciskał mi dłoń na ramieniu niczym krępulec, z łatwością obejmował je całe swoimi długimi palcami. Ręka powoli mi drętwiała.

Pociągnął mnie do przodu jeszcze szybciej, aż oddech przeszedł mi w jęk bólu.

Dopiero ten dźwięk sprawił, że się zatrzymał. Słyszałam w ciemnościach jego rzężący oddech.

– Ian, Ian, ja... – zaczęłam, ale nie mogłam skończyć. Wyobrażałam sobie jego wściekłą twarz i nie wiedziałam, co powiedzieć.

Złapał mnie niespodziewanie za nogi i kiedy już miałam upaść na plecy, pochwycił mnie za ramiona. Następnie znowu ruszył biegiem przed siebie, trzymając mnie na rękach. Nie były już gwałtowne i nieczułe – przytulał mnie teraz do piersi.

Kiedy dotarliśmy do jaskini z ogrodem, biegł dalej, nie zważając na zdumione, a nawet podejrzliwe spojrzenia. W jaskiniach działo się w ostatnim czasie zbyt wiele dziwnych i niechcianych rzeczy. Zgromadzeni tu ludzie – Violetta, Geoffrey, Andy, Paige, Aaron, Brandt i paru innych, których w biegu nie zdążyłam rozpoznać – byli niespokojni. Niepokoił ich widok rozwścieczonego Iana pędzącego między nimi na złamanie karku ze mną na rękach.

Po chwili byli już daleko za nami. Ian nie zatrzymywał się, dopóki nie dobiegliśmy do pokoju, który dzielił z Kyle'em. Przewrócił kopnięciem czerwone drzwi – wylądowały na podłodze z głuchym hukiem – i opuścił mnie na materac.

Stał teraz nade mną, ciężko dysząc ze zmęczenia i złości. Odwrócił się tylko na chwilę, by jednym zwinnym szarpnięciem postawić z powrotem drzwi, po czym znowu utkwił we mnie groźne spojrzenie.

Wzięłam głęboki oddech, podniosłam się na kolana i wyciągnęłam przed siebie otwarte dłonie, próbując coś wyczarować – coś, co mogłabym mu dać albo powiedzieć. Ale moje ręce były puste.

– Nie. Zostawisz. Mnie. – Oczy mu świeciły; płonęły błękitnym ogniem, jaśniej niż kiedykolwiek.

– Ian – szepnęłam. – Musisz sobie zdawać sprawę, że... nie mogę zostać. Wiem, że to rozumiesz.

– Nie! – krzyknął na mnie.

Odskoczyłam do tyłu, a wtedy Ian nagle osunął się na kolana, a potem na mnie. Oparł głowę na moim brzuchu i zacisnął mi ramiona wokół talii. Trząsł się gwałtownie, a z piersi wydobywało mu się głośne, rozpaczliwe łkanie.

– Nie, Ian, nie – prosiłam. To, na co teraz patrzyłam, było o wiele gorsze niż gniew. – Proszę cię, przestań.

– Wando – jęknął.

– Ian, proszę. Nie płacz. Proszę. Tak mi przykro.

Ja także płakałam i także się trzęsłam, choć możliwe, że to on mną potrząsał.

– Nie możesz odejść.

– Muszę, muszę – szlochałam.

Potem długo płakaliśmy bez słów.

Ian przestał pierwszy. Wyprostował się i wziął mnie w ramiona. Poczekał, aż byłam w stanie mówić.

– Przepraszam – wyszeptał. – Źle się zachowałem.

– Nie, nie. To ja przepraszam. Powinnam była ci powiedzieć wcześniej, skoro widziałam, że niczego się nie domyślasz. Po prostu... nie umiałam. Nie chciałam ci tego mówić – nie chciałam sprawiać ci bólu – bo nie chciałam sprawiać bólu sobie. Zachowałam się egoistycznie.

– Musimy o tym porozmawiać, Wando. Nie traktuj tego jak zamkniętego tematu. Nie zgadzam się.

– Kiedy tak właśnie jest.

Potrząsnął głową, zaciskając zęby.
– Od kiedy? Od kiedy to planujesz?
– Od czasu Łowczyni – odparłam szeptem.
Kiwnął głową, jakby spodziewał się takiej odpowiedzi.
– I uznałaś, że musisz wyjawić swoją tajemnicę, żeby ją uratować. Potrafię to zrozumieć. Ale to wcale nie znaczy, że musisz stąd zniknąć. To, że Doktor teraz już wie... to niczego nie zmienia. Gdyby choć na moment przyszło mi to do głowy, że jedno równa się drugiemu, nie stałbym wtedy bezczynnie i nie patrzył, jak mu to tłumaczysz. Nikt cię nie zmusi do tego, żebyś oddała mu się pod skalpel! Niech tylko spróbuje cię tknąć, a połamię mu ręce!
– Ian, proszę cię.
– Nie mogą cię zmusić, Wando. Słyszysz, co do ciebie mówię? – Znów krzyczał.
– Nikt mnie do niczego nie zmusza. Nie pokazałam Doktorowi, jak oddzielić duszę, żeby móc ocalić Łowczynię – szepnęłam. – Ona tylko... przyspieszyła moją decyzję. Zrobiłam to, żeby ocalić Mel, Ian.
Rozdął nozdrza.
– Ona jest we mnie zamknięta, Ian. Jak w więzieniu – albo jeszcze gorzej. Nie potrafię tego nawet opisać. Jest jak duch. A ja mogę ją uwolnić. Mogę sprawić, że odzyska siebie.
– Ty też zasługujesz na życie, Wando. Zasługujesz, żeby tu zostać.
– Ale ja ją kocham, Ian.
Zamknął oczy, a blade usta całkiem mu pobielały.
– Ale ja kocham ciebie – szepnął. – To się nie liczy?
– Oczywiście, że się liczy. I to bardzo. Nie widzisz? Ale to tylko... utwierdza mnie w mojej decyzji.
Podniósł gwałtownie powieki.
– To dla ciebie nie do zniesienia, że cię kocham? O to ci chodzi? Mogę zamilknąć, Wando. Nigdy więcej ci tego nie powiem. Możesz być z Jaredem, jeżeli tego właśnie pragniesz. Ale zostań.
– Nie, Ian! – Wzięłam jego twarz w dłonie – skóra była twarda w dotyku, mocno naciągnięta na kości. – Nie. Ja... ja też cię kocham. Ja, mała srebrna glista z tyłu jej głowy. Ale moje ciało cię nie kocha. Nie potrafi cię pokochać. W tym ciele nigdy nie będę mogła cię kochać, Ian. Czuję się przez nie rozdarta. Dłużej tego nie zniosę.
Mogłabym to znieść. Ale nie zniosłabym tego, że przeze mnie cierpi.
Ponownie zamknął oczy. Gęste czarne rzęsy miał mokre od łez. Patrzyłam, jak lśnią.
No dobra, westchnęła Mel. *Róbcie, co chcecie. Ja... wyjdę do drugiego pokoju,* dodała ironicznie.

Dzięki.

Zarzuciłam mu ręce na szyję i przysunęłam się, tak że zetknęliśmy się ustami.

Objął mnie mocno i przycisnął do siebie. Nasze usta stanowiły jedność, scaliły się tak, jakby miały się już nigdy nie rozdzielić, jakby rozstanie wcale nie było nieuniknione. Czułam smak naszych łez. Moich i jego.

Poczułam, że coś się zmienia.

Kiedy ciało Melanie dotykało Jareda, wybuchało ogniem, który rozprzestrzeniał się lotem błyskawicy – niczym pożar, co mknie po pustyni, trawiąc wszystko na swojej drodze.

Z Ianem było inaczej, zupełnie inaczej, ponieważ Melanie nie kochała go tak jak ja. Dlatego kiedy mnie dotykał, doświadczałam czegoś głębszego i wolniejszego, przypominającego bardziej podziemną wędrówkę płynnych skał, ukrytych zbyt głęboko, by można było poczuć ich żar, lecz zarazem pozostających w ciągłym ruchu, który kształtuje od nowa posady świata.

Moje ciało stało między nami jak całun gęstej mgły – wystarczająco jednak przezroczystej, bym mogła ją przejrzeć i odgadnąć, co się dzieje.

Zmieniałam się ja, nie Mel. Był to proces niemalże metalurgiczny, zachodzący głęboko we mnie, zaczęty dawno i zbliżający się ku końcowi. Ten długi pocałunek zwieńczył dzieło – zanurzył rozżarzone ostrze w zimnej wodzie, nadając mu trwały, niezniszczalny kształt.

Znowu zaczęłam płakać, gdyż uświadomiłam sobie, że podobna zmiana musi zachodzić również w nim – w tym oto mężczyźnie, tak dobrym, że mógłby być duszą, i zarazem tak silnym, jak tylko człowiek być potrafi.

Zbliżył usta do moich oczu, lecz było już za późno. Stało się.

– Nie płacz, Wando. Nie płacz. Zostaniesz ze mną.

– Osiem pełnych żyć – szepnęłam łamiącym się głosem, tuląc usta do jego policzka. – Przez osiem pełnych żyć nie spotkałam nikogo, dla kogo zostałabym na jednej planecie, za kim powędrowałabym gdziekolwiek. Nigdy nie znalazłam sobie partnera. Dlaczego teraz? Dlaczego ty? Należysz do innego gatunku. Jak możesz być moim partnerem?

– Świat jest dziwny – odparł cicho.

– To niesprawiedliwe – obruszyłam się, powtarzając słowa Sunny. To nie było sprawiedliwe. Znaleźć coś takiego, odnaleźć miłość – teraz, w ostatniej chwili – i musieć odejść? Czy to sprawiedliwe, że moja dusza i ciało nie mogły żyć w zgodzie? Czy to sprawiedliwe, że musiałam kochać również Melanie?

Czy to sprawiedliwe, że Ian musiał cierpieć? Jeżeli ktoś zasługiwał na szczęście, to właśnie on. To nie było sprawiedliwe ani słuszne, ani nawet... normalne. Jak mogłam mu to robić?

– Kocham cię – wyszeptałam.

– Nie mów tego tak, jakbyś się żegnała.

Kiedy musiałam.

– Ja, dusza, której na imię Wagabunda, kocham ciebie, człowieka o imieniu Ian. Nic nigdy tego nie zmieni, nieważne, co się ze mną stanie. – Dobierałam słowa starannie, żeby w moim głosie nie było kłamstwa. – Bez znaczenia, czy będę Delfinem albo Niedźwiedziem. I tak zawsze będę cię kochała, zawsze o tobie myślała. Nigdy nie będę miała nikogo innego.

Napiął ramiona, po czym ścisnął mnie nimi mocniej – czułam, że znowu wzbiera w nim złość. Oddychałam z trudem.

– Nigdzie się nie wybierasz, Wagabundo. Zostajesz tutaj.

– Ian...

Lecz tym razem odezwał się obcesowym tonem – gniewnym, ale rzeczowym.

– Tu nie chodzi tylko o mnie. Jesteś częścią wspólnoty i nie zostaniesz z niej wyrzucona bez jakiejkolwiek dyskusji. Jesteś dla nas zbyt ważna – nawet dla tych, którzy za nic w świecie nie przyznają, że tak jest. Potrzebujemy cię.

– Nikt mnie stąd nie wyrzuca, Ian.

– Więc nie próbuj wyrzucić się sama.

Pocałował mnie znowu, tym razem bardziej porywczo. Zacisnął mi dłoń na włosach i odsunął od siebie moją twarz na parę centymetrów.

– Dobrze ci? – zapytał.

– Tak.

– Tak też myślałem – zamruczał.

Potem kolejny raz mnie pocałował. Tak mocno ściskał mi żebra rękoma, tak ciasno przywarł do moich ust, że po chwili wirowało mi w głowie i brakowało tchu. Poluźnił nieco uścisk, po czym przysunął wargi do mojego ucha.

– Idziemy.

– Jak to? Dokąd? – Nie miałam zamiaru nigdzie iść. Lecz jednocześnie serce biło mi szybciej na samą myśl, że mogłabym wyruszyć gdzieś, gdziekolwiek, z Ianem. Moim Ianem. Był mój, bardziej niż Jared mógłby kiedykolwiek być. I bardziej niż to ciało mogłoby kiedykolwiek być jego.

– Nawet nie próbuj robić problemów, Wagabundo. Więcej chyba nie zniosę. – Poderwał się na nogi, a wraz z sobą mnie.

– Dokąd? – naciskałam.

– Idź wschodnim tunelem za pole kukurydzy, do samiutkiego końca.

– Do sali gier?

– Tak. Masz tam czekać, dopóki nie zbiorę reszty.

– Dlaczego? – Jego słowa nie miały żadnego sensu. Chciał zagrać w piłkę? Żeby rozładować emocje?

– Bo to t r z e b a przedyskutować. Zwołuję naradę. Będziesz musiała uszanować naszą decyzję.

Rozdział 57

Finisz

Tym razem sędziów było niewielu, inaczej niż gdy ważyły się losy Kyle'a. Ian przyprowadził jedynie Jeba, Doktora i Jareda. Nie trzeba mu było mówić, że Jamie nie może się o niczym dowiedzieć.

Melanie będzie musiała go ode mnie pożegnać. Nie potrafiłam się na to zdobyć sama, nie z Jamiem. Byłam tchórzem, ale nic mnie to nie obchodziło. Wiedziałam, że tego nie zrobię i już.

Tylko jedna niebieska lampa, tylko jeden blady krąg światła na kamiennej podłodze. Siedzieliśmy wszyscy na jego skraju – ja sama, pozostała czwórka naprzeciw mnie. Jeb przyniósł nawet strzelbę – jak gdyby była czymś w rodzaju sędziowskiego młotka i przydawała obradom należytej powagi.

Woń siarki przypomniała mi bolesne dni żałoby – z pewnymi wspomnieniami nie będzie żal mi się rozstawać.

– Jak się czuje? – zapytałam niecierpliwie Doktora, gdy tylko usiedli, zanim jeszcze ktokolwiek zdążył się odezwać. Z mojego punktu widzenia ten sąd był stratą cennego czasu. Chodziły mi teraz po głowie ważniejsze rzeczy.

– Kto? – zapytał zmęczonym głosem.

Patrzyłam mu w twarz przez kilka sekund, po czym otworzyłam szeroko oczy.

– Sunny już nie ma? Tak szybko?

– Kyle stwierdził, że to by było okrutne kazać jej dłużej cierpieć. Była... nieszczęśliwa.

– Szkoda, że nie zdążyłam się pożegnać – wymamrotałam do siebie. – I życzyć jej powodzenia. Co z Jodi?

– Na razie się nie obudziła.

– A jak ciało Uzdrowicielki?

– Trudy ją zabrała. Poszły chyba coś zjeść. Szukają dla niej jakiegoś tymczasowego imienia, żebyśmy nie musieli na nią mówić „ciało". – Uśmiechnął się krzywo.

– Dojdzie do siebie, jestem pewna – powiedziałam. Bardzo chciałam w to wierzyć. – I Jodi też. Wszystko się na pewno ułoży.

Nikt nie zaprzeczył. Wiedzieli, że kłamię sama dla siebie.

Doktor westchnął.

– Nie chcę zostawiać Jodi zbyt długo. Może mnie potrzebować.

– Racja – przytaknęłam. – Miejmy to za sobą. – Im szybciej, tym lepiej. Ta dyskusja i tak nie miała żadnego znaczenia. Doktor przystał na moje warunki. A mimo to jakaś niemądra część mnie łudziła się... łudziła się, że istnieje idealne rozwiązanie, które pogodzi wszystkie racje i pozwoli mi zostać z Ianem, Mel i Jaredem, nie narażając jednocześnie nikogo na cierpienie. Lepiej od razu pozbyć się złudnych nadziei.

– Dobra – odezwał się Jeb. – Wando, jak ty to widzisz?

– Oddaję wam Melanie. – Krótko, stanowczo, bez zbędnych słów, do których ktoś mógłby się przyczepić.

– Ian?

– Wanda jest nam potrzebna.

Krótko, stanowczo – poszedł w moje ślady.

Jeb kiwnął głową.

– Twardy orzech. Wando, dlaczego uważasz, że powinienem się z tobą zgodzić?

– Gdybyś to był ty, chciałbyś odzyskać ciało. Nie możesz tego odmówić Melanie.

– Ian?

– Musimy brać pod uwagę nasze wspólne dobro. Wanda zapewniła nam zdrowie i bezpieczeństwo, o jakich wcześniej mogliśmy tylko pomarzyć. Jest kluczem do przetrwania naszej wspólnoty – i całej ludzkości. Nie może tu rozstrzygać los jednej osoby.

Ma rację.

Nikt cię nie pytał o zdanie.

– Wando, a co na to Mel? – odezwał się Jared.

Ha.

Popatrzyłam Jaredowi w oczy i stało się coś przedziwnego. Wszystko, co kilkanaście minut wcześniej wydarzyło się między mną a Ianem, zostało w jednej chwili zepchnięte na bok, w najmniejszy zakamarek mojego ciała, ciasny kąt wypełniony moją fizyczną obecnością. Cała reszta mnie lgnęła do Jareda – rozpaczliwie, szaleńczo zgłodniała, zupełnie jak wtedy, gdy ujrzałam go w jaskiniach po raz pierwszy. To ciało w zasadzie nie należało ani do mnie, ani do Mel, lecz właśnie do niego.

Nie było w nim miejsca dla nas obu.

– Melanie chce mieć swoje ciało z powrotem. Chce mieć z powrotem swoje życie.

Łgarz. Powiedz im prawdę.

Nie.

– Kłamiesz – stwierdził Ian. – Widzę, że się z nią kłócisz. Jestem pewien, że się ze mną zgadza. To dobra osoba. Wie, jak bardzo jesteś nam potrzebna.

– Mel wie wszystko to, co ja. Będzie umiała wam pomóc. Poza tym macie byłą Uzdrowicielkę. Wie rzeczy, o których ja nie mam żadnego pojęcia. Radziliście sobie świetnie, zanim do was przyszłam. Poradzicie sobie znowu.

Jeb wydmuchnął powietrze z ust, marszcząc brwi.

– No nie wiem, Wando. Ian ma trochę racji.

Popatrzyłam groźnie na starca i spostrzegłam, że Jared robi to samo. Odwróciłam wzrok od tej niemej potyczki i posłałam surowe spojrzenie Doktorowi.

Ten popatrzył mi w oczy i wykrzywił boleśnie twarz. Rozumiał, o co mi chodzi. Obiecał. Decyzja sądu niczego nie zmieniała.

Ian nie zauważył naszej wymiany spojrzeń – spoglądał na Jareda.

– Jeb – protestował Jared. – Decyzja może być tylko jedna. Dobrze o tym wiesz.

– Czyżby, chłopcze? Ja bym powiedział, że jest ich bez liku.

– To ciało Melanie!

– I Wandy.

Jared miał już coś odpowiedzieć, ale głos uwiązł mu w gardle i musiał zacząć od nowa.

– Nie wolno ci trzymać Mel w zamknięciu – to prawie jak morderstwo, Jeb.

Ian pochylił się ku światłu. Nagle twarz znów płonęła mu wściekłością.

– A jak nazwiesz to, co chcesz zrobić z Wandą, Jared? Z nami wszystkimi, na dobrą sprawę, skoro chcesz nam ją odebrać?

– Nie udawaj, że przejmujesz się wszystkimi! Chcesz tylko zatrzymać Wandę kosztem Melanie – nic innego się dla ciebie nie liczy.

– A ty chcesz mieć Melanie kosztem Wandy – nic innego dla c i e b i e się nie liczy! A skoro tak, skoro nasze racje nawzajem się znoszą, to zadecydować powinno dobro ogółu.

– Nie! Zdecydować powinna Melanie! To jej ciało!

Obaj teraz kucali, gotowi w każdej chwili wstać, dłonie mieli zaciśnięte w pięści, a twarze wykrzywione szałem.

– Spokój, chłopcy! Przywołuję was do porządku – zarządził Jeb. – Nie zapominajcie, że to sąd. Panujemy nad sobą i nie tracimy głowy. Musimy to rozważyć ze wszystkich stron.

– Jeb... – zaczął Jared.

– Zamknij się. – Jeb zagryzł na chwilę wargę. – Dobra, oto jak ja to widzę. Wanda ma rację...

Ian zerwał się na równe nogi.

– Spokój! Siadaj i daj mi skończyć.

Ian stał nad nami zesztywniały, na napiętej szyi rysowały mu się ścięgna. Jeb czekał cierpliwie, aż usiądzie z powrotem na ziemi.

– Wanda ma rację – powtórzył, gdy jego polecenie zostało wykonane. – Mel musi odzyskać ciało. Ale – dodał szybko, widząc, że Ian znów się zżyma – ale nie zgadzam się z resztą, Wando. Uważam, że diablo cię potrzebujemy, drogie dziecko. Polują na nas Łowcy, a ty nie musisz się przed nimi chować. Nikt inny nie może z nimi rozmawiać. Ratujesz ludziom życie. Muszę się troszczyć o swój dom i jego mieszkańców.

– To oczywiste – powiedział Jared przez zęby. – Znajdźmy jej inne ciało.

Doktor podniósł zafrasowaną twarz. Gąsienicowate brwi Jeba prawie dotknęły białych włosów. Ian otworzył szeroko oczy i zacisnął usta. Spoglądał na mnie w zamyśleniu...

– Nie! Nie! – Potrząsnęłam energicznie głową.

– Dlaczego nie? – zapytał Jeb. – To chyba wcale niegłupi pomysł.

Przełknęłam ślinę i wzięłam głęboki oddech, żeby mój głos nie zabrzmiał histerycznie.

– Jeb. Posłuchaj mnie uważnie. Mam dość bycia pasożytem. Rozumiesz? Myślisz, że mam ochotę wejść w inne ciało i zaczynać to samo od nowa? Już zawsze mam się czuć winna tego, że kradnę komuś życie? Zawsze ktoś ma mnie nienawidzić? Już prawie przestałam być duszą – za bardzo pokochałam was, okrutnych ludzi. Czuję się nie na miejscu i fatalnie mi z tym.

Ponownie nabrałam powietrza i ciągnęłam dalej, już przez łzy.

– Zresztą, co jeśli coś się zmieni? Jeżeli wsadzicie mnie w jakieś inne ciało, ukradniecie czyjeś życie, i nagle wszystko wymknie się spod kontroli? Co, jeśli to ciało zaciągnie mnie z powrotem do świata dusz w poszukiwaniu innej miłości? Co, jeśli nie będziecie mi już mogli zaufać? Co, jeśli was zdradzę? Nie chcę was skrzywdzić!

Zaczęłam od czystej, niczym nieubarwionej prawdy, ale potem kłamałam już jak z nut. Miałam nadzieję, że nie zdają sobie z tego sprawy. Pomagało mi to, że mówiłam rwanym, płaczącym głosem. Tak naprawdę nigdy nie mogłabym ich skrzywdzić. To, co mi się tutaj przydarzyło miało na zawsze we mnie pozostać, tkwiło w atomach, z których składało się moje małe ciało. Uznałam jednak, że może jeśli dam im powody do obaw, będą bardziej skłonni pogodzić się z jednym właściwym rozwiązaniem.

Moje kłamstwa chyba po raz pierwszy podziałały. Widziałam, jak Jared i Jeb wymieniają niepewne spojrzenia. Nie przeszło im to przez myśl – że mogę stracić ich zaufanie, stać się zagrożeniem. Ian już przy mnie siadał, żeby wziąć mnie w ramiona. Otarł mi łzy własną piersią.

– Już dobrze, skarbie. Nie musisz być nikim innym. Nic się nie zmieni.

– Chwileczkę, Wando – odezwał się Jeb, spoglądając nagle jakby bystrzej. – Co to zmieni, że polecisz na inną planetę? Tam też będziesz pasożytem, moje dziecko.

Słysząc to określenie, Ian gwałtownie się poruszył.

I ja również drgnęłam – Jeb jak zwykle mnie przejrzał.

Czekali, aż coś odpowiem, wszyscy oprócz Doktora, który już wiedział. Nie miałam zamiaru wyjawić im prawdy.

Starałam się jednak mówić same prawdziwe rzeczy.

– Na pozostałych planetach jest inaczej, Jeb. Żywiciele nie stawiają oporu. W ogóle są całkiem inni. Nie różnią się między sobą tak bardzo jak ludzie, doznają o wiele łagodniejszych uczuć. Nie ma się wrażenia, że kradnie się komuś życie. Nie tak jak tutaj. Nikt nie będzie mnie tam nienawidzić. A ja będę zbyt daleko, żeby wam zaszkodzić. Tak będzie dla was bezpieczniej...

Ostatnie słowa brzmiały za bardzo jak kłamstwo, którym niewątpliwie były. Dlatego zamilkłam.

Jeb spoglądał na mnie przymrużonymi oczami. Odwróciłam wzrok.

Starałam się nie patrzeć na Doktora, ale mimowolnie zerknęłam na niego ukradkiem. Dla pewności. Spojrzał mi smutno w oczy i od razu wiedziałam, że rozumie.

Opuściłam szybko wzrok i spostrzegłam, że Jared również na niego patrzy. Czy widział, jak się porozumiewamy?

Jeb westchnął.

– To dopiero... ambaras. – Skrzywił twarz i pogrążył się w zadumie.

– Jeb... – odezwali się naraz Jared i Ian, po czym urwali i popatrzyli po sobie srogim wzrokiem.

Marnowałam tu czas, a przecież zostały mi tylko godziny. Ledwie kilka godzin, wiedziałam to już na pewno.

– Jeb – odezwałam się cicho, ledwie słyszalna wśród szmeru źródełka, i wszyscy zwrócili twarze w moją stronę. – Nie musisz decydować w tej chwili. Doktor powinien zajrzeć do Jodi i ja też chciałbym ją zobaczyć. Poza tym od rana nic nie jadłam. Prześpij się z tym. Porozmawiamy jutro. Mamy mnóstwo czasu.

Kłamstwa. Czy potrafili je poznać?

– To dobry pomysł, Wando. Chyba nam wszystkim przyda się trochę odpoczynku. Idź coś zjeść. Wszyscy się z tym prześpimy.

Pilnowałam się, żeby nie spojrzeć teraz na Doktora, nawet gdy do niego mówiłam.

– Doktorze, jak tylko zjem, przyjdę ci pomóc z Jodi. Na razie.

– Dobrze – odparł niepewnie.

Dlaczego nie potrafił odpowiedzieć normalnym tonem? Był przecież człowiekiem – powinien umieć kłamać.

– Głodna? – wymamrotał Ian, na co ja przytaknęłam. Pomógł mi się podnieść. Kiedy już wstałam, nie puścił mojej ręki. Wiedziałam, że nie będzie mnie teraz odstępował na krok. Nie martwiło mnie to jednak. Sen miał równie twardy jak Jamie.

Wychodząc z ciemnej groty, czułam na plecach czyjś wzrok, ale nie byłam pewna czyj.

Jeszcze tylko parę rzeczy do zrobienia. A dokładniej trzy. Trzy ostatnie uczynki.

Po pierwsze, chciałam coś zjeść.

Nie chciałam zostawiać Melanie głodnego ciała. Poza tym, odkąd zaczęłam jeździć na wyprawy, jedzenie się poprawiło. Nie było już karą, lecz przyjemnością.

Poprosiłam Iana, żeby przyniósł mi coś z kuchni, a sama schowałam się na polu, gdzie miejsce kukurydzy zajęły pnące się coraz wyżej pędy pszenicy. Powiedziałam mu prawdę: nie chcę się natknąć na Jamiego. Nie chciałam, żeby się czegokolwiek dowiedział. Zniósłby to jeszcze gorzej niż Jared czy Ian – każdy z tych dwóch wziął czyjąś stronę, a Jamie kochał nas obie. Byłby rozdarty.

Ian ze mną nie dyskutował. Jedliśmy w milczeniu. Obejmował mnie ręką w talii.

Po drugie, chciałam zobaczyć Sunny i Jodi.

Spodziewałam się ujrzeć na szpitalnym biurku trzy kapsuły, tymczasem wciąż stały tam tylko dwie z Uzdrowicielami. Doktor i Kyle pochylali się nad łóżkiem, na którym leżała nieruchomo Jodi. Podeszłam do nich szybkim krokiem i już miałam zapytać o Sunny, gdy spostrzegłam, że Kyle trzyma jej kapsułę w ręku.

– Ostrożnie z tym – wymamrotałam.

Doktor dotykał nadgarstka Jodi i liczył coś pod nosem. Słysząc mój głos, ściągnął usta w cienką linię, a po chwili musiał zacząć liczyć od nowa.

– Tak, wiem, Doktor mi powiedział – odparł Kyle, ani na chwilę nie odrywając wzroku od twarzy Jodi. Pod oczami zaczynały mu rosnąć dwie podobne ciemne plamy. Czyżby znowu złamany nos? – Uważam na nią. Po prostu... nie chciałem jej tam zostawiać samej. Była taka smutna i taka... słodka.

– Na pewno by to doceniła, gdyby wiedziała.

Kiwnął głową, wciąż wpatrując się w twarz Jodi.

– Jest coś, co mogę zrobić? Jakoś pomóc?

– Mów do niej, powtarzaj jej imię, mów o rzeczach, które powinna pamiętać. Mów nawet o Sunny. To zadziałało z ciałem Uzdrowicielki.

– Mandy – poprawił mnie Doktor. – Mówi, że to nie jest dokładnie jej imię, ale podobne.

– Mandy – powtórzyłam, jakby zapamiętywanie go miało w tej chwili jakiś sens. – Gdzie teraz jest?

– Z Trudy – to dobry pomysł. Właśnie takiej osoby jak Trudy było jej trzeba. Teraz chyba śpi.

– Świetnie. Dojdzie do siebie.

– Też mam taką nadzieję. – Doktor uśmiechnął się, ale nie zmieniło to znacząco jego chmurnego oblicza. – Mam do niej mnóstwo pytań.

Popatrzyłam na drobną kobietę – wciąż nie mogłam uwierzyć, że jest starsza od mojego ciała. Twarz miała całkiem rozluźnioną i pozbawioną wyrazu. Trochę mnie to przerażało – było w niej tyle życia, gdy Sunny tkwiła w środku. Czy Mel...?

Ciągle tu jestem.

Wiem. Na pewno będziesz się czuć świetnie.

Jak Lacey. Skrzywiła się, i ja też.

Nie jak Lacey.

Dotknęłam delikatnie ręki Jodi. Pod pewnymi względami bardzo przypominała Lacey. Była drobnej budowy, miała oliwkową karnację i czarne włosy. Mogłyby pewnie nawet być siostrami, tyle że śliczna, smutna twarzyczka Jodi nie miała w sobie nic z odpychającego grymasu Lacey.

Kyle trzymał ją cały czas za dłoń, ale nie wiedział, co mówić.

– Spróbuj tak – powiedziałam. Zaczęłam głaskać ją po ręce.

– Jodi? Jodi, słyszysz mnie? Kyle na ciebie czeka, Jodi. Bardzo się natrudził, żeby cię tu ściągnąć – wszyscy chcą go teraz sprać na kwaśne jabłko. – Uśmiechnęłam się do niego ironicznie, a kąciki jego ust uniosły się lekko, choć ani na chwilę nie podniósł wzroku.

– Nie żeby cię to dziwiło, prawda? – odezwał się Ian obok mnie. – Czy kiedykolwiek było inaczej, Jodi? Dobrze cię znowu widzieć. Chociaż ty pewnie jesteś innego zdania. Musiało ci być dobrze z dala od tego idioty.

Kyle nie zdawał sobie dotychczas sprawy z obecności brata, uczepionego mojej ręki jak imadło.

– Na pewno pamiętasz Iana. Nigdy nie potrafił mi w niczym dorównać, ale ciągle się stara. Hej, Ian – dodał Kyle, nadal nie odrywając wzroku – nie masz mi czasem nic do powiedzenia?

– Raczej nie.

– Czekam na przeprosiny.

– Czekaj zdrów.

– Ten drań kopnął mnie w twarz, wyobrażasz to sobie, Jodi? Bez najmniejszego powodu.

– Po co komu do tego powód, co, Jodi?

Było w tym przekomarzaniu się braci coś miłego. Obecność Jodi sprawiała, że wszystko toczyło się w atmosferze lekkości i żartu. Już bym się na jej miejscu obudziła. Już bym się uśmiechała.

– Tak trzymaj, Kyle – powiedziałam cicho. – Właśnie tak trzeba. Ocknie się.

Żałowałam, że jej nie poznam, nie przekonam się, jakim jest człowiekiem. Mogłam sobie tylko przypominać wyraz twarzy Sunny.

Jakie to będzie dla wszystkich uczucie poznać Melanie? Będzie im się wydawać taka sama, jakby nic się nie zmieniło? Czy naprawdę do nich dotrze, że już mnie nie ma, czy też Melanie zastąpi mnie po prostu w mojej roli?

Może wyda im się całkiem inna. Może będą się musieli do niej od nowa przyzwyczajać. Może od razu zostanie ciepło przyjęta. Wyobraziłam sobie ją, czyli siebie, w otoczeniu przyjaznych twarzy. Wyobraziłam sobie, jak trzymamy w ramionach Freedoma i jak uśmiechają się do nas wszyscy ci, którzy nigdy się do mnie nie przekonali.

Dlaczego od tych obrazów wilgotniały mi oczy? Czy naprawdę byłam taka zawistna?

Nie, zapewniła mnie Mel. *Będą za tobą tęsknić – oczywiście, że będą. Wszyscy najwartościowsi ludzie odczują to jak stratę.*

Chyba w końcu pogodziła się z moim zamiarem.

Nie pogodziłam się, sprostowała. *Po prostu nie wiem, jak mogłabym cię powstrzymać. Czuję, że ten moment się zbliża. I ja też się boję. Czy to nie zabawne? Jestem absolutnie przerażona.*

No to witaj w klubie.

– Wando? – zagaił Kyle.

– Tak?

– Przepraszam.

– Yyy... za co?

– Że próbowałem cię zabić – odparł beztrosko. – Chyba jednak się myliłem.

Ianowi zaparło dech.

– Doktorze, proszę, powiedz, że masz tu jakiś dyktafon.

– Obawiam się, że nie.

Ian potrząsnął głową.

– Ten moment należałoby uwiecznić. Nie sądziłem, że dożyję dnia, w którym Kyle O'Shea przyzna się do błędu. Słyszałaś to, Jodi? Dziwię się, że to cię nie obudziło.

– Jodi, słonko, nie weźmiesz mnie w obronę? Powiedz Ianowi, że do tej pory zawsze miałem rację. – Zachichotał.

Cieszyłam się. Dobrze było dowiedzieć się przed odejściem, że zjednałam sobie Kyle'a. Akurat tego się nie spodziewałam.

Nie mogłam tu nic więcej zdziałać. Nie było sensu, żebym stała całkiem bezużyteczna. Jodi albo się przebudzi, albo nie; cokolwiek się stanie, mój los jest już przesądzony.

Pozostała mi do zrobienia tylko jedna rzecz: skłamać.

Odsunęłam się od łóżka, wzięłam głęboki oddech i rozciągnęłam dłonie.

– Jestem zmęczona, Ian.

Czy to aby na pewno było kłamstwo? Nie zabrzmiało zbyt fałszywie. Miałam za sobą bardzo długi dzień, mój ostatni. Nie spałam całą noc, właśnie to sobie uświadomiłam. Nie spałam od czasu ostatniej wyprawy do miasta. Musiałam być zmęczona.

Ian kiwnął ze zrozumieniem głową.

– O, nie wątpię. Całą noc czuwałaś przy Uzdro... przy Mandy?

– Tak. – Ziewnęłam.

– Dobranoc, Doktorze – powiedział Ian, ciągnąc mnie w stronę wyjścia. – Powodzenia, Kyle. Wrócimy rano.

– Dobranoc, Kyle – wymamrotałam. – Dobranoc, Doktorze.

Doktor spojrzał na mnie przenikliwym wzrokiem, ale Ian był do niego obrócony plecami, a Kyle stał zapatrzony w Jodi. Posłałam mu zdecydowane spojrzenie.

Ian prowadził mnie w milczeniu ciemnym tunelem. Cieszyło mnie, że nie jest w nastroju do rozmowy. Nie wiem, czy potrafiłabym się na niej skoncentrować. Mój żołądek wił się i skręcał, przybierając dziwaczne kształty.

Zrobiłam już wszystko, co miałam zrobić. Musiałam teraz jeszcze tylko trochę poczekać i nie zasnąć. Nie obawiałam się tego pomimo zmęczenia. Serce waliło mi o żebra niczym pięść.

Dość zwlekania. Trzeba to było zrobić tego wieczoru i Mel również o tym wiedziała. Dzisiejsze zajście z Ianem było na to dowodem. Czułam, że im dłużej tu pozostanę, tym więcej będzie z mojego powodu łez, kłótni i bójek. Tym większe niebezpieczeństwo, że ktoś, nie wyłączając mnie, popełni jakąś gafę i Jamie wszystkiego się dowie. Niech Mel wyjaśni mu wszystko po fakcie. Tak będzie lepiej.

Wielkie dzięki, pomyślała Mel. Jej słowa popłynęły szybko i gwałtownie, a spod sarkazmu wyzierał strach.

Przepraszam. Nie masz mi tego bardzo za złe?

Westchnęła. *Jak mogę mieć ci to za złe? Zrobiłabym wszystko, o co byś mnie poprosiła, Wando.*

Opiekuj się nimi.

To bym zrobiła tak czy siak.

I Ianem też.

Jeżeli mi pozwoli. Coś mi mówi, że nie będzie za mną przepadał.

Nawet jeśli ci nie pozwoli.

Zrobię dla niego, co w mojej mocy, Wando. Obiecuję.

Ian przystanął przed czerwono-szarymi drzwiami do swojego pokoju. Uniósł brwi, na co kiwnęłam twierdząco głową. Niech myśli, że nadal ukrywam się przed Jamiem. Co zresztą było prawdą.

Odsunął czerwone drzwi na bok i udałam się wprost na materac po prawej. Zwinęłam się na nim w kulkę, splotłam roztrzęsione dłonie na łomoczącym sercu i zakryłam je kolanami.

Ian położył się skulony tuż obok i przycisnął mnie do piersi. Nie martwiłoby mnie to – wiedziałam, że kiedy już zaśnie, rozłoży się na wszystkie strony – gdyby nie fakt, że czuł moje dreszcze.

– Wszystko będzie dobrze, Wando. Wiem, że znajdziemy jakieś wyjście.

– Kocham cię, Ian. – Tylko tak mogłam mu powiedzieć dobranoc. Tylko tych słów pragnął. Wiedziałam, że później to wspomni i zrozumie. – Kocham cię całą duszą.

– Ja też cię kocham, moja Wagabundo.

Zbliżył do mnie twarz, znalazł moje usta, a potem zaczął mnie całować, powoli i delikatnie, jak płynna skała falująca łagodnie w ciemnościach ziemi, aż powoli przestałam się trząść.

– Śpij, Wando. Odłóż smutki na jutro. Nigdzie sobie w nocy nie pójdą.

Kiwnęłam głową, ocierając twarz o jego twarz, i westchnęłam.

Ian także był zmęczony. Nie musiałam długo czekać. Wpatrywałam się w sufit – widoczne w szczelinach gwiazdy przesunęły się od ostatniego razu. Tam gdzie wcześniej lśniły tylko dwie, teraz widziałam trzy. Patrzyłam, jak mrugają i pulsują w mrokach kosmosu. Nie wzywały mnie. Nie miałam zamiaru do nich dołączać.

Ręce Iana opadły ze mnie, najpierw jedna, potem druga. Przewrócił się na plecy, mamrocząc przez sen. Nie mogłam już dłużej zwlekać, zbyt mocno pragnęłam zostać, zasnąć u jego boku i skraść jeszcze jeden dzień.

Moje ruchy były ostrożne, choć wiedziałam, że się nie obudzi. Oddychał równo i głęboko. Dopiero rano otworzy oczy.

Nie było bardzo późno, jaskinie jeszcze nie opustoszały. Słyszałam niosące się głosy, dziwne echa dochodzące nie wiadomo skąd. Nie spotkałam jednak nikogo, dopóki nie weszłam do jaskini z ogrodem. Geoffrey, Heath i Lily wracali właśnie z kuchni. Spuściłam wzrok, choć bardzo się ucieszyłam, widząc Lily. Pozwoliłam sobie tylko na jedno małe zerknięcie, ale widziałam, że przynajmniej stoi prosto, nie garbi pleców. Lily była twarda. Tak jak Mel.

Pospieszyłam w stronę południowego tunelu i odetchnęłam z ulgą, gdy już znalazłam się w jego bezpiecznym mroku. Z ulgą, lecz także z trwogą. To już naprawdę koniec.

Tak się boję, zakwiliłam.

Zanim Mel zdążyła cokolwiek odpowiedzieć, poczułam na ramieniu czyjąś ciężką dłoń.

– Wybierasz się gdzieś?

Rozdział 58

Koniec

Byłam tak spięta, że krzyknęłam z przerażenia, ale tak przerażona, że mój krzyk okazał się zaledwie cichym piśnięciem.

– Przepraszam! – Jared objął mnie czule za ramię. – Przepraszam. Nie chciałem cię wystraszyć.

– Co ty tu robisz? – zapytałam, wciąż bez tchu.

– Śledzę cię. Cały wieczór.

– W takim razie przestań.

Wahał się przez chwilę, lecz nie zdejmował ze mnie ręki. Wysunęłam się spod niej, a wtedy chwycił mnie za nadgarstek. Ściskał go mocno, nie miałam szans, by mu się wyrwać.

– Idziesz do Doktora? – zapytał jednoznacznym tonem. Było jasne, że nie pyta o wizytę towarzyską.

– Oczywiście, że tak – mówiłam syczącym głosem, tak by nie mógł w nim usłyszeć strachu. – Co innego mi zostało po dzisiejszym dniu? Może być tylko gorzej. Ta decyzja nie należy do Jeba.

– Wiem. Jestem po twojej stronie.

Byłam zła na siebie, że te słowa wciąż sprawiają mi przykrość, wyciskają łzy. Starałam się myśleć o Ianie – był dla mnie ostoją, tak jak wcześniej Kyle dla Sunny – ale nie było to łatwe, gdyż czułam dotyk i zapach Jareda. Równie dobrze mogłabym wsłuchiwać się w dźwięki pojedynczej pary skrzypiec ginące w gęstym łomocie sekcji perkusyjnej...

– W takim razie mnie puść. Odejdź. Chcę być sama. – Wyrzucałam z siebie słowa szybko i stanowczo. Łatwo było zauważyć, że nie kłamię.

– Powinienem iść z tobą.

– Dostaniesz niedługo Melanie z powrotem – odparowałam. – Proszę tylko o parę minut, Jared. Daj mi choć tyle.

Kolejna chwila ciszy. Nie przestawał ściskać mi nadgarstka.

– Wando, poszedłbym dla ciebie.

Łzy wylały mi z oczu. Dobrze, że było ciemno.

– Trudno byłoby mi w to uwierzyć – szepnęłam. – Więc nie ma sensu. Nie mogłam pozwolić, żeby Jared przy tym był. Ufałam w tej sprawie tylko Doktorowi. Tylko on złożył mi obietnicę. Nie opuszczałam tej planety. Nie leciałam do Delfinów ani do Kwiatów, by tam do końca swych dni opłakiwać pozostawionych tu bliskich, którzy poumierali, zanim zdążyłam ponownie otworzyć oczy – o ile w kolejnym życiu miałabym w ogóle oczy. Tu był mój świat i nie mogli mnie stąd przepędzić. Chciałam spocząć w ciemnej grocie obok przyjaciół. W człowieczym grobie, ponieważ czułam się człowiekiem.

– Ale Wando, ja... Mam ci tyle ważnych rzeczy do powiedzenia.

– Nie chcę twojej wdzięczności, Jared. Wierz mi.

– A czego chcesz? – szepnął napiętym, urywanym głosem. – Dałbym ci wszystko.

– Opiekuj się moją rodziną. Nie pozwól nikomu ich zabijać.

– Oczywiście, że to zrobię – odparł poirytowany. – Chodziło mi o ciebie. Co mogę dać tobie?

– Nie mogę nic ze sobą zabrać, Jared.

– Nawet wspomnienia? Powiedz, czego chcesz.

Otarłam łzy wolną ręką, ale w ich miejsce od razu popłynęły następne. Nie, tam, dokąd się wybierałam, nie mogłam zabrać nawet wspomnienia.

– Co mogę ci dać, Wando? – nalegał.

Wzięłam głęboki oddech i odpowiedziałam, starając się mówić pewnym głosem.

– Podaruj mi kłamstwo, Jared. Powiedz mi, że chcesz, żebym została.

Tym razem nie wahał się ani chwili. Objął mnie w ciemnościach obiema rękoma i przytulił do piersi. Przycisnął mi usta do czoła, a potem przemówił. Czułam we włosach jego oddech.

Melanie wstrzymywała swój. Próbowała znowu się schować, obdarować mnie wolnością na tych ostatnich kilka chwil. Może bała się słuchać tych kłamstw. Nie chciała tego pamiętać.

– Zostań, Wando. Zostań z nami. Ze mną. Nie chcę, żebyś odchodziła. Proszę. Nie potrafię sobie tego wyobrazić. Nie widzę tego. Nie wiem, jak... jak... – Głos mu się załamał.

Umiał świetnie kłamać. Musiał być naprawdę, naprawdę pewien niezłomności mojego postanowienia, mówiąc mi te rzeczy.

Stałam jeszcze przez chwilę wsparta o jego pierś, ale czułam, jak czas mnie od niego odrywa. Czas minął. Czas minął.

– Dziękuję – szepnęłam, próbując się uwolnić.

Naprężył ramiona.

– Jeszcze nie skończyłem.

Nasze twarze dzieliły zaledwie centymetry. Zbliżył do mnie usta i nawet tu i teraz, będąc o krok od ostatniego oddechu na tej planecie, nie mogłam mu się oprzeć. Jak iskra i benzyna – znowu eksplodowaliśmy.

Tym razem było jednak inaczej. Czułam to. Całował teraz mnie. To moje imię wyszeptał zdyszany, chwytając to ciało, i myślał o nim jak o moim ciele, jak o mnie. Wyczuwałam tę różnicę. Przez chwilę byliśmy sami we dwoje, Jared i Wagabunda, oboje w płomieniach.

Nikt nigdy tak wspaniale nie kłamał jak Jared swym ciałem w ostatnich minutach mojego ziemskiego życia, i za to byłam mu wdzięczna. Nie mogłam zabrać tej chwili ze sobą, gdyż nie miałam dokąd, ale uśmierzyła nieco mój ból. Potrafiłam w to kłamstwo uwierzyć. Potrafiłam uwierzyć, że będzie za mną tęsknił – tak bardzo, że zmąci to jego radość. Nie powinnam tego chcieć, niemniej było mi lepiej, gdy w to wierzyłam.

Nie mogłam dłużej ignorować upływu czasu, tykających sekund. Nawet spalając się w jego ramionach, czułam, jak mnie ciągną, wsysają w głąb ciemnego korytarza. Jak porywają mnie od tego żaru uczuć.

Udało mi się oderwać od niego usta. Dyszeliśmy w ciemnościach, czując na twarzach swoje oddechy.

– Dziękuję – powiedziałam raz jeszcze.

– Poczekaj...

– Nie mogę. Nie mogę... więcej znieść. Dobrze?

– Dobrze – odszepnął.

– Chcę tylko jednego. Żebyś pozwolił mi to zrobić samotnie. Proszę.

– Jeśli... jeśli jesteś pewna, że tego właśnie chcesz... – Zamilkł, nie wiedząc, co powiedzieć.

– Potrzebuję tego, Jared.

– Dobrze, w takim razie zostanę tutaj – odparł ochryple.

– Powiem Doktorowi, żeby po ciebie przyszedł, gdy już będzie po wszystkim.

Wciąż trzymał mnie mocno w ramionach.

– Wiesz, że Ian będzie chciał mnie zabić za to, iż ci nie przeszkodziłem? Może powinienem mu pozwolić. No i Jamie. Nigdy nam tego nie wybaczy.

– Nie mogę teraz o nich myśleć. Proszę cię, puść mnie.

Opuszczał ramiona powoli, z wyczuwalną niechęcią, która ogrzała trochę zimnej pustki w mojej piersi.

– Kocham cię, Wando.

Westchnęłam.

– Dziękuję, Jared. Wiesz, że ja ciebie też. Całym sercem.

Serce i dusza. W moim przypadku były to dwie różne rzeczy. Zbyt długo byłam rozdarta. Nadszedł już czas, by położyć temu kres, by uczynić z tego ciała jedną całą osobę. Nawet jeśli to nie miałam być ja.

Tykające sekundy ciągnęły mnie ku końcowi. Kiedy mnie puścił, zrobiło mi się zimno. Z każdym kolejnym krokiem, który mnie od niego oddalał, było coraz zimniej.

Oczywiście tak mi się tylko wydawało. Nadal było lato. Dla mnie już na zawsze.

– Co się dzieje, kiedy spada deszcz? – zapytałam szeptem. – Gdzie wszyscy śpią?

Potrzebował chwili, żeby mi odpowiedzieć, a kiedy już się odezwał, słyszałam w jego głosie łzy.

– Wszyscy... – Przełknął głośno ślinę. – Wszyscy przenosimy się do sali gier. Tam śpimy.

Kiwnęłam głową sama do siebie. Ciekawiło mnie, jaka wtedy panuje atmosfera. Niezręczna? W końcu to tyle ludzi, tyle różnych charakterów w jednym miejscu. A może to dla nich przyjemna odmiana i jest wesoło? Jak na imprezie piżamowej?

– Dlaczego? – szepnął.

– Po prostu chciałam móc to sobie... wyobrazić. – Życie i miłość trwały i będą trwać nadal. Choć już beze mnie, ta myśl i tak napawała mnie radością. – Żegnaj, Jared. Mel mówi, że niedługo się zobaczycie.

Ty łgarzu.

– Poczekaj... Wando...

Popędziłam w głąb tunelu. Nie chciałam dać mu szansy na to, by pięknymi kłamstwami przekonał mnie do zmiany zdania. Za moimi plecami zapanowała cisza.

Jego cierpienie nie bolało mnie tak bardzo jak krzywda Iana. U Jareda był to jedynie stan przejściowy. Od szczęśliwego zakończenia dzieliły go już tylko minuty.

Południowy tunel wydał mi się bardzo krótki. Kiedy zobaczyłam w oddali jasne światło lampy, wiedziałam, że Doktor na mnie czeka.

Weszłam do szpitala, do miejsca, którego zawsze się bałam, szybkim krokiem, wyprostowana. Doktor miał już wszystko gotowe. W ciemnym kącie groty stały połączone dwa łóżka, na których leżał śpiący Kyle, obejmując ręką nieruchomą postać Jodi. Drugą ręką wciąż trzymał przy sobie kapsułę z Sunny. Ucieszyłaby się, gdyby wiedziała. Żałowałam, że nie mogę jej o tym w żaden sposób powiedzieć.

– Cześć – szepnęłam.

Podniósł wzrok znad stołu, na którym rozkładał właśnie lekarstwa. Po twarzy ciekły mu łzy.

Nagle poczułam w sobie odwagę. Serce mi zwolniło, zaczęło bić równo. Oddech pogłębił się i uspokoił. Najgorsze miałam za sobą.

Robiłam to już. Wiele razy. Zamykałam oczy i odchodziłam. Wprawdzie za każdym razem wiedziałam, że otworzę nowe oczy, ale jednak. A więc nic nowego. Nic strasznego.

Podeszłam do łóżka, stanęłam do niego tyłem, podskoczyłam i usiadłam na brzegu. Sięgnęłam pewnym ruchem po Bezból i odkręciłam wieko. Wyjęłam płatek, położyłam sobie na języku i poczekałam, aż się rozpuści.

Nie odczułam zmiany. Nic mnie nie bolało. W każdym razie nie fizycznie.

– Powiedz mi coś, Doktorze. Jak masz naprawdę na imię?

Chciałam na koniec rozwikłać wszystkie nurtujące mnie zagadki.

Doktor pociągnął nosem i otarł oczy wierzchem dłoni.

– Eustazy. To po pradziadku. Miałem okrutnych rodziców.

Zaśmiałam się krótko, po czym westchnęłam.

– Jared czeka przy wejściu do tunelu. Obiecałam, że dasz mu znać, kiedy już będzie po wszystkim. Tylko poczekaj proszę, aż... aż przestanę się ruszać, dobrze? Żeby nie mógł już nic zaradzić.

– Nie chcę tego robić, Wando.

– Wiem. Doceniam to. Ale trzymam cię za słowo.

– Proszę.

– Nie. Obiecałeś. Wykonałam swoją część umowy, nieprawdaż?

– Prawda.

– Więc teraz twoja kolej. Chcę spocząć obok Walta i Wesa.

Drżał na twarzy, próbując powstrzymać płacz.

– Będziesz... cierpieć?

– Nie – skłamałam. – Nic nie poczuję.

Czekałam na dobroczynne działanie Bezbólu, na przypływ euforii, którego doznałam ostatnim razem. Nadal jednak nie czułam żadnej różnicy.

A więc wtedy to wcale nie był Bezból, tylko uczucie bycia kochaną. Westchnęłam po raz kolejny.

Rozłożyłam się na łóżku, na brzuchu, zwrócona twarzą ku Doktorowi.

– Jestem gotowa. Daj mi chloroform.

Otworzył butelkę. Usłyszałam, jak nią wstrząsnął, żeby nasączyć szmatkę.

– Jesteś najszlachetniejszą i najczystszą istotą, jaką kiedykolwiek poznałem. Bez ciebie wszechświat będzie gorszy i smutniejszy – wyszeptał.

To były jego słowa na moim grobie, moje epitafium. Cieszyłam się, że mi to powiedział.

Dziękuję, Wando. Siostro. Nigdy cię nie zapomnę.

Bądź szczęśliwa, Mel. Ciesz się życiem. Doceniaj je.

Będę, obiecała.

Żegnaj, pomyślałyśmy obie naraz.

Doktor przyłożył mi delikatnie szmatkę do twarzy. Wzięłam głęboki wdech, nie zważając na silny, przykry zapach. Kiedy brałam drugi wdech, ujrzałam znowu trzy gwiazdy. Nie wzywały mnie, pozwalały mi odejść, zostawiały samą w mrocznym wszechświecie, który przemierzałam już tyle razy. Odpływałam w ciemności, lecz te coraz bardziej się rozjaśniały. Nie były wcale ciemnościami – odpływałam w błękit. Ciepły, żywy, jasny błękit... Zanurzyłam się w nim bez cienia strachu.

Rozdział 59

Wspomnienie

Wiedziałam, że wszystko zacznie się od końca. Uprzedzono mnie.

Lecz tym razem koniec zaskoczył mnie bardziej niż kiedykolwiek przedtem. Bardziej niż wszystkie inne końce, jakie zapamiętałam przez dziewięć żyć. Bardziej niż skok do szybu windy. Nie spodziewałam się żadnych wspomnień, żadnych myśli. Czyj to koniec?

Słońce zachodzi – wszystko różowieje, przywodząc mi na myśl moją przyjaciółkę... jakie nosiłaby tutaj imię? Coś z... falami? Na pewno z falami. Była pięknym Kwiatem. Tutejsze kwiaty są takie sztywne i nudne. Ale pachną przepięknie. Zapachy to najmocniejsza strona tego miejsca.

Słyszę za sobą czyjeś kroki. Czyżby to Prządka Chmur znowu za mną wyszła? Nie potrzebuję kurtki. Jest ciepło – nareszcie! – i chcę czuć wiatr na skórze. Nie obejrzę się. Może pomyśli, że jej nie słyszę, i pójdzie sobie do domu. Bardzo się o mnie troszczy, ale przecież jestem już prawie dorosła. Nie może mnie niańczyć w nieskończoność.

– Przepraszam? – odzywa się ktoś. Nie znam tego głosu.

Obracam się i widzę nieznajomą twarz. Jest ładna.

Wróciłam nagle do siebie. To moja twarz! Ale nie pamiętałam...

– Cześć – mówię.

– Cześć. Mam na imię Melanie. – Uśmiecha się do mnie. – Jestem tu nowa i... chyba się zgubiłam.

– Naprawdę? Gdzie próbujesz dojść? Zawiozę cię. Nasz samochód jest tuż za...

– Nie, nie, to niedaleko. Szłam na spacer, ale teraz nie wiem, jak wrócić na Becker Street.

Nowa sąsiadka – jak miło. Uwielbiam poznawać nowych ludzi.

– To bardzo blisko – mówię. – Drugi zakręt w tamtą stronę, ale można pójść na skróty tą alejką. Prosto do celu.

– Możesz mi pokazać? Przepraszam, jak masz na imię?

– Oczywiście. Chodźmy. Nazywam się Płatek w Księżycową Noc, ale rodzina mówi na mnie po prostu Pet. Skąd jesteś, Melanie?

Śmieje się.

– Chodzi ci o San Diego czy Planetę Śpiewu?

– O jedno i drugie. – Też się śmieję. Podoba mi się jej uśmiech. – Na tej ulicy żyją dwa Nietoperze. W tym żółtym domu obok sosen.

– Będę musiała się z nimi przywitać – mówi cicho, ale już zmienionym głosem, bardziej napiętym. Spogląda w zacienioną alejkę, jakby spodziewała się tam coś zobaczyć.

I coś rzeczywiście tam jest. Dwie osoby, mężczyzna i chłopiec. Ten drugi gładzi sobie długie, czarne włosy, jakby się denerwował. Może jest zmartwiony, bo też się zgubił. Oczy ma ładne, szeroko otwarte i podniecone. Mężczyzna jest bardzo spokojny.

Jamie, Jared. Serce zabiło mi mocniej, ale jakoś dziwnie. Jakby było małe i... leciutkie.

– To moi przyjaciele, Pet – mówi Melanie.

– O! Naprawdę! Cześć! – Wyciągam rękę w stronę mężczyzny – stoi bliżej.

Chwyta mnie za dłoń, ma bardzo silny uścisk.

Przyciąga mnie gwałtownie do siebie. Nie rozumiem tego. Nie podoba mi się to.

Serce zaczyna mi szybciej bić, boję się. Nigdy się tak nie bałam. Nic nie rozumiem.

Przykłada mi dłoń do twarzy i zatyka usta. Próbuję złapać oddech i wdycham mgiełkę wydobywającą się z jego ręki. Srebrną chmurę o smaku malin.

– Co... – próbuję zapytać, ale tracę ich z oczu. Nic nie widzę...

Koniec.

– Wanda? Słyszysz mnie, Wando? – rozległ się znajomy głos.

To chyba nie było moje imię...? Moje uszy nie zareagowały, ale coś we mnie – owszem. Przecież nazywałam się Płatek w Księżycową Noc? Pet? Czy właśnie tak? To też nie brzmiało właściwie. Serce zabiło mi mocniej, jakby echem strachu ze wspomnienia. Umysł wypełnił mi obraz kobiety o rudawych włosach z białymi pasemkami i czułych zielonych oczach. Gdzie jest moja matka? I... czy naprawdę jest m o j ą matką?

Dookoła rozbrzmiewał echem jakiś dźwięk, cichy głos.

– Wando. Wróć. Nie pozwolimy ci odejść.

Brzmiał znajomo i zarazem obco. Jak... mój?

Gdzie jest Płatek w Księżycową Noc? Nie mogłam jej znaleźć. Widziałam jedynie tysiąc pustych wspomnień. Dom pełen obrazów, lecz bez mieszkańców.

– Użyj Przebudzenia – powiedział inny, nieznajomy głos.

Coś leciutkiego jak mgła musnęło mi twarz. Znałam ten zapach. Była to woń grejpfruta.

Wzięłam głębszy oddech i nagle umysł mi się rozjaśnił.

Poczułam, że leżę... ale i to uczucie było dziwne. Jak gdyby... było mnie za mało. Czułam się skurczona.

Dłonie miałam cieplejsze niż reszta ciała, a to dlatego, że ktoś mnie za nie trzymał. Ktoś o dużo większych dłoniach, w których moje mieściły się całe.

W powietrzu unosił się dziwny zapach – duszny i nieco stęchły. Pamiętałam go... ale też byłam pewna, że nigdy w życiu go nie czułam.

Widziałam jedynie bladą czerwień zamkniętych powiek. Zapragnęłam je otworzyć i zaczęłam szukać odpowiednich mięśni.

– Wagabundo? Czekamy na ciebie, skarbie. Otwórz oczy.

Ten głos, ten ciepły oddech na moim uchu, wydał mi się jeszcze bardziej znajomy. Na jego dźwięk poczułam w żyłach dziwne łaskotanie. Nigdy wcześniej czegoś takiego nie zaznałam. Palce mi zadrżały, zaparło mi dech w piersi.

Chciałam zobaczyć twarz, do której ten głos należał.

Umysł wypełnił mi jeden kolor – jakby wołanie z przeszłego życia – jasny, roziskrzony błękit. Cały świat był jaskrawym błękitem...

I wreszcie przypomniałam sobie moje imię. Tak, wszystko się zgadzało. Wagabunda. Albo Wanda.

Poczułam lekki dotyk na twarzy – coś ciepłego na ustach, na powiekach. A więc tu są. Teraz, gdy już je odnalazłam, mogłam nimi zamrugać.

– Budzi się! – powiedział ktoś cienkim, podnieconym głosem.

Jamie. Jamie. Serce znowu delikatnie mi zatrzepotało.

Potrzebowałam chwili, żeby wyostrzyć wzrok. Uderzyło mnie w oczy niebieskie światło, ale jakieś dziwne – zbyt blade, wyprane. Nie takiego się spodziewałam.

Czyjaś ręka dotknęła mojej twarzy.

– Wagabundo?

Spojrzałam w kierunku dźwięku. Musiałam ruszyć głową – kolejne dziwne uczucie. Całkiem nowe i zarazem dobrze znane.

Dopiero teraz natrafiłam wzrokiem na błękit, którego szukałam. Szafir, śnieżna biel i czarna noc.

– Ian? Ian, gdzie jestem? – Przestraszyło mnie brzmienie głosu wydobywającego mi się z gardła. Był bardzo wysoki i szczebiotliwy. Znajomy, ale nie mój. – Kim ja jestem?

– Jesteś sobą – odparł Ian. – I jesteś tam, gdzie twoje miejsce.

Uwolniłam dłoń z uścisku olbrzymiej ręki. Już miałam dotknąć swojej twarzy, gdy ujrzałam wyciągniętą w moją stronę dłoń i zamarłam.

Wyciągnięta dłoń również zastygła w bezruchu.

Ruszyłam znowu ręką, żeby się zasłonić, lecz wtedy wisząca nade mną dłoń ponownie się poruszyła. Zaczęłam się trząść, a wtedy i ona zadrżała.

Ach.

Otworzyłam ją i zamknęłam, uważnie jej się przypatrując.

A więc to m o j a dłoń? Taka mała? Była to ręka dziecka, nie licząc długich, różowobiałych paznokci o idealnie gładkich, zaokrąglonych krawędziach. Skórę miałam jasną, o dziwnie srebrzystym odcieniu, nakrapianą, o dziwo, złotymi piegami.

Dopiero ta dziwna kombinacja srebra i złota ożywiła w mej pamięci znajomy obraz twarzy odbitej w lustrze.

Sceneria tego wspomnienia na chwilę mnie odrzuciła, gdyż nie byłam przyzwyczajona do cywilizacji – zarazem jednak niczego oprócz cywilizacji nie znałam. Miałam przed oczyma śliczną komodę, a na niej mnóstwo różnych zwiewnych, plisowanych ubrań. Bezlik eleganckich buteleczek z ukochanymi – przeze mnie? czy przez nią? – zapachami. Storczyk w doniczce. Zestaw srebrnych grzebyków.

Duże, okrągłe lustro oplatała metalowa rama w kształcie róż. Także odbita w nim twarz była bardziej okrągła niż owalna. Mała. Cera miała taki sam księżycowo srebrny ton jak ręka, a okolice grzbietu nosa również usiane były złotawymi piegami. Zza szerokich szarych oczu, spod poplątanych złotych rzęs, połyskiwało srebro duszy. Bladoróżowe usta, pełne i prawie okrągłe, przypominały buzię niemowlęcia. Za nimi widać było małe, równe, białe zęby. Dołek w podbródku. I wszędzie, wszędzie złote, faliste włosy, odstające od twarzy niczym aureola i opadające poza lustro.

Moja twarz czy jej twarz?

Była to idealna twarz dla Nocnego Kwiatu. Niczym dokładne tłumaczenie ze świata Kwiatów na świat ludzi.

– Gdzie ona jest? – zapytałam piskliwym głosem. – Gdzie jest Pet? – Jej nieobecność napawała mnie strachem. Nigdy nie widziałam bardziej bezbronnej istoty od tego prawie dziecka o twarzy jak księżyc i włosach jak słońce.

– Jest tutaj – zapewnił mnie Doktor. – Gotowa do drogi. Pomyśleliśmy, że może nam doradzisz, gdzie najlepiej ją wysłać.

Obróciłam głowę, ujrzałam stojącego w słońcu Doktora z kapsułą w rękach i zalała mnie fala wspomnień z poprzedniego życia.

– Doktorze! – wydyszałam cienkim, łamliwym głosem. – Doktorze, obiecałeś! Dałeś mi słowo, Eustazy! Dlaczego? Dlaczego nie dotrzymałeś słowa?

Umysł wypełniło mi niewyraźne wspomnienie cierpienia i rozpaczy. Moje nowe ciało nigdy wcześniej nie doświadczyło czegoś równie bolesnego. Skurczyło się panicznie.

– Nawet uczciwy człowiek ugina się czasem pod przymusem, Wando.

– Pod przymusem – zadrwił inny strasznie znajomy głos.

– Nóż przystawiony do gardła chyba się liczy, Jared.

– Przecież wiedziałeś, że tego nie zrobię.

– Byłeś bardzo przekonujący.

– Nóż? – Zadrżałam.

– Cii, już dobrze – odrzekł cicho Ian. Jego oddech rozwiał mi po twarzy kosmyki złotych włosów. Odgarnęłam je odruchowo. – Naprawdę myślałaś, że pozwolimy ci tak odejść? Wando! – Westchnął, lecz było to westchnienie radosne.

Ian był szczęśliwy. Uświadomiłam to sobie i zrobiło mi się nagle dużo lżej.

– Powiedziałam wam, że nie chcę być pasożytem – szepnęłam.

– Przepuśćcie mnie – odezwał się mój stary głos i po chwili ujrzałam moją twarz, silną, opaloną, o prostych czarnych brwiach i piwnych oczach w kształcie migdałów, o wysokich, ostrych policzkach... Ujrzałam ją obróconą, już nie jako lustrzane odbicie.

– Posłuchaj, Wando. Dobrze wiem, że nie chcesz. Ale jesteśmy ludźmi i myślimy o sobie, i nie zawsze postępujemy właściwie. Nie pozwolimy ci odejść. Musisz się z tym pogodzić.

Sposób, w jaki mówiła, nie sama barwa głosu, lecz jego rytm i ton, przypomniały mi nasze bezgłośne rozmowy, głos w mojej głowie, moją siostrę.

– Mel? Mel, żyjesz!

Uśmiechnęła się i nachyliła nade mną, żeby mnie uściskać. Była większa, niż pamiętałam.

– Oczywiście, że żyję. Przecież chyba po to było całe to zamieszanie. Ty też będziesz się dobrze czuć. Działaliśmy z głową. Nie wzięliśmy dla ciebie pierwszego lepszego ciała.

– Ja jej opowiem, ja! – Jamie wcisnął się obok Mel. Wokół łóżka robiło się ciasno. Zaczynało się kołysać.

Złapałam go za rękę i ścisnęłam. Moje dłonie były jednak bardzo słabe. Czy w ogóle coś poczuł?

– Jamie!

– Cześć, Wanda! Fajnie, co? Jesteś teraz mniejsza ode mnie! – Wyszczerzył triumfalnie zęby.

– Ale wciąż starsza. Mam już prawie... – Urwałam jednak i zaczęłam nowe zdanie. – Za dwa tygodnie mam urodziny.

Może i czułam się nadal nieco zdezorientowana, lecz nie byłam głupia. Doświadczenie Melanie nie poszło na marne, wyciągnęłam z niego naukę. Ian był równie honorowy jak Jared, a ja wcale nie miałam ochoty przeżywać tych samych frustracji co Mel.

Dlatego skłamałam, dodając sobie jeden rok.

– Skończę osiemnaście lat.

Widziałam kątem oka, jak Melanie i Ian zastygli w zdziwieniu. Moje ciało nie wyglądało nawet na swój prawdziwy wiek, czyli na niecałe siedemnaście lat.

To drobne, lecz wybiegające w przyszłość oszustwo uświadomiło mi, że tu zostaję. Że będę z Ianem i resztą mojej nowej rodziny. Poczułam dziwne ściśnięcie w gardle, jakby nagle mi spuchło.

Jamie poklepał mnie delikatnie po twarzy, domagając się uwagi. Zaskoczyło mnie, jak duża wydawała się teraz jego dłoń.

– Zabrali mnie na wyprawę po ciało dla ciebie.

– Wiem – wymamrotałam. – To znaczy, Pet pamięta, że cię widziała. – Posłałam Mel surowe spojrzenie, a ta wzruszyła ramionami.

– Staraliśmy się jej nie przestraszyć – mówił Jamie. – Wyglądała na taką... no wiesz, delikatną. I miłą. Znaleźliśmy ją razem, ale pozwolili mi zadecydować! Mel powiedziała, że musimy znaleźć kogoś młodego, kto dłużej był duszą, czy jakoś tak. Ale nie zbyt młodego, bo wiedziała, że nie chcesz być dzieckiem. I wtedy Jaredowi spodobała się ta twarz, bo powiedział, że budzi zaufanie. Wyglądasz zupełnie niegroźnie. Jared powiedział, że każdy, kto cię zobaczy, będzie chciał cię bronić, prawda, Jared? Ale potem dali mi ostatnie słowo, bo ja szukałem kogoś, kto będzie wyglądał jak ty. I pomyślałem, że ta dziewczyna wygląda jak ty. Bo wygląda trochę jak anioł, a ty jesteś taka dobra. No i jest naprawdę ładna. Czułem, że musisz być ładna. – Uśmiechnął się szeroko. – Ian nie pojechał z nami. Czekał tu z tobą – powiedział, że nie obchodzi go, jak będziesz wyglądać. Nie dał nikomu dotknąć twojej kapsuły, nawet mnie i Mel. Ale Doktor pozwolił mi tym razem popatrzeć. To było super, naprawdę. Nie wiem, czemu wcześniej nie kazałaś mi patrzeć. Ale nie chcieli, żebym pomógł. Ian nie pozwalał nikomu cię dotykać.

Ian ścisnął mnie za dłoń i nachylił się, by szepnąć mi coś na ucho przez gąszcz włosów. Mówił tak cicho, że nikt poza mną nie mógł nic słyszeć.

– Trzymałem cię w ręce, Wagabundo. Byłaś przepiękna.

Poczułam wilgoć w oczach i musiałam pociągnąć nosem.

– Podoba ci się, prawda? – zapytał Jamie, nagle zatroskany. – Nie gniewasz się na nas? Nikogo tam z tobą nie ma, prawda?

– Nie to, że się gniewam – odszepnęłam. – I... nie, nikogo więcej tu nie czuję. Tylko wspomnienia Pet. Żyła w tym ciele od... tak dawna, że nie pamiętam niczego, co było wcześniej. Nie pamiętam żadnego innego imienia.

– Nie jesteś pasożytem – rzekła stanowczo Melanie. Dotknęła moich włosów, podniosła pojedynczy złoty kosmyk i pozwoliła mu się wyśliznąć spomiędzy palców. – To ciało nie należało do Pet, ale nie ma już żadnego innego właściciela. Sprawdziliśmy, Wando. Próbowaliśmy ją budzić. Prawie tak długo jak Jodi.

– Jodi? Co się stało z Jodi? – zawołałam przestraszonym, piskliwym głosikiem, wyższym z każdym słowem. Spróbowałam wstać, a wtedy Ian podniósł mnie do pozycji siedzącej – nie wymagało to wielkiego wysiłku – i podparł ramieniem. Dopiero teraz zobaczyłam wszystkie twarze.

Doktora, już o suchych policzkach. Jeba, w którego spojrzeniu widniało zadowolenie, lecz także nieposkromiona ciekawość. Kobiety, której w pierwszej sekundzie nie poznałam, gdyż nigdy wcześniej nie widziałam u niej tak żywego wyrazu twarzy, a zresztą w ogóle niewiele razy ją widziałam – była to Mandy, dawna Uzdrowicielka. Bliżej mnie stał Jamie ze swym promiennym uśmiechem podekscytowania, obok niego Melanie, a za nią Jared, obejmujący ją w pasie. Wiedziałam, że jej ciało – moje ciało! – to jedyne miejsce, przy którym mogą się znajdować jego dłonie. Że już zawsze będzie ją trzymał blisko przy sobie, najbliżej, jak się da. Poczułam z tego powodu rozdzierający ból. Delikatne serce zadrżało mi w wątłej piersi. Nigdy wcześniej nikt go nie złamał, nie rozumiało tego wspomnienia.

Zasmuciło mnie, że wciąż kocham Jareda. Nie uwolniłam się od tego uczucia, od zazdrości wobec ciała, które darzył miłością. Przeniosłam wzrok na Mel, ujrzałam na twarzy, która niegdyś była moja, minę pełną żalu i wiedziałam, że rozumie, co czuję.

Zaczęłam rozglądać się dalej po twarzach zgromadzonych wokół łóżka, podczas gdy Doktor odpowiedział w końcu na moje pytanie.

Trudy, Geoffrey, Heath, Paige, Andy. Nawet Brandt...

– Jodi się nie obudziła. Próbowaliśmy, dopóki się dało.

Czy to znaczyło, że Jodi umarła? Moje niedoświadczone serce pulsowało jak szalone. Nie oszczędzałam go od samego początku.

Heidi i Lily. Ta druga uśmiechała się smutno.

– Byliśmy w stanie ją nawadniać, ale nie mieliśmy jak jej karmić. Baliśmy się atrofii mięśni, mózgu...

Choć nigdy nawet jej nie poznałam, nowe serce bolało mnie w tej chwili bardziej niż kiedykolwiek przedtem. Oczy wciąż przesuwały mi się po tłumie, aż nagle zamarły.

Jodi stała przytulona do boku Kyle'a. Patrzyła na mnie.

Uśmiechnęła się nieśmiało i wtedy ją rozpoznałam.

– Sunny!

– Jednak zostałam – powiedziała, nie całkiem uradowana, ale też nie smutna. – Tak jak ty. – Zerknęła na twarz Kyle'a – bardziej stoicką, niż zdążyłam się przyzwyczaić – i głos jej posmutniał. – Ale się staram. Szukam jej. Będę jej dalej szukać.

– Kyle kazał nam włożyć Sunny z powrotem, gdy wyglądało na to, że stracimy Jodi – dodał cicho Doktor.

Patrzyłam na tę dwójkę jeszcze przez chwilę, po czym zatoczyłam wzrokiem pełne koło.

Ian przyglądał mi się z mieszaniną radości i napięcia. Twarz miał teraz dłuższą, większą, niż pamiętałam. Oczy jednak wciąż były tak samo błękitne. Były kotwicą, która trzymała mnie na tej planecie.

– Wszystko gra? – zapytał.

– Nie wiem – odparłam po chwili wahania. – Czuję się bardzo... dziwnie. Jak po zmianie gatunku. O wiele dziwniej, niżbym sądziła. Nie wiem.

Kiedy tak patrzyłam mu w oczy, serce znowu mi zatrzepotało, lecz tym razem nie było to wspomnienie miłości z innego życia. Miałam sucho w ustach i czułam ucisk w żołądku. Miejsce na plecach, gdzie dotykał mnie ręką, było jakby żywsze niż reszta ciała.

– Chyba nie czujesz się tu b a r d z o źle, prawda? Myślisz, że jakoś to zniesiesz? – zapytał cicho.

Jamie ścisnął mi dłoń. Melanie dołożyła swoją i uśmiechnęła się, gdy Jared uczynił to samo. Trudy poklepała mnie po stopie. Geoffrey, Heath, Heidi, Andy, Paige, Brandt, nawet Lily – wszyscy patrzyli na mnie radośnie. Kyle podszedł bliżej, szczerząc zęby. Uśmiech Sunny był konspiratorski.

Jak dużo Bezbólu zaaplikował mi Doktor? Wszystko wokół zdawało się promienieć.

Ian odgarnął mi z twarzy chmurę złotych włosów i położył dłoń na policzku. Była tak duża, że z łatwością zakrywała mi całą twarz. Kiedy mnie dotknął, po srebrnawej skórze przeszła iskra prądu. Czułam po niej leciutkie swędzenie, które przerzuciło się także na żołądek.

Zarumieniły mi się policzki. Moje serce nigdy wcześniej nie było złamane, ale też nigdy nie doznało takiego uniesienia. Byłam zawstydzona, nie mogłam wydobyć głosu z gardła.

– Chyba mogę – szepnęłam. – Jeżeli tego chcesz.

– Obawiam się, że to nie wystarczy – odparł Ian. – Ty też musisz tego chcieć.

Nie potrafiłam mu patrzeć w oczy dłużej niż parę sekund. Uczucie wstydu, zupełnie dla mnie nowe i kłopotliwe, kazało mi za każdym razem spuszczać wzrok na kolana.

– Chyba będę chciała – przytaknęłam. – Chyba nawet bardzo.

A zatem będę szczęśliwa i smutna, wniebowzięta i zrozpaczona, bezpieczna i zlękniona, kochana i odrzucona, cierpliwa i rozdrażniona, spokojna i dzika, pełna i pusta... Wszystko to będę czuła. Wszystko będzie moje.

Ian podniósł moją twarz, zmuszając mnie, żebym spojrzała mu w oczy, i jeszcze bardziej się zarumieniłam.

– W takim razie zostaniesz.

Pocałował mnie na oczach wszystkich, ale szybko zapomniałam, że mamy widownię. To było łatwe i oczywiste – koniec z rozdarciem, zagubieniem, sprzeciwem – byliśmy tylko ja i Ian. Płynna skała rozlewała się po moim nowym ciele, czyniąc je stroną zawartej umowy.

– Zostanę.

Tak zaczęło się moje dziesiąte życie.

Epilog

Życie i miłość w ostatnim ludzkim przyczółku na planecie Ziemia trwały dalej, lecz wiele się zmieniło.

Zmieniłam się ja.

Pierwszy raz odrodziłam się w ciele tego samego gatunku. Okazało się to znacznie trudniejsze niż przeprowadzka na inną planetę, gdyż miałam już wiele oczekiwań związanych z byciem człowiekiem. Poza tym odziedziczyłam wiele rzeczy po Płatku w Księżycową Noc, z czego bynajmniej nie wszystkie mnie cieszyły.

Odziedziczyłam przywiązanie do Prządki Snów. Tęskniłam za matką, której nigdy nie znałam, i opłakiwałam jej cierpienie. Kto wie, czy na tej planecie każda radość nie musiała być okupiona taką samą ilością bólu, jak gdyby istniała jakaś tajemna waga, której szale zawsze były równe.

Odziedziczyłam pewne zaskakujące ograniczenia. Byłam przyzwyczajona do silnego, szybkiego i wysokiego ciała, które potrafiło przebiec wiele mil, wytrzymać bez wody i jedzenia, podnosić ciężary i sięgać wysokich półek. Moje nowe ciało było słabe – i to nie tylko fizycznie. Za każdym razem, gdy czułam się niepewnie, a zdarzało mi się to teraz dość często, ogarniała mnie paraliżująca nieśmiałość.

Odziedziczyłam inną rolę we wspólnocie. Noszono teraz wszystko za mnie i ustępowano mi z drogi. Dostawałam najłatwiejsze prace, a i tak przerywano mi w połowie. Co gorsza, potrzebowałam pomocy. Mięśnie miałam wiotkie, nieprzywykłe do pracy. Szybko się męczyłam i, choć próbowałam, nie potrafiłam tego ukryć. Pewnie nie byłabym w stanie przebiec bez postoju nawet mili.

Traktowano mnie jednak ulgowo nie tylko przez wzgląd na moją wątłą fizyczność. Wcześniej owszem, miałam ładną twarz, ale to nie przeszkadzało ludziom spoglądać na nią ze strachem, nieufnością, nawet nienawiścią. Mój nowy wygląd wykluczał podobne uczucia.

Ludzie często dotykali moich policzków albo podnosili mi brodę, żeby lepiej widzieć twarz. Bez przerwy poklepywano mnie po głowie (co było łatwe, ponieważ niższe ode mnie były jedynie dzieci), a po włosach głaskano tak często, że przestałam w ogóle zwracać na to uwagę. Ci, którzy kiedyś mnie nie akceptowali, robili to równie często jak moi przyjaciele. Nawet Lucina prawie nie protestowała, gdy jej dzieci zaczęły za mną biegać jak dwoje szczeniąt. Szczególnie Freedom lubił przy każdej sposobności wdrapywać mi się na kolana i chować twarz w moich włosach. Isaiah był zbyt duży na takie czułości, ale lubił trzymać mnie za rękę – odpowiadała mu rozmiarem – i rozmawiać o Smokach i Pająkach, wyprawach i grze w piłkę. Nie zbliżały się za to nadal do Melanie. Matka zaszczepiła w nich wcześniej tak głęboki strach, że teraz sama nie potrafiła im przemówić do rozsądku.

Nawet Maggie i Sharon nie były już w mojej obecności tak nieugięte jak kiedyś, choć wciąż starały się na mnie nie patrzeć.

Moje ciało nie było jedyną zmianą. Ku mej uciesze na pustynię zawitały w końcu monsuny.

Po pierwsze, nigdy nie czułam zapachu mokrych krzewów kreozytowych, pamiętałam go tylko niewyraźnie z niedostępnych mi już wspomnień Melanie. Wypełnił teraz stęchłe jaskinie, nadając im świeżą, niemalże korzenną woń. Osiadała mi na włosach i wszędzie za mną chodziła. Czułam ją nawet w snach.

Poza tym Płatek w Księżycową Noc całe życie mieszkała w Seattle, więc nieprzerwane pasmo błękitnych, skwarnych dni działało na mój organizm równie dezorientująco – prawie odrętwiająco – jak nawał ciemnych chmur podziałałby na mieszkańców pustyni. Lubiłam obłoki, stanowiły ciekawą odmianę od bladego, nudnego błękitu. Były ruchome i miały głębię. Układały się na niebie w obrazy.

W jaskiniach nastał czas przetasowań, a tymczasowe przenosiny do sali gier – pełniącej teraz funkcję wspólnej sypialni – były dobrym przygotowaniem do poważniejszych zmian.

Liczył się każdy skrawek wolnej przestrzeni, dlatego żaden pokój nie mógł stać pusty. Mimo to jedynie nowo przybyłe, Candy – która w końcu przypomniała sobie swoje prawdziwe imię – i Lacey, zechciały zamieszkać w starym pokoju Wesa. Współczułam Candy z powodu jej przyszłej współlokatorki, lecz Uzdrowicielka ani razu nie zdradziła niezadowolenia z takiego obrotu spraw.

Po ustaniu deszczy Jamie planował się wprowadzić do Brandta i Aarona, którzy mieli w swojej grocie wolny kąt. Wcześniej Melanie i Jared wyrzucili go ze swojego pokoju do Iana. Jamie był już na tyle duży, że nie musieli szukać pretekstu.

Kyle pracował nad powiększeniem niewielkiej szczeliny, którą zajmował niegdyś Walter. Miała być gotowa na koniec pory deszczowej. Dotychczas nie było w niej miejsca dla więcej niż jednej osoby, a Kyle nie zamierzał przecież spać sam.

Nocą w sali gier Sunny spała skulona z głową na jego piersi, przypominając kocię zaprzyjaźnione z wielkim psem – rottweilerem, którego darzy instynktowym zaufaniem. Zawsze była przy Kyle'u. Nie pamiętałam, żebym widziała ich osobno, odkąd tylko pierwszy raz otworzyłam szarosrebrne oczy.

Kyle sprawiał wrażenie wiecznie zamyślonego, pochłoniętego niemożliwym związkiem do tego stopnia, że nie ogarniał niczego więcej. Wciąż miał nadzieję, że odzyska Jodi, ale okazywał garnącej się do niego Sunny wiele czułości.

Zanim zaczęło padać, w jaskiniach nie było dla mnie wolnego miejsca. Nocowałam więc u Doktora, w szpitalu, który już mnie nie przerażał. Szpitalne łóżka były mało wygodne, ale nie narzekałam. Było ciekawie. Candy pamiętała życie Śpiewnego Lata lepiej niż własne. Szpital stał się miejscem cudów.

Wszystko wskazywało na to, że po ustaniu deszczów Doktor nie zamieszka z powrotem w szpitalu. Pierwszego wieczora w sali gier Sharon przytaszczyła do niego bez słowa swój materac. Być może skłoniło ją do tego zainteresowanie Doktora Uzdrowicielką, choć szczerze wątpiłam, czy zwrócił w ogóle uwagę na jej urodę, fascynowała go bowiem posiadana przez nią wiedza. A może po prostu Sharon dojrzała do tego, by przebaczyć i zapomnieć. Miałam nadzieję, że tak właśnie jest. Może z czasem uda się zmiękczyć serca nawet Sharon i Maggie? Ta myśl była budująca.

Moje dni w szpitalu też były już policzone.

Do przełomowej rozmowy z Ianem mogłoby w ogóle nie dojść, gdyby nie Jamie. Na samą myśl, że mogłabym poruszyć ten temat, pociły mi się dłonie i robiło się sucho w ustach. Co, jeśli te parę cudownych chwil pewności, których doświadczyłam w szpitalu zaraz po przebudzeniu, było ułudą? Co, jeśli opacznie je zapamiętałam? Wiedziałam tylko na pewno, że z mojej strony nic się nie zmieniło, ale skąd miałam wiedzieć, czy Ian czuje to samo? Ciało, w którym się zakochał, nadal tu było!

Przypuszczałam, że może się czuć nieswojo – tak jak wszyscy. Skoro był to trudny okres dla mnie, duszy przyzwyczajonej do zmian, jak ciężko musieli to znosić ludzie?

Mozolnie wyzbywałam się resztek zazdrości i uciążliwego echa miłości, jaką nadal darzyłam Jareda. Nie potrzebowałam tych uczuć ani ich nie chciałam. Było mi dobrze z Ianem. Mimo to łapałam się czasem na tym, że wpatruję się w Jareda, i wprawiało mnie to w zakłopotanie. Bywało też, że Melanie dotykała ramienia Iana, po czym cofała gwałtownie rękę, jakby przypomniawszy sobie nagle, kim jest. Nawet będącemu w najlepszej sytuacji Jaredowi zdarzało się czasem spojrzeć na mnie takim samym zbłąkanym wzrokiem, jakim ja spoglądałam na niego. A Ian... Jemu oczywiście musiało być najtrudniej. Było to w pełni zrozumiałe.

Spędzaliśmy ze sobą prawie tyle czasu co Kyle i Sunny. Ian bez przerwy dotykał mojej twarzy i włosów, zawsze trzymał mnie za rękę. Ale kto tak nie reagował na moje nowe ciało? Wszyscy okazywali mi czułość i było to czysto platoniczne. Dlaczego Ian więcej mnie nie pocałował tak jak pierwszego dnia?

Może nie potrafił pokochać mnie w moim nowym ciele, mimo że urzekało wszystkich pozostałych.

Leżało mi to kamieniem na sercu tamtego wieczoru, kiedy Ian przeniósł moje ciężkie łóżko do wielkiej, ciemnej sali gier.

*

Padało po raz pierwszy od przeszło sześciu miesięcy. Wywołało to zarówno śmiech, jak i narzekania, trzeba było wykręcać mokre posłania i szukać sobie miejsca. Widziałam uśmiechy na twarzach Sharon i Doktora.

– Tutaj, Wanda! – zawołał Jamie, machając zapraszająco dłonią, gdy już położył swój materac obok Iana. – Zmieścimy się teraz we trójkę.

Jamie jako jedyny traktował mnie dokładnie tak samo jak wcześniej. Brał poprawkę na moją wątłą budowę, lecz ani razu nie wyglądał na zaskoczonego, gdy wchodziłam do pomieszczenia, ani nie wzdrygał się, słysząc z moich ust słowa Wagabundy.

– Chyba nie za bardzo chcesz spać na tym łóżku, co? Na pewno zmieścimy się wszyscy na materacach, jeśli je połączymy. – Nie czekając na zgodę, kopnął jeden materac w stronę drugiego, szeroko się do mnie uśmiechając. – Nie zajmujesz dużo miejsca.

Wziął łóżko od Iana i postawił je na boku pod ścianą. Potem rozłożył się na samym brzegu drugiego materaca i obrócił do nas plecami.

– Aha, Ian – dodał, nie obracając się. – Rozmawiałem z Brandtem i Aaronem i chyba się do nich wprowadzę. Ale jestem padnięty... Dobranoc.

Wpatrywałam się przez dłuższą chwilę w jego znieruchomiałą sylwetkę. Ian również zastygł w bezruchu. Na pewno jednak nie wpadł w panikę tak jak ja. Może szukał sposobu na wymiganie się z tej niezręcznej sytuacji?

– Gasimy światła! – zagrzmiał Jeb po drugiej stronie groty. – Wszystkie gęby na kłódkę, bom śpiący.

Ludzie roześmiali się, ale jak zwykle potraktowali jego słowa poważnie. Jedna po drugiej, wszystkie cztery lampy gasły, aż zrobiło się zupełnie ciemno.

Ian znalazł po ciemku moją dłoń i poczułam ciepło jego rąk. Czy zauważył, jak zimna i wilgotna jest moja skóra?

Uklęknął na materacu, ciągnąc mnie delikatnie za sobą. Poszłam w jego ślady i położyłam się na złączeniu materaców. Nie puszczał mojej dłoni.

– Tak dobrze? – szepnął. Dookoła toczyły się inne szeptane rozmowy, zagłuszane przez szmer siarkowego źródełka.

– Tak, dziękuję.

Jamie przewrócił się na drugi bok i wpadł na mnie.

– Ups, sorry, Wanda – wymamrotał, po czym ziewnął przeciągle.

Usunęłam się odruchowo. Nie sądziłam jednak, że Ian jest tak blisko. Westchnęłam cicho, gdy o niego zawadziłam, i już chciałam zrobić mu więcej miejsca, lecz wtedy objął mnie naraz ręką i przycisnął do siebie.

Było to przedziwne uczucie, znaleźć się nagle w całkiem nieplatonicznych objęciach Iana. Przypominało moje pierwsze zetknięcie z Bezbólem. Czułam się, jakbym dotychczas cierpiała, nie zdając sobie z tego sprawy, a jego dotyk mnie uleczył.

Właśnie to uczucie wzięło we mnie górę nad wstydem. Obróciłam się na drugi bok, twarzą do niego, a wtedy objął mnie mocniej.

– Tak dobrze? – szepnęłam, powtarzając jego własne pytanie.

Pocałował mnie w czoło.

– Więcej niż dobrze.

Milczeliśmy przez parę minut. Większość rozmów w grocie umilkła.

Zgiął się nieco, przystawiając mi usta do ucha, i szepnął, ciszej niż przedtem:

– Wando, myślisz... – Urwał.

– Tak?

– No wiesz, wygląda na to, że mam teraz cały pokój dla siebie. To nie w porządku.

– To prawda. Nie możesz w nim mieszkać sam, trzeba oszczędzać miejsce.

– Nie chcę mieszkać sam. Ale...

Dlaczego nie zapyta wprost?

– Ale co?

– Zdążyłaś już sobie wszystko ułożyć w głowie? Nie chcę cię poganiać. Wiem, że to musi być dla ciebie trudne... z Jaredem...

Potrzebowałam chwili, żeby ogarnąć sens tych słów, aż w końcu zachichotałam pod nosem. Melanie nie była chichotliwa, za to Pet owszem. Jej ciało zdradziło mnie teraz w najmniej odpowiednim momencie.

– Co? – zapytał skonsternowany.

– Myślałam, że to ty potrzebujesz czasu, żeby sobie wszystko poukładać – wyjaśniłam szeptem. – To ja nie chciałam poganiać ciebie. Bo wiem, że to dla ciebie trudne. Z Melanie.

Drgnął lekko, zaskoczony.

– Myślałaś?... Ale przecież Melanie nie jest tobą. Nigdy nie miałem z tym żadnego kłopotu.

Uśmiechałam się w ciemnościach.

– A Jared nie jest tobą.

Odpowiedział bardziej napiętym głosem:

– Ale jest nadal sobą. A ty go kochasz.

Ian znów był zazdrosny? Nie powinnam się cieszyć z negatywnych emocji, ale musiałam przed sobą przyznać, że czuję się podbudowana.

– Jared to przeszłość. Teraźniejszość to ty.

Przez chwilę milczał. W końcu odezwał się drżącym głosem:

– I przyszłość, jeśli zechcesz.

– Tak. Poproszę.

Potem pocałował mnie tak nieplatonicznie, jak tylko było można w tak niesprzyjających okolicznościach. Jak to dobrze, że miałam dość rozsądku, by skłamać na temat swojego wieku.

Deszcze musiały się niedługo skończyć. Wiedziałam, że staniemy się wówczas parą już w pełni. Była to obietnica i zobowiązanie, jakiego nie doświadczyłam w żadnym z poprzednich żyć. Kiedy o tym myślałam, czułam radość i napięcie, nieśmiałość i wielką niecierpliwość – wszystko to naraz; czułam się człowiekiem.

*

Od tamtego wieczora staliśmy się bardziej nierozłączni niż kiedykolwiek. Kiedy więc nadszedł czas, bym wypróbowała nową twarz na innych duszach, Ian pojechał oczywiście ze mną.

Po długich tygodniach frustracji wyczekiwałam tej wyprawy z utęsknieniem. Tymczasem nie dość że moje nowe ciało było słabe i prawie bezużyteczne w jaskiniach, to jeszcze, ku mojemu zdumieniu, niektórzy nie chcieli, żebym zrobiła z niego jedyny użytek, do jakiego było wręcz stworzone.

A przecież Jared przychylił się do decyzji Jamiego właśnie ze względu na tę niewinną, wrażliwą twarzyczkę, która momentalnie budziła zaufanie, to delikatne ciało, które każdy chciał chronić. Teraz jednak on sam miał problem z przełożeniem teorii na praktykę. Byłam przekonana, że wypady do miasta będą dla mnie równie łatwe jak wcześniej, lecz Jared,

Jeb, Ian i pozostali – wszyscy z wyjątkiem Jamiego i Mel – roztrząsali to przez wiele dni, szukając sposobu, żeby mnie od tego obowiązku uwolnić. Był to istny absurd.

Widziałam, że myślą o Sunny, lecz była przecież jeszcze niesprawdzona, niezaufana. Co więcej, Sunny nie miała najmniejszej ochoty wystawiać nosa na zewnątrz. Na samo słowo „wyprawa" kuliła się ze strachu. Udział Kyle'a także nie wchodził w grę. Gdy raz przy niej o tym napomknął, wpadła w histerię.

Koniec końców, zaważyły względy praktyczne. Byłam potrzebna.

Lubiłam czuć się potrzebna.

Zapasy były już na wyczerpaniu, dlatego szykowaliśmy się na długą, solidną wyprawę. Jak zwykle przewodził nam Jared, a więc nie mogła nie pojechać Melanie. Aaron i Brandt zgłosili się na ochotnika, nie dlatego, że potrzebowaliśmy silnego wsparcia – po prostu byli zmęczeni siedzeniem w jaskiniach.

Wybieraliśmy się tym razem daleko na północ i nie mogłam się doczekać nowych miejsc – oraz niskiej temperatury.

Moje nowe ciało trochę sobie nie radziło z uczuciem podniecenia. Pierwszej nocy, gdy jechaliśmy do skalnego osuwiska, gdzie czekały w ukryciu furgonetka i ciężarówka, byłam nieco nadpobudliwa. Ian śmiał się ze mnie, ponieważ nie mogłam wytrzymać w miejscu w trakcie przeładowywania do furgonetki ubrań i innych niezbędnych nam rzeczy. Mówił, że trzyma mnie za rękę, żebym nie odleciała.

Czy byłam zbyt głośna? Zapomniałam się? Nie, oczywiście, że nie. Nie mogłam nic zrobić, żeby tego uniknąć. Wpadliśmy w zasadzkę i było za późno, żeby cokolwiek wskórać, odkąd tylko się tam zjawiliśmy.

Zamarliśmy, gdy z ciemności wystrzeliły wąskie snopy światła, oświetlając twarze Jareda i Melanie. Moja twarz, moje oczy – jedyne, które mogły nam pomóc – pozostały niewidoczne w cieniu szerokich barków Iana.

Mnie nic nie oślepiło. Widziałam Łowców wyraźnie w jasnym świetle księżyca. Mieli nad nami przewagę liczebną, nas było sześcioro, ich – ośmioro. Widziałam wyraźnie, jak trzymają ręce, widziałam błyszczącą w nich broń, uniesioną i wycelowaną w naszą stronę. W Jareda i Mel, Brandta i Aarona – który nie zdążył nawet sięgnąć po naszą jedyną strzelbę – i prosto w pierś Iana.

Dlaczego pozwoliłam im ze mną jechać? Dlaczego musieli zginąć wraz ze mną? W głowie rozbrzmiały mi echem rozpaczliwe pytania Lily: dlaczego życie i miłość trwają? Po co?

Moje małe, wrażliwe serce rozprysło się na milion kawałków. Sięgnęłam nerwowo do kieszeni w poszukiwaniu kapsułki z trucizną.

– Spokój, niech nikt się nie rusza! – zawołał mężczyzna w środku grupy. – O nie, tylko nic nie połykajcie! Chwila! Patrzcie!

Mężczyzna poświecił sobie latarką po oczach.

Twarz miał opaloną na brąz, pooraną niczym zwietrzały głaz. Włosy ciemne, posiwiałe w okolicach skroni, nad uszami skłębione. A oczy – oczy miał ciemnobrązowe. Po prostu ciemnobrązowe, nic więcej.

– Widzicie? – powiedział. – Nie strzelajcie do nas, a my nie będziemy strzelać do was. Dobra? – Po czym odłożył broń na ziemię. – No dalej, ludzie – rzucił, a wtedy pozostali schowali pistolety z powrotem do kabur – na biodrach, plecach, kostkach... mnóstwo broni.

– Znaleźliśmy wasz schowek, niezła rzecz. Mieliśmy szczęście, że go znaleźliśmy – więc pomyśleliśmy, że się tu pokręcimy i na was poczekamy. W końcu nieczęsto natykamy się na innych ludzi. – Roześmiał się gromko. – Szkoda, że nie widzicie swoich twarzy! Co? Myśleliście, że tylko wam się upiekło? – Znowu się zaśmiał.

Nikt z nas nawet nie drgnął.

– Chyba są w szoku, Nate – odezwał się inny mężczyzna.

– Napędziliśmy im strachu – powiedziała jakaś kobieta. – Dziwisz im się?

Czekali, przestępując z nogi na nogę, podczas gdy my wciąż staliśmy w bezruchu.

Pierwszy otrząsnął się Jared.

– Kim jesteście? – zapytał półgłosem.

Przywódca tamtych ponownie się zaśmiał.

– Ja jestem Nate, miło mi was poznać, choć pewnie jesteście ciągle innego zdania. To jest Rob, Evan, Blake, Tom, Kim i Rachel. – Wskazywał dłonią kolejne osoby, a te przytakiwały głową na dźwięk swoich imion. Spostrzegłam jeszcze jednego mężczyznę, nieco z tyłu, którego nie przedstawił. Miał jaskraworude, kręcone włosy, które rzucały się w oczy – tym bardziej że był najwyższy z całej grupy. Jako jedyny sprawiał wrażenie nieuzbrojonego. Przypatrywał mi się uważnie, więc odwróciłam wzrok. – Ale w sumie jest nas dwadzieścia dwie osoby – dodał Nate.

Potem wyciągnął dłoń w naszą stronę.

Jared wziął głęboki oddech, po czym zrobił krok do przodu, a wtedy reszta naszej grupy cicho odetchnęła, wszyscy naraz.

– Mam na imię Jared. – Uścisnął Nate'owi dłoń i lekko się uśmiechnął. – A to Melanie, Aaron, Brandt, Ian i Wanda. W sumie jest nas trzydzieścioro siedmioro.

Kiedy Jared wymówił moje imię, Ian przeniósł ciężar ciała tak, by całkiem mnie zasłonić. Dopiero wtedy dotarło do mnie, że wciąż grozi mi takie samo niebezpieczeństwo, jakie groziłoby pozostałym, gdyby ci ludzie rzeczywiście okazali się Łowcami. Zupełnie jak na początku. Starałam się pozostać w całkowitym bezruchu.

Nate zamrugał i wybałuszył oczy.

– No, no. Pierwszy raz ktoś mnie przebił.

Teraz to Jared zamrugał.

– Znaleźliście innych?

– Wiemy o trzech innych kryjówkach. Gail ma jedenaście osób, Russel siedem, a Max osiemnaście. Jesteśmy z nimi w kontakcie. Czasem nawet trochę handlujemy. – Znowu wybuchł tubalnym śmiechem. – Ellen od Gaila polubiła mojego Evana, a Carlosowi spodobała się Cindy od Russella. No i oczywiście od czasu do czasu każdy potrzebuje Burnsa... – Urwał nagle, rozglądając się niespokojnie, jakby powiedział coś, czego nie powinien. Na chwilę zatrzymał wzrok na wysokim rudzielcu, który nadal mi się przyglądał.

– Miejmy to z głowy – powiedział niewysoki, ciemny mężczyzna stojący obok Nate'a.

Ten zmierzył nasze skromne szeregi podejrzliwym spojrzeniem.

– No dobra. Rob ma rację. Załatwmy to od razu. – Wziął głęboki oddech. – Tylko wrzućcie na luz i wysłuchajcie nas do końca. Bez nerwów. Ludzie czasem bzikują, gdy o tym słyszą.

– Zawsze – wymamrotał Rob. Jego dłoń spoczywała teraz na przytroczonej do biodra kaburze.

– Co? – zapytał Jared beznamiętnym tonem.

Nate westchnął, po czym skinął ręką w stronę wysokiego mężczyzny o rudych włosach. Wtedy ten wystąpił do przodu, krzywo się uśmiechając. Miał piegi, tak jak ja, tyle że sto razy więcej. Pokrywały mu twarz tak gęsto, że jasna cera sprawiała wrażenie ciemnej. Oczy miał ciemne – może granatowe.

– To jest Burns. Jest z nami, więc nie panikujcie. To mój najlepszy druh – tysiąc razy uratował mi życie. Należy do naszej rodziny i bardzo nie lubimy, gdy ktoś próbuje go zastrzelić.

Jedna z kobiet z wolna wyciągnęła broń i trzymała ją skierowaną lufą ku ziemi.

Rudy mężczyzna odezwał się wysokim, osobliwie łagodnym głosem.

– Bez obaw, Nate. Zobacz, oni mają swoją. – Wskazał prosto na mnie, aż Ian zesztywniał. – Chyba nie tylko ja się zasymilowałem.

Uśmiechnął się do mnie, po czym przekroczył pustą przestrzeń, ziemię niczyją oddzielającą plemiona, i wyciągnął do mnie rękę.

Obeszłam Iana, nie zważając na jego cichą przestrogę, gdyż poczułam się nagle pewnie i bezpiecznie.

Podobało mi się określenie, którego użył Burns. Asymilacja.

Burns zatrzymał się przede mną i opuścił nieco rękę, biorąc poprawkę na mój wzrost. Ujęłam jego dłoń – była twarda i zgrubiała w porównaniu z moją – i ją uścisnęłam.

– Burns Żywe Kwiaty – przedstawił mi się.

Otworzyłam szeroko oczy. Planeta Ognia – kto by pomyślał.

– Wagabunda – odparłam.

– Miło mi cię poznać. To niesamowite uczucie. Dotychczas myślałem, że jestem wyjątkiem.

– Bynajmniej – odparłam, myśląc o Sunny. Może jednak żadne z nas nie było tak niezwykłe, jak nam się zdawało.

Uniósł brew, zaciekawiony.

– Naprawdę? W takim razie może jednak jest dla tej planety jakaś nadzieja.

– To dziwny świat – powiedziałam cicho, bardziej do siebie niż do niego.

– Jak żaden inny – przytaknął.

Spis treści

Prolog ZABIEG ... 7
Rozdział 1. WSPOMNIENIE ... 11
Rozdział 2. GŁOSY ... 15
Rozdział 3. OPÓR ... 22
Rozdział 4. SEN ... 31
Rozdział 5. PŁACZ ... 40
Rozdział 6. GOŚĆ ... 48
Rozdział 7. SPIĘCIE ... 57
Rozdział 8. MIŁOŚĆ ... 66
Rozdział 9. ODKRYCIE ... 77
Rozdział 10. ZAKRĘT ... 87
Rozdział 11. PRAGNIENIE ... 93
Rozdział 12. KRES ... 103
Rozdział 13. WYROK ... 109
Rozdział 14. SPÓR ... 120
Rozdział 15. CELA ... 125
Rozdział 16. STRZELBA ... 132
Rozdział 17. ODWIEDZINY ... 143
Rozdział 18. BEZCZYNNOŚĆ ... 154
Rozdział 19. ROZSTANIE ... 163
Rozdział 20. WOLNOŚĆ ... 171
Rozdział 21. IMIĘ ... 181
Rozdział 22. ZGODA ... 191
Rozdział 23. WYZNANIE ... 200
Rozdział 24. ZMIANA ... 210
Rozdział 25. PRESJA ... 220
Rozdział 26. POWRÓT ... 230
Rozdział 27. DYLEMAT ... 240
Rozdział 28. TAJEMNICA ... 248
Rozdział 29. ZDRADA ... 259
Rozdział 30. CHOROBA ... 268
Rozdział 31. ZADANIE ... 279
Rozdział 32. ZASADZKA ... 292
Rozdział 33. KŁAMSTWO ... 300

Rozdział 34. POGRZEB . . . 309
Rozdział 35. SĄD . . . 318
Rozdział 36. WIARA . . . 326
Rozdział 37. ZAZDROŚĆ . . . 335
Rozdział 38. DOTYK . . . 343
Rozdział 39. NIEPOKÓJ . . . 353
Rozdział 40. ZGROZA . . . 364
Rozdział 41. ZNIKNIĘCIE . . . 372
Rozdział 42. PRZYMUS . . . 382
Rozdział 43. GORĄCZKA . . . 389
Rozdział 44. POMOC . . . 400
Rozdział 45. SUKCES . . . 409
Rozdział 46. KRĄG . . . 418
Rozdział 47. MISJA . . . 425
Rozdział 48. WPADKA . . . 433
Rozdział 49. PRZESŁUCHANIE . . . 443
Rozdział 50. OFIARA . . . 453
Rozdział 51. PRZYGOTOWANIA . . . 462
Rozdział 52. OPERACJA . . . 472
Rozdział 53. PRZEZNACZENIE . . . 482
Rozdział 54. NIEPAMIĘĆ . . . 492
Rozdział 55. WIĘŹ . . . 500
Rozdział 56. JEDNIA . . . 510
Rozdział 57. FINISZ . . . 517
Rozdział 58. KONIEC . . . 528
Rozdział 59. WSPOMNIENIE . . . 538
Epilog . . . 547

GRUPA WYDAWNICZA
PUBLICAT S.A.

Firma rozpoczęła swoją działalność w 1990 roku pod nazwą Podsiedlik-Raniowski i Spółka. W 2004 roku przyjęto nazwę PUBLICAT S.A., w tym samym roku w skład grupy PUBLICAT weszło wrocławskie Wydawnictwo Dolnośląskie. W 2005 roku dołączyło do niej katowickie Wydawnictwo Książnica. Rok 2006 to objęcie nazwą Papilon programu książek dla dzieci. W roku 2007 częścią grupy stała się warszawska Elipsa.

Papilon – baśnie i bajki, klasyka polskiej poezji dla dzieci, wiersze i opowiadania, książki edukacyjne, nauka języków obcych dla dzieci

Publicat – książki kulinarne, poradniki, książki popularnonaukowe, literatura krajoznawcza, hobby, edukacja

Elipsa – albumy tematyczne: malarstwo, historia, krajobrazy i przyroda, albumy popularnonaukowe

Wydawnictwo Dolnośląskie – literatura faktu i poradnikowa, historia, biografie, literatura współczesna, kryminał i sensacja, fantastyka, literatura dziecięca i młodzieżowa

Książnica – literatura kobieca, powieść historyczna, powieść obyczajowa, fantastyka, sensacja, thriller i horror, beletrystyka w wydaniu kieszonkowym, książki popularnonaukowe

Publicat S.A., 61-003 Poznań, ul. Chlebowa 24, tel. 061 652 92 52, fax 061 652 92 00, e-mail: office@publicat.pl, www.publicat.pl
Oddział w Katowicach: Wydawnictwo Książnica, 40-160 Katowice, Al. W. Korfantego 51/8, tel. 032 203 99 05, fax 032 203 99 06, e-mail: ksiaznica@publicat.pl
Oddział we Wrocławiu: Wydawnictwo Dolnośląskie, 50-010 Wrocław, ul. Podwale 62, tel. 071 785 90 40, fax 071 785 90 66, e-mail: wydawnictwodolnoslaskie@publicat.pl
Oddział w Warszawie: 00-466 Warszawa, ul. Polna 46/7